D0717293

WACHTERS VAN DE LEEGTE

DE VERHEVEN STEEN
DEEL II

Van Margaret Weis zijn verschenen:

DRAKENVALD
Drakenvrouwe*
Drakenzoon*
Drakenmeester*

Van Margaret Weis en Tracy Hickman zijn verschenen:

DE POORT DES DOODS
Boek 1 Drakevleugel*
Boek 2 ElfenSter*
Boek 3 VuurZee*
Boek 4 ToverSlang*
Boek 5 ChaosSchepper*
Boek 6 DwaalWegen*
Boek 7 MeesterPoort*

DE DOODSZWAARD SERIE
Boek 1 De Schepping van het DoodsZwaard*
Boek 2 De Doem van het DoodsZwaard*
Boek 3 De Triomf van het DoodsZwaard*
Boek 4 De Erfenis van het DoodsZwaard*

DE ROOS VAN DE PROFEET
Boek 1 Het bevel van de Zwerver*
Boek 2 Paladijn van de Nacht*
Boek 3 Profeet van Akhran*

DE VERHEVEN STEEN
Boek 1 Bron van Duisternis*
Boek 2 Wachters van de Leegte*
Boek 3 Reis voorbij het Einde*

DE OORLOG DER ZIELEN
Boek 1 Draken van een Gevallen Zon
Boek 2 Draken van een Verloren Ster
Boek 3 Draken van een Verdwenen Maan

*In POEMA - POCKET verschenen

Weis & Hickman

WACHTERS VAN DE LEEGTE

DE VERHEVEN STEEN
DEEL II

Vierde druk
© 2000 Margaret Weis, Tracy Hickman en Larry Elmore
Published by arrangement with HarperCollins Publishers, Inc.
All rights reserved
© 2002, 2008 Nederlandse vertaling
Uitgeverij Luitingh ~ Sijthoff B.V., Amsterdam
Alle rechten voorbehouden
Oorspronkelijke titel: *Guardians of the Lost*
Vertaling: Josephine Ruitenberg
Omslagontwerp: Wouter van der Struys
Omslagillustratie: David Hardy

ISBN 978 90 245 5616 8

www.boekenwereld.com & www.poemapocket.com

Woord van dank

De wereld van de Verheven Steen is ontsproten aan het brein en het hart van de bekende fantasykunstenaar Larry Elmore. We zijn hem dankbaar voor zijn schepping en voor de voortdurende hulp en steun die hij ons biedt bij het tot leven brengen van zijn visioen in onze woorden, zoals hij het zelf tot leven brengt met zijn kunst.

We willen ook de mensen van Sovereign Press bedanken, die het rollenspel van de Verheven Steen uitbrengen en met Larry en ons hebben samengewerkt om deze wereld te kunnen delen met de onversaagde avonturiers die haar willen verkennen en er hun eigen avonturen willen beleven. We zijn Don Perrin, Tim Kidwell en Jamie Chambers erkentelijk voor hun bijdragen op dit gebied. We willen Jean Rabe en Janet Pack bedanken voor hun werk aan de tanen, en de kunstenaars Stephen Daniele, Alan Gutierrez en Joy Marie Ledet voor de illustraties in dit boek.

Tot slot bedanken we onze redacteuren, Caitlin Blasdell en Jennifer Brehl, voor hun wijsheid, hun geduld en hun eigen avonturiersgeest!

Margaret Weis en Tracy Hickman

DEEL

1

Gustav wist dat er iemand naar hem keek.

Hij had geen bewijs, niets concreters dan een gevoel, een instinct.

Zijn instinct had Gustav de Bastaardridder zeventig jaar lang in leven gehouden. Hij wist wel beter dan het te negeren.

Drie dagen geleden had hij voor het eerst het gevoel gehad dat er iemand naar hem keek, toen hij was aangekomen in deze godverlaten wildernis. Hij had een oud pad langs de rivier de Deverel gevolgd. Het pad was waarschijnlijk door dieren uitgesleten, hoewel de mensen die eens in dit gebied hadden geleefd het misschien ook wel hadden gebruikt. Als ze dat hadden gedaan, hadden ze het pad allang weer teruggegeven aan de herten en de wolven, want hun sporen waren de enige die Gustav zag.

Aangezien hij wist dat hij waarschijnlijk de enige mens was die de afgelopen honderd jaar voet in dit gebied had gezet, was het begrijpelijk dat Gustav verontrust was toen hij de eerste ochtend wakker werd met het uitgesproken gevoel dat hij niet alleen was.

Maar hij had geen concrete aanwijzingen. Zijn nachten, die hij in een tentje doorbracht, waren rustig en vredig. Soms werd hij wakker en dacht hij sluipende voetstappen buiten te horen, maar hij bleek zich altijd te hebben vergist. Zijn goed gedresseerde oorlogspaard, dat hem gewaarschuwd zou hebben als er zich iemand in de buurt had verscholen, was kalm en onbewogen en werd alleen gehinderd door vliegen.

Overdag, als hij zijn naspeuringen verrichtte, probeerde hij elke truc die er maar beschreven was – en hij had er zelf een boek mee vol kunnen schrijven – om een glimp van zijn achtervolger op te vangen. Hij keek uit naar een glinstering van zonlicht dat werd weerkaatst door metaal, maar zag niets. Hij bleef af en toe plotseling staan, zoals hij ook nu deed, om voetstappen te kunnen horen die nog weerklonken nadat de zijne waren weggestorven. Hij zocht naar tekenen dat er iemand anders in de nabijheid was: voetafdrukken op de modderige rivieroever waar hij zich 's ochtends waste, vissenkoppen van het avondeten van de achtervolger, gebroken twijgjes of weggebogen takken.

Niets. Gustav hoorde niets. Hij zag niets. Maar intuïtief voelde hij alles, voelde hij de ogen van de achtervolger in zijn rug prikken en voelde hij dat de blik uit die ogen vijandig was.

Gustav was er echter niet de man naar om zich door een onaangenaam gevoel van zijn queeste af te laten brengen. Zijn zoektocht, waaraan hij veertig jaar geleden was begonnen, had hem hierheen gebracht en hij was niet van plan te vertrekken voordat die zoektocht was voltooid. Hij had de omgeving nu drie dagen lang verkend en had nog niets gevonden.

Hij wist niet eens zeker of hij op de juiste plek zocht. Zijn enige leidraad was een korte beschrijving die op het gemummificeerde lichaam van een van de monniken van de Drakenberg stond. Nadat hij al jaren op zoek was geweest, en steeds weer op een doodlopend spoor terecht was gekomen, was ridder Gustav nog een laatste maal teruggekeerd naar hun klooster.

De monniken van de Drakenberg waren de bewaarders van de geschiedenis van Loerem. De monniken en hun afgevaardigden reisden over het continent om de geschiedenis te aanschouwen terwijl die zich voltrok, en die op hun eigen lichaam vast te leggen. Hun lichamen, die na hun dood intact bleven door de heilige thee die de monniken tijdens hun leven dronken, werden met alle kennis die erop was vastgelegd bewaard in de gewelven van de Drakenberg. Iedereen op Loerem die op zoek was naar kennis over het verleden, kon naar de berg gaan en die kennis vinden temidden van de sluimerende doden.

Gustav had over elk volk op Loerem de geschiedkundige verslagen gelezen uit de periode waarin hij geïnteresseerd was. Hij had talloze plekken gevonden waar het voorwerp van zijn queeste zich zou kunnen bevinden. Hij had al die plekken en nog een heleboel andere bezocht en stond nog steeds met lege handen. Was er een brokje informatie dat hij had gemist? Iets, wat dan ook, dat hem een aanwijzing zou kunnen geven? Hadden de monniken echt alle gegevens bestudeerd?

Een acoliet luisterde met grote belangstelling naar de oudere ridder en nam Gustav, met toestemming van de monniken, mee naar het heilige gewelf. Samen onderzochten ze de gemummificeerde resten van de historici die daar lagen, elk met hun geschiedenis over hun ledematen getatoeëerd. Gustav herkende elk lichaam. Na lange jaren van samenwerking waren hij en deze lichamen vrienden geworden.

'U zegt dat u hen allemaal hebt gelezen,' zei de acoliet. 'Maar hebt u eraan gedacht deze te bekijken?'

De monnik bleef staan naast het lichaam van een mensenvrouw die helemaal aan het eind van de lange rij lag. Gustav keek naar het lichaam en kon zich niet herinneren haar ooit eerder te hebben gezien. 'Ach, waarschijnlijk niet.' De acoliet knikte. 'Zij was deskundig op het gebied van het pecwae-volk. Uw eerdere gidsen hier dachten waarschijnlijk niet dat de pecwae's iets met de Verheven Steen te maken konden hebben.'

Gustav dacht hierover na en haalde zijn schouders op. 'Ik kan het me ook niet voorstellen, maar ik heb alle andere mogelijkheden onderzocht.'

'Hebt u dat?' vroeg de acoliet vriendelijk. 'Hebt u de mogelijkheid overwogen dat het deel van de Verheven Steen dat u zoekt is vernietigd door de klap die Oud Vinnengael tweehonderd jaar geleden met de grond gelijk heeft gemaakt?'

'Ik heb eraan gedacht, maar ik weiger dat te geloven,' antwoordde Gustav kalm. 'De goden hebben ons ons deel van de Steen gegeven, net zoals ze de andere volken een deel hebben gegeven. Dat van ons is zoekgeraakt, dat is alles. Laten we eens kijken wat deze geschiedschrijfster van de pecwae's ons te vertellen heeft.'

De acoliet bekeek mompelend en zijn hoofd schuddend de tatoeages op het lichaam. De tatoeages zijn magisch. De historicus zet zijn gedachten om in tatoeages op zijn lichaam, en die tatoeages brengen later die gedachten weer over aan de monniken die hebben doorgeleerd in die magie. Door zijn hand op de tatoeage te leggen en de betovering te activeren (de magie is een goed bewaard geheim onder de monniken), kreeg de acoliet in zijn hoofd alle beelden, woorden en gedachten die de monnik had gehad toen hij dit deel van de geschiedenis vastlegde.

Gustav keek naar het gezicht van de acoliet en zag de informatie eroverheen trekken als wind over een roerloos wateroppervlak. De denkrimpels verdwenen. De blik van de acoliet klaarde op.

'Ik heb iets,' zei hij voorzichtig. 'Stelt u zich er niet te veel van voor. Het is niet meer dan een curiositeit, maar die valt wel binnen de juiste periode.'

'Ik ben overal blij mee,' zei Gustav, en hij hoopte dat hij niet zo wanhopig klonk als hij zich begon te voelen.

De ridder was zeventig en naderde dus zijn eigen eeuwige slaap. Hij was een dappere krijger en had de Dood in het gezicht gezien, had zelfs op meer dan één slagveld die heer de hand geschud. Gustav was niet bang voor de oneindige stilte. Hij zou naar zijn laatste rust verlangen, als hij er maar zeker van kon zijn dat die rust vredig was. Als hij gedwongen werd de wereld te verlaten voordat zijn zoektocht was voltooid, vreesde hij dat hij een van die droevige geesten zou worden die gedoemd zijn om gekweld rond te dolen, voor altijd op zoek en nooit iets vindend.

'Het heeft iets te maken met de graftombe van een baak,' vertelde de acoliet. 'Een baak die Wachter werd genoemd.'

Gustav luisterde terwijl de acoliet het verhaal vertelde van een uitgehongerde baak, de pecwae's die hem redden en de ongebruikelijke begrafenis van de baak. Toen hij aankwam bij de passage waarin werd gezegd dat de baak met een magische schat was begraven, raakte Gustav geïnteresseerd. Hij vroeg de acoliet die passage te herhalen. Was het mogelijk dat de heilige en machtige Verheven Steen al die jaren op het ontbindende lijk van een monster had gelegen? Gustav kon het nauwelijks geloven, maar dit was de laatste en enige aanwijzing die hem restte.

De beschrijving die de monnik gaf van de plek waar de tombe zich bevond, was algemeen van aard. De geschiedschrijvende monniken gebruiken oriëntatiepunten in het landschap, want niemand weet beter dan zij dat kunstmatige grenzen die door de mens zijn bepaald, schuiven met de politieke getijden. In dit geval zou het gebied tweehonderd jaar geleden in Dunkarga hebben gelegen, maar nu lag het in Karnu, nadat een burgeroorlog het land had gespleten.

De monnik had een berg beschreven die de vorm had van een adelaarssnavel en ten westen lag van een immense rivier die van noord naar zuid liep en zelf weer ten westen lag van de Drakenberg. De plek waar de baak begraven was, lag ergens tussen de rivier en de berg in. Gustav had vastgesteld dat de rivier de Deverel moest zijn. Door de richtlijnen van de geschiedschrijfster te volgen, die aanwijzingen omvatten als: 'in de schaduw van de berg op het middaguur' en 'zeventien dagen reizen vanaf de voet van de berg', was hij aangekomen op wat hem de waarschijnlijkste lokatie leek.

Gustav concludeerde dat de oude vestigingsplaats dicht bij een waterbron moest liggen, want het zou gewoonweg nooit bij pecwae's opkomen om een put te slaan of een aquaduct te bouwen; ze werden alom beschouwd als de meest luie mensen op Loerem.

De Deverel vormde de grens tussen het Vinnengaelse Rijk en het koninkrijk Karnu. Als Gustav door een van de grensplaatsen was gereisd, zou hij daar aan beide kanten gewapende wachters hebben gezien, die dreigend naar elkaar stonden te kijken op plekken waar de rivier smal was en misschien hun geluk beproefden met het afschieten van een enkele pijl, want de twee mensenkoninkrijken waren op dat moment, zij het niet officieel, in oorlog. In werkelijkheid trok Gustav door een wildernis waar waarschijnlijk geen enkele beschaving meer had geleefd sinds de pecwae's er honderd jaar eerder waren vertrokken.

Aangezien Gustav in Vinnengael was geboren, zou hem openlijke vijandigheid of misschien wel erger ten deel zijn gevallen als hij op grondgebied van Karnu werd ontdekt en zijn ware identiteit werd onthuld. Maar hij was niet bang dat dat zou gebeuren. De Bastaardridder had in de jaren dat hij op de straten en in de steegjes van Nieuw Vinnengael had geleefd het talent ontwikkeld om onopgemerkt door vijandelijke plaatsen en steden te trekken. Als hij dat wilde, was Gustav gewoon een oude man die in zijn eentje over achterafwegen zwierf en probeerde de dood voor te blijven. Niemand die hem zag, zou dan een Domeinheer in hem herkennen.

Nadat hij zijn basiskamp ongeveer anderhalve kilometer ten westen van de rivieroever had opgeslagen, begon Gustav aan zijn zoektocht naar het graf van de baak. Hij pakte het ontmoedigende karwei systematisch aan. Eerst verdeelde hij het gebied in vakken, en daarna bracht hij zijn dagen door met het in een vast patroon aflopen van die vakken. Honderd stappen naar het noorden. Honderd stappen naar het oosten. Honderd stappen naar het zuiden. Dan naar het westen, honderd stappen terug naar het beginpunt. Als hij een vierkant had gedaan, begon hij aan het volgende.

Drie dagen. Hij had nog niets gevonden, maar hij was niet ontmoedigd. Hij had nog vier vierkanten te gaan in dit vak, nog vier om te verkennen. Als hij daar niets vond, was hij van plan om vijftien kilometer langs de rivier naar het zuiden te trekken en daar opnieuw te beginnen.

En al die tijd keek er iemand toe.

Op de ochtend van de vierde dag ontwaakte Gustav uit een lichte slaap waar hij niet erg van was uitgerust. Hij was 's nachts wel drie keer wakker geworden met het idee dat hij iets hoorde buiten zijn tent. Elke keer dat hij wakker was, had hij moeten plassen. Een zwakke blaas, slechts een van de gebreken die de ouderdom bracht. De ridder kwam slaperig zijn kleine tent uit en zag dat het een mooie dag beloofde te worden, helder en zonnig. Het was vroeg in de zomer, de tijd dat de bladeren nog frisgroen zijn, voordat het droge stof er een laagje over legt, de hitte hen doet verwelken en de rupsen hen aanvreten. Gustav bekeek de grond rond de tent zorgvuldig, maar zag alleen zijn eigen voetafdrukken.

Gustav liep naar de rivier, waste zich en ging een stukje zwemmen om de laatste slaap uit zijn hoofd te verdrijven. Hij zag geen sporen langs de rivier. Hij nam water mee terug voor zijn paard, zorgde ervoor dat het dier op een stuk grond met mals gras en klaver stond, en ging toen op weg naar het beginpunt van zijn zoektocht van die dag.

Toen hij door het kreupelhout liep, met de zon warm in zijn nek, bleef Gustav plotseling staan. Hij trok zijn laars uit, tuurde er geërgerd in, keerde hem om en schudde ermee, alsof hij dacht dat er zich in de nacht een onwelkome gast in had genesteld. Terwijl hij dat deed, luisterde hij met gespitste oren en wierp hij snelle blikken naar links en rechts.

Vogels zongen vrolijk, bijen zoemden tussen de citroenmelisse en vliegen gonsden langs hem heen.

Gustav trok zijn laars weer aan en vervolgde zijn weg. Hij had zijn zwaard meegenomen op zijn verkenningstocht, iets wat hij zelden deed, en terwijl hij met zijn ogen de grond afzocht naar een spoor van een oude pecwae-nederzetting, keek hij ook uit naar platgetrapt gras of misschien een stukje stof dat aan een doornstruik was blijven haken. Zijn oren waren gespitst en hij was zo alert dat hij het hoorde als een eekhoorn op honderd meter afstand boos tjirpte omdat hij werd gestoord.

'De goden zij dank beschik ik op mijn zeventigste nog over mijn volle gehoor en het grootste deel van mijn gezichtsvermogen en mijn gebit,' zei Gustav onder het lopen grijnzend bij zichzelf.

Afgezien van zijn gedwongen nachtelijke uitstapjes het struikgewas in, waren de voortschrijdende jaren mild voor hem geweest. Zijn gezichtsvermogen was iets minder geworden, maar niet in de verte, alleen dichtbij. Na zijn veertigste had hij een boek steeds verder weg moeten houden om het te kunnen lezen. Een zeeman, een ork, had hem een opmerkelijke uitvinding verkocht: twee stukjes vergrotend glas in een metalen montuur dat hij op zijn neus zette en waarmee hij weer kon lezen. Die achteruitgang van zijn ogen was het enige duidelijke symptoom geweest van het verstrijken van de jaren, en een lichte stijfheid in de gewrichten als hij 's ochtends wakker werd, die meestal wel weer werd verdreven door een flinke wandeling.

Hij liep net te denken dat hij veel geluk had gehad dat hij zijn tanden en kiezen nog had – hij had te veel oude mannen gezien die hun avondeten uit een soepkom moesten opslurpen – toen hij op de aanwijzing stuitte waarnaar hij op zoek was geweest.

Zelfs in zijn opwinding en blijdschap bleef de ridder luisteren naar de geluiden van het bos en probeerde hij dat ene geluid eruit te pikken dat er niet thuishoorde. Hij hoorde niets ongebruikelijks en bukte zich om zijn vondst nader te bekijken: een kring van stenen, zwartgeblakerd van vuur.

De kring lag midden in een sparrenbosje en was er al heel lang, zo lang dat er aan alle kanten onkruid en planten om de stenen heen groeiden. Hij had kunnen denken dat het een natuurlijke formatie was, maar het was niet de natuur die de stenen in die cirkel hadden gelegd. Het waren handen geweest. Handen hadden de vuren aangelegd waardoor ze zwartgeblakerd waren. Handen van pecwae's? Gustav had meer aanwijzingen nodig.

Hij begon om de kring van stenen heen te zoeken. Pecwae's hebben maar weinig persoonlijke bezittingen en wat ze hebben, nemen ze mee als ze weggaan. Daarom was hij opgetogen toen hij de scherven van een gebroken pot van klei vond, binnen een paar meter van de vuurkring. Toen hij de stukken aaneenpaste, zag hij dat het een kleine pot was, die door kleine handjes gebruikt kon zijn.

Gustav zocht geduldig elk stukje grond af en werd uiteindelijk beloond. Een glinstering van metaal trok zijn aandacht. Hij hurkte neer en gebruikte zijn dolk om het glanzende voorwerp voorzichtig los te wrikken uit de grond, waarin het gedeeltelijk begraven lag. Er kwam een klein zilveren ringetje uit de aarde, een ringetje dat een mensenkind gepast zou hebben. Hij twijfelde er echter niet aan dat het een pecwae-ring was, want er was een turkoois in gezet, de steen die voor de pecwae's waardevoller is dan goud, omdat ze hem als magisch beschouwen.

Terwijl hij hem in zijn vingers ronddraaide, vroeg Gustav zich af hoe zo'n kostbare ring verloren kon zijn geraakt. Was hij weggeworpen tijdens een ruzie tussen gelieven? Gevallen in de paniek van een overhaaste vlucht? Of hadden de goden hem hier neergelegd als teken voor hem? Gustav sloot zijn hand om de schat en zocht verder.

Hij vond niets meer, maar de ring had hem ervan overtuigd dat dit een pecwae-nederzetting was geweest. Maar was het ook de nederzetting die de monnik had bezocht? Het enige dat hem nog restte, was te zoeken naar de grafheuvel. Gustav liep in een kring om de nederzetting heen en maakte de kring bij elke rondgang groter. De bomen stonden hier ver uiteen, een mogelijke aanwijzing dat het bos lang geleden gekapt was om gewassen te kunnen verbouwen. De pecwae's waren geen boeren, maar de Trevinici, een mensenvolk dat hen beschermde, zouden de bodem hebben bewerkt en zo hun sporen hebben achtergelaten. Aan de rand van een met kreupelhout overdekte rechthoek land die eens een veld met graan of maïs kon zijn geweest, vond Gustav een heuvel, een grote, met gras overgroeide heuvel.

Hij wierp een blik op de zon. Nog een paar uur daglicht te gaan. Hij liep om de heuvel heen en onderzocht die nauwkeurig, met de beschrijving van de monnik in gedachten.

Nadat ze het lichaam van de baak in de graftombe hadden gelegd, dichtten de pecwae's de ingang af met gestapelde stenen en bedekten die toen met een laag modder.

En daar was hij. Een primitieve stenen muur. Gustav bleef staan, niet zozeer opgetogen door zijn vondst als wel verontrust.

Volgens de geschiedschrijfster hadden de pecwae's de stenen met modder afgedekt. In de tussenliggende jaren zouden er grassen en onkruid wortel hebben geschoten in de modder, waardoor de stenen muur deels verborgen zou zijn. Gustav had grote moeite moeten hebben om de muur te vinden, maar die was heel duidelijk te zien.

De grassen en het onkruid waren uitgetrokken en op de grond gegooid. Toen hij kluitjes aarde vond waar het gras nog uitstak, pakte hij een van de kluitjes op en bekeek het zorgvuldig. Het gras was nog groen en begon maar net te verwelken. Er was hier iemand geweest.

Gustav onderzocht de stenen van de muur. Hij zag tekenen dat ze van hun plaats waren geweest en daarna teruggeduwd, met de bedoeling de indruk te wekken dat ze niet waren aangeraakt. De ridder wist wel beter. De pecwae's zijn geen bouwers. Ze zouden weinig meer hebben gedaan dan de ene steen op de andere stapelen en er geen moment aan hebben gedacht om ze passend te maken of te voegen. Het vuil der jaren zou tussen de stenen zijn gekropen. Er zouden spinnen, wormen en mieren tussendoor kruipen.

Deze stenen waren schoon. De insecten waren verdreven.

Gustav vloekte. Hij vervloekte vooral zichzelf, zijn methodische, systematische aard. Terwijl hij vierkanten had gelopen in zijn stomme vakken, had iemand anders het graf gevonden. Terwijl hij stappen had geteld, had iemand anders het graf geopend.

Gustav ging in het gras zitten om uit te rusten, uit zijn waterzak te drinken en na te denken over deze onverwachte ontwikkeling. Iemand had het graf van de baak een paar dagen eerder gevonden dan hij.

Toeval? Het graf was honderd jaar lang onaangeraakt en onopgemerkt gebleven. Het was natuurlijk mogelijk dat iemand anders het tegelijk met Gustav in zijn hoofd had gekregen om op deze afgelegen plek naar het graf te gaan zoeken, maar dat leek hem zeer onwaarschijnlijk.

Iemand had geweten dat hij eraan kwam.

Gustav dacht terug aan alles wat hij de afgelopen maanden had gedaan en gezegd. Hij had nooit een geheim gemaakt van zijn zoektocht naar de Verheven Steen. Maar Gustav was een enigszins teruggetrokken man, die zich niet snel blootgaf. Hij was er de man niet naar om elke vreemdeling die hij in een bierhuis ontmoette te vertellen waar hij mee bezig was. De monniken van de Drakenberg wisten dat hij op zoek was gegaan naar het graf. Maar de monniken zijn beschrijvers van de geschiedenis, niet de makers ervan. Als een van de monniken met hem mee had willen komen, dan had hij dat gedaan, samen met zijn volledige gevolg van kolossale, toegewijde lijfwachten. Gustav had de monniken niet gevraagd zijn bestemming geheim te houden. Daar had hij geen noodzaak toe gezien en ze zouden het aan iedereen hebben kunnen vertellen die ernaar had gevraagd.

Iemand had het graf geopend en vermoedelijk was iemand er binnen geweest. Grafdieven? Gustav betwijfelde het. De doorsnee grafdief zou ervandoor zijn gegaan met de buit en het graf niet weer hebben dichtgemaakt. Iemand had zich veel tijd en moeite getroost om die stenen terug te leggen.

'Die persoon wil niet dat ik mijn expeditie opgeef,' mompelde Gustav. 'Wie het ook is, hij wil dat ik denk dat het graf ongeschonden is. Hij is bang dat ik, als ik het graf geopend zou vinden, weg zou gaan zonder erin te zijn geweest. Wat bewijst dat deze persoon me niet erg goed kent.' Gustav glimlachte, maar het was een grimmige glimlach. 'Hij heeft al die tijd gewacht totdat ik het graf vond. Hij heeft zich zorgvuldig verborgen gehouden. Hij wil dat ik naar binnen ga. Waarom? Dat is de vraag. Waarom?'

Daar had hij geen zinnig antwoord op. Eén ding was zeker. Wie deze persoon ook was en wat het ook was dat hij wilde, Gustav was niet van plan hem teleur te stellen. Hij begon de stenen muur af te breken.

Dat kostte hem niet veel tijd. De stenen waren haastig op elkaar gestapeld en lagen schots en scheef. Hij had de opening snel vrijgemaakt.

Er dreef koele, vochtige lucht met de muskusachtige geur van vers omgeploegde aarde uit de heuvel. Door het zonlicht kon hij een klein stukje naar binnen kijken en hij was aangenaam verrast te zien dat de tunnel na al die jaren nog intact was. Hij had verwacht dat een tunnel in de aarde die door pecwae's was gegraven, die niet de moeite zouden hebben genomen om hem met balken te stutten, onvermijdelijk kort na de bouw zou zijn ingestort. De tunnel had gladde wanden en was ongeveer anderhalve meter hoog en ruim een meter breed; hij verdween in het donker.

Was er iemand de tunnel binnengegaan? Als dat zo was, zou dat te zien zijn. Gustav liet zich bij de ingang op zijn hurken zakken en onderzocht de vloer en de muren op voetafdrukken en andere sporen. Hij vond voetafdrukken, van kleine, blote pecwae-voeten. Heel veel, in beide richtingen, zodat alleen een paar afdrukken dicht bij de muur van de tunnel duidelijk waren. De aarde van de vloer was droog en compact, en de afdrukken van de voeten waren bewaard gebleven. Dit waren de sporen van degenen die de tunnel hadden gemaakt, niet die van een indringer.

Gustav stelde zich voor hoe de pecwae's met hun hoge stemmetjes opgewonden hadden gekwebbeld. Hij voelde zich over al die jaren heen met hen verbonden en was blij dat ze iemand die hen tot het eind toe trouw had gediend de gepaste eerbied hadden betoond.

Gustav richtte zich op en liep terug de zon in. Hij keek om zich heen en luisterde ingespannen, maar hij hoorde niets en zag niemand. Zoals gewoonlijk voelde hij dat er ogen op hem waren gericht. Nadat hij zijn knapzak op de grond had gezet, haalde hij er wat spullen uit die hij in de grafheuvel niet nodig zou hebben: eten, zijn landkaart. Die liet hij buiten liggen. Hij liet er een klein olielampje, vuursteen en tondel om het aan te steken, gereedschap om sloten te openen en water in zitten.

Toen hij zeker wist dat hij alles had wat hij nodig zou hebben, stak hij zijn armen achter de banden van de knapzak, hees die op zijn rug en liep naar de ingang van de heuvel. Op de drempel bleef de ridder staan. Terwijl hij zich omdraaide, legde hij opzettelijk zijn hand op het gevest van zijn zwaard en wierp hij een lange, veelbetekenende blik achter zich.

'Ik weet dat je er bent,' zei hij tegen de onzichtbare toeschouwer. 'Ik verwacht je. Denk niet dat je me kunt overrompelen.'

Hij nam niet de moeite om op antwoord te wachten.

Hij draaide zich om, bukte en ging de grafheuvel binnen.

Gustav had nog maar één stap de grafheuvel in gezet toen hij de magie voelde.

Gustav bezat zelf geen vaardigheden in die mysterieuze kunst, een feit waarover hij als kind bitter had getreurd, omdat hij zich ten onrechte had voorgesteld dat magie al zijn problemen zou oplossen, al zijn zorgen zou wegnemen en alles goed zou maken. Met de jaren kwam het verstand, en een grotere kennis van magie en de offers die de beoefenaars ervan moesten brengen. De jaren brachten hem ook de magie in de vorm van het betoverde harnas, het geschenk van de goden aan de Domeinheren, de heilige ridders die door de goden worden gekozen en de Transfiguratie ondergaan.

Als een Domeinheer dit wonder ondergaat, geeft hij zich volledig aan de goden. Zijn lichaam verandert in het element dat verbonden is met zijn volk. Menselijke Domeinheren veranderen in steen. Elfen geven zich over aan lucht, orken aan water en dwergen aan vuur. Als het wonder is voltooid, komt de Domeinheer er levend en wel weer uit, en is dan verheven door het contact met de geest van de goden. Als beloning voor zijn vertrouwen en om hem te helpen bij het vervullen van zijn gelofte om de weerlozen te verdedigen, krijgt de Domeinheer een wonderbaarlijk, magisch harnas.

Dit harnas verleent de Domeinheer vele gaven, gaven op het gebied van magie, kracht, wijsheid en inzicht. Alle gaven zijn afhankelijk van en bedoeld voor de persoonlijkheid van de Domeinheer en houden rekening met zijn of haar eigen vaardigheden en het leven dat hij of zij na de Transfiguratie wil leiden. De goden weten meer van een man dan hijzelf, ze kunnen in zijn hart kijken, en de gaven die worden verleend, worden niet altijd meteen begrepen. De goden hadden Gustavs lange zoektocht voorzien. Ze gaven hem het vermogen om de aanwezigheid van magie te voelen, een vaardigheid die normaal gesproken alleen degenen die zijn geschoold in magie bezitten. Het harnas gaf hem echter niet het vermogen om magie te gebruiken, omdat de goden wisten dat zijn talenten niet op dat gebied lagen.

Hoewel Gustav dus geen magie kon gebruiken, afgezien van de magie van zijn harnas, kon hij wel magie voelen, zoals een ork op zee een naderende storm voelt, of een hond een ophanden zijnde aardbeving. Gustav bleef staan om het kousje van zijn olielamp aan te steken. Het was een zogenaamde dievenlantaarn, die graag door dieven werd gebruikt omdat de lantaarn een schuivend paneel had dat kon worden opgetild om licht te verspreiden of naar beneden geduwd om het licht af te schermen. Hij liet het licht om zich heen schijnen, maar zag niets.

Hij proefde de magie, liet die over zijn tong rollen; dat was de enige manier waarop hij de gewaarwording kon beschrijven die hij onderging als hij in de buurt van magie was. De smaak was niet vies. Zijn zintuigen werden niet overspoeld met bittere gal, zoals hem overkwam als hij in de nabijheid was van de vervloekte magie van de Leegte. Maar er was wel een impliciete dreiging. Hij werd gewaarschuwd om te vertrekken, om niet binnen te dringen.

Gustav hield de lantaarn omhoog en zette behoedzaam nog een paar stappen naar voren terwijl hij het licht over de muren van de tunnel liet schijnen, van het plafond naar de vloer. De pecwae's zijn bedreven in het gebruik van aardemagie, vooral de magie van stenen, en leggen vaak een ring van afwerende en beschermende stenen om hun tent bij wijze van bewaking. Zulke stenen zouden ze ook in de muren van de tunnel of in de vloer hebben kunnen inbedden.

Maar hij vond niets. De muren waren van aarde en onversierd. Er was nog geen kiezelsteen te bekennen. Dan was het dus geen pecwae-magie.

Toen Gustav verder de tunnel inliep, werd het gevoel van waarschuwing en naderend gevaar groter, en hij trok zijn zwaard. Misschien hing de geest van de dode baak hier nog, niet in staat om het mysterieuze voorwerp achter te laten dat het wezen zo lang had gekoesterd. Of misschien was het niet de geest van de baak, maar iets boosaardigers. Oude graven trekken andere wezens aan; sommige van vlees en bloed en andere niet.

De ridder had het zonlicht nu achter zich gelaten. Het enige licht was dat van zijn lantaarn. De tunnel liep verder door dan hij had verwacht, verder dan realistisch was, gezien de afmetingen van de heuvel. Ofwel de tunnel had zich verbreed tot een kamer, of de magie beïnvloedde zijn zintuigen. Gelukkig voor zijn pijnlijke rug hoefde hij niet langer te bukken. Hij kon rechtop staan.

De duisternis overviel hem, dicht, zacht en zwaar als een groot, log dier. Gustav zag geen hand voor ogen meer. Hij was volslagen blind.

Hij tastte met zijn hand om te voelen of hij per ongeluk het paneel had laten zakken zodat het licht werd afgeschermd, hoewel hij heel goed wist dat hij niet zo onvoorzichtig was geweest. Als straatkind, dat gedwongen was geweest op minder eerzame wijze aan de kost te komen, was hij al sinds zijn tiende handig in het gebruiken van dievenlantaarns.

Om de lantaarn weer aan te steken, draaide Gustav zich om met het plan terug te lopen totdat hij weer wat zonlicht had.

Hij ontdekte dat een massieve aarden muur hem de weg versperde.

Gustav was verontrust, maar ook geïntrigeerd, meer geïntrigeerd dan bang. Hij was gezegend met een uitstekend gevoel voor richting. Hij had in een rechte lijn gelopen. Hij was niet van het pad afgeweken en had geen stap opzij gezet. De tunnel achter hem zou open moeten zijn. Maar dat was hij niet.

In de diepe duisternis slaagde hij erin op de tast de lantaarn aan te steken, en die hield hij omhoog om de muur te bekijken.

Die was van aarde.

Hij zette de lantaarn op de grond naast zich neer om zijn positie te markeren. Hij legde zijn knapzak naast de lantaarn. Hij liep langs de muur die plotseling was ontstaan en voelde eraan met zijn handen terwijl hij zijn stappen telde. Na twintig passen had hij nog steeds geen opening gevonden. Hij probeerde met zijn vingers in de muur te graven. De aarden muur was zo hard alsof hij van steen was.

De tunnel had zich achter hem gesloten. Hij was degene die begraven was.

Gustav had in zijn zeventig jaar vaak oog in oog met de dood gestaan. Hij had met mensen, monsters, draken en geesten gevochten en had hen allemaal overwonnen. Hij had verscheidene ongelukken overleefd, was een keer bijna verdronken en was het voorwerp geweest van een moordaanslag. Hij had wanhoop en schrik gekend. Hij had angst gekend. Bovendien wist hij hoe hij angst in zijn voordeel kon gebruiken. Angst is de prikkel waardoor je tot leven komt. Maar tot op heden was Gustav nog nooit in paniek geweest. Nu was hij in paniek, nu hij voor zich zag hoe hij zou sterven: langzaam en gekweld, verhongerend, uitdrogend, alleen in de dichte en benauwende duisternis.

Zijn mond werd droog. Zijn handpalmen zweetten. Zijn darmen verkrampten en zijn maag trok zich samen. Een zenuw in zijn kaak begon onbeheersbaar te trekken. Hij stond op het punt het magische harnas van de Domeinheer op te roepen toen hij zichzelf onder controle kreeg, zozeer zelfs dat hij het belachelijke van de situatie inzag. Als hij het magische harnas opriep, was hij te vergelijken met een kind dat onder een deken kroop om zich te beschermen tegen een bliksemflits. Het harnas versterkte zijn denkprocessen niet. Hij moest zich een weg uit dit gevaar denken.

'Er moet een weg naar buiten zijn,' mompelde hij bij zichzelf, boos dat hij zijn zelfbeheersing had verloren. 'Die heb je alleen nog niet gevonden en die zul je ook niet vinden als je al het gezonde verstand dat de goden je hebben gegeven overboord zet.'

Toen zag hij de ogen. Kleine, felrode oogjes, dicht bij de grond, die naderbij kwamen met een schril gepiep en gekwetter en het scharrelende en krabbelende geluid van talloze klauwtjes. Toen de eerste wezens het licht van de lantaarn in zwermden, zag hij dat het ratten waren, honderden ratten, duizenden ratten. De vloer van de tombe rees en daalde als een zwartbehaarde golf die naar hem toe rolde. De ratten, die vleeseters en duidelijk uitgehongerd waren, zouden hem het vlees van zijn botten scheuren.

Gustav rende terug naar waar hij de lantaarn had neergezet, greep die haastig van de vloer en zwaaide ermee naar het ongedierte om het te verjagen. Bang voor het felle licht aarzelden de ratten en bleven, met hun glinsterende rode oogjes, staan als een leger dat wachtte op het bevel om aan te vallen.

Hij hoorde een gonzend geluid. Er landde een insect op zijn wang en bijna onmiddellijk voelde hij een klein prikje. Hij sloeg zijn hand tegen zijn gezicht en verpletterde een mug onder zijn vingers. Op hetzelfde moment staken minstens tien andere muggen hem op de delen van zijn lichaam die onbedekt waren: zijn gezicht, zijn nek. Er vlogen muggen langs zijn rug naar beneden, stekend en bijtend. Hij voelde ze onder zijn leren kap kruipen en in zijn hoofdhuid steken. Hij stak haastig zijn zwaard in de schede, zette de lantaarn aan zijn voeten om de ratten weg te houden en begon naar de muggen te slaan. Hij sprong in het rond en bewoog wild met zijn armen en benen in een poging ze af te schudden. Als iemand hem die macabere dans had zien uitvoeren, had die gedacht dat hij gek was geworden.

Midden in deze kwelling werd zijn rechterarm door iets gegrepen. Gustav draaide zich snel om. Het was geen hand, die hem vasthield. Zijn arm zat vast in de greep van een enorme boomwortel, die zich om zijn elleboog wond. Er kronkelde een andere wortel te voorschijn, die hem bij zijn enkel greep. Een derde pakte hem bij zijn linkerarm. Gustav was nu omgeven door een ware wolk van muggen, die hem overal staken. Hij moest zijn ogen dichtdoen om ze eruit te houden. Het leger ratten zette de aanval in. Onverschillig voor de vlam van de lantaarn zwermden ze over zijn voeten, piepend en krabbend en klauwend. De boomwortels knepen de bloedcirculatie in zijn armen af. Met een wanhopige krachtsinspanning rukte Gustav zich los van de wortels. Maaiend met zijn armen wankelde hij achteruit.

De muur was verdwenen.

Gustav trok zich terug door de tunnel. Hier waren minder muggen. Hij kon het gegons van hun vleugels nog horen, maar de wolk volgde hem niet. Ook de ratten staakten hun aanval. Hij keek over zijn schouder achterom. Hij had zijn lantaarn op de grond achtergelaten en bij het licht ervan kon hij nu zien wat hij niet had kunnen zien toen hij in de tombe was.

De lantaarn verlichtte een grote ruimte, ongetwijfeld de grafkamer. Zijn kwellers hadden zich ervoor opgesteld en keken toe hoe hij afdroop. De ratten kwamen niet achter hem aan. De boomwortels hingen slap van het plafond naar beneden. De muggen zoemden, maar achtervolgden hem niet.

Gustav begreep het.

Hij was gewaarschuwd. Hij zou niet binnen worden gelaten in de grafkamer.

'Het lijkt wel alsof de aarde zelf het graf bewaakt,' mompelde hij terwijl hij aan zijn muggenbeten krabde en naar de paar insecten sloeg die nog in zijn kleren zaten.

Hij hield op met krabben, want hij voelde de beten niet meer.

'De aarde zelf is de bewaker,' herhaalde hij. 'Natuurlijk! Aardemagie! Niets anders zou de krijgsmacht van de aarde kunnen oproepen. De ratten en insecten en bomen bedreigden me, maar ze hebben me niet gedood. Deze keer niet. Deze keer was het een waarschuwing. De volgende keer zullen ze doden. Wat beschermen ze?'

Hij vermoedde wat het antwoord was.

'Is dat mogelijk?' vroeg hij zich vol ontzag af.

Zijn hart zwol van verrukking en sloeg ervan op hol. Duizelig en plotseling slapjes leunde hij met zijn rug tegen de muur; hij probeerde zichzelf te kalmeren.

Zou ik, na al die jaren gezocht te hebben, echt hebben gevonden wat ik zocht?

Hij kon niets anders bedenken dat door de aarde zo heroïsch beschermd zou worden.

De Verheven Steen. Elk van de delen van de heilige steen beschikte over een andere vorm van magie: het deel van de elfen had luchtmagie, het deel van de dwergen vuurmagie en het deel van de orken watermagie. Het deel van dat heilige voorwerp dat de mensen toebehoorde, beschikte over aardemagie. Aardemagie, die de gezegende steen zou beschermen tegen iedereen die er geen aanspraak op kon maken.

Zoals degene die hem in de gaten had gehouden.

Diegene moest de graftombe zijn binnengegaan en daar dezelfde dodelijke dreiging hebben ontmoet als Gustav. Gedwongen zich terug te trekken, wachtte hij of zij nu af en keek toe of het Gustav beter verging.

Gustav rechtte zijn rug. Zijn hartslag was weer bedaard, en hij liep terug de tunnel in, liep naar het licht van de lantaarn, zijn baken in de duisternis. De ratten krijsten woedend naar hem en begonnen te groeien totdat ze zo groot als honden waren. De muggen veranderden in monsterlijke wezens. Hij zag zijn eigen spiegelbeeld wel honderdmaal in één enkele bolle oogbol. De boomwortels vormden zich tot stroppen, klaar om hem bij de nek te pakken en te wurgen. Achter hem hoorde hij kluiten aarde naar beneden storten. De tunnel was afgesloten. Hij zat vast.

De eerste keer was een waarschuwing geweest. Nu zou de aarde hem doden.

Gustav streek de dunne, handgemaakte kaphandschoenen die hij droeg glad, stak zijn handen op en klapte erin. Er weerklonk een donderklap door de kamer, zo luid dat sommige ratten erdoor verdoofd op hun zij vielen en een deel van de muggen uit de lucht viel. De boomwortels sidderden en schommelden.

De magische kracht van een Domeinheer vloeide als kwikzilver uit de kaphandschoenen over Gustavs lichaam. Voordat hij tweemaal diep had kunnen inademen, was hij van top tot teen gehuld in een helm en een harnas die zilver glansden in het licht van de lantaarn. Gustav klapte zijn vizier open en verhief zijn stem.

'Ik ben Gustav, bekend als de Bastaardridder,' kondigde hij aan. 'Ik ben, bij de gratie van de koning van Vinnengael, Giowin de Tweede, tot Domeinheer benoemd. Ik heb de Transfiguratie ondergaan in het jaar honderdnegenenveertig na de Val. Toen is mij het gezegende harnas en mijn titel verleend, Heer van het Zoeken. Ik heb mijn roeping eer aangedaan en heb lang gestudeerd en ver gereisd om te vinden wat tweehonderd jaar geleden verloren is gegaan. Ik zoek het deel van de Verheven Steen dat door de goden aan koning Tamaros is gegeven en daarna onder de hoede is gekomen van zijn oudste zoon, prins Helmos, Heer van Smarten.'

Gustav zweeg om te zien wat voor reactie zijn woorden opriepen, als ze dat al deden, en wat belangrijker was, om te zien wat de reactie van de aardemagie op het gezegende harnas van een Domeinheer was. De rode oogjes van de ratten knipperden en flikkerden alsof ze twijfelden. Hun woedende getjirp stierf weg. De boomwortels hingen er weer slap bij, hoewel de uiteinden bewogen. De muggen zoemden om hem heen maar vielen niet aan. Zijn gehoor was nog steeds vijandig, maar het luisterde wel naar hem.

Gustav deed nog een stap naar voren om te laten zien dat hij niet bang was, dat hij met heel zijn hart geloofde dat hij het recht had hier te zijn. Hij zette nog een stap en nog een, en nu stond hij tussen de ratten. Hij had het licht van de lantaarn niet nodig. Zijn harnas gaf zelf licht, helder en zilverkleurig. Het ongedierte week voor hem uiteen en liet hem door, maar sloot zich achter hem weer aaneen en omringde hem. De muggen zoemden vlak bij hem. De boomwortels zwaaiden dreigend heen en weer en streken langs hem als hij voorbijliep, om hem te laten weten dat de mysterieuze kracht die deze plek bewaakte nog niet helemaal overtuigd was.

'Waarom ik ben gekomen? Ik zoek de gezegende Verheven Steen,' vertelde hij de kracht. 'Niet voor mezelf. Ik ben een oude man. Mijn dagen zijn geteld. Mijn dood nadert. Ik kom uit naam van de mensheid.

De elfen, de dwergen, de orken, elk volk heeft zijn deel van de Verheven Steen om hen te zegenen en hun Domeinheren macht te verlenen. Verstoken van ons deel, zijn wij mensen gedwongen geweest het te doen met het beetje gezegende magie dat was achtergebleven in de vatting van de steen die op het lichaam van koning Helmos werd gevonden. We hebben Domeinheren, maar hun aantal neemt af. Weinig jongeren doorstaan tegenwoordig de Transfiguratie. De wijzen zijn bang dat wij, de menselijke Domeinheren die nu bestaan, de laatsten zullen zijn als de Verheven Steen niet snel wordt gevonden.'

Gustav zweeg weer, wachtte en luisterde.

Er bewoog niets, maar alles keek naar hem.

Hij trok zijn zwaard, dat *Bitterzoete herinnering* heette, uit de schede. De ratten piepten kwaad en de boomwortels rolden zich op, klaar om uit te halen. De duisternis werd dieper en zelfs het licht dat zijn magische harnas uitstraalde, werd gedempt.

Gustav maakte geen dreigende beweging. Hij knielde neer op de grond, nam het zwaard onder het gevest op zijn vlakke handen en hield het omhoog bij wijze van offer.

'Wachters van de Verheven Steen, kijk in mijn hart en zie de waarheid. Ik heb het grootste deel van mijn leven naar de Steen gezocht. Vertrouw hem aan mij toe. Ik zweer dat ik hem met mijn leven zal bewaken. Ik zal hem veilig naar mijn volk brengen, dat de gezegende kracht ervan nooit harder nodig heeft gehad dan nu.'

Een onzichtbare hand trok het donkere gordijn weg. Voor Gustav lag, op een vrolijk gekleurde deken, het goed geconserveerde lichaam van een baak, dat eruitzag alsof het de vorige dag was begraven in plaats van honderd jaar geleden. De baak was enorm, een van de grootste die Gustav ooit had gezien. Van zijn twee grote voeten tot aan zijn gehoornde kop was de baak zeker zeveneneenhalve meter lang. De pecwae's hadden blijkbaar uitstekend voor hun beschermer gezorgd en hem goed gevoed. De naar voren stekende snuit van de baak en de open bek met vlijmscherpe tanden waren bevroren in een uitdrukking die het kolossale beest een onschuldig uiterlijk verleende, heel anders dan zijn soortgenoten. De meeste baken hebben een kop doorgroefd van wreedheid en haat. Deze baak glimlachte, alsof hij was gestorven in de wetenschap dat hij goed werk had verricht.

Baken, log voortsukkelende, gigantische beesten, waren nieuwkomers op Loerem. De meeste geleerden geloofden dat ze hier waren gekomen toen de magische Portalen alle kanten op waren gespat en vanaf dat moment uitkwamen in andere landen, misschien zelfs in andere werelden. Baken waren angstaanjagend ogende beesten met kromme schouders en een beenachtig rugschild. De meeste mensen dachten dat het woeste roofdieren waren, wreed en kwaadaardig, die om niets gaven, behalve om magie en eten.

Maar hier was er een die Wachter was genoemd, jaren temidden van de vriendelijke pecwae's had geleefd en gerespecteerd en geliefd was toen hij stierf.

Gustav had even een gevoel van schaamte over alle broeders van de baak die hij meedogenloos had gedood. Net als de meeste andere volken op de wereld, had hij aangenomen dat de baken monsters waren zonder ziel. Hier lag het bewijs van het tegendeel.

Er lagen allerlei soorten stenen om het lichaam heen gestapeld. Turkoois glinsterde blauw in het zilveren licht, amber glansde met een gouden gloed, mica fonkelde, kwarts glom. Geen van die stenen was de Verheven Steen, de heilige schat die Gustav zocht, en hij verwachtte ook niet dat die ertussen zou liggen. Nadat hij zijn zwaard op de vloer van de tombe had gelegd, stond hij op. Langzaam en met respectvol gevouwen handen liep hij naar het lichaam toe. De ratten slopen achter hem aan. Hij hoorde hun klauwtjes over de vloer schrapen. De muggen zoemden bij hem in de buurt. De boomwortels trilden.

Er lag een zilveren kistje op de borst van de baak. Het kistje was gemaakt door pecwae's; het was zo groot als zijn hand met gespreide vingers. Het kistje was overdekt met afbeeldingen van vogels en zoogdieren, bloemen en ranken, allemaal in het zilver geëtst. Elk dier had oogjes van turkooizen steentjes. De bloembladetjes bestonden uit ingelegde stenen: rood jaspis, paars fluoriet, lapis lazuli, en het deksel van het kistje was versierd met de grootste turkoois die Gustav ooit had gezien. Er liepen zilveren adertjes door als de draden van een spin. Het kistje zelf was een prachtige, wonderbaarlijke creatie. Het deksel was scharnierend en werd dichtgehouden door een zilveren schuifje dat met één vingerbeweging geopend kon worden. Het schuifje was gesleten. Blijkbaar had de baak zijn schatkistje heel vaak geopend om zijn kostbare bezit te bewonderen.

Gustav wilde zijn hand uitsteken om het kistje aan te raken. Plotseling aarzelde hij.

Dat kistje is de laatste wachter, besefte hij.

De magie van het kistje was sterk. Hij voelde die vibreren. Het kistje zou elke gewone dief die de andere bewakers van het graf ontglipt kon zijn, doden.

Een dief zoals hij. Een dief zoals hij was geweest.

Gustav had dat leven jaren geleden opgegeven. Sindsdien had hij elke dag berouw gehad om zijn zonden uit het verleden. Hij had gedaan wat hij maar kon om het goed te maken. Maar als dat nu eens niet telde?

De magie van het kistje was levensgevaarlijk. De magie zou niet aarzelen om iemand te doden die ze onwaardig achtte om aanspraak te maken op het gezegende voorwerp.

Zijn hand beefde boven het zilveren kistje, en plotseling glimlachte hij.

'Zo, Gustav,' zei hij, want doordat hij al die jaren alleen had gereisd, had hij de gewoonte gekregen in zichzelf te praten, 'je hebt hier veertig jaar van je leven naar gezocht en nu durf je het niet aan te raken. Wat zou Adela lachen als ze dit zou zien. Ik moet niet vergeten het haar te vertellen. Als ik het overleef...'

Zijn hand sloot zich om het zilveren kistje.

Er ging een tinteling door zijn lichaam, als van koud water. Dat was alles. Verder niets.

Langzaam en eerbiedig tilde hij de enorme kop van de baak op en voorzichtig haalde hij de bewerkte zilveren ketting waaraan het kistje zat van zijn brede nek. Met het kistje in zijn hand bekeek hij het schuifje aandachtig, want hij wilde het niet breken. Zijn vingers beefden zo dat hij een paar pogingen moest doen, maar toen gaf het schuifje mee. Hij opende het kistje en keek erin, staarde met grote eerbied en in diepe vervoering naar wat hij zag.

De Verheven Steen was een driehoekige edelsteen met vier zijden, die een wigvorm had. Het juweel was glad en hard, voelde ijskoud aan en was helemaal volmaakt; het ving het licht en brak het tot een regenboog van kleuren die oogverblindend was. Volgens de verslagen die koning Tamaros zaliger gedachtenis had nagelaten, zagen de verschillende delen van de Steen er precies hetzelfde uit en vormden ze met zijn vieren een piramide.

Gustav liet zich op zijn knieën vallen en bad vurig tot de goden. 'Dank u voor uw vertrouwen in mij. Ik zal mijn eed gestand doen. Moge mijn leven, mijn ziel me worden afgenomen als ik faal.' Zijn stem was verstikt door emotie. Er stonden tranen in zijn ogen.

Hij bleef lange tijd genieten van de euforie van zijn triomf, in vervoering gebracht door de vervulling van zijn levenstaak. Hij kon zijn blik niet losmaken van de Verheven Steen. Nooit eerder had hij zoiets bijzonders gezien, zoiets schitterends, zoiets wonderbaarlijks. Het was niet moeilijk te geloven dat dit een geschenk van de goden was. Hij stelde zich het gezicht van koning Tamaros voor, dat glimlachend op hem neerzag en hem deze zegening verleende.

Uiteindelijk zuchtte Gustav diep, en met een laatste gebed legde hij de Verheven Steen terug in zijn zilveren kistje en sloot het deksel. Hij duwde het kistje in de borstplaat van zijn harnas en wilde vertrekken. Maar hij merkte dat hij dat niet kon. Hij moest nog eens naar de baak kijken, die vreemde en onwaarschijnlijke bewaker van de Verheven Steen.

Hoe was de baak aan de Steen gekomen? Dat was een mysterie van de goden, een mysterie dat waarschijnlijk nooit zou worden opgelost. De Verheven Steen was al die jaren verborgen en veilig gehouden. Misschien was het Gustavs verbeelding, maar hij vond dat de dode baak er verlaten uitzag, eenzaam zonder zijn kistje. De geest van de baak hing hier nog, en hoewel hij Gustavs aanspraak op de Verheven Steen niet betwistte, miste de baak zijn schat zoals een kind een geliefd stuk speelgoed mist.

Gustav bracht zijn hand naar zijn borst en pakte daar een juweel vast dat hij aan een gouden ketting droeg. Het was een saffier, in de kleur van de ogen van zijn vrouw. Het juweel was een geschenk uit liefde geweest, het eerste dat ze hem ooit had gegeven. Omdat hij verwachtte het altijd te zullen dragen, had hij in zijn testament gezet dat hij ermee begraven wilde worden. Nu pakte Gustav het juweel vast en gaf hij een snelle, scherpe ruk aan de ketting.

De ketting brak en gleed in zijn hand. Gustav bracht het juweel naar zijn lippen, kuste het en legde het toen langzaam en eerbiedig op de borst van de baak.

'Vergeef me dat ik je heb afgenomen wat het kostbaarst voor je was, Wachter. In ruil daarvoor laat ik achter wat voor mij het kostbaarst is. Ik wilde ter wille van jou dat het een magisch voorwerp was,' vervolgde hij zacht. 'Maar de enige magie die dit juweel bevat is haar

liefde voor mij en de mijne voor haar. Vaarwel, Wachter. Moge je
geest rust vinden, na je lange en trouwe wacht.'
Het juweel fonkelde in het licht van zijn harnas. Misschien was het
weer zijn verbeelding, maar Gustav dacht dat de baak glimlachte.

Nadat hij was teruggekeerd naar de plek in de tunnel waar hij de dievenlantaarn en de knapzak had achtergelaten, nam Gustav de tijd om uit te rusten. Hij was zich bewust van de beperkingen die de leeftijd zijn lichaam oplegde en wist wel beter dan te doen alsof hij nog maar dertig was.

Hij maakte het zichzelf gemakkelijk op de vloer, haalde het zilveren kistje waar de Verheven Steen in lag uit zijn harnas te voorschijn en zette het op de grond. Hij maakte de knapzak open en begon de inhoud eruit te halen. Toen de knapzak leeg was, zette hij het zilveren kistje met zijn kostbare schat – een schat die het hart en de ziel van een volk was – erin.

Gustav had de knapzak vele jaren geleden precies voor dit doel laten maken. De magiër van de Tempel in Nieuw Vinnengael had goed werk geleverd. Ze had beleefd en ernstig geluisterd toen Gustav haar uitlegde waarom hij zo'n speciale reistas nodig had. Hij had ook goed betaald voor die beleefdheid, vond hij. De magische knapzak had hem al zijn spaargeld gekost, en zijn bescheiden huis in de stad. Hij was zelfs gedwongen geweest zijn paard te verkopen om het geld bijeen te krijgen. En dat alles voor een droom.

Geen wonder dat de mensen dachten dat hij gek was.

Wat ze natuurlijk niet konden weten, was dat het huis niets voor hem betekende zonder dat zij er woonde. Of eigenlijk was ze er *te* aanwezig. Zij was overal in het huis. Hij kon geen avond in zijn stoel zitten zonder dat hij haar tegenover zich zag zitten als hij zijn ogen opsloeg. Ze schonk zijn wijn in. Ze lachte om zijn kwinkslagen. Ze prikte zijn gewichtigdoenerij door. Ze zong voor hem en speelde op de harp. Als hij aan de bedienden vroeg of ze haar muziek mooi vonden, staarden ze hem aan en vluchtten de kamer uit.

Gustav zei het woord dat de magie activeerde. De magiër had hem gezegd een woord te kiezen waarvan hij zeker wist dat hij het nooit zou vergeten.

'Adela,' zei hij zacht.

Het zilveren kistje met de Verheven Steen verdween. De knapzak zag eruit alsof hij leeg was. Gustav had even een angstig gevoel. Hij meende zich vaag te herinneren dat de magiër hem had gewaarschuwd dat de magie het voorwerp in de knapzak zo doeltreffend zou verbergen dat zelfs hij, die wist hoe de magie werkte, geneigd zou zijn te twijfelen.

'Adela,' zei hij opnieuw, en hij keek weer neer op het zilveren kistje met zijn prachtige dieren met ogen van juwelen.

Gustav opende het kistje en keek erin, alleen om zichzelf gerust te stellen. Daar lag de Verheven Steen, met zijn scherpe randen glinsterend in het licht van de lantaarn. Gustav herinnerde zich het verhaal dat toen de Verheven Steen aan prins Helmos werd overhandigd door zijn jongere broer, prins Dagnarus, Helmos zijn hand tot bloedens toe sneed aan een van de randen. Het verhaal ging dat toen het bloed van de gepijnigde prins op de stenen vloer druppelde, de stenen een waarschuwing hadden geschreeuwd tegen Dagnarus, een waarschuwing die in de wind was geslagen.

Gustav sloot het kistje. Hij zei de naam van zijn vrouw weer en het zilveren kistje verdween. Toen hij de knapzak uit nieuwsgierigheid optilde, merkte hij dat die zelfs leeg aanvoelde. Hij probeerde zich de uitleg van de magiër te herinneren over 'gelaagde plooien in het aura van de aarde' en 'vakken in de tijd', maar eerlijk gezegd had hij haar nogal vervelend en pedant gevonden. Hij begreep niets van magie en wilde er ook niets van begrijpen. Daar betaalde hij haar voor. Hij wilde alleen weten dat het werkte. En dat deed het.

Hij vroeg zich af waar ze nu zou zijn. Waarschijnlijk dood. Bijna iedereen die hij in die tijd had gekend was dood.

Nu de belangrijke taak voltooid was, vroeg Gustav zich af of hij het gezegende harnas van een Domeinheer zou afleggen. De boomwortels waren nu gewone, vocht opzuigende boomwortels. Het rattenleger was vertrokken en er waren slechts een paar achterblijvers, die doodsbang waren voor het licht van de lantaarn. Buiten de grafheuvel wachtte de persoon die hem zo geduldig had bespioneerd, degene die had gewild dat hij de graftombe binnenging. Gustav besloot zijn harnas te verwijderen. Hij wilde proberen zijn achtervolger te lokken en met hem te praten, om erachter te komen wat voor spelletje hij speelde. Hij sloeg zijn kaphandschoenen tegen elkaar en het magische harnas verdween.

Gustav pakte zijn knapzak weer in, zodat die eruitzag als een knapzak van een willekeurige reiziger, en stopte er ook een paar van de pecwae-juwelen in die bij het lichaam waren achtergelaten. Hij betreurde het dat hij die mee moest nemen, maar hij had iets nodig om de onzichtbare toeschouwer te laten zien. Gustav rustte nog even uit, dronk wat water en dacht na over wat hem nu te doen stond. Het eerste deel van zijn queeste was ten einde. Nu moest hij aan het tweede deel beginnen: de Verheven Steen veilig afleveren bij de Raad van Domeinheren in Nieuw Vinnengael, een stad die meer dan drieduizend kilometer ver weg was. Voor het eerst in tweehonderd jaar zouden de vier delen van de Verheven Steen weer bijeen worden gebracht en, zo verwachtte en hoopte men althans, die samenvoeging zou oorlogvoerende naties vrede brengen.

'Op dat moment zal mijn levenswerk voltooid zijn,' zei Gustav tegen zichzelf. 'En dan kan ik naar jou komen, Adela.'

Hij had al eerder naar haar toe gewild. Krankzinnig van verdriet om haar verlies had hij de gifbeker naar zijn mond gebracht en op het punt gestaan ervan te drinken toen haar hand de beker op de grond had gegooid. Die was met zo'n kracht uit zijn hand geslagen dat hij hem een meter of drie vanwaar hij had gezeten terugvond. Toen had hij geweten dat hij zijn doel in het leven nog moest vervullen. Toen had hij besloten aan zijn zoektocht naar de Verheven Steen te beginnen. Adela's vertrouwen in haar ridder was bewaarheid.

Hij hoopte en verwachtte dat het tweede deel van zijn queeste veel gemakkelijker zou zijn dan het eerste. De Raad van Domeinheren kwam in Nieuw Vinnengael bijeen. Zijn reis zou maanden duren, maar hij zou voor het begin van de winter kunnen aankomen. Hij voorzag geen oponthoud, geen obstakels, afgezien van wat hem buiten de grafheuvel opwachtte. Hij verwachtte geen problemen. Niemand wist dat hij de Verheven Steen bij zich had, zelfs de achtervolger die buiten op hem wachtte niet.

Gustav dronk de waterzak leeg en stond vermoeid op. De spanning, het gevecht met de krachten van de aardemagie en zijn eigen ingehouden opwinding hadden hun tol geëist. Hij was vermoeider dan hij had gedacht en nu moest hij nog afrekenen met de onzichtbare persoon, die hem ongetwijfeld zou aanklampen als hij het graf uitkwam. Gelukkig kon hij altijd het magische harnas oproepen, of, als hij werd overvallen, zou het harnas uit eigen beweging verschijnen om hem te beschermen.

Toen hij uit de tunnel te voorschijn kwam, knipperde Gustav met zijn ogen tegen het felle zonlicht. Hij bleef bij de ingang staan, verbaasd om te zien dat het nog licht was buiten. Hij zou minder verrast zijn geweest als hij midden in een sneeuwbank was gestapt, want hij had het gevoel dat hij maanden in plaats van uren in die grafheuvel had doorgebracht.

Hij hield zijn hand op het gevest van zijn zwaard en luisterde, liet zijn oren het werk doen terwijl zijn ogen aan het felle licht wenden. Hij dacht dat hij een geritsel had gehoord, alsof iemand die zich in hoog gras verschool zich had bewogen, maar als dat al zo was, hield die zich nu weer stil, want hij hoorde het geluid niet meer. Toen hij weer kon zien, keek hij aandachtig naar het hoge gras en tuurde naar de schaduwen onder de bomen. Er was niets te zien, maar toch voelde hij de blik op hem rusten, intenser dan ooit.

Gustav begon geïrriteerd te raken.

'Hou op met rondsluipen en laat jezelf zien!' riep hij geërgerd. 'Ik weet dat je er bent! Vertel me waarom je me zo lang en geduldig in de gaten hebt gehouden. Vertel me waarom je hoopte dat ik dat graf binnen zou gaan.'

Geen reactie.

Gustav hield de knapzak op. 'Als je nieuwsgierig bent, zal ik je laten zien wat ik daarbinnen heb gevonden. Niets van enorme waarde, als je dat verwachtte. Pecwae-snuisterijen. Verder niets. Het lijkt erop dat we onze tijd hebben verspild. Kom, dan delen we een zak wijn en lachen we samen over wat een stelletje idioten we zijn geweest om te denken dat we een schat zouden vinden in een grafheuvel van de pecwae's.'

Het gras fluisterde, maar dat kwam door de wind. Boomtakken kraakten, maar ook dat was de wind. Er klonk geen ander geluid.

'De Leegte hale je, dan,' schreeuwde Gustav, en nadat hij zijn knapzak om zijn schouders had gehesen, ging hij op weg naar zijn kamp.

Gustav stond voor een dilemma. Hij kon ofwel nu met zijn schat wegrijden, moe als hij was, en het risico lopen op de weg te worden aangevallen door zijn achtervolger, of hij kon een maaltijd nuttigen, uitrusten en misschien zelfs even slapen. Als hij een metgezel had gehad, hadden ze de wacht kunnen delen, maar die had hij niet en dat betreurde hij ook niet. Zijn motto was lang geweest: 'Hij die alleen reist, reist het snelst.' Er waren weinig mensen die Gustav genoeg mocht om hun gezelschap op een reis van maanden te verdragen, en degenen die hij wel graag mocht, hadden het te druk met hun eigen bezigheden om een oude man te vergezellen op zijn zoektocht.

Hij besloot dat hij maar beter kon gaan eten en uitrusten, in plaats van te proberen weg te rennen voor het gevaar terwijl hij zo moe was dat hij zijn ene voet nauwelijks voor de andere kon zetten. Vecht indien mogelijk altijd op terrein dat je zelf hebt gekozen; een axioma van zijn vroegere commandant en mentor. Als de onzichtbare achtervolger van plan was 's nachts aan te vallen, in de hoop dat Gustav dan suf en verward zou zijn, stond hem nog een verrassing te wachten.

Terwijl hij terugsjokte naar zijn kamp, bleef Gustav nauwlettend om zich heen kijken, maar hij zag niets en dat had hij ook niet echt verwacht. Zo langzamerhand kende hij zijn achtervolger goed genoeg om een gezond respect te hebben voor zijn vaardigheden als woudloper. Het was maar goed dat hij geen metgezel had. Die zou anders inmiddels wel denken dat de oude man stapelgek was. Er was geen spoor, geen geluid en geen glimp van iemand te bekennen en toch bereidde Gustav zich voor op een nachtelijke aanval.

Toen hij zijn kamp had bereikt, was de duisternis gevallen. Gustav wierp de knapzak achteloos in zijn tent. Hij had op de terugweg zijn vallen nagekeken en had een mooi mollig konijn gevangen, dat hij nu in stukken sneed en boven zijn kampvuur roosterde. Hij besteedde veel aandacht aan zijn paard, om het dier gerust te stellen nadat het de hele dag alleen was geweest, en hij vergewiste zich ervan dat het paard genoeg had gegeten en voldoende water had. Daarna doofde hij het vuur. Terwijl zijn paard met zijn staart de vliegen wegsloeg, ging Gustav zijn tent binnen.

Toen hij binnen was, haalde Gustav twee zilveren belletjes uit zijn beddengoed. Terwijl hij de klepeltjes vasthield zodat ze geen geluid konden geven, hing Gustav de belletjes aan de tentpalen, bijna bovenaan.

'Een oud dieventrucje, dat past goed bij een oude dief,' zei Gustav met een glimlach tegen zichzelf. Door elke aanraking van het tentdoek, hoe zacht ook, zouden de belletjes gaan rinkelen. Met hetzelfde doel had hij zijn pannen slordig achtergelaten voor de tentopening; hij hoopte dat hij zelf niet vergat dat ze daar stonden en erover zou struikelen als hij een van zijn tochten naar de bosjes moest maken.

Toen hij vond dat hij alles had gedaan wat hij kon om ervoor te zorgen dat de achtervolger hem niet zou weten te verrassen, wikkelde Gustav zich in zijn deken en ging met de knapzak als hoofdkussen op de grond liggen. Hij hield zijn zwaard en een stapel door dwergen gemaakte zwavelstokjes bij de hand.

Gustav was er de man niet naar om te piekeren en te tobben of om wakker te blijven liggen en starend in het donker te luisteren of hij een twijgje hoorde knappen. Slaap was net zo onmisbaar voor een krijger als een zwaard, een schild of een harnas. Gustav had zichzelf getraind om te slapen en goed te slapen op het moment dat hij dat wilde. Hij had roem vergaard door eens door een belegering van orken heen te slapen. Zijn kameraden vertelden later verhalen over keien die met katapulten tegen de muren waren geschoten en gelatinedynamiet dat de torens in vuur en vlam had gezet en de mannen in levende toortsen had veranderd. Gustav, die drie nachten achtereen op was gebleven om tegen orken te vechten, had eindelijk een kans gekregen om te slapen en daar had hij gebruik van gemaakt. Zijn kameraden waren behoorlijk geschrokken toen Gustav de volgende ochtend opstond en zich bij hen voegde. Hij had zo diep geslapen dat ze hadden aangenomen dat hij dood was en op het punt hadden gestaan – dat beweerden ze tenminste – om zijn lichaam op de brandstapel te gooien.

Ook nu was hij zo moe van de inspanningen van de dag dat hij goed sliep; hij rekende erop dat zijn paard en de vallen die hij had gezet hem op tijd zouden waarschuwen om zich te kunnen verweren tegen een indringer.

Hij werd niet wakker van het gekletter van pannen of het gerinkel van de zilveren belletjes, maar van een droom.

Gustav kon geen adem krijgen. Hij vocht om lucht in zijn longen te zuigen en hij verloor het gevecht. Hij stikte, hij ging dood. Door de wetenschap dat hij doodging, schrok hij wakker. Hij werd naar adem snakkend wakker en zijn hart bonkte. De droom was levensecht geweest en hij was er nog steeds half van overtuigd dat er iemand in zijn tent was die hem probeerde te smoren. Hij keek om zich heen, maar concentreerde zich nog meer op zijn gehoor.

De nacht was donker. Er hingen wolken voor de maan en de sterren. Hij kon heel weinig zien in zijn tent. De belletjes hadden niet gerinkeld. De pannen waren niet aangeraakt. En toch was er iets.

Zijn paard voelde het. Het dier snoof verontrust en schraapte met zijn hoeven over de grond. Gustav ging weer liggen. Het gevoel dat hij stikte was nog niet helemaal weg. Hij vond het moeilijk om adem te halen, alsof er een gewicht op zijn borst drukte.

De lucht was bedorven en stonk. Gustav herkende de stank onmiddellijk. Hij was eens op een slagveld geweest, drie dagen na de slag. De lijken van de onbegraven doden lagen opgezwollen te rotten in de hete zon. De meest geharde veteranen uit het Vinnengaelse leger hadden hun maag omgekeerd bij die afschuwelijke lucht.

De zilveren belletjes trilden. Hun gerinkel klonk vals, dissonerend. Hij hoorde sluipende voetstappen naderbij komen. Zijn paard krijste plotseling, een kreet van angst zoals hij die nooit eerder van het goed gedresseerde dier had gehoord, en er klonk een donderend geraas en het gedreun van hoeven. Zijn paard, dat getraind was voor de strijd en geen spier had vertrokken toen het tegenover honderd speren stond, was losgebroken van zijn tui en vluchtte door het struikgewas.

Gustav kon met zijn paard meevoelen. Hij had zelf ook tegenover honderd speren gestaan en toen niet de angst gekend die hij nu over zich voelde komen. Hij was in de aanwezigheid van het kwaad. Diabolisch kwaad. Een oeroud kwaad, van vóór de schepping van de wereld. Doordat hij was afgestemd op alle soorten magie, herkende hij de weerzinwekkende magie van de Leegte.

Wie de magiër daarbuiten ook was, het was geen hagentovenaar die kattenkwaad uithaalde. Het was een sterke tovenaar, die een kracht had zoals Gustav die nooit eerder was tegengekomen. Een kracht waarvan hij niet zeker wist of hij er iets tegen kon beginnen.

De voetstappen kwamen naderbij. De stank van de Leegte werd erger en maakte Gustav misselijk. Het inademen van de vieze lucht leek op proberen met olie bedekt water in te ademen.

Een hand raakte zijn tent aan. De belletjes rinkelden weer, maar Gustav hoorde ze niet boven het gebonk van het bloed in zijn oren uit. Er parelde zweet op zijn voorhoofd. Zijn mond werd droog en zijn handpalmen waren vochtig. Hij had twee keuzes. Hij kon opstaan, gehuld in zijn magische harnas, en de tovenaar buiten zijn tent tegemoet treden, of hij kon hier blijven liggen en afwachten totdat de tovenaar naar hem kwam.

Gustav besloot grimmig om zich slapend te houden. Hij wilde die magiër van de Leegte weleens zien, die er zoveel tijd en geduld in had gestoken om hem te volgen. Hij wilde weten waarom hij dat had gedaan. Er was een grote wilskracht voor nodig om zijn ogen dicht te doen en te houden. Uiteindelijk slaagde hij erin, en hij probeerde zo goed mogelijk zijn gejaagde ademhaling te kalmeren.

Hij hoorde een scheurend geluid: de indringer die de achterkant van de tent opensneed. De zilveren belletjes klingelden woest. Gustav dacht dat het logisch zou zijn als hij nu wakker zou worden en hij snurkte, gromde en ging half zitten, terwijl hij zich met één hand, zijn linker, in zijn ogen wreef.

De indringer kwam op handen en knieën de tent binnen. Gustav kon hem door de diepe duisternis niet goed zien.

'Wie is daar?' riep hij met een stem die dik was van de slaap, terwijl hij tegelijkertijd de duimnagel van zijn rechterhand langs de top van een zwavelstokje haalde.

Een vlam flakkerde op. Gustav duwde het vuur in de richting van het gezicht van de indringer: een vrouwengezicht, een gezicht van een verbazingwekkende, adembenemende schoonheid. Blauwe ogen, groot en stralend, volle rode lippen en haar met de kleur van esdoornbladeren in de herfst. Ze droeg een jurk van diepgroen fluweel met een laag uitgesneden lijfje. Ze zat op handen en knieën.

Haar witte borsten vielen naar voren, zwaar, rijp en verleidelijk.
'Ik ben eenzaam,' zei ze zacht. 'Ik heb een plaats nodig om de nacht door te brengen.'

Het verstikkende gevoel, de stank van rottend vlees.

Gustav staarde strak naar de vrouw en de illusie viel aan gruzelementen, spatte uiteen, alsof die van ijs was geweest en hij er met een hamer op had geslagen.

Schoonheid verdween en werd vervangen door iets afgrijselijks.

Het mooie gezichtje veranderde in het gezicht van een oud lijk, een schedel waar nog een paar klompjes rottend vlees aan hingen. Er zaten geen oogbollen in de benige kassen, maar er was een boosaardige en doortrapte intelligentie. Geen medelijden, geen genade. Geen compassie. Geen haat, geen hebzucht, geen verlangen. In de ogen zag hij de Leegte.

De Leegte. Zoals die was geweest voordat de goden kwamen en de wereld werd geschapen. Zoals die zou zijn als de goden vertrokken en de wereld zou vergaan. Hij zag in de ogen de leegheid in zijn eigen hart toen Adela stierf.

Gustav zag zijn eigen dood in de lege ogen. Tegen dit ding kon hij niet vechten. Hij kon zich niet bewegen om zich te verdedigen. De kracht van de Leegte putte hem uit, zoog hem leeg, ontnam hem de wil te leven.

Het zwavelstokje ging uit en Gustav brandde zijn duim eraan. De pijn herinnerde hem eraan dat hij leefde en dat hij, zolang hij leefde, kon vechten. Voordat de vlam was gedoofd, had hij een klein benen mes gezien in de skeletachtige hand van het lijk.

Het lijk viel naar Gustav uit en stak hem met het mes. De aanval was zo snel en behendig – recht op het hart gericht – dat Gustav nauwelijks tijd had om zijn zwaard te grijpen. Hij zou gestorven zijn als het magische harnas van de Domeinheer niet over zijn lichaam was gevloeid.

Het mes in de hand van het lijk raakte staal. Het harnas zorgde ervoor dat het lemmet afboog van het hart, maar hield het mes niet tegen. Er zijn maar weinig wapens die zich door het gezegende harnas kunnen boren, en dit was er een van: een wapen met de magie van de Leegte. Het lemmet miste Gustavs hart en stak hem in de linkerschouder.

De pijn was vreselijk, een stekende, brandende pijn die door zijn vlees sneed en doordrong tot in zijn ziel. Zijn maag trok zich ervan samen, zodat hij kokhalsde.

Het lijk maakte een angstaanjagend geluid, een soort gedempte schreeuw, alsof het woedend vanuit het graf krijste. Vechtend tegen de slopende pijn, die hem misselijk en duizelig maakte alsof hij was vergiftigd, hief Gustav zijn zwaard. Het lijk was vlak bij hem. Hij voelde de nagels ervan over zijn harnas krassen. Hij stak zijn zwaard in de borst van het lijk.

Hij had botten verwacht, maar de kling raakte een stalen pantser. De klap stuurde een schok door zijn rechterarm en bijna liet hij het wapen vallen. Maar aan een gegrom van pijn hoorde hij dat hij erin was geslaagd zijn moordlustige aanvaller schade toe te brengen.

Gustav maakte gebruik van de tijdelijk verminderde concentratie van het lijk om uit de krappe tent te ontsnappen. Hij wankelde de nacht in, schopte de pannen die hij voor de tentopening had gezet weg en draaide zich onmiddellijk om om klaar te staan voor zijn tegenstander, die niet ver achter hem aan zou komen. Zijn harnas glansde zilver in het donker.

Zijn aanvalster kwam de tent uit en richtte zich in haar volle lengte op. Bij het zilveren licht van zijn eigen gezegende harnas zag Gustav zijn negatief.

De gestalte had een harnas aan dat zwarter was dan de duisternis. Het harnas was afschuwelijk om te zien, als een pantser van een of ander monsterlijk insect, met vlijmscherpe stekels bij de ellebogen en de schouders en een helm die de vorm had van de kop van een roofsprinkhaan, met bolle, lege ogen. Het wezen had het kleine mes weggestoken en hield een enorm zwart zwaard in haar gehandschoende handen, met gemene getande randen. Nu wist Gustav waartegen hij vocht.

'Een Vrykyl,' fluisterde hij.

Wezens uit mythen en legenden. Een tot leven gekomen nachtmerrie. Er waren geruchten geweest, berichten dat deze oeroude demonen weer op Loerem rondliepen. Er werd gezegd dat ze verantwoordelijk waren geweest voor de vernietiging van Oud Vinnengael.

De Vrykyl zwaaide met haar zwaard, een slag die bedoeld was om de vaardigheid en kracht van haar tegenstander te testen.

Gustav kon de slag pareren met zijn eigen zwaard, maar de klap van de Vrykyl had zoveel kracht dat het wapen bijna uit Gustavs hand werd geslagen. Doordat hij zich even moest herstellen, kon hij geen gebruik maken van zijn voordeel, en hij voelde een eerste steek van wanhoop. Hij was veel vaardiger met het zwaard dan deze Vrykyl, maar de Vrykyl had de kracht van de magie van de Leegte, de kracht van iemand die geen spieren heeft die pijn gaan doen en geen hart dat de moed kan verliezen. Hij was gewond en oud. Hij voelde dat hij al begon te verzwakken.

Gustav had één kans, en dat was dit gevecht snel beëindigen. Zijn magische wapen, dat was gezegend door de goden, had het vermogen binnen te dringen door het vervloekte harnas. Hij hoefde alleen maar een kwetsbare plek te vinden en haar een doodsteek toe te brengen.

Hij wachtte af en hield haar in de gaten, grimmig en geduldig. De Vrykyl zag zijn zwakte. Ze stormde met geheven zwaard op hem af, met de gedachte hem met een dodelijke slag in tweeën te houwen. De Vrykyl was donkerder dan donker, een gat in de nacht. Gustav zocht zijn evenwicht en stak toe, waarbij hij al zijn kracht gebruikte om zijn zwaard in het middenrif van de Vrykyl te drijven, onder de borstplaat.

Het zwaard drong door het harnas heen. De schok was verlammend en er schoot een scherpe pijn door Gustavs arm. Zijn hand werd gevoelloos en hij kon het zwaard niet langer vasthouden.

Maar hij had de Vrykyl verwond. Haar gil reet door de nacht. Het afgrijselijke geluid deed Gustav huiveren. Hij greep zijn arm met zijn goede hand en probeerde er weer wat gevoel in te wrijven en een einde te maken aan het tintelen van zijn zenuwen.

De Vrykyl viel op de grond, schreeuwend en kronkelend van een pijn die erger was dan enige lichamelijke pijn die haar in haar hele leven was toegebracht. Ze voelde de pijn van de toorn van de goden. De magie van Gustavs gezegende zwaard, die was binnengedrongen in de Leegte, had substantie in de leegte gebracht, had die gevuld met licht en een eind gemaakt aan de duisternis die de Vrykyl in stand hield.

Zijn rechterhand kon hij niet meer gebruiken. Gustav vroeg zich af of het gevoel erin ooit nog zou terugkomen. Zijn schouderwond brandde en klopte en hij begon een verlammende kilte te voelen, die zich vanuit zijn schouder door zijn lijf verspreidde. Met zijn kiezen op elkaar tegen de pijn boog Gustav zich over de gewonde Vrykyl en rukte met zijn linkerhand zijn zwaard los. De kling was schoon, er was geen spoortje bloed te zien.

De Vrykyl hield op met schreeuwen. Ze lag op de grond en haar lichaam kronkelde in doodsstrijd.

Gustav zakte naast zijn vijand ineen. Hij spiraalde naar beneden de duisternis in, viel in de leegte van de ogen van de Vrykyl.

Gustav voelde iets tegen zijn wang kriebelen. Hij schrok naar lucht happend wakker, met de afschuwelijke herinnering aan het benen mes van de Vrykyl vers in zijn gedachten. Zijn ogen schoten open. Hij staarde dodelijk verschrikt omhoog en zag dat het gekriebel op zijn gezicht afkomstig was van de snoet van zijn paard.

Gustav zuchtte beverig. Hij liet zich weer achterover in het gras zakken en keek omhoog; de zon stond hoog aan de hemel. De warmte was heerlijk en verlichtte de pijn in zijn schouder. Het paard, dat berouw had dat het zijn plicht had verzaakt, besnuffelde zijn baas bij wijze van verontschuldiging en als verzoek om gevoerd te worden.

Gustav bleef nog even liggen om zich te koesteren in het zonlicht, tilde toen zijn rechterhand op en bewoog de vingers. Het gevoel was terug. Hij zuchtte opnieuw van opluchting en ging voorzichtig zitten, zodat het bloed niet te snel uit zijn hoofd omlaag stroomde.

Hij was niet meer in zijn harnas gehuld, dat uit zichzelf zou zijn verschenen om hem te beschermen in zijn bewusteloosheid als er sprake van enige dreiging was geweest. Hij schoof zijn overhemd opzij en onderzocht de wond. Die was niet ernstig, althans, zo te zien niet. Het was maar een klein gaatje, zoals een ijspriem dat zou kunnen maken. De wond had niet hevig gebloed, maar het vlees eromheen had een vreemde blauwig witte kleur gekregen, en als hij het aanraakte kon hij zijn aanraking niet voelen, alsof de huid bevroren was. Hij probeerde zijn arm op te tillen en snakte naar adem van pijn. Voorzichtig bewegend keek hij naar de plek waar de Vrykyl was neergevallen, zijns ondanks nieuwsgierig naar hoe het weerzinwekkende ding er in het daglicht uitzag.

De Vrykyl was weg.

Geschrokken sprong Gustav overeind. Hij zocht haastig om zich heen, met de gedachte dat hij de plek van het lijk misschien niet goed had onthouden.

Hij vond niets. Het was alsof de Vrykyl er nooit was geweest. Hij had kunnen denken dat hij de hele nachtmerrieachtige ontmoeting had gedroomd, als hij die wond in zijn schouder niet had gehad. Maar er waren andere tekenen dat er een gevecht had plaatsgevonden.

Nu hij het terrein nauwkeurig bekeek, zag hij waar het gras tijdens het gevecht was uitgerukt en platgetrapt. Hij zag ook sporen van iets zwaars dat door het kreupelhout was gesleept.

Hij had de Vrykyl niet gedood. Hij had haar alleen verwond.

In gedachten zag hij voor zich hoe de gewonde Vrykyl zich over de grond had voortgesleept. Gustav raakte zijn gevoelloze schouder aan en herinnerde zich het dodelijke kleine mes dat het wezen had gehanteerd. Een gewoon mes kon niet binnendringen door het harnas van een Domeinheer. Haar mes was betoverd geweest met magie van de Leegte, sterke magie van de Leegte. Gustav vroeg zich af waarom de Vrykyl niet had geprobeerd hem te vermoorden terwijl hij bewusteloos was.

Misschien had ze er de kracht niet voor gehad. Misschien had ze gedacht dat hij dood was, zoals hij had aangenomen dat zij dood was. Misschien...

Misschien had ze niet gevonden wat ze zocht.

Gustav volgde het spoor van gebroken grassprieten en groeven in de aarde. Het leidde rechtstreeks naar zijn tent. Gustav sloeg de tentopening opzij en hield zijn adem in. Het stonk er naar de smerige, olieachtige lucht van de magie van de Leegte.

Hij zocht in de tent naar de knapzak en vond wat ervan over was. De Vrykyl had hem aan flarden gescheurd. De spullen die erin hadden gezeten, lagen overal verspreid. De dievenlantaarn was kapotgeslagen, het glas versplinterd en het huis geblutst en gedeukt. De tondeldoos had dezelfde behandeling ondergaan. Zijn extra set kleren was in repen gescheurd, net als zijn deken.

Maar hij had in elk geval het antwoord op zijn vraag. De Vrykyl was op zoek geweest naar de Verheven Steen.

Hoe langer hij erover nadacht, des te aannemelijker het werd. De Vrykyl had over zijn zoektocht gehoord; hij had er geen geheim van gemaakt. Ze had hem gevolgd. Ze had de grafheuvel ontdekt en geprobeerd die binnen te dringen, met het plan zelf de Verheven Steen te gaan halen. De aardemagie die Gustav had tegengehouden, had waarschijnlijk furieus gereageerd op de Vrykyl. Ze kon de Steen niet te pakken krijgen. En dus had ze zich teruggetrokken en gewacht totdat Gustav hem voor haar naar buiten bracht.

Ze had hem 's nachts aangevallen, in de hoop hem te kunnen doden en de Steen te vinden. Ze had er niet op gerekend dat ze tegenover een Domeinheer zou komen te staan, en daardoor had ze gefaald. Na het gevecht had ze zich ondanks haar verwonding – en ze was zwaargewond, daar was Gustav van overtuigd – naar de tent gesleept en alles aan stukken gescheurd, op zoek naar de Steen. Gefrustreerd omdat ze die niet had gevonden, was ze gedwongen geweest weg te gaan om haar wonden te verzorgen.

Gustav maakte zich geen illusies. Ze had hem alleen maar in leven gelaten omdat ze zeker wist dat hij haar naar de Verheven Steen zou brengen.

Gustav pakte een smal strookje leer op, een restant van de knapzak. Hij maakte zijn dikke vlecht los, draaide het leer om een streng haar heen en vlocht zijn grijze haar er weer stevig omheen. Omdat hij de vieze lucht niet langer kon verdragen, verliet hij de tent. Toen hij weer in het zonlicht stond, ademde hij opgelucht en diep in.

Hij volgde het spoor van de Vrykyl. Het leidde weg van de tent. Hij had zijn zadeltassen en zadel van het paard gehaald en die had ze ook doorzocht. De zadeltassen waren aan flarden. Op het zadel waren krassen van haar lange nagels te zien. Daarna was ze verder gestrompeld, in noordelijke richting.

Ongeveer honderd stappen verder vond Gustav tekenen dat er een paard aan een boom gebonden had gestaan. Zijn eigen paard was in doodsangst gevlucht voor de Vrykyl. Gustav vroeg zich af wat voor betovering van de Leegte de Vrykyl over het arme dier had uitgesproken om ervoor te zorgen dat het dat afgrijselijke wezen diende. De hoeven van het paard hadden afdrukken in de aarde achtergelaten, die naar het noorden wezen. Voorlopig was de Vrykyl weg. Ze was gedwongen geweest te vertrekken, omdat ze gewond was en iets nodig had, wat het ook was dat die vreselijke wezens gebruikten om zichzelf te genezen.

Gustav zuchtte diep en bleef lang naar alle kanten over het land uitkijken. Hij zag niets. Hij hoorde niets. Toch had hij nog steeds het gevoel dat er naar hem werd gekeken.

Terug in zijn kamp werkte Gustav zijn dagelijkse programma af. Hij gaf zijn paard eten en water. Hij at zelf iets, hoewel hij niet had kunnen zeggen wat, want hij proefde niets. Het enige dat hij proefde was de smerige stank van de magie van de Leegte, die overal hing. Toen hij klaar was met eten, sleepte hij zijn zadel, zijn tuig en zijn gehavende zadeltassen de tent in, met de rest van zijn bezittingen. Hij doordrenkte zijn kleren en beddengoed en het zadel met lantaarnolie. Met wat er over was van de tondeldoos maakte hij een vonk en liet die op het met olie doorweekte vod vallen dat ooit zijn deken was geweest.

De stof vatte onmiddellijk vlam. Gustav bleef even kijken om zich ervan te vergewissen dat het vuur zich verspreidde. Toen de vlammen aan de zijkanten van de tent begonnen te likken en de hitte onaangenaam werd, ging hij weg. Hij stond buiten te kijken naar het groeien van de vuurzee en zag dat alles door het vuur werd verteerd. Dikke zwarte rook kolkte de lucht in. Toen hij zeker wist dat er heel weinig zou overblijven, besteeg hij zijn paard. Het enige dat hij nog had, waren de kleren die hij droeg, zijn zwaard en schede, zijn zadeldeken, zijn magische kaphandschoenen en een stukje van de magische knapzak.

Hij moest vandaag lang en snel rijden. Aangezien hij niet gewend was aan het rijden zonder zadel, wist hij dat hij aan het eind van de reis stijf zou zijn en overal pijn zou hebben. Gustav maakte zich geen illusies. De Vrykyl zou hem opnieuw aanvallen. Hij moest een manier vinden om een bericht te sturen naar de Raad van Domeinheren. Hij moest een manier vinden om hun te vertellen over zijn grote succes en te waarschuwen voor het gevaar waarin ze zich bevonden.

Gustav was er tamelijk zeker van dat hij niet lang genoeg in leven zou blijven om het hun zelf te kunnen vertellen.

4

Er was in het deel van Loerem waar Heer Gustav rondreisde een plaats die de Wilde Stad heette. Op de dag dat Heer Gustav al zijn bezittingen in brand stak die waren aangeraakt door de Vrykyl, liepen er twee mensen de Wilde Stad binnen. Het lijkt onmogelijk dat deze twee afzonderlijke gebeurtenissen iets met elkaar te maken hadden, maar toch zouden ze dat in de nabije toekomst krijgen.

Wilde Stad was geen erg toepasselijke naam. De plaats was noch erg wild – hoewel ze daar graag voor doorging – noch kon ze als een stad worden aangemerkt. De Wilde Stad leek eerder deel uit te maken van de familie der zwammen, want ze was min of meer van de ene dag op de andere uit de grond geschoten op een kruispunt van twee wegen; de ene liep naar het zuiden, naar een stad die wel een stad was – de nederzetting Vilda Harn – en de ander leidde naar een doorwaadbare plaats in de Kleine Blauwe Rivier.

De Wilde Stad bestond uit zeven krakkemikkige hutjes. Vier van die hutjes waren, in volgorde van belangrijkheid: een taveerne, een bordeel, een smidse en een Tempel der Genezing, die beschikte over een enigszins verbleekt maar nog steeds indrukwekkend ogend goudkleurig uithangbord. De andere drie hutjes werden bewoond door ongedierte, zowel op twee als op vier benen.

Ook kon de Wilde Stad bogen op een markt, als je vier stalletjes een markt noemde, en een put waar bijzonder helder, koud water uit kwam. Een in lompen gehuld kind zat de hele dag naast de put om koperstukken te innen in ruil voor het gebruik van de gemeenschapskroes, die het – voor een extra koperstuk – schoonveegde met een slip van zijn haveloze en vuile overhemd.

Een ervaren reiziger die door de Wilde Stad kwam, zou er een blik van walging of medelijden op hebben geworpen, al naar gelang zijn aard, en verder zijn gereden. De twee jongemannen die de Wilde Stad binnenliepen waren verre van ervaren en zij keken hun ogen uit naar de vervallen bouwsels en verwelkte, gerimpelde hoeren. In hun ogen waren de hoeren de mooiste vrouwen die ze ooit hadden gezien, de hutjes waren de schitterendste gebouwen die door de mensheid waren neergezet, de markt was het handelscentrum van het heelal en de taveerne een gevaarlijke plek, een overgangsrite naar de volwassenheid.

'Kijk, Jessan,' zei zijn vriend terwijl hij een kleine smalle hand met lange vingers opstak om de grotere jongen aan zijn arm te trekken, 'die vrouw met het gele haar zwaait naar je.'

'Natuurlijk, Bashae,' antwoordde Jessan schouder ophalend. 'Waarschijnlijk heeft ze nog nooit een Trevinici-krijger gezien. Alleen maar weke stadsmannen, zoals die daar.'

Zijn geringschattende blik viel op een schriele kerel in een wijd, opgelapt gewaad, die op een grote steen gehurkt zat die de stoep vormde van de Tempel der Genezing en zichzelf koelte toewuifde met een groot blad van een plant.

'Wat staat er op dat bord boven zijn hoofd?' vroeg Bashae.

Jessan had al gehoopt dat zijn vriend dat zou vragen. Jessans oom, Aanvallende Raaf, een krijger in loondienst van het leger van Dunkarga, had zijn neef de beginselen van de Taal der Oudsten geleerd, de gemeenschappelijke taal van alle volken op Loerem. Raaf had zijn neef ook een beetje lezen geleerd, met name wat hij beschouwde als de belangrijkste woorden die een krijger moest kunnen herkennen, en 'tempel' en 'genezing' hoorden daar zeker bij.

'Heus waar!' Bashae was onder de indruk. Hij kon de Taal der Oudsten spreken, maar hij kon geen enkele taal lezen, zelfs zijn eigen taal niet. 'Een Tempel der Genezing. Daar moeten we heen. Meteen.'

'Wacht even.' Jessan pakte zijn vriend bij zijn magere arm en trok hem naar achteren. 'Nu nog niet.'

'Maar dat is waarvoor ik ben gekomen,' betoogde Bashae. 'Ik ben gekomen om de juwelen te ruilen voor genezende zalven en drankjes.'

'Ja,' zei de wereldwijzere Jessan, 'maar je moet je waren nooit aan de eerste de beste koper verkopen. Je moet ze eerst overal laten zien, en belangstelling en opwinding wekken.' Hijzelf droeg een stapel mooie pelzen.

'We gaan eerst naar de markt,' kondigde hij aan, hoewel hij verlangend naar de smidse keek. Hij wilde zijn bont ruilen voor stalen pijlpunten, om die te gebruiken in plaats van de primitieve stenen pijlpunten die hij zelf maakte.

De jongemannen liepen verder. De hoeren riepen hen na, tenminste, ze riepen Jessan na. De vrouwen zagen Bashae aan voor een kind, hoewel de pecwae in werkelijkheid achttien was, net zo oud als zijn vriend. Jessan hoorde hun kreten, maar hij verstond niet wat ze zeiden en had dus geen idee dat ze naar hem riepen.

Twee personen, afkomstig van verschillende volken, keken toe hoe Bashae en Jessan door de enige straat van de Wilde Stad liepen; ze keken toe met een interesse die geboren was uit grote verveling. De een was een koopman, een elf, die nog maar kort geleden naar de Wilde Stad was gekomen om zijn stalletje op de markt te zetten. Hij was bitter teleurgesteld in de plaats, want hij had zich laten wijsmaken dat die een welvarende, bloeiende gemeenschap was. Hij was van plan zeer binnenkort zijn spullen te pakken en te vertrekken. De ander was een dwerg, die Wolfram heette.

Zijn naam betekende Wolvenzoon, een veel voorkomende naam bij de dwergen, die geloven dat ze van wolven afstammen. Wolfram was vaag over de reden waarom hij in de Wilde Stad was; de elf had er trouwens niet naar gevraagd. Eens, in de gloriedagen van Oud Vinnengael, ongeveer tweehonderd jaar geleden, hadden de elfen zich ervan laten overtuigen dat ze belangstelling moesten hebben voor de andere volken van de wereld. Die belangstelling had rampzalige gevolgen gehad. De val van Oud Vinnengael had geleid tot een breuk tussen de heerser van de elfen, de Goddelijke, en hun krijgsheer, het Schild van de Goddelijke. Elk adellijk huis van het land Tromek was betrokken geweest bij de vernietigende strijd om de macht die was gevolgd. Hoewel er uiteindelijk vrede was gesloten, was er veel kwaad bloed gezet en heerste er nog verbittering tussen de huizen.

Daarom was Wolfram al hoogst verbaasd geweest dat de elf zich had verwaardigd om met hem te praten, en toen bleek hij ook nog vriendelijk en spraakzaam te zijn. Wolfram vermoedde dat de elf een of andere geheime opdracht moest uitvoeren. De elf deed niets liever dan praten over de politieke situatie van Dunkarga, met name over geruchten dat er oorlog zou zijn in het noordwesten van dat land.

Wolfram zag de puntige oren van de elf bewegen als die van een hond toen hij de jonge Trevinici zag aankomen. Als iemand in Dunkarga iets wist van oorlogen en veldslagen, zou het een Trevinici zijn, want die vochten als huurlingen in het Dunkargaanse leger. De elf en de dwerg keken belangstellend toe hoe de jongemannen naderden en grinnikten allebei inwendig om de grote verwondering waarmee de twee jongelui naar de armzalige bouwsels keken.

Wolfram lachte daverend om de teleurstelling van de hoeren, die de knappe Trevinici met zijn half blote, geoliede en zeer gespierde jeugdige lijf en zijn kostbare pelzen niet konden overhalen een tweede blik op hen te werpen.

De elf ging onmiddellijk zijn waren herschikken, zodat ze zo goed mogelijk uitkwamen.

'Je verspilt je tijd, vriend,' zei Wolfram. 'Geen van beide jongemannen zal belangstelling hebben voor je lakdoosjes en zijden sjaals.'

'O nee?' vroeg de elf beleefd. 'Waarom niet?'

'Zowel de pecwae's als de Trevinici leven eenvoudig. Ze weten nooit wanneer ze hun spullen moeten pakken en verkassen, dus schaffen ze geen nutteloze bezittingen aan.'

'Een pecwae,' herhaalde de elf. 'Houdt u me voor de gek, meneer?' De hand van de elf ging naar het kromzwaard dat hij aan zijn heup droeg.

'Nee, zeker niet,' zei Wolfram. 'Dat is een pecwae. Ik begrijp dat u er nooit eerder een hebt gezien.'

'De kleine mensjes? Die met dieren praten en in een oogwenk kunnen verdwijnen? Pff! Die komen alleen in sprookjes voor. U probeert me in de maling te nemen, en dat is een belediging van mijn eer die ik niet kan laten passeren. Dat is een mensenkind.'

'Kijk maar eens goed, vriend,' raadde de dwerg hem aan. 'Dan zult u zien dat hij weliswaar de lengte heeft van een mensenkind van acht, maar de gelaatstrekken van een volwassene. Hij is een jaar of twintig, schat ik.'

De pecwae en de Trevinici liepen dicht langs het stalletje van de elf op weg naar de kraam van een bonthandelaar, twee stalletjes verderop. De elf keek doordringend naar de pecwae en trok een wenkbrauw op. De pecwae staarde op zijn beurt verwonderd terug naar de elf. Hij probeerde de aandacht van zijn vriend te trekken, maar de Trevinici was geconcentreerd op de zaken die hij wilde doen en keek niet om zich heen.

'Ik zie dat u gelijk hebt. Dat is geen mensenkind,' zei de elf. 'Maar ik zou niet kunnen zeggen wat het wel was.'

'Het is een pecwae,' zei Wolfram geïrriteerd. 'Er zijn verschillende pecwae-gemeenschappen in deze streek. Waar je Trevinici vindt, vind je pecwae's.'

De elf liet zich niet gemakkelijk overtuigen, maar aangezien het beledigend zou zijn jegens de dwerg om twijfels te blijven uitspreken, veranderde de elf beleefd van onderwerp.

'Maar die jonge krijger dan? Die zal toch wel geïnteresseerd zijn in mijn waren? Er wacht ongetwijfeld een vrouw op zijn terugkeer, een vrouw wier schoonheid benadrukt zal worden door een van mijn zijden sjaals.'

Wolfram gromde en schudde zijn hoofd.

'Nee, hij heeft geen vrouw. Onder de Trevinici mag alleen een krijger die bloed heeft vergoten een partner kiezen. Die jongeman moet zijn eerste strijd nog strijden. Hij draagt waarschijnlijk zijn geboortenaam nog.'

'Is hij geen krijger?' De elf keek alsof hij zijn bedenkingen had. 'Hij is jong, dat is waar, maar toch wel op een leeftijd om te vechten. Hoe weet u dat hij geen ervaren krijger is?'

'Hij draagt geen trofeeën,' antwoordde Wolfram. 'Een Trevinici-krijger hangt van top tot teen vol met gekrompen hoofden, vingers, tenen of wat voor lichaamsdelen dan ook, die hij heeft afgesneden van zijn gedode vijanden.'

'Dat meent u niet!' riep de elf geschokt uit. 'Verminken ze de doden? Ik had wel gehoord dat die Trevinici barbaren zijn, maar ik had nooit kunnen bedenken dat... dat...'

'Dat ze zo barbaars konden zijn?' vulde Wolfram droogjes aan. 'Zij beschouwen het niet als verminken. Integendeel, ze beschouwen het als een compliment aan de dode. De Trevinici hakken lichaamsdelen af van een vijand die een grote indruk op hen heeft gemaakt in het gevecht. Ze geloven dat dat niet alleen hun eigen moed toont en daardoor hun tegenstanders schrik aanjaagt, maar dat ze er ook de gevallenen mee eren. Als u naar Dunkar reist, zult u er waarschijnlijk wel meer zien, want de Dunkarganen hebben Trevinici in dienst als huursoldaten om in hun leger te vechten. Maar dat wist u misschien al?' vroeg Wolfram achteloos.

'Ik? Ik weet helemaal niets van dat soort barbaren. En als ik al van plan was geweest om naar het zuiden te reizen, naar Dunkar, dan hebt u me daar zojuist van genezen,' zei de elf luchtig. 'Ik zal zeker de tegenovergestelde richting kiezen.'

En als jij morgen naar het noorden loopt, zal ik de lucht in vliegen als een van die verdomde vliegers van jullie, dacht Wolfram terwijl hij in zijn baard grinnikte.

Hij bleef bij de kraam van de elf rondhangen en zag hoe de jongemannen op het stalletje van de bonthandelaar af liepen. De Trevinici sprak een groet in de Taal der Oudsten en wees toen op zijn pelzen. De bonthandelaar leek voorzichtig geïnteresseerd. De Trevinici tilde de pelzen met een zwaai van zijn schouder en legde ze op de tafel. Hij liet zien wat een goede kwaliteit de pelzen hadden door zijn hand erdoor te halen en ze op te tillen om de huid te laten zien.

De bonthandelaar schudde zijn hoofd, maar Wolfram merkte dat de man onder de indruk was. De Trevinici merkte dat ook. Deze jongeman was geen boerenkinkel zonder verstand. Hij wist wat hij deed en hoewel hij de Taal der Oudsten niet vloeiend sprak, kende hij die goed genoeg om duidelijk te maken wat hij bedoelde. Iemand had hem de juiste woorden geleerd.

De pecwae had geen belangstelling voor de pelzen. Hij kon zijn ogen niet van de elf en de dwerg afhouden en staarde hen openlijk aan. De dwerg vond het amusant. De elf was beledigd.

'Ze hebben geen manieren geleerd, wat het ook zijn,' zei de elf terwijl een zwakke blos zijn bleke wangen kleurde.

'Wij staren naar hem. Hij staart naar ons,' zei Wolfram.

De pecwae stond te draaien, groef zijn blote tenen in de grond en keek om zich heen. Uiteindelijk, toen hij merkte dat het marchanderen wel een flink deel van de middag in beslag kon gaan nemen, zei de pecwae iets tegen zijn vriend en wandelde weg.

Hij kwam recht naar het stalletje van de elf toe. Hij was maar ongeveer één meter twintig lang, kleiner dan de dwerg. Zijn haar was bruinig blond en zeer krullerig. Hij droeg het kortgeknipt, waardoor zijn lange, puntige oren zichtbaar waren. Zijn ogen waren diepblauw, rond en groot. Hij had een scherp kinnetje en volle lippen. Zijn tanden waren bot, zoals die van een koe of een paard, want ze hoefden geen vlees af te scheuren. De blik uit de diepblauwe ogen ging van de elf naar de dwerg en van de dwerg weer naar de elf. De pecwae was verwonderd en nieuwsgierig, maar niet in het minst geïntimideerd of ontdaan.

'Jessan' – de pecwae wees met zijn duim in de richting van zijn metgezel – 'zegt u een elf en u' – de pecwae richtte een paar verbazend blauwe ogen op Wolfram – 'een dwerg. Is waar?'

De stem van de pecwae was schril, hoog en piepend. Hij sprak de Taal der Oudsten hortend en nauwelijks verstaanbaar. De Trevinici zijn het enige andere volk op Loerem dat Twithil spreekt, de pecwaetaal, en zelfs zij kunnen slechts een deel van de taal gebruiken en verstaan, want veel van de klanken zijn veel te hoog voor mensen om te kunnen uitspreken of zelfs maar horen.

'Ik kom uit Tromek,' zei de elf met een koele buiging.

'Ik ben een dwerg,' zei Wolfram zonder omhaal.

'Ik ben een pecwae. Ik maak dit,' zei de pecwae trots, en hij stak zijn hand in een tas die hij aan een leren koord om zijn schouder droeg en haalde een handvol sieraden te voorschijn, die glinsterden in het zonlicht. Hij legde ze op de tafel.

De elf had nog nooit zoiets moois gezien. Met een zucht van verlangen stak hij zijn hand uit om de prachtige voorwerpen aan te raken.

'Hemelsteen,' zei de pecwae, die trots toekeek hoe de elf de ketting in het licht hield.

'Verbijsterend!' fluisterde de elf.

Zelfs de dwerg, die geen belangstelling voor sieraden had, was onder de indruk van het werk. Wolfram hield dan wel niet van sieraden, maar hij wist wel iets van edelstenen en dat turkoois was het mooiste dat hij ooit had gezien. Elke steen was zilver dooraderd. Het blauw was de kleur van een zomerhemel, weerspiegeld in een glad meer. Zijn handen jeukten om het aan te raken en hij moest zich inhouden om het niet uit de handen van de elf te grissen.

'Ik wil wel een van mijn doosjes hiervoor ruilen,' zei de elf. 'Welke je maar wilt. Kies maar.'

Wolfram moest op zijn tong bijten om zijn mond dicht te houden. Elfen geloven dat turkoois de magische kracht heeft om de drager ervan tegen kwaad te beschermen. Een ketting als deze, bestaande uit ten minste dertig turkooizen stenen, waarvan de grootste zo groot was als de dikke duim van de dwerg, zou in elke stad van Tromek de prijs van een klein huis opbrengen. Wolfram vervloekte zijn pech dat hij nu juist geen cent op zak had terwijl er zich zo'n fantastische gelegenheid voordeed.

De pecwae wierp een beleefde blik op de doosjes. 'Mooi,' zei hij, en hij stak zijn hand uit om de juwelen op te pakken. 'Niet voor mij.' Hij keek naar de Tempel der Genezing. 'Drankjes.'

'Ah, ik begrijp het.' De elf putte zich uit in behulpzaamheid. 'Je wilt genezende drankjes. Ik heb geld. Ik zal je geld geven voor de ketting en dan kun jij je drankjes kopen bij de Tempel.'

De pecwae keek onbegrijpend.

'Hij kent het begrip geld niet,' vertelde Wolfram de elf.

'Wat? Weet hij niet wat geld is?'

'Laat het hem zien,' opperde Wolfram. 'Dan leg ik het wel uit.'

De elf aarzelde, maar een blik op de turkooizen ketting, die weer in de tas van de pecwae verdween, gaf de doorslag. De elf liep uit het stalletje naar de overhuifde wagen waarin hij woonde en kwam even later terug met een zakje munten. Hij haalde er een paar heel grote, glanzende penningen uit.

De pecwae vond de munten, met het hoofd van een gewezen keizer van Nieuw Vinnengael erop, interessant. Hij bewonderde het graveerwerk, maar verder had hij geen idee wat ze voorstelden.

'Dit is geld. Dat krijg je voor de ketting,' zei Wolfram. 'Als je met deze munten naar de Tempel gaat, zal die man daar je in ruil ervoor drankjes geven.'

De pecwae keek hem verbaasd aan. 'Waarom? Niets waard. Koper.'

Wolfram grijnsde en wees met zijn duim naar de elf. 'Hij heeft andere munten in zijn zakje, die meer waard zijn. Munten van zilver.'

De pecwae knikte en zijn blauwe ogen glinsterden. Hij was slim, hij had het snel door. Hij schoof de koperstukken terug naar de elf. 'Hemelsteen meer waard.'

De elf wierp Wolfram een boze blik toe.

'Het is geen kind,' zei Wolfram. 'En ook geen schaap dat zich laat scheren. Hij heeft die zilveren sieraden gemaakt. Hij kent de kwaliteit en de waarde van metaal. Met dat soort trucjes houd je hem niet voor de gek.'

De elf haalde twee zilverstukken uit het zakje en legde die op tafel. De pecwae bekeek ze aandachtig en met meer interesse; kennelijk begreep hij wat ze waard waren. Met gebogen hoofd wierp hij een zijdelingse blik op de dwerg. Wolfram maakte een klein beweginkje met zijn hoofd.

De pecwae stak tien vingers op.

De elf stak vijf vingers op.

De pecwae, die nu op bekend terrein was, schudde zijn hoofd.

Ten slotte, met een diepe zucht en een gezicht alsof hij gedwongen was zijn grootmoeder te verkopen, rommelde de elf wat in het muntenzakje en diepte er tien zilverstukken uit op. De pecwae nam ze aan, bekeek ze een voor een nauwkeurig en stopte ze voorzichtig in zijn tas. Hij gaf de turkooizen ketting aan de elf. Die verdween ermee in zijn wagen. Hij bleef lang weg, waarschijnlijk om de beste plek te vinden om het sieraad te verbergen. Per slot van rekening had hij zelfs voor tien zilverstukken een uitstekende koop gedaan.

Naar zijn maatstaven gold dat ook voor de pecwae. Wolfram kende de priester van de Tempel. De man had waarschijnlijk in het hele jaar bij elkaar nog geen tien zilverstukken gezien. De pecwae zou vertrekken met alle drankjes en zalfjes die hij maar kon dragen.

'Dat is prachtige hemelsteen,' zei Wolfram. 'Waar vind je die?'

'Bij het kamp,' antwoordde de pecwae.

Zijn blik ging even naar zijn Trevinici-vriend. Jessan, had hij hem genoemd. Wolfram had gelijk gehad. Jessan was een geboortenaam, die Blijvend Geschenk betekende, een veel voorkomende naam voor kinderen van Trevinici. De jongeman moest zijn volwassen naam nog verwerven. Dat zou pas gebeuren nadat hij de overgangsrite naar de volwassenheid had afgelegd. Dan zou hij de naam aannemen die de goden hem in een visioen zouden geven. Die naam zou alleen worden onthuld aan zijn naasten. Voor alle anderen zou de jongeman een naam kiezen in de Taal der Oudsten, een naam die hij zelf uitzocht.

Het loven en bieden over de pelzen was bijna voltooid. De handelaar had een grote hoeveelheid stalen pijlpunten op de toonbank gelegd. De Trevinici bestudeerde ze met een geoefend oog.

'We vinden ook zilver bij het kamp,' vervolgde de pecwae, alsof het hem zojuist te binnen schoot.

'Hakken jullie dat uit?' vroeg Wolfram.

'Hakken?' De pecwae begreep hem niet.

Wolfram maakte een beweging alsof hij met een hamer sloeg.

De pecwae schudde zijn hoofd. 'Dan zou de aarde boos worden en dat zou de magie verstoren.'

'Hoe komen jullie er dan aan?' vroeg Wolfram.

'Mijn grootmoeder zingt het los,' zei de pecwae.

'Wat?' De dwerg dacht dat de pecwae misschien een verkeerd woord had gebruikt. 'Zingen? Zoals in tralala falderie?'

'Noemt u dat zingen?' De pecwae grijnsde. 'Het klinkt meer als het gekraak van een windas. Mijn grootmoeder heeft de mooiste stem van de wereld. Ze kan de roep van elke vogel zo goed nabootsen dat die denken dat ze een soortgenoot is. Ze kan wind opwekken met haar stem, of regen wegzingen. Ze zingt voor de aarde en dan rolt het hemelsteen zo in haar hand.'

Wolfram trok een wenkbrauw op. 'Net zoals de woorden plotseling uit jouw mond rollen.'

Er trok een lichte blos over de wangen van de pecwae. Hij grijnsde beschaamd.

'Raaf... dat is zijn oom' – hij wees met een duim naar zijn vriend – 'heeft ons gezegd dat we niet moesten laten merken dat we begrepen wat de mensen zeiden. Op die manier zouden we het merken als ze probeerden ons af te zetten.'

Wolfram gromde. 'Oom Raaf is een wijs man.'

Wolfram geloofde er natuurlijk geen woord van dat de grootmoeder edelsteen uit de aarde te voorschijn zong. Aan de andere kant wist hij dat pecwae's bijzonder lui zijn en alles zouden doen om te voorkomen dat ze echt moesten werken. Hij vroeg zich vruchteloos af hoe oma er dan wel in slaagde om aan het hemelsteen te komen.

'Dit mijn vriend, Jessan,' zei de pecwae, die weer overschakelde op een gebrekkige versie van de Taal der Oudsten, hoewel zijn ogen glinsterden van plezier toen ze de blik van de dwerg ontmoetten. 'Ik Bashae.'

'Wolfram,' zei de dwerg in de Taal der Oudsten. Hij had met de twee kunnen communiceren in het Tirniv, want hij sprak de taal van de Trevinici, waarmee hij waarschijnlijk een van de weinige buitenstaanders op Loerem was die dat deed en vrijwel zeker de enige dwerg. Maar Wolfram wist wel beter dan te laten merken dat hij de taal kende. De Trevinici horen buitenstaanders niet graag hun taal spreken, want die beschouwen ze als heilig. Hoewel ze een uitzondering

maken voor de pecwae's, reageren Trevinici vijandig als ze een buitenstaander de heilige woorden horen spreken.

Jessan nam Wolfram taxerend op. Hij was niet vriendelijk, maar hij
was ook niet kwaadaardig of achterdochtig. Behoedzaam was een
goed woord om deze jongeman mee te omschrijven, dacht Wolfram.
Kalm, voor iemand die zo jong was. Zelfverzekerd, zelfs in wat toch
een vreemde en onbekende situatie moest zijn. Hij had een knap gezicht, met een sterke neus en kaaklijn. Zijn haar was donkerrood,
dik en sluik. Hij droeg het in een staart gedraaid, die tot op de on-
derste helft van zijn rug kwam. Zijn huid was gebronsd doordat hij
het grootste deel van zijn leven in de openlucht doorbracht.

Hoewel hij nog niet ervaren was, zou hij wel geoefend zijn in oorlogvoering. Alle jonge Trevinici, zowel mannen als vrouwen, zijn geoefende krijgers. Hij droeg een leren kniebroek. Zijn borst en armen
waren bloot, afgezien van een schitterende halsketting van turkoois
met zilver en een brede zilveren armband. Zijn pelzen waren verdwenen. In zijn broek had hij een bontbundel gestopt, waarin ongetwijfeld de pijlpunten zaten die hij met het marchanderen had verworven.

'Wij nu naar Tempel,' zei Jessan in gebroken Taal der Oudsten.

'Ik ken de man van de Tempel,' zei Wolfram. 'Als jullie willen, kan
ik met jullie meegaan en helpen uitleggen wat jullie nodig hebben.'

'Lukt wel,' zei Jessan, en met een knikje legde hij een hand zowel beschermend als bevelend op de schouder van zijn vriend en draaide
zich om.

De pecwae maakte geen tegenwerpingen, maar liep gehoorzaam met
zijn vriend mee, kennelijk gewend te volgen waar de Trevinici hem
leidde. Maar voordat hij wegliep, wierp Bashae Wolfram een dank-
bare glimlach toe en zwaaide met zijn hand.

Wolfram krabde aan zijn kin. Al met al een aangename afleiding op
een saaie ochtend. Hij wilde zich net omdraaien om zijn laatste koperstuk te gaan spenderen aan een kroes lauw bier, toen hij het brandende gevoel op zijn arm voelde. Hij had dat al zo lang niet gevoeld
dat hij in eerste instantie dacht dat hij door een insect was gestoken
en er afwezig aan krabde. Het volgende ogenblik wist hij wel beter,
want het brandende gevoel werd sterker, alsof hij met zijn hand door
een kaarsvlam ging.

Wolfram keek snel om zich heen. Niemand lette op hem. Terwijl hij
bedacht dat er hier nog niemand op hem zou letten als hij dood neer-
viel, liep Wolfram naar de schaduw die door de wagen van de elf
werd geworpen. De dwerg rolde de lange mouw van zijn eenvoudige overhemd op en tuurde naar de armband om zijn pols.

De armband was van zilver en er waren vijf edelstenen in gezet: een robijn, een steen van jade, een saffier, een parel en een onyx. Alle edelstenen gloeiden en verhitten het zilver, dat nu zeer warm begon te worden. Wolfram staarde verbaasd naar de armband. Dit was hem heel lang niet overkomen. Jarenlang niet, om precies te zijn. Zo lang niet, dat hij was gaan denken dat hij misschien uit de gratie was bij de monniken. Hij was intens tevreden, blij met de gedachte dat hij de kans had een aardig bedrag te verdienen. Hij raakte de stenen een voor een aan, in een bepaalde volgorde, en het branden hield direct op.

Wolfram keek verwachtingsvol naar de wagen van de elf, maar kreeg geen respons van de armband. Peinzend keek de dwerg om zich heen. Toen zijn blik over de twee jongemannen ging, werd de armband aanzienlijk warmer.

'Zo, zo,' zei de dwerg en terwijl hij zijn mouw naar beneden rolde, over de armband heen, liep hij achter hen aan.

Het opzichtig goud geverfde uithangbord van de Tempel der Genezing was versierd met de symbolen die aangaven dat het een echte Tempel der Genezing was, een die gedreven werd door een lid van de Kerk dat zijn opleiding had genoten in de Tempel der Magiërs in Nieuw Vinnengael. Wolfram vermoedde dat de zogenaamde 'venerabele magiër' die zich op de stoep koelte zat toe te wuiven waarschijnlijk weleens in Nieuw Vinnengael was geweest en daar misschien zelfs de grootse Tempel der Magiërs had gezien, maar meer banden met de Kerk had hij echt niet. De man was een hagentovenaar, zo zeker als Wolfram een dwerg was.

De zogenaamde magiër, die mager en onopvallend van uiterlijk was, zag de twee met een bijna meelijwekkende belangstelling naderen. Toen hij eenmaal had geconcludeerd dat ze in zijn richting kwamen, krabbelde hij overeind en klampte hen aan op het ogenblik dat ze hun mond wilden opendoen.

'Ik heet broeder Elias en ik ben een zeer bekwaam genezer.' Hij keek gretig van de een naar de ander. 'Heeft een van u koorts? Last van hoestbuien? Hartkloppingen? Braken? Voor al die klachten heb ik een medicijn. Laat me uw pols nemen.'

Hij stak zijn hand uit naar Jessan, die een stap achteruit deed en de man een koele blik toewierp.

'Niet ziek,' zei hij. Terwijl hij een wuivend gebaar naar Bashae maakte, vervolgde Jessan: 'Hij drankjes kopen.'

Bashae haalde twee van de zilverstukken te voorschijn die hij van de elf had gekregen.

Hoewel hij zeer teleurgesteld was dat ze niet aan een of andere ziekte leden die slechts met heel veel tijd en geld te genezen was, monterde broeder Elias weer helemaal op toen hij het zilver zag glinsteren in de hand van de pecwae.

'Ik herken een collega,' zei hij, met zijn blik op de munten gevestigd. Met grote plechtstatigheid ging hij de twee jongens voor de vervallen 'tempel' in.

Broeder Elias gaf zich uit voor een genezer, maar de plaatselijke bevolking zag hem als een drankjesverkoper. Het beste dat je over broeder Elias kon zeggen was dat hij niemand had vergiftigd. Nog niet. Wolfram dwaalde ook die kant op. Hij liep om de Tempel heen. Hij ging op zijn hurken zitten in de schaduw van het gebouw – bijna solider dan het bouwsel zelf – en maakte het zich gemakkelijk onder een gat in de muur dat een raam moest voorstellen.

Nu kon Wolfram alles horen wat er binnen werd gezegd. Wolfram hoopte dat de pecwae net zoveel over drankjes wist als over edelstenen, anders zou hij worden kaalgeplukt als een geslachte kip.

Broeder Elias begon met zijn beste handel en bood hun een liefdesdrankje aan, waarvan je beoogde geliefde zwijmelend in je bed zou vallen. De pecwae moest hierom giechelen en de Trevinici was beledigd. Toen hij zag hoe de vlag erbij hing, veranderde broeder Elias behendig van tactiek en hij bood een zalf aan waarmee elke wond die in de strijd was toegebracht zou genezen, van een pijl door je keel tot een speer in je buik, zonder dat er ook maar een litteken zou overblijven. De Trevinici was geïnteresseerd. Op dat ogenblik nam de pecwae de leiding over.

'Laat me eens ruiken,' zei Bashae.

Er klonk een luid gesnuif en toen zei Bashae in het Tirniv tegen Jessan: 'Het is gewoon berenvet.'

Toen was er het geluid van schuifelende voeten, een geschraap van metaal en Jessans stem, kil van woede: 'Jij bent niet beter dan een dief. Ik zou je oren moeten afsnijden.'

Broeder Elias maakte een jammerend geluid en drukte zich zo te horen achteruit tegen de muur, die verontrustend wankelde.

'Nee, niet doen, Jessan,' zei Bashae tegen zijn vriend. 'Hij heeft wel wat drankjes die ik wil hebben en hij heeft zijn oren nodig om te kunnen horen wat ik tegen hem zeg.' Toen vervolgde hij streng: 'Ik denk dat je beter buiten kunt wachten.'

Bij het geluid van voetstappen kwam Wolfram overeind en maakte zich snel uit de voeten. Met een blik over zijn schouder zag hij dat de jonge Trevinici grimmig en dreigend voor de Tempel ging staan, zo ernstig en doelbewust alsof hij was aangewezen om de wacht te betrekken bij de koninklijke schatkamer.

Wolfram kuierde met gebogen hoofd voorbij, schijnbaar geheel in beslag genomen door zijn eigen zaken. Toen hij bij het kruispunt van de twee wegen kwam, wierp Wolfram een blik achterom en zag dat de Trevinici nog voor de Tempel stond. Wolfram dook snel in de dekking van een bosje onkruid. Hij ging zitten tussen hoog gras met lange pluimen en aangenaam ruikende salie en wachtte af tot de twee hem passeerden op hun weg de stad uit.

5

Ongeveer een uur later liepen de twee jongemannen langs de plek waar de dwerg zat. De pecwae kwebbelde opgewonden tegen zijn vriend en beschreef de verschillende artikelen die hij van de priester had gekocht.

'Je bent verstandig geweest, Bashae,' zei Wolfram. Nadat hij was opgestaan uit het gras, sloeg de dwerg het stof en de zaden van zijn broek. 'Dat je de onbewerkte ingrediënten hebt gekocht, niet de voltooide producten. Die man was geen echte genezer.'

De jonge Trevinici wierp de opdringerige dwerg een duistere blik toe. 'Doorlopen, Bashae,' zei Jessan tegen zijn vriend.

'Was hij geen genezer?' vroeg Bashae, die achteruit ging lopen om met Wolfram te kunnen praten. 'Waarom zou hij over zoiets liegen?'

'Omdat mensen veel geld betalen om genezen te worden,' zei Wolfram, die de twee volgde. 'Hij brouwt een paar drankjes en de rest van de dag zit hij op die stoep onder dat leugenachtige bord. Er komen mensen naar hem toe die hem vertellen wat hun mankeert. Hij geeft ze een drankje, neemt hun zilverstukken aan en gaat weer op de stoep zitten.'

'Maar wat gebeurt er dan als ze niet beter worden?' vroeg Bashae, een zinnige vraag.

'O, maar soms worden ze dat wel,' antwoordde Wolfram. Hij had de twee inmiddels ingehaald. 'Soms worden ze gewoon vanzelf beter. Soms werkt een van zijn drankjes toevallig wel. En soms gaan zijn patiënten dood. Dan kunnen ze dus niet meer komen klagen.'

'Mijn grootmoeder en ik zouden nooit iets vragen in ruil voor het genezen van iemand,' zei Bashae terwijl hij peinzend strepen door het zand trok met zijn blote voeten. 'Ze zegt dat genezen ons in het bloed zit, zoals magie de aarde in het bloed zit, en dat de aarde vrijgevig is met haar gaven en wij dat dus ook met de onze moeten zijn.'

'Een achtenswaardige vrouw,' sprak Wolfram. 'Ik zou haar graag eens ontmoeten.' De dwerg kwam naast de pecwae en de Trevinici lopen. 'Ik ga jullie kant op. Is het goed als ik meeloop?'

'Hoe weet je welke kant wij op gaan, dwerg?' vroeg Jessan kortaf.
'Jullie weg is mijn weg,' antwoordde Wolfram. 'Mijn weg is elke weg.
Alle wegen leiden naar hetzelfde, uiteindelijk,' voegde hij er bespie-
gelend aan toe.

Jessan zweeg waardig. De Trevinici praten niet over het hiernamaals
met buitenstaanders, want dat onderwerp beschouwen ze als te heilig om lichtzinnig te behandelen in een oppervlakkig gesprek.

Ze vervolgden hun weg langs het pad, dat niets meer was dan een
karrenspoor dat was ingesleten in de grasvlakte. Het land was hier
vlak en dor, alleen begroeid met ruisend gras dat was verdroogd en
bruin was geworden door de hitte van de zon. Het pad liep kaarsrecht, zonder één enkele bocht, tot aan de Kleine Blauwe Rivier. Een
eindje weg stond een groepje populieren, dus daar moest een kreek
of meertje zijn. In het noordoosten kon je het Kreknek-gebergte zien,
maar dat was ver weg, een vage vlek aan de horizon. De zon was al
op weg naar het westen, maar het was zomer en er was nog een paar
uur daglicht over om te reizen.

Bashae liet Wolfram zijn aankopen zien: appelbast uit het noorden
voor vrouwelijke ongemakken, waterviolier uit het zuiden om gezwollen gewrichten van ouderen te behandelen, en groene thee uit
het land van de elfen. Wolfram vertelde over een paar geneeskrach-
tige kruiden die door de dwergen werden gebruikt. Bashae luisterde
belangstellend en wilde precies horen wat de ingrediënten waren.
Toen dat onderwerp was uitgeput, vertelde Wolfram over zijn volk,
de ponyrijders, die hun hele leven doorbrengen op de ruggen van hun
ruigbehaarde beesten, waarmee ze ver in het oosten door de heuvels
zwerven.

Wolfram kende heel veel verhalen. Hij kon zeer onderhoudend zijn.
Hij wist hoe hij een onwillig publiek voor zich moest innemen. Hij
was voor zijn levensonderhoud afhankelijk van zijn charme, geen karaktertrek waar dwergen speciaal om bekendstonden, maar iets dat
Wolfram in de loop der jaren had gecultiveerd. Jessan zei geen woord,
maar hij luisterde aandachtig, en af en toe, bij een verhaal over een
spannende confrontatie met elfenkrijgers of een overval door orken,
knikte de Trevinici goedkeurend of trok hij een afkeurend gezicht, al
naar gelang de strekking.

Toen het donker begon te worden, stopten ze voor de nacht. Jessan
haalde een pakje met reepjes hertenvlees te voorschijn en deelde die
zelfs met Wolfram, een teken van sympathie. Bashae at gedroogde
bessen en kauwde op de wortel van een of andere plant, die hij ook
aan de dwerg aanbood. Wolfram sloeg het aanbod beleefd af. Dwergen zijn vleeseters.

De lucht werd snel koeler, zo vroeg in de zomer. Na de maaltijd gingen de twee jongemannen op de nog warme grond liggen en vielen allebei ogenblikkelijk in slaap: de heerlijke en ongecompliceerde slaap van de jeugd. Wolfram kon zich niet meer herinneren wanneer hij zo had kunnen slapen. Hij ging liggen, maar bleef wakker. Hij luisterde naar Jessans diepe ademhaling en zag Bashaes handen en voeten in zijn slaap trekken als de poten van een hond die in zijn droom op jacht is. Met een zucht ging Wolfram zitten. Hij tuurde weer naar de armband om zijn pols. Het branden was opgehouden. De edelstenen gloeiden enigszins in het duister. Een teken dat hij de instructies volgde.

Wolfram had geen idee waarom deze twee jongens zo belangrijk waren. Hij hoopte er spoedig achter te komen. Terwijl hij over de armband wreef en verlangend dacht aan de zilverstukken die deze opdracht hem zou opleveren, ging Wolfram weer liggen. Hij stond op het punt in slaap te zakken toen Jessan wakker werd en aankondigde dat het tijd was om op pad te gaan.

Dat was een gewoonte van de Trevinici-krijgers die Wolfram was ontschoten: om maar een paar uur te slapen en dan, indien mogelijk, de reis 's nachts voort te zetten.

Het zou nog uren duren voordat de zon opkwam, maar bij de zacht glanzende maan en de sterren was het zicht vrij goed, want er waren geen bomen om schaduw te geven. De drie sjokten over het pad. Wolfram kende nog wel meer verhalen, maar hij was niet in de stemming om ze te vertellen. Vervelend genoeg had hij nu wel slaap en daar werd hij knorrig van, terwijl hij juist charmant moest zien te blijven. Het was hem opgevallen dat Jessan meer op oriëntatiepunten in het landschap begon te letten en hij vermoedde dat ze het pad binnenkort zouden verlaten en over de open grasvlakte verder zouden gaan.

Na ongeveer een uur lopen bleef Jessan staan bij een hoopje stenen langs het pad. Het pad liep van oost naar west. Jessan keek naar het noorden. Hij liet het aan de pecwae over om iets te zeggen.

'Wij slaan hier af,' kondigde Bashae aan. 'Bedankt voor de verhalen en bedankt voor de hulp met de elf.'

Jessan mompelde iets dat Wolfram niet verstond.

'Een goede reis verder, meneer,' voegde Bashae er beleefd aan toe.

Wolfram voelde dat de armband wat warmte afgaf, maar die aansporing had hij niet nodig. Hij begreep heel goed dat het de bedoeling was dat hij bij deze twee bleef, hoewel hij met de beste wil van de wereld niet zou kunnen zeggen waarom.

'Dank je,' zei hij, even beleefd. 'Ik zou jullie heel graag verder willen vergezellen. Ik wilde je grootmoeder graag raadplegen,' zei hij tegen de pecwae. 'Een zeer wijze vrouw.'

Bashae keek naar Jessan, die zijn hoofd schudde. Hij keurde de dwerg geen blik waardig, maar bleef strak naar het noorden kijken. 'Nee,' zei hij.

Wolfram kon hen altijd nog de volgende dag volgen, maar hij moest worden geaccepteerd door het Trevinici-volk en hij wilde niet meteen de indruk wekken dat hij hen als een dief in de nacht had beslopen. Hij stond te bedenken wat voor argumenten hij kon gebruiken toen de pecwae onverwachts voor de dwerg in de bres sprong.

'Laten we hem meenemen,' zei Bashae in het Tirniv.

Jessan schudde zijn hoofd.

'Niemand in ons dorp heeft ooit een dwerg gezien,' voerde Bashae aan. 'Zelfs je oom Aanvallende Raaf niet. Stel je voor wat een opzien het zal baren als we Wolfram meenemen naar ons dorp. En hij zal onze dwerg zijn. Niemand anders kan aanspraak op hem maken. Berenklauw zal groen van afgunst zien, met al zijn trofeeën. Wat stelt zo'n verschrompeld koppie nou voor in vergelijking met een echte, levende dwerg!'

Jessan leek dit te overwegen.

'Vooral voor Stralende Dageraad,' opperde Bashae slim. 'Ze heeft nog nooit een dwerg gezien, en al heel veel verschrompelde ouwe koppen.'

Wolfram stond er met een uitgestreken gezicht bij, want hij werd niet verondersteld hier iets van te verstaan. Waarschijnlijk zou hij beledigd moeten zijn, omdat hij werd beschouwd als een gedrocht op de kermis, maar als dat ervoor zorgde dat hij bij de twee jongemannen kon blijven, was hij bereid een goede show weg te geven.

'Je bent toch niet bang voor hem?' vroeg Bashae op onschuldige toon.

'Natuurlijk niet,' antwoordde Jessan met een geringschattende blik op de dwerg.

'Laten we hem dan meenemen,' drong Bashae aan.

De pecwae had dit heel slim aangepakt. Als Jessan nu weigerde, zou hij later en tot in lengte van dagen ervan worden beschuldigd bang te zijn voor dwergen. Jessan leek te beseffen dat hij in een hoek was gedreven, maar wist niet hoe hij kon ontsnappen. Wolfram had een veel duidelijker beeld gekregen van de relatie tussen de pecwae en de Trevinici. Iemand die gewend was altijd een rechte weg te bewandelen, zou onherroepelijk struikelen over iemand die in kringetjes om hem heen sprong.

'De dwerg mag meekomen,' zei Jessan op niet al te vriendelijke toon.

'U mag met ons mee,' riep Bashae opgewonden uit terwijl hij zich omdraaide naar Wolfram. 'We hebben erover gepraat, mijn vriend en ik. Ik heb hem verteld dat mijn grootmoeder u heel graag zou ontmoeten en hij is het met me eens.'

Wolfram sprak beleefde woorden; hij bedankte de twee jongemannen dat ze hem het plezier van hun gezelschap gunden en hem de zeer grote eer aandeden om hem mee te nemen naar hun dorp. Jessan trapte de stapel stenen omver en verspreidde ze, en de drie gingen weer op pad. Wolfram vroeg zich af hoe ver ze nog moesten lopen, maar hij wilde het niet vragen, uit angst de indruk te wekken dat hij met een of ander duister doel naar informatie viste.

Ze liepen niet in een rechte lijn, en de dwerg vermoedde dat de Trevinici opzettelijk een omweg nam om ervoor te zorgen dat de dwerg later de weg naar het dorp niet kon terugvinden. Wolfram, die heel moe begon te worden, had Jessan kunnen verzekeren dat hij zulke bedoelingen niet had, maar dan zou het juist lijken alsof hij die wel had. Daarom hield Wolfram zijn mond dicht en concentreerde zich erop wakker te blijven.

Het werd donkerder. Rechts van hen rees een grote donkere vorm op, die de sterren aan het gezicht onttrok. Wolfram snoof, rook water en besloot dat de vlek een bosje bomen was dat om een meer stond. Bashae maakte een opmerking over zijn waterzak, die leeg was, en de twee jongemannen bogen af in de richting van de vlek. Wolfram was blij dat ze zouden pauzeren, ook al was het maar even. Hij hoopte dat hij wat wakkerder kon worden door zijn nek en gezicht met koud water te wassen.

Ze liepen het bosje in. Het was donker onder de takken met hun dikke gebladerte. Ze hielden de pas in. Ze hoorden de geluiden van nachtdieren die op jacht waren. Een uil kraste boven hun hoofd om dit gebied tot zijn territorium uit te roepen. Een andere uil riep in de verte, misschien om hem dat recht te betwisten. Een geritsel in het kreupelhout was afkomstig van een vos die even naar hen kwam kijken, volgens Bashae. Wolfram ging bijna op een wezel staan, die boos naar hem grauwde en onder zijn voet vandaan glipte.

Toen lieten ze de bomen achter zich, kwamen uit de schaduw te voorschijn en bereikten de oever van een roerloos, vredig meer. Een kudde herten stond te drinken. Geschrokken staken ze hun witte staartjes in de lucht en stoven weg, hoewel Bashae naar hen riep dat ze niet bang hoefden te zijn. Vannacht was er niemand op jacht. Wolfram zag dit geïnteresseerd aan. Hij had altijd gehoord dat pecwae's met dieren konden communiceren, maar was er tot op dat moment nooit getuige van geweest.

De herten waren echter niet onder de indruk. Wolfram hoorde hen tussen de bomen door rennen.

Bashae glimlachte en haalde zijn schouders op. 'Ze geloofden me niet. Jullie dragen alle twee een hertenvacht. Ik kan het ze niet echt kwalijk nemen.'

Wolfram kon het ze ook niet kwalijk nemen. Hij liep naar de rand van het water, maakte een kommetje van zijn handen en dronk. Het water was koel en smaakte naar de aarde. Hij plensde er wat van in zijn gezicht.

'Wat is dat vreemde licht daar?' vroeg Jessan op scherpe toon.

Wolfram wreef het water uit zijn ogen, tuurde voor zich uit en zag een zilveren plek glanzen op het oppervlak van het inktzwarte en met sterren bespikkelde water. Hij had het licht al eerder gezien, maar had er nauwelijks aandacht aan besteed.

'De maan,' zei hij geeuwend. 'De weerspiegeling van de maan.'

'De maan is een uur geleden ondergegaan,' zei Jessan.

Wolfram werd wakker. Terwijl hij overeind krabbelde, keek hij onwillekeurig naar de hemel. 'Je hebt gelijk.'

Hij staarde weer naar het glinsterende oppervlak. De zilveren plek lag ongeveer vier meter van de oever en nu hij er beter naar keek, zag hij dat het licht geen weerspiegeling was van het maanlicht. Het zilveren licht dreef als een olievlek op het wateroppervlak, en rees en daalde met de beweging van het water.

De rimpelingen die de geschrokken herten hadden achtergelaten, verstrooiden de zilveren plek niet, braken die niet in smalle golfjes van zilver en zwart. Het blinkende licht bleef intact en gleed over de rimpelingen, zoals een zijden sjaal zou doen die iemand op het water had laten vallen. Wolfram legde zijn hand over de armband om zijn pols.

'Wel verd...' zei hij vol verbazing.

'Laten we gaan kijken wat het is,' riep Bashae opgewonden uit. Hij wierp de waterzak neer en was al drie passen in het meer terwijl Jessan achter hem aan plonsde, voordat de dwerg goed en wel besefte wat de jongemannen deden.

Wolfram sprong het water in. Hij greep eerst de magere arm van de pecwae in zijn ene hand en kreeg toen Jessans pols te pakken met de andere.

Kwaad rukte Jessan zijn pols los uit de greep van de dwerg; hij keek Wolfram dreigend aan. Trevinici houden er niet van om door buitenstaanders te worden aangeraakt, maar dit was niet het moment om rekening te houden met dat soort gevoeligheden. De jongeman was blijven staan, en dat was alles wat Wolfram had gewild.

'Ga er niet heen,' waarschuwde de dwerg. 'Ik weet wat het is. Blijf erbij uit de buurt.'

'Wat is het dan?' vroeg Bashae terwijl hij naar het licht staarde.

Jessan keek nog steeds dreigend naar de dwerg, maar hij bleef waar hij was, ongeveer tot zijn schenen in het water. Omdat hij instinctief voorzichtig en op zijn hoede was, zou hij in elk geval afwachten wat Wolfram te vertellen had.

'Het is een Portaal,' verklaarde Wolfram. 'Een van de magische Portalen.' Hij wees er met zijn duim naar. 'Als je erin loopt, heb je geen idee waar je uitkomt. Misschien op een mooie plek en misschien midden in een elfenlegerkamp, waar ze je aan hun zwaard rijgen voordat je boe of bah kunt zeggen, of misschien in een poel kokendhete modder. Jullie weten toch wel wat een Portaal is?' vroeg Wolfram.

'Mijn oom heeft het er weleens over,' antwoordde Jessan koel. 'Hij zegt dat er geen is in Dunkarga. Het dichtstbijzijnde Portaal is in Karnu.'

Voor hem was daarmee de kous af. Oom Fladderende Raaf of hoe hij ook mocht heten had gezegd dat er geen Portalen in Dunkarga waren, en dus konden er geen Portalen zijn.

'Het dichtstbijzijnde bekénde Portaal,' verbeterde Wolfram. 'Er zijn heel veel onbekende Portalen, zwerfportalen die zijn ontstaan toen de vier Grote Portalen in Oud Vinnengael in stukken zijn gescheurd door de klap waarmee die mooie stad met de grond gelijk is gemaakt. Waarschijnlijk is dit daar een van.' Hij liep achteruit naar de oever en trok Bashae met zich mee.

Jessan fronste zijn donkere wenkbrauwen. Hij bleef in het water staan. 'Als wat u zegt waar is en dit een van de magische Portalen is, waarom heeft niemand het dan eerder ontdekt?'

'Ik weet het!' riep Bashae uit. Toen hij de oever bereikte, schudde hij zich uit als een hond. 'Omdat er niemand ooit zo laat bij dit meer komt. Overdag zou je het licht niet kunnen zien.'

Dat is waar, besefte Wolfram. Het meer ligt ver van het pad. Reizigers wisten waarschijnlijk niet dat het bestond. En zelfs als iemand er wel op stuitte, zou het spookachtig glanzende licht van het Portaal niet zichtbaar zijn als de stralen van de zon over het water dansten. Zelfs 's nachts zou een oppervlakkige toeschouwer het kunnen aanzien voor maanlicht, zoals Wolfram zelf had gedaan.

'Kom mee, jongen,' zei hij.

Jessan bleef in het water staan en staarde naar het bleke, glinsterende licht. 'Waar zou het naartoe leiden?' vroeg hij.

'Wie weet? Misschien zelfs de goden niet,' zei Wolfram, terwijl hij zich afvroeg wat hij in naam van de goden zou doen als de jongeman besloot zelf te gaan kijken.

De jongens waren niet zijn pupillen, niet zijn verantwoordelijkheid. Hij was niet aansprakelijk voor hen. Als ze in een Portaal verdwenen, dan was dat hun zorg. Hij kende de weg terug naar het hoofdpad. Het was duidelijk dat hij datgene had gevonden waarvoor de monniken hem op pad hadden gestuurd. Hij hoefde alleen maar de lokatie te onthouden en die te gaan melden. Toch hield hij de pecwae goed vast.

'Misschien leidt het naar de bodem van het meer,' zei hij. 'Misschien naar de andere kant van de wereld. Of naar de goden zelf. Als je nooit eerder in een Portaal bent geweest, kan het heel verwarrend zijn. Net als een grot. Je hebt geen gevoel voor boven of beneden, weet niet welke kant het noorden en welke het zuiden is. Je raakt er snel van in de war.'

Hij had plotseling een ingeving. 'Vertel jullie volk erover. Stuur een groep krijgers om uit te zoeken waarheen het leidt...'

Het licht van het Portaal flikkerde; plotseling was het sterker en helderder. Er kwamen gedempte geluiden uit het Portaal: het dreunende geluid van hoeven, of misschien een bonzend hart.

Wolfram zoog zijn adem in en haastte zich achterwaarts bij het water weg, Bashae met zich mee trekkend, die hem gewillig volgde. Gelukkig zijn de kleine pecwae's gezegend met een sterk gevoel voor zelfbehoud.

'Jessan, kom mee!' riep Bashae indringend.

Het geluid van hoefslagen werd harder. Geschrokken en verontrust baande Jessan zich een weg terug naar de oever, maar hij hield zijn blik strak op het glanzende licht gericht.

Er kwam een paard met berijder het Portaal uit springen; aan alle kanten spoelde wit schuimend water van hen af. De neusgaten van het paard waren opengesperd. Het dier galoppeerde op volle snelheid. Terwijl hij het water uit zijn manen en van zijn hoofd schudde, krabbelde hij wanhopig met zijn voorhoeven om houvast te krijgen op de bodem van het meer. De berijder was een ridder, wiens zilverkleurige harnas schitterend glansde in het licht van het Portaal. Hij was duidelijk een vaardig ruiter; hij boog zich laag over de hals van het paard en spoorde het dier aan.

Het paard kreeg houvast en plonsde door het meer, waarbij het waterfonteinen deed opspatten die wit afstaken tegen het donkere wateroppervlak. Verbijsterd door de wonderlijke aanblik van het paard met ruiter dat uit het meer sprong, wankelde Jessan achteruit en viel bijna. Het scheelde een haar of hij werd omvergeworpen door het uitzinnige dier, maar het goed gedresseerde paard had in de gaten dat er zich een mens op zijn pad bevond en sprong over hem heen.

'Een god!' fluisterde Bashae vol ontzag. Hij kneep zo hard in Wolframs hand dat de dwerg ineenkromp.

In eerste instantie dacht de geschokte Wolfram dat de pecwae misschien gelijk had, maar er was iets aan het harnas van de ridder dat de dwerg bekend voorkwam. Toen hij was bekomen van de schok, keek hij wat aandachtiger naar de ruiter terwijl het paard op de oever klom.

'Nee,' zei Wolfram zacht. 'Maar wel bijna. Het is een Domeinheer.' De ridder bracht zijn ros tot stilstand. Hij draaide zich om in het zadel en keek naar het Portaal achter zich. Jessan staarde strak naar de ridder, wiens natte harnas in het licht van de sterren glinsterde als vissenschubben.

De ridder sloeg zijn vizier op. 'Waar ben ik?' riep hij, met een dringende klank in zijn stem.

Hij keek om zich heen, naar de bomen, het meer, de uitgestrekte hemel en de lege grasvlakte, en wendde zich tot Jessan. 'Waar ben ik?' vroeg hij op nog dringender toon.

Jessan kon geen antwoord geven. Hij kon alleen maar staren.

'Verdorie...' begon de ridder.

'Ik zal u vertellen waar u bent, edele ridder,' zei Wolfram terwijl hij uit de schaduw van de bomen stapte. 'U bevindt zich op het land van de Trevinici, ten noorden van Dunkarga.'

'Dunkarga,' herhaalde de ridder.

Wolfram kon het gezicht van de ridder niet goed zien in het schemerlicht van de sterren en het Portaal, maar hij zag aan de manier waarop de man zijn geharnaste schouders liet hangen dat het niet het antwoord was waarop de ridder had gehoopt.

Wolfram wees. 'De hoofdstad Dunkar is ongeveer duizend kilometer naar het zuiden.'

'Dunkarga,' zei de ridder opnieuw. Hij klonk alsof hij zo moe was dat hij op het punt stond van zijn paard te vallen. 'Níet Vinnengael, zoals ik had gehoopt en waarom ik heb gebeden.' Hij schudde zijn hoofd en keek weer achterom naar het Portaal. Ze hoorden allemaal het zwakke geluid van hoefslagen die naderbij kwamen. 'Niets aan te doen. Mijn brave Fotheral bezwijkt bijna. Hij kan niet verder. En ik ook niet. Dan moet ik de confrontatie hier aangaan.'

Nadat hij zich van zijn paard had laten glijden, trok de ridder zijn zwaard. Toen gaf hij het paard een commando van één woord, waarop het de bosjes in galoppeerde. Met een blik achterom zei hij streng:

'Neem die jongens mee en vlucht, dwerg. Datgene wat door het Portaal achter me aankomt, zal jullie dood betekenen.'

'Wat... wat is het dan?' vroeg Wolfram, die het verwarrende gevoel had dat hij in een rare droom verzeild was geraakt.

'Een Vrykyl, een wezen van de Leegte,' antwoordde de ridder. 'Meedogenloos en sterk.' Hij keek grimmig naar het Portaal. 'Ik heb er twee weken geleden mee gevochten. Ik dacht dat ik het een dodelijke wond had toegebracht, maar het ding is erin geslaagd zichzelf te genezen. Sinds die tijd achtervolgt het me. Toen ik het zwerfportaal vond, hoopte ik... Ik heb gebeden dat het me naar Nieuw Vinnengael zou brengen.'

Hij glimlachte flauwtjes en haalde zijn schouders op. 'De goden hebben zo veel van mijn gebeden verhoord, dat ik geen recht van klagen heb dat ze dat deze keer niet hebben gedaan.'

Wolfram luisterde niet meer. Hij rende al naar de bomen. Een wezen van de Leegte dat zo sterk was dat het het niet alleen had durven opnemen tegen een Domeinheer, maar er ook in was geslaagd om deze ridder op de vlucht te jagen, moest wel heel sterk zijn. Wolfram voelde dat er gevaar dreigde, zoals je kunt voelen dat er onweer komt op een snikhete zomerdag, en hij wilde er niets mee te maken hebben. Bashae rende met hem mee.

'Schiet op, jongen!' riep Wolfram over zijn schouder naar Jessan. 'De ridder heeft gelijk. We moeten maken dat we wegkomen!'

Jessan hief trots zijn hoofd en de dwerg wist al wat de jongeman zou gaan zeggen voordat hij het zei.

'U vergist zich in mij als u denkt dat ik vlucht voor gevaar. Niemand van mijn volk is ooit weggelopen voor een vijand,' verklaarde hij. Terwijl hij zijn mes trok – het enige wapen dat hij droeg – ging hij naast de ridder staan.

De ridder glimlachte niet, noch gaf hij de jongeman een uitbrander of maakte hij hem uit voor idioot, zoals Wolfram misschien gedaan zou hebben. De hoefslagen kwamen steeds dichterbij en het zilveren licht van het Portaal begon te verzwakken, alsof het de weerspiegeling van de maan was en daar een wolk voor was geschoven.

'Dank u voor uw aanbod, meneer,' zei de ridder. 'Mijn naam is Gustav. Ik ben een heer van Vinnengael. Ik heb geen schildknaap, zoals u ziet. U zou die functie kunnen vervullen, als u wilt.' Hij gebaarde met zijn zwaard, en nu zag Wolfram dat de ridder zijn linkerarm stijf langs zijn lichaam hield en die niet gebruikte. 'Ga bij mijn paard staan. Zorg ervoor dat het niet op hol slaat. En sta klaar om me een ander wapen te brengen als ik mijn zwaard kwijtraak.'

Jessans hand spande zich om zijn mes en even was Wolfram bang dat de jongeman de ridder zou trotseren en zou blijven waar hij was. Maar Jessan kende zijn beperkingen, zoals hij die op het slagveld zou kennen. Als neef van een Trevinici-krijger was Jessan gewend te gehoorzamen, gewend om orders te krijgen. De ridder was ouder en hij had de leiding. Hij had Jessan met respect behandeld en hem een taak gegeven die hij eervol kon vervullen.

'Ik heet Jessan, zoon van Klauwende Beer. Ik zal u niet teleurstellen, meneer,' antwoordde Jessan.

Hij had in het Tirniv gesproken, een grote eer voor de ridder, maar die was te zeer in beslag genomen door andere zaken om het te merken. Hij knikte alleen maar en keerde zich in de richting van zijn naderende vijand.

Jessan rende naar het paard, dat rustig tussen de bomen stond. Het dier had niet de minste neiging getoond om op hol te slaan. Wolfram, die zoals alle dwergen verstand had van paarden, herkende het als een zeer goed gedresseerd strijdros dat zou blijven waar het van zijn baas moest blijven, ook al viel de hemel naar beneden. Hij was een snelle denker, die ridder, en zelfs in deze hachelijke situatie kon hij zich inleven in een trotse jongeman.

Bashae wrong zijn hand los uit die van de dwerg en liep naar het paard. Terwijl hij het dier bewonderend over de hals aaide, praatte hij er zachtjes tegen. Hij gebruikte de Taal der Oudsten, de taal waar het paard aan was gewend, en vroeg of het dier water wilde hebben. Het paard hoorde en begreep hem blijkbaar, want het schudde zijn manen. Het hield zijn aandacht op zijn baas gevestigd en stond er gespannen en alert bij, klaar om geroepen te worden. Jessan maakte een strijdbijl los van het zadel, hield die stevig vast, met witte knokkels, en ging staan wachten, net als het paard.

Het donkerder wordende water begon te schuimen en te kolken. De nabijheid van het kwaad was voelbaar en absorbeerde al het geluid, zodat Wolfram niets anders hoorde dan het bonzen van zijn hart, en dat leek de echo van niets te zijn.

'Een Vrykyl, zegt hij. Ik zou moeten maken dat ik wegkwam,' zei Wolfram bij zichzelf. Zwetend en hijgend rukte hij zijn blik los van het onheilspellende water. 'Dit is niet mijn strijd.' Hij deed een stap achteruit. 'Die jongens zijn mijn verantwoordelijkheid niet. Evenmin als de ridder, mogen de goden hem zegenen.' Hij deed nog een stap achteruit. 'Ik heb gedaan waarvoor ik kwam, gevonden wat ik moest vinden. Mijn volgende taak is lang genoeg in leven te blijven om er verslag van uit te brengen. De ridder zelf heeft me gezegd te vluchten en ik ben het daar volkomen mee eens.'

Misschien was het het noodlot, of misschien waren het de goden.

Misschien was het de besluiteloosheid van de dwerg zelf, of misschien de armband om zijn pols. Misschien was het het werk van een ijverige grondeekhoorn. Toen hij een derde stap achteruit deed, met de bedoeling zich om te draaien en keihard weg te rennen, zakte de hak van zijn laars weg in een gat in de zachte grond. Hij gaf een gil van schrik en viel, waarbij hij zijn enkel verdraaide.

Het donkere water schuimde en borrelde. Er schoot een zwart paard met een zwart geharnaste ruiter uit het Portaal te voorschijn. Het spookachtige licht van het Portaal scheen op geen van beiden, verlichtte de natte vacht van het paard niet en glinsterde niet in het zwarte harnas. Het kwaad absorbeerde al het licht, zodat de sterren verdwenen en het volkomen donker werd, het legde de wind het zwijgen op en zoog de lucht uit de longen. De duisternis van het paard en de ruiter verduisterde het licht en de gloed van het Portaal verflauwde, verbleekte en flakkerde.

De Vrykyl droeg haar eigen harnas, een harnas dat zo zwart was als een gat dat uit de duisternis was geknipt. Versierd met gemene stekels op de schouders en ellebogen, zou het harnas de slag van zwaard en ploertendoder afweren.

De dwerg had legenden over de Vrykyls gehoord, de dode maar toch nog rondlopende ridders van de Leegte, maar hij had er nooit in geloofd. Hij wist niet zeker of hij er nu wel in geloofde. Hij wilde veel liever denken dat hij droomde en dat hij zo meteen wakker zou worden en zou lachen om zijn angst.

Het zwarte paard stampte door het water en denderde recht op de zilveren ridder af. Heer Gustav sloeg zijn vizier neer en wachtte op de oever tot zijn vijand hem had bereikt. De magie van de Leegte verspreidde zich in golven om de berijder heen. Zelfs de bomen leken er vlak door te gaan liggen, als korenhalmen in een harde storm.

Half verblind en doodsbang drukte Wolfram zich dicht tegen de grond, alleen maar biddend dat de Vrykyl hem niet zou zien. Het paard van de ridder hinnikte opstandig en stampte met zijn hoeven op de grond. Bashae jammerde en Jessans adem stokte van angst. Toen hij het geluid van staal op staal hoorde, keek de dwerg op.

De Vrykyl zag dat haar tegenstander niet op zijn paard zat en geen schild had; de ridder kon dat niet vasthouden omdat hij zijn linkerarm niet kon gebruiken. Nu had ze hem te pakken, dacht ze, en ze stak haar zwaard in de schede en pakte een gigantische goedendag; die zwaaide ze met een onnatuurlijke kracht in het rond.

De goedendag maakte een afschuwelijk zoemend geluid terwijl hij door de lucht werd geslingerd, als van honderden vraatzuchtige sprinkhanen. De Vrykyl was van plan een klap uit te delen die het harnas van de ridder zou doen opensplijten. Als de klap en de magie de Domeinheer niet zouden doden, zou hij in elk geval versuft en gewond zijn door de aanval, en kwetsbaar voor een volgende klap. Gustav stond roerloos en kalm te wachten, met geheven zwaard. De Vrykyl stormde recht op de ridder af terwijl haar goedendag met een enorme vaart rondzwaaide. Gustav bewoog niet.

Wolfram vroeg zich af of de ridder daar gewoon zou blijven staan om dood te gaan, en wat er dan van de rest van hen zou worden. Gustav riep woorden in het Vinnengaels. 'Bitterzoete herinneringen,' riep hij uit.

Zijn harnas en zwaard zonden een zilverblauw licht uit. Toen hij met de kling zwaaide om zich te verdedigen tegen de goedendag, ontmoette de magie van het gezegende wapen de vervloekte magie van de Leegte. Er vlamden vonken op. De lucht vibreerde van de schok. Gustavs zwaard sneed door de pols van de Vrykyl en hakte haar hand van haar arm. Het wapen van de Vrykyl en de gepantserde handschoen die het had vastgehouden vielen op de grond.

Gustav wankelde verdoofd achteruit. Het zwaard was zwaar in zijn hand, bijna te zwaar om vast te houden. Hij hief zijn hoofd en keek naar zijn tegenstander, in de hoop de Vrykyl te zien vallen.

De vreselijke klap zou elke sterveling tot staan hebben gebracht. De Vrykyl was een ogenblik verbaasd dat ze haar wapen niet meer had, maar dat maakte geen einde aan haar aanval. Ze hield haar paard in, veranderde van richting en spoorde het beest aan recht op de ridder af te stormen.

We zijn er allemaal geweest, dacht Wolfram. De Vrykyl zal hem afslachten en dan de rest van ons vermoorden. De dwerg wierp een blik op de jongens. Jessan hield de teugels van het paard vast zonder te weten dat hij dat deed. Hij keek naar de strijd met ogen die groot en glanzend waren van opwinding. Bashae, die huiverde van angst, gluurde ernaar van onder de buik van het paard.

Wolfram drukte zijn tong tegen de achterkant van zijn tanden en maakte een geluid, een zoemend, ratelend geluid. Hij zette zijn hand om zijn mond en versterkte het geluid, het gezoem van een zwerm insecten die de dwergen de paardenplaagvlieg noemen.

Het zoemende geluid was een nabootsing van het vreemde geratel dat de zwermen akelige vliegen maakten vlak voordat ze aanvielen. Hoe goed gedresseerd het paard van de ridder ook was, het hinnikte geschrokken, rukte zijn hoofd naar achteren en rolde wild met zijn ogen in een poging de plaats te bepalen van de stekende, bijtende insecten die paarden gek konden maken van pijn, zodat ze over een klif sprongen om er maar aan te ontsnappen. Jessan en Bashae hadden plotseling hun handen vol met te proberen het in paniek geraakte strijdros in bedwang te houden.

Wolfram bad tot de Wolf dat het paard van de Vrykyl van vlees en bloed was, sterfelijk, en niet een of ander nachtmerrieachtig wezen van de Leegte.

Zijn gebed werd verhoord. Het paard van de Vrykyl spitste zijn oren. Zijn ogen rolden in zijn hoofd. Het paard steigerde recht omhoog en schopte om zich heen met zijn hoeven. De Vrykyl deed haar uiterste best om het dier te kalmeren, maar slaagde daar niet in. Het paard steigerde en bokte. Ze viel uit het zadel en kwam op haar rug op de grond neer.

Omdat ze wist dat ze in gevaar was, probeerde de Vrykyl onmiddellijk weer overeind te komen. Maar doordat ze opgesloten zat in haar zware harnas en een hand miste, kon ze zich niet gemakkelijk of snel bewegen en lag ze op de grond te spartelen als een schildpad die op zijn rug ligt.

Gustav maakte gebruik van zijn voordeel. Hij greep zijn zwaard en rende naar de Vrykyl toe. Ze deed een laatste, wanhopige poging om zichzelf te redden en zwaaide met haar ene hand om zich heen om de ridder bij zijn been te pakken.

Gustav schreeuwde weer iets in het Vinnengaels.

'Liefde van Adela,' riep hij, en hij stak de punt van zijn blauw oplichtende zwaard recht in de borst van de Vrykyl.

Het zwaard versplinterde met een vernietigende knal, het blauwe licht flitste en doofde toen. De Vrykyl schreeuwde, een afschuwelijk geluid dat meer op woede dan op pijn leek te duiden. Gezegend licht vulde haar lege duisternis en maakte een eind aan de kracht van de magie van de Leegte die haar bestaan had verzekerd. De schreeuw hield lang aan, een weeklagend gejammer van razernij en het scheuren van magie.

Wolfram zette zijn kiezen op elkaar en sloeg zijn handen voor zijn oren. Het laatste dat hij zag voordat hij zijn ogen dichtkneep van angst was dat de ridder, wiens harnas nog flakkerde met een wegstervend blauw licht, op de grond ineenzakte naast zijn gevallen vijand.

Voorzichtig en verbaasd dat hij nog leefde, deed Wolfram zijn ogen open. Het licht van het Portaal glinsterde helder op het rimpelende wateroppervlak. Bashae kalmeerde het paard van de ridder door het dier over de hals te aaien en geruststellende woordjes te zeggen. Jessan, zijn plicht indachtig, rende naar zijn gevallen ridder.

Wolfram krabbelde overeind, grommend en grimassend van pijn. Zijn enkel was niet gebroken – hij hoorde niets kraken – maar hij had hem lelijk verstuikt. Dat maakte een eind aan zijn plannen om weg te rennen. Of hij het wilde of niet, zijn lot was voorlopig verbonden met dat van de jongens, in elk geval totdat zijn enkel was genezen. Of, als het paard van de Vrykyl nog in de buurt was, kon hij dat gebruiken om terug te keren met zijn nieuws en zijn beloning op te halen.

Hij keek zoekend om zich heen en hoorde de hoeven van het dier op enige afstand tegen de grond klepperen. Dat zou dus niet doorgaan. Wolfram hinkte naar de plek waar Jessan naast de gevallen ridder en zijn dode tegenstander stond.

Het gevest van het zwaard van de ridder – het enige dat ervan over was – lag boven op de zwarte borstplaat. Het harnas was in tweeën gespleten, maar er was geen spoor van bloed.

'De ridder wil vast een trofee hebben,' zei Jessan. 'Als hij sterft, zullen we die bij hem in zijn graf leggen.'

Jessan had nog steeds de strijdbijl van de ridder in zijn hand. Voordat de ontstelde Wolfram hem kon tegenhouden, zwaaide Jessan met de bijl en met één snelle hakbeweging scheidde hij het gehelmde hoofd van het geharnaste lichaam.

Wolfram verstarde van paniek en verwachtte dat de Vrykyl zou oprijzen en Jessan bij de keel zou grijpen, dat de magie van de Leegte uit het zwarte harnas zou komen kolken en hun zielen zou stelen.

De helm rolde weg door het gras. En toen zag Wolfram waarom er geen bloed was.

Er was geen lichaam.

Jessan ging op zijn hurken zitten om van dichterbij te kijken. '*Garl-nik*!' vloekte hij in het Tirniv. 'Waar... waar is het gebleven?'
Een goede vraag. Er was niets over van de Vrykyl, afgezien van een hoopje vettig grijs stof.
De aanblik joeg Wolfram meer angst aan dan een afschuwelijk verminkt lijk zou kunnen doen; het haar op zijn armen en in zijn nek ging overeind staan en de haren van zijn snor prikten. De stank van de magie van de Leegte hing zo dik in de lucht dat hij er misselijk van werd.
Jessan had daar geen last van. Trevinici zijn erg rechtlijnig. Ze geloven in wat ze kunnen zien, wat ze kunnen voelen en wat ze kunnen aanraken. Ze weten dat er bepaalde dingen in de natuur zijn die niet verklaarbaar zijn. Wat houdt de vogel in de lucht en de mens op de grond? Dat weet niemand. Heeft de vogel daar last van? Niet in het minst. Dus zit de Trevinici er ook niet mee. Dezelfde houding hebben ze ten opzichte van magie: geen ontzag, zelfs niet veel belangstelling, zolang ze er maar niets mee te maken hebben.
Op handen en knieën gezeten tuurde Jessan in het lege zwarte harnas op zoek naar het lichaam. 'Waar is het gebleven?' Zijn stem echode hol. Door zijn adem werd het vettige stof in wolkjes de lucht in geblazen.
Wolfram voelde dat hij een lachaanval ging krijgen van angst. Hij slikte de opborrelende lach weg, in de wetenschap dat hij niet meer zou kunnen ophouden als hij eenmaal begon.
Zijn tong was dik en zijn mond droog. 'Laat het met rust, jongen.' Hij legde zijn hand op de arm van de jongeman.
Jessan wierp de dwerg een felle, trotse blik toe en Wolfram trok zijn hand haastig terug, waarbij hij merkte dat die beefde.
'Het is een wezen van de Leegte,' probeerde Wolfram wanhopig uit te leggen. 'Een kwaadaardig ding. Je kunt er het beste niet te dicht bij komen, niet te goed naar kijken en niet te veel over vragen.'
Jessan keek boos, zijn ogen donker en beschuldigend. 'Pff! U bent een lafaard. U probeerde weg te rennen. Ik heb het zelf gezien.'
'Dat had jij ook moeten doen, als je enig verstand had,' verklaarde Wolfram. 'En het komt door mij dat je nog in leven bent, jonge krijger. Maar bedank me daar vooral niet voor!'
Zijn gewonde enkel ontziend, hinkte hij zo ver van het zwarte harnas weg als hij kon opbrengen. 'Je moest maar eens voor de ridder gaan zorgen,' zei hij over zijn schouder. 'Hij heeft je tot zijn schildknaap gemaakt.'
'Dat is waar.' Tot Wolframs grote opluchting hield Jessan op met in het zwarte harnas te porren en te prikken.

Jessan knielde neer en zocht naar een manier om de helm van de man te verwijderen. Hij morrelde aan het vizier in de hoop het open te slaan, maar het leek wel dichtgelast te zijn. Er waren geen zichtbare bevestigingen, gespen of leren riemen.

'Hoe moet deze af?' vroeg Jessan hulpeloos.

Hij staarde vol ontzag en verwarring naar het ingenieuze harnas van de ridder en raakte eerbiedig de glanzende helm aan, die de vorm van een vossenkop had. Jessan was niet in het minst onder de indruk van een verdwijnend lijk, maar het prachtige harnas van de Domeinheer bracht de jonge krijger bijna in tranen.

'Zoiets heb ik nog nooit gezien,' vervolgde hij vol eerbied. 'Zelfs het harnas van oom Raaf is niet zo mooi als dit.'

Dat kon Wolfram zich wel voorstellen. De helm van oom Raaf deed waarschijnlijk ook dienst als zijn kookpot.

'Je zult het geheim van dat harnas niet vinden,' vertelde Wolfram de jongeman. 'Hij is een Domeinheer. Hun harnas is magisch, een geschenk van de goden.'

'Hoe kan hij dan gewond zijn?' wilde Jessan weten, persoonlijk beledigd. 'De goden zouden hem dan toch wel beschermen?'

'Niet tegen dat kwaad,' zei Wolfram terwijl hij een schuinse blik op het lege zwarte harnas wierp en huiverde. 'Dat was een Vrykyl, een wezen van de Leegte, zoals ik je aan je verstand probeer te brengen. Maar je hebt wel een punt. Ik heb niet gezien dat het ding hem raakte. Misschien is de ridder alleen flauwgevallen.'

'Bashae!' riep Jessan gebiedend naar zijn metgezel. 'Laat dat paard nou maar. Dat kan wel voor zichzelf zorgen. Kom hier en kijk of je erachter kunt komen wat er met de ridder aan de hand is.'

'Het paard rouwt om zijn baas,' meldde Bashae terwijl hij hun groepje behoedzaam naderde. 'Het heeft me verteld over hun reis. Het zegt dat hun vijand zijn baas bijna twee weken geleden heeft aangevallen. De baas heeft ermee gevochten en dacht dat hij het had gedood. Maar het ding was niet dood. Het heeft hem al die tijd achtervolgd. Hoewel ze het niet konden zien, voelden zowel paard als baas zijn kwade aanwezigheid. Zijn baas is bij de eerste aanval van het ding gewond geraakt. Hij is steeds zwakker geworden en de laatste paar dagen kon hij niet eten.'

'Vreemd,' zei Wolfram fronsend terwijl hij aan zijn kin krabde. 'Waarom zou het ding de ridder achtervolgen? Meestal maken wezens van de Leegte zich er snel van af en doden meteen. Dit is heel raar.' Hij wreef over zijn arm. De armband om zijn pols voelde warm aan.

Bashae knielde naast de ridder neer. Hij stak zijn hand uit en legde die op de borstplaat van de ridder. Bij zijn aanraking veranderde de borstplaat in vloeibaar zilver. Bashae gaf een gil van ontzetting. Hij sprong overeind, wankelde achteruit en verborg zich achter het paard. Jessan zoog sissend zijn adem naar binnen en sprong op. Eindelijk had iets indruk gemaakt op de niet te imponeren Trevinici.

Het harnas vloeide over het lichaam van de ridder en verdween, waarna hij gekleed bleek te zijn in een eenvoudige, door de reis smoezelig geworden kniebroek en een leren buis, zoals elke willekeurige reiziger zou kunnen dragen.

'Ik heb je toch gezegd dat het harnas magisch is,' zei Wolfram geërgerd. Hij bekeek het gezicht van de ridder en stapte dichter naar hem toe. 'Asjemenou... Heer Gustav, zei hij dat hij heette. En ik herkende zijn naam niet. De Bastaardridder achtervolgd door een wezen van de Leegte. Nu vraag ik me toch af...' Hij staarde peinzend naar de ridder, zijn gedachten een wirwar van nieuwe en mogelijk winstgevende kansen.

'Waarom gebeurde dat?' vroeg Jessan terwijl hij de ridder behoedzaam opnam.

Wolfram keek om zich heen en zag de pecwae gehurkt achter het paard zitten.

'Kom terug, Bashae,' riep de dwerg terwijl hij hem wenkte. 'Het was jouw zachtaardige aanraking die de betovering heeft verbroken. Kijk eens of je kunt ontdekken wat er mis is met hem. Kom op.' Hij wenkte opnieuw. 'Er zal je niets gebeuren.'

Maar terwijl hij dat zei, keek hij opnieuw naar de zwart geharnaste gestalte. Het stond hem niet aan dat Gustav had gedacht dat hij het had gedood, om er later achter te komen dat het weer was opgestaan en hem was gevolgd. Hoewel dat natuurlijk de versie van het paard was, bracht Wolfram zich in herinnering. Net als alle dwergen hield Wolfram van paarden, maar hij had geen groot vertrouwen in de scherpzinnigheid van het dier.

'Het is een oude man,' riep Jessan uit toen hij het gegroefde gelaat, het grijze haar en de grijze baard van de ridder zag. 'Net zo oud als Grootmoeder pecwae. En toch is hij een krijger.'

Geen wonder dat hij verbaasd was. Maar weinig Trevinici, man of vrouw, bereiken een hoge leeftijd.

'Ja, hij is oud,' zei Wolfram. 'Hij is de oudste van de mensen-Domeinheren, en de meest gerespecteerde.' Dat laatste voegde hij eraan toe voor het geval de ridder hem kon horen. In werkelijkheid werd er gezegd dat deze ridder de meest zonderlinge was.

Bashae ging op zijn hurken naast Gustav zitten. De pecwae legde zijn oor op Gustavs borst en luisterde naar zijn hartslag. Hij tilde een ooglid op en tuurde in het oog. Hij opende zijn mond en onderzocht de tong. Hoofdschuddend keek hij naar het zwarte harnas.

'Zei u dat dat ding kwaadaardig was?' vroeg Bashae.

'Geen twijfel aan.' Wolfram was stellig.

Bashae knikte. Hij stond op, stak zijn neus in de lucht als een hond die een geurspoor ruikt en schoot toen weg de duisternis in. Even later kwam hij terug met een twijgje met welriekende blaadjes in zijn hand.

'Salie,' zei hij terwijl hij ermee zwaaide. 'Maak eens een vlam,' gebood hij.

Jessan pakte tondel en vuursteen en sloeg een paar vonkjes. Bashae hield het twijgje bij de vlam. De droge blaadjes vatten al snel vlam. Bashae liet de salie even branden en blies de vlam toen uit. Terwijl hij woorden in zijn eigen taal mompelde, wuifde hij het rokende twijgje boven Gustav; hij begon bij zijn hoofd en werkte naar beneden, in de richting van zijn voeten.

'Dat jaagt het kwaad weg,' legde Bashae uit.

Daarna hield hij de salie onder Gustavs neus en liet hij de ridder de rook inademen. Dit had het gewenste effect dat Gustav er wakker van werd. Of dat kwam doordat het kwaad was verjaagd of doordat de ridder dacht dat hij zou stikken, blijft de vraag.

Gustav kwam hoestend en proestend bij bewustzijn. Hij staarde hen even aan zonder hen te herkennen, en toen kwam de herinnering aan het gevecht met volle kracht terug. Terwijl hij de rook uit zijn gezicht wapperde, probeerde hij te gaan zitten.

'Rustig maar, Heer Gustav,' zei Wolfram terwijl hij geruststellend een hand op de borst van de ridder legde. 'Uw tegenstander is dood.'

Gustav keek om zich heen. Zijn blik bleef op het zwarte harnas rusten. 'Heus waar? Heb ik het gedood?' Hij schudde zijn hoofd en fronste. 'Je kunt het niet vertrouwen. Ik heb al eens eerder gedacht dat ik het had gedood.'

'Tenzij een hoopje stof zichzelf weer in elkaar kan zetten, is het ding dood, edele ridder.'

'Dat zou me van de Vrykyl niet verbazen,' zei Gustav kalm. 'Vernietig het harnas. Begraaf het. Zink het af in de rivier.' Hij zweeg even en zijn blik stelde zich scherp op de dwerg. 'Ik ken u...'

'Wolfram, edele ridder,' zei hij met een onhandig knikje. 'U hebt me eerder gezien, misschien weet u nog wel waar.' Terwijl hij met zijn duim naar Jessan en Bashae wees, boog Wolfram zich naar de ridder toe en fluisterde: 'Ik ben nogal op mezelf, als u begrijpt wat ik bedoel, edele ridder. Ik houd er niet van om op te scheppen over mijn connecties.'

'Ja, ik begrijp het.' Gustav glimlachte flauwtjes, maar toen stokte zijn adem met een scherp geluid en ging er een kramp van pijn door zijn lichaam.

Bashae legde zijn magere arm om de schouders van de ridder. 'U moet gaan liggen, edele ridder,' zei hij, naar het voorbeeld van Wolfram. Waarschijnlijk wist hij niet eens precies wat een edele ridder was. Bashae hielp de ridder voorzichtig op de grond te gaan liggen. 'Waar bent u gewond? Kunt u het aanwijzen? Ik ben een genezer,' zei hij trots.

'Dat weet ik,' zei Gustav, en hij ademde beverig in. 'Je aanraking is zeer verzachtend.' Hij bleef even stil liggen rusten, met gesloten ogen. Toen bracht hij zijn hand naar zijn borst. 'Hier ben ik gewond.' Hij deed zijn ogen open en keek Bashae recht aan. 'Maar er is niets dat je voor me kunt doen, zachtmoedige vriend. Mijn wond is dodelijk. Ik sterf elke dag een klein beetje, centimeter voor centimeter. Maar ik ben een grote man.' Hij glimlachte weer. 'De goden zullen me nog wel een stukje verder dragen. Laat me uitrusten en help me dan om mijn paard te bestijgen...'

'U kunt niet rijden, edele ridder,' protesteerde Bashae. 'U kunt nauwelijks zitten. We zullen u meenemen naar ons dorp. Mijn grootmoeder is de beste genezer van de wereld. Zij zal een manier vinden om u te helpen.'

'Dank je, mijn zachtmoedige vriend,' zei Gustav. 'Maar ik kan niet vrij over mijn tijd beschikken. Ik heb een dringende opdracht te vervullen. Ik kan niet uitrusten. De goden...'

Maar terwijl hij sprak, namen de goden hem de zaak uit handen. Een pijn die scherper was dan een zwaard sneed door hem heen. Terwijl hij naar zijn borst greep, verloor hij het bewustzijn.

Bashae voelde snel naar zijn hartslag.

'Hij leeft nog,' meldde hij. 'Maar we moeten hem zo snel mogelijk naar ons dorp brengen. Jessan, til jij hem op zijn paard. Ik zal het dier uitleggen wat het moet doen.' Hij keek naar Wolfram. 'Kunt u rijden?'

Of hij kon rijden! Wolframs gedachten gingen naar de dagen dat hij als de wind had gereden over de golvende toendra van zijn vaderland. Naar de dagen dat hij en zijn paard één waren geweest, in elkaar over waren gevloeid, met hart en ziel verenigd waren. Het beeld was zo levendig en pijnlijk dat er tranen in zijn ogen prikten. Ja, hij kon rijden. Maar rijden was hem nu verboden. Het lag op het puntje van zijn tong om dat te zeggen, toen het bij hem opkwam dat als hij niet reed, ze hem hier achter zouden laten. Dan zou hij achterblijven bij het vervloekte zwarte harnas.

Hij strompelde snel naar het paard. Het dier was weliswaar groter dan de lage, gedrongen pony's waarop hij gewend was te rijden, maar het zou wel lukken.

Wolfram sprong op de rug van het paard. Het dier was onrustig, maar de dwerg pakte de teugels stevig vast, klopte het dier op de hals, maakte klokkende geluidjes en zei geruststellende woorden. Het paard ontspande, gekalmeerd door de aanraking van de dwerg en de stem van de pecwae. Jessan tilde Gustav op de rug van het paard. De oude man was niet zwaar. Het vlees was de laatste paar dagen weggesmolten van zijn botten. Wolfram hielp hen de gewonde ridder voor hem op het paard te zetten en sloeg zijn sterke armen om hem heen, zodat hij stevig op de rug van het paard zat.

'Ga maar vast,' zei Jessan tegen Bashae. 'Ik haal jullie wel in.'

Met de zadeldeken in zijn hand liep hij naar het donkere harnas toe. 'Ah, goed zo, jongen!' riep Wolfram uit. 'Dat was ik bijna vergeten. Laat het harnas in het meer zinken, Jessan, zoals de ridder zei. Gooi het zo ver mogelijk van de kant, in het diepste deel.'

'Wat?' Jessan staarde hem aan. 'Een goed harnas in het water gooien? Bent u gek geworden?'

Hij spreidde de deken uit op de grond, pakte een stuk van het harnas en wierp het op de deken. Toen besefte Wolfram dat de jongeman van plan was het harnas mee te nemen naar het dorp. Als de dwerg van het paard had kunnen klimmen, zou hij erheen zijn gerend, gewonde enkel of niet, en had hij het vervloekte harnas zelf in het meer gegooid. Maar hij werd er zo door overvallen dat hij alleen naar adem kon snakken en kon sputteren.

'Nee! Niet doen! Het is vervloekt. De ridder heeft zelf gezegd dat we het moesten vernietigen. Bashae!' Hij deed een beroep op de pecwae, die de teugels in zijn hand had genomen en het paard het bos uit leidde. 'Bashae. Zeg het tegen hem. Waarschuw hem. Hij mag het niet…'

'O, maar hij zou toch niet naar me luisteren,' zei Bashae. 'Nu u het zegt, dat harnas bezorgde me inderdaad een ongelukkig en angstig gevoel. Maar maakt u zich geen zorgen. Mijn grootmoeder weet vast wel hoe je de vloek moet verwijderen.' Hij trok aan de teugels van het paard en het dier ging sneller lopen.

Wolfram wenste uit de grond van zijn hart dat Gustav bij bewustzijn zou komen. De ridder zou er ongetwijfeld op staan dat het harnas vernietigd werd en misschien kon hij met zijn overwicht Jessan ervan overtuigen het achter te laten. Maar Gustav was in een diepe slaap gezonken en niets wat de dwerg deed of zei kon hem wakker maken.

Wolfram keek over zijn schouder achterom naar Jessan, die de hoeken van de zadeldeken over het harnas aan elkaar knoopte, zodat er een bundel ontstond. Hij sloeg de bundel over zijn schouder en kwam achter hen aan gelopen.

Wolfram huiverde zo dat de rilling via zijn lijf overging op het paard, dat een schichtige beweging maakte, wat hem op een standje van Bashae kwam te staan.

De dag brak aan. Rozerode strepen wedijverden met purper en saffraan om de hemel te verlichten. Het was een prachtige zonsopgang, die een mooie dag voorspelde. Jessan zag hoe de kleuren dieper werden en gloeiden en voelde een vergelijkbare gloed in zijn binnenste. Hier had hij lang van gedroomd: zijn terugkeer van zijn eerste reis weg van zijn dorp. Voor één keer overtrof de werkelijkheid zijn stoutste dromen. Hij zorgde ervoor dat hij de goden naar behoren bedankte toen hij hun zijn ochtendgroet bracht.

Toen hij dacht dat ze ongeveer anderhalve kilometer van hun dorp waren, nam hij de teugels van het paard over en stuurde hij Bashae vooruit om de Grootmoeder te vertellen dat ze haar diensten nodig hadden en haar tijd te geven een passende plek in te richten om de gewonde ridder onder te brengen. Bashae stemde hier onmiddellijk mee in, want dat gaf hem de kans de eerste te zijn om zijn volk te verbazen met zijn opmerkelijke verhaal.

Hoewel Jessan de glorie van het verbazingwekkende nieuws aan zijn vriend liet, zou hijzelf in triomf het dorp binnenlopen, met zijn eigen ridder met bijzondere krachten, zijn eigen dwerg, en een harnas van een kwaliteit waarvan hij vermoedde dat zelfs oom Raaf die niet eerder had gezien. Het dorp zou nog jarenlang over hem spreken. Zijn verhaal zou worden doorgegeven aan de kinderen van zijn kinderen.

Bashae rende weg, en zijn voeten wierpen stofwolkjes op toen hij langs het smalle zandpad rende dat van de Trevinici-nederzetting naar een nabijgelegen, kronkelende rivier leidde. Pecwae's kunnen zeer hard rennen en hun snelheid over een lange afstand behouden, een eigenschap die ongetwijfeld had bijgedragen aan hun voortbestaan in een vijandige wereld. Hij zou het dorp veel eerder bereiken dan het voortsjokkende paard. Hij zou zijn verhaal vertellen en iedereen zou komen aanrennen van zijn werk op het land en zijn andere bezigheden om het nieuws te horen. Hij kon nauwelijks wachten en repeteerde steeds in zijn hoofd wat hij zou gaan vertellen.

Toen hij in het dorp aankwam, klampte Bashae de eerste oudste aan die hij kon vinden en gooide zijn verhaal eruit; zijn woorden kwamen zo snel dat zijn tong ervan in de knoop raakte. De oudere Trevinici begreep heel weinig van wat de pecwae allemaal uitkraamde, maar hij kreeg wel de indruk dat het belangrijk was. Hij greep een ramshoorn en trompetterde de waarschuwing die zijn mensen van hun werkzaamheden zou roepen. In deze tijd van het jaar verzorgden de landarbeiders de pas geplante aardappelen en uien. Toen ze de hoorn hoorden, wierpen de Trevinici hun spaden neer en renden opgewonden terug naar het dorp. Ze waren niet geschrokken. De roep van de hoorn betekende dat er interessant nieuws was. Als het dorp werd aangevallen of er iemand was gestorven, werd er een trommelsignaal gegeven.

'Wat is dat voor lawaai?' vroeg de dwerg korzelig. Hij had zitten dutten en knipperde nu met zijn ogen terwijl hij om zich heen keek. 'Waar is Bashae?'

'Ik heb hem vooruit gestuurd om de Grootmoeder te vertellen dat we eraan komen,' antwoordde Jessan. 'Ze zal alles klaar hebben voor de ridder als we arriveren.'

'Dat is mooi,' zei Wolfram brommend. 'Hoewel ik betwijfel of er veel voor hem gedaan kan worden.'

'De Grootmoeder heeft veel wonderbaarlijke genezingen op haar naam staan,' zei Jessan. 'Ze is zeer gerespecteerd bij ons volk. Ik raad u aan om niets ten nadele van haar te zeggen.'

Hij wierp een strenge blik op de dwerg, in de hoop dat dat hem tot kalmte zou manen, maar het effect ging enigszins verloren doordat Wolfram niet naar de jongeman keek. De blik van de dwerg was op de bundel gericht die Jessan over zijn schouder meedroeg.

'Wat ga je met dat harnas doen, jongeman?' vroeg Wolfram op gespannen en indringende toon. 'Dit zou een goede plek zijn om het te begraven. Begraaf het diep. Dieper dan je de doden begraaft. Als we dicht bij het dorp zijn, zoals je zegt, ga ik wel verder met de ridder. Dan kun jij hier blijven om het harnas te begraven.'

'Zodat u hier later kunt terugkomen om het op te graven en te verkopen,' zei Jessan koel.

Wolfram zuchtte diep en keek de andere kant op.

Jessan glimlachte, tevreden over de gedachte dat hij het doortrapte plan van de dwerg had doorzien en verijdeld.

Zijn aankomst in het dorp was een triomf. Een Trevinici-dorp bestaat uit een verzameling huizen van hardgebakken klei en houtblokken met rieten daken, die in een kring om een centraal punt zijn gebouwd. Dit centrale punt is een cirkel van stenen, de Heilige Kring, die daar tijdens een plechtige ceremonie is neergelegd door de eerste mensen die het dorp hebben gesticht.

De stenen zijn aan de goden gewijd en elke steen heeft een speciale betekenis. De kring wordt groter doordat dorpsbewoners er bij speciale gelegenheden stenen bij leggen, bijvoorbeeld bij een huwelijk, een overlijden of een geboorte. Als de kring eenmaal is gelegd, mag niemand erbinnen komen, want de mensen geloven dat de goden dit heilige gebied regelmatig bezoeken en dat ze beledigd zouden zijn als er stervelingen binnendrongen. Deze plek is zo heilig dat zelfs de dorpshonden er niet komen, maar eromheen lopen.

Het verhaal ging dat vroeger elk dier of mens dat de gewijdheid van de Heilige Kring schond, ter dood werd gebracht. De enige keer dat de gewijdheid van de Kring bij Jessans stam was geschonden, was dat strenge vonnis niet voltrokken, hoewel velen hadden gepleit voor de doodstraf. Uiteindelijk hadden de oudsten besloten die niet te eisen, gezien het feit dat uit de antwoorden die de schuldige gaf in haar verdediging bleek dat ze niet in staat was de ernst van haar misdaad in te zien.

In de huizen dicht rond de cirkel wonen de oudsten, de stichters van het dorp. Als kinderen opgroeien, bouwen ze hun eigen woning, achter die van hun ouders. Zo breidt het dorp zich per generatie uit naar buiten. De huizen van de Trevinici zijn behaaglijk en stevig gebouwd, in tegenstelling tot de krakkemikkige bouwsels van de pecwae's, die op korte afstand van die van de Trevinici staan. Pecwae-hutjes zijn gebouwd van alles wat toevallig bij de hand is op het moment dat het bij een pecwae opkomt een woning te bouwen: huiden, takken, keien, modder of een vrolijke combinatie van die ingrediënten. Aangezien ze ervan houden om buiten te leven en tegen alle weertypes kunnen, ook het guurste, stellen de pecwae's zich er meestal tevreden mee om in de openlucht te leven en lief te hebben en zoeken ze hun toevlucht in grotten gedurende de koudste maanden of als er gevaar dreigt. Deze gemeenschap van pecwae's zou waarschijnlijk helemaal geen woningen hebben gebouwd als hun Trevinici-buren hen niet sterk hadden aangemoedigd dat te doen.

Dit dorp van Trevinici en pecwae's bestond bijna vijftig jaar. Al degenen die het hadden gesticht, waren nu dood. Hun huizen, die in de eerste ring rond de Heilige Kring stonden, werden nu gebruikt als graanschuren, ontmoetingsplekken of huizen voor de zieken en zwakken. Vier onregelmatige ringen van huizen lagen om die binnenste cirkel heen. Dit was een welvarend dorp, dat in een gunstig gebied lag, want Dunkarga was altijd wel met iemand in oorlog en steunde zwaar op Trevinici-huurlingen om het leger te versterken. En als

Dunkarga ooit per ongeluk in geen enkele oorlog betrokken was, konden de Trevinici altijd nog rekenen op hun verwanten en aartsvijanden de Karnuanen om huursoldaten in dienst te nemen die om werk verlegen zaten.

De dorpelingen verzamelden zich rond de Heilige Kring, hun traditionele ontmoetingsplek. De oudsten stonden aan de noordkant van de kring, waar de eerste steen altijd werd gelegd. De rest van de dorpelingen stond achter hen, met hun kinderen op hun schouders, zodat die iets konden zien. Strijders die bloed hadden vergoten, stonden in hun eigen groep. Daar waren er veel van aanwezig, want Jessans aankomst was de tweede belangrijke gebeurtenis van die dag. De eerste was de terugkeer geweest van de krijger Aanvallende Raaf uit de hoofdstad van Dunkarga. Toen hij zijn oom tussen zijn vrienden zag staan, met een warme blik van goedkeuring in zijn ogen, zwol Jessan van trots.

Bashae stond er ook, op een ereplek bij de oudsten, en hij wees, gaf uitleg en vertelde zijn verhaal. Naast hem stond de Grootmoeder. Zij was ook een pecwae, dus was het ongebruikelijk dat ze bij de Trevinici-oudsten stond, want het is zeldzaam dat een pecwae die eer te beurt valt. Maar de Grootmoeder was een bijzondere pecwae.

Ze was groter dan gemiddeld. In haar jeugd was ze bijna één meter vijftig lang geweest. Door de leeftijd was ze gekrompen, maar zelfs nu was ze nog een van de langsten van haar volk. Haar gezicht was gerimpeld en verschrompeld, zodat het op een walnoot leek. Het was moeilijk om haar mond te vinden tussen alle andere groeven. Haar lichte, heldere ogen en dikke grijze haar waren haar opvallendste kenmerken. Haar naam was lang geleden vergeten, zelfs door haarzelf. Ze werd al jaren Grootmoeder pecwae genoemd. Ze wist niet hoe oud ze was, behalve dat ze de oudste van het dorp was. Ze herinnerde zich nog dat de eerste heilige steen werd gelegd. En toen was ze ook al grootmoeder geweest.

Ze had al haar twaalf kinderen begraven. Ze had twintig van haar kleinkinderen begraven en twee van haar achterkleinkinderen. Bashae was een achterachterkleinzoon en haar lieveling, want hij was de enige die een serieuze inslag had, net als zij, en die belangstelling had voor genezen.

De meeste pecwae's droegen weinig kleding, net genoeg om de Trevinici niet te choqueren. Ook in dat opzicht was Grootmoeder pecwae een uitzondering. Ze droeg een hemdjurk van fijne wol en daaroverheen een lange, wijde wollen rok die om haar middel zat geknoopt. Zowel het hemd als de rok was versierd met duizenden en duizenden kleurige kralen, kralen van alle mogelijke materialen:

werveltjes van vissen, botjes, schelpen, stenen, hout en edelmetalen. Lange strengen kralen hingen aan haar rok, en elke streng eindigde met een steen die in zilver was gezet. De meeste waren turkooizen, maar er was ook rozenkwarts, rode jaspis, gevlekte jaspis, amethist, lapis lazuli, opaal, hematiet, tijgeroog, azuriet, malachiet en nog veel meer. Haar rok was zo zwaar van de stenen en de kralen dat algemeen werd gedacht dat ze gebruik maakte van de magie van de stenen om het gewicht te kunnen dragen. De kralen schitterden in het zonlicht en de stenen slingerden en tikten ritmisch tegen elkaar als ze liep.

Jessan kwam als een triomfator het dorp binnen, met de teugels van het paard in zijn hand en de zware bundel met het harnas op zijn rug. Hij knikte naar de oudsten, in plaats van hen officieel te begroeten. Hij boog voor Grootmoeder pecwae en grijnsde naar Bashae, die naast Jessan kwam staan, en dat was natuurlijk het goed recht van de pecwae, want hij had ook een aandeel in de gebeurtenis. Jessan zwaaide de bundel op de grond. Het harnas maakte een metaalachtig rinkelend en kletterend geluid dat nieuwsgierige blikken ontlokte aan de krijgers. Toen begroette Jessan de oudsten op de gepaste wijze, en zijn oom, die ten antwoord knikte en zijn hand opstak.

De blik van Raaf ging naar de gewonde man op het paard en hij keek een beetje bedenkelijk. Jessan dacht te weten wat zijn oom dacht.

'De man ziet er nu niet erg bijzonder uit,' gaf Jessan toe, terwijl hij wenste dat de ridder het prachtige magische harnas nog droeg. 'Hij is gewond en heel oud. Maar hij heeft moedig en vaardig gestreden. Hij heeft te voet gestreden tegen een vijand die te paard zat en beter gewapend was. Hij heet Gustav en hij komt uit Vinnengael. Volgens de dwerg is hij een... een...' Jessan zweeg even en dacht na hoe hij het in het Tirniv moest vertellen. 'Een heer van een domein.'

Jessan hield zijn oom goed in de gaten, in de hoop dat Raaf onder de indruk zou zijn.

'Een Domeinheer?' vroeg Raaf de dwerg in de Taal der Oudsten.

'Een Domeinheer,' zei de dwerg. 'Uit Vinnengael.'

'Een van de meest gerespecteerde,' voegde Jessan eraan toe, met de gedachte dat dat ook hemzelf tot eer strekte.

'Wat doet een Domeinheer hier in ons land?' vroeg Raaf zich ongelovig af.

Jessan ademde diep in en stond op het punt hen verder te verbazen met zijn verhaal over het glanzende licht in het meer en de twee ridders die zo onverwachts waren verschenen, maar hij werd onderbroken.

'Genoeg gepraat! Mannen, til hem van dat paard af voordat hij er-af valt.' Grootmoeder pecwae deelde bevelen uit. 'Draag hem naar het genezingshuis. Hij ziet er niet goed uit,' voegde ze er in het Twithil tegen Bashae aan toe, 'maar we zullen zien wat we kunnen doen.'
Een aantal krijgers haastte zich om Grootmoeders orders uit te voeren. Bashae stond erbij, ongerust, zorgelijk en bezitterig. De mannen, die eraan gewend waren gewonden te verplaatsen, lieten Gustav van zijn paard glijden, en terwijl ze hem voorzichtig in hun armen hielden, droegen zes van hen hem langzaam en plechtig naar het genezingshuis, dat vlak bij de Heilige Kring stond. Bashae liep naast de ridder mee en hield zijn hand vast. Grootmoeder pecwae liep er statig achteraan, met zwaaiende rok, schitterende kralen en tikkende stenen.
Jessan popelde om zijn oom het geschenk te laten zien dat hij voor hem had meegebracht, maar hij moest eerst een manier vinden om de dwerg kwijt te raken, want hij was er nog steeds van overtuigd dat Wolfram het harnas zelf wilde hebben.
'Dit is mijn dwerg,' zei Jessan terwijl hij op Wolfram wees.
Raaf en veel andere krijgers knikten oordeelkundig; ze waren bereisd en hadden wel vaker dwergen gezien. Maar de meeste van de land-arbeiders en alle jonge ongetrouwde vrouwen staarden de dwerg aan met een verbazing en een verwondering die zeer bevredigend waren voor Jessan.
Raaf stapte naar voren en legde zijn arm om de schouders van zijn neef, om het hele dorp te laten zien hoe trots hij op zijn familielid was.
'De naam is Wolfram,' zei Wolfram terwijl hij zich behendig van het paard liet glijden. 'Ik ben een vriend van de ridder.'
'Dan wilt u vast wel met hem mee naar het genezingshuis,' zei Jessan. 'De Grootmoeder heeft misschien vragen die alleen u kunt be-antwoorden.'
'Ik loop daar misschien in de weg,' zei Wolfram terwijl zijn blik naar de bundel schoot die Jessan had gedragen.
'Je zult niet in de weg lopen, Wolfram,' zei Raaf. 'Misschien kun jij met je gebeden een goed woordje voor hem doen bij de goden.' Raaf wenkte een vriend. 'Breng Wolfram naar het genezingshuis.'
De dwerg had nu geen keuze meer en moest wel meegaan. Hij wierp nog een laatste, lange blik op de bundel met het harnas, en sjokte toen schoorvoetend achter de krijger aan naar het gebouwtje waar ze Gustav heen hadden gedragen.
De oudsten kwamen om Jessan heen staan, samen met de krijgers en andere stamleden. Bashae had zijn versie van de gebeurtenissen ver-teld. Nu was het Jessans beurt om de zijne te vertellen.

Hij begon aan zijn verhaal, waarbij hij veel herhaalde van wat Bashae had gezegd. Hij bevestigde het verschijnen van het vreemde, glanzende licht in het meer, het licht dat twee mannen te paard had uitgespuugd.

'De dwerg zei dat het een Portaal was,' zette Jessan uiteen.

'Ik heb gehoord van het bestaan van zwerfportalen,' zei een van de oudsten. 'Als dit er een is, moeten we het onderzoeken en uitvinden waar het heen leidt.'

'Dat kan de ridder ons vertellen,' zei een ander. 'We moeten dat Portaal voor ons dorp opeisen. Ik heb gehoord dat de Karnuanen heel rijk zijn geworden van de tarieven die ze aan reizigers rekenen die hun Portaal binnengaan.'

'Dat is omdat hun Portaal naar het grote Vinnengaelse Rijk leidt,' klonk een vrouwenstem. Die was laag en rauw en kwam voor iedereen onverwachts. Ze waren zo in beslag genomen door Jessans verhaal dat niemand haar had zien of horen aankomen. 'Jullie Portaal leidt waarschijnlijk naar een of ander weiland met koeien. Bovendien,' vervolgde ze op spottende toon, 'wat heb je aan een deur midden in een meer? De helft van jullie reizigers zal verdronken zijn voordat ze naar binnen kunnen.'

De vrouw stapte de kring van toehoorders in. Ze heette Ranessa, een geboortenaam, hoewel ze al halverwege de twintig was. Ze was de zus van Aanvallende Raaf en dus Jessans tante. Degenen die bij haar in de buurt stonden, wierpen een tersluikse blik op haar en schuifelden een stukje weg, zodat ze haar niet zouden aanraken. Ze was niet lelijk, of zou dat in elk geval niet zijn als ze ook maar iets aan haar uiterlijk zou doen. Haar lange, dikke zwarte haar zwierde ongekamd en woest om haar hoofd en hing in grillige slierten voor haar gezicht. Haar wenkbrauwen waren zwart en zwaar en vormden een rechte lijn over haar voorhoofd, zodat ze een ernstige en strenge gelaatsuitdrukking had. Haar ogen hadden een eigenaardige kleur bruin met een rode tint erin. Haar huid was zo wit als albast, een groot contrast met de zongebruinde Trevinici.

Ranessa leek helemaal niet op haar oudere broer en in beschaafde streken zou er gefluisterd worden over haar verwekker. Zulke twijfels zouden nooit bij de Trevinici opkomen, want dan zouden ze de eer van de familie in twijfel trekken. Dat soort eigenaardigheden kwam soms gewoon voor, net als kinderen die geboren werden met vlekken op hun huid of verschrompelde ledematen. De goden hadden hun redenen voor zulke gebeurtenissen, redenen die ze niet bekendmaakten aan de mens. Ranessa werd niet gemeden om het feit dat ze er anders uitzag of om het feit dat ze een scherpe tong had en humeurig was. Ze werd gemeden om het feit dat het dorp op een ochtend wakker was geworden en het negenjarige meisje slapend in het midden van de Heilige Kring had aangetroffen.

Volgens Ranessa was ze ontwaakt uit een droom waarin ze als een vogel door de lucht had gevlogen. De droom had heel echt geleken en was heel mooi geweest, en toen ze eruit ontwaakte, had ze gehuild omdat het maar een droom was geweest. Omdat ze dacht dat ze misschien echt zou kunnen vliegen, was ze vanuit haar ouderlijk huis naar het genezingshuis gegaan, dat dicht bij de Heilige Kring stond. Ze was op het dak geklommen, had haar armen gespreid en was de lucht in gesprongen. Ze was plat op haar buik neergekomen in de kring van stenen. Het was een pijnlijke val geweest, die de lucht uit haar longen had gedreven. Maar het ergste was de wetenschap dat haar droom een leugen was geweest. Ze had bitter geweend, zonder eraan te denken waar ze was, en had zichzelf in slaap gehuild.

Sommige dorpelingen wilden dat ze ter dood gebracht zou worden, maar de oudsten waren, nadat ze haar verhaal hadden gehoord, van oordeel dat ze krankzinnig was. Niemand in het dorp mocht haar kwaad doen, maar vanaf die dag meed iedereen haar.

De oudsten keken geërgerd en gegeneerd. Jessan en zijn oom wisselden een blik. Ranessa was hun verantwoordelijkheid.

'Je moet hier niet in de warme zon blijven staan, Ranessa,' zei Raaf vriendelijk terwijl hij haar bij de hand pakte. 'Kom, dan breng ik je terug naar huis.'

Ranessa woonde alleen. Na de dood van haar vader had ze haar ouderlijk huis verlaten. Haar broer had haar een plek in zijn woning aangeboden, maar dat aanbod had ze smalend van de hand gewezen en hij had een huis voor haar gebouwd. Daar woonde ze in haar eentje, en ze verliet het alleen om lange, schijnbaar doelloze dwaaltochten te maken, die soms dagen duurden. Daar kwam ze altijd half verhongerd en prikkelbaar van terug, met een spottende glimlach om haar lippen, alsof ze heel goed wist dat velen hadden gehoopt dat ze deze keer voorgoed zou zijn vertrokken en dat haar terugkeer een teleurstelling was.

'Ik ga waar ik wil, Raaf,' zei ze terwijl ze haar hand uit zijn greep rukte. 'Ik wil het verhaal van mijn neef horen.' Daar was die spottende lach weer. 'Al was het alleen maar omdat het een welkome afwisseling is van de dodelijke saaiheid die hier heerst.'

Jessan vervolgde zijn verhaal en deed zijn best om intussen niet naar zijn krankzinnige tante te kijken. Nu haar vreemde ogen op hem rustten, was hij slecht op zijn gemak en zijn verhaal over hoe ze Gustav hadden ontmoet, werd een beetje dooreengehaspeld. Maar toen hij bij het gevecht was aanbeland, vergat hij Ranessa en vergat hij ook zijn oom en de oudsten. Hij beleefde het glorieuze gevecht opnieuw en beschreef het voorval met een aandacht voor detail die een krijger eigen was, waarbij hij niet vergat de dwerg de nodige lof toe te zwaaien voor zijn nabootsing van de paardenplaagvliegen.

De dorpelingen beloonden Jessan met hun knikjes en hun waardering voor de dwerg groeide aanzienlijk. Toen Jessan beschreef hoe de ridder zijn zwaard recht door de borst van zijn vijand had gedreven – met harnas en al – verhieven enkele krijgers hun stem en riepen triomfantelijke kreten, terwijl anderen hardop baden voor de genezing van de ridder.

'Hij zal niet genezen,' verklaarde Ranessa met schallende stem, die koud en hard van toon was. 'Hij zal binnenkort sterven. En wat betreft het ding dat hij heeft gedood, dat was al dood toen hij het doodde. En het is niet dood.'

Terwijl ze zich omdraaide, waarbij haar zwarte haar als een dorsvlegel achter haar aan zwaaide, wierp ze hun een blik vol vijandschap en minachting toe, en toen beende ze weg. Iedereen zuchtte opgelucht. Haar aanwezigheid was als een donkere wolk die boven hen hing, en de zon leek feller te schijnen als ze weg was. Jessan wierp zijn oom een wrange blik toe, en die haalde zijn schouders op en schudde zijn hoofd.

'Wat heb je in die deken zitten?' vroeg zijn oom, om de aandacht af te leiden van hun krankzinnige familielid.

Jessan had zich erop voorbereid zijn schat vol trots te tonen, maar door Ranessa's vreemde verklaring moest hij aan de waarschuwingen van de ridder denken. De jongeman moest toegeven dat het ontbreken van een lichaam in het harnas, hoewel bijzonder praktisch, toch ook enigszins beangstigend was geweest.

'Het is een cadeau,' verklaarde Jessan. 'Voor mijn oom.'

Er werd niets meer over gezegd. Cadeaus waren een persoonlijke, vertrouwelijke zaak. Je gaat niet met je geluk te koop lopen voor anderen, geluk dat weleens afgunst en onenigheid zou kunnen zaaien in het dorp.

De oudsten verklaarden dat ze blij waren dat Jessan en Bashae veilig waren teruggekeerd, prezen hun moed en vertrokken toen in de richting van het genezingshuis om te informeren naar de gewonde ridder. De rest van de dorpelingen voegde daar hun gelukwensen aan toe en ging weer aan het werk.

'Kom mee naar huis, Jessan,' zei zijn oom. 'Neem je bundel mee. Is dat een cadeau voor mij?'

'Ja, oom,' zei Jessan terwijl ze samen door het dorp liepen.

'Uit de Wilde Stad.' Raaf fronste zijn wenkbrauwen. 'Je hebt je verdiensten toch niet verkwist, neef?'

'Nee, oom. Ik heb de pelzen geruild voor stalen pijlpunten. Ze zijn
goed van kwaliteit. Ik heb ze nauwkeurig bekeken, zoals u me hebt
geleerd. Ik heb ze hier.' Jessan klopte op de tas die aan zijn riem hing.
'Het cadeau dat ik voor u heb meegebracht, komt van het slagveld.
De oorlogsbuit. Het harnas van de tegenstander van de ridder.'

'Dat harnas behoort de ridder toe,' zei Raaf.

'Hij wil het niet hebben,' antwoordde Jessan schouder ophalend. 'Hij
zei dat we het moesten begraven of in het water gooien. Maar u zult
zien, oom, dat dit harnas heel kostbaar is en niet iets om verloren te
laten gaan. Ik denk dat de arme man ijlde,' vervolgde hij op vertrouwelijke toon.

'Dat is mogelijk,' gaf Raaf toe. 'Ik ben wel nieuwsgierig naar dat wonderbaarlijke harnas. Heb je een cadeau voor je tante meegebracht?'

Jessan aarzelde. Het enige andere voorwerp dat hij haar kon geven,
was het mes dat hij bij het zwarte harnas had gevonden. Het mes
was bijzonder, want het was van glad gepolijst been gemaakt, niet
van metaal. Het benen lemmet was scherp, maar zo dun en fragiel
om te zien dat Jessan zich afvroeg waar de dode ridder het voor had
gebruikt. Het heft en het lemmet waren één geheel, gemaakt van het
bot van een of ander dier. Het mes was duidelijk oud, want het been
was vergeeld en glad gesleten. Jessan wilde dat opmerkelijke mes houden, want hij beschouwde het als een strijdtrofee. Hij zou het mes
koesteren en het eer bewijzen. Zijn tante zou het waarschijnlijk gebruiken om vis uit te halen.

'Nee, ik heb geen cadeau voor haar meegebracht. Waarom zou ik,
oom?' vroeg Jessan. 'Ze haat me. Ze haat iedereen. Als Bashae en ik
daar het leven hadden gelaten, zou haar dat niets hebben kunnen
schelen. Ze beschaamt onze familie, oom. U weet niet wat er gebeurt
als u weg bent. Ze zegt tegen iedereen kwetsende dingen. Ze lachte
toen ze hoorde dat de baby van Rozendoorn doodgeboren was. Ze
zei dat we blij moesten zijn en niet moesten rouwen om een kind dat
een wereld van lijden en kwelling bespaard was gebleven. Ik dacht
dat Elandshoorn haar zou vermoorden toen hij het hoorde. Ik moest
hun vlees cadeau geven om de belediging af te zwakken. En toen ik
probeerde er met Ranessa over te praten, noemde ze me een dom
klein jongetje en zei ze dat het maar goed was dat mijn moeder dood
was, zodat ze niet kon zien wat voor een idioot ze op de wereld had
gezet.'

Jessans stem beefde van woede. Hij had maar weinig herinneringen
aan zijn moeder en die waren heilig voor hem.

'Ranessa is er goed in om mensen te kwetsen. Trek je maar niets aan van wat ze zegt, Jessan,' zei Raaf. 'Ik geloof niet dat ze het meent.'

'Ik wel,' mompelde Jessan.

'Wat Elandshoorn betreft, hij heeft me het verhaal verteld op het ogenblik dat ik voet in het dorp zette. Ik zal hem ook nog een wapen cadeau geven, bij wijze van verontschuldiging. Hij zei wel dat jij de situatie volwassen had afgehandeld.'

Raaf nam zijn neef op en zag dat de jongeman ongelukkig en terneergeslagen was, terwijl dit toch een bijzondere dag was. 'Het geeft niet. We zeggen er gewoon niets over. Laat me nu dat prachtige harnas maar eens zien.'

Hij legde zijn arm om de schouders van zijn neef. Gezamenlijk liepen ze naar het huisje dat ze hadden gedeeld sinds Jessans ouders waren gestorven en hij alleen was achtergebleven. Jessan overwoog om zijn oom over het mes te vertellen, om het hem te laten zien. Maar hij aarzelde. Hij wist wat zijn oom zou zeggen. Het mes was van de dode ridder geweest, en daarom behoorde het nu de ridder toe die hem had overwonnen. Maar de ridder was stervende, hij kon het mes net zomin gebruiken als de dode van wie het afkomstig was. De stervende ridder wilde het harnas niet hebben, dus wilde hij vast het mes ook niet.

Ik heb de ridder geholpen in het gevecht, dacht Jessan. Ik heb recht op dit mes. Ik heb er recht op het te dragen. Ik zal het aan mijn oom laten zien, maar nu nog niet. We zouden er alleen maar ruzie over krijgen en ik wil niet dat iets deze dag bederft.

Jessan raakte het benen mes aan zijn riem aan. Het been voelde warm aan, alsof het zijn plezier om hun geheimpje deelde.

8

Gustav zag het afschuwelijke gezicht van een gemummificeerd lijk.
De huid was verschrompeld en bruin als oud perkament en stond
strak gespannen over de botten van de schedel, en de lippen waren
vertrokken tot een grimas. De ogen van het lijk waren de ogen van
een levende, met een angstaanjagende intelligentie in hun koude en
lege diepten. Die ogen zochten naar Gustav.
Of eigenlijk zochten ze naar wat hij droeg.
De ogen tuurden de horizon af en ze begonnen bij de rand van de
wereld. De ogen gingen steeds een stukje verder en bestudeerden iedereen die ze tegenkwamen, zoekend, speurend en peilend. Ze hadden hem nog niet gevonden, maar ze kwamen steeds dichterbij en als
ze hem eenmaal hadden, zouden de ogen hem verslinden, hem doen
verdrinken in de peilloze duisternis.
Hij moest zich verbergen! Ze hadden hem bijna…
Hij werd met stokkende adem en sidderend wakker en zag dat er
ogen op hem waren gericht. Deze ogen waren zwart, maar niet leeg.
Deze ogen waren helder, zacht en zo snel als die van een vogel, en
ze stonden in een gezicht dat zo bruin en zo gerimpeld was als een
walnoot.
'Rustig, rustig maar,' zei de oude vrouw, met een mond die geen lippen had. Die deed Gustav denken aan een notenkraker die hij ooit
had gezien aan het Vinnengaelse hof. 'Dromen kunnen je aanraken,
maar ze kunnen je niet grijpen.'
Gustav keek in sprakeloze verwarring op naar het gezicht, en daarna om zich heen, naar zijn omgeving. Hij lag naakt op en onder verscheidene lagen wollen dekens. Er waren warme, in dekens gerolde
stenen om hem heen gelegd. Hij had het gevoel dat hij zich binnens-
huis bevond, hoewel hij weinig kon zien van muren of plafond door
de welriekende rook die opkringelde uit een schaal naast hem. Af en
toe gebruikte de persoon met de notenkrakerglimlach een rode veer
van een kardinaal om de rook naar hem toe te wapperen.

De verlammende kou die geleidelijk over zijn lichaam was gekropen sinds hij door de Vrykyl was aangevallen, trok weg. Hij had een aangenaam warm, veilig gevoel, het gevoel dat hij kon uitrusten zonder bang te zijn voor de voetstap buiten zijn tent of de galopperende hoeven van zijn achtervolger. Hij zou hier graag lang willen uitrusten, maar hij durfde niet te dralen. De ogen hadden hem niet gevonden, maar dat was een kwestie van tijd. Ze zochten naar hem en zelfs hier zouden ze hem snel vinden.

'Dank u...' zei hij, en het verbaasde en ergerde hem dat zijn stem zo zwak klonk. 'Dank u, waarde vrouwe,' zei hij opnieuw, nu wat harder. 'Nu moet ik gaan. Als u me... mijn kleren kunt aangeven...'

Met grote moeite en ware spijt spande hij zich in om overeind te komen uit zijn warme bed.

Hij was nauwelijks in staat om zijn schouders op te tillen.

Hij probeerde het uit alle macht, hij worstelde om te gaan zitten, maar uiteindelijk was hij er te zwak voor. Hij liet zich weer zakken. Er parelde zweet op zijn voorhoofd en bovenlip. Zijn spieren trilden alsof hij had geprobeerd iets loodzwaars op te tillen, terwijl hij alleen had geprobeerd zijn vermagerde lijf omhoog te krijgen. Hij verwierp de gedachte aan mislukking, hield die verre van hem.

'Ik heb niet gegeten,' zei Gustav. 'Ik zal me beter voelen als ik iets in mijn maag heb. Ik heb alleen iets te eten en een paar uur rust nodig. Dan zal ik mijn reis kunnen voortzetten.'

Dat zei hij tegen zichzelf en zo probeerde hij de gedachte aan mislukking, aan de dood, van zich weg te houden met een hand die zo zwak was dat hij die niet eens van de deken kon optillen.

Met bittere wanhoop sloot hij zijn ogen voor die wetenschap, en hij voelde twee hete tranen onder de oogleden vandaan sijpelen en langs zijn wangen naar beneden rollen. Hij had niet de kracht om ze weg te vegen.

Dat deed een kleine hazelnootbruine hand voor hem.

'U bent ernstig gewond, edele ridder,' zei Bashae zacht. 'U moet stil liggen. Dat zegt de Grootmoeder.'

De pecwae keek naar de oude vrouw, die naast Gustav op de grond kwam zitten. 'Hij probeerde meteen na het gevecht al weg te rijden, Grootmoeder. Hij zei dat hij dringende zaken te doen had, iets met de goden. Hij zei dat hij stervende was, maar ik wist dat u hem zou kunnen genezen, Grootmoeder.'

De hand van de oude vrouw hing boven Gustav. Hij voelde dat er iets kouds en hards op zijn voorhoofd werd gelegd. De hand ging naar zijn blote borst en daar voelde hij opnieuw iets kouds. Tot zijn verbazing zag hij dat de Grootmoeder stenen op zijn lichaam legde.

'Wat...' vroeg hij met een frons.

'Bloedstenen,' zei ze. 'Om de onzuiverheden uit het lichaam te trekken. Dit is niet het tijdstip om beslissingen te nemen. Die tijd zal snel komen, maar u moet eerst sterker zijn. U gaat nu slapen.'

Gustav voelde dat hij door slaap werd overmand. Hij wilde er net aan toegeven toen hij de dwerg zag, die al die tijd in een hoekje had gezeten, zodat hij niet in de weg liep. Gustavs ogen gingen wijder open. Wolfram knikte hem bij wijze van groet onhandig toe.

Door het zien van de dwerg werd er een nieuwe keten van gedachten op gang gebracht in de geest van de ridder. Hij wilde de schakels van die keten aaneen blijven rijgen, maar hij was te moe. De ene na de andere schakel viel uit zijn mentale greep. Maar ze zouden weer bijeenkomen. Hij moest alleen geduld hebben. De slaap, de zoete slaap, een droomloze slaap, vloeide over hem heen.

Hij voelde dat de hand van de oude dame nog één steen op hem legde, deze keer op zijn borst.

De steen was een turkoois.

Hij droomde niet meer van de ogen.

Het huis van Raaf, dat hij met Jessan deelde, was groot, het huis van een getrouwd man. Het bestond uit één kamer met een gat in het dak waardoor de rook kon ontsnappen als in de winter de vuren binnen weer werden aangestoken. Het zonlicht scheen naar binnen door gaten in de muren, die ervoor zorgden dat de lucht kon circuleren. De gaten werden nu, in de zomermaanden, niet afgedekt. Alleen als de winterse wind koud was zou zijn oom er dekens voor hangen om de kou en de sneeuw buiten te houden. De vuurkuil was koud en schoongeveegd. De vloer van de woning, die van hard leem was, was bedekt met hertenvachten.

Als er een vrouw in het huis had gewoond, zouden er manden en potten zijn met gedroogde bonen, bessen en maïsmeel. Er zouden met de hand geweven dekens, met haar eigen speciale patroon, op de vloer hebben gelegen en aan de kale muren hebben gehangen. Als ze een krijger was, zou haar schild naast dat van haar man staan. Maar Raafs schild stond alleen. Er was geen voedsel in huis. Jessan at altijd bij Bashae en gaf vissen en hertenvachten cadeau bij wijze van betaling. Hoewel de pecwae's geen vlees van zoogdieren eten, eten ze wel vis, wezens die de pecwae's dom en weinig mededeelzaam vinden.

Raaf had wel een vrouw gehad, maar die was in het kraambed gestorven. Hun piepkleine zoontje had haar niet lang overleefd. Kort daarna was hij met een contingent krijgers naar het zuiden gereisd om zijn diensten te verkopen aan het leger van Dunkarga, samen met veel andere Trevinici.

Raaf was tweeëndertig jaar, groot en goedgebouwd. Zijn haar was vroeger net zo rood geweest als dat van Jessan, maar was nu donker kastanjebruin. Hij had zijn portie aan littekens in de strijd opgelopen en was er trots op, net als op zijn ruime assortiment trofeeën; zijn favoriet was een ketting van vingerbotjes, die om zijn nek hing. Zijn ogen waren grijs en klein onder zware wenkbrauwen. Die zware wenkbrauwen leken op die van zijn zus, maar dat was de enige overeenkomst tussen de twee. Geen enkele vijand kon aan Raafs ogen zien wat hij ging doen.

Aanvallende Raaf had Jessan geadopteerd toen de ouders van de jongen, beiden krijgers, waren gesneuveld tijdens een veldslag in Karnu. De jongen, die toen zestien was, was bij hem ingetrokken en woonde alleen in de tijd dat Raaf weg was. Jessan was oud genoeg om binnenkort zelf het leven van een krijger te gaan leiden. Een van de redenen dat Raaf uit Dunkar was teruggekomen naar zijn dorp, was om Jessan mee terug te nemen naar de stad. Het werd tijd dat de jongeman zijn krijgersnaam vond.

Jessan legde de bundel op de grond. Met een blos van opwinding en plezier om een cadeau te geven knoopte hij de bundel open.

De punten van de paardendeken vielen open. Het zwarte harnas glansde dof in het zonlicht, dat een vrolijk patroon op de vloer vormde.

Jessan keek niet naar zijn oom. Hij keek met de trots van de verwerver naar het harnas en daarom zag hij gelukkig de eerste uitdrukking van schrik en afkeer niet op het gezicht van zijn oom. Het zwarte harnas dat op de grond lag, zag eruit als het uitgedroogde schild van een gigantisch insect, waarvan de kop was afgerukt en het pantser aan stukken gehakt.

Jessan verwachtte dat zijn oom blijk zou geven van zijn blijdschap. Toen hij alleen een stokkende adem hoorde, keek Jessan snel en ongerust op om te zien wat er mis was.

'Vindt u het niet mooi, oom?'

Inmiddels was Raaf erin geslaagd zijn gezicht tot een soort glimlach te plooien.

'Het is een goed harnas,' zei hij. 'Het beste dat ik ooit heb gezien.'

Dat was de waarheid. Het was een goed harnas. Het was ook het afschuwelijkste, weerzinwekkendste harnas dat Aanvallende Raaf ooit had gezien. Zijn bewondering voor de ridder die het had opgenomen tegen deze verschijning verviervoudigde. Raaf was er niet zeker van of hijzelf het slagveld niet ontvlucht zou zijn als die monstruositeit op hem af was gereden. En hij was een man die zoveel strijdtrofeeën had bemachtigd dat hij ze niet eens allemaal kon dragen, want dan zou hij zich door het gewicht niet meer kunnen bewegen.

Jessans gezicht ontspande zich in een glimlach. 'Ik dacht wel dat u het mooi zou vinden, oom. De ridder wilde het in het meer gooien. Kunt u zich dat voorstellen? Om een goed harnas als dit weg te gooien?'

Raaf merkte dat hij onwillekeurig een stap naar achteren had gezet. Hij begreep zijn eigen reactie niet en was een beetje boos op zichzelf. Het punt was niet dat het harnas van een dode afkomstig was. Raaf had van al zijn slachtoffers vingers afgehakt en had kostbaarheden van hun lichaam meegenomen. Wat moeten de doden met een zwaard of een borstplaat? Dit was een goed harnas. Zijn vriend, de legersmid, zou het gat kunnen repareren dat het zwaard van de ridder er in had gemaakt. De vreemde stekels die bij de schouders en ellebogen uitstaken, zouden elke kling of zelfs een speer afweren.

'Wilt u het passen? Ik help u er wel mee,' bood Jessan gretig aan.

'Eh, nee,' zei Raaf. Toen hij Jessans glimlach zag verflauwen, vervolgde de oudere man snel: 'Het brengt ongeluk om een harnas aan te trekken als er geen strijd is...' Hij zweeg en keek naar een van de ramen.

'Wat is er?' Jessan volgde zijn blik.

'Ik dacht dat ik iets hoorde,' zei hij. Hij liep naar het raam en tuurde naar buiten, maar als iemand hen had afgeluisterd, was die persoon nu weg. 'Dat is raar. Waarom zou iemand ons bespioneren?'

'De dwerg,' vermoedde Jessan. 'Hij wil het harnas zelf hebben. Hij probeerde me zo ver te krijgen dat ik het langs het pad achterliet, zodat hij het later zou kunnen ophalen.'

Het lag op het puntje van Raafs tong om tegen de jongen te zeggen dat hij het harnas maar aan de dwerg moest geven, zodat zij ervan af waren, maar hij slikte de woorden in voordat ze Jessan konden kwetsen.

Jessan ging op zijn hurken zitten om het harnas nauwkeuriger te bekijken, waarbij hij trots de fraaie details aanwees.

Raaf dwong zichzelf zijn kinderachtige weerzin te overwinnen en kwam op zijn hurken naast zijn neef zitten. 'Ik zie geen bloed,' zei hij. 'En toch moet de steek van de ridder het hart hebben geraakt.'

'Er was geen bloed,' zei Jessan. 'Er was zelfs geen lichaam. Alleen maar bergjes stof.' Hij grijnsde om de verbazing van zijn oom. 'Ja! Raar, hè?'

Raaf voelde dat zijn nekharen overeind gingen staan. Zijn maag trok samen toen hij zag hoe zijn neef het harnas aanraakte. Dit harnas was een ding van dood en lijden. Maar de dood had hij wel vaker gezien: slagvelden vol lijken, de aasvogels die de ogen er uitpikten, de straathonden die vochten om hompen vlees, en hij had geen krimp gegeven. Misschien kwam het doordat dit harnas niet de dood van het lichaam symboliseerde, maar de dood van de ziel.

'Wikkel het in de deken, Jessan,' zei hij op gespannen toon. 'Je moet het niet in het volle zicht laten liggen.'

'U hebt gelijk, oom.' Jessan knoopte de hoeken van de deken weer over het harnas dicht en duwde het in een hoek.

'Misschien moeten we het zelfs niet hier in huis bewaren,' opperde Raaf, die wist dat hij nooit zou kunnen slapen als het harnas in de buurt was. 'Als de dwerg het wil stelen, is dit de eerste plek waar hij zal zoeken.'

'Ook dat is waar.' Jessan dacht na. 'Maar wat moeten we er dan mee doen?'

'Je zou het naar de voorraadgrot kunnen brengen,' stelde Raaf voor. 'Als we naar Dunkar vertrekken, kunnen we het onderweg ophalen.'

Hij had achteloos gesproken over vertrekken, zo achteloos dat Jessan in eerste instantie de implicatie niet doorhad. Hij antwoordde met een gehoorzaam 'Ja, oom,' en liep met de bundel op zijn rug in de richting van de deur.

Raaf keek hem glimlachend na. Plotseling bleef Jessan staan. Met een ruk draaide hij zijn hoofd om. Toen hij de grijns van zijn oom zag, stormde Jessan terug de woning in.

'U zei "we"!' Hij hijgde van opwinding. 'U zei dat "we" naar Dunkar vertrekken! Meent u dat, oom? Mag ik deze keer met u mee?'

'Dat was de reden dat ik ben teruggekomen,' zei Raaf. 'Ik heb met mijn bevelvoerend officier gepraat. Hij zegt dat een lid van onze familie zeer welkom is. Beter dan drie van een andere familie.'

'Dank u, oom,' zei Jessan schor. 'Ik zal u niet in de steek laten. Ik...' Hij kon niets meer uitbrengen. Hoofdschuddend draaide hij zich om en stormde hij de deur uit, waarbij het harnas op zijn rug rammelde en kletterde. Raaf was niet beledigd over zijn plotselinge vertrek. Hij had de tranen van blijdschap in de ogen van de jongeman zien schitteren. Jessan zou tijd nodig hebben om alleen en in afzondering te bedaren, een andere reden dat Raaf hem met het harnas naar de grot had gestuurd.

Wat betreft het harnas, Raaf zou een manier moeten bedenken om zich ervan te ontdoen voordat ze op reis gingen. De Kleine Blauwe Rivier was diep en snelstromend en lag niet ver van het dorp. Hij kon het in de rivier gooien, dan was hij ervan af. Hij kon altijd tegen Jessan zeggen dat het uit zichzelf was verdwenen. Niet ongeloofwaardig. Per slot van rekening was het lichaam in het harnas ook verdwenen. Jessan zou teleurgesteld zijn, maar in de opwinding over hun gezamenlijke reis naar Dunkar zou hij het voorval snel weer vergeten.

Nog steeds piekerend over het harnas liep Raaf naar het genezingshuis in de hoop de ridder te kunnen vragen naar het harnas en de vreeswekkende vijand die het had gedragen. Toen hij daar aankwam, vertelde de Grootmoeder hem dat de ridder sliep en niet gestoord mocht worden. Raaf keek door de deuropening, zag de man, zag zijn grauwe gezicht, hoorde de oppervlakkige, snelle ademhaling en dacht dat Ranessa's duistere voorspelling deze ene keer uit zou komen.

De ridder zou spoedig sterven.

Die avond hield het dorp een feestmaal ter ere van Jessan en Bashae en hun gasten. Bashae bracht Wolfram mee, nadat de twee door de Grootmoeder waren weggestuurd bij de ridder. Nu het harnas veilig weggeborgen was, kon Jessan genieten van het gezelschap van de dwerg. Wolfram was een begenadigd verteller en hield de Trevinici en pecwae's in zijn ban met zijn verhalen over de verre landen waar hij was geweest en de mensen die daar woonden.

De aanwinst van de dwerg deed Jessan in aanzien stijgen bij de Trevinici. Bashae liet zijn vriend gewillig met de eer strijken, hoewel het eigenlijk het idee van de pecwae was geweest om de dwerg mee te nemen.

Jessan vertelde Bashae zijn goede nieuws. Bashae was teleurgesteld om zijn vriend kwijt te raken, maar hij wist dat het Jessans droom was en dus wenste hij hem geluk en zei dat Jessan zou terugkeren met zoveel trofeeën dat hij een wagen zou moeten huren om ze te kunnen vervoeren.

Het feestmaal liep ten einde. Niemand kon nog een hap geroosterd hertenvlees of een korrel geroosterde maïs op. Voordat het feestmaal was begonnen, hadden de dorpelingen overal de beste stukken van afgesneden en die in een mand gelegd voor de Grootmoeder, die had geweigerd de stervende ridder alleen te laten. Bashae bood aan haar de mand te brengen. Jessan vergezelde zijn vriend.

Het was een warme avond; de lucht was zacht en overal om hen heen kwaakten boomkikvorsen.

'Grootmoeder!' riep Bashae zacht terwijl hij de deken opzij schoof die in de deuropening hing. 'We hebben eten bij ons.'

De Grootmoeder kwam hun tegemoet, en haar stenen en kralen tikten en tinkelden. Ze nam de mand zonder een woord te zeggen aan en draaide zich om om weer naar binnen te gaan.

'Er zit een pot bouillon bij voor Heer Gustav,' zei Bashae. 'Ik dacht dat hij dat misschien zou kunnen drinken.'

De Grootmoeder bleef staan, met haar hand om de deken. Ze schudde haar hoofd. 'Zijn lichaam zou het niet accepteren. Maak je geen zorgen,' vervolgde ze, toen ze de terneergeslagen uitdrukking op Bashaes gezicht zag, 'hij heeft het voedsel van deze wereld niet meer nodig. Hij bereidt zich voor op een feestmaal met de goden.'

Ze verdween in het genezingshuis en liet de deken achter zich dichtvallen.

Bashae zuchtte diep en veegde met zijn hand over zijn ogen. 'Ik wil niet dat de ridder doodgaat.'

'Het is een oude man,' zei Jessan. 'En een krijger. Hij sterft een eervolle dood, na het verslaan van zijn vijand. Jouw gesnotter brengt schande over hem en over jezelf.'

'Ik weet het,' zei Bashae. 'Ik weet niet waarom ik me zo voel. Ik denk omdat hij niet klaar is om te sterven. Hij heeft iets dat hij moet doen – dringende zaken, zei hij – en ik ben bang dat hij daar geen tijd meer voor zal hebben.'

'Dat geldt voor iedereen,' zei Jessan nuchter. 'We laten allemaal wel iets achter dat niet voltooid is.'

'Ik weet het,' zei Bashae opnieuw.

De twee liepen in de richting van het pecwae-kamp. Bashae schopte in het stof van de weg en staarde somber de duisternis in. Het maanlicht, dat de stenen van de Heilige Kring bescheen, gaf die een witte glans, zodat de duisternis om hen heen er nog donkerder bij afstak. 'Zou je je oom Raaf willen vragen met de ridder te komen praten, Jessan? Misschien is er iets dat je oom voor hem kan doen.'

'Ik zal het hem vragen,' zei Jessan. 'Maar we hebben niet veel tijd. Wíj vertrekken over twee dagen naar Dunkar,' vervolgde hij, met trotse nadruk op het meervoud.

'Dat was ik niet vergeten. Maar toch zou ik graag willen dat Raaf met hem ging praten.'

De twee namen geeuwend afscheid. Jessan liep terug naar het huisje van zijn oom, waar Aanvallende Raaf al lag te slapen. Jessan ging op zijn deken liggen. Hij had die nacht een vreemde droom: dat twee ogen naar hem op zoek waren, de horizon afspeurden in de hoop hem ertegen afgetekend te zien. In de loop van de nacht werd hij wakker met een verontrust gevoel, maar hij wist niet waarom.

De volgende ochtend herinnerde hij zich de droom niet meer. En hij was ook vergeten dat hij zijn oom nog over het mes zou vertellen. Het was alsof hij het mes al zijn hele leven had.

Gustav werd wakker met een pijn die aan zijn ingewanden trok als de klauwen van een zwarte gier. Hij onderdrukte een gekreun, maar de oude vrouw hoorde zelfs dat kleine geluidje onmiddellijk. Ze was niet langer bezig met haar stenen en haar veer en rook. Ze zat in kleermakerszit naast hem op de grond, met haar verweerde handen in de met kralen versierde schoot van haar rok gevouwen, en keek hem ernstig aan.

'Het doet pijn, hè,' zei ze, meer als een mededeling dan als een vraag. Hij kon niet tegen haar liegen. Hij knikte voorzichtig. Elke beweging leek de pijn die de klauwen hem deden, te versterken. Hij kon de warme lucht die door de zwarte vleugels in beweging werd gebracht, bijna voelen.

'Ik kan niets meer voor u doen,' zei ze onomwonden. 'De pijn wordt veroorzaakt door kwade magie, die in uw lichaam voortwoekert.' Ze boog zich naar voren en keek hem doordringend aan met haar felle, vogelachtige ogen. 'Laat uw greep op het leven gaan. Uw ziel is aan het kwaad ontsnapt dat haar wilde opeisen. Als u dit lichaam verlaat, zal uw ziel vrij zijn om weg te zweven.'

Ze bevochtigde zijn lippen met water. Gustav kon niet meer slikken. Hij was klaar om te sterven. Adela wachtte op hem en hij verlangde ernaar bij haar te zijn. Maar toch kon hij deze wereld niet verlaten. Nog niet. Hij schudde koortsachtig zijn hoofd.

'U draagt een zware last,' zei de Grootmoeder. 'U wilt dit lichaam niet verlaten, omdat u denkt dat niemand die last zal oppakken nadat u hem hebt neergelegd. U denkt dat als u sterft, uw hoop zal sterven. Dat is niet het geval. U hebt uw aandeel geleverd. De last is bedoeld om door te geven. Anderen zullen verder gaan waar u ophoudt. Zo hebben de goden het bedoeld.'

Gustav staarde verbaasd en ongerust naar haar op. Had hij in zijn ijlkoortsen vol pijn over zijn zoektocht gebrabbeld?

De Grootmoeder grinnikte, een hese, hartelijke lach, niet het gekakel dat hij had verwacht.

'Maakt u zich geen zorgen. Uw zelfdiscipline is groot. U hebt uw mond dicht gehouden. Maar het was voor mij niet moeilijk te zien. En de dwerg heeft me veel verteld.'

Wolfram. Ja, hij wist vast wel van de levenslange zoektocht van de Bastaardridder. Gustav herinnerde zich dat hij gisteren had overwogen de Verheven Steen aan de dwerg toe te vertrouwen. Allerminst een volmaakte oplossing. Gustav wist weinig van Wolfram, behalve dat hij voor de monniken van de Drakenberg werkte. Wolfram was een van de Paardlozen, doordat hij was verbannen uit zijn stam, bijna zeker vanwege een of ander vergrijp. Nu verdiende hij zijn brood als verzamelaar van informatie en marskramer. Gustav kon erop rekenen dat Wolfram de Steen naar de monniken zou brengen, vooral als de ridder ervoor zorgde dat het voor de dwerg de moeite waard was. Maar toch aarzelde Gustav om de heilige Verheven Steen aan de dwerg te geven. Hij had niet het gevoel dat het de juiste beslissing was.

De Grootmoeder nam hem aandachtig op. 'U weigert te sterven voordat u weet wie de last zal overnemen. Als u dat weet, zult u dan gaan?'

'Hebt u zo'n haast om van me af te komen, Grootmoeder?' vroeg Gustav zacht met een flauwe glimlach. Hij gebruikte de naam die hij iedereen tegen haar had horen gebruiken.

'Ja,' zei ze ronduit. 'Ik ben een genezer. Uw pijn is mijn pijn. U zou niet degene moeten zijn om zo'n belangrijke beslissing te nemen. Uw inzicht is vertroebeld. U bevindt zich half in deze wereld en half in een rijk van duisternis.'

Gustav zuchtte. Hij wist heel goed dat ze gelijk had. 'Maar toch is de last door de goden op mijn schouders gelegd. Als ik de keuze niet maak, wie dan wel, Grootmoeder?'

'U hebt zelf het antwoord al gegeven,' antwoordde ze terwijl ze een koele lap op zijn brandende voorhoofd legde. 'De goden hebben u de last gegeven. Zij zullen degene kiezen die die van u zal overnemen.'

'En hoe zullen ze dat doen, Grootmoeder?'

Ze wierp een blik op de deken die voor de deur hing. 'De eerstvolgende persoon die door die deur komt, zal de uitverkorene van de goden zijn.'

Gustav overwoog dit idee. Hij had het gevoel dat het klopte. De goden hadden hem de Verheven Steen toevertrouwd. De goden hadden hem de kracht gegeven om de Vrykyl te verslaan, hoewel hem dat zijn leven had gekost. Hij had zijn aandeel geleverd. De goden zouden het hunne leveren.

Gustav ademde diep in en knikte. Zijn blik vestigde zich op de deken die voor de deur hing. De Grootmoeder ging gemakkelijk zitten en keek met hem mee.

'Oom,' zei Jessan die ochtend, 'Bashae maakt zich zorgen over de stervende ridder. Hij denkt dat de man gekweld wordt door die onafgedane kwestie waarover hij het had toen we hem ontmoetten. Bashae vroeg of u hem zou willen bezoeken, om te zien of er iets is wat u kunt doen om hem gerust te stellen.'

Aanvallende Raaf schudde zijn hoofd. 'De man is een Vinnengaeler en een Domeinheer. Die zouden over magie moeten beschikken, hoewel ik niet weet hoeveel daarvan waar is. Ik heb geen idee wat ik zou kunnen doen om hem te helpen. En mijn verlof is bijna voorbij. Overmorgen moeten we op pad.'

'Dat weet ik.' Jessan grijnsde van opwinding bij de gedachte. 'Dat heb ik Bashae ook verteld. Maar misschien helpt het al als u alleen met de ridder praat. Het zou veel voor Bashae betekenen.'

Raaf haalde zijn schouders op. 'Goed dan. Ik beloof je dat ik vandaag met de ridder zal gaan praten en als ik iets kan doen om hem te helpen, zal ik dat doen. Jij hebt veel te doen als je over twee dagen klaar wilt zijn om met me mee te gaan. Je hebt de pijlpunten, maar nu moet je de pijlen nog maken. Je zult een mes om te eten, een mes om te jagen en een mes om te vechten nodig hebben. Hamerslag zal ze voor je maken, maar je moet hem helpen en hem in de gaten houden. Hij is lui en zal zich er makkelijk van afmaken als je hem daar de kans toe geeft. Je moet een leren hemd en kniebroek hebben voor de reis...'

'Goed, goed, oom,' zei Jessan terwijl hij zijn hand opstak om zich te verdedigen tegen de woordenstroom.

'En dat zijn nog maar de orders voor vandaag. Morgen volgen er meer,' riep Raaf de jongeman na, die, een marsliedje fluitend, op weg ging naar de smid.

Raaf ging het huis uit om bij de ridder langs te gaan en de stervende man zijn diensten aan te bieden. De stervenden hebben het recht iets van de levenden te vragen, en hoewel Raaf niet veel tijd had, zou hij doen wat hij kon om de man in zijn laatste uren gerust te stellen. Als dat betekende dat hij een jonge krijger moest zoeken en die naar Vinnengael moest sturen om een bericht te brengen, of misschien het lichaam van de man te brengen of wat de ridder dan ook maar vroeg, zou Raaf ervoor zorgen dat de wensen van de man werden uitgevoerd. Zijn stappen en zijn gedachten gingen in de richting van het genezingshuis, toen hij een gesis achter zich hoorde.

Raaf liep door en draaide zich niet om. Hij wist heel goed wie dat sissende geluid maakte en dat het voor hem bedoeld was. Hij besloot niet te reageren. Zijn zus moest maar met een gewone stem tegen hem praten. Op het gesis van een slang zou hij geen antwoord geven.

'Raaf!' riep Ranessa op scherpe toon. Ze verhief haar schrille stem. 'Raaf!'

Met een zucht bleef Raaf staan en draaide zich om. Ranessa stond in de schaduw van haar huisje en wenkte hem gebiedend met een hand die was gekromd als de klauw van een vogel. Ze had een oude deken om zich heen geslagen, over de wijde leren jurk die ze droeg. Ze was vuil en gaf niets om hoe ze eruitzag.

En waarom zou ze ook, dacht Raaf, die zijn tred onwillig vertraagde toen hij haar naderde. Ze zal nooit trouwen. Geen enkele man wil haar hebben.

De ochtendlucht was koel, maar aangenaam. Ranessa huiverde onder haar deken, terwijl Raaf blote armen en een blote borst had. Ze had een vuur gemaakt in haar huisje om zich te verwarmen.

'Ja, zus, wat is er?' vroeg hij, zich inspannend om geduldig te klinken.

Ranessa keek hem lelijk aan en kneep haar grote bruine ogen tot spleetjes tegen het felle zonlicht. 'Het kwaad dat Jessan heeft meegebracht. Wat heeft hij ermee gedaan?'

'Het is een harnas, Ranessa,' zei Raaf. 'Verder niets…'

Ze kwam dicht bij hem staan en duwde met haar hand tegen zijn borst.

'Jessan heeft het kwaad naar ons gebracht,' zei ze met een lage, holle stem. 'Hij heeft het aan jou gegeven. Jullie zijn er verantwoordelijk voor. Jullie tweeën. Het kwaad vergiftigt alles eromheen. De dood zal naar de mensen komen als het niet wordt weggehaald.'

Ze kwam nog dichterbij en haar ogen waren opengesperd, zodat hij zichzelf weerspiegeld zag in hun vreemde roodbruine diepten. En zoals hij zichzelf in haar ogen zag, zag hij zijn eigen gedachten in haar geest. Hij had dezelfde angst over het harnas, maar hij had die niet onder woorden kunnen brengen. Dat zat hem dwars. Het stond hem niet aan dat hij zijn gedachten deelde met een krankzinnige. Hij probeerde achteruit te stappen, maar hij had zich door haar in een hoek laten drijven tegen de zijmuur van haar huisje. Hij kon nergens heen, niet zonder haar opzij te schuiven, en hij wilde haar niet aanraken.

'Waar heb je het harnas gelaten?' vroeg ze met zachte, sissende stem.

'Het harnas is op een veilige plek opgeborgen,' bracht hij moeizaam uit.

'Gif,' zei ze terwijl ze hem aanstaarde door een wirwar van dik zwart haar. 'Het gif zal het volk dood en verderf brengen. En het zal jullie schuld zijn. Van jou en Jessan, tenzij je er iets aan doet.'

Huiverend, hoewel het snel warmer werd, draaide ze zich abrupt om en verdween in de rokerige duisternis van haar huisje.

Raaf bleef even naast haar huisje staan, totdat zijn hartslag en ademhaling weer normaal waren. Hij vroeg zich ongerust af wat hij moest doen. Hij probeerde zich ervan te overtuigen dat het de waanzin was die had gesproken. Maar als dat zo was, dan begon de waanzin ook hem in zijn greep te krijgen, want hij voelde in zijn binnenste dat haar woorden waar waren.

Wat hem vooral dwarszat, was dat ze het woord 'gif' had gebruikt. Het harnas was opgeborgen in de grot met de levensmiddelen die waren bedoeld als reservevoorraad voor als er een periode van droogte of juist extreme regenval zou zijn. Nog peinzend over Ranessa's waarschuwing ging hij weer op weg naar het genezingshuis, om de ridder te bezoeken. Maar toen hij op het punt kwam waar de twee wegen samenkwamen, de weg naar het genezingshuis en de weg naar de grot, zag Raaf uit zijn ooghoek iets bewegen. Toen hij omkeek, zag hij tot zijn ontsteltenis de dwerg, Wolfram, van achter Ranessa's huisje vandaan wandelen.

De dwerg had zijn handen in zijn zakken. Hij liep enigszins mank en knikte vriendelijk naar Raaf toen hij hem passeerde. Raaf keek Wolfram met scherpe blik na en vroeg zich af of de dwerg had gehoord wat Ranessa had gezegd. Toen bedacht Raaf dat als de dwerg al iets had gehoord, dat niet erg was. Geen enkele dwerg sprak Tirniv.

In één ding heeft Ranessa gelijk, gaf Raaf zichzelf toe terwijl hij het zweet van zijn voorhoofd wiste. Het harnas bezorgt me niets dan problemen. Hoe sneller ik het kwijt ben, des te beter. Jessan zal zo opgewonden zijn over ons vertrek dat hij het snel genoeg zal vergeten.

Raaf veranderde van richting en nam de weg die naar de grot liep. Hij was zo verdiept in zijn problemen dat hij niet zag dat Wolfram ook van richting veranderde. Als Raaf achterom had gekeken, had hij gezien dat hij in de ochtendzon nu twee schaduwen had; zijn eigen lange, grote schaduw en een schaduw die kort en gezet was en bijna net zo geruisloos bewoog als de eerste.

Bashae werd pas laat wakker die ochtend, want hij was doodmoe van de avontuurlijke reis. De zon was al hoog aan de hemel geklommen voordat Bashae van onder zijn deken in het hutje van de Grootmoeder te voorschijn kroop. Hij rekte zich eens uit, bleef nog even zitten suffen en luisterde slaperig naar het schelden en kijven van de vogels, die het druk hadden met het bouwen van nesten.

Hij kwam het hutje uit en zag dat pas ongeveer de helft van de pecwae's op de been was. De rest sliep nog, sommigen in hun primitieve hutjes, anderen her en der op de grond, onder een deken van bladeren, alleen zichtbaar als je per ongeluk op hen ging staan. Het enige excuus dat een Trevinici had om niet bij zonsopgang op te staan, was dat hij in de loop van de nacht was overleden. De meeste pecwae's daarentegen zagen nooit een zonsopgang.

De pecwae's beschouwen slaap als een tijd waarin ze een andere wereld bezoeken, een wereld waarin ze de meest wonderbaarlijke prestaties kunnen leveren, een wereld die angstaanjagend en mooi is en waarin ze onsterfelijk zijn, want hoewel er vreselijke dingen kunnen gebeuren in de slaapwereld keren de pecwae's die die bezoeken gewoonlijk weer terug naar deze wereld. Aangezien ze de noodzaak niet inzien om de ene wereld overhaast te verlaten om terug te keren naar de andere – vooral niet als ze iets belangrijks of aangenaams aan het doen zijn in de slaapwereld – hebben maar weinig pecwae's er behoefte aan om vroeg op te staan.

Bashae at wat bessen en brood dat was overgebleven van het feestmaal van de vorige avond en besloot toen dat hij de Grootmoeder iets te eten zou brengen en zou gaan kijken hoe het deze ochtend met de arme ridder ging.

Bashae was op weg om verse bessen te gaan plukken toen hij Palea tegenkwam, die terugkwam uit de richting van het Trevinici-dorp. Palea was een jaar of twee ouder dan Bashae en voorbestemd zijn partner te worden als ze daar allebei aan toe waren. Ze bedreven al af en toe de liefde met elkaar en hadden dat gedaan sinds ze veertien jaar waren. Palea had een kind ter wereld gebracht, maar of Bashae de vader was of niet, was onduidelijk. Kinderen werden door de hele pecwae-gemeenschap grootgebracht, en vooral door de moeder.

'Ben je naar het dorp geweest?' vroeg Bashae. 'Heb je de Grootmoeder gezien?'

Palea schudde haar hoofd. 'Ik heb haar wat te eten gebracht, maar de mand die jij haar gisteravond had gegeven, stond voor het huisje en was nog vol, dus heb ik de mijne er maar bijgezet en ben weggegaan. Ik dacht dat ze misschien in de slaapwereld was en ik wilde haar niet storen.'

Bashae knikte begrijpend. Niemand maakte iemand anders ooit wakker, behalve in uiterste nood, uit angst dat degene die zo onverwacht werd losgerukt uit de slaapwereld misschien de weg naar deze wereld niet zou kunnen vinden. Zo iemand, die half in de slaapwereld en half in deze wereld gevangenzat, zou zeer verward zijn. Dat was wat er met Jessans tante Ranessa was gebeurd, zei de Grootmoeder. Ongerust over de ridder ging Bashae op weg naar het genezingshuis.

Wolfram had geen probleem met het volgen van Aanvallende Raaf. Het vermoeden dat hij heimelijk gevolgd werd, kwam niet eens op in de eerlijke en ongecompliceerde geest van de Trevinici-krijger. Hij keek niet één keer om. Wolfram bleef meer uit gewoonte dan uit noodzaak in de schaduwen van struiken en bosjes.

De dwerg had natuurlijk ieder woord verstaan dat er tussen Aanvallende Raaf en zijn zus was gewisseld, net zoals hij veel van het gesprek dat hij had afgeluisterd tussen Raaf en Jessan had verstaan. Wolfram had ogenblikkelijk een antipathie jegens de zus opgevat, een antipathie die werd getemperd door een zeker grimmig plezier. Hij vond het ironisch dat het meisje, dat duidelijk zo gek als een deur was, de enige was die het kwaad zag dat in het dorp aan het werk was. Zijn plezier sloeg echter om in verontrusting toen hij merkte dat de zilveren armband warm werd als hij in de buurt van de krankzinnige vrouw was. Hij kon zich niet voorstellen wat voor belang de monniken konden hebben bij iemand die zo gek was. Hij had dat in elk geval niet, en hij was van plan zo ver mogelijk bij haar vandaan te blijven.

Hij volgde Aanvallende Raaf, omdat hij wilde weten wat de man met het harnas had gedaan. De armband om zijn pols tintelde aangenaam, dus dacht Wolfram dat hij vast iets goed deed.

De grot lag op ongeveer anderhalve kilometer afstand van het dorp, ver genoeg om niet te worden ontdekt door rovers en dichtbij genoeg om er snel iets heen te kunnen brengen of uit op te kunnen halen. De grot was goed verborgen. Wolfram zou hem zelf nooit hebben gevonden. Zelfs toen Aanvallende Raaf er vlak voor stond, zag de dwerg de opening nog steeds niet en hij was onthutst toen hij de Trevinici niet meer zag, die wel in rook leek te zijn opgegaan.

Toen hij rond liep te snuffelen bij de rotsen, op zoek naar sporen en aanwijzingen, ontdekte Wolfram de ingang volkomen per ongeluk. Hij zwikte door zijn verstuikte enkel en zijn laars gleed weg. Hij kwam met een klap op zijn achterste neer en gleed over een glad rotsoppervlak door. Glibberend en glijdend, wanhopig trachtend langskomende takken vast te grijpen, stortte hij door een scherm van slim gevlochten twijgen heen dat een groot gat in de grond had verborgen.

Temidden van versplinterde takken en droge bladeren viel Wolfram bijna anderhalve meter door het donker en kwam met een ge-

schrokken gil en een dreun neer op een hard aangestampte onder-
grond.

Daar ging zijn onopvallendheid. Zich afvragend hoeveel botten hij
had gebroken, keek Wolfram op in het grimmige gezicht van de boze Aanvallende Raaf.

'Auuw!' kermde de dwerg. Zijn ogen rolden omhoog. Zijn hoofd viel
met een bonk achterover. Hij lag doodstil.

Hij hoorde dat de Trevinici naast hem op zijn hurken ging zitten. Hij
voelde de hand van de man op zijn arm. De vingers kneedden zijn
huid en knepen hem plotseling, heel hard. De pijn was scherp en de
zogenaamd bewusteloze dwerg gaf een brul. Wolfram ging met een
kwaad gezicht rechtop zitten.

'Ik ben er in het leger aan gewend met simulanten af te rekenen,' zei
Raaf. 'Waarom volg je me?'

Hij sprak Tirniv. Wolfram bulderde: 'Ik weet niet wat je zegt. Spreek
alsjeblieft een beschaafde taal, als je dat kunt.'

'Ik denk dat je het wel weet,' zei Raaf, nog steeds in het Tirniv. Het
was een vasthoudende vent. 'Waarom volgde je me als je niet wist
waar ik heen ging?'

'Ik was verdwaald,' zei Wolfram nors, nog steeds in de Taal der Oudsten. Hij klopte met zijn hand over zijn lijf en concludeerde dat hij
niets had gebroken. 'Mijn voet gleed weg en ik viel in dit verdomde
gat. Ik bespioneer je heus niet, als je dat soms denkt.'

Hij keek nerveus om zich heen in de hoop de uitgang te ontdekken.
De Trevinici zouden hun kostbaarheden vast zeer fel verdedigen. Een
vreemdeling die deze geheime opslagplaats bij toeval ontdekte, zou
waarschijnlijk voor straf worden gedood.

'Ik ben gewond,' vervolgde hij meelijwekkend jammerend. 'Ik geloof
dat ik iets gebroken heb.'

Raafs grote handen sloten zich achtereenvolgens om elk bot in zijn
armen en benen. Wolfram hapte naar adem en kreunde bij elke aanraking. De Trevinici was niet zachtzinnig en als er nog geen botten
waren gebroken, zou Raaf daar misschien wel verandering in brengen. Maar er was niets gebroken. De Trevinici veegde zijn handen
schoon en stond op. Hij keek grimmig neer op de dwerg.

'Ik vind dat je een wel heel gelegen plek hebt uitgekozen om verdwaald te raken,' zei Raaf, nog steeds in het Tirniv. 'Je bent niet gewond. Ga staan.'

'Dan heb ik blijkbaar toch niets gebroken,' zei Wolfram, en hij stond
op. Hij ging zo ver mogelijk achteruit, bij Raaf vandaan, terwijl hij
met zijn ogen naar een uitgang zocht. 'Nou, dan zal ik je niet langer
van je werk houden…'

'Daar kun je er niet uit,' zei Raaf. 'De uitgang is achter mij.'

Wolframs blik ging onwillekeurig naar een plek achter Raaf. Te laat besefte hij zijn vergissing. Hij probeerde die te verbergen.

'Is dat de uitgang?' Hij wees.

Raaf perste zijn lippen opeen. 'Waar heb je onze taal geleerd?'

Wolfram gaf het op. Hij had zichzelf toch al ter dood veroordeeld. Ze konden hem moeilijk tweemaal ombrengen.

'Ik kom weleens ergens,' mompelde hij in het Tirniv. 'Ik wilde niet laten merken dat ik jullie taal ken. Ik weet dat die voor jullie heilig is. Dat respecteer ik.'

'Ik kan me niet voorstellen dat er iets is wat jij respecteert, dwerg,' antwoordde Raaf. 'Ik denk dat je opzettelijk bij ons bent gekomen om ons te bespioneren. Jessan zei dat jij degene was die voorstelde om met hem en Bashae mee te komen naar het dorp. Maar wat ik niet begrijp,' vervolgde hij zonder omhaal, 'is waarom. Wat dacht je te kunnen vinden in ons dorp? Goud? Zilver? Een geheime bergplaats met kostbare juwelen? Of misschien een waardevol harnas?'

Wolfram ging wat gemakkelijker ademhalen. Hij was nog niet weg uit dit gat in de grond, maar Raaf had hem in elk geval niet meteen doodgeslagen. Zolang Wolfram over zijn tong beschikte, vertrouwde hij erop dat hij rampen op een afstand kon houden.

'Turkoois,' gromde de dwerg. 'Ik was op zoek naar turkoois. De pecwae heeft me verteld dat zijn grootmoeder het uit de rotsen kan zingen.'

'Turkoois?' Raaf was verbaasd. 'Maar dat is niets waard.'

'Hier misschien niet,' zei Wolfram, 'maar in Tromek betalen de elfen er goed geld voor. Wat betreft het harnas' – hij huiverde en die huivering was niet voorgewend – 'hak het in elkaar, verbrand het en begraaf het, en bid dan dat je genoeg hebt gedaan om ervan af te komen.'

'Of misschien wil je dat ik het aan jou geef,' opperde Raaf sluw. 'Zodat jij het voor ons kunt opruimen...'

'Niet aan mij!' Wolfram deinsde achteruit en stak zijn handen afwerend op. 'Niet aan mij!' Hij schudde zijn hoofd. 'Ik wil er niets mee te maken hebben. Het kan me niet schelen wat je met me doet.'

Deze reactie was duidelijk niet degene die de Trevinici had verwacht. Raaf wreef over zijn kin. Hij was gladgeschoren, als alle Trevinici-mannen. Hij nam de dwerg onthutst op.

'Dus het harnas is magisch?' vroeg hij.

'De ergste soort magie die er bestaat,' antwoordde Wolfram nadrukkelijk. 'De magie van de Leegte. Daar heb je toch weleens van gehoord?'

Raafs gezicht betrok. 'Ik weet dat het de magie van de dood is.'

'Dood, pijn, lijden.' Wolfram schudde zijn hoofd. 'Je zus heeft gelijk. Het zal jullie volk kwaad brengen. Je moet je ervan ontdoen.' Hij keek strak naar de krijger en deed een stap naar voren om zijn gezicht beter te zien. 'Maar dat weet je al, hè? De eerste keer dat je het zag, wist je dat het verdorven was.'

'Ik... voelde dat er iets mis mee was,' gaf Raaf toe. 'Maar wat kon ik doen? Mijn neef heeft het me cadeau gegeven. Het zou hem hebben gekwetst als ik het had geweigerd.'

'Beter dat soort kwetsuur dan het soort dat het harnas jullie kan brengen,' zei Wolfram.

'Hoezo? Wat voor wezen heeft het gedragen? Wat heb ik ervan te vrezen? Het is alleen maar metaal...'

'Metaal dat niet gemaakt is van het ijzer uit de aarde,' zei Wolfram. 'Metaal dat niet is gemaakt in een smidse op deze wereld. Het metaal van dat vervloekte harnas is uit de smidse van de Dood gekomen en de Dood zelf heeft de hamer gehanteerd. Vraag het maar aan de ridder. Vraag het aan Heer Gustav, als je me niet gelooft.'

'Ik geloof je,' zei Raaf langzaam. 'Of eigenlijk geloof ik wat ik in mijn hart voel. Om je de waarheid te zeggen, ben ik hierheen gekomen om het harnas te vernietigen...' Hij keek met gefronste wenkbrauwen naar de dwerg. 'Maar wat doe ik met jou?'

'Laat je door mij niet tegenhouden. Ik vind mijn eigen weg naar het dorp wel. Als je me alleen even de uitgang wijst...'

'Nu je de weg naar binnen kent? Dat lijkt me niet. Ik wil niet dat je hier nog eens een bezoekje komt brengen. En je hoeft ook niet te weten wat we hier allemaal opgeslagen hebben.'

Raaf stak zijn hand uit, greep de slappe vilthoed van de dwerg en trok die naar beneden over zijn ogen.

'Hé! Wat voor den...!' brulde Wolfram.

Raaf pakte de tastende handen van de dwerg vast en bond ze met de riem van de dwerg stevig achter zijn rug.

'Mijn broek zal afzakken!' protesteerde Wolfram.

'Die houd ik wel omhoog,' antwoordde Raaf.

Er klonk het geluid van een vuursteentje dat ergens langs streek, de geur van houtteer en het gesuis van een vlam. De dwerg zag oranje licht door de vilthoed. Raaf pakte de dwerg stevig bij de achterkant van zijn broek vast en gaf Wolfram een zetje naar voren.

'Ik zie niets!' jammerde Wolfram voortstrompelend. 'Je gaat me in een gat gooien!'

'Dat zou je verdiende loon zijn. Maar dat doe ik niet. Kom op! Geen gezeur. Sta op en loop, of ik sleur je mee als een zak aardappelen.'

Wolfram liep, geleid door Raaf, die hem van achteren porde en duw-de. Hij wist dat ze de provisieruimte hadden bereikt toen hij laven-del, basilicum en andere kruiden rook, en de muffe lucht van aard-appelen, een sterke appelgeur, en bloed van pas gedood vlees dat was opgehangen om adellijk te worden. Raaf duwde hem naar links. Ze liepen een klein stukje heuvel afwaarts en toen bleef Raaf zo plotse-ling staan dat hij Wolfram bijna ondersteboven trok.

'Ho!' riep Wolfram. 'Kijk uit...'

'Sst!' De stem van Raaf klonk gespannen.

'Wat?' vroeg Wolfram geschrokken. Een Trevinici-krijger liet zich niet snel van de wijs brengen. De dwerg wrong zich in bochten om zijn handen los te krijgen en probeerde tegelijkertijd de hoed van zijn hoofd te schudden. 'Maak me los, verdomme! Maak me los!'

Raafs hand plukte de hoed van zijn hoofd en greep de dwerg stevig bij de schouder.

Het toortslicht was fel. Gedesoriënteerd en verblind door het plot-selinge licht knipperde Wolfram met zijn ogen. Hij probeerde alle kanten tegelijk op te kijken, omdat hij vreesde dat er een of ander monster was opgedoken dat in grotten leeft, zoals klobbers of bot-tenpletters. Raaf hield hem vast en uiteindelijk kon de dwerg genoeg zien om een grote bundel op de vloer van de grot te zien liggen. Na-dat hij de zadeldeken had herkend die Jessan had gebruikt om het harnas in te wikkelen, staarde Wolfram ernaar, knipperde nog eens met zijn ogen en deed een stap achteruit, waardoor hij tegen Raaf opbotste.

De deken was overdekt met vlekken van een of andere donkere sub-stantie.

'Wat is dat?' wilde Raaf weten, en hij hield de toorts zo dat het licht over de vlekken danste.

'Hoe moet ik dat weten?' zei Wolfram, en hij probeerde tevergeefs nog een paar stappen achteruit te doen. Het zeer solide lijf van de krijger stond in de weg. 'Wat doe je?' Zijn adem stokte van ontzet-ting. 'Raak het niet aan!'

Raaf was met uitgestoken hand op de deken afgelopen. Bij Wolframs waarschuwing aarzelde de Trevinici. Maar zijn nieuwsgierigheid won het. Voorzichtig pakte hij een droog hoekje van de deken beet en trok die weg. De stof bleef aan de vlekken kleven, als verband dat wordt weggetrokken van een etterende zweer.

'Het lijkt wel alsof...' Raaf aarzelde, vol walging. 'Alsof het bloedt!' Hij boog zich er dichter naartoe. 'En moet je dit zien.'

Hij wees naar de kadavers van een paar muizen, die stijf en stram bij de bundel in de buurt lagen.

Wolfram hoestte, naar adem snakkend. Het harnas verspreidde een vreemde stank, scherp, bitter en olieachtig. Hij vond het moeilijk om te ademen. De dwerg mompelde elke bezwering tegen het kwaad die zijn volk kende en voegde er voor de zekerheid nog een paar aan toe die hij van de orken had geleerd.

'Laat het met rust. Raak het niet aan. De muizen hebben het aangeraakt, en moet je zien wat er met hen is gebeurd! Kom mee!' Hij wenkte. 'Laten we maken dat we hier wegkomen. Snel!'

'Ik kan het niet achterlaten,' zei Raaf terwijl hij de dwerg een donkere blik toewierp.

'En wat wou je er dan mee doen?' wierp Wolfram tegen. De vlekken werden groter terwijl hij toekeek. Er was iets van de olieachtige substantie door de stof op het gesteente gedropen.

'Het vastbinden aan een kei en in de rivier laten zinken,' zei Raaf grimmig.

'En wie zwemt er in de rivier?' vroeg Wolfram, en zijn stem werd schril. 'Wie eet er vis uit de rivier? Wie giet er rivierwater over de gewassen?'

'Je hebt gelijk,' zei Raaf peinzend. Hij keek hulpeloos en van zijn stuk gebracht. 'Ik heb in talloze slagen gevochten. Ik heb de dood in allerlei afschuwelijke vormen gezien en nooit een krimp gegeven, maar dit... Hier trekken mijn ingewanden zich van samen en draait mijn maag zich van om als van een maaltje bedorven vis. Ik kan het harnas niet laten waar het is. Misschien moet ik het verbranden...'

'De rook,' zei Wolfram. 'Die zal de lucht vergiftigen.'

'Ik zal het begraven.'

'En de grond vergiftigen.'

Raaf balde zijn vuisten. 'Heeft mijn zus gelijk? Is het gif? Zal dit kwaad mijn volk dood en verderf brengen?' Hij keek Wolfram dreigend aan. 'Jij weet iets over die magie van de Leegte! Geef antwoord!'

De dwerg staarde vol walging naar de bundel. Hij schudde zijn hoofd. 'Ik weet alleen wat ik je heb verteld. Maar er is iemand anders die je raad kan geven. De ridder. Hij heeft met de Vrykyl gevochten. Hij heeft gewaarschuwd dat het harnas vernietigd moest worden. We zullen het aan hem vragen.'

'Als hij nog leeft,' voegde Raaf eraan toe.

Hij wierp nog een laatste, grimmige blik op de bundel, draaide zich toen snel om en liep weg. Wolfram moest zich haasten om hem in te halen.

'Moet je me niet blinddoeken?'

'Dat hoeft niet meer,' antwoordde Raaf kortaf.

Wolfram begreep het. Het was niet zo dat Raaf hem nu vertrouwde.

Maar de Trevinici zouden al hun spullen uit deze vervloekte grot halen en er nooit meer in de buurt komen.

'Hé, Jessan,' riep Bashae. Hij was vlak bij het genezingshuis en stond op het punt naar binnen te gaan, toen hij zijn vriend zag lopen aan de andere kant van de Heilige Kring.

Jessan had een paar stukken leer in zijn handen. Bashae rende om de Kring heen naar hem toe.

'Waar ga je heen?'

'Ik was op weg naar jou,' zei Jessan, die bleef staan. Hij keek quasi-zielig naar de lappen leer. 'Ik ben een broek aan het maken om naar Dunkar te dragen, maar ik heb twee linkerhanden. Ik heb al twee naalden gebroken en ik wilde naar jou komen om te kijken of jij naalden voor me had.'

'Je wilde naar mij komen om te kijken of ik Palea kon vragen je broek voor je te naaien,' zei Bashae met een grijns. 'Waarom heb je hem anders meegenomen? Maak je geen zorgen. Ze zal het wel doen. Ik neem je mee naar haar toe. Maar eerst moet ik bij onze ridder langs. Jij zou hem ook moeten bezoeken. Om afscheid te nemen,' zei hij met zachtere stem.

'Ik heb niet veel tijd,' zei Jessan met een blik in de richting van het huis. Zijn gezicht werd ernstig. Hij dacht aan de moedige man die daarbinnen lag. In vergelijking met hem had Jessan alle tijd van de wereld. 'Maar ik kan wel eventjes missen. Ik kom met je mee.'

Ze liepen om de Heilige Kring heen en kwamen bij het genezingshuis. Ze bleven ervoor staan, slecht op hun gemak in de nabijheid van de dood.

'Zouden we moeten roepen?' vroeg Jessan met zachte stem.

'Dat kunnen we beter niet doen, voor het geval hij slaapt,' antwoordde Bashae. 'We glippen gewoon stilletjes naar binnen en kijken hoe het met hem is.'

Bashae legde zijn hand op de deken die voor de deur hing. Hij duwde die opzij. Voorzichtig en zachtjes ging hij als eerste het huisje binnen. Jessan kwam vlak achter hem aan.

'Aha,' zei de Grootmoeder. 'De uitverkorenen.'

Gustav was een devoot en vroom man, dus trok hij de keuze van de goden niet in twijfel, maar hij had wel het gevoel dat de goden misschien verstandiger hadden kunnen kiezen. Waarom hadden de goden twee jongens gestuurd voor zo'n belangrijke opdracht, terwijl er toch talloze oudere, geoefende en ervaren krijgers in de buurt waren?

'Uitverkorenen? Uitverkoren voor wat, Grootmoeder?' vroeg Bashae, die begrijpelijkerwijze verbaasd was.

De Grootmoeder wierp een fonkelende blik van onder haar roodgerande rimpelige oogleden op Gustav. De ridder keek lang naar de twee jongemannen die eerbiedig zwijgend voor hem stonden, en toen begon hij de wijsheid van de goden in te zien.

Wie er ook op zoek was naar de Verheven Steen, wat voor intelligentie er ook hoorde bij die ogen die hem in zijn dromen achtervolgden, die zou op zoek zijn naar die oudere, geoefende en ervaren krijgers en zou deze jongelui misschien helemaal over het hoofd zien. En er waren meer redenen. Toen hij de leeftijd had gehad van deze twee jongens, was Gustav een behendige dief geweest in de straten van Nieuw Vinnengael. Hij had gebruik gemaakt van zijn jeugd door een onschuld voor te wenden die hij in werkelijkheid al was kwijtgeraakt toen hij een jaar of zes was.

Het zou voor Gustav een zeer gevaarlijke onderneming zijn om de Verheven Steen naar de Raad te brengen, maar diezelfde onderneming zou misschien helemaal niet zo moeilijk zijn voor deze jongemannen, die er nooit van verdacht zouden worden een zoekgeraakt voorwerp van zo'n immense waarde in hun bezit te hebben. Hij hoefde hun de ware aard van wat ze bij zich hadden niet te vertellen. Het enige dat hij hun hoefde te vragen, was om een onopvallende knapzak naar het rijk van de elfen te brengen en bij een bepaalde persoon af te leveren.

Gustav had al een bewijs van hun moed gekregen. Beide jongemannen hadden zich goed gedragen tijdens het gevecht met de Vrykyl. Ze waren snel, doeltreffend en verstandig te werk gegaan om hem naar hun dorp te brengen, had de Grootmoeder hem verteld, en hij had geen reden om aan haar woorden te twijfelen. Aan de andere kant ontberen de jeugdigen ervaring en de wijsheid die met de jaren komt. Ze hebben de neiging om haastig te handelen en de bittere les naderhand te leren.

'Uitverkoren voor wat, Grootmoeder?' herhaalde Bashae met gefronst voorhoofd. 'Ik begrijp niet...'

'Ssst!' zei ze gebiedend.

De Grootmoeder wendde zich tot Gustav. 'Zal het zo zijn, edele ridder?'

Gustav keek de jongemannen een voor een vorsend aan en probeerde door te dringen tot hun hart. In zijn zeventigjarige leven had hij veel mensenkennis opgedaan en hij was tevreden met wat hij zag. Ze hadden het hart op de juiste plaats, daar was geen twijfel over. Voor de rest moest hij vertrouwen hebben in de goden, anders was alles wat hij de afgelopen jaren had gezegd en gedaan hypocriet geweest. 'De goden hebben goed gekozen,' zei hij rustig.

'Dat vind ik ook,' zei de Grootmoeder, hoewel ze haar ogen half dichtkneep toen ze omkeek naar de jongemannen. Ze had de ridder horen zuchten en had geraden wat hij dacht. Ze sloeg zich op haar knieën en wenkte de twee om naderbij te komen. Armbanden tikten en rinkelden om haar magere polsen.

'Kom eens hier, jullie. Kom hier eens zitten.' Ze gebaarde naar een plek vóór haar. 'Luister naar mijn woorden.'

Bashae deed bereidwillig wat hem werd gezegd. Jessan aarzelde. 'Dat zou ik wel willen, Grootmoeder,' zei hij, 'maar ik vertrek morgen met oom Raaf naar Dunkar en ik heb nog veel te doen. Ik kwam alleen even...'

'Je hebt meer tijd dan sommigen van ons,' zei de Grootmoeder bits. 'Tijd genoeg om naar een oude vrouw te luisteren. Ga zitten, Jessan.' De jongeman was opgevoed met eerbied voor zijn oudsten en hij moest wel gehoorzamen. Hij ging echter niet zitten, maar liet zich op zijn hurken zakken, klaar om op te springen en weg te rennen als hij verlof kreeg om te gaan.

'Heer Gustav heeft een verzoek,' zei de Grootmoeder. 'Het zal waarschijnlijk zijn laatste wens zijn,' vervolgde ze streng in het Twithil, de taal van de pecwae's. 'Hij zal geen zonsopgang meer meemaken.'

Jessans houding werd wat eerbiediger. Bashae schoof dichter naar de stervende ridder. Ernstig en met grote ogen legde hij zijn sterke, zongebruinde hand over die van Gustav, die bleek en weggeteerd was.

'Wij zijn bereid uw verzoek in te willigen, Heer Gustav,' zei Bashae zacht. 'Wat wilt u dat we doen?'

Jessan zweeg, maar gaf met een knikje te kennen dat hij luisterde. Gustav glimlachte. 'Dank jullie wel. Ik weet dat ik stervende ben. Wees niet verdrietig om mij. Ik heb een goed leven gehad, een lang leven. Ik heb alles bereikt wat ik wilde bereiken. De goden hebben me gezegend en zelfs nu, nu het einde nabij is, zijn ze me nog gunstig gezind.'

Hij ademde bevend in en perste zijn lippen op elkaar om een snik van pijn te onderdrukken. De Grootmoeder wiste het koude zweet van zijn voorhoofd. Toen de aanval voorbij was, sprak hij verder.

'Ik ben niet verdrietig voor mezelf, maar er is één persoon die verdrietig om mij zal zijn.'

'Uw echtgenote?' vroeg Bashae zacht.

Gustav glimlachte weer toen het beeld van Adela hem voor ogen kwam. Haar gezicht verlichtte zijn pijn. Ze wachtte op hem aan de andere kant van de grens en hoe dichter hij bij haar kwam, des te echter werd ze voor hem. Hij zou dolgraag naar haar toe gaan, deze last opgeven, vrij zijn van de pijn. Maar nog niet... Nog niet... En deze jongens zouden het niet begrijpen.

Hoe kon hij zijn relatie met Damra beschrijven? Ze was een Domeinheer, net als hij, en ze waren al vele jaren bevriend, ondanks hun leeftijdsverschil. Zij was ouder in jaren, maar nog jong naar de maatstaven van de elfen. Hij was ouder in wijsheid en ervaring. Ze hadden elkaar in Nieuw Vinnengael ontmoet, op een bijeenkomst van de Raad. Ze was geïnteresseerd geweest in zijn zoektocht en in de Verheven Steen. Ze had hem uitgenodigd haar te bezoeken in het rijk van de elfen.

Het beeld van Damra's eenvoudige huis tegen de wand van een hoge berg, mooi in zijn eenvoud, zoals alle landhuizen van elfen, verscheen voor zijn geestesoog. Haar huis was zijn toevluchtsoord geweest in die afschuwelijke dagen na Adela's dood. Daar, met de hulp van Damra, had Gustav de wil gevonden om zelf verder te leven.

'Ja,' zei Gustav, in het vertrouwen dat zowel Damra als de goden hem zijn onjuiste voorstelling van zaken zouden vergeven, 'mijn lieve vrouw.'

'Ze moet wel heel oud zijn,' zei Bashae.

'Ja, ze is oud. Ouder dan ik. Maar nog steeds sterk en mooi.'

Bashae knikte beleefd. Jessan dacht duidelijk dat de oude man raaskalde. De Trevinici bewoog onrustig, verlangend om weg te rennen en verder te gaan met zijn eigen bezigheden.

'Ze is een elf, snap je,' vervolgde Gustav, en dat gaf aanleiding tot opgetrokken wenkbrauwen en verbaasde blikken, zelfs van Jessan. 'Elfen leven langer dan wij en de gebreken van de oude dag treffen hen veel later dan ons. Ik heb een aandenken dat ik haar wil geven, ter herinnering aan mij. Een liefdesblijk. Ik heb boodschappers nodig die te vertrouwen zijn en die het uit mijn naam naar haar kunnen brengen.'

Hij wierp een blik op de Grootmoeder, die bevestigend knikte. Gustav keek weer naar de twee jongemannen. 'Ik heb tot de goden gebeden om me een boodschapper te sturen. Jullie zijn degenen die de goden hebben uitverkoren.'

Onvoorbereid op deze verrassende ontwikkeling staarden de twee jongemannen hem aan, geen van beiden in staat zo snel de implicatie van zijn woorden volledig te doorzien. Toen trof de betekenis Bashae als een mokerslag. Hij staarde de ridder aan en wees met een vinger naar zijn eigen smalle borst.

'Ik?' zei hij.

'En Jessan,' zei de Grootmoeder.

'Wat?' Jessan sprong overeind. Hij keek van de ridder naar de Grootmoeder en terug. 'Maar dat kan niet. Ik moet met mijn oom naar Dunkar om soldaat te worden.'

'Het is de laatste wens van een stervende,' zei de Grootmoeder streng in het Twithil.

'Het spijt me,' zei Jessan, slecht op zijn gemak maar vastberaden. Hij deed een stap naar achteren, in de richting van de deur. 'Ik zou graag willen helpen, maar ik moet met mijn oom mee.' Hij maakte een vaag gebaar met zijn hand. 'Er zijn veel geoefende krijgers, oudere krijgers, die zich vereerd zouden voelen om de wens van de ridder uit te voeren.'

'Maar, Jessan!' riep Bashae uit, terwijl hij in één opgewonden beweging opsprong en tegenover zijn vriend ging staan. 'Hij wil dat we naar het rijk van de elfen gaan! De elfen, Jessan! Wij! Jij en ik! Helemaal alleen!' Hij zweeg even en draaide zich toen om naar de Grootmoeder. 'Stemt u ermee in, Grootmoeder? Vindt u het goed als we gaan?'

'De goden hebben gekozen,' zei de Grootmoeder. 'Wat wij stervelingen denken, doet niet ter zake.'

'Hoor je, Jessan? Wat een avontuur! Je moet meegaan! Toe nou!'

'Je begrijpt het niet, Bashae,' zei Jessan met zachte, strenge stem, en hij fronste zijn donkere wenkbrauwen. 'Mijn hele leven heeft mijn oom me beloofd dat hij en ik samen krijgers zouden zijn. Ik kan me niet herinneren dat ik ooit iets anders heb gewild.' Hij verplaatste zijn fronsende blik naar de Grootmoeder. 'Misschien hebben de goden Bashae gekozen, maar mij in elk geval niet.'

Hij draaide zich om en liep snel het genezingshuis uit.

'Wees gerust,' zei de Grootmoeder tegen Gustav en Bashae. 'De goden hebben het deeg gemengd. De gist moet nog werken.'

Gustav ademde hortend van pijn in. 'Maar mijn tijd is bijna op.'

'Wees gerust,' herhaalde de Grootmoeder met zachte stem, en ze wiste zijn voorhoofd. 'De handen van de goden kneden het brood terwijl we hier met elkaar praten. Bashae, ga je klaarmaken voor de reis. Je zult proviand, water, warme kleding en een deken nodig hebben. Haast je. Zorg dat je hier bij zonsondergang terug bent.'

'Moet ik dan alleen gaan, Grootmoeder?' vroeg Bashae, enigszins geïntimideerd door de enorme omvang van de taak.

'Heb je geen vertrouwen in de goden?' was de scherpe wedervraag van de Grootmoeder.

'Jawel,' zei Bashae langzaam. 'Maar Jessan is vreselijk koppig.'

Hierbij keek de Grootmoeder hem zo dreigend aan dat Bashae vond dat het tijd was om te gaan.

Gustav legde zijn hand op zijn knapzak, een knapzak die identiek was aan degene die de Vrykyl aan stukken had gescheurd. Hij had de magie van de knapzak gebruikt om die te herscheppen uit het strookje leer dat hij had bewaard. De Verheven Steen was er nog altijd in verborgen, onontdekt door de Vrykyl. Gustav had gezegd dat de knapzak naast hem moest worden gelegd toen hij naar het genezingshuis was gebracht. Hij verloor de knapzak nooit uit het oog. Als hij sliep, was de knapzak het eerste voorwerp waar hij naar zocht als hij zijn ogen opende.

Hij keek naar de Grootmoeder. Hij moest eigenlijk even alleen zijn, maar hij kon haar moeilijk vragen weg te gaan terwijl ze zoveel tijd en zorg aan hem had besteed.

Terwijl ze overeind kwam en haar rok met kralen om haar knokige enkels zwierde en tikte, zei de Grootmoeder: 'De stijfheid van de ouderdom. Die moet ik eruit lopen, anders gaat ze nooit meer weg en zullen ze me moeten ronddragen als een kind. Ik heb water bij u gezet, voor als u dorst hebt.'

'Dank u, Grootmoeder,' zei Gustav. 'U bent een wijze vrouw. Een zeer wijze en nobele dame.'

'Ik! Een nobele dame! Ha! Die is goed!' De Grootmoeder stootte haar diepe lach uit. In de deuropening bleef ze even staan en keek naar hem om. 'Ik zal tegen de dwerg zeggen dat u hem wilt spreken.' Ze maakte een knixje dat er allerminst stijf uitzag en vertrok.

Gustav twijfelde er niet meer aan dat zij zijn gedachten bijna beter kende dan hijzelf. Hij was het rijk van het lichamelijke aan het verlaten en kwam steeds dichter bij het rijk van de geest. Wat hij een maand geleden lachend in twijfel zou hebben getrokken, leek hem nu volkomen plausibel.

Terwijl hij zich schrap zette tegen de pijn, waarvan de tranen hem in de ogen sprongen, zei Gustav zacht het woord 'Adela' en na even aan de gespen te hebben gefrunnikt opende hij de knapzak.

Gustav ontwaakte uit een onrustige droom van zoekende ogen en zag dat twee paar echte ogen hem aandachtig opnamen. De dwerg was er, en een Trevinici-krijger. Gustav liet zijn hand onder de deken glijden die over hem heen lag, om zich ervan te vergewissen dat de Verheven Steen veilig en goed verborgen was.

'Water, alstublieft,' hijgde hij hoestend.

Wolfram kwam snel naderbij en bracht de kom met water naar de lippen van de ridder. Maar Gustav kon het niet drinken. Hij schudde zijn hoofd. Met een bezorgde blik liet de dwerg een straaltje in de keel van de ridder glijden en depte water op de uitgedroogde lippen van de man.

'Dank u,' zei Gustav, die nu wat gemakkelijker ademde. Hij keek naar de krijger, die vlak bij de deuropening stond, omdat hij zich niet wilde opdringen voordat hij was opgemerkt. 'Bent u Jessans oom?' Raaf knikte eerbiedig en kwam respectvol dichterbij.

'Weet u wat ik Jessan heb gevraagd?' vroeg Gustav.

'Ja, de Grootmoeder heeft het me verteld,' antwoordde Raaf. Hij ging op zijn hurken naast de ridder zitten. 'Ze heeft me ook verteld wat Jessan heeft gezegd. Hij bedoelde het niet oneerbiedig. Ik verontschuldig me voor hem.'

Raaf zweeg even, klaarblijkelijk om zijn gedachten op een rijtje te zetten. 'Op elk ander moment zou ik de keuze van de goden niet hebben begrepen. Ik zou hebben gezegd dat ze een vergissing maakten. Ik maak me zorgen over Jessans jeugd en onervarenheid, niet over zijn moed of eerlijkheid. Maar' – Raaf voelde zich duidelijk slecht op zijn gemak en bleef zijdelingse blikken op Wolfram werpen – 'er is iets onverwachts gebeurd. Iets dat al mijn kennis en begrip te boven gaat. Ik begin te denken dat de goden misschien toch wel weten wat ze doen.'

'Wat is er dan gebeurd?' Gustav keek van het stugge gezicht van de dwerg naar het sombere van de krijger.

'Vertel jij het hem maar,' zei Raaf. Hij trok zich terug in de schemering maar hield zijn blik op Gustav gericht, om elke verandering en nuance van zijn gelaatsuitdrukking te kunnen zien.

'Het zit zo, edele ridder,' zei Wolfram, terwijl hij zich dichter naar de ridder toe boog. 'Herinnert u zich het vervloekte harnas dat die demon van de Leegte droeg?'

'Ja, waarom, wat is daarmee? Het is toch zeker vernietigd?'
Wolfram schudde bedroefd zijn hoofd. 'Niet doordat ik het niet heb geprobeerd, edele ridder. Maar de jongeman stond erop het te houden. Hij heeft het meegebracht naar het dorp, als cadeau voor zijn oom.' Hij wees met zijn duim naar Raaf.
'Bij de heiligheid van de goden!' Gustav probeerde te gaan zitten, maar hij was te zwak. 'Een vreselijke vergissing. Het harnas moet vernietigd worden. Dat is essentieel!'
'Ja, edele ridder,' zei Wolfram op droge toon. 'Daar zijn we het allemaal over eens. Maar de vraag is: hoe?' Hij dempte zijn stem en boog zich dicht naar de ridder toe om te fluisteren: 'Het harnas is gaan bloeden, edele ridder! Bloeden of lekken of zoiets. Een vloeistof die zo zwart is als pek en vettig als lampolie. En ook nog dodelijk.'
'We hebben de kadavers van twee knaagdieren gevonden die zich er in de buurt hadden gewaagd,' zei Raaf op ernstige toon. 'Misschien hebben ze ervan gedronken. Misschien zijn ze er alleen doorheen gelopen. Hoe dan ook, ze waren dood.'
'Wat betekent,' vervolgde Wolfram, 'dat we het harnas niet kunnen verbranden, noch kunnen doen zinken of begraven. Niet zonder de grote kans dat een dodelijk gif de hele omgeving besmet. Dus wat moeten we doen?'
'Jullie moeten het bij het dorp vandaan brengen,' zei Gustav. Zijn stem klonk duidelijk en ferm. Het gevaar had een laatste vonk in zijn uitdovende ogen ontstoken. 'Ver weg.'
'Ja, dat is duidelijk. Maar wat dan, edele ridder? Waar het ook blijft, het neemt die vloek met zich mee!'
Gustav dacht even na en wenkte toen Raaf dichterbij. 'Jessan zei dat u van plan was om naar Dunkar te reizen. Klopt dat?'
'Ja, edele ridder. Ik ben soldaat in het leger van koning Moross. Ik moet morgen terugkeren naar Dunkar om mijn werk te hervatten. Mijn verlof is bijna voorbij. Als ik niet terugkom, zullen ze me als deserteur beschouwen.'
'Ga vooral terug,' zei Gustav. 'Er is een Tempel der Magiërs in Dunkar, geloof ik.'
'Ja, edele ridder.'
'Breng het harnas naar de hoge magiër. Hij zal weten wat hij ermee moet doen. Doe het in het geheim. Laat het niemand zien. Praat er met niemand over.'
'De hoge magiër!' Raaf zuchtte diep van opluchting bij de gedachte om dit enorme probleem aan iemand anders over te dragen. 'Natuurlijk! Hij heeft een zeer grote magische kracht, zegt mijn com-

mandant. Ik zal het naar hem brengen en hem vragen hoe we ons volk van de vloek kunnen bevrijden. En wat betreft Jessan, hij zal die opdracht voor u uitvoeren, een opdracht waarvoor hij naar het noorden moet, in de tegenovergestelde richting, ver van het harnas. Wie weet, misschien heeft de vloek hem wel in een fatale greep. Door deze opdracht kan ik mijn belofte aan hem eervol intrekken en kan hij het dorp eervol verlaten. De goden zijn waarlijk wijs,' zei Raaf eerbiedig.

'Als ze zo verrekte wijs zijn, waarom hebben ze dan toegestaan dat de jongen met dat harnas is gaan rondsjouwen?' mompelde Wolfram, maar hij zorgde er wel voor dat geen van de andere twee hem hoorde.

Gustav huiverde. Zijn krachten raakten uitgeput. Afgemat sloot hij zijn ogen. Toch had hij nog genoeg energie om een weggeteerde hand uit te steken en Wolfram vast te pakken toen hij op het punt stond weg te gaan.

'Ik moet... u spreken,' zei Gustav zo zacht dat de dwerg de woorden alleen verstond door te liplezen. 'Alleen.'

Raaf vertrok. Wolfram bleef achter, hoewel het leek alsof hij dat met enige tegenzin deed.

'Ja, edele ridder?'

'U bent in dienst van de monniken van de Drakenberg...' begon Gustav.

'Niet echt in hun dienst, edele ridder,' wierp Wolfram tegen. 'Maar aangezien ik veel reis, breng ik hun nu en dan wat interessante nieuwtjes.'

'Toch heb ik u daar meer dan eens gezien,' zei Gustav.

'Ze zorgen er wel voor dat het de moeite loont, edele ridder,' zei Wolfram sluw.

'Dat zal wel.' De ridder glimlachte. 'Ik heb een boodschapper naar de monniken nodig, Wolfram. U bent de voor de hand liggende keus...'

'Edele ridder, ik zou alles voor u doen, heus waar,' zei Wolfram plechtig terwijl hij aan zijn armband krabde, 'maar ik heb al een opdracht gekregen en ik...' Hij zweeg even. 'Wat is dat?'

Met veel moeite en enige pijn stak Gustav zijn hand onder zijn dekens en haalde een zilveren kistje te voorschijn, dat was versierd met edelstenen. Wolfram keek achterdochtig naar het kistje en bood niet aan het aan te pakken.

'Ik heb iemand nodig om dit kistje naar de monniken te brengen,' zei Gustav.

'Aha!' Wolfram wreef met zijn wijsvinger langs de zijkant van zijn neus. Hij maakte nog steeds geen aanstalten om het kistje aan te raken. 'En wat zit er in dat kistje?'

'De inhoud is geheim,' zei Gustav, 'en alleen de monniken mogen weten wat die is.'

'De reis naar de Drakenberg is lang en het is tegenwoordig gevaarlijk onderweg, edele ridder,' merkte Wolfram op. Hij fronste. 'Vooral voor degenen die iets te maken hebben met personen die in conflict zijn geraakt met de Leegte.'

'Dat begrijp ik,' zei Gustav ernstig. 'En ik zal ervoor zorgen dat je ruimschoots wordt gecompenseerd. Ik heb instructies in het kistje gelegd dat de monniken al mijn wereldse bezittingen aan de drager van het kistje moeten schenken.'

'En al uw wereldse bezittingen zijn…' zei Wolfram.

'Land in Nieuw Vinnengael, al mijn roerende en onroerende goederen op dat land. En de inhoud van een brandkast die verborgen is in het kasteel. Mijn hofmeester weet waar die zich bevindt en hij heeft de sleutel. In dit kistje zit ook mijn zegelring. Zo weet de hofmeester dat degene die die ring bij zich heeft, door mij is gestuurd.'

Wolfram keek naar het kistje en zijn ogen glinsterden, maar hij maakte nog steeds geen aanstalten om het aan te pakken. 'Vertel eens, edele ridder. Had het weerzinwekkende wezen dat u aanviel het op u gemunt, of op dit kistje? Te oordelen naar uw grootmoedige aanbod,' vervolgde hij, terwijl hij zijn ogen half dichtkneep en over zijn snor streek, 'denk ik dat het in eerste instantie om het kistje ging en in tweede instantie om u, als de bezitter ervan. En dat degene die het kistje in zijn bezit heeft, groot gevaar loopt. Heb ik het bij het rechte eind?'

'In zekere zin,' antwoordde Gustav. 'U zult in gevaar zijn als u deze opdracht aanvaardt. Dat ontken ik niet.'

'Van die wezens, de Vrykyls?'

'Dat kan ik niet zeggen. Ik weet niet of er meer van hen bestaan. Zo ja, dan vertrouw en hoop ik erop dat ze het spoor bijster zijn.'

'En de twee jongelui,' zei Wolfram geslepen. 'Die stuurt u met een andere opdracht op pad. Heeft hun reis iets te maken met dit kistje?'

De dwerg had zo dicht bij de roos geschoten dat Gustav wist dat een leugen niet geloofd zou worden.

'U bent de pluvier met de gebroken vleugel,' zei hij uiteindelijk.

'Wat betekent dat het gevaar achter mij aan komt en de jongelui met rust laat.'

'U wordt goed betaald om het risico te lopen,' stelde Gustav vast.

Wolfram leek de zaak te overdenken. Peinzend draaide hij de armband rond om zijn pols. 'Uw landgoed? Is dat groot?'

Gustavs lippen beefden. Als hij genoeg kracht had gehad, zou hij hebben gelachen. In plaats daarvan zei hij: 'Ja, dat is groot, Wolfram de Paardloze.'

De dwerg was niet erg gesteld op die titel. Hij keek naar de ridder, boog zich naar hem toe en fluisterde hees: 'Heeft dit iets te maken met uw krankzinnige...' Hij kuchte gegeneerd. 'Uw queeste, edele ridder?' corrigeerde hij zichzelf.

'De beloning is zeer hoog,' zei Gustav.

Wolfram dacht nog even na en stak toen zijn hand uit naar het kistje.

'Edele ridder, ik ben uw dienaar.'

'Zoals u ziet, is het kistje verzegeld,' zei Gustav terwijl hij het aan de dwerg gaf. 'Het zegel mag niet verbroken worden. Dat is een voorwaarde. In het briefje dat erin zit, staat dat de zaak niet doorgaat als het zegel is verbroken.'

'Ik begrijp het, edele ridder,' zei Wolfram. Hij bekeek het kistje aandachtig van alle kanten. 'Gemaakt door pecwae's, als ik me niet vergis.' Hij hield het bij zijn oor en schudde het. 'Klinkt leeg.' Hij haalde zijn schouders op. 'U kunt van me op aan, edele ridder. Ik zal ervoor zorgen dat het veilig op zijn bestemming aankomt.'

Wolfram stopte het kistje in de voorkant van zijn overhemd. Hij wilde nog iets zeggen, een paar vragen stellen, een beetje aandringen en proberen de ridder zo ver te krijgen dat hij nog iets meer onthulde over het kistje en zijn mysterieuze inhoud. Maar Gustavs ogen vielen dicht. Zijn ademhaling was oppervlakkig en moeizaam. Hij was aan het eind van zijn krachten, en bijna aan dat van zijn leven.

Wolframs gezicht werd ernstig. Eenieder die het doodsbed van een ander ziet, ziet dat van zichzelf, zeggen de elfen. De dwergen geloven dat als je sterft, je ziel naar het lichaam van een wolf verhuist en zo voortleeft.

'Moge de Wolf u ontvangen,' zei de dwerg zacht, terwijl hij zijn ruwe, eeltige hand even op die van de ridder legde. Met het kistje tegen zijn borst gedrukt, verliet Wolfram het genezingshuis. Bij de deuropening liep hij bijna tegen de Grootmoeder op.

'Hij slaapt!' fluisterde Wolfram luid.

'Hmmpf!' snoof de Grootmoeder.

Toen ze binnenkwam, was ze niet erg verrast om haar patiënt met wijd open ogen aan te treffen.

'Maakt u zich geen zorgen,' zei ze tegen hem. Ze depte zijn lippen met water en legde de doek terug die van zijn voorhoofd was gegleden.

'Ze komen wel. Ze komen allebei. De goden hebben gekozen.'

'Als ze maar snel komen,' zei Gustav met een zucht. 'Want ik ben erg moe.'

'Maar, oom, u hebt het beloofd!' zei Jessan.
Terwijl hij die woorden zei, wist hij dat hij klonk als een jengelend kind dat iets niet krijgt wat het wil hebben, en hij was niet verrast toen hij het gezicht van zijn oom zag betrekken van ongenoegen. Maar hij kon zijn woorden niet meer terugtrekken. Hij kon alleen proberen zijn gedrag te verklaren.
'Oom, ik ben de enige van mijn leeftijd in het dorp die nog geen krijgersnaam heeft.' Jessan liet Ranessa buiten beschouwing. Iedereen liet Ranessa altijd buiten beschouwing. 'Ik had met de anderen naar het zuiden kunnen gaan, naar Karnu, maar ik heb op u gewacht. Familie hoort bij elkaar te zijn, zegt u altijd, en daar ben ik het mee eens. Familie hóórt ook bij elkaar te zijn, oom. Neem me mee naar Dunkar!'
'Dat kan ik niet doen, Jessan,' zei Raaf. 'De goden hebben hun keuze gemaakt.'
Jessan werd boos. 'De goden! Ha! Ja, als de goden de vorm hebben aangenomen van een verdroogd oud pecwae-vrouwtje. Een vrouw die, voor zover we weten, haar verstand wel verloren kan hebben! Oom, ik...'
Raaf gaf Jessan met de rug van zijn hand een klap tegen zijn mond die hem tegen de vloer sloeg. Raaf had zich niet ingehouden. Het was zijn bedoeling dat de klap en de les die erbij hoorde tot de jongen doordrongen.
Jessan ging zitten en schudde zijn pijnlijke hoofd. Hij spoog een tand uit en veegde bloed van zijn gescheurde lip uit zijn mondhoek. Hij wierp een korte blik op zijn oom en keek toen snel de andere kant op. Hij had Raaf nog nooit zo kwaad gezien.
'Een krijger spreekt niet oneerbiedig over de goden,' zei Raaf, zijn stem trillend van woede. 'De goden houden het leven van de krijger in hun hand. Het verbaast me dat ze die hand niet tot een vuist hebben gebald, in plaats van die te openen om jou een grote eer toe te kennen. Verder spreekt een krijger ook niet oneerbiedig over zijn oudsten. Dat is het kenmerk van een verachtelijke, jammerende lafaard.'
Langzaam kwam Jessan overeind. Hij keek zijn oom recht en kalm in de ogen, in de wetenschap dat hij fout was geweest en zijn straf aanvaardend. 'Het spijt me, oom,' zei hij. 'Ik heb die dingen onnadenkend gezegd.' Hij veegde met de rug van zijn hand nog wat bloed weg. 'Vergeeft u me alstublieft.'

'Ik ben niet degene die je hebt beledigd,' zei Raaf grimmig. 'Vraag de goden maar om vergeving.'

'Dat zal ik doen, oom,' zei Jessan.

'Je kunt de Grootmoeder niet om vergeving vragen, want dat zou betekenen dat je tegenover haar moet herhalen wat je hebt gezegd, en ik vertrouw erop dat dat soort woorden je nooit meer over de lippen zullen komen. Maar van nu af aan zul je alles voor haar doen wat ze van je vraagt, wat het ook is, zonder mankeren en zonder tegenwerpingen. Zo zul je het goedmaken.'

'Ja, oom,' antwoordde Jessan timide en bedroefd.

Hij had geconcludeerd dat zijn oom hem om de een of andere reden niet wilde meenemen naar Dunkar. Er kon geen andere verklaring zijn. Hoewel hij een vroom man was, had Aanvallende Raaf wel om de goden heen kunnen redeneren als hij dat had gewild, daar was Jessan van overtuigd. Hij had geen idee wat hij had gedaan om zijn oom tegen zich in te nemen.

Raaf keek zijn neef nog een ogenblik boos aan, maar toen kreeg hij medelijden; hij sloeg zijn armen om de jongeman heen en drukte hem tegen zich aan.

'Je zult je in vreemde landen wagen, Jessan,' zei Raaf terwijl hij de jongen op armlengte hield. 'Landen waar ik nooit geweest ben. Landen waar niemand van ons volk ooit is geweest. Je zult vreemde mensen ontmoeten, vreemde gebruiken aanschouwen, vreemde talen horen. Behandel alles en iedereen met respect. Vergeet niet dat voor hen jij de vreemdeling bent.'

Jessan knikte. Hij vertrouwde niet genoeg op zijn stem om iets te zeggen.

'Ik neem nu afscheid van je, Jessan,' zei Raaf. 'Als je terug bent van deze reis, kom dan naar Dunkar. Ik wacht op je.'

'Dank u, oom,' zei Jessan met overslaande stem.

Het was een moeilijk moment. Dat vonden de mannen allebei.

'Ik dacht dat u pas morgen wegging, oom,' zei Jessan uiteindelijk.

'De plannen zijn veranderd,' antwoordde Raaf ontwijkend. 'Ik heb nieuws ontvangen. Ik moet terugkeren naar mijn post.'

'Vergeet het harnas niet,' zei Jessan.

'Dat zal ik niet doen,' antwoordde Raaf op droge toon. 'Wees daar maar niet bang voor.'

'Ik weet niet wat er met hem is,' zei Jessan tegen Bashae. 'Oom Raaf gedraagt zich heel vreemd sinds ik hem het harnas heb gegeven. Hij zegt wel dat hij er blij mee is, maar ik geloof niet dat hij het meent. Weet je, ik wou dat ik had gedaan wat de dwerg zei en dat ik dat harnas in het ravijn had gegooid. Nu zegt oom Raaf dat ik toch niet mee mag naar Dunkar. Ik moet met jou meegaan.'

Bashae gaf een kreet van vreugde. Toen hij het sombere gezicht van zijn vriend zag, zei hij berouwvol: 'Het spijt me, Jessan. Ik weet dat je heel graag met je oom mee wilde. Wat voor reden heeft hij je gegeven?'

'Mijn oom zegt dat deze opdracht, die de goden zelf hebben gekozen, veel belangrijker is dan bij het leger van Dunkarga gaan. Dat kan ik altijd nog doen als ik terug ben. Ik heb erover nagedacht. Misschien heeft hij gelijk. Het zal een avontuur zijn, zoals jij al zei. Naar het land van de elfen reizen. Niemand uit ons dorp is ooit zo ver weg geweest.'

Bashae maakte een rondedansje en klapte in zijn handen. 'En ik zal de eerste pecwae zijn die zo ver reist,' zei hij trots. 'Ik ben blij dat je meegaat. Ik zou het doodeng hebben gevonden om alleen te gaan, maar als jij bij me bent, ben ik niet bang.'

Jessan zuchtte en schudde zijn hoofd. Hij wilde dat hij hetzelfde enthousiasme kon opbrengen, maar hij was te teleurgesteld. Hij wierp een blik op de zon, die enige tijd geleden haar hoogste punt was gepasseerd en in westelijke richting zonk. 'Ik moet gaan. Mijn oom wil al snel vertrekken. Ga jij maar vast naar de ridder. Ik zie je daar wel.' Jessan draaide zich om en beende weg.

'Dit is ongetwijfeld de slechtste dag van mijn leven geweest,' mompelde Jessan bij zichzelf. 'Ik zal blij zijn als hij voorbij is.'

De enige, schrale troost die hij kon bedenken, was dat alles wat vandaag verkeerd had kunnen gaan, dat ook had gedaan. Hij kon zich niet voorstellen dat hem nog íéts kon overkomen.

Hij had nog maar een klein stukje gelopen toen hij het getrippel van voetstappen achter zich hoorde en een stem die buiten adem zijn naam riep. Hij draaide zich om en zag Bashae op zich af stormen.

'O, Jessan! Ik ben blij dat ik je nog heb ingehaald. Ik vergat je het goede nieuws te vertellen,' zei Bashae, hijgend van blije opwinding. 'De Grootmoeder heeft besloten met ons mee te gaan.'

Aanvallende Raaf stond, bepakt en bezakt, klaar om te vertrekken. Het halve dorp was uitgelopen om hem het beste te wensen, en de dwerg was er ook. Wolfram hield het paard bij het hoofdstel vast, aaide het dier over de neus en sprak het zachtjes toe. Raaf zou het paard van de ridder gaan berijden. Eerst had de krijger zo'n vorstelijk geschenk geweigerd, maar Gustav had terecht gezegd dat hijzelf nooit meer zou rijden. Gustav wist heel goed dat als het paard achterbleef in het dorp, de pragmatische Trevinici het dier voor de ploeg zouden spannen. Het trotse strijdros kon zijn dagen beter op het slagveld uitdienen.

Raaf stond met de dorpsoudsten te praten, die zich om hem heen hadden geschaard om het paard te bewonderen. Een keurig opgerold teerkleed was aan de achterkant van het zadel vastgemaakt. Raafs kleding en proviand zaten in zadeltassen. Hij was gekleed in een lange leren broek met franje en een leren overhemd. Hij droeg al zijn trofeeën.

Toen ze Jessan zagen aankomen, maakten de mensen in de kring om Raaf heen ruimte om de jongeman erdoor te laten.

'Zo, neef, ik ben klaar om te vertrekken,' zei Raaf terwijl hij zich met een glimlach tot Jessan wendde. Hij gaf Jessan een klap op zijn schouder. 'Mogen de goden aan je zijde lopen op je reis, Jessan.'

'Die zal ik wel nodig hebben,' zei Jessan mistroostig. 'De Grootmoeder heeft besloten met ons mee te gaan.'

Het beeld van twee trotse jongemannen die het avontuur van hun leven gingen beleven in gezelschap van hun grootmoeder kwam Raaf levendig voor ogen. Een van zijn mondhoeken trok. Toen hij het ongelukkige gezicht en de neerslachtigheid van zijn neef zag, slikte Raaf zijn lach snel in.

'Dan heb je echt een grote verantwoordelijkheid, Jessan,' zei hij ernstig. 'Het is een plechtige taak die we jou toevertrouwen.'

De dorpsoudsten mompelden en knikten.

'Ik hoop dat je je er goed van zult kwijten,' vervolgde Raaf, 'zodat ik trots op je kan zijn.'

Jessan hief zijn hoofd. Zijn gezicht klaarde op. Raaf had hem zijn eer teruggegeven. 'Dat zal ik doen, oom.'

Raaf omhelsde en kuste zijn neef. Hij omhelsde de oudsten, wisselde de rituele kus met hen en besteeg zijn paard. Wolfram stapte achteruit en Raaf stond op het punt om weg te rijden toen Ranessa zich plotseling een weg door de menigte baande.

'Wat is dit, Raaf?' vroeg ze met haar barse stem. 'Geen afscheidskus voor je zus?'

Raaf keek met een ontstemd gezicht op haar neer. Hij had met de oudsten afgesproken dat ze een beetje op haar zouden letten. Hij had gehoopt weg te zijn voordat ze in de gaten had dat hij zou vertrekken.

Ze keek tussen haar zwarte, verwarde haar door naar hem op. Langzaam steeg Raaf af en liep naar zijn zus toe. Hij kwam niet dichterbij dan nodig was om een vluchtige kus op de smoezelige wang te drukken, maar Ranessa greep hem bij zijn mouwen, drukte haar nagels in het leer en trok hem naar zich toe.

'Je haalt de vloek weg uit het dorp,' zei ze op barse, indringende toon tegen hem. 'Dat is goed, broer. Maak je geen zorgen. Je zult het volk redden, maar jijzelf zult verloren zijn. Verloren,' herhaalde ze.

Raaf wist dat Ranessa gek was en met de dag gekker leek te worden. Toch liep er een rilling over zijn rug bij haar onheilspellende woorden. Hij probeerde zich van haar los te trekken, maar ze liet zich tegen hem aan zakken en legde haar voorhoofd tegen zijn brede borst. Tot zijn verbazing zag hij sporen van tranen over haar vuile gezicht lopen.

'Je bent goed voor me geweest,' mompelde ze met haar gezicht tegen zijn borst. 'Beter dan ik verdiend heb. Ik ben een kwelling voor je.' Ze hief haar betraande gezicht; haar ogen waren donker en hadden een woeste glans. 'Ik weet niet of het een troost voor je is, maar ik ben een ergere kwelling voor mezelf dan voor anderen.'

Ze gaf hem een zoen die meer op een klap leek, zo hard en snel deed ze het, en zijn kaak deed er pijn van. Toen draaide ze zich abrupt om en liep de kring uit. Degenen die haar in de weg stonden, moesten snel opzij stappen, want anders had ze hen onder haar blote voeten vertrapt.

Raaf stond haar verbaasd en slecht op zijn gemak na te kijken terwijl hij over zijn pijnlijke kaak wreef. De volgende dag zou hij merken dat haar kus hem een blauwe plek had opgeleverd.

Iedereen keek een beetje gegeneerd. Ze hadden allemaal het gevoel dat ze een overigens fraai afscheid had bedorven. Raaf besloot dat hij maar het beste onmiddellijk kon gaan, voordat ze het in haar hoofd kreeg om terug te komen. Hij besteeg zijn paard, zwaaide met zijn hand en zette koers naar het zuiden, in de richting van Dunkar. Zijn dorpsgenoten riepen hem zegenwensen toe totdat hij uit het zicht was verdwenen. Toen gingen ze op zoek naar een andere grot om de voedselvoorraad en de rijkdommen van het dorp in op te slaan.

De oudsten gingen naar het genezingshuis om afscheid te nemen van een andere man, die op een ander soort reis ging, die veel langer zou duren en naar onbekende rijken ging. Heel anders dan de reis van Raaf, dachten ze.

In het genezingshuis werd Gustav steeds zwakker. Voor elke ademtocht moest een zware strijd geleverd worden met een tegenstander met wie hij zich al vaak had gemeten. Hij betreurde het niet. De dood was een vijand van wie hij eervol kon verliezen. Gustav verlangde ernaar zijn zwaard te breken, zich op één knie te laten zakken en zichzelf gewonnen te geven, hoewel hij niet verslagen was. Hij moest zijn zaken in deze wereld nog afhandelen. Hij moest de schat nog doorgeven waarnaar hij zijn leven lang had gezocht en waarvoor hij zijn leven had gegeven. Hij zou die schat aan twee jongemannen geven. En aan de Grootmoeder.

'Ik ben bijna aan het einde van mijn leven en ik ben nog nooit verder bij mijn hutje vandaan geweest dan bij de rivier,' zei ze tegen hem nadat ze hem haar verbijsterende beslissing had meegedeeld. 'Ik heb nog nooit een elf gezien. Ik zou ook nog nooit een dwerg hebben gezien, als mijn achterachterkleinzoon er niet een had gevangen. Maar een elf is moeilijker te vangen, denk ik.'

'Maar denk eens aan al uw gemakken hier,' had Gustav bij wijze van mild protest aangevoerd. Hij was niet in een positie om bezwaar te maken tegen avonturiers op leeftijd. 'De reis zal lang en zwaar zijn.'

'Wat voor gemakken?' vroeg de Grootmoeder snuivend. 'Ik kan 's nachts niet slapen van de pijn in mijn botten. Ik kan net zo goed onderweg wakker liggen als in dat bedompte hutje van me. Mijn eten proef ik niet meer, dus maakt het ook niet uit wat ik eet.'

'Na mijn dood zal ik in een vreemd land rusten,' zei Gustav. 'Dat vind ik niet erg. Ik heb toch geen kinderen die mijn graf in mijn vaderland zouden kunnen onderhouden. Maar u hebt vele kinderen en kleinkinderen gehad, heeft Bashae me verteld. Die liggen hier allemaal begraven. Wilt u niet bij hen begraven worden?'

'Eigenlijk niet,' bromde de Grootmoeder. 'Ze hebben me teleurgesteld, allemaal. Ze verwachtten altijd van me dat ik in deze wereld voor hen zou zorgen, en in de slaapwereld zullen ze dat ongetwijfeld ook verwachten. Allemaal op een rij met hun lege bordjes, wachtend tot die worden volgeschept. Nou, laat ze maar honger krijgen. Laat ze maar naar me uitkijken. Dat zal ze goeddoen.'

Gustav glimlachte. 'Laat Bashae maar binnenkomen,' zei hij.

Bashae had buiten het genezingshuis gewacht. Hij kwam zacht en geruisloos naar binnen en knielde naast de stervende neer.

'In deze knapzak,' zei Gustav tegen Bashae, 'zit het aandenken dat naar vrouwe Damra moet worden gebracht. Jullie moeten het aan haar persoonlijk geven, en aan niemand anders.'

Met grote inspanning tilde hij de knapzak op. Voor zijn weggeteerde armspieren leek het alsof die van massief ijzer was gemaakt.

Bashae pakte hem voorzichtig van de ridder aan.

'Ja, edele ridder,' zei Bashae.

'Maak hem maar open,' zei Gustav.

Bashae tuurde erin. 'Deze ring?' vroeg hij, terwijl hij een zilveren ring met een paarse steen te voorschijn haalde.

'Ja, de ring,' zei Gustav. 'Geef die aan vrouwe Damra. Vertel haar dat in de knapzak het kostbaarste juweel ter wereld zit en dat het van mij afkomstig is, die een leven lang naar zo'n juweel heeft gezocht. Ik geef het aan haar om het naar zijn eindbestemming te brengen.'

Bashae wierp een aarzelende blik op de Grootmoeder. 'Het is maar een amethist!' fluisterde hij luid.

'Misschien zijn die voor de elfen meer waard,' zei de Grootmoeder tegen hem. 'Net als turkoois.'

'Natuurlijk,' zei Bashae, die zich de hebzucht herinnerde in de ogen van de elf in de Wilde Stad. 'Dat zal het zijn.'

'Het is belangrijk dat ze de knapzak ook krijgt,' zei Gustav ernstig. 'Vrouwe Damra heeft me die knapzak gegeven. Hij is magisch en ook erg kostbaar.'

'Magisch!' riep Bashae uit, vol ontzag en opwinding. 'Wat doet hij dan?'

'Dat zal vrouwe Damra je laten zien,' zei Gustav. 'Ik heb er de kracht niet meer toe. Vertel niemand dat hij magisch is. Beloof me dat. Als je dat wel doet, proberen ze hem misschien van je te stelen en dat mag niet gebeuren.'

'Ja, edele ridder,' zei Bashae plechtig, en hij leek een beetje slecht op zijn gemak.

Dat was goed, vond Gustav. Hij wilde de jongeman geen angst aanjagen, maar hij hoopte hem wel te doordringen van de ernst van de opdracht. Hij verwachtte dat de twee een veilige en rustige reis zouden hebben. Om dat te bewerkstelligen, had hij Wolfram het kistje gegeven waarin de Verheven Steen had gezeten. Als de ogen die hij in zijn dromen zag werkelijk op zoek waren naar de Steen, zouden ze misschien worden aangetrokken door het restje magie dat nog in het kistje hing. De Steen zelf, die was verborgen in zijn magische vak in de tijd, zou heel moeilijk te traceren zijn. Als het vervloekte harnas van de Vrykyl in de ene richting reisde en het kistje met zijn zweem van gezegende magie in de andere, zou de achtervolger worden weggelokt van de twee jongemannen. En de Grootmoeder.

Op zijn verzoek kwam de jonge krijger, Jessan, het genezingshuis binnen. Bashae liet hem de knapzak zien en herhaalde hun instructies, ondertussen voortdurend Gustav in de gaten houdend om te zien of hij het goed vertelde.

Gustav wenkte de jonge krijger naderbij.

Met een ernstig gezicht in de aanwezigheid van de dood, knielde Jessan naast de ridder neer.

'Ga over de Grote Blauwe Rivier naar de Zee van Redesh,' zei Gustav, en zijn stem was nu niet meer dan een fluistering. Hij moest steeds stoppen om in te ademen. Die eenvoudige beweging was geen reflex meer, maar moest bewust en met pijn en moeite worden uitgevoerd. 'Vaar over de zee naar het noorden, naar de stad Myanmin in het zuiden van het land Nimorea. Ga in Myanmin naar de Vliegermakersstraat. Vraag daar naar een man die Arim heet. Vertel hem dat jullie namens mij komen en dat ik hem uit naam van onze lange vriendschap vraag jullie naar het huis van vrouwe Damra te brengen.'

'Ja, edele ridder,' zei Jessan. 'De binnenzee van Redesh, de stad Myanmin, de Vliegermakersstraat, een man die Arim heet. En als ik hem niet kan vinden, zullen we uw vrouwe zelf vinden, ook al moeten we het elfenland ervoor ondersteboven keren.'

Gustav slikte en sloot zijn ogen. Hij had de kracht niet meer om zijn hoofd te bewegen. Toen hij sprak, moest Jessan zich naar voren buigen om de woorden te verstaan.

'Jullie zijn... mensen. De Tromek zullen jullie niet in hun land toelaten... zonder een bemiddelaar. De Nimoreanen... worden geaccepteerd...'

Zijn stem stierf weg. Hij keek doordringend naar Jessan, die hier even over leek na te denken en toen abrupt knikte. 'Ik snap het, edele ridder. Het zou ons verboden zijn om het land van de elfen binnen te gaan, maar die Nimoreaan, Arim, kan voor ons instaan en ons de weg wijzen.'

Gustav was tevreden met het antwoord, en nog tevredener met de gedachte erachter. Hij had zijn taak volbracht. De last rustte niet meer op zijn schouders. Hij had hem doorgegeven. Hij had alles gedaan wat hij kon om ervoor te zorgen dat de Verheven Steen veilig op zijn bestemming aankwam. Nu kon hij zijn greep op het leven loslaten en zijn handen uitstrekken naar Adela.

Hij sloot zijn ogen. Hij stond op een zandstrand, dat zilver schitterde in de felle zon. De uitgestrekte, levende, bewegende, ademende zee lag voor hem. De zon gaf elke golf een gouden laagje. De golven kabbelden aan zijn voeten, elke volgende iets dichterbij. Door de lucht boven zijn hoofd cirkelden meeuwen met sterke vleugelslagen tegen de wind in. Kleine bruine vogeltjes, met hun vleugels dicht tegen zich aan gevouwen, hipten over het zand en schoten voor de golf uit weg als er een te dichtbij kwam.

Er stroomde een golf over Gustavs voeten. Toen het water zich terugtrok, zoog het het zand onder hem vandaan mee. Elke golf nam wat meer van hem mee, en nog wat meer.

Hij wachtte daar op het strand, wachtte tot Adela naar hem toe zou komen en hem zou meenemen voorbij de golven, naar kalm water.

De oudsten van het dorp gingen het genezingshuis binnen en kwamen rond het bed van de stervende ridder zitten. Ze droegen hun beste kleren en waren getooid met al hun trofeeën. Ze spraken een voor een, te beginnen met de oudste, en vertelden elk het verhaal van een moedige krijger uit het verleden, om zijn of haar geest op te roepen naar het genezingshuis te komen. Ze vertelden het verhaal van Eenzame Wolf, die op het slagveld bij een gewonde kameraad was gebleven om te vechten en uiteindelijk was bezweken tegenover de overmacht, maar zijn maat niet had achtergelaten om alleen te sterven. Ze vertelden het verhaal van Zilveren Boog, die pijl na pijl had afgeschoten naar de ogen van een plunderende reus en hem moedig de weg had geblokkeerd toen alle anderen waren gevlucht. Al die verhalen vertelden ze, totdat het genezingshuis vol was met dode helden.

De oudsten waren midden in het verhaal van Bierzuiper toen de deken voor de deuropening werd weggetrokken. Ranessa stapte het genezingshuis binnen.

Ze had haar deken om zich heen geslagen en hield die dicht tegen haar lichaam geklemd. Haar benen waren bloot. Het zou heel goed kunnen dat ze er niets onder aan had.

De oudste die aan het woord was, zweeg. Hij keek woedend naar deze indringster. Ranessa had niet het recht om hier te zijn. Ze had geen reden om hier te zijn. Ze was een belediging voor hen en voor de stervende ridder. Een van de oudsten kwam overeind en legde zijn hand op haar arm.

Ze rukte zich van hem los. 'Laat me met rust, Grijsbaard,' zei ze koel. 'Ik blijf niet. Ik kwam kijken. Dat is alles.'

'Laat haar blijven,' zei de Grootmoeder plotseling en onverwachts.

Ranessa liep naar voren totdat ze bij de stervende ridder stond. Ze staarde tien hartslagen lang geconcentreerd naar Gustav. Toen draaide ze zich om en vertrok, net zo abrupt als ze was gekomen.

De oudsten wierpen elkaar een vluchtige blik toe, schudden hun hoofd, trokken hun wenkbrauwen op en vervolgden het verhaal van Bierzuiper op de plek waar ze gebleven waren.

De ridder leek de ongepaste onderbreking niet te merken. Hij gaf er geen enkele blijk van dat hij de verhalen hoorde. Het had er alle schijn van dat hij vredig wegleed in de dood, toen hij plotseling zijn ogen opensperde. Hij gaf een schorre kreet van angst. Zijn lichaam schokte krampachtig.

'Het kwaad probeert hem mee te nemen naar de Leegte,' verklaarde de Grootmoeder.

De oudsten keken eerbiedig toe. De Grootmoeder had hen gewaarschuwd zich voor te bereiden op de strijd. Juist daarom hadden ze de geesten opgeroepen. Legioenen dode Trevinici-helden omringden de ridder nu en vochten met de Leegte om zijn ziel.

De strijd was hard, maar snel voorbij. De ridder zuchtte luid en sidderend. Zijn lichaam ontspande. De groeven van pijn en angst trokken weg van zijn gezicht. Hij deed zijn ogen open. Hij stak zijn handen op.

'Adela,' zei hij, en de adem waarmee hij dat woord uitblies, was zijn laatste.

De Grootmoeder sloot de ogen, die de glans van het leven kwijt waren. 'Het is voorbij,' zei ze, en ze voegde er tevreden aan toe: 'Wij hebben gewonnen.'

Die avond werd Gustavs lichaam bij het licht van de sterren door zes sterke krijgers naar de plek gedragen waar de Trevinici de doden teruggaven aan de aarde. Hij werd in de grafheuvel bij de Trevinici gelegd, een grote eer voor de ridder.

De volgende dag liep het hele dorp uit om afscheid te nemen van de vertrekkende reizigers. Het ligt niet in de aard van de Trevinici om te mokken, kniezen of klagen over wat niet kan gebeuren. Toen Jessan die ochtend vroeg opstond en zich klaarmaakte om te vertrekken, was hij in een goed humeur en verheugde hij zich op onbekende landen en nieuwe vergezichten. Hij nam niet veel bagage mee, alleen zijn boog, die hij onder begeleiding van Raaf zelf had gemaakt, de pijlen met hun nieuwe stalen punten, wat proviand, een waterzak en het benen mes.

Hij veegde het huisje van zijn oom, rolde de dekens netjes op en stapelde ze tegen de muur. Toen dat gedaan was, wachtte hem nog één taak voordat hij zich bij zijn reisgezelschap kon voegen. Hij zette zijn kiezen op elkaar en ging zijn tante gedag zeggen. Hij twijfelde er niet aan dat ze iets vreselijks tegen hem zou zeggen, net zoals ze tegen zijn oom had gedaan, en dat hij zijn reis zou beginnen met de vieze smaak van haar onheilspellende woorden in zijn mond. Door haar in haar huisje te gaan opzoeken, hoopte hij zichzelf de publieke vernedering te besparen die Raaf ten deel was gevallen.

'Tante Ranessa,' riep Jessan toen hij voor haar huisje stond.

Er kwam geen antwoord.

Jessan wachtte even en er welde hoop in hem op. Hij riep nog eens, en nog steeds bleef het stil. Vurig hopend dat hij niets onbetamelijks zou zien, duwde hij de deken opzij en stak zijn hoofd naar binnen. De lucht van rotting en bederf deed hem bijna kokhalzen. Hij keek snel om zich heen. Ranessa was er niet. Hij had geen idee waar ze was. Waarschijnlijk op een van haar zwerftochten. Hij maakte haastig dat hij wegkwam. Hij had zijn plicht gedaan. Niemand kon zeggen van niet.

Hij zou Bashae en de Grootmoeder bij de Heilige Kring treffen. Toen hij daar in de buurt kwam, hoorde hij zo'n gehuil en gejammer dat hij zich afvroeg wie er nog meer was overleden, behalve de ridder. Hij ging sneller lopen en kwam rennend bij de Kring aan, waar hij ontdekte dat het gejammer afkomstig was van de pecwae's, die het vertrek van de Grootmoeder betreurden en haar smeekten te blijven. Alleen de grijze kruin van de Grootmoeder was zichtbaar boven een zee van snikkende pecwae's uit, die de indruk wekten haar te zullen verdrinken in verdriet. De Trevinici-oudsten waren er, en zij wisselden geamuseerde blikken. Bashae was er ook. Hij stond apart van de menigte en keek gegeneerd. Zijn gêne nam toe toen hij Jessan in het oog kreeg, die zag dat de dwerg, Wolfram, er ook was en grijnzend stond toe te kijken.

'Wat gebeurt er?' vroeg Jessan fluisterend, terwijl hij voelde dat er een warme en onaangename blos vanuit zijn nek over zijn gezicht trok. 'Iedereen lacht ons uit.'

'Het spijt me, Jessan,' zei Bashae met een rood gezicht. 'Het is niet mijn schuld. De Grootmoeder had al gezegd dat dit kon gebeuren en we hebben geprobeerd weg te glippen voordat er iemand wakker was, maar de Grootmoeder is niet erg geruisloos. Ze heeft wat zilveren belletjes aan haar rok genaaid...'

Jessan mompelde binnensmonds een vloek. 'Haal haar daar weg!' beval hij Bashae met zachte stem, terwijl hij een zijdelingse blik op de oudsten wierp. 'En laten we gaan!'

Bashae waadde de zee van pecwae's in. Op een gegeven moment ging hij helemaal kopje-onder, maar hij kwam weer boven water toen hij de Grootmoeder bereikte.

'Jessan is er, Grootmoeder,' zei hij. 'We moeten gaan...'

Dat woord veroorzaakte een gejammer waar Jessans haren van te berge rezen.

'Stil!' riep de Grootmoeder, en het gejammer nam af tot een zacht geweeklaag. 'Ik ben niet dood. Hoewel ik dat wel zou wensen. Dan zou me dit kattengejank bespaard blijven. Palea, ik laat dit stelletje domoren aan jou over.'

De Grootmoeder keek zeer streng, maar ze liet geduldig toe dat alle pecwae's haar wang of haar hand of de zoom van haar ratelende, rinkelende rok kusten. Toen ze er uiteindelijk in slaagde zich te bevrijden, was haar gezicht rood aangelopen en haar gewoonlijk zo keurige haar, dat ze in een strenge knot droeg, hing in slierten rond haar gezicht.

'Ga naar huis,' zei ze tegen de pecwae's, en ze wapperde met haar rok naar hen alsof het kippen waren.

Palea kuste Bashae vluchtig gedag. Ze had een klein kind op haar arm, dat Bashae een kusje gaf en hem aansprak met vader. Maar dat had niets te betekenen, want alle jonge pecwae's spreken alle ouderen op dezelfde manier aan. De pecwae's vertrokken luid wenend, en de waardigheid werd hersteld.

Na die scène hielden de Trevinici hun afscheid kort, tot Jessans opluchting. Ze zeiden dat ze verwachtten hem met vele trofeeën en met een volwassen naam te zien terugkeren. Dat hield weliswaar in dat ze verwachtten dat Jessan veldslagen en bloedbaden zou meemaken, maar dat gaf niet. Andere mensen wensten reizigers misschien een rustige reis, maar de Trevinici niet.

Jessan bedankte hen voor hun goede wensen en deed een officieel verzoek een van de boten van de stam te mogen gebruiken. Dat verzoek werd ingewilligd en dat was dat. Vervolgens wendden de oudsten zich tot de dwerg, die met hen mee zou gaan tot aan de Grote Blauwe Rivier.

'Geen trofeeën voor mij,' zei Wolfram. 'Dat laat ik aan de jongeren over. Een veilige en snelle reis is wat ik wil, want aan het eind ervan wacht me grote rijkdom.'

De oudsten wisten niet goed hoe ze hierop moesten reageren. De opmerking van de dwerg zou ongeluk brengen, want op zegeningen rekenen die nog niet ontvangen waren, was de zekerste manier om de goden kwaad te maken en ervoor te zorgen dat die zegeningen werden ingetrokken. Met medelijdende blikken namen de oudsten afscheid van Wolfram.

Wolfram hees zijn ransel op zijn schouder, wuifde gedag en ging op pad. Jessan liep voorop, het dorp uit. Bashae liep achter hem en droeg proviand en een opgerolde deken voor de Grootmoeder. Zij had een ijzeren kookpot bij zich, die aan zijn handvat in de vork van een stevige wandelstok hing, die uit een tak van een eik was gesneden. In alle kwastgaten waren agaten gezet, die op ogen leken. De ogen van agaat keken in alle richtingen en hielden de wacht. Er hingen ook een paar buidels aan het eind van deze stok, en die slingerden heen en weer als ze liep. Wolfram kwam achteraan, wuivend en grijnzend.

De dorpelingen wilden weer uiteengaan, naar de velden of hun andere werkzaamheden, toen ze plotseling bleven staan omdat ze paardenhoeven hoorden. Jessan draaide zich enthousiast om. Hij dacht dat zijn oom zich misschien had bedacht en was teruggekomen om hem mee te nemen. In plaats daarvan zag hij zijn tante Ranessa.

Ze zat op het paard van zijn oom, met een leren broek en een leren overhemd met franje aan, die Jessan herkende als kleren die van hemzelf waren geweest en die hem te klein waren geworden.

Ze bereed het paard zonder zadel, en het was duidelijk dat noch zij noch het paard gelukkig was met de situatie.

Ranessa reed zonder op of om te kijken langs de dorpelingen. Ze kwam recht op Jessans groepje af en hield het paard daar in, waarbij ze te hard aan de teugels trok, zodat het dier protesterend hinnikte. Wolfram voelde zo met het dier mee dat hij ineenkromp.

'Ik heb een droom gehad,' zei ze. 'Er is me gezegd dat ik met je mee moet gaan.'

Jessan besloot dat hij haar nog eerder aan een boom zou vastbinden dan dat hij haar zou laten meekomen, toen hij zag dat haar blik niet op hem was gevestigd. Ze keek naar de dwerg.

'Kom op, dwerg,' zei Ranessa tegen de verbijsterde Wolfram. 'Kom achter me zitten. Lopen gaat te langzaam. We moeten opschieten.'

'Maar... maar... ik, ik...' Wolfram hoestte en schraapte zijn keel, en toen kon hij eindelijk iets zinnigs uitbrengen. 'Geen sprake van,' begon hij kortaf te zeggen, maar toen legde hij plotseling zijn hand om zijn pols. 'Wat?' vroeg hij verbaasd. 'Nee.' Hij kreunde. 'Vraag dit niet van me.'

Minutenlang stond hij met gebogen hoofd, diep in gedachten verzonken.

'Wat is er met jou aan de hand?' vroeg Ranessa met een frons. 'Ben je gek?'

'Ik gek?' herhaalde Wolfram, en zijn mond viel open. 'Ik?' Hij keek haar dreigend aan, wreef over zijn pols en schudde zijn hoofd. 'Dat moet ik inderdaad wel zijn, ja, om hiermee in te stemmen.'

Een van de oudsten pakte het hoofdstel van het paard vast. 'Dit kunnen we niet toestaan. Ranessa, je broer heeft je onder onze hoede achtergelaten toen hij vertrok. We zouden onze plicht jegens Aanvallende Raaf verzaken als we je lieten...'

'O, hou toch je mond, raaskallende ouwe man,' zei Ranessa kwaad. Toen was er een flits van staal. 'Haal je hand van het hoofdtuig of laat hem daar, zodat ik hem bij je pols kan afhakken.'

Ze hield het zwaard net zo onhandig vast als ze het paard bereed, maar ze was ongetwijfeld van plan het te gebruiken. Op een blik van de oudste ging de rest van de Trevinici-dorpelingen om het paard heen staan.

'Uit de weg! Ik waarschuw jullie!' riep Ranessa, in paniek als een haas die probeert aan de honden te ontkomen. Haar angst sloeg over op het paard. Zijn berijder stond hem niet aan en de mensen die om hem heen opdrongen ook niet; hij rolde met zijn ogen en ontblootte zijn tanden, klaar om op hol te slaan.

'Laat haar met rust!' zei een stem.

De Grootmoeder baande zich een weg door de menigte. Ze keek dreigend om zich heen naar de Trevinici. 'Waarom zouden haar dromen minder waard zijn dan de dromen van een ander? Als het een van jullie zou zijn' – de Grootmoeder keek hen een voor een doordringend aan met haar scherpe blik – 'zouden jullie doen wat de goden jullie opdroegen. Of niet soms?'

Het was waar. Een krijger krijgt zijn volwassen naam ook vaak in een droom.

'De droom zegt dat ze moet gaan,' zei de Grootmoeder. 'Als jullie haar tegenhouden, dwarsbomen jullie de wil van de goden.'

'Goed dan, ze mag gaan,' zei de oudste terwijl hij achteruit stapte. 'Maar de dwerg mag zelf beslissen of hij met haar mee gaat of niet.'

'Dat hadden jullie gedacht,' mompelde Wolfram. 'Ze mag met me meekomen,' zei hij hardop. Hij keek grimmig naar Ranessa. 'Maar ik ga niet achter je zitten als een grienende baby. En steek dat zwaard weg voordat je je borsten afsnijdt!'

Wolfram liep naar het paard en liet zijn hoofd tegen dat van het paard rusten. Het paard besnuffelde Wolfram dankbaar. De dwerg keek met een lelijk gezicht op naar Ranessa, die lelijk terugkeek. Deze krachtmeting duurde even voort, en toen sloeg Ranessa haar ogen

neer. Na een paar vergeefse pogingen slaagde ze erin het zwaard terug te steken in de leren schede. Stuurs schoof ze een stukje naar achteren, zodat de dwerg voor haar kon gaan zitten.

Wolfram haalde het bit uit de mond van het paard en wierp het hoofdstel en de teugels weg. Dwergen hebben het vermogen om een te worden met hun rijdier, en dan handelen de twee in onderlinge samenwerking als gevolg van wederzijdse genegenheid en eerbied. Wolfram
zwaaide zichzelf op de rug van het paard.

'Druk je knieën tegen het paard, zo, meisje,' instrueerde hij haar.
'Houd je maar vast aan mijn vest als dat nodig is. Als je eraf valt,
stop ik niet voor je.'

Hij drukte zijn hielen zacht in de flanken van het paard, maakte een
bepaald klokkend geluid met zijn tong en het dier ging over in een
korte galop, in de richting van de rivier. Het kostte Wolfram geen
moeite om het paard te berijden. Ranessa hotste op en neer en deed
haar best zijn instructies op te volgen, terwijl ze zich uit alle macht
aan hem vastklampte.

Jessan hoorde een collectieve zucht van verlichting als een verfrissend
briesje door het dorp gaan.

'Ik ben benieuwd wat je oom ervan zal zeggen,' zei Bashae zacht.

'Er valt niet veel te zeggen,' antwoordde Jessan schouder ophalend.
En dat was waar. De goden hadden gesproken.

Hij zag dat er een groep pecwae's hun kant opkwam. Een van hen
schreeuwde dat iemand in het kamp zich in zijn vinger had gesneden
en dat de Grootmoeder die moest komen verzorgen. Gelukkig was
de Grootmoeder plotseling doof geworden. Met haar wandelstok stevig in de hand geklemd staarde ze grimmig naar het noorden.

'Laten we gaan,' zei Jessan, en ze verlieten het dorp.

Toen ze langs de grafheuvel kwamen, liet Jessan iedereen halt houden.
'Laat het hem zien,' beval hij.

Bashae droeg de knapzak over een schouder. Die was zo groot en hij
was zo klein dat de knapzak tegen zijn knieën bonsde als hij liep. Jessan had aangeboden hem te dragen, maar Bashae had geweigerd, omdat de ridder de knapzak aan hem had gegeven en hem had gezegd
die bij zich te houden totdat hij hem aan vrouwe Damra kon over-
handigen.

Bashae tilde de knapzak op. 'Ik doe wat u hebt gevraagd,' riep hij.

Het lange gras op de grafheuvel golfde en de bladeren van de no-
tenbomen die de heuvel beschaduwden, ritselden en bewogen. Maar
dat was de wind.

Of het ze nu goed of slecht zou vergaan, ze waren op zichzelf aangewezen.

Breng het vervloekte harnas naar de Tempel der Magiërs in Dukarga. Dat was de raad die Heer Gustav Aanvallende Raaf had gegeven, en het was een wijze en goede raad. Maar de Leegte had er een stokje voor gestoken.

De hoge magiër van de Tempel der Magiërs in de stad Dunkar werd beschouwd als de machtigste persoon in het rijk, machtiger dan de koning van Dunkarga. De huidige koning, ene Moross, was een zeer religieus man. Zijn critici fluisterden dat hij dat was omdat hij de goden graag de schuld gaf van al zijn rampspoed. 'Het is in de schoot der goden,' was zijn favoriete, zwaarmoedige uitspraak, waarmee hij zichzelf van alle verantwoordelijkheid vrijwaarde.

Gelukkig voor Moross – of ongelukkig, zoals zou blijken – was de hoge magiër van de Tempel der Magiërs in Dunkar een sterke man, wijs en intelligent, die volledig bereid was in alle belangrijke zaken een leidsman te zijn voor zijn koning. De hoge magiër van Dunkar boezemde iedereen die hem kende ontzag in. Hij was een nauwgezet, streng en vreugdeloos man, die zijn hoge positie had bereikt door hard te werken en offers te brengen, en hij zag niet in waarom anderen niet hetzelfde zouden doen. Hij eiste volledige loyaliteit en volledige gehoorzaamheid. De novicen koesterden een gezonde angst voor hem, zijn volk vereerde hem en zijn magiërs respecteerden hem. Deze kwaliteiten, plus zijn hoge positie en de invloed die hij had op de besluiteloze en zwakke koning Moross van Dunkarga, had de hoge magiër van de Tempel der Magiërs van Dunkar een ideaal doelwit gemaakt voor de Vrykyls.

En dus was de hoge magiër een jaar eerder gestorven door toedoen van een Vrykyl die Shakur heette.

Hij was de oudste en machtigste van alle Vrykyls die ooit waren geschapen, en hij had het bloedmes – een mes gemaakt van een van zijn eigen botten – gebruikt om de ziel van de hoge magiër te stelen. Shakur had het beeld van zijn eigen lichaam – dat van een rottend, weerzinwekkend lijk – vervangen door dat van de hoge magiër. Nu kon Shakur gebruik maken van deze gedaantewisseling om de val van Dunkarga te bewerkstelligen.

De strijd tussen Shakur en de hoge magiër was hard geweest. Om niet tegen sterke magie te hoeven vechten, had Shakur de hoge magiër in zijn slaap doodgestoken. De hoge magiër was zonder een kik te geven gestorven, maar zijn ziel, die aan de rand van de Leegte stond, had gevochten om niet in die afgrond van eeuwige duisternis gezogen te worden. De ziel van de hoge magiër had geprobeerd Shakur in de vergetelheid te werpen, de vergetelheid die Shakur zowel aantrok als met afschuw vervulde. Shakur, die meer dan tweehonderd jaar ervaring had met dat soort gevechten, was als overwinnaar uit de strijd gekomen.

Shakur had overwogen om de koning zelf te doden. Maar Moross stond bekend als een man die met elke wind meewaaide, terwijl de hoge magiër werd beschouwd als de ware macht achter de troon. Daarom had Shakur de hoge magiër gekozen. Dat was een goede keuze geweest. Shakurs vergiftigde woorden hadden de arme koning van zo'n doodsangst vervuld dat de man al schrok van zijn eigen schaduw.

Op de avond dat Gustav op sterven lag, liep de hoge magiër door de verlaten gangen van de Tempel. De bewoners ervan sliepen vredig, zich niet bewust van de nabijheid van een wezen dat hun mooie dromen in een nachtmerrie zou veranderen.

Shakur ging zijn eigen verblijven binnen, liep door zijn privébibliotheek, zijn zitkamer en solarium, en sloot de deuren achter zich af. Toen hij in zijn slaapkamer aankwam, sloot hij ook die deur af. Hij verwachtte niet dat hij gestoord zou worden. Weinigen mochten hem, en het zou bij niemand opkomen om laat op de avond bij hem langs te komen voor een gezellig praatje. Maar Shakur nam liever geen risico's. Noch in het leven, noch in de dood.

Nadat hij zich er aldus van had verzekerd dat hij alleen was, schrok Shakur toen hij uit de duisternis een stem hoorde klinken.

'Dat werd tijd,' zei de stem ijzig. 'Ik wacht al drie uur, en je weet dat ik geen geduldig mens ben.'

Shakur kende de stem, net zo goed als een ander het geluid van zijn eigen hartslag kent. Shakur had geen hart dat kon slaan, maar hij had de stem.

Shakur draaide zich langzaam om en zorgde ervoor dat hij snel zijn gedachten ordende, voordat hij tegenover de spreker stond. Shakur maakte een diepe buiging.

'Edele heer,' zei hij nederig. 'Vergeef me, maar ik wist niets van uw komst. Als u me op de hoogte had gesteld…'

'... dan zou je je op de vleugels van de liefde naar mijn zijde hebben gespoed,' zei Dagnarus. 'Is dat niet de dichterlijke manier om het uit te drukken? Behalve dat het in jouw geval op de vleugels van de haat zou zijn, is het niet, oude vriend van me?'

Shakur zweeg en hij zorgde ervoor dat zijn gedachten ook zwegen. Dagnarus, de Heer van de Leegte, was ook de meester en schepper van de Vrykyls. Hij droeg de dolk van de Vrykyls bij zich, een machtig voorwerp dat over magie van de Leegte beschikte. Tweehonderd jaar geleden had Dagnarus die dolk gebruikt om een einde te maken aan Shakurs leven en hem te veranderen in het vreselijke wezen dat hij nu was. Nu was Shakurs leven ook ellendig geweest. Hij had alle denkbare misdaden begaan, te beginnen met moedermoord. Hij had zichzelf vrijwillig aan de Leegte gegeven en zo had Dagnarus hem in zijn macht gekregen.

Dagnarus kwam overeind. Hij droeg het afzichtelijke zwarte harnas van de Heer van de Leegte, een harnas dat het tegenovergestelde is van het gezegende harnas van een Domeinheer. Het harnas van Dagnarus was wel gezegend, maar niet door de goden. Zijn harnas was van de Leegte. Het zwarte metaal was flexibel en vloeide over Dagnarus' lichaam als een laag stroperige olie.

De helm, die beestachtig en afschuwelijk om te zien was, had hij niet op. Hij hoefde zijn gezicht niet te verbergen. In tegenstelling tot de Vrykyls, die wandelende doden waren, was Dagnarus nog een levende man. Hij was een aantrekkelijke jongeman geweest toen hij zich aan de Leegte had gegeven. Door de macht van de Leegte had hij dat uiterlijk behouden. Zijn haar was dik en kastanjebruin. Hij droeg het lang en in zijn nek bijeengebonden, zoals elfenkrijgers dat deden. Hij was knap, met een zwierig voorkomen. Als hij wilde, kon hij charmant zijn.

Tweehonderd jaar geleden was Dagnarus een prins van Vinnengael geweest. Zijn broer, Helmos, was koning. De Verheven Steen was een geschenk van de goden aan hun vader geweest, koning Tamaros. Hoewel de goden Tamaros hadden gewaarschuwd dat hij de Steen nog niet helemaal begreep, had hij ervoor gekozen die te gebruiken om te proberen vrede te stichten tussen de volken. Hij spleet de Steen in vier delen, met rampzalige gevolgen. Zijn toen nog jonge zoon, Dagnarus, keek in het midden van de Steen en zag daar de Leegte, en in die Leegte de gelegenheid om de macht te grijpen waar hij van jongs af aan belust op was geweest.

Elk volk had een stuk van de Steen gekregen, om daarmee de machtige, magische paladijnen te creëren die Domeinheren werden genoemd. Omdat hij ernaar verlangde zelf zoveel macht te verkrijgen, had Dagnarus geprobeerd Domeinheer te worden. Toen hij dat deed, had hij zichzelf aan de Leegte gegeven en was hij benoemd tot Heer van de Leegte. Hij verkreeg grote macht, maar tegen een vreselijke prijs. Hij slaagde er ook in de dolk van de Vrykyls in zijn bezit te krijgen, zodat hij die afschuwelijke wezens kon creëren.

Dagnarus verklaarde de oorlog aan zijn broer, de koning. Hun twee legers vochten in de hoofdstad Vinnengael met elkaar. Op het hoogtepunt van de strijd zocht Dagnarus zijn broer op in de Tempel der Goden en eiste dat Helmos hem de Verheven Steen gaf. Helmos weigerde. Dagnarus vermoordde hem en pakte de Steen. Op dat ogenblik kon de krachtige magie die rondwervelde in de maalstroom van de Leegte die door Dagnarus was gecreëerd, niet langer onder controle worden gehouden. De Tempel explodeerde en vernietigde de Portalen en een groot deel van de eens zo trotse stad Vinnengael.

De Leegte had Dagnarus in veiligheid gebracht en zijn leven behouden met behulp van alle levens die hij had verworven met de dolk van de Vrykyls. Dagnarus was zwaargewond, maar hij leefde nog en hij had zijn buit, de Verheven Steen. Of het nu toeval was of de wil van de goden, er had zich een nieuw Portaal geopend – een restant van de Portalen die in de magische explosie waren vernietigd – vlak bij de plek waar Dagnarus gewond lag. Hoewel niemand het destijds wist en nu nog steeds maar weinigen het weten, kwam dat Portaal uit in een nieuw deel van de wereld, dat voordien niet bekend was bij de inwoners van Loerem.

Door dit Portaal kwam een baak aangedwaald. De baak was jong en de jonge exemplaren van deze soort staan niet bekend om hun intelligentie. Verdwaald en hongerig doolde de baak deze nieuwe wereld in op zoek naar voedsel. Baken worden aangetrokken door magie als bijen door honing en deze jonge baak werd naar de Verheven Steen getrokken. De baak was enorm groot en sterk; Dagnarus was zwak en gewond. Dagnarus deed zijn best om zijn buit te behouden, maar hij kon niet tegen de baak op. Het wezen pakte hem de Steen af en verdween. Dagnarus raakte buiten bewustzijn. Op dat moment van wanhoop kwam hij dichter bij de dood dan hij ooit eerder had gedaan of waarschijnlijk ooit nog zou doen.

Maar hij stierf niet. Dat liet de Leegte niet toe. Puttend uit de levens die hij met behulp van de dolk had gestolen, slaagde Dagnarus er uiteindelijk in zijn verminkte en gewonde lijf het Portaal in te slepen waar de baak uit was gekomen. Hier kwam Valura, zijn vroegere geliefde en nu zelf een Vrykyl, hem te hulp in reactie op zijn oproep. Hier kwamen ook Shakur en de andere Vrykyls heen. Hij stuurde ze terug de wereld in met één opdracht: vind de Verheven Steen.

Terwijl zij zochten, bleef Dagnarus veilig verborgen in het Portaal totdat hij volledig hersteld was en op krachten was gekomen. Toen begon Dagnarus met het plannen van de campagne die hem uiteindelijk aan de macht zou moeten brengen. Maar hij verloor zijn belangrijkste doel, zijn werkelijke streven, nooit uit het oog.

Tweehonderd jaar lang had hij naar de Verheven Steen gezocht en nu, aan de vooravond van zijn grote oorlog om Loerem te veroveren, was de Verheven Steen weer opgedoken. Dagnarus' vreugde was compleet.

'De goden zelf zijn verslagen,' had hij gezegd toen hij hoorde dat de Steen gevonden was. 'Stervelingen maken al helemaal geen kans tegen mij.'

Maar blijkbaar waren de goden hun vechtlust nog niet kwijt en wat de stervelingen betrof, als die ten onder zouden gaan, zouden ze dat vechtend doen.

'U neemt een heel groot risico door hier te komen, edele heer...' begon Shakur.

'Onzin,' zei Dagnarus ongeduldig terwijl hij door de kamer ijsbeerde. 'Het harnas hult me in schaduw. Ik ben de duisternis, ik beweeg met de duisternis. Als er op dit moment iemand door die deur zou lopen, zou hij me alleen maar zien als ik daar zelf voor koos.'

'Ik bedoel, edele heer,' zei Shakur, 'het risico om uw leger op zo'n kritiek ogenblik alleen te laten. U hebt eerder uw twijfels uitgesproken over uw soldaten, de tanen, en hun onvoorspelbaarheid. Wie weet wat ze in uw afwezigheid zullen doen?'

'Ik ben hun god, Shakur. Ze vrezen me als hun god. Ze zouden zich allemaal van de top van de Sa'Gra-berg storten als ik daar opdracht toe gaf. Bovendien blijf ik niet lang weg. Ik moest het weten. Heb je iets van Svetlana gehoord?'

'Nee, edele heer,' antwoordde Shakur. 'Dat heb ik niet. Dat weet u heel goed. Hoe zou ik iets kunnen horen als u niets hoort?'

Doordat de Vrykyls door Dagnarus zijn gecreëerd, kunnen ze niet anders dan Dagnarus dienen. Ze hebben geen eigen wil, afgezien van wat ze van hun heer mogen willen, en hun gedachten zijn altijd verbonden met de gedachten van hun gevreesde heer en meester. De Vrykyls onderhouden via het bloedmes contact met elkaar en dus hoorde Shakur in Dunkar via de fluisteringen van het bloedmes dezelfde woorden die zijn Heer Dagnarus hoorde in de leegte van zijn ziel.

Ze had de Verheven Steen ontdekt, de buit waarvoor Heer Dagnarus met lichaam en ziel had betaald.

Dagnarus balde zijn vuist. 'Vertel me wat je weet,' zei hij gespannen.

'Edele heer, u weet alles wat ik weet...'

'Vertel het me!'

Shakur wist wel beter dan om te redetwisten. Niet als zijn meester in deze stemming was.

'Svetlana heeft me verteld dat de Verheven Steen in het bezit was van een Domeinheer, een van de ridders die door de goden gezegend zijn. Dat nieuws baarde me zorgen, edele heer, zoals u weet, want ik heb u verteld over mijn angsten met betrekking tot de macht van deze ridders.'

'Ja, ja,' zei Dagnarus in een poging dit weg te wuiven.

Maar Shakur liet niet toe dat het werd weggewuifd. Hij was niet van plan de schuld op zich te nemen.

'Zoals u zich misschien herinnert, edele heer, heb ik geopperd dat ik Svetlana zou gaan helpen om de Steen in handen te krijgen. U zei dat u dat niet wilde, omdat ik hier nodig was.'

'En dat was je ook, Shakur,' zei Dagnarus. 'In deze cruciale periode, nu er geruchten beginnen te gaan over oorlog in het westen, zou het heel vreemd zijn geweest als de hoge magiër er niet was en zouden mensen daar dingen achter zijn gaan zoeken. Jij moest hier zijn om Moross te kalmeren, om zijn angsten te sussen.'

Shakur boog erkentelijk. 'Ik heb geopperd dat andere Vrykyls...'

'Ze zijn verspreid over het continent,' zei Dagnarus. 'Sommigen zijn bezig de maatschappij van de orken te ontwrichten, anderen werken aan die van de dwergen. Vrouwe Valura is in het land van de elfen. Ze zijn allemaal op zoek naar de andere delen van de Steen. Wat betreft die Domeinheer die de Steen heeft gevonden, hij was oud, versleten en half krankzinnig. Als vreemdeling in een vreemd land had hij een makkelijk slachtoffer moeten zijn voor Svetlana.'

'Svetlana heeft de Domeinheer verwond met het bloedmes, maar hij heeft haar ernstige verwondingen toegebracht tijdens hun gevecht en hij is erin geslaagd te ontkomen.' Shakur schudde zijn hoofd. 'Svetlana ging aan haat en wraak denken. Ze werd gek van razernij. Ze verloor het ware doel uit het oog. Haar enige gedachte was om de ridder te achtervolgen die haar zo had vernederd.'

'Dan had jij achter haar aan moeten gaan,' stelde Dagnarus vast. 'Mijn leger is nu vlakbij. We kunnen je hier missen.'

'Hoe had ik dat gekund, edele heer?' vroeg Shakur. Hij had van het begin af aan geweten dat hij de schuld zou krijgen. 'Ik had geen manier om haar te vinden! Ze zweeg. Ik kon alleen maar wachten totdat ik haar bloedmes weer voelde doden. Ik veronderstelde dat ze wel weer een ziel nodig zou hebben om op krachten te komen en dan zou ik weer contact met haar krijgen. De dagen verstreken en ik voelde niets.'

'Ik heb ook alle contact met haar verloren,' zei Dagnarus. 'Wat is er met haar gebeurd? Wat is er met de Verheven Steen gebeurd? Ik moet het weten, Shakur!

Het deel van de Verheven Steen dat van de mensen is, is gevonden en bovendien is het gevonden vlak voordat ik mijn oorlog begin. Waarom zou dit gebeuren als het niet voor mij was bedoeld? Ik wil dat je naar haar op zoek gaat, Shakur. Ik wil dat je haar en de Steen vindt.'

'U weet heel goed dat zo'n zoektocht tijdverspilling zou zijn, edele heer,' zei Shakur. 'U weet wat er met haar is gebeurd. De Domeinheer heeft haar vernietigd. De Steen is u opnieuw ontgaan.'

'Nee!'

Shakur voelde het woord door zich heen dreunen. Hij voelde de grond trillen, zo sterk was de overtuiging van de Heer van de Leegte. Degenen die binnen de muren van de Tempel lagen te slapen voelden het ook; ze draaiden zich onrustig om in hun slaap.

'Edele heer,' zei Shakur aarzelend, 'zou het niet beter zijn om uw krachten te concentreren op het voeren van de oorlog, in plaats van onze energie en middelen te verkwisten aan een achtervolging van de Verheven Steen? We zijn al één Vrykyl kwijtgeraakt en wat heeft dat ons opgeleverd? Wat verwacht u ermee te winnen? U hebt de Steen niet nodig om de sterkste macht in Loerem te zijn. U hebt het vermogen Domeinheren te creëren niet nodig, want u hebt de dolk van de Vrykyls. Deze achtervolging heeft ons niets dan ellende gebracht. Ik vind dat u ervan af moet zien, edele heer. Uw legers zullen de wereld voor u bemachtigen. U hebt de Steen niet nodig.'

'Jawel, dat heb ik wel, Shakur,' zei Dagnarus. Hij zweeg en bleef zo lang zwijgen dat Shakur dacht dat zijn meester vertrokken was en schrok toen hij zijn stem weer hoorde. 'Ik ga je iets vertellen dat ik je nooit eerder heb verteld, Shakur. Ik heb het niemand ooit verteld.'

Shakur wist dat Dagnarus loog. Hij had het Valura verteld. Hij vertelde Valura alles. Maar hij zei niets, leverde geen commentaar.

'Ik vertel je dit nu, Shakur,' vervolgde Dagnarus, 'omdat jij mijn luitenant bent en het tijd is dat je mijn ware plannen kent, mijn uiteindelijke doel.

Toen we terugkwamen uit het land van de tanen en ik voor het eerst uit het Portaal kwam en weer op de bodem van mijn eigen vaderland liep, ben ik alleen op reis gegaan, zonder gezelschap. Weet je dat nog, Shakur?'

'Jazeker, edele heer. Ik was het er niet mee eens dat u alleen ging. Ik vond het te gevaarlijk.'

'Maar wat kon me gebeuren?' Dagnarus was geamuseerd. Hij was, zoals hij had gezegd, in een uitstekend humeur. 'Nee, dit was een reis die ik alleen moest maken. Waar denk je dat ik ben geweest?'

'Ik heb geen idee, edele heer.'

'Ik ben naar de grote ruïne gegaan die ze nu Oud Vinnengael noemen.'

Shakur wist niets te zeggen. Hij was verbaasd en tegelijk ook niet. Hij had vaak horen zeggen dat de misdadiger altijd wordt aangetrokken door de plaats van het misdrijf.

'Ik ben erheen gegaan op zoek naar de Verheven Steen. Niet zo'n dom idee als je misschien zou denken. Een baak had de Steen van me afgepakt. Ik had bericht gekregen dat er verscheidene baken rondzwierven in het gebied van Oud Vinnengael, aangetrokken door de grillige magie die nog op die gedoemde plek hangt. En het ís een gedoemde plek, Shakur. Ik ben geen lafaard. Ik heb mijn moed talloze malen in de strijd bewezen. Ik droeg het harnas van de Leegte en had de magie van de Leegte als wapen. Toch zijn er tijden geweest op die reis dat ik angst heb gekend, dat ik dacht dat ik mezelf misschien had overschat.

Maar dit is niet het ogenblik om je al mijn avonturen te vertellen. Ik kon geen spoor vinden van de Verheven Steen. Toen wist ik dat die daar niet was. Ik had weg kunnen gaan, maar ik hoopte toch nog een aanwijzing te vinden over de verblijfplaats van de Steen. Wat de reden ook was, ik heb me door de ruïnes en de magie geworsteld naar het middelpunt van wat er nog over is van de Tempel der Magiërs.

Daar was nog niemand geweest. Dat weet ik, omdat niemand anders de tocht erheen overleefd zou kunnen hebben. Ik stond temidden van het puin en vroeg me af waarom ik erheen was gegaan. Er was daar niets voor me. Ik stond op het punt weg te gaan, toen mijn voet tegen iets aanstootte. Ik keek naar beneden en zag een schedel. Het vlees was van de botten verdwenen, maar ik herkende hem aan het gewaad dat hij droeg. Het was mijn ranseljongen. Gareth.

Toen ik naar het lijk stond te staren, kwamen de gebeurtenissen van die vreselijke avond in zo'n hevigheid bij me terug dat het leek alsof ik ze opnieuw beleefde. En daarna, toen de herinneringen begonnen te vervagen, sprak er een stem tegen me. "Mijn prins," zei de stem, en die herkende ik. Het was Gareth.'

'Een dagdroom, edele heer,' zei Shakur. De kant die het verhaal opging, stond hem niet aan. 'U dacht aan hem. Daardoor verbeeldde u zich dat u hem hoorde.'

'Dat dacht ik zelf ook,' zei Dagnarus. 'Dat hoopte ik, met heel mijn hart. Ik wil best toegeven, Shakur, dat mijn bloed me in de aderen stolde toen ik zijn stem vanuit het hiernamaals tot me hoorde spreken. Ik ben niet het type om om te kijken. Wat gebeurd is, is gebeurd. Een sterk mens kijkt naar voren, en nooit achterom. Maar soms kijk ik, zonder het te willen, toch achterom en als ik dat doe, zie ik het verwijt in Gareths ogen. Ik zie zijn bloed tegen de muur en ik zie het licht in zijn ogen doven. Van iedereen die ik heb gekend, was alleen hij eerlijk en trouw. Hij had beter verdiend.'

'Hij was een verrader, edele heer, een lafaard en een wezel,' zei Shakur botweg. 'Wat voor straf u hem ook hebt uitgedeeld, hij verdiende die dubbel en dwars.'

'Denk je? Nou, misschien heb je gelijk.' De bespiegelende bui van Dagnarus was over. 'Hoe dan ook, het was geen verbeelding dat ik de stem hoorde, Shakur. Gareths geest verscheen voor me, daar in de ruïne van de Tempel der Magiërs.'

'En wat had zijn geest u te vertellen, edele heer?'

'Een paar zeer interessante dingen, Shakur, dus laat dat sarcasme maar achterwege. Ik vroeg waarom hij nog steeds in deze wereld was, waarom hij niet van zijn welverdiende rust was gaan genieten.

"Mijn geest is zo verbonden met de uwe, Uwe Hoogheid, dat die niet vrij is om te vertrekken totdat die van u vrij is van de Leegte, of daar volledig door is verteerd."

"Weet je wat er sinds je dood in de wereld is gebeurd?" vroeg ik hem.

"Jawel, Uwe Hoogheid."

"Weet je waar ik het mensendeel van de Verheven Steen kan vinden?"

"Nee, Uwe Hoogheid. Ik kan de Steen niet zien. Ik denk eerlijk gezegd dat de goden die voor me verbergen. Maar ik heb wel iets anders ontdekt dat misschien interessant voor u is."

"Je bent een trouwe vriend geweest, Gareth, en dat ben je nog steeds. Wat heb je ontdekt?"

"Iedereen denkt dat het Portaal van de goden vernietigd is, net als de andere Portalen. Ze hebben het mis. Het Portaal van de goden is nog intact."

Shakur, zijn geest gebaarde naar waar het Portaal eens was geweest. De deuropening was ingestort. Ik zag alleen maar puin. Om te kijken of hij gelijk had, liep ik in die richting. Ik had nog maar een paar stappen gezet, Shakur, toen ik de toorn van de goden voelde, als een hete wind van een bulderend vuur.

"Wat betekent dat voor mij?" vroeg ik. "Het kan me niet schelen wat de goden doen of denken."

"Het zou alles voor u kunnen betekenen," antwoordde Gareth. "Ik heb ontdekt dat als iemand dat Portaal binnengaat met alle vier de delen van de Verheven Steen in zijn hand, de Steen weer één geheel zal worden. Vier zullen een worden."

"En een zal over vier heersen!" zei ik.

"Daar weet ik niets van," zei Gareth en zijn stem klonk verbitterd. "De goden spreken niet meer tegen me. Ik word niet toegelaten in hun gezegende aanwezigheid, zo gruwelijk zijn mijn misdaden geweest. Maar dit weet ik wel. U bent de enige persoon in Loerem die de macht heeft om alle vier de stukken van de Steen bijeen te brengen."

"Nou," zei ik, "wat kan dat anders betekenen dan dat ik ben voorbestemd om over alle anderen te heersen?"'

Shakur zei niets, maar Dagnarus kon hem horen denken.

'Ik ben niet gek, Shakur. Ik was zelf ook sceptisch. "Vertel eens, waarde ranseljongen," zei ik, "als de goden niet meer tegen je spreken, hoe heb je dit dan allemaal ontdekt?"

Hij wilde geen antwoord geven. Hij probeerde mijn vraag te omzeilen. Met behulp van de kracht van de Leegte zette ik hem onder druk, en uiteindelijk moest zijn geest, gedwongen door de Leegte, wel antwoorden.

"Uw broer heeft het me verteld," zei hij uiteindelijk. "Helmos. Hij heeft het me verteld toen hij stervende was."

"Dat lieg je," zei ik kwaad. "Helmos was dood toen ik hem achterliet. Jij was dood. En als jullie het toen niet waren, zouden jullie het na de explosie zijn geweest."

"Niet waar," antwoordde Gareth. "De schokgolven hebben zich vanaf het Portaal naar buiten voortgeplant. Het Portaal zelf was onbeschadigd. In de loop der tijd is de onstabiele constructie uiteengevallen en ingestort. Maar net na de klap stond het Portaal er nog in alle rust en kalmte. Ik voelde dat ik ging sterven, maar ik kon niet vertrekken zonder uw broer om vergiffenis te smeken..."'

'De verrader,' zei Shakur verontwaardigd. 'Dat heb ik u altijd al gezegd, edele heer. Ik vraag me af waarom u hem nog vertrouwt.'

'Ik vertrouw nooit iemand, Shakur, zoals je zo langzamerhand zou moeten weten. Naar mijn mening bewijst dit de waarheid van zijn verhaal. Gareth heeft zich naar de stervende Helmos gesleept. Helmos heeft hem vergeven en toen de volgende woorden gefluisterd: "De Verheven Steen moet weer verenigd worden. De vier delen moeten naar dit Portaal worden gebracht. Wie dat doet, zal de grootste zegening van de goden ontvangen."'

'Wílt u de zegening van de goden dan ontvangen, edele heer?' vroeg Shakur.

'Als die de heerschappij over heel Loerem inhoudt, sta ik er niet af-wijzend tegenover,' zei Dagnarus. 'Maar misschien snap je nu, Sha-kur, waarom de ontdekking van het mensendeel van de Steen zo be-langrijk is, juist nu. Ik hoef het alleen nog maar te pakken te krijgen, en de drie andere delen, en dan kan niemand me meer tegenhouden.'

'Daar lijkt het wel op, edele heer,' antwoordde Shakur. 'Maar u stelt wel veel vertrouwen in iemand wiens laatste daad was u te verra-den…'

'Gareth?' Dagnarus haalde in gedachten zijn schouders op. 'Hij is al-tijd een slappeling geweest. Uiteindelijk heeft de vergiffenis van Hel-mos de ranseljongen niets opgeleverd, want zijn geest is gedoemd ge-vangen te blijven in de Tempel, waar zijn lichaam ligt. Hij is nog steeds mijn dienaar. Hij heeft geen keuze. De Leegte houdt hem vast. Als ik hem nodig heb, moet hij wel doen wat ik wil. Zolang hij 's nachts te-rugkeert naar zijn lichaam, is zijn geest vrij om op mijn bevel over de wereld te zwerven.'

'Waarom stuurt u hém dan niet om de Verheven Steen te zoeken, edele heer?' vroeg Shakur geïrriteerd.

'Omdat zijn laatste daad was me te verraden,' antwoordde Dagna-rus.

'Ik begrijp het, edele heer.'

'Dat dacht ik wel. Nu ken je mijn beweegredenen en weet je waar-om het zo belangrijk is om de Steen terug te krijgen. Ik zal de Vry-kyl Jedash sturen om je te helpen. Hij is het dichtste bij.'

Hij zweeg even en zei toen: 'Shakur, je zult de Verheven Steen vin-den. Dat zul je.'

Er werd geen dreigement uitgesproken, maar het was er wel. Dag-narus kon zijn Vrykyls niet alleen pijn toebrengen, maar hij kon ook met één enkel woord de magische kracht doen verdwijnen die het Shakurs lichaam mogelijk maakte door deze wereld te wandelen. Hoezeer Shakur ook een hekel had aan dit bestaan, waarin hij als een schaduw door het land van de levenden liep, zonder rust, plezier of vreugde, zijn angst voor de Leegte was groter. Die lege duisternis gaapte altijd aan zijn voeten, verlangend wachtend op die ene mis-stap waardoor hij in die eeuwige afgrond zou vallen.

'Ik zal de Verheven Steen vinden, edele heer,' beloofde Shakur.

Raaf wikkelde het harnas in het teerkleed dat hij speciaal met dat doel had meegenomen en haalde het uit de grot. Hij moest de verschillende onderdelen wel aanraken om ze op het teerkleed te leggen. Het metaal voelde slijmerig en vettig aan, en hoewel hij lappen stof als verband om zijn handen had gewonden, drong de vieze drab van het harnas door het katoen heen en maakte olieachtige vlekken op zijn huid.

Toen het harnas veilig was ingepakt, waste hij zijn handen, maar nadat hij ze een paar keer had gewassen en de vlekken waren verdwenen, rook hij nog steeds de afschuwelijke lucht, of verbeeldde hij zich dat in elk geval.

Toen het harnas in het kleed was gewikkeld, kon hij het paard van de ridder er niet toe brengen het te dragen. Elke keer dat hij het op de rug van het paard vastsnoerde, bokte en steigerde het dier alsof het harnas een massa brandnetels was. Ten slotte was Raaf gedwongen een draagbaar te maken van boomtakken, die hij achter het paard bond. Nadat hij het harnas op de draagbaar had gelegd en het zo achter zich aan kon slepen, kon hij eindelijk vertrekken. Elke keer dat hij langs een beekje, oase of bron kwam, hield hij stil om zijn handen opnieuw te wassen.

Dunkar, de hoofdstad van Dunkarga, was meer dan duizend kilometer ver. De reis kostte hem normaal een paar weken rustig rijden en het was een tocht waarvan hij altijd genoot.

Maar deze keer niet.

Eerst kwamen de dromen. Vanaf het moment dat hij in slaap viel, droomde Raaf nacht na nacht van ogen die naar hem zochten. Hij wist niet waarom, maar hij was doodsbang dat de ogen hem zouden vinden. Hij was in zijn slaap de hele tijd op zoek naar plekken waar hij zich kon verbergen voor de ogen. Net als hij zeker wist dat ze hem zouden zien, werd hij wakker, doornat van het zweet en bevend. Ze hadden hem nog niet gevonden, maar kwamen iedere nacht dichterbij.

De woorden van zijn zus spookten door zijn hoofd. *Je zult het volk redden, maar jijzelf zult verloren zijn.* Hij had het afschuwelijke gevoel dat als de ogen ooit ook maar even in de zijne zouden kijken, ze hem onvermijdelijk in hun leegte zouden meezuigen en dat de voorspelling van zijn zus zou uitkomen. Zijn enige troost was dat Jessan en de anderen ver weg waren, veilig voor deze vloek.

Na een week lang van die vreselijke dromen te hebben gehad, probeerde Raaf wakker te blijven. Hij wilde nog maar één ding: Dunkar en de Tempel der Magiërs bereiken. Hij zou dag en nacht hebben doorgereden, als hij niet gedwongen was geweest het paard te laten rusten. Als zo'n stop noodzakelijk was, legde hij een enorm kampvuur aan om de ogen op afstand te houden. Nadat dit drie dagen had geduurd, nam zijn lichaam het heft in handen en dwong hem te slapen. Als oorlogsveteraan had hij vaak hazenslaapjes in het zadel gedaan, en hij merkte dat hij dat nu ook weer kon. Toen hij de wildernis van het gebied van de Trevinici achter zich liet en Dunkarga bereikte, kwam hij op de koningsweg naar Dunkar, die veel bereden en breed was. Dicht bij de hoofdstad was hij zelfs geplaveid. Het paard was ervaren en volgde de weg met slechts minimale aanwijzingen. Raaf had het gevoel dat het paard net zo opgelucht zou zijn als hijzelf om van hun door de Leegte aangetaste last af te zijn.

Het slaapgebrek eiste niet alleen zijn tol van Raafs lichaam, maar ook van zijn geest. Hij voerde bijna een middag lang een hevig twistgesprek met een dwerg, die achter hem op het paard meereed. Hun gezamenlijke gewicht – dat van Raaf en de dwerg – was te veel voor het paard. Raaf vertelde de kerel steeds weer dat hij eraf moest springen, maar de dwerg negeerde hem. De dwerg bleef achter hem zitten, zich verkneukelend in de rijkdom die hij zou vergaren als hij bij de een of andere berg zou aankomen. Uiteindelijk sprong Raaf van het paard. Hij trok zijn zwaard en dreigde de oren van de dwerg af te snijden als hij niet van het paard kwam. Raaf had inmiddels een druk bereisd deel van de weg bereikt, en pas toen hij zijn medereizigers zag staren en hoorde lachen, besefte Raaf dat hij een hersenschim bedreigde. Hij hallucineerde.

Hij had geen idee hoe lang hij al aan deze nachtmerrieachtige reis bezig was. Half verdoofd en zo moe dat het hem niet meer kon schelen wat er met hem gebeurde, reed Raaf dag na dag verder en hij vroeg zich af of hij de rest van zijn leven zou moeten blijven rijden. Toen kwam de dag dat hij zijn hoofd hief en Dunkar aan de horizon zag. Er sprongen tranen in zijn ogen.

Sierlijke minaretten en spiraalvormige torenspitsen, afgewisseld met gedrongen bolvormige koepels, vormden een rand van zwart kant langs de zoom van het schitterende roodgouden gewaad van de zonsondergang. De hoofdstad van Dunkarga was nog ver weg, maar in elk geval in zicht, en daar dankte Raaf de goden voor. Hij zou Dunkar lang na zonsondergang pas bereiken, maar hij zou er komen.

Hij stopte net lang genoeg bij een waterbron langs de weg om zijn paard te laten drinken, het koude bronwater over zijn gezicht te plenzen en zijn handen te wassen. Hij was zo moe dat hij niet meer op zijn benen kon staan, maar hij was niet van plan nog een nacht op de weg door te brengen. Hij wilde niet meer tijd dan strikt noodzakelijk was in de nabijheid van het vervloekte harnas doorbrengen. Hij dreef zichzelf en het paard verder, en toen het dier stil bleef staan en met gebogen hoofd stond te huiveren, te uitgeput om verder te gaan, liet Raaf zich van zijn rug glijden, nam het paard bij de teugels en liep de rest van de weg naar zijn bestemming.

Dunkar was een ommuurde stad. De poort op deze weg, de hoofdweg, was goed bewaakt. Terwijl hij het wachthuisje naderde, kondigde Raaf luid roepend zijn komst aan. Weinig gewone reizigers kwamen zo laat in de nacht aan. De wachters zouden wantrouwig zijn. Raaf schrok echter van het geluid van zijn eigen stem. Hij herkende het niet en in zijn verwarring vroeg hij zich even af wie er zo had geschreeuwd.

Er kwamen wachters naar buiten met toortsen, en het felle licht deed pijn aan Raafs opgezette ogen. Hij knipperde met zijn plakkerige oogleden en stak een hand op om het af te schermen. Gelukkig kenden de meeste soldaten hem. Duistere blikken veranderden in verwelkomende grijnzen.

'Kapitein!' zei er een. 'We verwachtten u nog niet zo snel terug.'

'Kom op, kapitein,' zei een ander lachend. 'Geen enkele soldaat die ze allemaal op een rijtje heeft, komt te vroeg terug van verlof. Straks verwachten ze dat nog van ons allemaal!'

'Wat hebt u voor ons meegebracht, meneer?' vroeg een derde terwijl hij de toorts boven de bundel hield. 'Sterke drank? Een hertenbout?'

'Blijf daarvan af!' snauwde Raaf.

De soldaat deed met een geschrokken uitdrukking op zijn gezicht een stap naar achteren. 'Ja, meneer!' zei hij, op spottend gehoorzame toon. Hij wisselde verwonderde blikken met zijn kameraden.

Raaf kon het niet uitleggen. Daar was hij te moe voor.

'Laat me erdoor,' beval hij.

De soldaten deden wat hun was gezegd, maar nors en met tegenzin. Raaf wist dat hij in hun achting was gedaald en dat zat hem dwars, hoewel het dat niet zou moeten doen. Hij deed dit werk niet om aardig gevonden te worden. Toen hij een blok verder was, was hij bij-

na in tranen bij de gedachte dat ze allemaal een hekel aan hem hadden.
'Grote goden!' zei hij bij zichzelf terwijl hij het zweet van zijn gezicht wiste. 'Ik word gek. Net zo gek als mijn zus.' Die gedachte joeg hem angst aan en daardoor kwam hij met een schok terug in de werkelijkheid. 'Nog maar heel even. Nog heel even en dan zijn we ervan af.' Met het strompelende paard aan de teugels liep hij door de lege, smalle straten op weg naar de Tempel der Magiërs.

'Maar, kapitein,' zei de conciërge terwijl hij door het hek naar Raaf gluurde, 'wat u vraagt, is onmogelijk. Ik kan u op dit uur van de nacht niet binnenlaten!'
'Dan laat ik dit op straat achter,' zei Raaf woedend, en hij hief zijn gebalde vuisten. In die vuisten hield hij zijn geestelijke gezondheid stevig vast. 'En dan draait u op voor de consequenties. Ik heb al dagenlang niet geslapen!' Er stond iemand te schreeuwen en een hoop lawaai te maken. Hij besefte vaag dat hij dat misschien zelf was. 'Laat me erin, of bij de goden, ik...'
'Wat is er aan de hand, conciërge?' vroeg een andere stem. Een van de magiërs van de tempel was de binnenplaats overgestoken. Hij had Raaf horen schreeuwen en kwam poolshoogte nemen. 'Wat is dat voor herrie? Er proberen hier mensen te slapen.'
'Deze officier' – de conciërge wees door het gesloten hek naar Raaf – 'houdt vol dat hij naar binnen moet. Ik heb hem gezegd morgenochtend terug te komen, broeder Ulaf, maar dat weigert hij. Hij zegt dat het dringend is en wil niet wachten.'
'Misschien kan ik hem helpen,' zei de magiër. 'Maak het hek open en laat hem binnen.'
'Maar de regels...'
'Ik neem de verantwoordelijkheid op me, conciërge.'
De conciërge opende mopperend het hek. Raaf nam zijn paard met de draagbaar en daarop de vreemde en afschuwelijke last mee de binnenplaats van de Tempel op. Broeder Ulaf wendde zich met een vriendelijke glimlach tot Raaf, maar die glimlach verflauwde toen hij de man aandachtiger opnam. 'Kapitein, u ziet er niet goed uit. Wat is er mis?'
'Dit is er mis!' zei Raaf met holle stem. Hij haalde zijn mes te voorschijn en sneed de riemen door waarmee de draagbaar aan het paard was bevestigd. De houten palen vielen met een kletterend geluid op de keien. 'Kom dichterbij. Dan ziet u wat ik bedoel.'
Broeder Ulaf kwam verbaasd naderbij. Hij boog zich over de bundel en stak een hand uit om die nieuwsgierig aan te raken. Raaf hoefde

de magiër niet te waarschuwen. Broeder Ulaf hapte naar adem en trok zijn hand terug. Hij keek Raaf ontzet aan.

'Het stinkt naar de magie van de Leegte,' zei hij streng. 'Wat is het?'

'Uw probleem,' zei Raaf. 'Niet het mijne.' Hij pakte het paard bij de teugels en draaide zich om om te vertrekken.

'Wacht!' beval broeder Ulaf kortaf.

Hij was jong, misschien achter in de twintig, maar hij straalde een gezag uit dat Raaf herkende en waar hij instinctief op reageerde. Hij bleef met gebogen hoofd staan, moe en dankbaar dat hij zijn last had afgegeven.

'Joseph,' zei broeder Ulaf, 'breng een lantaarn.'

De conciërge beklom hoofdschuddend de trap die naar de tempel zelf leidde en verdween naar binnen.

Broeder Ulaf stak zijn handen in de mouwen van zijn gewaad en bleef met Raaf in het donker staan. Er scheen geen licht uit de ramen van de Tempel. Zelfs degenen die laat opbleven om te studeren, zouden nu wel naar bed zijn. Niemand zei iets. De jonge magiër staarde met afschuw en fascinatie naar de bundel. Raaf stond kaarsrecht, alsof hij op appel stond, en keek strak voor zich uit.

De Tempel der Magiërs was een imposant gebouw, het een na grootste in de stad, na het koninklijk paleis. De glanzende witte koepel en de vier spiraalvormige minaretten waren kilometers in de omtrek te zien. De tuinen waren legendarisch. Alleen de Tempel der Magiërs in Nieuw Vinnengael was groter, wat gevoelig lag bij de Dunkarganen, want hun tempel was jarenlang de grootste geweest na de val van Oud Vinnengael, totdat de Vinnengaelezen hun tempel op zijn nieuwe lokatie hadden gebouwd.

Dunkarga was een verarmd land, als gevolg van de rampzalige burgeroorlog met de verwanten van de Dunkarganen, de Karnuanen. De Dunkarganen konden alleen maar jaloers toezien hoe het welvarende Vinnengaelse Rijk enorme hoeveelheden geld investeerde in het bouwen van een nieuwe tempel, wat het volgens de Dunkarganen vooral deed om hen te treiteren. Nu zat er voor de Dunkarganen niets anders op dan hun neus op te halen voor de nieuwe tempel, die protserig en weinig verfijnd te noemen en zich te troosten met het feit dat hun tempel veel ouder was, minstens drie eeuwen oud. De grote koning Tamaros had hun tempel eens bezocht, iets dat de mensen van Nieuw Vinnengael niet konden zeggen.

Er vlamde licht op in de ramen van de portiersloge, en het viel over de witte marmeren trap. Joseph kwam terug met een lantaarn.

'Geef maar aan mij,' zei broeder Ulaf tegen de conciërge. 'Ga jij maar weer aan je werk.'

De conciërge gaf hem de lantaarn aan en trok zich terug in het poorthuis. Broeder Ulaf hief de lantaarn en keek Raaf recht aan.

'Hoe heet u, kapitein?'

'Raaf, venerabele magiër.'

'Bent u een Trevinici?'

'Ja.'

'Waar ligt uw dorp?'

'Het is maar een klein dorpje, magiër,' antwoordde Raaf. 'Niet belangrijk.'

Broeder Ulaf trok een wenkbrauw op, maar ging er niet verder op in. Hij wierp een blik achterom op de bundel. 'Ik vraag u opnieuw, kapitein, wat is het?'

'Het is... of was, het harnas van een ridder, venerabele magiër,' zei Raaf. Hij stak zijn hand op om zijn brandende ogen tegen het licht te beschermen. 'Een harnas van het kwaad. Ik ben geen magiër, maar ik denk dat dit harnas door de Leegte is vervloekt.'

Broeder Ulaf bewoog de lantaarn en hield hem boven de bundel.

'Wilt u het alstublieft uitpakken, kapitein?' vroeg hij terwijl hij zich oprichtte.

Er ging een hevige huivering door Raaf. Hij schudde zijn hoofd en deed een stap achteruit. 'Nee,' zei hij, niet eens in staat om de weigering beleefd onder woorden te brengen. 'Nee,' herhaalde hij koppig.

Broeder Ulaf nam de krijger weifelend op en stak toen zelf zijn hand naar de bundel uit. Met een snelle en zekere beweging greep hij een hoek van het kleed vast en trok het open. Het licht van de lantaarn glansde op een deel van het harnas en werd glinsterend teruggekaatst door de zwarte stekels. Raafs verwarde geest zag er de zwarte gelede poten van een insect in.

Broeder Ulaf keek lange tijd zwijgend naar het harnas, zo lang dat Raafs brandende ogen dichtvielen.

'Hoe komt u hieraan?' vroeg broeder Ulaf.

Raaf schrok wakker. Gelukkig had hij zijn antwoord voorbereid, anders had hij het nu niet onder woorden kunnen brengen. Hij keek naar het harnas en zag dat de magiër het kleed er weer overheen had gevouwen.

'Ik heb het gevonden, venerabele magiër,' zei hij. 'Aan de oever van de Zee van Redesh. Ik was op jacht... en zag het liggen. Er waren sporen van een... gevecht.' Hij wreef in zijn ogen. 'De ridder die dit aan had, was dood. Verder heb ik niemand gezien.'

De magiër keek Raaf doordringend aan. 'Wat hebt u met het lichaam gedaan?'

'Dat heb ik begraven,' zei Raaf.

'Waarom hebt u het harnas meegenomen?'

Raaf haalde zijn schouders op. 'Ik ben een krijger. Het harnas zag er waardevol uit, alsof het gemaakt was door een vakman. Zonde om het te begraven. Maar later ontdekte ik...' Hij slikte. 'Ik ontdekte dat het... zo was. Afschuwelijk. Ik wist dat ik het verkeerde had gedaan en ik heb het hierheen gebracht om het in te leveren bij de Kerk.'

'U zegt dat u het lichaam hebt begraven. Hoe was die zogenaamde ridder gestorven?'

'Aan een steek van een zwaard, door zijn borst. Je kunt de plek zien waar het door het harnas is gegaan.'

'Vreemd,' mompelde broeder Ulaf, 'voor zo'n goed gemaakt harnas. Hebt u het gevecht niet gezien? Niets gehoord? U hebt niemand in de buurt gezien?'

'Nee, magiër,' zei Raaf. 'Niemand.' Hij werd ongeduldig. 'Ik heb u alles verteld wat ik weet. Ik heb u dit harnas gebracht. Doe ermee wat u wilt, zolang ik het maar nooit meer hoef te zien. Ik wens u een goede nacht.'

Toen hij zich omdraaide, wankelde hij van uitputting en viel bijna. Hij zocht houvast aan de flank van zijn paard, drukte zijn gezicht tegen de warme huid en stond daar te wachten totdat de mist die voor zijn ogen hing zou zijn opgetrokken. Hij was zich bewust van de stem van de magiër, die vragen bleef stellen, maar Raaf had alle antwoorden gegeven die hij van plan was te geven. Hij negeerde de stem en toen de man een hand op zijn schouder durfde te leggen, reageerde hij met een lage grauw die zo fel en woest was dat de hand onmiddellijk werd teruggetrokken.

Toen Raaf eindelijk het gevoel had dat hij zichzelf op zijn paard zou kunnen hijsen, kroop hij in het zadel en spoorde hij het paard aan met een schor commando en zijn knieën in de flanken. Het dier was maar al te blij om te gehoorzamen en stoof weg van de binnenplaats met de wilde blik in de ogen van een paard dat bijna op een opgerolde slang is gaan staan.

Raaf liet het paard doen wat het wilde, want het kon hem toch weinig schelen waar ze heen gingen, zolang het maar weg was van de tempel en de afschuwelijke bundel. Hij hing over de hals van het paard zonder zich bewust te zijn van waar ze waren, behalve dat ze door donkere straten reden die er allemaal hetzelfde uitzagen. Hij gaf het paard instinctief aanwijzingen en merkte pas dat het was blijven staan toen hij zich ervan bewust werd dat hij niet meer bewoog. Hij herkende de kazerne, maar had niet de energie om af te stijgen, en dus bleef hij met gebogen hoofd in elkaar gezakt in zijn zadel zitten.

Zo had hij wel tot de volgende ochtend kunnen zitten als er niet twee van zijn mede-Trevinici waren langsgelopen, die net terugkwamen van de wacht op de stadsmuren.

'Kapitein,' zei een van hen, en hij legde zijn hand op Raafs arm.

'Huh?' gromde Raaf, en hij sloeg zijn dikke ogen op.

'Kapitein, u bent al terug...'

Raaf voelde dat hij uit het zadel gleed, maar hij deed geen poging om zijn val te voorkomen. Hij was thuis, in het kamp van de Trevinici, onder vrienden, kameraden. Hij was veilig. De last was weg. Hij was ervan af.

Sterke handen vingen hem op en hielden hem vast; krachtige stemmen riepen om hulp.

Raaf lette er niet op. Eindelijk kon hij rustig slapen.

Broeder Ulaf stond op de binnenplaats en keek aandachtig naar de bundel die naar de magie van de Leegte stonk. Hij moest beslissen wat hij moest beginnen met deze onverwachte situatie, en hij had niet veel tijd om tot een besluit te komen. Joseph, de conciërge, stond algemeen bekend als een kletskous. Hij was niet kwaadaardig, maar hij hield van praten en 's ochtends zou de hele tempel hiervan weten. Ulaf twijfelde er niet aan dat de goden ervoor hadden gezorgd dat juist hij degene was geweest die precies op dat moment langs het hek was gekomen. Het was zijn taak om uit te zoeken wat de goden van hem wilden, wat hij het beste kon doen. Toen hij uiteindelijk een besluit had genomen, handelde Ulaf met zijn gebruikelijke resoluutheid.

Hij liep naar het poorthuis en gluurde naar binnen. Joseph zat met gebogen hoofd op zijn kruk, alsof hij zat te dutten. Ulaf, die zich niet liet beetnemen, moest erom glimlachen.

'Joseph,' zei Ulaf gebiedend, 'ik wil dat je de hoge magiër wakker gaat maken.'

Josephs hoofd kwam met een ruk omhoog en hij staarde Ulaf met open mond aan.

'Vooruit,' zei Ulaf. 'Ik neem er de verantwoordelijkheid voor.'

Joseph aarzelde, in de hoop dat Ulaf zich zou bedenken. Ulaf fronste zijn wenkbrauwen vanwege het oponthoud en uiteindelijk, schoorvoetend en morrelend aan de lantaarn, vertrok Joseph weer naar de tempel.

Ulaf keek de conciërge na totdat hij de tempel was binnengegaan en de deur had gesloten, en haastte zich toen terug naar de bundel. Joseph zou zich niet haasten. Hij zou ongetwijfeld proberen iemand te vinden om tegen te klagen of op zijn minst trachten iemand anders op te zadelen met dit vervelende karweitje.

Ulaf had overwogen Joseph te vragen de lantaarn achter te laten, maar had daar bijna onmiddellijk van afgezien. Aangezien hij nog maar kort een venerabele magiër was, werd Ulaf verondersteld een zeer oppervlakkige kennis van de magie van de Leegte te hebben; net genoeg om er uit de buurt te blijven. Het was niet de bedoeling dat hij op handen en voeten die vreemde bundel ging onderzoeken. Het was een donkere nacht, de sterren gingen schuil achter wolken, en de Trevinici had de bundel toevallig in de schaduw van de poort achtergelaten.

Ulaf keek om zich heen om zich ervan te vergewissen dat er niemand anders een nachtelijk wandelingetje maakte. Nadat hij had gezien dat de binnenplaats leeg was, zoals te verwachten was op dit late uur, boog Ulaf zich over de bundel, trok het kleed eraf en bestudeerde het, rook eraan, voelde eraan en porde erin.

Toen Joseph met een verongelijkt gezicht terugkwam om te zeggen dat de hoge magiër eraan kwam en dat hij het helemaal niet op prijs had gesteld om op zo'n afgrijselijk uur wakker te worden gemaakt, trof hij broeder Ulaf aan waar hij hem had achtergelaten, met zijn armen over elkaar en zijn handen in zijn mouwen gestoken op een passende afstand van de bundel, terwijl hij er met een behoedzame bezorgdheid naar keek. Ulaf had één verandering aangebracht, waarvan hij veronderstelde dat de conciërge die niet zou merken. Ulaf had het kleed niet teruggelegd over het harnas, maar het harnas open en bloot gelaten.

Er werden lampen ontstoken. Een man verscheen boven aan de trap, een donkere gestalte in een gewaad, die afstak tegen het felle licht. De hoge magiër was een man met een statig voorkomen, ongeveer zestig jaar oud, met grijs haar en een zwarte baard die met grijs was doorschoten. Hij had een aristocratisch gezicht, met fijne trekken en diepe lijnen die wezen op een sterke wil en een keihard karakter. De hoge magiër keek enigszins fronsend toen hij Ulaf zag, die deed alsof hij dat niet merkte. Ulaf wist best dat men hem niet mocht en niet vertrouwde. Het feit dat Ulaf een Vinnengaelees was temidden van Dunkarganen was op zich al genoeg reden voor het wantrouwen, maar Ulaf was zich ervan bewust dat de vijandige gevoelens van de hoge magiër jegens hem dieper gingen dan dat.

'Broeder Ulaf,' zei de hoge magiër met heldere en alerte stem. Als hij had geslapen, was hij iemand die snel wakker werd. 'Ik heb gehoord dat u me dringend moet spreken en dat deze zaak niet tot morgenochtend kan wachten.'

De laatste woorden benadrukte hij met enige ergernis.

Ulaf boog, zoals dat hoorde. Terwijl hij naar de hoge magiër toe liep, sprak hij met een zachte stem waarin de juiste ondertoon van angst doorklonk.

'Ik wist niet wat ik moest doen, hoge magiër. Ik vond dat u op de hoogte moest worden gesteld.' Ulaf zette grote ogen op in het licht van de lantaarn. 'Ik heb nog nooit zoiets gezien.'

'Wat voor iets, broeder Ulaf?' vroeg de hoge magiër met een snauw. Hij moest niets hebben van wat hij beschouwde als de aanstellerij van een Vinnengaelees.

Ulaf wees eerbiedig. De hoge magiër draaide zich om en keek naar het voorwerp op de draagbaar.

'Joseph, breng de lantaarn.'

Joseph gehoorzaamde haastig en liet het licht van de lantaarn over het donkere harnas vallen, dat niet blonk in het licht, maar het leek op te zuigen, te verzwakken. De hoge magiër zette er een stap naartoe en verstijfde toen. Hij was bedreven in het in de plooi houden van zijn gezicht, maar Ulaf – die hem vanuit zijn ooghoek nauwkeurig in de gaten hield – zag dat het toch even vertrok.

'Magie van de Leegte, hoge magiër,' voelde Ulaf zich geroepen op te merken.

'Daarvan ben ik me bewust, broeder Ulaf,' snauwde de hoge magiër. 'Geef broeder Ulaf die lantaarn voordat je hem laat vallen, Joseph, en ga terug naar je post.'

Ulaf nam de lantaarn aan uit de bevende hand van de conciërge, die met grote ogen van angst naar het donkere harnas staarde. De conciërge maakte aanstalten om weg te lopen, maar kon zijn blik niet afwenden van het afschuwelijke ding en struikelde bijna over zijn eigen benen.

'Wacht, Joseph!' zei de hoge magiër. 'Waar komt dit vandaan? Hoe komt het hier?'

'E-Een officier heeft het gebracht, hoge magiër,' stamelde Joseph.

'Wat voor officier?' wilde de hoge magiër weten. 'Hoe heette hij?'

'D-Dat weet ik niet, hoge magiër. Hij wilde binnenkomen en i-ik heb gezegd dat dat niet kon. En toen heeft de broeder hier...' Joseph keek hulpeloos naar Ulaf.

'Ik liep toevallig langs, hoge magiër,' zei Ulaf eerbiedig. 'Ik hoorde de soldaat bij het hek. Hij was zeer verontrust. Hij dreigde dit op straat achter te laten. Ik dacht...'

'Ja, ja,' zei de hoge magiër. Hij keek met een frons naar het harnas. 'Hij is binnengekomen en heeft het achtergelaten.' Hij richtte de fronsende blik nu op Ulaf, die die deemoedig onderging. 'Ik neem aan dat u hem hebt ondervraagd. Hem zijn naam hebt gevraagd, en hoe hij aan dit... dit...'

'Dat klopt, hoge magiër,' zei Ulaf, 'maar hij was niet erg mededeel-zaam. Het was een Trevinici,' voegde hij eraan toe, alsof dat alles verklaarde.

'Wat was zijn naam?' drong de hoge magiër aan. 'Er zitten wel duizend Trevinici-soldaten in het Dunkargaanse leger.'

'Het spijt me, hoge magiër...' Ulaf sloeg zijn ogen neer. 'Ik heb er niet aan gedacht... Het harnas was zo angstaanjagend...'

De hoge magiër snoof verachtelijk. 'Jij, Joseph?' vroeg hij aan de conciërge. 'Heb jij zijn naam opgevangen?'

'I-I-Ik...' stotterde Joseph.

'Wat was zijn rang dan?' De hoge magiër keek zeer ontstemd.

Ulaf zei droevig: 'Het spijt me, hoge magiër, maar ik heb zo weinig verstand van de gebruiken van het Dunkargaanse leger...'

Joseph kon alleen zijn hoofd schudden.

'Ga!' beval de hoge magiër en Joseph vluchtte dankbaar terug naar het poorthuis.

De hoge magiër richtte zijn blik op Ulaf. 'Hebt u zelfs maar de moeite genomen om deze Trevinici te ondervragen over de manier waarop hij aan dit vervloekte harnas is gekomen, broeder Ulaf?'

'Jazeker, hoge magiër,' zei Ulaf.

In zijn enthousiasme zwaaide hij met de lantaarn en liet hij het licht per ongeluk recht in de ogen van de hoge magiër schijnen, die zijn arm voor zijn gezicht sloeg en haastig terugdeinsde.

'Neemt u mij niet kwalijk, eerwaarde!' Ulaf hapte naar adem en liet de lantaarn snel zakken. 'Het was niet mijn bedoeling u te verblinden...'

'Ga verder,' mompelde de hoge magiër.

'Volgens de Trevinici heeft hij het harnas gevonden toen hij op jacht was. Aangezien het harnas... eh... goed van kwaliteit was en er niemand in de buurt was die er aanspraak op maakte, besloot hij het mee te nemen voor zijn eigen gebruik. Hij ontdekte al snel dat het harnas vervloekt was en besloot het naar de tempel te brengen, om ervan af te zijn.'

'En wat is er met de ridder gebeurd die dit harnas droeg?' vroeg de hoge magiër. Hij keek ernaar en wees naar het gat in de borstplaat. 'Die wond moet dodelijk zijn geweest.'

Ulaf voelde dat hij zeer kritisch werd opgenomen, hoewel hij de hoge magiër, die in het donker stond en er nu voor zorgde dat zijn gezicht niet in het licht kwam, niet kon zien.

'De Trevinici had er geen idee van, eerwaarde,' zei Ulaf. 'Hij kon geen spoor van een lichaam vinden. De man loog, uiteraard,' vervolgde hij laatdunkend. 'Hij wilde niet toegeven dat hij een dode had uitgekleed. We zijn allemaal op de hoogte van de barbaarse gewoonten van de Trevinici en keuren die af.'

De hoge magiër leverde geen commentaar, noch instemmend noch ontkennend. Hij staarde zwijgend naar het harnas. Ulaf wachtte even respectvol de overpeinzingen van zijn meerdere af en zei toen aarzelend: 'Ik vind het een verschrikkelijke gedachte dat er ridders zijn – paladijnen, zo u wilt – die de kwade praktijken van de magie van de Leegte zijn toegedaan, eerwaarde. Waar denkt u dat zo'n ridder vandaan zou zijn gekomen? Wat was zijn doel? Wie of wat heeft hem gedood? Want hij moet heel sterk zijn geweest.'

Opnieuw was Ulaf zich ervan bewust dat hij kritisch werd opgenomen.

'Ook ik zou de antwoorden op die vragen graag weten,' zei de hoge magiër. 'Dat is een van de redenen dat ik het noodzakelijk acht om met die Trevinici te praten. Zou u hem herkennen als we hem vinden, broeder Ulaf?'

'O, ja, daar ben ik zeker van, eerwaarde,' zei Ulaf zonder aarzeling. 'Ik kan u zelfs een beschrijving van hem geven.'

Dat deed hij toen ook. De hoge magiër luisterde eerst geïnteresseerd, maar schudde toen zijn hoofd.

'U hebt een Trevinici-man beschreven, broeder Ulaf. Hebt u niets specifiekers aan deze man gezien? Littekens? Beschilderingen op zijn lichaam? Versieringen?'

Ulaf sloeg zijn ogen neer. 'Het was donker... Ik was opgewonden... Die barbaren zien er voor mij allemaal hetzelfde uit... Misschien dat Joseph...'

De hoge magiër gromde en maakte een gebaar alsof hij iets wegwierp; hij kende de beperkingen van Josephs waarnemingsvermogen. 'Als u me verder niets meer van enig belang kunt vertellen, broeder Ulaf, dan...'

'Het spijt me, hoge magiër...'

'Dan moest u maar eens naar bed gaan. Zegt u hier alstublieft niets over tegen uw broeders. Ik zou niet willen dat er paniek uitbrak. Het harnas is ouderwets en archaïsch, en van Vinnengaelse makelij.' Dat laatste benadrukte hij. 'Zoiets is in Dunkarga nooit eerder gesignaleerd. Daarom denk ik dat dit een Vinnengaels probleem is.'

Ulaf boog, maar zei niets.

'Aangezien het harnas uit Vinnengael komt, moet er direct bericht van deze zaak worden gebracht naar de tempel in Nieuw Vinnengael. U was niet van plan ons al zo snel te verlaten, broeder Ulaf, maar u bent de logische keuze als boodschapper...'

'Ik ben ten volle bereid om dit nieuws naar de tempel te brengen, eerwaarde. Ik kan morgenochtend klaarstaan om te vertrekken, of wanneer u maar wilt.'

'Uitstekend. Ik zal het rapport vannacht schrijven. Ik weet dat het betekent dat u maar een paar uur slaap zult krijgen, maar ik zou graag willen dat u bij het ochtendgloren vertrekt.'

Ulaf boog opnieuw.

De hoge magiër bukte zich en vouwde het kleed weer over het harnas.

Ulaf liet zich op zijn knieën zakken om te helpen, maar de hoge magiër wuifde hem weg. 'Hoe minder mensen het aanraken, hoe beter. Ik doe het wel. Ga naar bed, broeder Ulaf. U zult uw rust nodig hebben.'

Ulaf keerde gehoorzaam terug naar de tempel. Hij liep door de smalle gangen. Hij ging naar zijn eigen cel, maar alleen om een dievenlantaarn te halen en aan te steken. Spaarzaam gebruik makend van het licht, haastte Ulaf zich door de woonverblijven van de tempel totdat hij bij de keuken kwam. Hij ging de keukendeur uit, die naar de kruidentuin van de kok leidde.

Toen hij eenmaal buiten was, durfde Ulaf de dievenlantaarn helemaal niet meer te gebruiken, uit angst dat zelfs een korte flikkering van het licht door iemand gezien zou worden. Maar zijn ogen raakten al snel gewend aan het donker en datgene wat hij zocht, was niet ver weg. Hij sloop naar een plek achter een latwerk waar bonenplanten langs groeiden en wachtte af.

Even later zag hij een grote gestalte in het donker; de hoge magiër die met het harnas in het teerkleed gewikkeld, was omgelopen naar de achterkant van de tempel.

'Ik had gelijk,' zei Ulaf zachtjes bij zichzelf. 'Hij gaat het in de wijnkelder verbergen.'

Ulaf had zich afgevraagd waar op het terrein van de tempel de hoge magiër het vervloekte harnas zou verbergen. Ulaf had geen idee of zo'n harnas ogenblikkelijk vernietigd kon worden, maar hij betwijfelde het. Dus moest het ergens worden ondergebracht waar het niet ontdekt zou worden en waar het geen kwaad kon. Ulaf had het harnas aangeraakt toen hij het onderzocht en hoewel hij zijn handen al talloze malen had afgeveegd aan zijn gewaad, had hij nog steeds het gevoel dat de afschuwelijke drab aan zijn vingers zat.

In de wijnkelder lagen flessen wijn die alleen aan de tafel van de hoge magiër werden geserveerd, dus was de deur altijd op slot. De hoge magiër was de enige die de sleutel had. De wijnkelder lag ondergronds, om de wijnen het hele jaar op een constante temperatuur te houden, en was alleen toegankelijk door een deur achter in de moestuin. De wijnkelder was de meest logische plaats.

Ulaf keek toe hoe de hoge magiër neerhurkte om de kelderdeur van het slot te draaien. Plotseling hief de hoge magiër zijn hoofd en kwam overeind.

'Ben jij dat?' vroeg de hoge magiër zachtjes.

Er kwam iets aanlopen door de tuin. Ulaf staarde ernaar.

'Een Vrykyl,' bracht hij hijgend uit.

Het was alsof de nacht de gedaante van een man had aangenomen, kon lopen als een man en armen en handen kon gebruiken als een man. De nacht droeg een harnas zoals een man dat draagt. Een harnas van duisternis. Een harnas dat donkerder was dan het donker. Een afzichtelijk harnas, met stekels van duisternis die uitstaken als de scharen van een giftig insect. Het harnas leek erg op dat wat in het teerkleed was gewikkeld waar de hoge magiër bij zat.

De Vrykyl liep naar de hoge magiër toe. De twee spraken met zachte stem met elkaar; Ulaf kon hen niet verstaan. Maar zo te horen aan de toon en te zien aan het feit dat de Vrykyl af en toe boog, gaf de hoge magiër hem instructies.

De Vrykyl leek op het punt te vertrekken, maar bleef staan. Hij draaide zijn insectachtige helm van links naar rechts, alsof hij iets zocht. Ulaf hield zijn adem in en verstijfde als een konijn wanneer de honden vlakbij zijn.

'Waar voor den duivel wacht je op, Jedash?' vroeg de hoge magiër ongeduldig. 'Ik heb je gezegd te gaan. We hebben geen tijd te verliezen. Je moet die verdomde spion onderscheppen en vernietigen.'

'Ik dacht dat ik iets hoorde.' De stem uit de helm klonk afschuwelijk, koud en hol.

'Uilen. Wolven. Ratten.' De hoge magiër wuifde met zijn hand. 'Zoek iemand om met die Trevinici af te rekenen. Laat hem hun kazerne doorzoeken, overal zoeken. Waarschijnlijk draagt hij nog sporen van de Leegte bij zich. Degene die je stuurt, kan zich daardoor laten leiden.'

'Ik overwoog om commandant Drossel in te schakelen, Shakur.'

'Drossel.' De hoge magiër fronste. 'Zijn loyaliteit is een keer in twijfel getrokken.'

'Alleen die aan Dunkarga, Shakur. Zijn loyaliteit aan ons is boven elke twijfel verheven. Maar hij zal wel een beloning verwachten.'

'Hij staat in de gunst bij Dagnarus, de Heer van de Leegte. Dat zou genoeg moeten zijn als beloning.' De hoge magiër klonk geïrriteerd. 'Wat wil hij nog meer?'

'Een hogere rang. Een privéonderhoud met Heer Dagnarus.'

'De idioot!' mompelde de hoge magiër. 'Hij weet niet wat hij vraagt. Beloof Drossel dat dan, Jedash, als dat het enige is dat hem tevreden kan stellen. Meld je bij mij als het gebeurd is. Dan heb ik verdere instructies voor je.'

'Ja, Shakur.'

De duisternis boog en vertrok. De hoge magiër sleepte de bundel de wijnkelder in. Hij sloot de deur achter zich en Ulaf hoorde de sleutel knarsen in het slot.

Ulaf haalde weer adem. Hij had al veel vreemde en akelige dingen gezien in zijn leven en hij had gedacht dat hij overal tegen bestand was. Maar hij had nog nooit eerder een Vrykyl in zijn ware gedaante gezien. Zijn handen beefden, het koude zweet droop langs zijn nek en hij moest even wachten tot het wilde bonzen van zijn hart tot bedaren was gekomen. Geluidloos en behoedzaam sloop hij terug naar de keuken, waar hij in de donkere schaduw van de provisiekast wegkroop en bij zichzelf en de heer die hij diende te rade ging, een heer die ver weg was, maar in gedachten altijd dichtbij.

'U had gelijk, Shadamehr,' mompelde hij tegen zijn onzichtbare leenheer. 'De hoge magiër is een Vrykyl en hij heeft Vrykyls die voor hem werken. Ik wist het op het moment dat ik het licht in die dode ogen liet schijnen en nu heeft dit uw vermoedens ruimschoots bevestigd. Hij heeft het over Heer Dagnarus. De Heer van de Leegte.' Ulaf zuchtte diep, schudde zijn hoofd en vervolgde: 'De goden staan ons bij, edele heer, u had gelijk.

Mijn leven is geen cent meer waard. Ik weet te veel. Deze valse hoge magiër ontdoet zich van mij door me morgenochtend naar Nieuw Vinnengael te sturen. Ik durf te wedden dat de instructies die hij dat wezen van hem heeft gegeven met mij te maken hebben, dat de Vrykyl ervoor moet zorgen dat ik Nieuw Vinnengael nooit bereik om te kunnen vertellen wat ik heb gezien. Ik ben de "verdomde spion". Ik zal onderweg worden onderschept en mijn lijk zal in een greppel worden gegooid. Of erger.'

Ulaf dacht nog even na en woog zijn opties af. 'Het is tijd voor broeder Ulaf om te verdwijnen. Hij zal in rook opgaan en niemand zal weten wat er is gebeurd. De hoge magiër zal weten of vermoeden dat ik zijn geheim heb ontdekt, maar daar is niets aan te doen. Mijn werk hier is voltooid. Ik heb de grootste angst van mijn heer bevestigd. Het is mijn plicht om zo snel mogelijk terug te keren en Shadamehr verslag uit te brengen. We zijn misschien al te laat...'

Ulaf had zijn vlucht al lang geleden gepland; dat was het eerste dat hij deed als hij aan een opdracht begon. Binnen een halfuur zou broeder Ulaf verdwenen zijn uit de tempel en Ulaf de bedelmonnik of Ulaf de marskramer zou over de wegen reizen die van Dunkarga naar Nieuw Vinnengael leidden, en vandaar naar het grondgebied van zijn heer en meester, baron Shadamehr.

'Hij zei de naam Shakur, Shakur,' mompelde Ulaf bij zichzelf terwijl hij zijn gewaad keurig opgevouwen achterliet in de provisiekast, waar het hulpje van de kok het de volgende ochtend ongetwijfeld tot zijn grote verbazing zou vinden. 'Waar heb ik die naam eerder gehoord? Waarschijnlijk in een oude legende. Het doet er niet toe. Mijn heer zal het wel weten.'

Hij bleef zich verschuilen totdat hij de hoge magiër zag terugkeren uit de wijnkelder. Toen zijn stappen wegstierven, maakte Ulaf zich klaar voor zijn vertrek; hij nam alleen de dievenlantaarn en zijn nieuwe identiteit mee. Maar toen hij op het punt stond de tempel van Dunkarga voorgoed te verlaten, bleef hij staan en blikte hij de nacht in.

'Mogen de goden met u zijn, kapitein Raaf. Ik wilde dat u me de waarheid had verteld. Het is mogelijk dat ik u dan had kunnen helpen. Nu heb ik gedaan wat ik kon om u te beschermen, maar ik vrees dat dat u niet veel zal opleveren. Welk noodlot u dit heeft gebracht en waarom, kan ik niet verklaren. De wegen van de goden zijn een raadsel voor stervelingen en zo hoort het ook, anders zouden we gek worden. Ik bid omwille van u dat er iets goeds uit voortkomt.'

Na dit gebed vertrok broeder Ulaf, en niemand zag hem ooit nog terug.

Raaf sliep onrustig. Hij rende met een duizelingwekkende vaart door een hels landschap van eindeloze gloeiende zandvlakten. Hij werd achtervolgd, opgejaagd, en er was geen boom om zich achter te verschuilen, geen water om zijn brandende dorst te lessen. De ogen waren naar hem op zoek en als hij bleef staan, ook al was het maar heel even, zouden ze hem vinden...

Het lukte hem niet om te ontwaken uit deze nachtmerrie. Zijn lichaam was te moe en hij was te diep in slaap om zichzelf los te kunnen rukken. Toen hij er na bijna twaalf uur in slaagde zichzelf wakker te maken, voelde hij zich slechter dan toen hij op zijn dekens ineen was gezakt. Hij werd met een huivering wakker en merkte dat zijn dekens doorweekt waren van het zweet. Rillend kwam hij overeind en ging naar de latrines, waar hij zijn hart uit zijn lijf kotste.

Daarna voelde hij zich beter, want het is altijd goed om het lichaam te zuiveren van kwade lichaamssappen. Hij ging naar de put in de kazerne en dronk bijna een emmer vol water. Dit water was het eerste dat Raaf in vele dagen had gedronken dat niet de olieachtige smaak van dat vervloekte harnas had, en het smaakte hem alsof het door de zon gerijpte peren waren.

Hij was nog steeds slaperig en duf, maar hij dacht dat hij nu wel iets zou kunnen eten zonder het weer uit te spugen. De geur van knoflook trok door de kazerne en deed Raafs maag rammelen. De Dunkarganen zijn dol op knoflook en gebruiken het in bijna al hun gerechten. Hij had nog nooit knoflook gegeten voordat hij voor de Dunkarganen kwam vechten, maar hij was het scherpe bolgewas snel lekker gaan vinden. De Dunkarganen hielden niet alleen van de smaak, maar beweerden ook dat het beschermde tegen ziekte. Het was inderdaad waar dat de Dunkarganen bijzonder gezond waren en maar zelden het slachtoffer werden van de kwaadaardiger ziektes die de mensen in de stad vaak troffen. Raaf wandelde naar de kookvuren van de Trevinici, en het water liep hem in de mond. Hij werd aangehouden door een van zijn kameraden.

'De commandant wil je ogenblikkelijk spreken,' zei Scalplok, die zo werd genoemd vanwege de indrukwekkende reeks vijandelijke scalpen die aan zijn riem hingen. Hij wees met een duim in de richting van de Dunkargaanse barakken, vlak bij het kampement van de Trevinici. 'Drossel.'

'Welke is dat?' gromde Raaf. Er waren zoveel Dunkargaanse commandanten in dit leger dat hij ze nooit uit elkaar kon houden.

'Klein, donkere huid, korte beentjes, scheel,' somde Scalplok kort en bondig op.

Raaf knikte. Nu wist hij weer wie het was. Raaf liep verder naar de kookplaats. Hij zou wel bij de officier langsgaan als het hem goed uitkwam, misschien na het eten of misschien volgende week.

Raaf was juist klaar met eten en dacht erover om weer te gaan slapen, toen hij zich ervan bewust werd dat er een paar zwarte laarzen voor hem stond, met daarin de wijde witte broekspijpen gestopt die de Dunkargaanse militairen droegen. Raaf, die in kleermakerszit op de grond zat, keek op en zag commandant Drossel op hem neerkijken.

'Ik heb een belangrijke zaak met u te bespreken, kapitein Aanvallende Raaf.'

Raaf haalde zijn schouders op. Hij was klaar met eten, maar hij voelde zich nog steeds niet erg lekker. Aan de andere kant kende hij de Dunkarganen. Als ze eenmaal iets in hun hoofd hadden, gaven ze niet op totdat het was uitgevoerd. Als Raaf nu niet met de Dunkargaan praatte, zou die commandant achter hem aan blijven zitten en zou hij geen seconde rust meer hebben. Hij kon het maar het beste achter de rug hebben. Raaf kwam overeind en liep met de Dunkargaanse officier mee naar de kazerne.

Toen hij een lege kamer had gevonden in de grote barak, nam Drossel Raaf mee naar binnen. Het enige meubilair in de kamer waren een tafel en een paar stoelen. Er waren geen ramen, alleen openingen boven in de muren, waar stenen waren weggelaten om ervoor te zorgen dat de lucht kon circuleren. Raaf had het er benauwd vanaf het eerste moment dat hij binnen was, en voelde zich slecht op zijn gemak.

Commandant Drossel wees naar een stoel. Raaf bleef staan, want hij wist dat hij langer zou moeten blijven als hij ging zitten. Drossel glimlachte en wees opnieuw naar de stoel. Om zijn aanbod aantrekkelijker te maken, gebaarde de Dunkargaan naar een aardewerken pot en een paar aardewerken bekertjes op de tafel. Er steeg stoom op uit de pot. Een verleidelijke geur vulde de kamer. Raaf snoof waarderend.

'We hebben veel te bespreken, kapitein,' zei Drossel verontschuldigend, alsof hij wist hoe Raaf het vond om in dit kleine kamertje opgesloten te zitten. 'Koffie?'

Niet alle Trevinici hielden van de Dunkargaanse warme drank die koffie werd genoemd en sommigen vonden dat het lekkerder rook dan het smaakte, maar Raaf hield er wel van. Hij ging zitten en keek goedkeurend toe hoe de commandant de dikke, stroperige vloeistof in het bekertje schonk. De koffie was gezoet met honing, maar smaakte nog steeds bitter. Raaf nam een klein teugje en kneep zijn ogen dicht vanwege de bitterheid. Toen hij er eenmaal doorheen was, kon hij genieten van de volle smaak van de gebrande bonen en de honing.

'U bent vroeg terug van verlof,' merkte Drossel op terwijl hij kleine slokjes van zijn eigen koffie nam.

Raaf haalde zijn schouders op en zei niets. Dat was zijn zaak, niet die van zijn officier.

Drossel vervolgde lachend dat de meeste soldaten schoppend en krijsend aan hun haren moesten worden teruggesleurd na hun verlof. Raaf luisterde niet erg aandachtig. Dunkarganen stonden erom bekend dat ze energie verspilden aan loos geklets. Hij dronk van zijn koffie. Het was lang geleden dat hij koffie had gedronken. De bonen waren duur en hij had nooit geleerd hoe je het aftreksel precies moest maken. Raaf herinnerde zich niet dat koffie zo ontspannend was. De laatste keer dat hij het had gedronken, was hij er geagiteerd en nerveus van geworden. Deze keer leken al zijn spieren te verslappen. Hij kon zijn ogen bijna niet openhouden. Hij moest zich concentreren om te horen wat de Dunkargaan zei.

Drossel keek Raaf gespannen aan en liep toen om de tafel heen om dicht bij hem te komen zitten.

'U hebt gisteravond een bezoekje gebracht aan de Tempel der Magiërs, is het niet, kapitein?'

Raaf knipperde met zijn ogen. Hij was niet van plan om antwoord te geven en was verbaasd toen hij zijn eigen stem dat juist wel hoorde doen. 'Daar ben ik geweest, ja. Wat zou dat?'

'U hebt er een harnas achtergelaten dat u had gevonden, geloof ik,' vervolgde Drossel vriendelijk. 'Een zwart harnas. Een heel vreemd harnas.'

'Vervloekt,' zei Raaf. Hij wilde hier niet over praten. Over dit harnas praten was gevaarlijk, maar hij leek zich er niet van te kunnen weerhouden.

'Waar kwam dat harnas vandaan, kapitein?' vroeg Drossel, en zijn stem verloor de vriendelijke toon en werd scherper. 'U zei dat u het had gevonden. Waar hebt u het gevonden?'

Raaf probeerde op te staan om weg te gaan, maar hij kon niet goed lopen en wankelde als een dronkaard. Drossel leidde Raaf terug naar de stoel en de vragen begonnen opnieuw. Dezelfde vragen, steeds opnieuw.

Raaf zag het harnas voor zich, zwart en olieachtig; hij zag hoe Jessan de deken wegvouwde en hem het harnas gaf; hij zag Ranessa naar hem uitvallen met haar nagels, die zo scherp waren als klauwen; hij zag de stervende ridder Gustav; hij zag Bashae het kamp binnenrennen en zijn verhaal vertellen; hij zag de dwerg, Wolfram, hijgend en bang. Raaf mocht de dwerg niet. Dat herinnerde hij zich heel duidelijk. Hij zag dat allemaal tegelijk en hij wist dat hij er niet over wilde praten, maar zijn mond plukte de beelden uit zijn hersenen en spoog ze uit.

Alleen heel soms, als het gevaar zo groot was dat hij het bijna niet kon verdragen, was hij in staat de woorden tegen te houden, maar dat kostte hem een immense moeite en maakte hem aan het zweten en rillen.

Het volgende dat Raaf wist, was dat hij de kamer uit werd gedragen door twee soldaten, die gromden onder zijn dode gewicht. Ze gooiden hem in zijn tent neer, mopperend over dronken barbaren die niet tegen een slok konden. Hij lag op de grond, die voortdurend onder hem vandaan leek te vallen, staarde op naar de tentstokken, die kronkelden en slingerden in zijn wazige blikveld, en ging eerder van zijn stokje dan dat hij in slaap viel.

Drossel ging naar de Tempel der Magiërs om zijn bevindingen te melden.

Op het moment dat hij het zwarte harnas zag dat door de Trevinici was binnengebracht, wist Shakur dat het het harnas van Svetlana was. Maar hoe kwam haar harnas in het bezit van een Trevinici? Wat was er met de Domeinheer gebeurd en, het belangrijkste, waar was de Verheven Steen gebleven?

Nu, nadat hij met Drossel had gesproken, had Shakur antwoorden. Hij had niet alle antwoorden – die Trevinici waren verdomd koppig – maar hij had genoeg.

Shakur haalde het bloedmes te voorschijn, legde zijn hand erop en stuurde zijn gedachten naar zijn meester. De verbinding werd snel tot stand gebracht. Dagnarus wachtte ongeduldig op nieuws van Shakur.

Nadat hij zijn troepen had gestationeerd om Dunkar aan te vallen, was de Heer van de Leegte naar het noorden gereisd. Nu was hij in de bergen van Nimorea, niet ver van Tromek, het elfenland. Noch de Nimoreanen noch de elfen waren zich ervan bewust dat een immens leger van woeste krijgers uit een ander deel van de wereld hun land bedreigde. Dagnarus hield zijn tanen streng in bedwang. Ze marcheerden 's nachts, in het verborgene, en gebruikten de magie van de Leegte om hun bewegingen te verbergen. Een ander leger van tanen lag bij de hoofdstad Dunkar op de loer en een derde had zich verborgen in de wildernis van Karnu. Dagnarus was nu klaar om aan de verovering van Loerem te beginnen.

'Wat heb je voor nieuws?' De gedachten van Dagnarus klopten door Shakurs aderen als het warme bloed dat niet meer rondstroomde door zijn vergane lichaam. 'Waar is Svetlana? Heb je de Steen gevonden?'

'Svetlana is dood, edele heer,' zei Shakur zonder omwegen.

'Dood?' herhaalde Dagnarus, ziedend van woede. Hij had nooit goed tegen slecht nieuws gekund. 'Hoe bedoel je, dood? Ze is een Vrykyl. Ze is al dood!'

'Dan is ze nog doder,' antwoordde Shakur laconiek. 'Ze is gedood door die vervloekte Domeinheer. Ik heb gezien wat er van haar over was, edele heer. Ik weet het zeker.'

'En waar is de Steen?'

'Dat weet ik niet precies, edele heer. Zij had hem niet. Maar ik heb inlichtingen ingewonnen en ik heb een paar ideetjes.'

'Wat heb je gedaan?' vroeg Dagnarus.

'Een van onze agenten heeft de Trevinici ondervraagd.'

'Wat zei hij?'

'De man wilde eigenlijk niets zeggen, edele heer. Hij bood veel tegenstand tegen het waarheidsdrankje, maar we zijn toch heel wat te weten gekomen. De Domeinheer heeft Svetlana gedood, maar niet voordat zij hem een fatale wond had toegebracht. De Trevinici hebben de ridder gevonden. Hij was stervende. Hij had de Verheven Steen bij zich...'

'Heeft de Trevinici je dat verteld? Heeft hij de Steen gezien?'

'Nee, edele heer. De Domeinheer zou zo'n zootje barbaren nooit iets over de Steen vertellen. We weten van Svetlana dat de Steen in het bezit was van de Domeinheer. Volgens de Trevinici was de man wanhopig omdat hij een of andere queeste moest vervullen voordat hij stierf. Wat zou die anders kunnen zijn dan de Steen naar Nieuw Vinnengael te brengen?'

'Dat klinkt wel logisch,' gaf Dagnarus met tegenzin toe. 'Wat heb je verder nog ontdekt?'

'De ridder is gestorven. Hij is met veel eerbetoon begraven in het dorp. En nu komt het interessante deel, edele heer. Na zijn dood heeft een dwerg, die bij de ridder was en misschien zelfs wel een reisgezel van hem was, het dorp verlaten. Tegelijkertijd is een ander groepje ook op reis gegaan. We weten niet veel van dit tweede groepje, want elke keer dat onze agent bij de Trevinici aandrong, raakte hij geagiteerd en bood hij weerstand aan de ondervraging. Onze agent vermoedt dat de Trevinici een nauwe band heeft met iemand in dit groepje en dat hij het daarom beschermt.'

'En verder is de agent niets te weten gekomen van deze Trevinici?' vroeg Dagnarus kwaad. 'Ondervraag hem opnieuw, maar dan niet met een of ander idioot drankje. Hij heeft de informatie die ik nodig heb. Scheur hem aan stukken totdat je die hebt!'

'Hij is een Trevinici, edele heer. Hij zou niets loslaten als hij gemarteld werd,' zei Shakur op besliste toon. 'Door zijn verdwijning zouden de andere Trevinici vragen gaan stellen. Ze zouden naar hem op zoek gaan en misschien de mensen in het dorp waarschuwen... Zou ik een andere methode mogen suggereren, edele heer?'

'Jazeker, Shakur. Jij bent een sluwe smiecht. Wat stel je voor?'

'We weten waar zijn dorp is. Ik stuur mijn huurlingen samen met een baak naar het dorp met de opdracht alle informatie in te winnen die ze uit de dorpelingen los kunnen krijgen. Met zijn uitzonderlijke vermogen om magie te ruiken, zal de baak van nut zijn bij het vinden van de Steen als die nog in het dorp is...'

'Die zul je niet in het dorp vinden,' zei Dagnarus beslist. 'De Steen is verder gestuurd. Die beweegt door de wereld. Dat voel ik, proef ik... Hoe zou het anders kunnen, Shakur? Tweehonderd jaar lang is deze steenscherf, deze snuisterij, deze diamant het voorwerp van mijn grootste verlangen geweest. Ik heb er met mijn eigen bloed voor betaald. De Steen is met mijn bloed bevlekt. In mijn dromen zie ik hem, steek ik mijn hand uit om hem te pakken... en dan is hij weer weg. De Steen reist naar het noorden, Shakur. De Steen reist naar het noorden... en naar het zuiden.'

Shakur moest zijn best doen om zijn gedachten in bedwang te houden, maar blijkbaar slaagde hij daar niet in, want Dagnarus vervolgde: 'Jij denkt dat ik gek ben...'

'Helemaal niet, edele heer,' dacht Shakur haastig, zoekend naar een verklaring. 'Stel u voor dat die Bastaardridder een manier heeft gevonden om de Steen te splitsen? Tweehonderd jaar geleden is hij in vier delen gesplitst. Zou hij niet verder gedeeld kunnen worden?'

'Nee! Onmogelijk!' Dagnarus was gedecideerd. 'Ik heb de Steen gezien. Ik heb hem in mijn handen gehouden. De Steen was bedoeld om in vieren te worden gesplitst. In vijven, als je de Leegte meetelt.

Maar verder niet. Het scherpste zwaard, gezegend met de sterkste magie, zou hem nog niet verder kunnen splijten.'

'Maar toch lijkt het erop dat het onmogelijke is gebeurd, edele heer,' merkte Shakur droog op.

'Is dat zo? Ik vraag het me af. Neem dit eens in overweging: de Domeinheer is ziek, stervende en wanhopig. Maar hij is ook slim. Slim genoeg om de Verheven Steen te vinden en slim genoeg om een van mijn Vrykyls te verslaan en te doden. Hij kan er niet van uitgaan dat hij, om de Steen verder te sturen, mensen kan vinden die net zo slim, wijs of intelligent zijn als hijzelf. Dat heeft Svetlana in elk geval bereikt. Ze heeft de ene man gedood die ons te slim af had kunnen zijn. Ze heeft de Domeinheer gedwongen de Steen uit handen te geven aan mensen die zwakker en kwetsbaarder zijn. De Domeinheer doet zijn best om ervoor te zorgen dat de Steen veilig is. Maar hij kan hem zelf niet meer bewaken.

Wat zou hij doen? Hij zou doen wat ik zelf zou doen. Als ik een boodschapper stuur naar de generaal van mijn leger, vertel ik de boodschapper niet wat het bericht is dat hij bij zich heeft. Als hij dan gevangen wordt genomen, kan hij niet onthullen wat hij niet weet. Als ik de Verheven Steen naar de Raad van Domeinheren in Nieuw Vinnengael zou sturen, zou ik degene die de Steen bij zich droeg niet vertellen wat hij in zijn bezit had. Ik zou hem vertellen dat hij iets waardevols bij zich had, maar niet zeggen hóé waardevol. En weet je wat ik verder nog zou doen, Shakur?'

'U zou een lokvogel op pad sturen, edele heer.'

'Precies. Ik weet dat er Vrykyls op zoek zijn naar de Steen. Ik ben bang dat ze in staat zijn de krachtige magie ervan te voelen. Ik stuur een lokvogel...'

'Maar de Steen kan niet worden gesplitst of verdubbeld...'

'Dat is waar. Maar we weten dat de Vinnengaelezen nog steeds Domeinheren creëren met behulp van de magische kracht die is achtergebleven in de vatting die op het lichaam van Helmos is gevonden. Laten we even aannemen dat de Steen in een of ander omhulsel heeft gezeten of aan een ketting heeft gehangen...'

'Natuurlijk, edele heer! Dat is het antwoord. De ridder heeft twee gezelschappen op pad gestuurd. Het ene met de Steen en het andere met iets dat bedoeld is om de achtervolgers te lokken. Een van de boodschappers is de dwerg. De andere het groepje waar de Trevinici niet over wilde praten.'

'Je idee bevalt me wel, Shakur. Ga op zoek naar dat Trevinici-dorp. Ga er persoonlijk heen, laat het niet aan huurlingen over. Ondervraag de inwoners en als ze ook maar de minste kennis hebben over de Verheven Steen, zorg dan dat je die uit ze krijgt. Dood ze daarna allemaal. Vernietig iedereen die de Domeinheer ooit heeft gezien of ook maar iets over de Verheven Steen weet. Ik wil niet dat andere Domeinheren horen dat hij is teruggevonden en ernaar op zoek gaan.'

'Ja, edele heer.' Shakur was slecht op zijn gemak en dat kon hij onmogelijk verbergen.

'Wat is er, Shakur?' Dagnarus had het meteen gemerkt.

'Tot mijn spijt moet ik u melden dat de broeder die met de Trevinici heeft gesproken toen hij hier met het harnas aankwam, verdwenen is. Zoals ik u had verteld, had ik stappen genomen om ervoor te zorgen dat de bemoeizieke broeder Ulaf niet levend in Nieuw Vinnengael zou aankomen om verslag uit te brengen over een door de Leegte vervloekt harnas. Jedash heeft in een hinderlaag langs de weg gelegen, maar broeder Ulaf is niet verschenen. Een tijdje later ontdekte de kok een afgedankt gewaad dat herkend werd als dat van broeder Ulaf. Niemand heeft hem nog gezien na zijn gesprek met de Trevinici bij het hek. Zijn bed was onbeslapen. Blijkbaar is hij in de loop van de nacht gevlucht.'

Dagnarus' woede kon pijn doen als hij dat wilde, want hij had via de dolk van de Vrykyls de absolute macht over hen. Shakur had het gevoel dat hij nooit zonder de dolk was, dat hij het lemmet nog steeds in zijn rug voelde, de brandende pijn die zijn leven had genomen en hem in ruil daarvoor dit verschrikkelijke niet-bestaan had gegeven. Als Dagnarus kwaad was, draaide hij de dolk en was de pijn ondraaglijk, nog vreselijker dan de pijn van de honger die Shakur dwong andere levende zielen te stelen om zijn eigen dode ziel te voeden.

Shakur wachtte, maar de pijn kwam niet.

'Wat betreft die vermiste broeder' – Dagnarus haalde in gedachten zijn schouders op – 'die heeft het harnas van de Vrykyl gezien. Misschien heeft hij het zelfs aangeraakt. Hij was doodsbang en dus is hij gevlucht.'

'Dat is een mogelijkheid,' zei Shakur, niet overtuigd en niet in staat om zijn twijfels te onderdrukken, wat het hem ook zou kosten. 'Maar ik denk het niet, edele heer. Hij beweerde dat hij een Vinnengaelees was en dus zocht ik er niets achter dat hij zo uitzonderlijk dom en traag van begrip was. Maar nu vraag ik me af of dat alleen maar komedie was.'

'Pff! Zelfs als hij niet was wat hij leek, wat heeft hij dan helemaal ontdekt? Hij heeft een door de Leegte aangetast harnas gezien. Meer niet. Dat mag hij de hele wereld vertellen, als hij dat wil, maar daar zal niemand veel aan hebben.'

'Maar toch, edele heer...'

'Spreek me niet tegen, Shakur,' waarschuwde Dagnarus. 'Mijn grootste wens is in vervulling gegaan. Ik ben in een goede bui en daarom bereid om dit foutje van jou door de vingers te zien.'

Shakur boog. 'Wat zijn uw plannen nu, edele heer?'

'Ik beschouw de ontdekking van de Steen als een teken en wacht niet langer. Vanavond zal ik de orders geven om twee van de drie geplande aanvallen te beginnen. Morgen zullen mijn troepen Dunkar en het Karnuaanse Portaal aanvallen.'

Shakur was verbaasd. 'Is alles dan klaar? Zijn uw legers in positie?'

'In Karnu zal ik aanvallen met de troepen die ik daar nu heb. De Karnuanen hebben het grootste deel van hun leger door het Portaal naar de andere kant in Delek 'Vir gestuurd om het te beschermen tegen een aanval van Vinnengael. Als ik de westelijke uitgang van hun Portaal in handen heb, zullen ze die troepen niet meer terug kunnen sturen. Als Dunkar valt, zullen de troepen in die stad per schip de Edam Nar oversteken en Karnu's hoofdstad Dalon 'Ren vanaf het water aanvallen, terwijl een ander leger over land aanvalt. Dat is niet mijn oorspronkelijke plan, maar het zal werken, aangezien de val van Dunkar zeker is.'

Dagnarus voelde de afkeuring van zijn vazal. 'Die is toch zeker, is het niet, Shakur?'

'Alles is in gereedheid, edele heer. U hoeft alleen maar het bevel te geven. Maar hoe helpt het nu beginnen van de veroveringsoorlog ons bij het terugkrijgen van de Verheven Steen?'

'De Steen moet de Raad van Domeinheren in Nieuw Vinnengael bereiken. De brengers kunnen over land reizen, maar dat is een gevaarlijke route en het zou hun minstens een halfjaar flink doorreizen kosten, misschien wel langer. De Domeinheer heeft vast wel benadrukt dat er haast bij is. Hij zal hun hebben gezegd een van de magische Portalen te nemen die naar Nieuw Vinnengael leiden, zodat de tocht kan worden teruggebracht van een halfjaar tot een paar weken. De dichtstbijzijnde Portalen zijn het Karnuaanse Portaal en het Portaal van de elfen. Ik zal het Karnuaanse veroveren. Als de brengers van de Steen dat proberen binnen te gaan, hebben we ze.'

'En het Portaal van de elfen, edele heer?'

'Ik ben nog niet klaar om Tromek aan te vallen. Daar is de situatie te netelig. Vrouwe Valura is bezig het elfendeel van de Verheven Steen te pakken te krijgen en ik durf niets te doen dat haar plannen in de war kan sturen. Maar ik ben hier, en als de Steen naar het land van de elfen gaat, zal ik dat weten. Welke kant de Steen ook opgaat, de brengers zullen worden gedwarsboomd. Ik neem aan dat je je post in de tempel wel kunt verlaten zonder te veel commentaar uit te lokken?'

'Het begin van de oorlog zal een excuus zijn voor mijn afwezigheid, edele heer. In de gedaante van de hoge magiër zal ik de koning vertellen dat ik Dunkar verlaat en naar de Tempel der Magiërs in Nieuw Vinnengael ga, in de hoop van daaruit dit grote kwaad een halt toe te roepen. Niemand zal vragen stellen over mijn vertrek, noch over het feit dat de hoge magiër nooit terugkomt.'

'Er zullen er waarschijnlijk niet veel in leven blijven om vragen te stellen,' zei Dagnarus, opnieuw schouder ophalend.

Aanvallende Raaf werd die ochtend heel vroeg wakker uit zijn be-
dwelming met het knagende, onaangename gevoel dat er de vorige
avond iets heel erg mis was gegaan. Hij herinnerde zich een officier
die tegen hem praatte en hem vragen stelde, vragen die Raaf niet had
willen beantwoorden, wat hij uiteindelijk wel had gedaan. Hij ging
op zijn slaapmatje zitten, hield zijn pijnlijke hoofd vast en probeerde zich de gebeurtenissen van de voorgaande avond te herinneren.
De herinneringen glipten tussen zijn vingers door alsof ze met een
laagje van de olieachtige drab van het zwarte harnas bedekt waren.
Hij was vergiftigd. Het gif had ervoor gezorgd dat hij had gezegd
wat hij niet wilde zeggen.
Hij kon zich losse woorden herinneren, en een paar flarden van zinnen, en dat was genoeg om hem zeer te verontrusten. Door het gif
had hij de stam in gevaar gebracht. Hij moest onmiddellijk terugkeren naar zijn volk om het te waarschuwen voor het gevaar dat het
liep.
Wat dat gevaar kon zijn wist hij niet en zou hij niet kunnen zeggen,
maar dat maakte geen verschil. In tegenstelling tot stadsmensen zijn
Trevinici gewend om op hun intuïtie te vertrouwen en onmiddellijk
te doen wat die intuïtie hun ingeeft, zonder eerst te proberen die te
rationaliseren of definiëren. Stadsmensen zijn dan ook verbijsterd als
ze een Trevinici zien wegduiken voor een geworpen speer, terwijl hij
die speer onmogelijk had kunnen zien aankomen. Als de Trevinici
wordt gevraagd dit uit te leggen, zal hij alleen maar zijn schouders
ophalen en zeggen dat als stadsmensen eens tussen hun vier muren
vandaan kwamen, ze misschien nog iets anders zouden ruiken behalve hun eigen stank.
Raaf maakte zich geen illusies. Het vervloekte zwarte harnas was de
oorzaak. Hij had geprobeerd het juiste te doen door het harnas naar
Dunkar te brengen, door 'de vloek weg te halen bij het volk', maar
nu leek het erop dat hij alles verkeerd had gedaan.

Raaf wankelde het Trevinici-kampement uit en negeerde het geroep van zijn kameraden, die het vlees voor hun ontbijt aan het roosteren waren. Hij zette koers naar de kazerne, vastbesloten om de officier te vinden die hem had vergiftigd. Helaas bleek dit moeilijk te zijn, doordat Raaf geen samenhangend verslag kon doen van de ontmoeting. Hij kon zich de naam van de kapitein niet herinneren. Hij wist niet meer hoe de man eruitzag, behalve dat hij klein en donker was, met een zwarte baard. Die beschrijving zou op elke man in Dunkar kunnen slaan. Degenen die hij ernaar vroeg, lachten hem alleen maar uit en vertelden hem dat hij nooit moest proberen om een Dunkargaan onder de tafel te drinken.

De zon kwam op en brandde de ochtendmist weg die over het laagland en in Raafs hoofd hing. Hij zou de man die hem dit had aangedaan nooit vinden en hij verspilde er alleen maar kostbare tijd mee. Hij ging terug naar zijn slaapplaats en rolde zijn matje op. Hij griste een waterzak en wat gedroogd vlees mee, genoeg voor heel wat dagen, want hij zou geen tijd hebben om op jacht te gaan naar voedsel. Zijn kameraden waren nieuwsgierig, want ze wisten dat hij nog maar net terug was van een bezoek aan zijn volk. Hij vertelde hun alleen dat hij had gehoord dat zijn stam misschien in gevaar verkeerde en daarna vroeg niemand meer iets. De eerste verantwoordelijkheid van elke Trevinici is jegens zijn stam. Zijn kameraden wensten hem het beste en zeiden dat ze hem in de noordelijke streken wel weer zouden zien.

Raaf zadelde zijn paard. Hij nam het dier mee de stal uit toen er alarm werd geslagen door middel van hoorngeschal. De stad werd aangevallen.

Er deden al maandenlang geruchten over oorlog de ronde in de omgeving van Dunkar, en er kwamen berichten van buitenposten aan de westgrens dat ze waren aangevallen door woeste wezens. Daarna bereikten Dunkar verhalen over karavanen die waren geplunderd en verbrand, en hele dorpen die met de grond gelijk waren gemaakt. De berichten waren eerst uit de dunbevolkte westelijke gebieden gekomen, honderden kilometers ver, en hadden maar een flardje van de rook van de oorlog meegebracht. De mensen van Dunkar hadden de lucht opgesnoven maar er niet veel aandacht aan besteed. Ze maakten zich veel meer zorgen over hun bittere vijand in het oosten, de Karnuanen.

De berichten bleven binnenkomen, en het flardje rook in de lucht was nu een dunne spiraal geworden, die je aan de horizon omhoog kon zien kringelen, want het waren nu geen buitenposten meer die werden aangevallen, maar dorpen die binnen een maand rijden van de hoofdstad lagen. De stroom reizigers die de stad binnenkwam, nam af tot een druppelend straaltje en de mensen die nog kwamen, vertelden vreemde of vreselijke verhalen over mensen die vermist werden of op de meest wrede, beestachtige manier vermoord werden gevonden. Het bericht had de ronde gedaan dat een patrouille die op pad was gestuurd en allang terug had moeten zijn niet was teruggekeerd.

Ongeruste vrouwen hingen rond bij de wachthuisjes en vroegen naar vermiste echtgenoten en broers. De officieren antwoordden hun kortaf of helemaal niet. Soldaten die gingen drinken in de bierhuizen zaten niet meer vrolijk schreeuwend en lachend te dobbelen, maar zaten diep over hun bier gebogen met grimmige gezichten en zachte stemmen te praten.

Koning Moross, die een diepe haat jegens de Karnuanen koesterde, was vastbesloten hun ook hiervan de schuld te geven. De hoge magiër verhief zijn stem om de Karnuanen te beschuldigen. De hoge adel was het met Zijne Majesteit eens en degenen die dat niet waren hielden hun mond, want als je eenmaal de gunst van de koning verloor, won je die niet gemakkelijk weer terug.

De seraskier, de huidige legeraanvoerder, hield echter zijn mond niet. Hij vertelde Zijne Majesteit zonder er doekjes om te winden dat dit eigenaardige leger uit het westen kwam en niets te maken had met Karnu. Hij was van mening dat de Karnuanen misschien wel met dezelfde dreiging werden geconfronteerd als de Dunkarganen. De stad Dunkar was in gevaar. Uit de berichten die hem bereikten, bleek dat er een enorm leger deze kant opkwam, en hij wilde druk uitoefenen op alle gezonde burgers om zich aan te melden voor het leger, de bewaking op de muur verdubbelen en versterkingen laten komen uit hun zusterstad, Amrah 'Lin, in het noorden.

De hoge magiër stond klaar om de koning in het oor te fluisteren en de raad van de seraskier tegen te spreken.

Koning Moross hechtte waarde aan de mening van de hoge magiër, maar hij had ook waardering voor zijn seraskier, Onaset, de eerste hoge officier die de koning ooit had meegemaakt die zich niet had laten omkopen door Karnuaans goud. Daarom stemde koning Moross in met de verdubbeling van de bewaking op de stadsmuur, maar hij wilde de burgers niet onder druk zetten om in het leger te gaan, uit angst dat zulke verregaande maatregelen paniek zouden veroorzaken in de stad Dunkar.

Koning Moross had het bevel net zo goed wel kunnen geven, want de volgende dag brak er toch paniek uit, toen de Dunkarganen de ochtendzon zagen schijnen over een immens leger, dat over de grasvlakte in het zuidwesten aan kwam marcheren. De inwoners van Dunkar staarden er geschokt en ongelovig naar. Nog nooit hadden ze zo'n groot leger gezien. Als dit een aanval van Karnu was, dan zou er in hun eigen land geen soldaat meer over zijn.

'Karnuanen, denkt u, meneer?' vroeg een van zijn officieren toen seraskier Onaset zich naar de muur haastte om zelf te kijken.

Nadat hij de vijand lange tijd had bestudeerd, zo lang dat zijn ogen pijn deden en brandden, schudde Onaset zijn hoofd.

'Het zijn geen Karnuanen. Karnuaanse soldaten marcheren in gedisciplineerde gelederen. Hier lijkt geen enkele orde in te zitten,' zei hij. Hij liet zijn adjudant hem zijn verrekijker brengen, een uitvinding van de orken die hij had meegenomen van een veroverd piratenschip, en richtte die naar het westen.

Met de kijker zag hij dat wat op het eerste gezicht onregelmatige groepjes soldaten leken, die zich willekeurig over de grasvlakte bewogen, in werkelijkheid gevechtseenheden waren die wel enigszins geordend waren. De slordige groepjes namen een andere formatie aan en vormden cirkels met hun vaandels in het midden. Hij zag tenten verrijzen.

Onaset keek aandachtig naar een van die kampen. Hij had verslagen gekregen van verkenners, die hun aanvallers beschreven als wezens die meer op beesten dan op mensen leken, hoewel ze rechtop liepen als mensen en handen en armen hadden als mensen. Ze waren net zo behendig met wapens als mensen, of misschien wel behendiger. Toch was Onaset niet voorbereid op de aanblik van deze wezens, die op geen enkel ander wezen leken dat ooit op Loerem was gezien, met hun lange snuit vol messcherpe tanden en hun groen met bruin gevlekte huid, die naar men zei zo dik was dat ze geen harnas hoefden te dragen.

Hij keek naar de wezens totdat zijn ogen gingen tranen, zodat hij ze niet goed meer kon zien. Hij gaf de kijker aan zijn vertrouwde officieren met het bondige bevel dat wat ze ook zagen, ze hun commentaar voor zich moesten houden. Zijn volgende bevel was om ogenblikkelijk de twee belangrijkste poorten en de kleinere deuren in de stadsmuur te sluiten. Niemand mocht de stad binnenkomen, tenzij hij een verdomd goede reden had. Niemand mocht naar buiten. Adjudanten renden weg om zijn orders uit te voeren. Onaset ging weer uit staan kijken over de kantelen.

Een van zijn officieren floot laag. 'De goden staan ons bij,' mompelde hij, 'er zijn mensen daarbeneden!'

'Wat zegt u daar?' klonk een scherpe stem.

Onaset keerde zich om en zag dat koning Moross de trap beklom die naar de kantelen leidde. Moross was achter in de veertig, een licht getinte, knappe man met zwart haar en een zwarte baard, beide met grijs doorschoten, waardoor hij er ouder en waardiger uitzag. Zijn gewaad was luxueus maar niet protserig, want hij was eigenlijk een bescheiden man, die soms verlegen leek te zijn met het feit dat hij koning was.

'Mensen daarbeneden?' Koning Moross keek over de muur. Als hij ontzet was door wat hij zag – het uitgestrekte leger, dat in rap tempo een heel nieuwe stad op de grasvlakte opbouwde – zorgde hij er in elk geval goed voor zijn gelaatsuitdrukking onbewogen te houden. Onaset had nooit veel sympathie gehad voor Moross, want hij vond dat de koning te veel waarde hechtte aan wat de mensen van hem dachten. Moross streefde ernaar iedereen te behagen en niemand te beledigen, en daardoor leek hij besluiteloos en onbetrouwbaar. Als hij met twee mensen sprak, zei hij tegen elk van hen wat diegene graag wilde horen, wat geen probleem was, totdat die twee hun aantekeningen gingen vergelijken.

'Dan staat het vast. Deze monsters staan onder aanvoering van de Karnuanen,' zei koning Moross terwijl hij boos zijn wenkbrauwen fronste.

'Ik zie geen spoor van de Karnuanen, Uwe Majesteit,' zei Onaset, die de koning de verrekijker aangaf. 'Dat zijn mensen' – Onaset wees naar een groep soldaten die hem bijna onmiddellijk waren opgevallen doordat ze in de traditionele slagorde marcheerden – 'maar dat zijn waarschijnlijk ordinaire huurlingen. Ik denk dat de officier erop doelde dat deze wezens blijkbaar mensen als slaven hebben.' Hij richtte de kijker voor de koning op de dichtstbijzijnde kring van tenten. Er liepen een paar mensen rond binnen het vijandelijke kampement. Ze waren te ver weg om duidelijk te kunnen zien, maar door de manier waarop ze bewogen kreeg Onaset de indruk dat ze geboeid waren.

Moross wierp onwillekeurig een blik achterom, op de stad Dunkar, waar duizenden mannen, vrouwen en kinderen woonden. Hij keek weer naar de tienduizenden wezens, die zich installeerden in de woestenij, en huiverde zichtbaar. Hij wenkte Onaset om onder vier ogen met hem te komen praten.

'Wat zijn dit voor monsters?' vroeg hij met zachte stem. 'Zoiets hebben we nog nooit gezien op Loerem. U wel?'

Onaset schudde zijn hoofd. 'Nee, Uwe Majesteit.'

'Waar zijn ze dan vandaan gekomen?' Koning Moross was verbijsterd, ontsteld.

'De goden mogen het weten, Uwe Majesteit,' zei Onaset ernstig, zonder te spotten. 'Misschien moet u de hoge magiër raadplegen. Hij is een zeer wijs man...'

'De hoge magiër heeft de stad verlaten,' zei koning Moross terwijl hij op een duimnagel beet. 'Hij is vanochtend vertrokken, onmiddellijk nadat het alarm was geblazen.'

'Zoals ik al zei: een wijs man,' merkte Onaset droog op.

Moross wierp hem een verwijtende blik toe. 'De hoge magiër brengt het bericht van deze onuitgelokte aanval door die wezens naar de Tempel der Magiërs in Nieuw Vinnengael. Hij denkt dat de wijzen onder de magiërs daar er misschien iets over weten.'

'Gezien het feit dat die reis hem een halfjaar zal kosten – als hij geluk heeft – zie ik niet in wat voor baat wij daarbij zullen hebben, Uwe Majesteit.'

De koning deed alsof hij dat niet hoorde, een hebbelijkheid van hem als hij werd geconfronteerd met bijzonder moeilijke problemen. 'Ze slaan hun kamp op. Denkt u dat ze ons gaan belegeren, seraskier?'

'Alleen als hun commandant een enorme idioot is, Uwe Majesteit,' antwoordde Onaset zonder omwegen. 'We zijn een havenstad. Onder een beleg zouden we het bijna oneindig lang kunnen volhouden, tenzij ze ook een blokkade aan de zeekant opwerpen. Ik denk, Uwe Majesteit' – Onaset wreef over zijn bebaarde kin – 'dat deze troepen van plan zijn aan te vallen en te veroveren. Kijk, daar komen hun oorlogsmachines.'

Er kwamen olifanten aansjokken, die enorme belegeringstorens achter zich aan sleepten, die belforten werden genoemd. De torens stonden op vier wielen, waren net zo hoog als de stadsmuur en bestonden uit een aantal verdiepingen, die vol konden worden gezet met bewapende soldaten. Boogschutters boven op de belforten zorgden ervoor dat er geen verdedigers meer op de muren stonden. Als het belfort de muur had bereikt, konden de aanvallers een loopplank laten zakken, waarover de soldaten in grote aantallen de muren konden bereiken en van daaruit de stad in konden zwermen. Op andere belegeringsmachines waren vreemde brandslangachtige apparaten bevestigd. Die vreesden de verdedigers van de stad meer dan de belforten, want hierin zat het mechanisme waarmee orkenvuur over de verdedigers en de gebouwen kon worden uitgepompt. Die gelatineachtige substantie vloog bij het eerste contact in brand en zette alles in vuur en vlam wat het raakte.

'Toch zal hij een hoge prijs moeten betalen voor het aanvallen van een ommuurde stad.' Onaset keek om zich heen naar Dunkars verdedigingswerken en schudde verbaasd zijn hoofd over de vermetelheid van deze commandant.

Dunkar, dat zich nu al jarenlang voorbereidde op een strijd tegen de Karnuanen die nog niet gekomen was, had de beste verdedigingswerken die een stad in de moderne tijd kon hebben: blijden en ballista's om stenen te werpen naar de vijand op de grond, goed getrainde boogschutters op de muren, enorme ketels die konden worden gevuld met kokende olie en water om uit te gieten over de hoofden van iedereen die het waagde tegen de muren op te klimmen, en hun eigen versie van orkenvuur, waarmee ze de belforten in brand konden steken en iedereen die zich erin verborg levend konden roosteren.

'Zo'n slag zou weken kunnen duren en hij zal een groot aantal troepen verliezen, wat hij zich eigenlijk niet kan permitteren, want als hij de stad inneemt, zal hij haar ook bezet moeten houden, en ik heb al boodschappers naar Amrah 'Lin gestuurd voor versterkingen.'

'Hij? Wie is hij? Wie is die onbekende vijand?' Koning Moross keek uit over de grasvlakte en mompelde: 'Hij moet wel voor Karnu werken.'

Onaset was er niet van overtuigd, hoewel hij ook geen andere verklaring had. 'Hij zal het ons vroeg of laat wel laten weten. We gaan nergens heen.' Hij zweeg even, kuchte en zei toen: 'Ik denk dat onze stad deze slag kan winnen, Uwe Majesteit. Maar de goden weten dat er niets zeker is in dit leven, behalve de dood en de belasting. Misschien wil Uwe Majesteit het Koninklijke Schip in gereedheid laten brengen...'

'Nee, seraskier,' antwoordde koning Moross met het eerste beetje vastberadenheid dat Onaset van de man meemaakte. 'We zullen niet vluchten en ons volk achterlaten om alleen met dit gevaar af te rekenen.'

Een van de officieren wees over de muur naar ruiters die kwamen aanrijden. 'Seraskier, ze sturen een bode.'

'Mooi! Dan zullen we in elk geval te weten komen wat dit allemaal voorstelt,' zei koning Moross. 'Laat hem naar het koninklijk paleis brengen. Seraskier, kom met ons mee.'

Na een laatste blik over de muur naar het snel toenemende aantal vijandelijke troepen vergezelde Onaset zijn koning om te gaan horen wat zijn vijand te zeggen had.

Raaf stond op het punt te vertrekken, toen hij de hoorns het alarm hoorde blazen. Een Trevinici-krijger, die de wacht had gehad op de muur, kwam verslag uitbrengen. 'Er is een leger verschenen.' Ze schudde somber haar hoofd. 'Het ziet eruit als een beleg.'

De Trevinici wisselden grimmige blikken. In plaats van de glorie op het slagveld stonden hun nu maanden, misschien wel jaren van een beleg te wachten, opgesloten binnen de stadsmuren waaraan ze zo'n hekel hadden, en met niets te doen behalve slapen, eten en het uitwisselen van scheldkanonnades met de vijand. En wat het ergste was, zonder mogelijkheid om terug te keren naar hun stam.

'Nou, dat is dan duidelijk,' zei een van hen. 'Ik ben niet van plan hier te blijven en de hongerdood te sterven.'

'Dan mag je je wel haasten,' zei de krijger. 'Er is bevel gegeven om de poorten te sluiten.'

Bij dit slechte nieuws sprong Raaf op zijn paard en drukte zijn hakken in de flanken van het dier. Hij wist wel beter dan om te proberen de hoofdpoort uit te komen. Hij kende een deurtje in de oostkant van de muur dat werd gebruikt door mensen die na het donker nog de stad in wilden komen, als de hoofdpoort gesloten was. Dat zou hij proberen.

Helaas had het nieuws over het vijandelijke leger zich inmiddels door heel Dunkar verspreid, en de straten waren vol mensen. De hoofdstraat was niet om door te komen. Raafs paard was geoefend in de strijd, gewend aan wapengekletter, de geur van bloed en het geschreeuw van gewonden en stervenden. Het was niet gewend aan kleine kinderen die onder zijn buik door schoten, de schrille kreten van roddelaars en de geur van angst. Het paard spitste zijn oren, rolde met zijn ogen en stribbelde tegen.

Op dat moment kreeg een dronkaard het heldere idee dat hij Raafs paard zou kunnen stelen om er de stad mee te ontvluchten. De dronkaard greep Raaf bij zijn been. Raaf schopte naar de kerel, zodat die languit in de goot terechtkwam.

Raaf trok het hoofd van zijn paard de andere kant op en slaagde erin te ontsnappen uit de menigte. Hij probeerde een andere straat, een smal zijstraatje, en merkte dat het daar minder druk was. Toch kwam hij nog steeds maar langzaam vooruit en moest hij zijn paard stevig in toom houden, want er kwamen plotseling mensen deuropeningen uitstormen om te vragen wat er aan de hand was. Eindelijk bereikte Raaf het deurtje in de muur, om te ontdekken dat het gesloten en vergrendeld was.

'Open de poort,' riep Raaf vanaf zijn paard.

De soldaten keken op toen ze het bevel hoorden, maar toen ze zagen dat hij maar een Trevinici was, schudden ze hun hoofd. Dunkarganen hebben er geen bezwaar tegen dat de Trevinici voor hen vechten en sterven, maar dat betekent nog niet dat ze ook sympathie voor hen moeten opbrengen.

'Ga terug naar je rattenstoofpot, barbaar,' zei een van hen kortaf. 'Niemand komt erin of eruit. Orders van de seraskier.'

Als Raaf zelf een Dunkargaan was geweest, zou hij een paar zilverstukken op de grond hebben geworpen en dan zou de poort zonder verdere vragen voor hem zijn opengemaakt. De Trevinici hadden het begrip omkoping echter nooit kunnen doorgronden. Raaf liet zich van zijn paard glijden en trad met de soldaten in discussie.

'De orders van de seraskier zijn niet van toepassing op Trevinici,' zei hij, wat volkomen waar was. 'Ik ben kapitein. Jullie zouden gewoon een bevel opvolgen. Jullie zullen er geen problemen mee krijgen.'

'Dat weet ik wel zeker,' zei de bewaker met een dreigend gezicht. 'Want ik maak de poort niet open.' Hij wierp Raaf een vernietigende blik toe. 'Jullie worden niet betaald om weg te lopen.'

Kwaad over de belediging en wanhopig om de stad uit te komen legde Raaf zijn hand op het gevest van zijn zwaard. Hij hoorde het gerinkel van staal achter zich. Hij was omsingeld door zes andere bewakers, die hun zwaard in hun hand hadden en hem duister aankeken.

Trevinici kennen geen angst in de strijd, maar ze zijn niet roekeloos en Raaf wist wanneer hij verslagen was. Hij stak zijn handen op om te laten zien dat ze leeg waren, en liep terug naar zijn paard. Nadat hij het had bestegen, galoppeerde hij terug door de straat, zodat de mensen in de goot of de steegjes moesten vluchten om te ontsnappen aan de dreunende hoeven.

Terwijl Raaf probeerde de stad uit te komen, werd de bode van de vijand binnengelaten door een deurtje in de hoofdpoort. De bode was een mens, niet een van de vreemde monsters. Dat was een grote teleurstelling voor de stedelingen, die geruchten hadden gehoord over deze wezens van degenen die op de muren waren geweest en ze zelf wel eens wilden zien.

Onbevreesd en trots reed de bode met kalme waardigheid tussen een menigte van boze Dunkarganen door, die waren gekomen om de vijand te zien en te vervloeken. Hij had blond haar en een gladde kin. Hij was waarschijnlijk hoogstens zestien, maar hij had al een litteken van een gevecht in zijn gezicht en bereed zijn paard en droeg zijn zwaard als een man die eraan gewend was oorlog te voeren. Hij droeg een wapenkleed van zware stof met een afbeelding erop van een feniks die opres uit de vlammen, en datzelfde wapen had hij op zijn schild. Niemand kon zich herinneren ooit eerder een dergelijk wapen gezien te hebben.

De bode werd bewaakt door lijfwachten die door de seraskier zelf waren uitgekozen, want de Dunkarganen zijn een licht ontvlambaar volkje en ze waren er zonder uitzondering van overtuigd dat de gehate Karnuanen dit leger hadden ingehuurd om hen aan te vallen. Er werd geschreeuwd dat de bode onthoofd moest worden en daarna teruggestuurd naar Karnu. De mannen van de seraskier hielden hun zwaard in hun hand en sloegen met de platte kant van de kling naar elke burger die te dichtbij kwam. De bode bekeek alles met een montere grijns en een geheven schild om de naar hem gegooide rotte etenswaren af te weren.

Toen hij bij het paleis aankwam, hoefde hij niet te wachten maar werd hij meteen bij de koning gebracht. Moross zat in vol ornaat op zijn troon, omgeven door zijn ministers en leden van de adel. Met uitzondering van de seraskier verwachtten ze stuk voor stuk dat de bode zou zeggen dat hij afkomstig was van Karnu. Moross had zijn antwoord klaar: woorden van verzet om de Karnuaanse koning naar het hoofd te slingeren, die een verre verwant van hem was.

De bode kwam met dezelfde montere glimlach binnen. Zijn zwaard, zijn schild en het mes uit zijn laars waren hem afgenomen. Koning Moross keek ingespannen naar het wapen van de feniks op zijn mantel en wierp een zijdelingse blik op zijn ministers, die hun schouders ophaalden. Dit was geen Karnuaans wapen, althans niet een dat door iemand werd herkend.

De bode kwam naar voren en maakte een plichtmatige buiging. Met plechtige gebaren haalde hij een perkamentrol te voorschijn, rolde die open en begon voor te lezen.

Van prins Dagnarus, zoon van koning Tamaros van Vinnengael, aan Zijne Doorluchtige Hoogheid, etc., etc. Moross, koning van Dunkarga.

Het doet mij, prins Dagnarus, als zoon van Dunkarga verdriet om te zien dat er oorlog heerst tussen degenen die elkaar de hand zouden moeten schudden en elkaar broeder zouden moeten noemen. Deze burgeroorlog heeft een eens grote natie geruïneerd en heeft Dunkarga, een ooit zo trots en machtig land, gemaakt tot een haveloze bedelaar in de straten van de wereld. Ik, prins Dagnarus, stel voor een einde te maken aan deze rampzalige oorlog en Dunkarga weer te brengen tot een niveau van kracht en welvaart dat heel Loerem met afgunst en angst in hun hart naar Dunkarga zal doen kijken.

Dit zijn mijn voorwaarden: mijn troepen en ik zullen ongehinderd de stad kunnen binnengaan. Ik zal tot seraskier worden benoemd en zal het commando voeren over alle Dunkargaanse troepen en de Dunkargaanse oorlogsvloot. De huidige koning, mijn verwant, zal blijven regeren. Ik zal bij alle belangrijke beslissingen worden geraadpleegd. In ruil hiervoor zullen de stad Dunkar de verwoestingen van de oorlog bespaard blijven. De burgers die mij steunen, zullen daar wel bij varen. Degenen die zich tegen mij verzetten, zullen de kans krijgen om zich een andere mening over mij te vormen. Als deze voorwaarden niet worden geaccepteerd, zullen mijn legers morgenochtend bij zonsopgang aanvallen. In dat geval kunnen de stad en haar inwoners geen genade verwachten.

Koning Moross luisterde verbijsterd. Dagnarus. Wie was Dagnarus? Hij kon zich geen Dagnarus herinneren die aanspraak kon maken op Dunkarga. En toch was er iets bekends aan de naam... Hij wierp steelse blikken op zijn ministers, die beledigd en woedend keken, maar ook angstig. Seraskier Onaset keek grimmig.

De bode zweeg en keek verwachtingsvol naar de koning. Koning Moross wist wat zijn antwoord moest zijn, maar hij was niet van plan dat nu overhaast te geven. Hij moest eerst met Onaset praten, die hem had gebaard dat hij hem wilde spreken.

'We zullen dit in overweging nemen,' zei koning Moross koel en hooghartig.

'Overweeg niet te lang, Uwe Majesteit,' zei de bode. 'Mijn heer is geen geduldig man en als ik bij zonsondergang niet terug ben, zal hij de aanval inzetten.'

De ministers mompelden boos om dit ultimatum en om de nonchalante, spottende manier waarop het werd gesteld.

Moross legde hun met een blik het zwijgen op. Hij kondigde aan dat de bode zijn antwoord zou krijgen wanneer hij bereid was dat te geven en geen seconde eerder. Daarna verordonneerde hij dat het de bode gerieflijk moest worden gemaakt en dat hij voedsel en drank tot zijn beschikking moest krijgen. De bode boog, draaide zich om en vertrok. Moross werd onmiddellijk omringd door tierende ministers, die hun stemmen verhieven in schril en brullend protest en betoogden dat er nog geen straatsteen uit een Dunkargaans steegje aan deze bandiet gegeven mocht worden. Moross ving Onasets blik. De seraskier maakte een zeer nadrukkelijk gebaar dat hij de koning onder vier ogen moest spreken. Moross stuurde de ministers weg; ze spraken hun steun uit voor Zijne Majesteit en vertrokken. Hun verontwaardigde stemmen waren zelfs nog te horen nadat de grote gouden deuren met een galmende dreun waren gesloten.

'Nou, seraskier?' vroeg koning Moross. 'Wat moeten we hiervan denken?'

'Is de naam Dagnarus u opgevallen, Uwe Majesteit?'

'Ja, natuurlijk is die me opgevallen,' antwoordde koning Moross. Nu ze alleen waren, liet hij het koninklijke meervoud varen en sprak hij als individu tegen zijn seraskier. 'Ik heb geprobeerd me te herinneren...'

'Prins Dagnarus, de tweede zoon van koning Tamaros van Oud Vinnengael.'

'O, ja.' Koning Moross was opgelucht. 'Daar had ik de naam eerder gehoord. Dus daarom beweert hij dat hij een zoon van Dunkarga en een verwant van mij is. Als ik het me goed herinner was Dagnarus' moeder Emilia, de zus van koning Olgaf.' Hij was er trots op veel te weten van zijn afkomst, en daarom ergerde het hem dat hij de naam niet had kunnen thuisbrengen. 'Zij was zijn tweede vrouw. Dagnarus was degene van wie wordt gezegd dat hij de ondergang van Oud Vinnengael heeft bewerkstelligd, als we de oude legenden moeten geloven. Zeer toepasselijk dat deze bandiet die verraderlijke naam heeft aangenomen. Hij zou natuurlijk een of andere achterachterkleinzoon kunnen zijn,' vervolgde Moross peinzend, waarmee hij Onaset voor was, die net zijn mond had opengedaan om iets te zeggen. 'Als mijn geheugen me niet bedriegt, had de echte Dagnarus wel een klein dorp kunnen bevolken met zijn bastaardkroost.'

'En als dit nu eens de echte prins Dagnarus is, Uwe Majesteit?' vroeg Onaset. 'Zoals hij beweert.'

Koning Moross keek streng. 'Werkelijk, seraskier, dit is niet het moment voor lichtzinnigheid...'

'Gelooft u me, ik maak geen grapje, Uwe Hoogheid,' zei Onaset. 'Volgens de geschiedenis was prins Dagnarus een aanbidder van de Leegte. Hij was vervloekt door de goden en tot Heer van de Leegte benoemd. Er werd gezegd dat hij zeer bedreven was in het beoefenen van de magie van de Leegte.'

'Prins Dagnarus is omgekomen bij de vernietiging van Oud Vinnengael,' zei Moross.

'Zijn lichaam is nooit gevonden, Uwe Majesteit.'

'Wat wil je daarmee zeggen, Onaset?' vroeg koning Moross onstuimig. 'Dat we worden aangevallen door een tweehonderd jaar oude Heer van de Leegte?'

'Ik wil zeggen, Uwe Majesteit, dat we misschien worden aangevallen door de macht van de Leegte. Ik verzoek Uwe Majesteit dringend hier rekening mee te houden bij het nemen van uw besluit.'

'Wil je dan dat ik me overgeef?' Koning Moross was verbijsterd.

'Dat heb ik niet gezegd, Uwe Majesteit...'

'Dat zou me mijn eer kosten. De mensen zouden woedend zijn. Je hebt zelf gezegd dat deze vijand de stad onmogelijk kan innemen...'

'Denk nog eens aan de geschiedenis, Uwe Majesteit. Oud Vinnengael was een stad die tienmaal zo groot was als Dunkar, en tienmaal zo goed gefortificeerd. En ze is gevallen voor de macht van de Leegte.'

'Zouden ze een of andere kwade betovering over ons kunnen uitbrengen?' vroeg Koning Moross onzeker. 'Kunnen ze dat?'

'Dat weet ik niet, Uwe Majesteit,' zei Onaset. 'Zoveel weet ik niet van de magie van de Leegte, de goden zij dank. Het treft wel hoogst ongelukkig dat de hoge magiër juist nu is weggegaan. Zijn advies in deze zaak zou van onschatbare waarde zijn geweest. Misschien kunnen we een boodschapper sturen...'

Koning Moross schudde zijn hoofd. 'Onmogelijk. Ik heb het bericht ontvangen dat hij vanochtend aan boord van een schip is gegaan en dat dat met het getij is uitgevaren.'

'U hebt hem niet gesproken?'

'Nee, zijn vertrek was nogal plotseling.'

'De hoge magiër scheept zich in bij het eerste teken van zijn vijand,' zei Onaset. 'Misschien is zijn plotselinge vertrek zijn advies, Uwe Majesteit.'

Moross schudde zijn hoofd, maar zei niets. Hij sloeg zijn handen achter zijn rug ineen en begon te ijsberen. 'Wat een vreselijke beslissing, Onaset. Als ik een oorlog begin, veroordeel ik mijn volk tot de bijbehorende verschrikkingen, en als ik me overgeef, zet ik de stad open voor een leger van monsters van de Leegte. We weten dat ze mensen als slaven houden. Wat belet hen ons allemaal tot slaaf te maken? Kan ik het woord vertrouwen van een man die me het mes op de keel zet? Nee, nee, seraskier. Ik peins er niet over.'

Hij hield op met ijsberen en wendde zich tot Onaset. 'Maak ik de juiste keuze?' vroeg hij, bijna meelijwekkend.

'Ik denk van wel, Uwe Majesteit,' antwoordde Onaset. 'Maar we moeten hulp en raad vragen van de magiërs van de tempel, degenen die er nog zijn.'

'Ja, natuurlijk.' Koning Moross zweeg even, zuchtte toen diep en richtte zich op. 'Ik zal die bode op weg sturen. Arrogante ellendeling. Tref de voorbereidingen die nodig zijn voor de aanval bij zonsopgang, seraskier.'

'Ja, Uwe Majesteit.' Onaset boog.

'En moge het geluk van de goden met ons allen zijn,' voegde de koning er nog aan toe.

'Dat zullen we wel nodig hebben, Uwe Majesteit,' zei Onaset.

Hij vertrok om voorbereidingen te treffen.

In hun kampement troffen de Trevinici ook voorbereidingen, hoewel niet van het soort dat de seraskier zou hebben goedgekeurd. De Trevinici troffen voorbereidingen om Dunkar te verlaten.

De Trevinici-krijgers hoefden nooit lang in Dunkar te blijven. De

Karnuanen deden voortdurend invallen in het omstreden niemandsland dat tussen Dunkar en de Karnuaanse stad Karfa 'Len lag, en het
was de taak van de Trevinici om hen terug te drijven. Raaf was van
plan geweest om deze week zijn eenheid mee te nemen op patrouille in dat gebied.

De Trevinici vonden dat een aangename opdracht, want dan waren
ze vrij om door het land te zwerven, in de openlucht te slapen en tegen een waardige vijand te vechten. De Karnuanen hadden een uitstekende strijdmacht, die uit zeer geoefende soldaten bestond. Door
tegen de Karnuanen te vechten had een Trevinici-krijger de kans om
roem te verwerven in de strijd en zijn aanzien binnen zijn stam te
vergroten, en dan was er ook nog de premie die de Dunkarganen uit-
keerden voor elk Karnuaans hoofd.

Toen Raaf terugkwam in het kampement van de Trevinici, hadden
zijn mensen zich verzameld om de balans op te maken van de situatie. Ze draaiden hun hoofd naar Raaf toen hij aankwam, en toen
ze zijn donkere gelaatsuitdrukking en gefronste wenkbrauwen zagen,
was een van hun vragen beantwoord.

'Ze lieten je zeker niet gaan?' vroeg een van hen.

Raaf schudde zijn hoofd. 'De seraskier heeft verordonneerd dat de
poorten gesloten moeten blijven en dat niemand erin of eruit mag.'

'Natuurlijk, dat moet hij wel doen,' zei een ander minachtend. 'Anders vlucht het hele Dunkargaanse leger de heuvels in.'

'Ik vind dat we ons een weg naar buiten moeten vechten,' zei een derde terwijl ze met haar zwaard zwaaide.

'Vechten! Ha!' riep een ander. 'We hoeven alleen maar met onze
zwaarden te schudden, dan doen ze het allemaal in hun broek.'

'En onze stammen? Die monsters zijn uit het westen gekomen. Misschien hebben ze ons volk ook al aangevallen,' zei een ander.

'Ik wil hier net zo graag weg als jullie,' zei Raaf, en door de klank
van zijn stem, schor van vermoeidheid, en de aanblik van zijn afge-
tobde gezicht, wist iedereen dat hij de waarheid sprak. 'Maar vechten is niet de manier. Op de terugweg heb ik gehoord dat de vijand
iemand heeft gestuurd om te onderhandelen. Jullie kennen de Dunkarganen. Ze zullen dagenlang praten. Vannacht gaan we over de
muur.'

'De muren zullen juist vannacht wel heel streng bewaakt worden,'
bracht iemand onder de aandacht.

'En alle ogen zijn op het westen gericht,' antwoordde Raaf. 'We gaan
over de oostelijke muur.'

'Het is vannacht vollemaan.'

'Dat is een nadeel,' gaf Raaf toe, 'maar er is niets aan te doen.'

'We kunnen onze paarden niet meenemen...'

'We kunnen toch beter te voet gaan. Anders zou de vijand het hoefgetrappel horen.'

'De Dunkarganen zullen ons ervan beschuldigen lafaards te zijn, Aanvallende Raaf. Ze zullen zeggen dat we in de nacht zijn gevlucht.'

Raaf haalde zijn schouders op. 'Wij kennen de waarheid, Lied van de Mus. Kan het ons iets schelen wat stedelingen zeggen?'

Nee, dat kon het niet. Daar was iedereen het over eens. Na nog wat wikken en wegen besloten ze allemaal dat ze Raafs plan zouden uitvoeren. In de discussie werd door niemand gewag gemaakt van het feit dat ze, nadat ze uit de stad waren ontsnapt, zich een weg zouden moeten banen door de vijandelijke linies heen of eromheen. Voor de Trevinici was dat het minste van hun problemen. Ze hadden nog nooit een vijand gehad, zelfs de Karnuanen niet, die door de krijgers als een waardige tegenstander werd beschouwd.

Terwijl de Trevinici hun plannen maakten om weg te komen uit de stad, maakte Onaset de zijne om haar te verdedigen. Hij beval zijn soldaten om de vuren aan te steken onder de ketels met olie en water. Hij formeerde groepen bereidwillige burgers tot brigades die alle gebouwen van hout of met een rieten dak nat moesten houden. Brand is de grootste vijand van een stad. Gelukkig stonden er niet veel brandbare gebouwen in Dunkar, want de meeste waren gemaakt van steen of een mengsel van zand, water en gemalen kalksteen. Hij stuurde soldaten naar de haven om een oproer de kop in te drukken, want daar probeerden doodsbange burgers de stad met bootjes en schepen te ontvluchten. Toen de kapiteins buitenissige bedragen begonnen te vragen, besloten de mensen de zaak zelf in de hand te nemen en probeerden ze de boten te stelen.

Het schonk Onaset veel voldoening om de oorlogstoestand af te roepen over het havengebied, met de mededeling dat alle schepen moesten worden ingezet voor de huidige noodtoestand. Hij stuurde zijn soldaten aan boord om de rijke passagiers te verzamelen – de enigen die het zich konden veroorloven om te betalen voor hun redding – en liet hen wegvoeren en inzetten bij de verdediging van de stad.

Onaset at die avond pas laat. Hij at alleen in zijn vertrek in de kazerne. Hij was niet getrouwd. Hij vond het niet eerlijk tegenover een vrouw als haar echtgenoot een soldaat was. Bedienden kookten voor hem. Hij ging zitten achter zijn kom lamsstoofpot met kerrie, nam een hap, en al kauwend liep hij in gedachten langs de dingen die nog gedaan moesten worden voordat de zonsopgang de stad Dunkar chaos, verschrikking en dood zou brengen.

Het besef dat hij vergiftigd was, drong tot Onaset door toen hij een vreselijke, vurige pijn in zijn ingewanden voelde, alsof hij in brand stond. Woedend, ontzet, niet bang voor zichzelf maar voor zijn stad, kwam Onaset overeind en probeerde om hulp te roepen.

De pijn werd erger. Zijn keel werd dichtgesnoerd. Zijn hart bleef steken, sloeg op hol en bleef toen stilstaan.

De seraskier viel voorover op tafel, dood.

De vlammen van toortsen en vuren waren heldere vlekken tegen de paarszwarte duisternis. Langs de muren brandden overal toortsen. De vuren onder de ketels werden de hele nacht gaande gehouden. Er kwam een rode gloed van de enorme komforen waarmee verwoed afval uit de smidse werd verhit – stukken ijzer, kromme spijkers, oude hoefijzers – om van bovenaf over de vijand uit te strooien. Nerveuze soldaten die over de muren patrouilleerden, waren schaduwen die voor de vlammen langs schoven, schaduwen die oplosten in het donker als ze verder liepen.

Verderop, op de grasvlakte, brandden ook vuren: kampvuren. Toen de bode de stad uit was gereden en het bericht de vijand had bereikt dat koning Moross de voorwaarden van overgave had afgewezen, waren de vijandelijke soldaten nog dichter naar de stad gekomen. Hun aantal was immens, volgens sommige schattingen wel tienduizend. De mensen op de muren hoorden de stemmen van de wezens duidelijk, want de monsters waren voortdurend tegen elkaar aan het praten of schreeuwen. Hun taal leek te bestaan uit gegrom en klikkende en knetterende geluiden, afgewisseld met sissende plofjes, als van nat brandend hout. Uit de verte klonken hun harde stemmen angstaanjagend, vreemd en onbekend.

Niemand in Dunkar sliep die nacht. De inwoners dromden opgewonden en in paniek door de straten en verspreidden geruchten die in elke versie beangstigender werden. Het kostte kapitein Drossel moeite om door de straten te lopen en hij wilde dat hij eraan had gedacht om zijn cape over zijn uniform te dragen. Hij kon geen drie stappen zetten zonder dat een of andere uitzinnige burger in de gaten kreeg dat hij een militair was en hem aanklampte, smekend om nieuws of om bevestiging van het laatste gerucht.

Drossel schudde hen met een ongeduldig: 'Opdracht van de koning!' af en liep verder, en degenen die te vasthoudend waren, kregen een mep of een duw van hem. Hij zou te laat komen en hoewel dat hem ergerde – hij was een uiterst nauwgezet en punctueel man – maakte hij zich er niet veel zorgen om. Zijn mannen gingen nergens heen en zouden niets doen zonder hem.

Commandant Drossel was veertig jaar oud, geboren en getogen in de hoofdstad Dunkar. Hij was al jong in het leger gegaan, niet uit plichtsgevoel jegens zijn land – hij gaf verdomd weinig om zijn land – maar omdat hij had gehoord dat je met wat listigheid, als je slim genoeg was, heel wat kon bereiken in het Dunkargaanse leger. Je moest alleen de verleiding weerstaan om een held te worden, want daar kon je dood aan gaan. Drossel had meer dan twintig jaar in het leger overleefd door geen held te zijn. Hij zorgde ervoor dat hij vocht als zijn superieuren keken, en zorgde voor zichzelf als ze dat niet deden. Hij was opgeklommen door een zorgvuldige mengeling van omkoperij en verraad. Iedereen wist het, maar niemand was daardoor slechter over hem gaan denken. Zo ging dat nu eenmaal in het Dunkargaanse leger.

Vijftien jaar eerder, na het ongelukkige einde van een liefdesgeschiedenis, was hij aanhanger geworden van de Leegte. Hij had door de straten van Dunkar gelopen en gespeeld met het idee vergif te gebruiken om zich te wreken op die gemene hoer. Met die gedachte was hij bij een alchemist binnengelopen en had hem verteld dat hij iets nodig had om ratten te doden.

De alchemist vermoedde onmiddellijk wat de aard van de rat in kwestie was, stelde een paar vragen en opperde uiteindelijk een drankje te gebruiken dat veel beter zou werken. De prijs was hoog, zowel in geld uitgedrukt als in zijn eigen gezondheid, want als je de magie van de Leegte gebruikt, kost dat je iets van je levensenergie en je krijgt er puisten en zweren van. Het merendeel daarvan kon Drossel bedekken met het wijde overhemd dat de Dunkarganen droegen. Hij was nooit een knappe man geweest, maar was klein en pezig, met een donkere huid, zwart haar en loensende zwarte ogen. De puisten op zijn gezicht gingen schuil achter zijn baard.

Het offer was het waard geweest. Het drankje, dat stiekem in haar wijn was gegoten, had de hoer veranderd van een aantrekkelijke, ijdele jonge schoonheid in een knokige heks. Het meisje wist dat ze was vervloekt door de Leegte en vermoedde wie het had gedaan. Ze had geprobeerd Drossel aan te klagen wegens aanbidding van de Leegte, maar hij was een gerespecteerd militair en zij was een hoer, en dus geloofde niemand haar. Beroofd van haar knappe uiterlijk en daarmee van haar bron van inkomsten, was ze lager en lager gezonken en uiteindelijk was ze dood in de haven gevonden.

Drossel was zeer tevreden geweest over de kracht van de Leegte, en was door een beoefenaar van de magie van de Leegte ingewijd in een deel van de bijbehorende geheimen. De kennis van die geheimen en een beetje verstand van toverdrankjes hadden hem gemaakt tot wat hij nu was, een hoge officier in het Dunkargaanse leger die deed wat hij kon om dat leger te ondermijnen, uit naam van Dagnarus, de Heer van de Leegte.

Drossel baande zich een weg door de paniekerige mensenmassa, iedereen grondig vervloekend en zuchtend van verlichting toen hij een zijstraat insloeg die leeg was. De grootste drukte heerste in de wijken met de taveernen, waar de mensen gewend waren heen te gaan om nieuws te horen. In de winkelbuurt, en vooral dit deel ervan, was het stil. De luiken van de winkels waren allang gesloten en de mensen die erboven woonden, waren naar de taveernes of naar familieleden gegaan om te zwelgen in hun angst.

Hij dacht even aan wat al die schreeuwende mensen in de straten te wachten stond en schudde de gedachte toen van zich af. Het was zijn zorg niet. Een mens had het recht om voor zichzelf te zorgen. Er had in elk geval nooit iemand anders de moeite genomen om voor Drossel te zorgen. Zijn gedachten gingen van de inwoners van de stad naar de dikke beurs vol zilverstukken die hij in een geldriem had verborgen die stevig om zijn middel zat.

De straat waar hij door liep, werd de 'magiërsstraat' genoemd, vanwege de vele winkels die artikelen aan magiërs verkochten. De winkels waren dicht, de luiken voor hun ramen gesloten en hun deuren vergrendeld. De winkel waar Drossel naar op weg was, was een van de welvarender winkels van het blok. Hij had een witte gevel en groene luiken, en het gebruikelijke bord met de mandala die aardemagie symboliseerde en die je op bijna alle magiërswinkels in deze straat zag.

Drossel sloeg het steegje direct naast de winkel met de groene luiken in. Achter in de steeg was nog een deur. Deze winkel had geen bord, maar iedereen in Dunkar wist wat hier werd verkocht: spullen voor beoefenaars van de magie van de Leegte. Zo'n winkel zou in Nieuw Vinnengael niet worden getolereerd. De Kerk zou hem razendsnel sluiten en misschien zelfs de eigenaresse arresteren, of haar in elk geval uit de stad verbannen. In Dunkar was het gewoon een winkel als alle andere.

De Dunkarganen hielden net zomin van de magie van de Leegte of de beoefenaars daarvan als de inwoners van Nieuw Vinnengael, maar ze hadden een pragmatischer kijk op de kwestie. Dunkarganen hebben een hekel aan iedereen die zich met hun zaken bemoeit en dus voelen ze zich ook niet geroepen om zich met de zaken van anderen te bemoeien. Als iemand de magie van de Leegte wil beoefenen, is dat zijn zaak en niet die van de koning – behalve dat die de winkelier belasting op kan leggen – en al helemaal niet van de Kerk. Als iemand erop betrapt zou zijn dat hij een ander kwaad deed met behulp van een voorwerp van de Leegte dat hij in Dunkar had gekocht, zouden de Dunkarganen hem gestenigd hebben totdat hij dood was... nadat ze de belasting hadden geïnd op het voorwerp dat hij had aangeschaft. Deze tweedeling in hun denken was volkomen logisch voor de Dunkarganen, ook al was het dat misschien voor niemand anders ter wereld.

Drossel klopte driemaal op de deur van deze winkel, telde tot tien en klopte nog eens driemaal. Er schoof een paneel open. Een oog tuurde naar buiten.

'Je bent te laat,' zei een vrouwenstem.

Het paneel schoof weer dicht en de deur ging open. In de deuropening stond een vrouw met een brandende lamp in haar hand. De kamer was klein en stond vol kasten en tafels waarop waren lagen die bedoeld waren voor de beoefening van de magie van de Leegte. Er hing een scherpe lucht: de geur van de zalfjes die door magiërs van de Leegte werden gebruikt om op de puisten en zweren te smeren die door het gebruik van de magie van de Leegte werden veroorzaakt.

De vrouw gebaarde met de lamp dat Drossel binnen moest komen en deed de deur achter hem dicht. Ze rook zelf ook naar het zalfje en hij zag een vette plek op haar wang. Sommigen geloofden dat de zalfjes werkten en anderen niet; volgens die laatsten hielden degenen die er wel in geloofden zichzelf voor de gek. Drossel vond dat ze de pijn en de jeuk wat verlichtten, maar hij kon niet zeggen dat de genezing er sneller door verliep.

'Iedereen is er,' vertelde de vrouw hem. 'In de achterkamer.'

'Het is een gekkenhuis buiten,' zei hij, als excuus voor zijn late aankomst.

'Wat had je dan verwacht?' antwoordde de vrouw koel terwijl ze hem voorging.

Daar had Drossel geen antwoord op. Hij had kunnen zeggen dat hij eigenlijk geen tijd had gehad om wat dan ook te verwachten, aangezien hij zijn orders pas de voorgaande avond had ontvangen, maar hij deed er het zwijgen toe. Wat hij ook zou zeggen, hij kon toch niet tegen Lessereti op. Ze zou hem alleen maar van een repliek dienen waardoor hij zich een idioot zou voelen, en aangezien zij altijd het laatste woord had, had hij al snel geleerd dat het gemakkelijker was om zich daar maar meteen bij neer te leggen.

De vrouw, die Lessereti heette, was een bekend beoefenaarster van de magie van de Leegte en de eigenaresse van deze winkel. Iedereen in Dunkar had van haar gehoord en hoewel de meeste mensen liever de straat zouden oversteken dan langs haar heen te lopen, zouden diezelfde mensen niet aarzelen om haar hulp in te roepen als ze problemen hadden. Lessereti was slim, voorzichtig en vakkundig. Ze wist welke klusjes ze kon aannemen en welke ze moest weigeren, hoeveel geld er haar ook voor werd geboden. Zo was ze erin geslaagd veel andere beoefenaars van de magie van de Leegte in Dunkar te overleven.

Toen hij haar voor het eerst had ontmoet, had Drossel Lessereti een knappe vrouw gevonden. Ze was maar gedeeltelijk Dunkargaans; dat was te zien aan het feit dat haar huidskleur niet donker was, maar meer de kleur van melk met een klein scheutje koffie erin. Haar haar was bruin, niet zwart, zoals van de meeste Dunkarganen, en ze had één bruin en één blauw oog. Ze was voor in de dertig, of zo zag ze er in elk geval uit. Ze zei nooit iets over haar leeftijd of waar ze vandaan kwam en niemand – Drossel al helemaal niet – had de brutaliteit om haar ernaar te vragen. Ze had een goed figuur en afgezien van de puisten in haar gezicht en het ene verrassend blauwe oog, dat tot in de stoffige uithoeken van je ziel leek te kunnen kijken, zou je haar aantrekkelijk kunnen noemen.

Drossel had haar aantrekkelijk gevonden, op het eerste gezicht. Dat idee was verdampt nadat hij vijf minuten met haar had gepraat. Lessereti moest niets hebben van mannen, die ze allemaal verachtte. Hij ontdekte al snel dat ze geen speciale uitzondering maakte voor mannen. Lessereti moest ook niets van vrouwen hebben. Ze haatte de hele mensheid, beschouwde haar medereizigers naar het graf als idioten en uilskuikens en bekeek hun dwaasheden met een cynische geamuseerdheid.

'Ga je vanavond niet met ons mee?' vroeg Drossel, want ze was niet gekleed zoals de anderen, die hij zag zitten in de achterkamer. Zij droegen allemaal een Dunkargaans legeruniform. Lessereti droeg een lang, soepel vallend gewaad, waaronder ze de sporen kon verbergen die haar vak achterliet op haar huid.

'Natuurlijk niet,' zei ze. 'Ik zou onmiddellijk herkend worden en wat zouden jullie dan moeten beginnen?' De woorden 'jij idioot' werden niet uitgesproken, maar klonken door in haar toon.

Drossel voelde dat hij boos werd, maar hij liet het niet merken. Kapitein Drossel was nergens bang voor, met één uitzondering: Lessereti. Drossel had een goede reden om bang voor haar te zijn. Hij was degene geweest die Lessereti's gif in de lamsstoofpot van de seraskier had gedaan. Verborgen in de keuken was Drossel getuige geweest van Onasets dood. Het gif had zo snel gewerkt dat de man was gestorven met de eerste hap vlees nog half fijngekauwd in zijn mond.

'Dus de seraskier is gestorven als een lammetje, hè?' vroeg Lessereti, grinnikend om haar grapje.

'Alles is gegaan zoals je had gezegd,' zei Drossel. 'Hij had geen tijd om opschudding te veroorzaken. Hij heeft geen ander geluid gemaakt dan een soort verschrikt happen naar lucht. De bediende en ik hebben hem naar zijn bed gesleept. De bediende zal iedereen die naar hem vraagt, zeggen dat de seraskier slaapt. Als de aanval begint, zullen ze hem vinden, maar...'

'... tegen die tijd is het te laat. Je moet opschieten, Drossel. De bediende is waarschijnlijk inmiddels al gevlucht.'

'Ik heb hem anders genoeg betaald...'

'Pff! Je kunt iemand nooit genoeg betalen. Nou, hier zijn ze.' Lessereti hield de lamp omhoog en gebaarde met haar hand. 'Sta op, heren, sta op. Ga op een rij staan. Jullie moeten soldaten voorstellen.'

Twaalf mannen in Dunkargaanse uniformen schuifelden door de kamer achter de winkel. Lessereti wilde niet op de bovenverdieping wonen, zoals de meeste winkeliers deden, maar woonde liever op de begane grond, waar ze snel het huis uit kon zijn als dat nodig was. De meeste mensen dachten dat Lessereti de winkel huurde, maar in werkelijkheid waren dit huis en het huis ernaast haar eigendom.

Drossel bekeek elke man van top tot teen en zorgde ervoor dat alles correct en in orde was. Hij trok riemen recht, streek plooien weg en gaf één man de opdracht de modder van zijn laarzen te vegen. Ze waren niet zo goed als hij had gehoopt en hij had hen graag nog even geoefend in het nabootsen van soldaten.

'Maak je geen zorgen, Drossel,' zei Lessereti ongeduldig, 'tegen de tijd dat iemand door krijgt dat ze niet zijn wat ze lijken, is het allemaal al voorbij.'

'Ik hoop het,' zei Drossel, en hij wierp haar een grimmige blik toe. 'Als er iets mis gaat en we gevangen worden genomen, dan hang ik. En jij waarschijnlijk ook, Lessereti. Ze zullen me niet hoeven martelen om erachter te komen wie me mijn bevelen heeft gegeven.'

'Maak je maar geen zorgen over mij, Drossel,' antwoordde Lessereti. 'Als dit mislukt, zul je niet lang genoeg leven om iets te vertellen.' Ze keek om naar de anderen. 'Dat geldt voor jullie allemaal. Daar heb ik al voor gezorgd.'

Drossel voelde een koude, onbehaaglijke rilling door zijn binnenste gaan. Hij herinnerde zich haar commentaar dat je 'iemand nooit genoeg kunt betalen'. Lessereti was niet iemand die loze dreigementen uitte, noch stond ze bekend om haar gevoel voor humor. Hij keek tersluiks naar de andere twaalf mannen, maar kon van hun gezichten niet aflezen of ze bang waren of niet. Het waren natuurlijk allemaal ervaren beoefenaars van de magie van de Leegte, dus misschien was dit vanzelfsprekend voor hen.

'We kunnen maar beter gaan,' zei Drossel, met barse stem om zijn onzekerheid te verbergen. 'Jij daar. Als je je zwaard zo draagt, struikel je erover. Schuif het meer naar links.' Hij keek toe terwijl de man met het wapen worstelde. 'Het is niet perfect, maar vooruit. Wie is de leider?'

'Pasha,' zei Lessereti, terwijl ze een oudere man aanwees wiens gezicht zo vol littekens zat dat het niet meer op een gezicht leek.

Drossel herkende Pasha. Hij had lang als hulpje van een zilversmid gewerkt. De littekens in zijn gezicht waren zogenaamd veroorzaakt door een ongeluk met gesmolten zilver. Drossel begreep nu dat ze het gevolg waren van zijn banden met de Leegte.

'Weet hij wat hem te doen staat?' vroeg Drossel nerveus.

'Jazeker,' antwoordde Lessereti. 'Jij ook?' Haar ene blauwe oog fonkelde in het lamplicht. 'Ik begin het me af te vragen, kapitein.'

'Ik weet wat ik moet doen,' zei Drossel. Hij concentreerde zich in gedachten op de beurs met zilverstukken en ging zich wat beter voelen.

'Mooi,' zei Lessereti. 'Jij hoeft er alleen maar voor te zorgen dat ze er vlak bij komen. Zij doen de rest.'

'En daarna?'

'Je hoeft je over hen geen zorgen te maken. Ze kunnen voor zichzelf zorgen.'

'Doe jij een goed woordje voor mij?'

'Dat heb ik al gedaan,' antwoordde ze. 'Heer Dagnarus verwacht je.'

Ze begeleidde hen met haar lamp de winkel uit en de steeg in. Nadat ze weg waren, sloot en vergrendelde ze haar deur. Geen woord van afscheid, geen woord om hun geluk te wensen.

Drossel was van plan geweest om zijn troep in twee rijen achter hem te laten marcheren, maar één blik op zijn 'soldaten' genas hem van dat idee. Niet alleen zouden ze niet in de pas kunnen lopen, maar hij kon hun ook niet snel genoeg leren om in de stijve, kaarsrechte houding te lopen die de soldaat kenmerkte.

'Blijf bij elkaar,' zei hij. 'Met een beetje geluk zien we eruit als een patrouille die net klaar is met de wacht. Houd jullie mond dicht. Ik voer het woord wel. Nog vragen? Mooi. Voorwaarts, dan. Pasha, kom me vertellen wat jij en dit stelletje van plan zijn te doen als we er eenmaal zijn.'

Pasha begon het uit te leggen. Terwijl Drossel naar hem luisterde, keek hij om naar Lessereti's deur, met de gedachte dat ze hen misschien zou nakijken.

De deur was dicht. Er scheen geen streepje licht onderdoor.

Drossel glimlachte spottend om zijn eigen idee. Het kon Lessereti geen zier schelen wat ze deden of wat er met hen gebeurde. Ze had haar eigen plannen voor de toekomst gemaakt en lag waarschijnlijk inmiddels al rustig te slapen.

Om de stad Dunkar stond een hoge, dubbele muur van steen met een dikke laag zand en stenen ertussen. De muur had twee grote poorten, de een naar het westen en de ander naar de haven. De Havenpoort, zoals die laatste werd genoemd, was al generaties lang niet meer gesloten. De laatste keer was dat gebeurd gedurende de verwoestende oorlog met Karnu, meer dan honderdvijfenzeventig jaar geleden. Toen was Dunkar bang geweest voor een aanval over zee en had daarom de verdediging van de haven versterkt door er hun beruchte vuurwerpende blijden neer te zetten.

De westelijke poort, die uitkwam op de hoofdweg van Dunkar naar de buitenposten aan de grens, werd elke avond bij zonsondergang gesloten. De poortdeuren waren dik en zwaar. Ze waren van ijzer, en iedereen die ze zag, verwonderde zich erover. Het gieten en ophangen van de deuren had de gezamenlijke inspanningen vereist van alle smeden in Dunkarga, en de hulp van elke magiër met vaardigheden in de aardemagie die bereid kon worden gevonden om zijn kunsten bij te dragen. Er was nog steeds aardemagie nodig om ervoor te zorgen dat de deuren niet gingen roesten, wat geen groot probleem was, dankzij het droge klimaat.

De deuren waren zo zwaar dat er twintig sterke mannen voor nodig waren om ze open en dicht te doen, een dagelijks terugkerend ritueel. Op de maat van slaande troms en hun eigen gezang legden de mannen, die waren verdeeld in twee groepen van tien, hun handen tegen de deuren en duwden ze 's avonds dicht en 's morgens open. Nadat de deuren gesloten waren, tilden de twintig mannen een enorme ijzeren dwarsbalk op en legden die met veel gekreun en gesteun in zijn houders achter de twee deuren. Daarna pakte elke man een gigantische strijdhamer en sloeg daarmee op de balk totdat die in de pinnen viel die hem stevig op zijn plaats hielden.

's Ochtends volgden ze dezelfde procedure: ze tilden de dwarsbalk van de deuren en sleepten die naar de plek waar hij de rest van de dag lag, op honderd houten schragen. Hij werd bewaakt door stadswachten, die er alleen maar voor hoefden te zorgen dat kinderen er niet op speelden en bezoekers hun naam niet in het ijzer krasten.

De ijzeren poort was onmiddellijk gesloten toen het vijandelijke leger in zicht was gekomen, en de enorme dwarsbalk was op zijn plaats gelegd. Geen stormram op heel Loerem kon die poort openrammen, ook al werd hij bediend door een leger van orken, en zelfs de vuurmagie van de dwergen kon de ijzeren deuren niet in brand zetten, zo geloofden de Dunkarganen, en waarschijnlijk met goede reden.

De poort werd altijd zwaar bewaakt, want de Dunkarganen waren kieskeurig in wie ze tot hun stad toelieten; ze hadden het niet zo op vreemdelingen, en vooral niet als het geen mensen waren. De bewaking van de poort was verdrievoudigd toen de vijand in zicht was gekomen. Drossel had nog nooit zoveel soldaten tegelijk op wacht gezien.

De soldaten hadden het terrein rond de poort en de stadsmuren afgesloten, zodat troepen en wagens met materiaal geen last hadden van burgers die in de weg liepen. Drossel was bang geweest dat hij zich een weg zou moeten banen door een paniekerige menigte burgers om zijn doel te bereiken. Nu hoefde hij zich alleen een weg te banen door een paniekerige menigte soldaten. Ondanks de inspanningen van de seraskier om de zaken te verbeteren, heerste er nog steeds zeer weinig discipline in het Dunkargaanse leger; de helft van de officieren was corrupt en de andere helft te incompetent om omgekocht te worden.

'Weet je zeker dat dit zal werken?' vroeg Drossel aan Pasha.

De groep was met algemene en stilzwijgende instemming blijven staan in de diepe schaduw van een standbeeld van een van Dunkars lang geleden overleden koningen. Pasha stond naar de poort te kijken met een frons waardoor alle littekens in zijn gezicht werden samengeknepen.

'Er is meer licht dan anders,' stelde Pasha vast.

'Is dat een probleem?'

'Misschien.'

Toen hij om zich heen keek naar het groepje tovenaars van de Leegte, zag Drossel instemmende knikjes. Hij slaakte een geïrriteerde zucht en keek om naar de poort. Op een gewone avond brandden er twee toortsen aan de muren bij elk van de twee poorthuizen, die binnen elk met één lamp werden verlicht. Vanavond stond er niet alleen een vollemaan aan een wolkeloze hemel, maar in alle twintig houders aan de muur stond een toorts te branden, en er waren enkele ijzeren komforen vlak bij de poort neergezet, waarin hout brandde. Al dat vuur verlichtte een chaotisch tafereel, met nerveuze soldaten die klaar waren met hun dienst en bleven staan om te praten met degenen die er net aan gingen beginnen. Soldaten die helemaal geen dienst hadden en die gewoon in de kazerne hadden moeten zijn, liepen ordeloos rond voor de poort of probeerden de trappen te beklimmen om een blik op de vijand te werpen. Officieren brulden bevelen waar niemand zich iets van aantrok.

'Aan het licht kan ik echt niets veranderen...' begon Drossel, maar toen merkte hij dat er niemand naar hem luisterde.

Pasha overlegde met zijn metgezellen. Ze leken een of ander plan te bedenken, want af en toe mompelde er iemand instemmend. De stadsklokken begonnen het uur te slaan.

Drossel stootte Pasha aan. 'Middernacht. Het is tijd.'

Pasha's ogen, die diep lagen in het gelaat vol littekens, waren donker en kalm. 'We zijn het eens. We zullen het plan uitvoeren zoals ik het heb beschreven. Weet u wat u moet doen, kapitein?'

'Ja, ik weet verdomd goed wat ik moet doen,' snauwde Drossel. Als oudgediende in het leger, die ruimschoots zijn aandeel had geleverd bij het doden van anderen, zowel op het slagveld als elders, had hij niet verwacht zo zenuwachtig te zijn.

'Dan stel ik voor dat u dat doet,' zei Pasha, en misschien glimlachte hij; het was moeilijk te zien door de littekens.

'Wacht even. Dit werkt alleen als er iemand aan de andere kant van de poort is.'

'De tanen zullen er zijn, kapitein, wees niet bang.'

'Tanen? Niemand heeft gezegd dat we afhankelijk waren van tanen! En wat als iemand ze ziet? Wat dan?' Het zweet brak Drossel uit. Hij was eraan gewend de leiding te hebben en dit beviel hem niets, dat hij was gedegradeerd tot het vervullen van een bijrol. 'Wat als ze gezien worden?'

'Dat worden ze niet,' zei Pasha en hij voelde zich zelfs genoeg op zijn gemak om geamuseerd te klinken. 'De tanen gebruiken dezelfde betoveringen als wij, kapitein.' Zijn mond vertrok. 'En beter dan wij, heb ik gehoord.'

Drossel kon het niet geloven. Hij had verhalen gehoord over de tanen en daaruit bleek dat het beesten waren. Hij had er spijt van dat hij zich door Lessereti had laten overhalen hieraan mee te doen. Ze had nooit gezegd dat de tanen een cruciale rol zouden spelen in het plan. Geen enkele hoeveelheid zilver was dit waard.

'Hoe zullen die beesten weten wanneer ze in actie moeten komen? Hoe weten wij dat ze er zijn?' Hij schudde zijn hoofd. 'Dit bevalt me niets. Er wordt te veel aan het toeval overgelaten.'

'Ik zou me nog maar eens bedenken voordat ik terugkrabbelde, kapitein,' zei Pasha, en hij klonk niet geamuseerd meer.

'Ik heb nooit gezegd dat ik me terug wilde trekken,' gromde Drossel. 'Ik geef alleen maar aan op welke punten het fout kan gaan, dat is alles. Ik zal mijn aandeel leveren, maak je geen zorgen.'

Binnensmonds verwensingen aan het adres van Lessereti mompelend, keerde hij de tovenaars van de Leegte de rug toe en liep hij naar de poort. De afstand die hij moest afleggen was niet groot, misschien de lengte van een groot woonblok in de stad, maar het leek plotseling mijlenver. Hij liep alleen. Pasha had Drossel strikte instructies gegeven niet om te kijken, niet te proberen te zien wat de tovenaars van de Leegte deden. Pasha had gewaarschuwd dat dat onbedoeld de aandacht op hen zou kunnen vestigen en Drossel wist dat dat waar was, maar hij kon zich er niet van weerhouden. Hij vertrouwde hen niet. Hij wierp een snelle blik over zijn schouder.

Aangezien hij twaalf 'soldaten' had achtergelaten in witte uniformjasjes die het maanlicht reflecteerden en zelfs in de donkerste nacht nog zichtbaar zouden zijn, was Drossel verbijsterd toen hij er niet een onder het standbeeld zag staan waar hij hen had achtergelaten. Hij likte langs zijn droge lippen. Hoewel hij het plan kende, was de gedachte dat hij in de steek was gelaten te sterk voor hem. Hij draaide zijn hoofd zo ver mogelijk om en tuurde geconcentreerd in de duisternis, en toen zag hij hen.

De aanblik was afschrikwekkend en hij wenste dat hij Pasha had gehoorzaamd en niet had gekeken. Het vlees van de tovenaars verschrompelde alsof ze in een borrelende kookketel waren gevallen. Ze gaven hun stoffelijkheid aan de Leegte en de magie leek met hun vlees te doen wat er gebeurde als dierlijk vet werd omgesmolten tot talk. Het vlees van de tovenaars smolt weg in de Leegte. Het enige dat er van hen overbleef was hun schaduw, een schaduw die door het maanlicht werd veroorzaakt, een schaduw die grijs en vaag en ijl was, maar kon denken en handelen als de man die ze was geweest.

Elf van de tovenaars hadden de transformatie al ondergaan. Pasha was de laatste. Als aanvoerder had hij gewacht om er zeker van te zijn dat de betoveringen van de anderen werkten, dat hij zijn magie niet hoefde te gebruiken om een van hen te helpen of om snel een probleem op te lossen als het mis ging met een van de betoveringen, zoals soms gebeurde. In dat geval had hij zich misschien van een lijk moeten ontdoen, want de magie van de Leegte kende geen genade voor degene die haar verkeerd gebruikte.

Drossel draaide met een ruk zijn hoofd terug, maar het beeld van Pasha's geschonden gezicht dat grillig wegsmolt tot zijn eigen schaduw stond op zijn netvlies gegrift. Drossel was er de man niet naar om nachtmerries te hebben, maar als hij dacht aan de dode ogen van de seraskier die hem beschuldigend aanstaarden en de levende ogen van Pasha die oplosten, vermoedde Drossel dat hij zich de komende paar avonden waarschijnlijk zou volgieten met drank totdat hij in slaap viel.

Hij schudde de huivering die langs zijn ruggengraat kroop van zich af en dwong zich te denken aan wat hij nu moest doen. Hij bleef naar de poort lopen, terwijl hij mensen die tegen hem opbotsten wegduwde en vervloekte. Iemand riep zijn naam en wilde weten wat hij daar deed. Hij zwaaide met zijn hand om te bevestigen dat hij het had gehoord en liep snel door, alsof hij een dringende opdracht uitvoerde die niet onderbroken kon worden om een praatje te maken.

Hij wierp een snelle blik om zich heen om te zien of hij toevallig een van de twaalf tovenaars van de Leegte kon zien. Drossel dacht dat hij van één man de schaduw langs de verre muur tegenover hem zag glijden, maar er liepen zoveel mensen heen en weer dat hij het niet zeker wist. Hij zuchtte opgelucht. Als hij hen niet kon zien in deze chaos, terwijl hij naar hen zocht, betwijfelde hij of iemand anders hen in de gaten zou hebben.

Toen hij dicht bij het poorthuis was, stak Drossel zijn hand in de brede rode riem die deel uitmaakte van de standaarduitrusting en haalde een dolk te voorschijn die dat niet deed. Hij liet het heft van de dolk in de lange wijde mouw van zijn overhemd glijden en hield het wapen bij het lemmet vast, zodat het niet gezien zou worden.

Tot zijn grote teleurstelling ontdekte hij dat een officier er uiteindelijk in was geslaagd de orde rond het poorthuis enigszins te herstellen. Iedereen die er niets te zoeken had, werd weggestuurd, en daar viel Drossel ook onder, tenzij hij een reden had om daar te zijn.

Drossel liep naar de bewaker van het poorthuis, die gekweld en onzeker keek, en salueerde.

'Wat wilt u?' vroeg de bewaker.

'Ik ben op zoek naar seraskier Onaset. Ik heb een dringende boodschap voor hem.'

'Hij is niet hier,' zei de bewaker kortaf.

'Ik heb gehoord dat hij hier zou zijn,' zei Drossel met domme koppigheid. 'Zijn adjudant zei dat ik hem hier zeker zou vinden.'

'Nou, hij is níét hier, zoals u duidelijk kunt zien als u ogen in uw hoofd hebt,' antwoordde de bewaker.

'Dan wacht ik hier wel op hem,' zei Drossel, en hij zocht een plek naast de poort, vlak bij een van de enorme hamers die werden gebruikt om de ijzeren balk mee op zijn plaats te slaan. Daar bleef hij met kaarsrechte rug en zijn armen over elkaar geslagen voor zich uit staan staren.

'Al wacht je op hem in de Leegte, ik vind het best,' mompelde de bewaker. Hij was duidelijk bang. Hij keek steeds weer naar de muur, alsof hij erdoorheen kon kijken naar de angstaanjagende vijand aan de andere kant.

Iemand riep iets naar de bewaker van de poort en hij draaide zich af om te zien wat voor nieuwe crisis zich had aangediend.

Drossel bleef staan totdat hij zeker wist dat de bewaker hem vergeten was. Terwijl hij daar stond, zag hij drie schaduwen zonder lichaam over de straatkeien glijden en de ijzeren deuren naderen.

Hij keek nerveus op naar de kantelen, naar de soldaten op de muren. Zij zouden toch wel iets gehoord of gezien hebben? Maar nee, ze liepen onverstoorbaar de wacht of stonden voor zich uit te staren naar de vijand, terwijl ze zacht met elkaar praatten.

Drossels mond werd zo droog als het plaveisel. Hij spitste zijn oren voor geluid van de andere kant van de deur, wat voor geluid dan ook waaruit hij kon opmaken dat de tanen die er moesten zijn er ook werkelijk waren.

Drossel richtte zijn blik lager. Het terrein rond de poort was nu leeg en de schaduwen die geen bijbehorend lichaam hadden, waren duidelijk te zien. Hij hield zichzelf voor dat dat kwam doordat hij wist waar hij naar moest zoeken, en dat leek inderdaad het geval te zijn, want een van de andere bewakers van het poorthuis wierp een blik in de richting van de poort en draaide zich af.

Er kwamen meer tovenaars van de Leegte bij; de schaduwen verspreidden zich langs de breedte van de poort, zes bij elke deur. Schaduwen van handen strekten zich uit naar de enorme ijzeren dwarsbalk. Drossel verstarde en luisterde of hij het geluid hoorde dat Pasha hem had verteld dat hij zou horen, het geluid dat het signaal was dat hij in actie moest komen. Helaas keek op dat moment een van de soldaten die de opdracht had gehad het terrein leeg te maken naar de poort. Drossel zag aan de uitpuilende ogen en openvallende mond van de man dat hij de schaduwen zonder lichaam zag.

De soldaat ademde diep in om te schreeuwen, maar de kreet veranderde in een gekreun van pijn toen Drossel zijn dolk in de ribbenkast van de man dreef. Drossel was een expert in het hanteren van de dolk en raakte de man dan ook in het hart, waardoor hij in Drossels armen stierf; zijn lichaam werd slap.

'Jij zit in de nesten, soldaat,' brulde Drossel. 'Dronken de openbare orde verstoren op een moment als dit, hoe durf je?' Hij sleepte het lichaam naar een donker hoekje en liet het op de grond zakken, waarbij hij ervoor zorgde dat de kleine bloedvlek op het uniform van de man niet in het zicht lag. Het hoofd van de soldaat zakte naar voren; zijn kin rustte op zijn borst en zijn armen hingen slap neer.

'Slaap je roes maar uit, onverlaat!' grauwde Drossel, en met een van walging vertrokken gezicht nam hij zijn plaats bij de poort weer in, terwijl hij de met bloed bevlekte dolk in zijn riem stak.

'Schiet een beetje op!' siste hij zachtjes naar de schaduw die het dichtste bij hem was.

Een paar soldaten hadden omgekeken bij Drossels gebrul. Toen ze alleen een van de hunnen hadden gezien, die blijkbaar beneveld was, waren ze weer verder gegaan met hun eigen bezigheden.

Schaduwen van handen lagen tegen de dwarsbalk en Drossel hoorde dat er toverspreuken gefluisterd werden. Hij vroeg zich nerveus af of hij het signaal zou herkennen, maar toen het kwam, wist hij dat hij zich geen zorgen had hoeven maken. Het geluid was onmiskenbaar, alsof iemand rondstampte op een hoop glasscherven.

'Nu!' klonk de stem van de schaduw het dichtst bij hem.

Drossel greep een van de immense strijdhamers, die tegen de muur stond. Opwinding vermengd met angst sloeg door hem heen. De hamer was zwaar, maar dat viel hem niet eens op. Hij hield hem krampachtig vast en zwaaide hem uit alle macht naar de ijzeren dwarsbalk. Als de bezweringen van de tovenaars van de Leegte mislukt waren, zou de hamer de balk met een verschrikkelijke dreun raken en dan zouden Drossels armen en schouders een enorme klap krijgen. Die gedachte kwam even bij hem op, maar werd meteen weer verdreven. Hij was gegrepen door een soort euforie die hem onoverwinnelijk maakte.

Hij raakte de dwarsbalk. Die was dusdanig bewerkt door de magie van de Leegte dat hij versplinterde alsof hij van ijs was, en niet van ijzer.

Drossel liet de hamer vallen en duwde uit alle macht tegen een van de deuren. Hij kon niet de plaats van tien man innemen, zelfs niet met de hoeveelheid adrenaline die er nu door zijn lijf werd gepompt, maar hij kon de deur op een kiertje open krijgen, en dat was genoeg. Handen met lange klauwen en met een dikke leerachtige huid werden door de kier gestoken. Stemmen met veel keelklanken riepen iets en kregen antwoord van één stem, die klonk alsof er een bevel werd gegeven. De handen grepen de deur vast en trokken die zo snel open dat Drossel, die dat niet verwachtte, zijn evenwicht verloor en languit op de keien viel.

Hij liep het gevaar vertrapt te worden, want de tanen die buiten hadden staan wachten, stroomden nu naar binnen. Andere tanen trokken de tweede deur van de poort open.

Er werd paniekerig geschreeuwd vanuit het poorthuis, maar de bewakers hadden niet de tijd om veel meer te doen dan schreeuwen voordat de tanen bij hen waren. Met eigenaardige zwaarden met kromme kling, speren of ploertendoders slachtten de tanen de bewakers met een onbarmhartige efficiëntie af; ze sloegen schedels in, hakten hoofden af en spietsten lichamen op speren.

Terwijl hij op handen en knieën ging zitten, besefte Drossel dat zijn val hem het leven had gered. Hij kroop snel de poort uit en dook ineen in de schaduw van de muur, bevend van angst, want hij wist heel zeker dat als de wezens hem in de gaten kregen, ze hem zouden doden. Hij had geen manier om met hen te communiceren, geen manier om te vertellen dat hij aan hun kant stond.

Terwijl hij het witte uniform van zijn lijf rukte, vervloekte hij zichzelf omdat hij dit probleem niet had voorzien, en hij vervloekte de tovenaars van de Leegte, die in hun schaduwvorm zouden versmelten met de duisternis en moeiteloos zouden kunnen ontsnappen langs de vijandelijke linies. Tot nu toe had niemand Drossel opgemerkt in de chaos, maar hij wist dat zijn geluk niet zou voortduren.

Steeds meer tanen stroomden door de open poort de stad binnen, een dodelijke vloed die Dunkar binnenraasde. Er klonken bloedstollende kreten vanaf de grasvlakte buiten Dunkar. Het hele leger van tanen was op de been en kwam aanstormen om de stad binnen te vallen.

Belegeringsladders schoten als onkruid op tegen de muur. De tanen beklommen ze snel en golfden over de muren terwijl er steeds meer door de poort naar binnen stroomden, die de kantelen nu van binnenuit begonnen aan te vallen.

De tanen zagen er inderdaad angstaanjagend uit, van dichtbij. Ze liepen rechtop als een mens en waren meer dan één meter tachtig lang, en sommigen nog veel groter. De botten van hun armen waren dik en hun handen waren enorm. Hun gezicht was het gezicht van een dier, met een lange snuit en een bek vol messcherpe tanden en kiezen. Hun ogen waren klein en stonden ver uit elkaar, aan weerszijden van de snuit. Hun vel zag er taai en leerachtig uit en ze hadden stuk voor stuk veel littekens.

Die littekens leken opzettelijk te zijn aangebracht, want ze vormden ingewikkelde patronen op de huid. Sommigen droegen een soort bescherming, gemaakt van maliën of leer of een combinatie van beide, maar anderen marcheerden op in niet veel meer dan een lendedoek. Ze vochten onbevreesd, maar niet roekeloos, en hanteerden hun wapens vakkundig.

Drossel keek hoe een soldaat op de muur probeerde zich over te geven aan de tanen die hem hadden omsingeld. De soldaat ging op zijn knieën liggen en hief zijn handen smekend op.

De tanen sneden zijn handen af en hakten zijn hoofd af, en schopten het lichaam toen van de muur naar beneden. Het onthoofde lijk kwam nog geen meter bij Drossel vandaan neer. Overgave is duidelijk geen optie, dacht hij.

Drossel trok zijn zwaard in de hoop in elk geval een van zijn tegenstanders met zich mee te nemen, toen er een stem uit de schaduw in zijn oor sprak en hem een doodsschrik bezorgde.

'Ongeveer twintig meter naar het noorden bevindt zich een groep mensenhuurlingen,' zei de stem. 'Als je die kunt bereiken, ben je veilig. Vertel hun dat je Drossel bent en noem de naam Lessereti. Veel geluk.'

'Pasha?' riep Drossel, maar hij kreeg geen antwoord.

Er gleed een schaduw van hem weg over de maanverlichte grond, in noordelijke richting.

Drossel verspilde geen tijd meer. Hij had gemerkt dat de tanen in golven aanvielen en als een van die golven de poort had bereikt, was het even iets stiller totdat de volgende arriveerde. Drossel maakte gebruik van zo'n stilte om weg te stormen. Hij slingerde zijn zwaard weg, want het gewicht maakte hem langzamer, en na een innerlijke strijd gooide hij ook de beurs met zilverstukken weg.

Je kunt het toch niet meenemen, zei men altijd.

Er vochten bijna achthonderd Trevinici-huursoldaten voor de Dunkarganen, maar er waren er zelden zoveel tegelijk in de stad. Sommigen waren op patrouille en anderen met verlof, naar hun dorp. Op de dag dat de bode van prins Dagnarus Dunkar binnenreed om haar overgave te eisen, waren er ongeveer vijfhonderd Trevinici in de stad. De Trevinici waren eenvoudige mensen, en ze bedachten dan ook een eenvoudig plan voor hun vlucht. Ze liepen in kleine groepjes van hoogstens tien mensen door de stad naar een van de drie punten die ze hadden gekozen om over de oostelijke muur te klimmen; hun aanvoerders verdeelden de groep om de ontsnapping sneller te doen verlopen, terwijl de gevangenneming van één groepje nog niet betekende dat ze allemaal gevangen werden genomen. Leden van dezelfde stam waren over verschillende groepen verdeeld, zodat er een grotere kans was dat tenminste een van hen kon ontsnappen om de stam te waarschuwen.

Trevinici-stammen leven geïsoleerd van elkaar. Vroeg in de geschiedenis van de Trevinici vochten de stammen met elkaar, want het zijn geboren krijgers en de behoefte om zichzelf op de proef te stellen in de strijd zit hun in het bloed. Die voortdurende oorlogvoering bleek rampzalig te zijn. De Trevinici beseften al snel dat ze op weg waren zichzelf uit te roeien. Er werd een bijeenkomst van stamoudsten van de Trevinici gehouden in Vilda Harn, waarop werd besloten dat de stammen voortaan in vrede met elkaar en in oorlog met de rest van de wereld zouden leven. Aangezien dit omstreeks de tijd was dat het Vinnengaelse Rijk in opkomst was en zich graag wilde uitbreiden, hadden de Trevinici geen gebrek aan vijanden.

De stammen leefden afzonderlijk van elkaar en hadden zelden contact, maar er waren momenten waarop het noodzakelijk werd geacht dat de ene stam informatie doorgaf aan de andere, bijvoorbeeld in het geval dat er een gezamenlijke vijand hun land aanviel. Daarom hadden de Trevinici-krijgers voordat ze uiteengingen gezworen dat ze het nieuws van deze nieuwe en afschrikwekkend ogende vijand onder alle stammen zouden verspreiden.

Raaf overwoog of hij zou proberen zijn eigen waarschuwing ook te laten doorgeven aan zijn stam, maar hoe langer hij erover nadacht, hoe meer hij zich afvroeg wat hij door iemand anders moest laten zeggen. Hij kon zijn angst niet benoemen, dus hoe kon hij dan een boodschap laten doorgeven die zijn stam zou begrijpen? De algemene waarschuwing die naar alle stammen zou gaan, was niet voldoende. Het gevaar dat als een schaduw over zijn stam lag, was specifiek. Het had te maken met het vervloekte harnas en de stervende ridder en zijn neef, Jessan. Alleen Raaf zelf kon die dingen aan zijn volk vertellen. Hij moest ontsnappen, dat was het enige dat erop zat.

De Trevinici verlieten hun kampement ongeveer op dezelfde tijd dat kapitein Drossel en de tovenaars van de Leegte naar de poort liepen. Net als Drossel ontdekten ook de Trevinici dat het druk was op straat, maar in tegenstelling tot Drossel vonden de Trevinici het niet bijzonder moeilijk om zich een weg te banen door een menigte. Toen de Dunkarganen de grote, sterke krijgers zagen, omhangen met hun gruwelijke trofeeën en met hun wapens in de hand, maakten ze snel ruimte om hen door te laten. De krijgers werden zelfs toegejuicht, omdat de Dunkarganen dachten dat ze op weg waren naar de kantelen.

De Trevinici bereikten hun ontmoetingspunten op tijd. De groep van Raaf had een plek op de muur gekozen waar een rijke handelaar in olijfolie een huis had gebouwd waarvan de bovenste verdiepingen tot minder dan een meter van de stadsmuur kwamen. De Trevinici waren erop voorbereid om met de handelaar af te rekenen, maar ze ontdekten dat het huis leeg was, doordat de handelaar en zijn gezin onder de weinige gelukkigen waren geweest die per schip uit de stad waren ontsnapt.

Dit deel van de stad was donker en vrijwel verlaten. Het duurde even voordat Raafs ogen gewend waren aan de maanverlichte duisternis, na het toortslicht dat fel in de andere straten had geschenen. Hij zag dat er al andere Trevinici waren aangekomen. Zwijgend en geduldig zaten ze op hun hurken in de schaduw van de gebouwen. Hij keek omhoog naar de muur en zag een paar soldaten heen en weer lopen. 'Hoeveel zijn het er?' vroeg Raaf aan een van de krijgers.

'Hoogstens zestien. Sommigen zijn vertrokken, zoals je zei dat ze zouden doen. Op het moment dat hun dienst begon, lieten ze hun post in de steek.'

'Is er iemand in het huis?'

'Nee, het is leeg. Vossentand is naar een raam op de eerste verdieping geklommen en naar binnen geglipt. Het avondeten stond nog op tafel en overal lagen kleren op de grond. De mensen die er hebben gewoond, zijn overhaast vertrokken. Vossentand is er nu binnen.'

Raaf tuurde ingespannen naar de muur. De paar bewakers die er nog waren, waren nerveus en angstig; ze keken voortdurend naar het westen in een poging iets te zien. Eén vreemd geluid en ze zouden denken dat ze werden aangevallen door de monsters en alarm slaan.

'Ik heb acht krijgers nodig die voor de rest van de groep uit naar boven gaan om die bewakers het zwijgen op te leggen,' zei Raaf.

Er stonden acht krijgers op en ze staken de straat over naar het huis, ervoor zorgend dat ze in het donker bleven. De voordeur van het huis ging voor hen open en ze verdwenen naar binnen. De andere Trevinici wachtten in de schaduw.

Terwijl Raaf naar het huis liep, zag hij de silhouetten van de krijgers op het dak verschijnen. Ze stonden op het punt om van het huis naar de kantelen te springen, toen er een geluid oprees uit het westelijke deel van de stad, een geluid dat zo vreemd en zo afschuwelijk was dat zelfs de geharde krijgers geschrokken bleven staan en zich omdraaiden om naar het westen te turen.

Raaf had nooit eerder zo'n geluid gehoord en hoopte het ook nooit meer te horen. Het was een gehuil dat uit duizenden kelen opsteeg, een hoog, krassend en spookachtig gehuil. Het was afkomstig van de tanen, die een strijdkreet hadden aangeheven toen de westelijke poort door verraad viel en de tanen hun aanval begonnen.

Raaf was dankbaar voor deze aanval, want bij het eerste geluid ervan renden de bewakers die nog op hun post waren weg, sommigen in de richting van het gehuil en anderen de andere kant op, zo snel hun benen hen konden dragen. Nu konden de Trevinici alle herrie maken die ze maar wilden, want er zou niemand meer op hen letten, en als ze eenmaal over de muur waren, konden ze profiteren van de chaos rond de poort en wegglippen in de nacht.

Nu ze zich niet meer hoefden te verbergen, stormden de Trevinici naar de muur. Ze klommen de trap op naar de kantelen. De eerste krijgers waren al op de muur en knoopten touwen aan de kantelen vast. Raaf keek de knopen na om zich ervan te vergewissen dat ze zouden houden, en keek toen uit over de maanverlichte grasvlakte om te zien of hij enig teken van de vijand zag. Hij zag iets bewegen, maar het was te ver weg om te kunnen zien wat het was. Als het vijandelijke soldaten waren, was het een klein groepje.

De Trevinici lieten zich snel hand over hand langs de touwen zakken terwijl ze zich met hun voeten afzetten tegen de muur. Degenen die het eerst beneden waren, trokken hun wapens en draaiden zich om, klaar om de anderen te verdedigen. Raaf kwam als laatste naar beneden. Hij was boven gebleven voor het geval een van de bewakers zou besluiten terug te komen. Hij kon niet zien wat er bij de poort gebeurde, want de daken belemmerden hem het uitzicht. Maar hij had een zeer scherp gehoor en uit het geschreeuw en de kreten die zich vermengden met het dierlijke gehuil maakte hij op dat de strijd was losgebarsten.

Toen de laatste man beneden was, volgde Raaf. Daarna staken de Trevinici de touwen in brand, want ze wilden het de vijand niet gemakkelijk maken om over de muren te klimmen. Raaf verzamelde zijn groep en nam die mee in oostelijke richting over de grasvlakte, weg van het gevecht. Later zouden ze naar het noorden afslaan om het land van de Trevinici te bereiken.

Hij ging voorop, met lange, soepele stappen rennend, zoals hij dat urenlang kon volhouden als het moest. Hij keek uit over de vlakte en zag alleen het gras golven in het maanlicht. De bewegingen die hij eerder vanaf de muur had gezien, zag hij niet meer en hij veronderstelde dat de vijandelijke soldaten die er misschien waren op de geluiden van het gevecht af zouden gaan, niet erbij weg. Raaf hoorde wat gemopperde commentaren achter zich, van krijgers die teleurgesteld waren dat ze een zo te horen goede strijd misten. Maar niemand overwoog ook maar om zich erin te mengen. Hun gedachten waren bij hun stam, bij thuis.

Raaf ging zich vrolijker voelen, zoals altijd als hij niet langer opgesloten zat tussen de stadsmuren en weer was waar hij de wind op zijn wangen kon voelen en salie en wilde knoflook rook. Toen hij diep inademde, rook hij nog een andere geur op de wind, een geur van rotting, van bedorven vlees. De lucht kwam en ging, want de wind blies van achteren, uit het zuiden. Hij deed nog een stap en voelde een hand die hem bij zijn enkel greep en hem onderuit trok. Raaf viel languit voorover in het hoge gras. De val was zo volkomen onverwacht dat hij die niet kon breken, en hij kwam hard op zijn buik neer. Door de klap werd de adem uit zijn longen gedreven en hij lag duizelend op de grond. Hij hoorde allerlei geluiden om zich heen, de kreten van zijn mensen en het vreemde gehuil dat hij eerder had gehoord, alleen klonk het nu vlak boven hem. Raaf besefte dat hij zijn mensen recht in een hinderlaag had geleid.

Er klonk een grommend gesnauw van recht achter hem, en een schrapend geluid. Toen Raaf overeind krabbelde, pakten een paar handen hem van achteren beet en gingen op zoek naar zijn keel.

De handen van de taan waren groot en zijn vingers sterk. Toen hij de paarse en gele sterren begon te zien die betekenen dat de dood nabij is, gebruikte Raaf wat de Trevinici de angst van de goden zelf noemen om kracht te vinden. Hij greep de handen van zijn aanvaller vast, boog zich voorover en wierp het wezen over zijn hoofd. Door die beweging liet de taan hem los. Nu was hij degene die op de grond lag, en hij knipperde met zijn ogen naar de sterren.

Happend naar lucht tastte Raaf naar zijn zwaard. De taan krabbelde snel en behendig overeind en Raaf kon voor het eerst duidelijk zien wat hem had aangevallen. Het gezicht was dat van een beest met een snuit in plaats van een neus, rijen scherpe tanden en de glinstering van intelligentie in zijn onheilspellende ogen.

Raaf trok zijn zwaard en nam een verdedigende houding aan, want hij was nog niet op adem. Een snelle, gekwelde blik om zich heen vertelde hem dat ze waren omsingeld door honderden tanen. Hij kon niet de tijd nemen om langer te kijken, want hij durfde zijn blik niet van zijn aanvaller af te wenden. De taan had zijn zwaard in zijn hand, maar viel niet onmiddellijk aan. In plaats daarvan wees het wezen naar Raaf en schreeuwde iets in die vreemde taal van hem.

Raaf hoorde voetstappen dreunen door het gras achter hem. Hij had zich half omgedraaid, klaar om deze nieuwe vijand tegemoet te treden, toen hij uit zijn ooghoek zag dat de vorige iets naar hem gooide. Een net van dik, zwaar touw viel over Raafs hoofd en lichaam, en sloeg zijn zwaard uit zijn hand. Hij worstelde om los te komen, maar de taan trok het net strak om hem heen, zo strak dat hij zijn armen niet meer kon bewegen. Raaf bleef tevergeefs worstelen totdat de taan zijn voeten onder hem vandaan trok.

De taan pakte het uiteinde van het net vast en sleepte Raaf door het gras als een koe die naar de slacht moet.

Raaf spande zich nog steeds in om los te komen, maar zijn geworstel leverde hem niets op, behalve dat het zijn overweldiger ergerde. De taan bleef staan en gaf Raaf een trap tegen zijn hoofd.

Die klap verdoofde Raaf. Het laatste dat hij voelde voordat hij zijn bewustzijn verloor, was dat de grond onder hem door gleed.

18

Raaf zweefde heen en weer tussen bewustzijn en bewusteloosheid. Hij voelde pijn en een zwaar gewicht rond zijn hals. Feloranje licht van een hoog oplaaiend vuur brandde in zijn ogen, en hij hoorde opgewonden klinkende stemmen waar hij niets van verstond. Elke keer dat hij wakker werd, probeerde hij zijn bewustzijn vast te houden, maar hij was te zwak en de pijn was te erg. Hij liet steeds weer los en zonk weg in het donker.

Hij kwam pas echt weer bij toen het licht werd, en toen kwam ook de vage herinnering terug aan wat er was gebeurd. Hij bleef een hele tijd stil liggen met zijn ogen dicht en maakte de balans op van zijn situatie. Eerst zijn gezondheid. Zijn hoofd deed pijn, maar hij was niet misselijk, en als hij zijn ogen op een kiertje opendeed, was zijn zicht ook niet wazig. Blijkbaar had de trap weinig permanente schade toegebracht. Zijn lichaam was een en al kneuzingen en striemen; zijn huid was rauw en op sommige plekken helemaal weg doordat hij zo ruw over de grond was gesleept. Zelfs bij de kleinste beweging kromp hij ineen van pijn.

Het zware gewicht bleek een ijzeren band om zijn hals te zijn. Toen hij zijn ogen een stukje verder opendeed, zag hij een ijzeren ketting van de halsband naar een pen lopen, die in de grond was geslagen. Hij stak zijn hand uit, kreunde van de pijn die door die beweging werd veroorzaakt, pakte de ketting en gaf er een ruk aan. De ketting zat goed vast, was dik en sterk.

Raaf liet zich uitgeput en met gesloten ogen achteroverzakken. Hij werd overmand door wanhoop. Hij was een gevangene. De gebeurtenissen van de afgelopen nacht waren nog vaag voor hem, maar het enige dat hij zich duidelijk herinnerde waren de doodskreten van zijn mensen. Waarom, waarom was hij niet met hen gestorven? Gevangengenomen te worden was de grootste schande die denkbaar was voor een Trevinici. Naar hun mening was een krijgsgevangene iemand die niet goed genoeg of moedig genoeg had gevochten. Raaf zou te schande worden gemaakt en zijn familie zou haar eer verliezen. Bovendien had hij gefaald in zijn plicht jegens de stam. Dat falen zou hem misschien vergeven zijn als hij dood was geweest, maar hij leefde nog. Er was geen excuus.

Hij kon alleen maar hopen dat iemand van zijn groep het had overleefd om de Trevinici te waarschuwen dat ze in gevaar waren. Als er overlevenden waren, hoopte hij maar dat die niet hadden gezien hoe hij als een karkas van een hert was weggesleept. Ze moesten maar vertellen dat hij gestorven was. Het was beter dat zijn stam dacht dat hij dood was dan dat hij een gevangene was.

En hij verwachtte dat hij toch binnenkort wel zou sterven. Hij gaf niets meer om zijn leven. Hij zou de hand niet aan zichzelf slaan. Zelf het leven nemen dat de goden hadden gegeven, was de ultieme belediging van de goden en zou ervoor zorgen dat ze zich van hem afkeerden. Raaf zou troost vinden in de dood, maar hij zou in de strijd sterven en als de goden het toestonden, zou hij een of meer van die wezens meenemen.

Raaf overwoog niet om te proberen te ontsnappen. Hij moest zijn eerverlies wreken, hoewel niemand er ooit iets van zou weten behalve hijzelf en de goden. Om dat te doen moest hij de vijand verslaan die hem te pakken had gekregen.

Hij ging met veel pijn en moeite zitten. De ijzeren band rond zijn nek was zwaar en schuurde langs zijn huid. De band sneed in zijn schouderspieren en Raaf trok een grimas bij de gedachte aan hoeveel pijn dat tegen de avond zou doen. Maar hij zou het verdragen, zonder een kik te geven. Het was zijn straf. Hij had het verdiend.

Raaf was naar een legerkamp van tanen gebracht. De tanen waren zeer opgewonden. De buitenrand werd gevormd door een kring van tenten, en daarbinnen was een grote open plek waar het een drukte van belang was. In het midden stond een kleinere kring tenten. Er brandden vuren en de geur van geroosterd vlees hing in de lucht. Het water liep Raaf in de mond. Hij kon zich niet herinneren wanneer hij zijn laatste behoorlijke maaltijd had gegeten.

De meeste tanen leken krijgers te zijn, want ze droegen beschermende kleding en wapens. Binnen de kring zag Raaf tanen die geen beschermende kleding droegen. Zij zorgden voor de kookvuren en wat waarschijnlijk kinderen waren, want het waren jongere en kleinere versies van de wezens die er rondliepen.

Raaf was niet de enige gevangene. Andere mensen – mannen en vrouwen – werden vastgehouden binnen een simpele omheining, die bestond uit speren die in een cirkel in de grond waren gestoken. De gevangenen waren Dunkarganen en ze waren, te oordelen naar hun uiterlijk, nog maar pas gevangengenomen. Uit de tenten van de monsters rezen afschuwelijke kreten op; waarschijnlijk andere gevangenen, die gemarteld werden. Toen Raaf besefte wat dat betekende, richtte hij zijn verbaasde blik op de stadsmuren, die ongeveer anderhalve kilometer ver waren.

Hij hoorde geen geluiden van strijd over de grasvlakte komen. De belegeringsmachines stonden waar ze gisteravond ook hadden gestaan. Geledeen soldaten marcheerden de stad binnen. De grote ijzeren poort stond open.

Dunkar was gevallen.

Toen hij geschreeuw hoorde, keek Raaf om. De meeste gevangenen waren vrouwen en meisjes, maar er waren een paar mannen, de meesten in het Dunkargaanse legeruniform. Een van de wezens, slechts gekleed in een lendedoek, beende op de gevangenis van speren af. Hij sleepte een mensenvrouw achter zich aan. Haar gezicht was bont en blauw, en haar kleding bijna helemaal van haar lijf gerukt. Ze zat onder het bloed en was meer dood dan levend. Twee tanen hielden de wacht bij de gevangenen. Ze keken naar de vrouw en maakten opmerkingen waar de taan die haar voortsleepte om moest grijnzen. Hij schoof twee speren opzij en duwde de vrouw de cirkel binnen. Toen bekeek hij de andere, doodsbange mensenvrouwen met het air van een man die vee beoordeelt.

Vergenoegd stak hij zijn hand uit en pakte er een beet, een meisje van een jaar of zestien. Het meisje gilde angstig en probeerde zich los te trekken. Een Dunkargaanse soldaat pakte haar vast en leek de taan te smeken haar te laten gaan. De taan gaf de soldaat met de rug van zijn hand een genadeloze klap waarmee hij hem velde. De taan greep het meisje bij haar lange zwarte haar, wond het haar rond zijn hand en sleepte haar mee naar zijn tent. Nu dacht Raaf te begrijpen wie er schreeuwde en waarom.

Sommige vrouwelijke gevangenen leken de gewonde vrouw te helpen; ze trokken haar de weinige kledingstukken aan die ze zelf konden missen en probeerden haar wonden te verzorgen. Ze was apathisch en leek zich er niet van bewust dat er pogingen werden gedaan haar te helpen. Bij die aanblik knapte er iets in de Dunkargaanse soldaat. De tanen hadden hem zijn zwaard afgenomen. Hij trok een mes uit zijn laars en stormde door de cirkel van speren heen, vastbesloten het mes in de rug van een van de tanen te steken.

Dit verontrustte de bewakers totaal niet. Ze bleven zelfs nog even staan om wat opmerkingen tegen elkaar te maken en grinnikten allebei. Toen hief een van hen in een kalme beweging zijn speer en wierp die naar de Dunkargaan. De speer raakte de man tussen zijn schouderbladen. Hij gaf een kreet en viel voorover op de grond. De taan die zijn doelwit was geweest, wierp zonder veel belangstelling een blik achterom en liep verder naar zijn tent, die in de binnenste kring stond, zag Raaf.

Twee van de tanen die geen beschermende kleding droegen, renden naar het lijk. De twee keken vragend op naar de bewakers en een van de tanen gebaarde naar het kookvuur. De twee tanen sleepten het lijk weg. Raaf keek van de dode man naar het vlees dat aan het spit werd geroosterd en toen wist hij wat de wezens van plan waren met het lijk te doen. De geur van geroosterd vlees, waarvan het water hem in de mond was gelopen, bezorgde hem nu een golf van misselijkheid, en hij kokhalsde en braakte.

Zijn kokhalzende geluiden trokken de aandacht. De bewakers keken in zijn richting; hij was op een meter of twee van de andere gevangenen vastgelegd. Een van de bewakers stootte een gebrul uit. Een van de tanen binnen het kamp hief zijn hoofd en keek in Raafs richting.

De krijger gebaarde met zijn hand en zei iets tegen twee van zijn kameraden. Ze kwamen alle drie voor Raaf staan. De tanen keken met hun kleine, glinsterende oogjes op hem neer. Raaf verstarde en hield hen wantrouwig in het oog terwijl hij zich afvroeg wat ze met hem van plan waren. De krijger begon te praten, en na een tijdje besefte Raaf dat de krijger het verhaal van Raafs gevangenneming vertelde. Dat kwam doordat de krijger niet alleen woorden maar ook gebaren gebruikte en voordeed wat Raaf had gedaan, hoe hij de taan op zijn rug had gegooid. De krijger leek er niet boos over te zijn, maar benadrukte zelfs Raafs heldhaftigheid.

De kracht en slimheid van zijn vijand zorgde er natuurlijk voor dat de taan een goede indruk maakte toen hij beschreef hoe hij Raaf had verslagen. Hij gebaarde hoe hij een net over Raafs hoofd had gegooid. De twee andere tanen keken vol bewondering naar hun metgezel, sloegen hem op de schouders en bekeken Raaf met onverholen afgunst.

Raaf keek woedend naar zijn overweldiger, die die kwade blik als eerbetoon leek te beschouwen, want hij leek buitengewoon tevreden over zichzelf te zijn toen hij wegliep. Raaf staarde de taan na zolang hij hem kon zien en zorgde ervoor dat hij alles aan zijn uiterlijk onthield, zodat hij deze kon onderscheiden van alle anderen.

De taan was ongeveer twee meter lang, met een donkergrijze huid die vol littekens en bulten zat. Eerst dacht Raaf dat de bulten steenpuisten of opgezette plekken waren, maar toen hij het wezen goed bekeek, zag Raaf dat de bulten niet natuurlijk waren. Sommige ervan fonkelden of glitterden als het zonlicht erop viel, en Raaf besefte dat het wezen stenen onder zijn huid had geschoven. Het haar van de taan was lang en sluik en had de kleur van gebakken modder. Hij droeg een borstplaat van metaal met een symbool erop dat Raaf niet herkende. Voor in zijn mond miste de taan drie tanden.

Raaf bleef naar de taan kijken terwijl de krijger terugliep naar het kamp. Daar sprak de taan met een ander, kleiner wezen – een van degenen zonder beschermende kleding – en hij wees in Raafs richting. Het kleinere wezen knikte snel en kromp ineen alsof het bang was dat er een klap zou volgen. Het griste een kom van de grond, vulde die met iets uit een borrelende pot en liep naar Raaf toe.

Het wezen met de kom kwam naar Raaf toe en bleef voor hem staan. Eerst besteedde hij er geen aandacht aan. Hij had het te druk met het in de gaten houden van zijn overweldiger. Maar toen die in een tent verdween, richtte Raaf zijn blik op het wezen dat nu gehurkt bij hem zat, zwijgend en geduldig als een hond die wacht tot hij wordt opgemerkt.

Er vielen Raaf twee dingen op aan dit wezen, twee dingen die hem schokten. Het eerste was dat het wezen vrouwelijk was. Ze droeg alleen een lendedoek en haar borsten waren bloot. Het tweede was dat hoewel ze een neus had die leek op de snuiten van de tanen, haar huid glad en bruin was. Haar ogen en haar mond, haar oren en de bouw van haar lichaam waren die van een mens. Ze zou een jaar of zestien kunnen zijn. Ze had een eenvoudige kom met een dampende vloeistof bij zich, en een emmer.

'Eten?' zei ze tegen hem terwijl ze de kom naar hem uitstak.

Hij was verbaasd dat ze de Taal der Oudsten sprak. Hij keek naar de inhoud van de kom en zag stukken vlees drijven in bouillon. Bijna kokhalzend keerde hij zijn hoofd af.

'Hertenvlees,' zei ze, blijkbaar zijn gedachten radend. 'Slaven als jij krijgen geen sterk voedsel te eten. Slaven eten zwak voedsel. Alleen de krijgers eten sterk voedsel. Qu-tok zou je wel willen opeten' – ze sprak gehaast, alsof ze bang was dat Raaf beledigd zou zijn – 'want je hebt hem verslagen in een worsteling. Maar je bent te waardevol. Onze god, Dagnarus, zou boos zijn.'

Ze zette de kom en de emmer op de grond binnen Raafs bereik, terwijl ze ervoor zorgde dat ze zelf niet te dicht bij hem in de buurt kwam.

'Water,' zei ze terwijl ze naar de emmer wees.

'Wacht even,' zei Raaf. Zijn hoofd deed pijn en zijn tong voelde aan alsof hij dik en gezwollen was. 'Ga nog niet weg.'

De emmer was van hout. Hij stak stijf zijn hand uit naar de scheplepel, krimpend van pijn. Het meisje bleef en keek naar hem. Hij tilde de scheplepel op, een uitgeholde kalebas, rook aan de vloeistof en proefde er aarzelend van. Het water was lauw, maar hij rook of proefde er niets vreemds aan, behalve de geur en smaak van de houten emmer. Hij dronk dankbaar, met grote teugen. Toen zijn dorst was gelest, schoof het meisje de kom met bouillon dichter naar hem toe. 'Mijn goden zouden boos zijn als ik mensenvlees at,' vertelde hij haar. 'Dat weet ik,' zei het meisje knikkend, en ze ging weer op haar hurken bij hem zitten. 'Dat heeft mijn moeder me over mensen verteld, dat ze geen leden van hun eigen soort eten, hoe sterk dat voedsel ook is. De tanen vinden het een teken van zwakte en bespotten mensen erom. Maar onze god zegt dat dit geloof van de mensen gerespecteerd moet worden en dus doen de tanen wat onze god zegt. Bovendien zouden ze je toch geen sterk voedsel geven. Je bent een slaaf.'

De bouillon rook inderdaad naar hertenvlees. Raaf had niet veel honger nadat hij net had overgegeven, maar zijn lichaam had voedsel nodig en dus dwong hij zichzelf een hapje te nemen. Zijn honger kwam terug en hij at de hele kom leeg. Tussen zijn happen door ondervroeg hij het meisje.

'Hoe heet je?' vroeg hij.

'Dur-zor,' antwoordde ze. 'En jij?'

'Aanvallende Raaf.'

'Jij bent anders dan zij.' Ze keek even naar de Dunkarganen en toen weer naar Raaf.

'Ja. Ik ben een Trevinici,' zei hij. 'Er zijn er meer zoals ik. Meer krijgers. Weet je wat er met hen is gebeurd? Worden ze ergens anders gevangengehouden?'

Dur-zor dacht na en keek hem peinzend aan. 'Ik weet het niet zeker, maar ik denk dat ze allemaal dood zijn. Qu-tok en de andere krijgers hadden het over een goed gevecht tegen waardige krijgers, geen jammerende honden zoals die daar.' Ze wierp een minachtende blik op de Dunkarganen. 'Kroq zei dat ze er heel wat afgemaakt hadden. Qu-tok heeft geluk gehad dat hij zo'n sterke gevangene heeft.'

Raaf was niet verdrietig om zijn mensen, die waren gestorven als krijgers. Hij voelde even de hoop opflikkeren dat er een paar in geslaagd zouden zijn te ontkomen, maar die hoop vervloog bijna meteen weer, want geen enkele Trevinici zou weglopen als hij tegenover een vijand stond.

'Jij noemt hen tanen,' zei hij, en hij sprak het woord aarzelend uit. 'Noemen die wezens zichzelf zo?'

'Ja, tanen,' zei ze.

'En jij, Dur-zor?' Hij noemde haar naam onzeker. 'Jij bent geen taan.'

'Ik ben een halftaan,' antwoordde ze.

'Wat is de andere helft?' mompelde hij kauwend.

'Mens,' zei ze.

Hoewel zijn ogen hem dat al hadden verteld, kon hij het nog steeds niet geloven. Hij schudde zijn hoofd. 'Elfen en mensen kunnen zich niet voortplanten. Dwergen en mensen kunnen zich niet voortplanten. Slangen en mensen kunnen zich niet voortplanten. Deze wezens en mensen...' Hij wierp een blik vol weerzin op de tanen. 'Hoe is dat mogelijk?'

'Ik weet niet hoe het mogelijk is,' antwoordde het meisje schouderophalend. 'Ik weet alleen dat het zo is en altijd zo is geweest. De tanen zeggen dat vroeger, in hun wereld Iltshuzz-stan, menselijke slaven soms kinderen kregen die noch taan noch mens waren. In Iltshuzz-stan werden die halftanen gedood, maar hier in dit land verbiedt onze god dat. Wezens als ik zijn waardevol, zegt hij, omdat we de taal van de mensen en die van de tanen kunnen spreken.'

'Kunnen de tanen geen mensentaal spreken?' vroeg Raaf, met de gedachte dat die informatie hem nog van pas kon komen.

'Nee, hoewel sommige taanse sjamanen die wel kunnen verstaan en schrijven.' Dur-zor gebaarde naar haar gezicht. 'De mond van de tanen is niet geschikt om de woorden uit te spreken van de mensen en de kelen van de meeste mensen kunnen de geluiden van de tanen niet maken. De Taal der Oudsten is de taal van Dagnarus, onze god, en ook van veel van de mensen die voor hem vechten. Dus moeten wij er zijn, om de woorden van de ene groep over te brengen naar de andere en te zorgen dat ze begrepen worden.'

Een god die de Taal der Oudsten sprak. Raaf overpeinsde dit. Hij had er eigenlijk nooit over nagedacht wat de goden spraken. Hij veronderstelde dat hij altijd had aangenomen dat goden niet hoefden te spreken. Ze konden de woorden van het hart horen, het lied van de ziel. Ze konden hun wil kenbaar maken door middel van het gefluister van de wind en het gedreun van de donder. Een god die zijn toevlucht moest nemen tot het spreken met een mensenstem kon niet veel voorstellen, volgens Raaf. Maar dat zei hij niet hardop, want hij wilde dit meisje niet beledigen. Hij was blij dat hij iemand had gevonden die hem informatie kon geven.

'Wat zal er met me gebeuren, Dur-zor?' vroeg hij.

'Je zult samen met de andere waardevolle slaven aan onze god worden gegeven. In ruil voor jou zal onze god Qu-tok veel prachtige geschenken geven, die hem in aanzien zullen doen stijgen binnen de stam. Daarom zul je niet gedood worden. Voorlopig niet, in elk geval.' Dat laatste zei ze achteloos.

'Wanneer zal dat gebeuren?' vroeg Raaf, die vreesde dat het elk moment kon zijn, voordat hij een kans had gekregen om zich te wreken.

'Als onze sjamaan bepaalt dat we een godendag vieren. Op zo'n dag eren we onze god en als we geluk hebben, begeeft hij zich onder ons. Dan zal Qu-tok je aan onze god geven.'

'En wanneer zal het godendag zijn? Binnenkort?' hield Raaf aan.

Het meisje haalde haar schouders op. 'Misschien binnenkort. Misschien pas over een hele tijd. Dat weten we niet. Dat bepaalt de sjamaan.'

Raaf haalde wat opgeluchter adem. Blijkbaar had hij nog de tijd. 'En de anderen?' Hij keek naar de cirkel van speren en de Dunkarganen die erin gevangenzaten. Het verkrachte meisje lag met haar hoofd in de schoot van een andere vrouw hartverscheurend te snikken.

'De vrouwen zullen als slaven worden gebruikt in het kampement en ze zullen meer halftanen ter wereld brengen, want dat wil onze god graag. De mannen zullen als tijdverdrijf dienen en als ze moedig sterven, zullen de tanen hen eren door hun vlees te eten. Als ze laf sterven, zullen hun lijken aan de honden worden gevoerd.'

Raaf dacht hierover na. 'En je moeder, Dur-zor? Wat is er met haar gebeurd? Leeft ze nog?'

'Nee, maar ze heeft langer geleefd dan de meesten.' Het meisje klonk trots. 'Ze was sterk en heeft veel halftanen ter wereld gebracht, terwijl de meeste vrouwen na de eerste sterven. Ze is gedood toen ik acht was, omdat ze respectloos tegen een krijger sprak. Hij heeft haar de schedel ingeslagen.'

Een stem uit het kampement schreeuwde iets onverstaanbaars. Dur-zor keek in die richting. Er trok een angstige uitdrukking over haar gezicht en ze kwam overeind. Zonder nog een woord tegen Raaf te zeggen, rende ze weg. Toen ze bij het kampement aankwam, liet ze zich op de grond zakken voor een van de krijgers, kromp ineen en maakte zich klein. Raaf herkende de krijger als Qu-tok, degene die hem gevangen had genomen. Qu-tok gaf het meisje een klap in haar gezicht, blijkbaar omdat ze niet snel genoeg naar hem had geluisterd. Ze aanvaardde de mep zonder een kik te geven, alsof ze die had verdiend.

Qu-tok wees met een duim in Raafs richting. Wat het meisje ook antwoordde, Qu-tok leek er tevreden mee te zijn, want hij keek naar Raaf en glimlachte spottend; zijn lippen weken uiteen in een brede grijns. Qu-tok liep terug naar zijn tent. Raaf verloor het meisje uit het oog in de menigte van tanen en halftanen. Toen ze bij hem wegliep, had hij de littekens van zweepslagen op haar rug gezien.

Een van de Dunkargaanse soldaten riep iets naar Raaf, maar de Trevinici sloeg geen acht op de soldaat. Raaf kon niets voor hen doen. Het speet hem, maar ze zouden voor zichzelf moeten zorgen. Hij ging op de grond liggen en wrong zich in bochten om een comfortabele houding te vinden, wat niet meeviel met de ijzeren band om zijn hals. Zijn buik was vol en zijn dorst gelest. Nu moest hij rusten. Hij had maar één doel voor ogen, en dat was om die Qu-tok te doden, de taan die hem te schande had gemaakt. Om dat te bereiken, moest Raaf overleven en dat was waar hij zich nu op richtte: overleven.

Raaf maakte zich geen illusies. Hij had genoeg van de tanen gezien om te vermoeden dat als hij een krijger zou doden, zijn eigen dood niet lang op zich zou laten wachten, en die zou waarschijnlijk niet zacht zijn. Als Qu-tok eenmaal dood was, zou Raaf ook bereid zijn te sterven. Hij hoopte alleen maar dat als de tanen hem zouden opeten, ze er vreselijke buikpijn van zouden krijgen.

Shakur had de opdracht gekregen om naar het dorp te gaan waar de Trevinici vandaan kwam en daar naar aanwijzingen te zoeken over de Verheven Steen. Onmiddellijk nadat hij Dunkar had verlaten, had hij koers naar het noorden gezet, naar het land van de Trevinici. Hij had gehoopt eerder aan te komen dan de huurlingen die hij had gestuurd, of in elk geval ongeveer tegelijkertijd, maar er waren al twee weken verstreken en hij was nog steeds niet in de buurt van het dorp. Dat was niet Shakurs schuld. Hij had de huurlingen, onder aanvoering van kapitein Grisgel, al een paar uur na zijn ontmoeting met Dagnarus naar het noorden gestuurd. Shakur had Grisgel de informatie verstrekt die de bedwelmde Trevinici had gegeven over de ligging van het dorp. Het dorp lag een paar dagen lopen vanaf de Wilde Stad en vlak bij een meer. Geen gewoon meer, maar een meer dat een van de magische Portalen verborg. Met die informatie en het feit dat de baak die met de huurlingen was meegegaan, aangetrokken zou worden tot de magie van het Portaal, zou het dorp niet moeilijk te vinden moeten zijn.

Grisgel en zijn getrainde baak werkten als team samen. Hij was zeer succesvol geweest als struikrover totdat Shakur hem vijf jaar eerder tegen het lijf was gelopen. Shakur had Grisgel ervan overtuigd dat hij hem een zekerder leven kon bieden dan hij had met het beroven van karavanen. Grisgel en zijn baak hadden al verscheidene belangrijke klussen voor Shakur geklaard en hadden ruimschoots aan de verwachtingen van de Vrykyl voldaan. Shakurs laatste orders in verband met deze opdracht had hij met klem gegeven.

'Dood niet alle inwoners. Houd er een paar over die ik kan ondervragen, het liefst stamoudsten.'

Grisgel had beloofd dat hij dat zou doen en hij was met zijn zorgvuldig geselecteerde groep huursoldaten uit Dunkar vertrokken toen het leger van Dagnarus de stad naderde. Grisgel had wel een vrijgeleide bij zich, maar er bestond altijd de mogelijkheid dat iemand eerst zou schieten en zijn pasje pas daarna zou lezen, dus maakten hij en zijn groep een omweg via het oosten om niet op het leger van Dagnarus te stuiten. Grisgel had Shakur gezegd dat hij verwachtte binnen twintig dagen het land van de Trevinici te bereiken.

Shakur was van plan geweest hem kort daarna achterna te reizen. Hij moest zich er eerst van vergewissen dat koning Moross voldoende geïmponeerd, angstig en verward raakte bij de aanblik van het leger van Dagnarus, en hij moest de basis leggen voor zijn vertrek uit de tempel, een plausibele reden opdissen. De kans was niet groot dat hij ooit nog naar Dunkar zou terugkeren, maar in de korte tijd dat hij had geleefd en de lange tijd dat hij dood was, had Shakur geleerd dat het verstandig was om je schepen niet achter je te verbranden. Hij had opdracht gegeven tot de moord op Onaset, aangezien hij de enige man in Dunkar was van wie het voorstelbaar was dat hij de val van de stad kon voorkomen, en hij had Lessereti en haar tovenaars van de Leegte instructies gegeven over hoe ze de stad moesten verraden. Toen dat was gebeurd, kon hij eindelijk vertrekken.

Hoewel Shakur verlaat op weg was gegaan, had hij nog steeds ruimschoots voor de huurlingen bij het dorp kunnen aankomen, aangezien die stervelingen waren en dus bepaalde lichamelijke zwakheden hadden. De Vrykyls hebben geen levend lichaam meer, dus ze hoeven niet te rusten. Ze kunnen dag en nacht reizen zonder te pauzeren en worden alleen gehinderd door de sterfelijkheid van hun paarden. Een Vrykyl moet eerst een paard zien te vinden dat hem wil dragen, wat nog een hele toer is, want dieren voelen de smet van de Leegte en vluchten zo snel ze kunnen. Een Vrykyl moet zijn overwicht gebruiken en dan een betovering uitbrengen om het dier te veranderen in een schaduwros. Maar Shakur had gemerkt dat de schaduwrossen niet aan zijn eisen voldeden. Hij had een levend paard nodig, een gedresseerd oorlogspaard. De schaduwrossen waren niet meer dan lastdieren. Hij had een methode ontwikkeld om dat probleem te overwinnen.

Met de hulp van de machtige taanse sjamanen van de Leegte had Shakur een sjabrak gemaakt die geïmpregneerd was met de magie van de Leegte. Hij hoefde die sjabrak alleen maar over het paard te gooien en het dier gehoorzaamde de Vrykyl ogenblikkelijk. Bovendien vergrootte de sjabrak het uithoudingsvermogen van het dier en verlengde ze de periode dat het bruikbaar was, zodat Shakur dagenlang kon rijden voordat het dier bezweek.

Het enige nadeel was dat het paard uiteindelijk altijd stierf aan de sjabrak, dus moest Shakur ervoor zorgen dat hij een ander rijdier tot zijn beschikking had als het dier dat hij bereed in elkaar zakte. En anders moest hij zijn paard laten rusten, want dan zou het weer op krachten komen. Het zou blijven leven totdat de sjabrak van hem af werd gehaald, waarna het zou sterven.

De sjabrak was prachtig om te zien. Ze was door halftaanse slaven geweven, rood met een gouden beleg langs de randen, die zo waren gesneden dat ze op vlammen leken.

De eerste twee weken schoot Shakur goed op en legde hij een veel grotere afstand af dan Grisgels groep in diezelfde tijd had kunnen doen. Maar toen kwam Shakur aan in het omstreden niemandsland ten noorden van Dunkarga en was hij gedwongen rustiger aan te doen, want het was niet waarschijnlijk dat hij in dit onbevolkte gebied een nieuw paard zou vinden. Hij moest zijn rijdier dus laten rusten. Hij had een hekel aan de nacht, aan de lange, saaie uren waarin hij niets anders kon doen dan ijsberen onder de bomen, luisterend naar de ademhaling van het slapende dier en gekweld door gedachten aan de rustige slaap die hijzelf al meer dan tweehonderd jaar niet had gekend.

Die nacht werd Shakur ook nog gekweld door een knagende honger. Dat maakte hem kwaad. De noodzaak om zich te voeden zou hem nog meer ophouden. Maar erger dan de knagende honger was de knagende angst. Dagnarus had Shakur beloofd dat hij, als Vrykyl, eeuwig zou leven. Dat zou ook wel gebeuren, maar niet zoals hij had verwacht.

Shakur had gemerkt dat zijn kracht sneller afnam. Wat er nog over was van zijn lichaam raakte in een steeds hoger tempo in verval. Hij was gedwongen zich steeds vaker te voeden om de dood in stand te houden die zijn leven was. Als hij zich nu niet snel voedde, was hij bang dat zijn krachten zouden afnemen totdat hij niet meer de energie had om zich te voeden, en dan zou hij wegzinken in de Leegte, in het niets, waar hij eeuwig honger zou lijden. Want hij was gaan beseffen dat hij nooit echt zou sterven. Als zijn lichaam helemaal vergaan was, zou zijn ziel verder leven en die zou hij dan niet meer kunnen voeden. En hier zat hij dan, midden in een uitgestorven gebied, met die afschuwelijke honger en nog geen afgelegen boerderij in de wijde omtrek.

De volgende ochtend, toen het paard was uitgerust, reed Shakur verder. Hij moest een moeilijke keuze maken. Hij kon snel doorrijden en hopen dat hij het Trevinici-dorp zou bereiken voordat zijn krachten het begaven. Als hij daar eenmaal was, kon hij zich op zijn gemak voeden. Maar het dorp was nog dagen weg en de honger werd met de minuut erger. Als hij langzaam reed, kon hij de grasvlakte afzoeken naar tekenen van leven, misschien een Karnuaanse patrouille of een groep Trevinici op jacht.

Shakur werd nog beheerst door zijn dilemma toen een sensatie zijn dode vlees verwarmde. Ergens had een andere Vrykyl een leven genomen. Hij voelde het genot van het drinken van een ziel via het benen mes. Als één Vrykyl het bloedmes gebruikt om te doden en zich te voeden, voelen alle andere Vrykyls dat en genieten ervan. Een ogenblik lang hebben ze een gruwelijke band.

Shakurs plezier veranderde in verwondering en daarna opgetogenheid, want in dat ogenblik van genot zag hij het beeld van Svetlana voor zich. Shakur zag haar gezicht duidelijk, zoals hij het had gezien op de dag dat de dolk van de Vrykyls haar een geschikte kandidaat had gevonden en haar leven had genomen.

Maar Svetlana was naar de Leegte gegaan. Zij was niet degene die het bloedmes gebruikte, het mes dat zij van haar eigen bot had gemaakt.

Iemand had het gevonden. Iemand had het zojuist gebruikt om een leven mee te nemen. Shakur gebruikte zijn kern van Leegte om een beeld te krijgen van degene die Svetlana's mes gebruikte. Maar hij had te langzaam gereageerd. Het gevoel verflauwde te snel en hij raakte het beeld kwijt.

Terwijl hij zijn paard liet stilhouden, dacht Shakur na over de consequenties van deze gebeurtenis, wat die voor hem betekende en voor zijn zoektocht naar de Verheven Steen. Shakur kon de Verheven Steen niet voelen. Hij had hem nooit gezien of aangeraakt. Maar het bloedmes kon hij wel voelen.

En nu had Shakur een manier om de dief op te sporen die het mes van Svetlana had gestolen. De volgende keer dat het bloedmes werd gebruikt, zou Shakur klaar zijn om het gevoel vast te grijpen. Met behulp van de kracht van de Leegte zou hij verbinding leggen met Svetlana's mes. Als dat eenmaal was gebeurd, zou hij in staat zijn binnen te dringen in de dromen van degene die het mes droeg.

Dromen, de materie van de duisternis, het perfecte werktuig voor een beoefenaar van de magie van de Leegte. Je moest weten hoe je dromen moest doorzoeken, hoe je de bolster van steeds veranderende beelden en de grillige onlogica moest kraken om de kern van waarheid te vinden die het hart van de droom vormde. Als hij eenmaal toegang had tot de droom, zou Shakur veel te weten komen over degene die het mes hanteerde: waar hij was en waarom. Als diegene niets met de Steen te maken had, zou Shakur dat merken en zijn tijd niet langer verspillen met het achtervolgen van deze persoon. Als die daarentegen een Trevinici bleek te zijn die iets te maken had gehad met een dode Domeinheer, dan zou Shakur hem volgen tot het einde van Loerem.

Shakurs honger kwam terug, maar hij hoefde niet meer te kiezen wat hij moest doen. Hij kon zijn tempo vertragen en zijn honger stillen, want het was nu niet essentieel meer dat hij het Trevinici-dorp bereikte. Hij hoefde alleen maar te wachten tot degene die het bloedmes in bezit had het opnieuw gebruikte.

Shakur bracht de snelle galop van zijn paard terug tot een kalmere, minder roekeloze gang. Zijn geduld werd beloond. Hij zag hoefafdrukken. De paarden hadden hoefijzers en hij herkende er een Karnuaanse patrouille in. De afdrukken waren vers. De patrouille was niet ver weg. Shakur ontspande zich en was tevreden. Hij zou niet alleen de kans krijgen zich te voeden, maar hij zou ook nog een nieuw paard vinden.

De volgende ochtend, toen de leden van de Karnuaanse patrouille bij zonsopgang wakker werden, ontdekten ze dat een van hen in de nacht was vermoord. Ze waren verbijsterd, want ze hadden niets gehoord. De man was gestorven aan één steekwond. Het lemmet had zijn hart doorboord en maar een klein gaatje en weinig bloed achtergelaten. Hij moest bijna onmiddellijk zijn gestorven. Hij had zijn dood zien aankomen, want zijn gezicht was zo vertrokken van angst dat zijn metgezellen de bekende trekken van hun kameraad niet herkenden in het verwrongen gelaat van de dode. Deze geluidloze aanval zaaide zo'n angst onder de Karnuanen, dat ze de man haastig begroeven en zijn graf niet markeerden. Ze reden de hele dag door, tot 's avonds laat, bang om te stoppen. Pas vele nachten later zouden ze de slaap weer kunnen vatten.

Nadat hij zich goed had gevoed en de gedaante van de Karnuaanse soldaat had aangenomen, trok Shakur door de Wilde Stad. In de gedaante van de Karnuaanse soldaat ontdekte hij dat er daar twee dagen eerder een groep huursoldaten was geweest. Een koopman in drankjes wees Shakur de weg die ze hadden genomen. Hij volgde die weg en vond de sporen waar de groep de weg had verlaten. De enorme poten van de baak lieten duidelijke afdrukken achter.

Shakur volgde de sporen naar het meer. Aan de oever bleef hij even staan en tuurde ingespannen naar het water, in een poging enig teken van het Portaal te zien dat eronder zou moeten liggen. Hij zag niets en zou misschien aan het bestaan ervan hebben getwijfeld, ware het niet dat hij aan de pootafdrukken op de oever kon zien dat de baak het water in was gelopen, aangetrokken door de magie.

Toen zag Shakur de rook.

Een paar grijszwarte slierten rook kringelden omhoog in de roerloze zomerlucht. Te veel rook voor een kookvuur. Shakur herkende het als de rook van verwoesting, de rook van de dood.

Hij gaf zijn paard de sporen en galoppeerde even later het Trevinici-dorp binnen.

Hij hield zijn paard abrupt in en keek om zich heen. Alles was zoals het moest zijn, tenminste, dat dacht hij in eerste instantie. Alle houten krotten die de barbaren hun huizen noemden, waren platgebrand. Hier en daar smeulden er nog een paar, en dat veroorzaakte de rook die Shakur hierheen had geleid. Van de meeste waren alleen grote bergen as en verschroeide houtblokken over.

Het dorp was verlaten. Er was niemand.

'Grisgel?' riep Shakur terwijl hij in de stijgbeugels ging staan om een beter uitzicht te hebben. 'De Leegte hale je, man! Waar zit je?'

Niemand antwoordde. Er waaide even een briesje, dat de rook meevoerde door het lege dorp. Shakur liet zijn paard ronddraaien, zodat hij in alle richtingen kon kijken. Het enige dat bewoog in het dorp, was de rook. Hij hoorde niets, geen enkel geluid.

Van zijn stuk gebracht reed Shakur door het dorp. Hij keek naar links en naar rechts en zag niets dan uitgebrande woningen. Toen kwam hij bij een kring van witte stenen. Shakur bracht zijn paard tot staan en staarde. Levend en dood, alles bij elkaar liep hij al bijna tweehonderdvijftig jaar op deze wereld rond, maar zoiets als dit had hij nog nooit gezien.

Shakur had kapitein Grisgel gevonden. En Grisgels manschappen en de baak. Allemaal dood.

Grisgels lichaam lag op de grond. De Trevinici hadden zijn armen en benen vastgebonden, een staak door zijn buik geslagen en hem achtergelaten om te sterven. Zo te zien was hij daar lang mee bezig geweest. Zijn mannen lagen om hem heen, sommigen met doorgesneden keel en anderen met pijlen door hun ogen. Midden in de kring was de kop van de baak op een paal gezet. Het onthoofde lichaam van de baak was een bloederige massa van wonden. De grond was overdekt met bloed en op de stenen zaten bloedspetters.

Het was een zware strijd geweest. Er waren ongetwijfeld ook veel Trevinici gesneuveld, maar er was geen spoor van hun lijken. Er was ook geen spoor van de pecwae's, die vreemde wezens die in de nabijheid van de Trevinici leefden. Shakur reed het kamp van de pecwae's in en trof ook dat verlaten aan.

De Trevinici hadden Grisgel, zijn manschappen en de baak verslagen. Daarna hadden de Trevinici hun huizen in brand gestoken, hun dorp verwoest en waren ze gevlucht, samen met de pecwae's. Maar eerst moesten de Trevinici hun doden hebben begraven.

Misschien was nog niet alles verloren, dacht Shakur.

Hij kende de gebruiken van de Trevinici en zocht totdat hij de graf-heuvel vond. Zoals hij had gehoopt en verwacht, was de aarde waar-mee de ingang was dichtgemaakt kortgeleden aangebracht. Shakur was niet geïnteresseerd in de lichamen van de Trevinici. Tenzij hij zich ernstig vergiste, zou hij in de grafheuvel het lichaam van de rid-der vinden die de Verheven Steen bij zich had gehad. En hoewel Sha-kur niet zo dom was om te denken dat hij de Steen aan een ketting om de hals van het lijk zou vinden, hoopte hij te ontdekken wie de Steen had en waar hij naartoe was gestuurd.

De kracht van de Leegte gaf Shakur het vermogen de doden te doen opstaan. Hij kon de doden niet tot leven wekken, maar hij kon een lijk bezielen door de ziel die al verder was gereisd terug te slepen, of die ziel nu bij de goden of in de Leegte was. Alleen wist Shakur niet precies hoe effectief zo'n betovering zou zijn. Gewoonlijk moest de tovenaar van de Leegte die deze bezwering uitbracht dat doen op een lijk dat niet meer dan een of twee dagen dood was, terwijl deze rid-der al weken dood moest zijn. Geen enkele tovenaar van de Leegte en geen van de andere Vrykyls beschikte over de immense kracht van Shakur. Hij zou zelf met de goden worstelen om de ziel van de rid-der.

Shakur liep naar de grafheuvel. Hij stond op het punt te gaan gra-ven.

Een hevige beving deed de aarde onder de voeten van de Vrykyl schudden. Shakur probeerde te blijven staan, maar de grond rees en daalde zo snel dat hij zijn evenwicht verloor. De aardbeving duurde ruim een minuut. Uiteindelijk hield het schudden op. Shakur kwam overeind en wierp een donkere blik op de grafheuvel.

Toeval? Misschien.

Shakur liep naar voren en legde zijn hand weer op de heuvel... Al-thans, dat probeerde hij.

Deze keer was de aardbeving veel heviger. De aarde scheurde open aan zijn voeten. Alleen door haastig een stap achteruit te zetten, voor-kwam hij dat hij in een kloof tuimelde. De grond golfde en deinde onder hem. Shakur wist wanneer hij verslagen was.

Hij keek grimmig naar de grafheuvel. De kloof was breed en diep, maar de heuvel zelf was onaangetast. Er was nog geen kluitje aarde losgeraakt. Shakur nam de wenk ter harte. Hij liet de Trevinici en de ridder met rust. Hij hoopte dat ze allemaal werden opgegeten door ratten.

Shakur liep terug naar zijn paard. Het dier had een wilde blik in de ogen en was doodsbang, maar dat negeerde Shakur. Wat moest hij nu beginnen? Zijn zoektocht was letterlijk op een dood punt aanbeland. Shakur was blij dat zijn meester het druk had met de bezetting van Dunkar en het voeren van zijn oorlog. Maar uiteindelijk zou Dagnarus toch weer aan Shakur denken, want de Verheven Steen was nooit lang uit de gedachten van zijn meester. En als hij dat deed, zou Shakur de waarheid wel moeten toegeven: dat hij had gefaald.

Dagnarus verdroeg het slecht als iemand faalde.

Toen voelde Shakur dat degene die Svetlana's bloedmes had, het gebruikte.

Shakur wachtte af. Vervuld van de kracht van de Leegte reikte hij in gedachten over de Leegte heen en pakte de hand die om het heft van het bloedmes was geslagen stevig vast. Een ogenblik lang zag Shakur degene die het mes hanteerde. Het was een Trevinici, die het bloedmes gebruikte om de keel van een konijn door te snijden.

Toen de verbinding eenmaal tot stand was gebracht, hield Shakur die stevig vast, zodat hij kon binnendringen in de slaap van de jongeman. De herinnering aan het gezicht van de Trevinici brandde in zijn geest.

Er was een grote afstand tussen hen, honderden kilometers. Maar Shakur kon dag en nacht reizen, terwijl de jongeman moest rusten. Shakur zou de achterstand gemakkelijk inlopen.

Hij stond zo lang te peinzen dat de duisternis inviel zonder dat hij het merkte. Hij besteeg zijn paard weer en ging op weg, met het gezicht van de jongeman voor ogen. Hij zou dat gezicht volgen zoals zeevarende orken de ster volgden die in het noorden stond en die zij de leidster noemden.

De Verheven Steen reist naar het noorden, had Dagnarus gezegd. *Hij reist naar het noorden en naar het zuiden.*

Shakur keerde het hoofd van zijn paard naar het noorden.

De Verheven Steen reisde, in zijn magische knapzak over de schouder van de pecwae, naar het noorden. En het bloedmes ook.

Als brenger van droevig nieuws en een blijk van liefde wist Bashae dat hij een plechtige taak te vervullen had, maar dat belette hem niet te genieten van de tocht. Elke dag bracht wonderbaarlijke nieuwe ervaringen, nieuwe uitzichten, nieuwe geluiden. Wat de dag ook bracht, Bashae liet nooit na om de goden ervoor te bedanken voordat hij ging slapen; hij voegde zijn gebeden bij de gemompelde gebeden van de Grootmoeder, terwijl hij in slaap viel bij het getik van haar stenen.

Jessan genoot er ook van, maar niet op de luchthartige manier van zijn vriend. Jessan was zich voortdurend bewust van de zware verantwoordelijkheid die hij droeg: de verantwoordelijkheid voor de veiligheid van de twee pecwae's, voor het welslagen van de reis en voor het veilig afleveren van het aandenken. Hij was de gids. Hij bepaalde elke dag hun koers. Hij besloot hoe ver ze zouden reizen en wanneer ze konden gaan rusten. Hij koos de plek waar ze de nacht doorbrachten.

Aan het begin van hun reis had hij een wacht willen instellen, want er zwierven kwaadaardige beesten door de bossen en soms ook kwaadaardige mensen, die allebei aasden op de ongelukkige reiziger die zich alleen in de wildernis bevond. Bashae bood aan de nachtelijke taken te delen met Jessan.

De allereerste nacht was Bashae vast van plan om wakker en alert te blijven, maar de uren van duisternis zijn de tijd om de slaapwereld te bezoeken. Toen Jessan wakker werd, veel later dan Bashae hem had moeten wekken, vond hij zijn vriend opgerold als een relmuis en diep in slaap. Aangezien Jessan niet de hele nacht wakker kon blijven en de hele volgende dag kon roeien, zag hij met tegenzin af van het idee om de wacht te houden, waarbij hij wel opmerkte dat het hem heel waarschijnlijk leek dat op een nacht hun kelen zouden worden doorgesneden.

'Pff!' zei de Grootmoeder. 'Wat heb je er nou helemaal aan om de wacht te houden? De ogen van stervelingen zijn blind in het donker en zien te weinig. De oren van stervelingen staan open voor elk geluidje en horen te veel. De stok' – ze wees naar de wandelstok met de ogen van agaat – 'ziet geen kwaad om ons heen. Je kunt de stok vertrouwen.'

Jessan keek weifelend.

'Goed dan,' vervolgde de Grootmoeder geïrriteerd, 'als je er 's nachts beter door slaapt en me niet steeds wakker maakt met dat gesluip van je, zal ik ervoor zorgen dat niemand ons zal storen.'

Die avond, nadat ze hun vis hadden klaargemaakt en opgegeten, legden ze hun dekens vlak bij elkaar. De Grootmoeder stond erop dat ze dicht bij elkaar sliepen, op een open plek. Terwijl Jessan toekeek, liep de Grootmoeder in zichzelf mompelend in een kring om de dekens heen, terwijl ze op vaste afstanden turkooizen stenen neerlegde.

'Zevenentwintig stenen,' zei ze. 'Een beschermende kring waar niets met kwaadaardige bedoelingen doorheen kan komen.'

Indachtig de verordening van zijn oom dat Jessan de Grootmoeder eerbied moest betonen, hield hij elke avond daarna gehoorzaam zijn mond als de Grootmoeder mompelend haar stenen neerlegde, en hij sliep zonder tegenwerpingen binnen de kring die ze daarmee vormde. Maar hij sliep met één oog en één oor open, bij wijze van spreken.

Of het nu aan de stenen lag, aan Jessans waakzaamheid of aan het gemompel van de Grootmoeder, iets daarvan werkte, want gedurende de weken dat ze met hun boot de Grote Blauwe Rivier afzakten, werd hun door dier noch mens een haar gekrenkt.

De Grote Blauwe Rivier was smal en stroomde snel, met hier en daar een gevaarlijke stroomversnelling. Elke keer dat ze bij een plek kwamen waar het water borrelde, bruiste en opspatte, moesten ze de boot uit het water trekken en over land dragen totdat ze het punt met het woeste water voorbij waren en hun reis konden hervatten. De Trevinici bouwen boten die licht van gewicht zijn en gemakkelijk te dragen... voor twee Trevinici. Voor één Trevinici en één pecwae was het moeilijker om de boot uit het water te slepen en soms wel een paar kilometer over land te dragen.

Jessan nam de voorsteven en Bashae het achterschip. De pecwae had niet genoeg kracht in zijn armen om de boot boven zijn hoofd te tillen, dus moest hij de omgekeerde boot op zijn gebogen rug hijsen. De eerste keer dat Bashae dat probeerde, had hij vijf stappen gezet voordat hij onder het gewicht van de boot bezweek.

'Op deze manier,' zei Jessan terwijl hij zijn vriend onder de boot vandaan hielp, 'komen we in het land van de elfen aan als ik zo oud ben dat ik over mijn baard struikel. Hoe moeten we dit aanpakken?'

De Grootmoeder begon te zingen.

Ze zong over distels en katoenpluis dat met de wind werd meegevoerd, over spinnenwebben, eendenveren en maïspluimen. Terwijl ze zong, liet ze haar verweerde hand over het glad geschaafde hout van de boot gaan en plotseling was de boot zo licht dat Bashae die helemaal alleen had kunnen dragen en dan nog had kunnen rennen ook. Daarna was hun reis de Grote Blauwe Rivier af vredig en idyllisch. Elke keer dat ze bij een draagpad kwamen, zong de Grootmoeder de boot omhoog, op hun schouders.

Terwijl hij over een draagpad liep dat door vele voeten was uitgesleten in de honderden jaren dat zijn volk over de Grote Blauwe Rivier had gevaren, herinnerde Jessan zich meer dan eens hoe boos hij was geweest toen hij had gehoord dat de Grootmoeder had besloten met hen mee te komen. Hij was er zeker van geweest dat ze een blok aan hun been zou zijn, een last waardoor ze langzamer vooruit zouden komen. Hij had een waardevolle les geleerd. Vanaf dat moment behandelde hij de Grootmoeder altijd eerbiedig en hielp haar 's ochtends zelfs met het verzamelen van haar zevenentwintig turkooizen stenen. Als de Grootmoeder deze verandering al bemerkte, was ze wijs genoeg om erom te glimlachen als Jessan zijn rug naar haar toe had.

De Grote Blauwe Rivier stroomde tussen dicht beboste oevers door. Er hingen grote takken over het water, dat gevlekt was met schaduw en fel zonlicht. Treurwilgen klampten zich vast aan de oever. Bashae voelde de fijne blaadjes langs zijn geheven gezicht strijken als de boot eronderdoor gleed. Als het een grijze en regenachtige dag was, gleden de drie door de donkere schaduw van de wirwar van takken boven hun hoofd. Dankzij de snelstromende rivier en de hulp van de Grootmoeder bij het dragen van de boot, was dit eerste deel van hun reis gemakkelijk.

Als ze de Grote Blauwe Rivier verlieten, zouden ze over de Zee van Redesh naar het noorden moeten varen. Dan zouden ze langzamer vooruitkomen, want dan hadden ze het voordeel van de stroming niet meer. En dus verordonneerde Jessan (tot zijn eigen spijt) dat ze geen tijd hadden om een omweg te maken langs Vilda Harne, de stad die de Trevinici als de hunne beschouwen.

Bashae had kunnen proberen Jessan van gedachten te doen veranderen, maar de pecwae was opgewonden over het vooruitzicht de Zee van Redesh te zien, want hij had gehoord dat dat zo'n groot wateroppervlak was dat het zich tot aan de horizon uitstrekte. Jessan dacht dat ze in de buurt van de zee waren (die eigenlijk helemaal geen zee was, maar een groot meer), hoewel hij dat niet zeker wist. Raaf had geschat dat ze er ongeveer twintig dagen over zouden doen om de Grote Blauwe Rivier af te zakken. Dit zou hun twintigste zonsopgang worden.

'Volgens mijn oom zullen we, voordat we de Zee van Redesh bereiken, tussen de Geliefden door varen. Dat zijn twee enorme rotsformaties, vele malen zo groot als een mens, die aan weerszijden van de Grote Blauwe Rivier staan,' zei Jessan die ochtend toen ze in de boot stapten.

Hij zat achterin en dreef de boot met sterke, onvermoeibare slagen voorwaarts. De Grootmoeder zat in het midden; ze zei niet veel tegen de jongelui, maar mompelde of neuriede vaak zachtjes voor zich uit. Soms stak ze de stok met de ogen van agaat hoog in de lucht en draaide hem alle kanten op, zodat elk oog de omgeving kon zien. Tevreden legde ze de stok dan voorzichtig onder in de boot. Bashae zat bij de voorsteven. Soms hielp hij roeien, als de stroming heel sterk was, maar meestal zat hij met een lijn en een haakje met een stukje brooddeeg eraan naar forel te vissen, die hij in bladeren zou wikkelen en op hete stenen gaar zou stoven.

Op de twintigste dag stak de Grootmoeder de kijkende stok in de lucht en kondigde even later aan: 'We zijn er bijna. Nog maar een heel klein stukje. Om de volgende bocht.'

Jessan trok een gezicht. Hij wist wel beter dan te spotten met de magie van de pecwae's, maar hij wist ook met alle zekerheid van zijn achttien jaren dat een stok een stok was en dat agaten stenen waren. Ook hij vermoedde dat ze dicht bij de monding van de rivier waren, maar niet omdat een of ander oog van agaat hem dat vertelde. Hij zag het aan de tekenen die de rivier hem gaf: draaikolken en stromingen in vreemde richtingen, banen in het water die anders van kleur waren, het langzamerhand uiteenwijken van de oevers.

Om de volgende bocht kwamen de Geliefden in zicht. De Grootmoeder snoof voldaan. Jessan glimlachte, schudde zijn hoofd en vertelde de wild enthousiaste Bashae dat hij moest gaan zitten, omdat de boot anders zou omslaan.

De twee vreemde rotsformaties leunden naar elkaar toe maar raakten elkaar niet aan, hoewel het niet veel scheelde. De Trevinici hadden er een legende rond gesponnen, over twee geliefden die afkomstig waren uit oorlogvoerende stammen. Nadat hun verstandige ouders hun hadden verboden met elkaar om te gaan, hadden de geliefden elkaar in het geheim aan de oever van de rivier ontmoet. Vanwege hun ongehoorzaamheid aan hun ouders waren ze in steen veranderd en moesten ze daar tot in de eeuwigheid staan, als waarschuwing voor opstandige kinderen.

Bashae staarde met open mond en vol ontzag omhoog toen de boot onder de hoog oprijzende rotsen door gleed, die gevaarlijk overhelden en eruitzagen alsof ze elk moment konden omvallen en degenen die eronderdoor voeren zouden verpletteren. Een ruimte van niet meer dan anderhalve meter scheidde de rotsblokken van elkaar; ze rezen steil op, met gladde zijden zonder enig houvast voor handen of voeten.

'Mijn oom zegt dat als een groep van onze mensen over deze rivier vaart, ze hier hun reis onderbreken, zodat elke krijger zijn moed kan beproeven door de ene rotsformatie te beklimmen en dan over te springen naar de andere,' zei Jessan.

Nadat ze langs de rotsen waren gezoefd, zette Jessan onmiddellijk koers naar de oever, want Aanvallende Raaf had hem gewaarschuwd dat ze meteen nadat ze de Geliefden waren gepasseerd aan land moesten gaan, omdat de rivier verder stroomafwaarts over een kleine richel naar beneden stortte. Dit zou het laatste stuk zijn dat ze de boot moesten dragen, en ook het langste, ongeveer acht kilometer. Aan het eind daarvan zouden ze hun boot in de Zee van Redesh laten zakken.

Nadat ze uit de boot was geklommen, stak de Grootmoeder de stok in de lucht om hem te laten rondkijken. Jessan sleepte de boot de oever op, terwijl Bashae met een groepje herten ging praten die naar de rand van het water waren gekomen. Zowel de herten als de stok meldden dat er de afgelopen dagen niemand in deze streken was geweest. Jessan kon datzelfde zien aan de afwezigheid van sporen in de vochtige modder langs deze populaire aanlegplaats. Aan de stand van de zon zag hij dat ze nog vijf uur daglicht zouden hebben. In die tijd konden ze een paar kilometer verder reizen en dichter bij de zee overnachten. De Grootmoeder zong haar lied. Ze hesen de boot op hun schouders en gingen op pad.

Die dag was de eerste sinds hun vertrek dat Bashae geen kans had gezien een vis te vangen. Toen ze die avond hun kamp opsloegen, kookte de Grootmoeder een stoofpot van wilde uien en knoflook, waar ze nog wat groene bladeren in gooide. Bashae en zij aten tevreden van het eindresultaat, een groene kleffe prut, maar Jessan had die dag hard gewerkt en had behoefte aan vlees. Hij ging op jacht.

Hij zag een paar eekhoorns, maar die waren te snel voor hem. Ze schoten de bomen in, waar ze geïrriteerd naar hem gingen zitten kwetteren en notendoppen naar zijn hoofd gooiden. Hij slaagde er wel in een jong konijn te besluipen, dat zat te eten van de bladeren van paardenbloemen. Jessan was er al tamelijk dichtbij toen het konijn hem hoorde. Jessan nam een sprong. Het konijn stoof weg en zou hem te snel af zijn geweest, als hij niet recht in een wirwar van takken van een braamstruik was gelopen.

Jessan kreeg het konijn te pakken. Hij trok het benen mes en maakte snel een einde aan de angst en worstelingen van het dier door zijn keel door te snijden. Het warme bloed van het konijn stroomde over het mes. Ver weg proefde de Vrykyl Shakur het bloed en zag hij een beeld voor zijn geestesoog opdoemen.

Tot dan toe had Jessan het benen mes niet gebruikt; er was geen noodzaak voor geweest. Hij was onder de indruk van de scherpte ervan, van de strakke snee die het maakte. Jessan maakte het konijn schoon, bereidde het en at het buiten het gezichtsveld van zijn metgezellen op. Hij hield zichzelf voor dat hij dat deed omdat hij de pecwae's niet wilde beledigen door vlees te eten in hun aanwezigheid. Maar dat was een uitvlucht. De pecwae's waren eraan gewend dat de Trevinici vlees aten en aangezien de pecwae's een ontspannen houding van 'leven en laten leven' hadden, zou geen van hen zich er druk over hebben gemaakt.

In werkelijkheid durfde Jessan het benen mes niet te gebruiken in de buurt van de twee pecwae's, vooral niet als de Grootmoeder erbij was. Hij maakte het mes schoon in een beekje waar hij langs kwam en was terug in hun kamp toen de Grootmoeder bezig was haar zevenentwintig stenen rond hun kampeerplek te leggen. Ze vroeg of hij goed had gegeten en zei dat ze wat gekookte groenten voor hem hadden bewaard, voor het geval dat hij er iets van lustte.

Jessan sloeg het aanbod beleefd af. Ze legden hun beddengoed binnen de beschermende kring neer en gingen slapen.

Er waren ogen naar hem op zoek. Afschuwelijke ogen. Ogen van vuur in een gezicht van duisternis. De ogen hadden een andere kant op gekeken, maar nu richtten ze zich op hem. Jessan was bang dat de ogen hem zouden zien. Hij zat weggedoken in een bosje, met een pas gedood konijn in zijn hand, waar het warme bloed nog uitstroomde. De ogen hadden hem bijna gevonden...

Jessan schrok wakker. Hij sprong overeind en keek om zich heen op hun kampeerplek en verder weg, naar de bossen, de rivier, het donkere water dat voorbijstroomde en zachtjes murmelde. Hij luisterde en snoof de lucht op, maar hij ontdekte niets ongewoons, niets dat anders was dan anders.

Vlak bij hem lagen Bashae en de Grootmoeder te slapen. Bashaes slaap was diep en kalm, maar de Grootmoeder lag onrustig te woelen en maakte geluiden. Ze stak haar hand uit naar de stok met de agaten en raakte die aan. Ze leek gerustgesteld toen ze die had gevonden, want ze zuchtte en hield op met praten.

Jessan keek doordringend naar de stok met de agaten. In het zachte licht van de sterren en een bleek maansikkeltje hadden de agaten een witte glans, als ogen die open waren gesperd. Misschien waren het die verdomde agaten wel die zijn vreemde en verontrustende droom hadden veroorzaakt.

Jessan ging weer op zijn deken liggen.

'Bijgelovig oudje,' bromde hij bij zichzelf.

Jessan werd maar zelden 's nachts wakker en als hij dat deed, viel hij altijd weer snel in slaap. Maar deze nacht lag hij wakker en staarde hij naar de sterren totdat het grijze ochtendlicht het licht van de sterren deed verbleken.

De volgende ochtend gingen ze pas laat op pad, doordat Jessan zich versliep tot na de dageraad. Bashae moest hem wakker maken om te komen ontbijten. Dat vond de pecwae prachtig, want meestal was het Jessan die water in Bashaes gezicht gooide, niet andersom.

Jessan werd slechtgehumeurd wakker. Hij zag er de grap niet van in. Hij keek Bashae nors aan en vertelde hem zonder omhaal dat hij zich een beetje naar zijn leeftijd moest gedragen. Hij wenste de Grootmoeder zonder enige vreugde goedemorgen, schrokte zijn ontbijt op, schijnbaar zonder het te proeven, en liep ongeduldig te draaien terwijl ze de turkooizen beschermstenen opraapte. Toen ze de stok de lucht in stak zodat de ogen van agaat even naar de ochtend konden kijken, mompelde Jessan dat hij voor de boot moest zorgen en beende weg van hun kampeerplek.

'Wat mankeert hem?' vroeg Bashae zich af terwijl hij Jessan nastaarde. Hij ging Jessans deken uitkloppen, die hij vergeten was. 'Misschien heeft hij op een mierennest geslapen.'

De Grootmoeder zei niets. Ze stond strak naar de stok met de ogen te kijken terwijl ze hem alle kanten op draaide, en ze hield de stok langer in de lucht dan anders. Toen ze hem uiteindelijk liet zakken, keek ze Jessan met een frons na.

'Wat is er, Grootmoeder?' vroeg Bashae terwijl hij Jessans deken netjes oprolde. 'Wat ziet u?'

Ze schudde haar hoofd. Ze hielp Bashae met het opbreken van het kamp, maar ze was afwezig en in gedachten verzonken en weigerde te antwoorden op Bashaes herhaalde vragen. Ze zei hem op scherpe toon dat hij niet zo moest zeuren.

Toen hij de schoonheid van het zonlicht zag, dat op het water glinsterde, kalmeerde Jessan en nam hij zichzelf onder handen omdat hij zijn eigen slapeloze nacht had afgereageerd op zijn metgezellen. Toen ze hem achternakwamen, deed hij extra zijn best om een goed humeur te tonen, bij wijze van verontschuldiging.

'Met een halve dag lopen moeten we bij een plek komen waar we de boot veilig in het meer kunnen leggen,' zei hij vrolijk. 'We zouden flink moeten opschieten. Er is een pad. Als u de boot omhoog wilt zingen, Grootmoeder…'

'Het kwaad is dicht bij ons kamp gekomen, de afgelopen nacht,' deelde de Grootmoeder abrupt mee.

Jessans goede humeur verdween, weggebrand als de ochtendnevel. Hij staarde haar geschokt aan. Zijn mond was plotseling droog en hij wist niets te zeggen.

'Het is ons voorbijgelopen,' vervolgde ze terwijl ze met haar hand een gebaar maakte van iets dat passeerde. 'Maar het was er wel.'

Jessan deed zijn mond open, sloot die weer en bevochtigde zijn lippen. 'Ik dacht dat ik iets hoorde. Ik ben vannacht opgestaan, maar ik heb niets gezien.'

De Grootmoeder keek hem strak aan, alsof ze in zijn ziel wilde kijken. Hij voelde zich slecht op zijn gemak onder die blik.

'In elk geval is het nu weg,' zei hij schouder ophalend, in een poging tot nonchalance. Hij keek de andere kant op en schermde met zijn hand zijn ogen af tegen de zon om het pad af te turen.

'Ja,' zei de Grootmoeder. 'Het is weg. Voorlopig.'

'Wat denkt u dat het was, Grootmoeder?' vroeg Bashae belangstellend. 'Een beer die ons wilde doden? Wolven?'

'De beer en de wolf zijn niet kwaadaardig,' antwoordde de Grootmoeder op berispende toon. 'Als ze doden, doen ze dat uit angst of honger. Alleen de mens doodt vanuit de duisternis van zijn hart.'

'Niemand heeft de afgelopen nacht geprobeerd ons te doden,' zei Jessan ongeduldig, want hij vond dat dit lang genoeg had geduurd.

Hij griste zijn beddengoed uit Bashaes handen zonder hem er ook maar voor te bedanken en sloeg het koord waarmee het bijeen werd gehouden over zijn schouder. 'Ik heb vanochtend naar sporen gezocht. Die zijn er niet, zoals jullie zelf kunnen zien.'

'Ik heb ook niet gezegd dat het kwaad voeten had,' repliceerde de Grootmoeder waardig.

Ze begon met haar hoge, schrille stem te zingen. Nadat hij haar nog even doordringend had aangekeken, draaide Jessan zich om en tilde zijn kant van de boot op.

'Nou?' vroeg hij aan Bashae. 'Ben je van plan daar wortel te schieten?'

Bashae keek van het ene grimmige gezicht naar het andere. Hij hing zijn eigen beddengoed en zijn knapzak over zijn schouders en hees zijn kant van de boot omhoog. Ze gingen op weg, over een pad dat hier al eeuwen was. De Grootmoeder liep achteraan, met de tikkende stenen en de rinkelende zilveren belletjes aan haar rok, en de rammelende kookpot, die in een inkeping boven in de stok met de ogen hing.

'Zijn beddengoed moet vol met mieren hebben gezeten, vannacht,' zei Bashae, maar hij zorgde er wel voor dat niemand hem hoorde.

De zonneschijn, de frisse lucht en de wandeling joegen de gruwelen van de droom weg. Jessan ontspande zich en na een paar kilometer hief hij een wandellied aan. Bashae zong blijmoedig mee; pecwae's houden niet van confrontaties en vergeven en vergeten altijd snel. De Grootmoeder bleef zwijgen, maar ze leek het lied wel goed te keuren, want ze veranderde het ritme van haar tred zodanig dat de zilveren belletjes in de maat van het lied rinkelden.

Toen ze de richel bereikten, bleven ze staan om in stilzwijgende eerbied te kijken naar de sterke stroming van het water, dat over rotsen viel die lang geleden glad waren gesleten. Dit was geen echte waterval. Het water hoefde niet ver te vallen en stroomde bijna geluidloos, met alleen wat geborrel en gekolk onderaan. Het water was helder. Ze konden de rotsblokken erdoorheen zien en zelfs vissen over de richel zien tuimelen, wat ze blijkbaar niet deerden, want in het lager gelegen water waren ook vissen, die kalm wegzwommen.

Jessan zei dat zijn oom hem had verteld dat in een bepaald jaargetijde de vissen zelfs tegen de stroom op zwommen en uit het water sprongen om over de richel omhoog te komen. Bashae glimlachte beleefd. Hij was blij dat Jessans goede humeur terug was en deed geen moeite om zo'n schaamteloze leugen tegen te spreken. Jessan en hij tilden de boot weer op en liepen verder, in een hoger tempo nu ze het einde van het eerste deel van hun reis naderden.

De eerste aanblik van de Zee van Redesh was er een die geen van hen ooit zou vergeten. Ze liepen een heuvel op, keken naar het oosten en daar lag ze. Blauw water dat zich uitstrekte tot aan de hemel, zo ver het oog reikte.

De Grootmoeder stond zo stil dat er niets rammelde, rinkelde of ratelde. Ze maakte geen enkel geluid.

Bashae slaakte een lange, bevende zucht.

Jessan knikte en zei zachtjes, bij zichzelf: 'Ja, zo heeft mijn oom gezegd dat het zou zijn.'

Ze hadden daar wel de hele dag kunnen blijven staan, maar de afvaartplek was nog een stukje verder, want Raaf had hen gewaarschuwd niet weg te varen vanaf het punt waar het water van de rivier in het meer vloeide, want daar waren de stromingen en draaikolken woest en verraderlijk. Ze zouden de boot in het kalmere water verderop langs de kust laten zakken.

Die plek bereikten ze halverwege de middag. Het was blijkbaar een geliefde plaats om af te varen, want er was een permanente kampeerplek aangelegd. Binnen een ring van stenen kon een vuur worden gemaakt, en verkoolde houtblokken en een stapel brandhout getuigden ervan dat die ring ook werd gebruikt. Het zandstrand was omgewoeld door ontelbare voeten. Er zaten witte vogels op een berg afval, krakelend en kibbelend over wat botten. Jessan zei dat het zeevogels waren, die helemaal vanaf de verre oceaan hierheen waren gevlogen.

Bashae had nog nooit zulke vogels gezien, en nadat hij zijn kant van de boot bij de rand van het water had laten zakken, rende hij erheen om met ze te praten. Maar de vogels waren arrogant; ze minachtten wezens die aan het land gekluisterd waren en vertelden hem botweg dat hij zich met zijn eigen zaken moest bemoeien. Gestoord in hun maaltijd vlogen ze weg en pronkten met hun sierlijke, behendige manier van vliegen door boven het water rondjes te draaien en naar beneden te duiken. Bashae keek vol ontzag toe hoe de vogels op het water landden en met ingevouwen vleugels ronddobberden op de kabbelende golven.

Hij verlangde ernaar achter hen aan te gaan, de boot in het meer te leggen en onmiddellijk uit te varen, maar Jessan oordeelde dat ze beter goed konden uitrusten en in de morgen van wal konden steken. Het bevaren van het meer zou niet zo gemakkelijk zijn als het op de rivier was geweest, want de stromingen zouden hen niet helpen. Bashae stemde er schoorvoetend mee in, maar vrolijkte op toen Jessan voorstelde dat ze zouden gaan zwemmen.

Bashae ving een paar vissen door doodstil in het water te blijven staan terwijl ze naar hem toe kwamen om hem te onderzoeken en aan zijn tenen te sabbelen. Bliksemsnel schoten zijn handen naar beneden en griste hij ze uit het water. Hij bond ze aan een touwtje en liet ze in het water zwemmen, zodat ze vers bleven. Toen ze moe waren en het koud begonnen te krijgen, kwamen Jessan en hij uit het meer en gingen ze in het warme zand liggen om op te drogen in de zon. De Grootmoeder had hun kamp opgeslagen en was toen het bos ingegaan om haar kruiden aan te vullen.

Bashae legde een vuur aan, waarbij hij in de gaten hield hoeveel hout hij gebruikte, want Jessan zei dat het de gewoonte was dat iedereen die hier kampeerde alles wat hij gebruikte verving voor de volgende reiziger. Anders maakte Bashae altijd de vis schoon, maar vanavond nam Jessan die taak op zich, en hij gebruikte het benen mes om de vissen uit te halen en de schubben eraf te schrapen. Hij waste in het meer het bloed van het mes en had het alweer veilig teruggestoken in de schede voordat de Grootmoeder terug was.

Ze waren allemaal moe en gingen kort na het eten naar bed. Het viel Jessan op dat de Grootmoeder de turkooizen stenen extra zorgvuldig neerlegde en dat bracht onwelkome herinneringen terug aan de droom, herinneringen die door het zonlicht waren verdreven. Bashae ging meteen slapen, want dan zou het eerder ochtend zijn. De Grootmoeder lag al snel tevreden te snurken. Jessan was doodmoe. Het duurde lang voordat de slaap kwam, en toen die kwam, was die onrustig.

Die nacht vonden de ogen van vuur hem. Ze vestigden hun afschuwelijke blik op hem en staarden hem recht aan. Hoe hij ook zijn best deed, hij kon er niet aan ontsnappen.

En toen begon hij de hoefslagen te horen. Ver weg, maar gestaag naderbij komend.

Terwijl de Verheven Steen naar het noorden ging, reisde het zilveren kistje waarin hij had gelegen naar het zuiden en het oosten. Wolfram en Ranessa waren bijna een maand onderweg en staken de grasvlakte ten oosten van het gebergte Abul Da-nek over. Ze schoten flink op, want ze hadden nu allebei een paard. Na een paar dagen met Ranessa achterop te hebben gereden, kon Wolfram het niet meer harden. Toen ze door Vilda Harne kwamen, had hij zijn eigen rijdier aangeschaft: een klein, gedrongen, ruig behaard paardje waarvan de voorvaderen ongetwijfeld over de grasvlakten van het land van de dwergen hadden gezworven.

Door dwergen gefokte paarden zijn duur, want iedereen in Loerem erkent hun waarde, en Wolfram moest diep in de buidel tasten voor het dier. Maar hij was nu een edelman en landeigenaar. Hij vond dat hij het zich kon veroorloven. Als hij zijn eigen paard had, zouden ze sneller kunnen reizen en hij kon niet snel genoeg bij de monniken aankomen, want daar zou hij niet alleen de boodschap van de ridder afleveren en zijn beloning in ontvangst nemen, maar daar zou hij ook die waanzinnige Trevinici kunnen achterlaten.

De eerste week van hun tocht zei ze geen woord tegen hem. Ze praatte wel, maar alleen tegen zichzelf. Elke keer dat hij probeerde zich in de conversatie te mengen – want Wolfram was een vriendelijke en gezellige man – keek ze hem tussen haar warrige zwarte haardos door dreigend aan en vertelde hem dat hij zijn mond moest houden, anders zou ze zijn tong afsnijden.

Aangezien hij haar zeer wel in staat achtte dat dreigement uit te voeren, gebruikte Wolfram zijn tong dan maar om de monniken te vervloeken die hem hadden aangespoord deze vijandige vrouw met hem mee te laten komen. Hij had de zachte aandrang van de armband kunnen negeren, en naarmate de dagen verstreken vroeg hij zich herhaaldelijk af waarom hij dat niet had gedaan. Die verdomde hebzucht en nieuwsgierigheid van hem ook. Die brachten hem altijd weer in moeilijkheden.

Er verstreek nog een week, en eindelijk verwaardigde Ranessa het zich om tegen hem te praten. Dat betekende echter niet dat hun relatie er hartelijker op werd, want ze deed haar mond alleen maar open om een ruzie te beginnen. Ze redetwistte over alles met hem. Als ze bij een kruising kwamen, ruziede ze met hem over de richting die hij koos. Als hij een goede plek vond om de nacht door te brengen, ontdekte zij er altijd wel iets verkeerds aan. De voorgaande avond had ze zelfs met hem geredetwist over de vraag of het beter was om het vlees van een landschildpad te stoven of te roosteren. En die ochtend begon ze weer. Ze was er zeker van dat ze de verkeerde kant op gingen.

Wolfram draaide zich om in zijn zadel, liet zijn paard tot staan komen en keek haar met een onheilspellende blik strak aan.

'Weet je waar we zijn?' vroeg hij op strenge toon.

Enigszins uit het veld geslagen keek Ranessa snel naar links en naar rechts en zei toen stuurs: 'Nee, eigenlijk niet.'

'Weet je waar we naartoe gaan?'

'Ja,' zei ze triomfantelijk. 'Naar de Drakenberg.'

'En weet je waar die is?'

Ranessa aarzelde en stak toen een vinger uit naar het oosten. 'Die kant op.'

'Er liggen heel wat landen "die kant op",' zei Wolfram op droge toon. 'Het land van de Karnuanen ligt die kant op. Daar voorbij kom je bij de elfen van Tromek terecht. Nog verder ligt het land van de Vinnengaelezen en daar weer voorbij het land van mijn volk. Het grootste deel van de wereld ligt die kant op, want we zijn aan de westrand. Een enorme, uitgestrekte wereld. Dus ik twijfel er niet aan,' zei hij minzaam terwijl hij wat gemakkelijker in zijn zadel ging zitten, 'dat je zult vinden wat je zoekt. Het zal je misschien een jaar of tien kosten, maar uiteindelijk zul je er komen en ik weet zeker dat ze blij zullen zijn je te zien. Goede reis verder, meisje. Mogen de goden met je zijn. Niemand anders zal dat zijn,' mompelde hij zachtjes.

Ranessa kneep haar ogen tot spleetjes. Ze keek hem doordringend aan. Door de wirwar van haar voor haar gezicht kon hij niet zien of er haat en woede in die ogen stond, of plotselinge angst dat hij haar echt in de steek zou laten. Hij wist het niet en het kon hem niet veel schelen. Ja, de armband begon weer warm te worden, om hem eraan te herinneren dat het zijn taak was om haar te brengen naar de plek waar ze moest zijn, waar dat ook wezen mocht. Laat haar maar wegrijden, dacht hij. Laat de armband die de monniken om mijn pols hebben gedaan maar branden tot op het bot. Laat de hitte mijn arm maar verteren, zodat ik alleen een verkoold stompje overhoud. Dat is beter dan dit recalcitrante vrouwspersoon nog een moment langer te moeten verdragen.

Ranessa schudde haar haar naar achteren. Ze legde haar hand op het gevest van haar zwaard en één verschrikt ogenblik lang dacht Wolfram dat ze hem wilde doden.

'Ik kan je niet alleen laten wegrijden,' zei ze. Ze draaide zich om en keek achter hen, naar het noorden. 'Je wordt gevolgd, dwerg. Iets of iemand is naar je op zoek. Als ik zou wegrijden en je zou achterlaten zodat je alleen het gevaar onder ogen moest zien, zou ik mijn eer verliezen en mijn familie te schande maken. Ik zal je blijven vergezellen.'

'Gevolgd?' was het enige dat Wolfram kon uitbrengen, tussen veel gesputter door. 'Hoe bedoel je, we worden gevolgd? Ik heb niets gezien, niets gehoord...'

'Ik ook niet,' zei Ranessa. Ze keek hem aan en voor het eerst sinds het begin van hun reis hadden haar ogen niet die woeste uitdrukking, maar stonden ze geconcentreerd en helder. 'Maar toch weet ik dat er daar iets is en dat het jou wil vinden, dwerg.'

Haar stem was zacht en haar toon ernstig. De heldere zonnige dag leek plotseling bewolkt en de warme, zomerse ochtendlucht verkilde.

Onzin, hield Wolfram zichzelf beverig voor. Ze kraamt onzin uit. Ze is gek, van lotje getikt. En ze probeert mij ook gek te maken.

'We moeten blijven rijden,' vervolgde ze. 'We staan hier zo open en bloot, helemaal onbeschut.' Na een korte stilte voegde ze er koeltjes en zonder met haar ogen te knipperen aan toe: 'Jij weet de weg, neem ik aan.'

Wolfram wilde zoveel zeggen dat de woorden zijn keel verstopten en hij helemaal niets kon uitbrengen. Na een ogenblik gaf hij het op, draaide het hoofd van zijn paard de andere kant op en reed woedend weg. Hij geloofde het niet, geen woord ervan. Maar hij kon zich er niet van weerhouden om af en toe lang en ingespannen achterom te turen.

Op het grasland tussen het gebergte Abul Da-nek en Karnu werd zowel door Dunkarga als door Karnu aanspraak gemaakt, waardoor het omstreden was. Beide zijden stuurden er gewapende patrouilles heen. Wolfram had tot nu toe het geluk gehad dat ze er geen waren tegengekomen, van welke zijde dan ook. Niet dat hij veel gevaar liep. Het had bepaalde voordelen om met een Trevinici te reizen: beide zijden gebruikten hen als huursoldaten en geen van beide kanten zou iets doen om er een kwaad te maken. Maar een dwerg kon nooit zeker weten hoe soldaten zouden reageren, en Wolfram zag ze liever niet dan wel.

De grond was zacht en vlak, bedekt met lang gras. Bij daglicht, als zowel het paard als de ruiter mogelijke obstakels kon zien, was het niet moeilijk om over de grasvlakten te reizen. Toen het laat in de middag schemerig werd, was Wolfram bang dat de paarden in het hol van een landschildpad zouden stappen, want ze hadden de afgelopen twee dagen veel van die beesten gezien. De paarden waren moe en hadden voedsel en rust nodig.

Toen hij een groepje bomen zag, meestal een aanwijzing voor een beekje of poel in de buurt, hield Wolfram zijn paard in en draaide hij het hoofd van het dier in die richting.

'Het wordt donker,' zei hij. 'We blijven hier vannacht en gaan morgenochtend vroeg weer op pad.'

'Donker!' riep Ranessa met schrille stem uit. 'Het is niet donker! Het is nog lang niet donker. We rijden verder.'

'Je bent niet goed snik, meisje,' zei Wolfram, een opmerking die hij zo vaak maakte dat ze veel van haar glans had verloren. Hij liet zich van zijn paard glijden en liep naar het bosje. Hij verwachtte dat dat afdoende zou zijn om een einde te maken aan de discussie.

Geloof het of niet, maar die krankzinnige vrouw drukte haar hakken in de flanken van haar paard en terwijl ze het dier bij de manen pakte, droeg ze het op om verder te lopen.

Wolfram schudde zijn hoofd. Nog maar een paar uur geleden had ze beweerd dat ze bij hem moest blijven. Nu reed ze weg. Opgeruimd staat netjes.

Gelukkig was er van Ranessa en haar paard in elk geval een die enig gezond verstand had. Het paard draafde naar voren, maar alleen om Wolfram en zijn eigen paard te volgen naar het beekje.

Wolfram hoorde gevloek in het Tirniv. Het meisje gebruikte een taal waar haar broer misschien trots op geweest zou zijn. Ze vloekte tegen het paard en schopte het in de flanken. Toen sloeg ze het paard. Het was geen harde klap. Ze gebruikte haar vlakke hand tegen de hals van het paard. Maar het was toch een klap.

Wolfram draaide zich om en keek haar recht in de ogen.

'Sla mij maar, als je iets wilt slaan, meisje, maar reageer je woede niet af op dat arme dier, want hij begrijpt het niet en kan niet terugslaan.'

Toen bloosde Ranessa. Ze sloeg beschaamd haar ogen neer en aaide het paard met zachte hand, terwijl ze een verontschuldiging in het Tirniv mompelde. Maar ze bleef op het paard zitten.

'Het is nog niet donker, echt niet,' zei ze tussen opeengeklemde kiezen door. Haar vingers gingen door de manen van het paard en grepen die stevig vast. Ze keek hem lelijk aan. 'We zouden verder kunnen rijden.'

Wolfram zei niets. Hij wees alleen maar naar het westen, waar de bergen van Abul Da-nek zich als silhouetten aftekenden tegen een goud met rode achtergrond, terwijl de hemel erboven purper was en langzaam inktzwart werd.

Ze wierp een woedende blik op de rode hemel, alsof de nacht viel om haar te pesten. Met de abrupte bewegingen waarmee ze alles deed, zwaaide Ranessa haar been over het paard en liet zich van zijn rug vallen, waarna ze met een plof op de grond neerkwam.

Wolfram tandenknarste en keek de andere kant op. Hij had keer op keer geprobeerd haar te laten zien hoe ze netjes moest afstijgen, maar ze lette niet op. Ze viel, sprong of gleed eraf. Opstijgen was een nog grotere uitdaging: Ranessa wierp zichzelf letterlijk op het paard en zwaaide dan in het wilde weg net zo lang met haar benen totdat ze er op een of andere manier in slaagde om de juiste positie te bereiken, terwijl het paard dapper standhield en af en toe even verbijsterd omkeek.

Het is nog maar de vraag, dacht Wolfram, wie van ons het meeste lijdt, dat arme dier of ik.

'Nu móéten we wel stoppen,' zei Ranessa met een vernietigende blik naar de dwerg terwijl ze langs hem heen naar het beekje liep. 'Je hebt zoveel tijd verbeuzeld dat het nu bijna donker is.'

Wolfram nam de paarden mee naar het water en daarna plukte hij een handvol van het welriekende lange gras en wreef eerst zijn eigen paard en daarna dat van Ranessa ermee af. Hij sprak tegen de paarden in de dwergentaal, een taal waarin de liefde en eerbied van de dwerg voor het paard doorklonk, een taal die de paarden in heel Loerem begrijpen en geruststellend en aangenaam vinden.

Nadat hij Ranessa's paard had geprezen en beklaagd, liet Wolfram de dieren los om te grazen, want hij wist dat de paarden niet ver bij hem vandaan zouden gaan, hoewel hij er niet aan twijfelde dat ze in een oogwenk bij Ranessa weg zouden zijn. Toen ging hij hun kamp opslaan voor de nacht, wat betekende dat hij een plek vrijmaakte voor hun vuur, hout zocht, water haalde, hun eten kookte en eerst hun eten ving, als dat nodig was.

Ranessa stak nooit een hand uit. Ze liep voortdurend te ijsberen, heen en weer, heen en weer, niet in staat stil te zitten en altijd uitkijkend naar het oosten. Om haar een lesje te leren had Wolfram op de vierde avond dat ze samen op reis waren een eekhoorn gevangen en geveld, maar niet geroosterd, met het plan haar te zeggen dat als ze ge-

roosterd vlees wilde, ze het zelf maar moest roosteren. Tot zijn verbazing betrapte hij haar erop dat ze het vlees rauw in haar mond wilde steken. Toen hij vroeg wat ze dacht dat ze aan het doen was, staarde ze met een wezenloos gezicht naar het rauwe vlees in haar handen,
alsof ze zich afvroeg hoe het daar kwam.

Hij snapte niets van haar. Ze was niet lui en voelde zich ook niet te
goed om karweitjes te doen. Als Wolfram haar vroeg iets te doen,
deed ze dat, hoewel ze het niet goed deed en hij het meestal zelf over
moest doen. Het leek gewoon nooit bij haar op te komen dat er werk
te doen was. Ze liep maar heen en weer en staarde naar de oostelijke hemel, zodat ze elke ster daar wel op haar duimpje moest kennen.
Waar ze ook naartoe ging als ze naar het oosten keek, hij kon haar
niet volgen.

Vanavond was het niet anders. Zij ijsbeerde en Wolfram werkte. Hij
vertelde haar drie keer dat het eten klaarstond en dat ze het kon pakken als ze iets wilde. De derde keer bleef ze staan, wierp hem een
blik toe en kwam naar hem toe.

'Geen vuur, dwerg?' zei ze, en ze fronste haar wenkbrauwen.

'We hadden geroosterd vlees over van gisteravond,' zei Wolfram terwijl hij een homp naar haar uitstak. 'Er is hier niet zoveel hout te
vinden en wat er is, is nog niet gedroogd.'

Hij dronk water uit het beekje en wenste dat het bier was. Of iets
sterkers.

Ranessa nam het vlees aan en at het hongerig op. Ze had de manieren van een ork. Na de maaltijd hervatte ze haar ijsberen niet. Ze
staarde hem lang en peinzend aan, totdat hij zich er ongemakkelijk
onder ging voelen. Hij zei dat hij privézaken te doen had en stond op.

'Wolfram,' zei ze, en hij was geschrokken en op zijn hoede. Ze had
hem nooit eerder bij zijn naam genoemd. 'Hoe lang zullen we erover
doen om de Drakenberg te bereiken? Zijn we er over een paar dagen?' Ze zuchtte diep. 'Ik word dit reizen zat.'

Wolframs mond viel open. 'Een paar dagen! We moeten meer dan
vijftienhonderd kilometer afleggen, meisje. Met hulp van de goden
schat ik dat het ons vier maanden zal kosten.'

Het was alsof hij een pijl in haar hart had geschoten. Het bloed trok
weg uit haar gezicht.

'Maanden,' zei ze verbouwereerd. 'Je bedoelt dat de maan viermaal
vol moet worden voordat we... voordat we...'

'Als we geluk hebben,' benadrukte Wolfram. Er ging hem plotseling
een licht op. 'Meisje, als je dacht dat je met die ouwe Wolfram een
plezierreisje ging maken, had je het ernstig mis. Het zal een lange en
gevaarlijke tocht zijn.'

Ze staarde hem somber aan.

'Degenen die de kost verdienen met reizen, weten dat het een gevaarlijke bezigheid is,' vervolgde Wolfram, 'en het gevaar is niet altijd afkomstig van wezens die op twee benen of zelfs op vier poten lopen. Bruggen worden bewaakt door trollen. Mistors waaien mee met de wind. Hyrachors vliegen door de lucht. Glyblins spoken rond op oude slagvelden.'

Wolframs toon werd milder. 'Ga terug naar je volk, meisje. We zijn nog niet zo ver dat je de weg terug niet kunt vinden. Je zou in elk geval Vilda Harne kunnen bereiken.'

Ze keek peinzend en Wolfram kreeg heel even de hoop dat ze inderdaad zou besluiten terug te gaan. Hij voelde de armband warm worden en wist dat de monniken wilden dat hij haar meebracht. Waarom, daar had hij geen flauw idee van, maar het was wel het geval. Maar hij had haar alleen maar de waarheid verteld. Dat konden de monniken hem niet kwalijk nemen.

Ranessa draaide zich langzaam om en keek naar de oostelijke hemel, die nu bezaaid was met sterren.

'Nee,' zei ze. 'Ik ga met je mee. De dromen hebben me verteld dat ik dat moet doen. Maar we moeten elke dag een groot stuk reizen. Vroeg opstaan en tot laat doorrijden.'

Wolfram stampte slechtgehumeurd weg om tijd door te brengen met degenen die hij als zijn werkelijke reisgezelschap beschouwde.

De paarden waren blij om Wolfram te zien. Ze kwamen naar voren om zijn aandacht te trekken, wilden dat hij ze over hun voorhoofd krabde en achter hun oren kietelde. Ze besnuffelden hem en duwden hun snoet tegen hem aan, zodat hij hun warme adem op zijn gezicht voelde.

'Bovendien,' riep Ranessa hem achterna, 'worden we echt gevolgd. Het gevaar ligt net zo goed achter ons als voor ons.'

Wolfram begroef zijn gezicht in de flank van zijn paard en wreef met zachte hand over de romp van het dier. *De pluvier met de gebroken vleugel*, had de ridder gezegd. Wolfram had de waarschuwing met een korrel zout genomen. Gustav de Bastaardridder en zijn krankzinnige queeste! Een sterk verhaal voor in de kroeg, had de dwerg gedacht. Verder niets.

En toch geloofde Wolfram Ranessa. Hij wist niet waarom. Misschien omdat ze gek was en vele volken op Loerem – de orken, bijvoorbeeld – geloven dat krankzinnigen door de goden zijn aangeraakt.

Diep vanbinnen vond Wolfram dat de goden wel wat vriendelijker voor hem hadden kunnen zijn en haar wat harder hadden kunnen aanraken; een flinke klap met een hamer, misschien. Maar het was niet aan hem om de daden van de goden in twijfel te trekken. Hij moest gehoorzamen. De monniken wilden haar hebben – de goden mochten weten waarom – en de monniken zouden haar krijgen. En niet pas over vier maanden. Al helemaal niet als ze werden gevolgd.

'We kunnen in een maand bij de Drakenberg zijn,' mompelde hij.

'Wat?' vroeg Ranessa. Zijn stem had gedempt geklonken doordat hij met zijn gezicht in de flank van het paard had gepraat.

'We kunnen in een maand bij de Drakenberg zijn. Als we geluk hebben. Dat speelt nog steeds een rol. Geluk speelt altijd een rol. Maar er is een manier.'

'Hoe dan?'

Wolfram stak zijn arm naar voren en ontblootte zijn pols. 'Zie je deze armband?'

Ranessa knikte.

'Dat is niet zomaar een sieraad. Het is een sleutel. Een sleutel die bepaalde deuren voor me opent, en alleen voor mij.'

Hij vertelde de waarheid, maar niet de hele waarheid. Er waren anderen die voor de monniken werkten en een soortgelijke sleutel hadden, maar deze Trevinici betoonde hem niet het respect dat hij vond dat hij verdiende.

'Wat voor deuren?' Ranessa keek sceptisch. 'Ik zie niet in wat we aan een deur kunnen hebben.'

'Als het een deur door de tijd en de ruimte is, hebben we er wel wat aan,' zei Wolfram zelfvoldaan. 'Weet je nog dat je neef het had over die magische deur in het meer, de deur waar de ridder door is gekomen?'

'Waar heb je het over? Wat hebben deuren met meren te maken?' Ze fronste. 'Ik zou bijna denken dat er een steekje aan je los is.'

'Dat zal best,' antwoordde hij met een lelijk gezicht. 'Krankzinnigheid is waarschijnlijk besmettelijk. Maak jij je nou maar niet druk over wat deuren met meren te maken hebben. Ik weet het en ik heb de sleutel, dat is het belangrijkste. Je kunt maar beter gaan slapen. We moeten nog veel lange dagen rijden voordat we aankomen waarnaar we op weg zijn.'

'Waar zijn we dan naar op weg?'

'Niet dat het je iets zal zeggen als ik het je vertel.' Wolfram snoof. 'Naar een stad met een zeehaven in Karnu. Karfa 'Len.'

'En is daar die deur waar je het over hebt?'

'Een van die deuren, ja,' zei Wolfram.

Ze werden gevolgd... door de Vrykyl, Jedash. Maar hij had het er moeilijk mee en al sloeg je hem dood, hij had geen idee hoe dat kwam.

'Al sloeg je hem dood' was geen accurate uitdrukking. Jedash was al ongeveer vijftig jaar dood. Tijdens zijn leven was hij een hagentovenaar van de Leegte geweest, en hij was een van de weinigen die de overgang van levend mens naar wandelend lijk zonder spijt had ondergaan, waarschijnlijk omdat hij toch al niet zo erg levendig was geweest.

Jedash had in een steeg liggen slapen toen Shakur letterlijk over hem was gestruikeld, doordat hij de man had aangezien voor een hoop afgedankte vodden. Gelukkig voor Jedash had Shakur zich net gevoed, anders zou Jedash een van de naamloze, anonieme zielen zijn geworden die gestolen waren om ervoor te zorgen dat Shakurs lijk al het aardse ongerief niet achter zich hoefde te laten. Nu was Jedash wakker geworden uit zijn slaap. Bij de eerste aanblik van de Vrykyl had Jedash zich onmiddellijk geroepen gevoeld tot aanbidding. Hij had zich voor Shakur in het stof geworpen en gevraagd of hij zijn volgeling mocht worden. Shakur had de man geamuseerd meegenomen naar Dagnarus.

Dagnarus had Jedash opgenomen, hem eten en onderdak geboden en de hagentovenaar meer geleerd over de magie van de Leegte. De bewondering van Jedash voor Dagnarus veranderde in adoratie. Dagnarus had besloten Jedash te belonen door de man te vermoorden, en had hem als geschikte kandidaat aan de dolk van de Vrykyls voorgesteld.

In tegenstelling tot Shakur was Jedash niet bang voor de leegte waarin hij uiteindelijk zou wegglijden. Hij had de leegte gekend van knagende honger, de leegte van bittere armoede, de leegte van een leven zonder hoop op iets beters. Hij had chronische ziekte en chronische pijn gekend. Hij had de kwelling gekend van bespot te worden, gemeden te worden, verdreven te worden uit de nabijheid van beschaafde mensen, vervolgd en uitgescholden te worden. Jedash vond de lege uren van de nacht dan ook niet vervelend. Hij verlangde niet naar slaap, omdat de slaap hem tijdens zijn leven nooit vertroosting had gebracht. Hij vond troost in het feit dat hij niets voelde.

Toen hij de opdracht had gekregen de dwerg te volgen, gevangen te nemen en naar Shakur te brengen, had Jedash aangenomen dat dat een gemakkelijke taak was. Hij was naar de stad Vilda Harne gegaan, redenerend dat de kans groot was dat de dwerg de enige plek tussen Nimorea en Dunkarga had aangedaan waar je proviand kon inslaan. Jedash was boven verwachting beloond voor dat idee. Hij had de gedaante aangenomen van een Dunkargaanse koopman die hij eens had gedood en had het spoor van de dwerg opgepikt op de eerste plek waar hij was gestopt: bij een paardenhandelaar.

De paardenhandelaar herinnerde zich de dwerg nog goed, want de dwerg was de enige klant geweest die precies wist wat hij wilde hebben en had tot verdriet van de handelaar door alle listen heen gezien waarmee de handelaar mankementen of tekortkomingen aan zijn dieren probeerde te verbergen. Wolfram had het beste dier gekozen dat erbij was en had toen de rest van de dag besteed aan het afmatten van de handelaar, totdat die het dier praktisch had weggegeven.

De dwerg had een metgezel, zei de paardenhandelaar in antwoord op de vraag van Jedash. Een Trevinici-vrouw. Waarom ze samen reisden kon de handelaar niet zeggen, want ze leken elkaar niet te kunnen luchten of zien. De handelaar dacht dat de dwerg had gezegd dat hij op weg naar het zuiden was, naar Karnu.

'Ze zijn nog maar kort geleden vertrokken,' zei de handelaar. 'Als je opschiet, kun je ze nog inhalen.'

Er liep een zandweg Vilda Harne uit. Jedash gaf zijn paard de sporen en galoppeerde weg, tevreden dat hij zijn meester binnenkort de dwerg en datgene wat hij bij zich had zou kunnen brengen. De Vrykyl wist zeker dat hij hen snel zou inhalen, maar hij reed kilometer na kilometer zonder een spoor van hen te zien. De zandweg werd smaller totdat het een zandpad was, dat veranderde in een ingesleten karrenspoor dat naar het zuiden leidde.

Vanwege de geruchten over oorlog waren er weinig reizigers: een Karnuaanse patrouille op weg naar huis en een karavaan waarvan de nerveuze voerlui alleen maar veilig in Vilda Harne wilden aankomen. In de gedaante van een Trevinici beweerde Jedash dat hij op zoek was naar zijn weggelopen zus en ondervroeg hij iedereen die hij tegenkwam. Ja, ze hadden de dwerg en de Trevinici-vrouw gezien, en dat was niet lang geleden. Hij hoefde alleen maar op te schieten, dan zou hij hen inhalen.

Jedash schoot op, maar hij haalde hen niet in. Ze bleven hem om onverklaarbare redenen voor. Hij begon kwaad te worden.

Het karrenspoor boog af naar het westen, naar de stad Amrah 'Lin. Jedash liet die nutteloze weg achter zich en ging in oostelijke richting verder. De dwerg zou proberen geciviliseerder gebied te bereiken en niet op weg gaan naar de grens. Toen hij een beekje vond, reed de Vrykyl daarlangs totdat hij op de modderige oever twee stel hoefafdrukken vond, waarvan er een afkomstig was van een klein paard, zoals dat wat de dwerg had gekocht. Die leidden hem door de grasvlakte naar de resten van een kampvuur.

Het verkoolde hout was nog warm. Ze waren hem maar een klein stukje voor.

Jedash haastte zich verder, vol vertrouwen dat hij hen zou inhalen.

De Vrykyl was vlakbij. Hij rook hun bloed. Hij hoorde de barse stem van de dwerg en de schrille stem van de mensenvrouw ergens over kibbelen. Hij gaf zijn schaduwros de sporen de volgende helling op, ervan overtuigd dat hij hen zou zien als hij vanaf de top naar beneden zou kijken.

Hij keek naar beneden, maar ze waren er niet.

Vanuit zijn hoge positie keek Jedash uit over de uitgestrekte grasvlakte en het enige levende wezen dat hij zag, was een havik die naar beneden dook om met zijn klauwen een muis van de grond te grissen.

Razend van frustratie reed Jedash in een wijde boog over de grasvlakte om te zien of hij hen terug kon vinden; hij cirkelde ver naar het oosten en naar het westen om erachter te komen of ze waren afgeweken van hun zuidelijke koers, plotseling waren afgeslagen een andere richting op. Die zoektocht kostte hem twee dagen, en toen vond hij eindelijk hun sporen.

Ze waren niet afgeslagen. Ze hadden hun zuidelijke koers gehandhaafd. Hij begreep niet hoe hij hen opnieuw had kunnen missen. Wat voor magie beoefenden die twee, dat ze zijn inspanningen zo konden saboteren?

Opnieuw zette Jedash de achtervolging in.

Terwijl Jessan van zijn reisgenoot en Wolfram de zijne lijdzaam onderging, was de reis van Raaf een en al ellende en frustratie. Hij bleef voortdurend vastgeketend aan de staak en werd nooit losgemaakt. Zijn ketting was lang genoeg om hem in staat te stellen zijn behoeften te doen in een kuil op enige afstand van zijn vaste plek. Halftanen of menselijke slaven gooiden de kuil om de andere dag dicht met aarde en groeven een nieuwe. Deze properheid verraste Raaf, maar hij merkte dat de tanen weliswaar wreed, maar niet slonzig waren. De tanen namen nooit een bad – Dur-zor zei dat ze doodsbang waren voor water – maar ze wreven hun lichaam in met olie en schraapten het vuil dan samen met de olie van zich af. Hun geur, die Raaf zo weerzinwekkend vond, was niet die van vuil, maar hun eigen lichaamsgeur, een combinatie van muskus en bedorven vlees. Tanen vonden dat mensen lekker roken, zei Dur-zor, maar daar putte Raaf niet veel troost uit, want waarschijnlijk deed de geur van mensen hen gewoon aan hun volgende maaltijd denken.

De primitieve kooi van speren was ontmanteld. De Dunkargaanse mannen waren nu allemaal dood. Ze waren stuk voor stuk afschuwelijk aan hun einde gekomen. Ze waren puur voor de lol gemarteld; hun kreten en gekronkel hadden tot grote hilariteit geleid bij de tanen. Raaf beschouwde zichzelf als een moedig man. Hij dacht dat hij alles aankon, maar het gegil van de mannen die werden vermoord, was meer geweest dan hij kon verdragen. Hij was gedwongen geweest zijn oren dicht te stoppen met aarde die hij rond zijn staak had losgekrabd. Eén man had er drie dagen over gedaan om te sterven. Een paar van de gevangengenomen vrouwen waren gestorven. Dat waren de gelukkigen. De anderen waren slavinnen van de tanen en moesten karweitjes opknappen waar de tanen zichzelf en zelfs de halftanen te goed voor achtten. De vrouwen werden herhaaldelijk verkracht, geslagen, geschopt en gegeseld. Met uitgemergelde, vaak met bloed bevlekte gezichten keken ze smekend naar Raaf, alsof ze verwachtten dat hij iets voor hen kon doen. Dat kon hij niet. Hij kon niet eens iets voor zichzelf doen. Hij ontweek hun blikken en uiteindelijk gaven ze het op.

Raaf doodde de tijd met het in de gaten houden van zijn overweldigers, want onder de Trevinici werd gezegd dat een wijze krijger zijn vijand net zo goed leert kennen als zijn vriend. Raaf begreep de taal van de tanen niet, maar de tanen maakten ook veel wilde en vaak overdreven gebaren om hun woorden kracht bij te zetten en daaruit kon hij af en toe wat dingen opmaken.

Er was een duidelijke hiërarchie onder de tanen. Qu-tok en de andere krijgers betoonden een andere krijger, een vrouw, voortdurend respect en ten slotte kreeg Raaf door dat die vrouw het stamhoofd was. Ze droeg een helm met een pluim erop van Dunkargaanse makelij en die leek haar rang aan te geven.

Op een dag kwam de vrouwelijke krijger, samen met een trotse Qu-tok, naar Raaf kijken. Qu-tok genoot ervan om zijn buit aan zijn meerdere te laten zien.

Toen hij de tanen zag naderen, sprong Raaf overeind en balde zijn vuisten.

'Vecht met me, verdomme!' schreeuwde hij. 'Zelfs geketend wil ik met je vechten en al die bulten van je een optater verkopen!'

Raaf wist dat Qu-tok geen woord verstond van wat hij zei, maar de opgestoken, gebalde vuisten waren in elke taal een uitdaging tot een gevecht. Helaas wekte hij eerder Qu-toks lachlust op dan zijn woede, tenminste, Raaf nam aan dat de taan lachte, want hij maakte een gnuivend geluid in zijn keel en liet alle messcherpe tanden in zijn lelijke bek zien.

Qu-tok ging net buiten Raafs bereik staan en maakte een handgebaar naar hem zoals een circusartiest dat zou maken naar een afgerichte beer. Toen hij besefte dat hij alleen een show weggaf ter vermaak van zijn overweldigers, staakte Raaf knarsetandend zijn verzet.

Qu-tok wees de krijger op een paar sterke punten van Raaf en zij bekeek Raaf belangstellend. Ze had een buitensporig aantal littekens op haar lijf, veel meer dan Qu-tok of de anderen. Haar bulten schitterden door haar huid heen. De krijger had edelstenen onder haar huid zitten.

Doordat hij altijd in de nabijheid van pecwae's had geleefd, had Raaf verstand van edelstenen. Hij herkende het paars van amethist en het roze van rozenkwarts, en tot zijn verbazing zag hij een grote groene steen die weleens een smaragd zou kunnen zijn onder de huid van de rechterarm van de krijger. Hij nam aan dat die stenen een vorm van versiering waren en vond het een vreemde en pijnlijke manier om juwelen te dragen.

Alsof hij Raaf beloonde voor zijn voorstelling, wierp Qu-tok zijn gevangene een homp geroosterd vlees toe. Raaf bukte zich en pakte het vlees op. Qu-tok en het stamhoofd draaiden zich om en beenden weg. Toen Qu-tok ongeveer twee meter ver was, gooide Raaf het stuk vlees zo hard hij maar kon. Het sloeg precies tegen Qu-toks achterhoofd. Toen Qu-tok dat voelde, draaide hij zich razendsnel om. Hij zag het vlees op de grond liggen en zag Raaf met gebalde vuisten lelijk naar hem staan kijken.

'Kom op, stinkhagedis,' zei Raaf grimmig. 'Vecht met me.'

Qu-tok bukte zich om het vlees op te pakken. Hij hield het omhoog zodat Raaf het goed kon zien en at het daarna langzaam en met smaak op. Daarna keerde hij Raaf zijn rug toe en liep weg, samen met het stamhoofd. Raaf kreeg die avond en de avond erna geen eten.

'Ik heb het hem ten overstaan van zijn stamhoofd tegen zijn achterhoofd gegooid,' zei hij tegen Dur-zor toen Qu-tok eindelijk had besloten hem weer eten te laten brengen. 'Voor een mens, een ork, zelfs voor zo'n meesmuilende Vinnengaelees zou dat een dodelijke belediging zijn. Hij had ter plekke met me moeten vechten.'

'Als een andere taan dat stuk vlees naar hem had gegooid, zou het een belediging zijn geweest,' zei Dur-zor met een medelijdende glimlach vanwege zijn onwetendheid. 'Jij bent een slaaf, Raaf. Zo'n onbetekenende worm kan niets doen om hem te beledigen.'

Mistroostig liet Raaf zich met zijn rug tegen zijn staak zakken. Hij bracht zichzelf al die keren in herinnering dat hij in een schuilplaats op de loer had gelegen, soms dagen achtereen, wachtend totdat zijn prooi naar hem toe kwam, wachtend totdat de eland de open plek op liep, zodat hij hem op de juiste plek kon raken, of totdat het wilde zwijn in zijn netten liep. Hij was nu ongeveer in dezelfde situatie, hield hij zichzelf voor. Hij moest geduldig zijn, zijn tijd afwachten, voor zover hij nog tijd over had.

'Vertel me eens iets over die opperkrijger,' zei hij.

'Dag-ruk,' antwoordde Dur-zor. 'Ze is jachtmeester. Ze is een vermaard krijger, die haar vakkundigheid in de strijd vele malen heeft bewezen en veel slaven heeft gemaakt. Onze god zelf heeft haar de helm gegeven die ze draagt. De meesten denken dat ze op de volgende goddag tot nizam – het hoofd van de gevechtsgroep – zal worden benoemd.'

'Is ze iemands vrouw?' vroeg Raaf, die dacht dat Qu-tok misschien haar partner was en zich afvroeg wat voor invloed dat zou hebben op zijn wraakplannen.

Dur-zor schudde haar hoofd. 'Nee, Dag-ruk wil niet gehinderd worden door het dragen van kinderen. Dus staat ze niemand toe om met haar te slapen. Er wordt gezegd dat ze een zwak heeft voor een van de sjamanen van de gevechtsgroep.'

Sjamanen, had Raaf inmiddels geleerd, waren bedreven in het beoefenen van de magie van de Leegte. Ze waren de tovenaars van de tanen en het waren schimmige en angstaanjagende personen. Zelfs de tanen schenen bang voor hen te zijn, want als er een in het kamp kwam, deden alle tanen – inclusief de krijgers – hun uiterste best om het hem naar de zin te maken en hielden ze hem voortdurend in het oog.

In het begin had Raaf het moeilijk gevonden om de sjamanen van de anderen te onderscheiden. De eerste keer dat hij er een zag, dacht hij zelfs dat het een slaaf was, want de taan droeg geen beschermende kleding; zijn borst, lendenen en bovenbenen waren in repen stof gewikkeld. Hij droeg geen wapen en had weinig littekens op zijn armen en in zijn gezicht. Raaf was verbaasd geweest toen hij zag dat de andere tanen hem met zoveel eerbied behandelden en Dur-zor had hem uitgelegd dat het R'lt was, de sjamaan van de gevechtsgroep.

'Hij heeft de rituele littekens,' verzekerde Dur-zor Raaf. 'En heel veel magische stenen onder zijn huid. Hij heeft meer littekens en meer stenen dan bijna alle andere tanen in de gevechtsgroep. Hij laat ze niet zien, maar verbergt ze onder zijn kleren. Als hij dan ten strijde trekt, denken zijn vijanden dat hij een zwakkeling is en vallen ze makkelijk ten prooi aan zijn magische krachten.'

De tanen bleven buiten de veroverde stad Dunkar gelegerd. Binnen de muren brachten vertegenwoordigers van de god van de tanen de inwoners van Dunkar onder hun gezag; ze sloegen voorraden in en bereidden zich erop voor oorlog te gaan voeren in andere landen. Raaf wist dit natuurlijk niet uit de eerste hand. Zijn informatie kwam van Dur-zor.

Eenmaal per dag, tegen de avond, bracht de halftaanse vrouw hem eten en water en mocht ze een tijdje met hem blijven praten. Raaf wist dat ze toestemming kreeg om met hem te praten, want hij zag dat Qu-tok hen in de gaten hield. Als hij vond dat het gesprek lang genoeg had geduurd, riep Qu-tok tegen Dur-zor dat ze terug moest komen. Ze gehoorzaamde snel, sprong vaak zelfs midden in een zin op om te voorkomen dat ze werd gestraft wegens treuzelen.

'Waarom laat hij je bij me komen, Dur-zor?' vroeg Raaf die avond, terwijl ze op de grond ging zitten. Ze kwam nooit binnen een armlengte afstand van hem, zorgde ervoor dat ze buiten zijn bereik bleef. Hij vervolgde op droge toon: 'Ik kan me niet voorstellen dat hij dat uit de goedheid van zijn hart doet.'

'O, nee,' zei Dur-zor met een glimlach. 'Qu-tok zegt dat ik een kwelling voor je ben. Daarom stuurt hij me en laat hij me een tijdje blijven.'

'Een kwelling?' Raaf was verbaasd. 'Hoe kwel je me dan? Je hebt me nooit met een vinger aangeraakt.'

'Qu-tok denkt dat je vast met me wilt slapen,' zei Dur-zor met een grijns. 'En dat je gekweld wordt als ik bij je in de buurt ben, omdat je me wilt hebben en niet kunt krijgen. Ik weet dat dat niet waar is,' voegde ze er schouder ophalend aan toe. 'Ik weet dat je me lelijk vindt, een monster. Maar ik vertel Qu-tok wat hij wil horen.'

'Ik vind je geen monster, Dur-zor,' protesteerde Raaf slecht op zijn gemak. De eerste keer dat hij haar zag, had hij haar monsterlijk gevonden. En hoewel haar bezoekjes het hoogtepunt van zijn dag waren, kon hij niet naar haar dierlijke, half menselijke trekken kijken zonder een gevoel van weerzin te krijgen waarvan zijn maag samentrok. 'En als je het over lelijk hebt, ik ben zelf ook niet veel bijzonders.'

'Ik vind jou niet lelijk,' zei ze terwijl ze hem openhartig opnam. Ze fronste haar voorhoofd. 'Hoewel ik niet begrijp hoe jullie mensen iets kunnen ruiken met dat stompje vlees dat jullie een neus noemen.' Ze haalde geamuseerd haar schouders op. 'Ik weet dat je voor mij nooit zou kunnen voelen wat je voor een vrouw van je eigen soort zou voelen. De tanen beschouwen ons als walgelijke wezens. De mensen beschouwen ons als monsters. Onze god zegt dat als mensen ons te pakken zouden krijgen, ze ons zouden doden.'

'Sommigen misschien wel,' moest Raaf toegeven, en hij bedacht dat dat niet erg voor de mensen pleitte, want dat maakte hen niet beter dan de tanen. 'Anderen zouden zeggen dat het niet jouw schuld is dat je geboren bent. Dat je het recht hebt om te leven, net als iedereen op de wereld.'

'Is dat wat jij denkt?' vroeg Dur-zor nieuwsgierig.

'In het begin niet,' gaf Raaf toe. 'Maar nu wel.'

'Bij mij is het net zo,' zei ze. 'In het begin dacht ik dat je een monster was, maar nu niet meer.'

'Wat zal er met jou gebeuren, Dur-zor?' vroeg Raaf. Hij kon zijn eigen problemen, zijn eigen schande en eerverlies even vergeten als hij met haar praatte.

'Een van de tanen zal me doden,' zei ze nuchter. 'Misschien Qu-tok. Misschien een ander.' Ze glimlachte om zijn geschokte gezicht. 'Op een dag zal ik iets te langzaam doen of water morsen of niet goed op een kind letten. Ze zullen me doden, en dat is dat.'

Raaf had zo'n medelijden en was zo kwaad dat hij zichzelf nauwelijks kon beheersen. Wat voor vreselijk leven was dat?

'Dat is het lot van mijn soort,' vervolgde ze. 'Dat weet ik. Het is zinloos om je ertegen te verzetten. In dit leven dien ik mijn god en dat is genoeg voor mij.'

'Misschien zul je een partner vinden,' zei Raaf in een poging troost te bieden, hoewel het meisje die eerlijk gezegd niet nodig leek te hebben. 'Dan zul je kinderen krijgen.'

'Halftanen kunnen geen kinderen krijgen, niet met tanen, niet met mensen en niet met elkaar,' zei ze hoofdschuddend. 'Onze god wilde dat we kinderen kregen, maar zelfs hij, een god, kan ons niet vruchtbaar maken. Ik heb nog nooit met iemand geslapen en ik verwacht niet dat dat ooit zal gebeuren, aangezien er geen reden is om te paren, afgezien van genot, en slaven mogen niet genieten.'

'Dus de tanen gebruiken jullie niet... nou ja, voor hun eigen genoegens?' vroeg Raaf.

Dur-zor staarde hem verbaasd aan. 'De tanen zouden er geen genoegen aan beleven om met ons te slapen. Ze vinden ons monsters.'

Raaf begon het door te krijgen. 'De tanen vinden mensenvrouwen ook monsters, hè? De tanen scheppen er geen genoegen in om ze te misbruiken. Ze paren alleen met mensen om hen te onderwerpen, om macht over hen uit te oefenen.'

'In de oude wereld,' legde Dur-zor uit, 'werd er gezegd dat als de mensen naar hartenlust mochten paren, hun aantal zou groeien als dat van konijnen. Ze zouden al snel talrijker zijn dan de tanen. Daar waren de tanen bang voor, en dus namen ze maatregelen om de menselijke bevolking onder controle te houden. Ze hadden mensen nodig als slaven, dus ze doodden hen niet. Ze ontvoerden hun vrouwen en dwongen hen om halftaanse kinderen te krijgen.'

'Wat zou jij graag willen zijn, Dur-zor? Als je alles kon worden wat je wilde?' vroeg Raaf.

'Een krijger,' antwoordde ze zonder aarzelen. 'Een krijger worden is de enige manier waarop een halftaan wat respect kan verdienen onder de tanen. Er wordt zelfs gezegd dat er in een andere gevechtsgroep een halftaan is opgeklommen tot jachtmeester. Dat is veel te hoog gegrepen voor mij, maar ik denk dat ik een goede krijger zou zijn. Ik heb geoefend met de kep-ker. Ik ben er goed in.'

'De kep-ker? Dat is...'

'Wat jullie mensen een knuppel noemen, maar dan met een houten bal aan de ene kant en een van steen aan de andere. Je houdt hem bij de houten bal vast' – ze deed het met een denkbeeldig wapen voor – 'en zwaait de knuppel zo in het rond.'

Raaf had de tanen dergelijke wapens zien dragen. Hij had gedacht dat ze die gebruikten als een gevechtsstok, dat ze het wapen met beide handen in het midden zouden vasthouden. Deze andere methode verraste hem, maar hij zag de voordelen ervan in.

'Hebben ze je geleerd een wapen te hanteren?'

'Natuurlijk,' antwoordde Dur-zor. 'Als de krijgers ten strijde trekken, blijven de werkers en de halftanen achter om over het kamp te waken. We moeten weten hoe we de kinderen moeten verdedigen, als het kamp wordt aangevallen.'

Dit was belangrijk om te weten. Werkers, wist hij van Dur-zor, waren tanen die geen krijgers en geen sjamanen waren. De werkers waren de mannelijke en vrouwelijke tanen die voor de krijgers zorgden: het eten klaarmaakten dat de krijgers meebrachten, het kamp schoonhielden en voor de jonge tanen zorgden.

Hoewel de werkers de krijgers altijd eerbiedig behandelden, respecteerden de krijgers de werkers ook, en mishandelden hen nooit zoals ze met de slaven of de halftanen deden. Maar Raaf had nog nooit een werker een wapen zien dragen. Hij zou dit in gedachten houden.

Hij wilde net weer een vraag gaan stellen toen Qu-tok, die blijkbaar vond dat Raaf genoeg gekweld was, Dur-zor riep. Ze sprong op om hem te gehoorzamen, maar terwijl ze wegrende zei ze snel over haar schouder tegen Raaf: 'Morgen is het een goddag.'

Raaf sprong overeind en stormde achter haar aan in een poging haar tegen te houden om haar meer vragen te stellen. Hij werd tegengehouden door zijn ketting en hij staarde Dur-zor na met een frustratie die de toekijkende Qu-tok veel plezier deed, want hij grijnsde breed en wees zijn medekrijgers lachend op Raaf. Omdat hij in een goed humeur was, sloeg Qu-tok Dur-zor niet en gaf hij haar alleen een schop toen ze voor hem neerknielde, waarna hij haar wegstuurde om aan het werk te gaan.

Raaf liet zich naast zijn staak op de grond zakken. Hij probeerde opnieuw zijn ketenen los te rukken, een nutteloze bezigheid die zijn frustratie er niet minder op maakte.

Morgen een goddag.

Volgens Dur-zor zou hij op die dag naar een of ander slavenkamp worden gestuurd. Als dat eenmaal gebeurde, zou hij nooit meer de kans krijgen om zich te wreken op Qu-tok. Hij zou als slaaf sterven, in schande. Hij zou nooit met de gerespecteerde doden van zijn stam rijden, zich nooit bij hen kunnen voegen om te vechten in de slagen van de hemel, zoals ze bijeen waren gekomen om voor de ziel van de stervende ridder te vechten. Zijn medekrijgers zouden zich van hem afkeren.

Hij probeerde een plan te bedenken, maar gaf dat uiteindelijk op. Hij had geen idee wat er zou gaan gebeuren, wat een 'goddag' inhield.

Zou hij werkelijk tegenover een god komen te staan? Raaf had geen idee. Hij viel aan zijn staak geketend in slaap met het voornemen de volgende ochtend vroeg wakker te worden, uit te kijken naar zijn kans en die te grijpen.

Alle tanen waren op de goddag vroeg op, want afgezien van de veldslagen vormden deze dagen de hoogtepunten in hun leven. De krijgers kwamen uit hun tenten, gehuld in elk stuk harnas dat ze maar hadden, en alles was glanzend gepoetst. Ze droegen versieringen van kralen en veren, schedels en scalpen. De krijgers die zich nog niet hadden kunnen bewijzen in de strijd, droegen harnasonderdelen van botten die waren bevestigd op een zware leren voering of soms helemaal geen harnas, maar alleen een lendedoek, zodat hun rituele littekens en de edelstenen onder hun huid goed zichtbaar waren.

De krijgers stroomden samen, mannen en vrouwen, en uit hun luide stemmen en handgebaren maakte Raaf op dat ze verhalen vertelden over veldslagen uit het verleden. De werkers en de kinderen, de halftanen en de mensenslaven maakten het kamp schoon en gingen zelfs zo ver om de grond aan te vegen met grote, dichtbebladerde takken om stenen en stokken, afgekloven botten en ander afval te verwijderen. De sjamaan R'lt verscheen, gekleed in een lang zwart gewaad met het vel van een wilde kat om zijn schouders. Hij werd vergezeld door twee jonge tanen, die elke beweging en elk gebaar van hem nadeden. R'lt voegde zich bij de krijgers, die zorgvuldig ruimte voor hem maakten en hem opnamen in hun kring. De leerlingen, als de jonge tanen dat tenminste waren, gingen een stukje buiten de kring op hun hurken zitten en bleven oplettend naar hun meester kijken.

Toen het kamp schoon was, gingen de werkers koken. De tanen hadden de afgelopen dagen verscheidene wilde zwijnen gedood en die werden in een kuil geroosterd. Wilde zwijnen zijn sterk voedsel, vertelde Dur-zor Raaf, waardig voedsel om op een goddag gegeten te worden.

De geur van het roosterende zwijnenvlees deed Raaf watertanden, maar hij zou pas bij zonsondergang eten en dan geen zwijnenvlees krijgen. Dat zou eerst naar de krijgers gaan, en als er iets over was, naar de werkers en de kinderen. Slaven en halftanen kregen zwak voedsel: konijn, hert, eekhoorn. Hij bleef in de richting van het kamp kijken in de hoop Dur-zor te zien en haar blik te vangen.

Dat was maar een flauwe hoop, want Dur-zor keek nooit zijn kant op als ze haar dagelijkse taken vervulde. Hij was verbaasd toen ze die ochtend een blik op hem wierp en dolblij toen ze naar hem toe kwam.

'Qu-tok heeft me gestuurd,' zei ze terwijl ze een kom met eten net binnen Raafs bereik zette. 'Hij wil dat je dit nu opeet, zodat je er sterk zult uitzien als de uitverkorenen van de god de waarde van de slaven komen beoordelen die in de strijd gevangen zijn genomen.'

'Dur-zor,' smeekte Raaf, 'blijf nog even. Vertel me wat er gaat gebeuren.'

Dur-zor bleef staan en wierp een onzekere blik in de richting van Qu-tok. 'Ik heb veel te doen...' begon ze.

'Als je niet blijft, eet ik niet,' zei Raaf terwijl hij de kom met dampend vlees wegduwde. Hij deed dit niet graag, want hij wist dat als hij niet at, Dur-zor degene was die gestraft zou worden. Ze zou waarschijnlijk hoe dan ook gestraft worden, maar hij had geen keuze. Hij was wanhopig.

'Goed dan,' zei ze, en ze ging op haar hurken naast hem zitten. 'Vanochtend is het kamp schoon- en klaargemaakt voor de ontvangst van de god of zijn uitverkorenen, als de god het te druk heeft om te komen. Als de zon haar hoogste punt bereikt, zullen de kdah-klks beginnen.'

'Wat zijn die... dingen?' Raaf zou het woord kdah-klks niet hebben kunnen uitspreken zonder erin te blijven.

'Wedstrijden tussen krijgers. Lang geleden, in de thuiswereld van de tanen, werden de nizam gekozen uit de sterkste krijgers. Om vast te stellen wie de sterkste was, kwamen de krijgers bijeen en vochten ze om de eer om stamhoofd te worden. Het was een strijd op leven en dood. Als de verliezer niet stierf, werd hij verstoten uit de stam, wat een vrijwel zekere dood betekende. Onze god zei dat dat verkwisting was, dat er te veel sterke krijgers stierven. Hij bepaalde dat de kdah-klks vanaf dat moment ceremonieel van aard zouden zijn. Nu vechten de krijgers met elkaar om prijzen die door de god worden uitgeloofd, wapens of harnasonderdelen, en om hun eigen eer. Begrijp je?'

Raaf gaf niet onmiddellijk antwoord. Hij ging langzamer kauwen terwijl hij nadacht. Ten slotte vroeg hij: 'Wat zal er met mij en de andere slaven gebeuren?'

'Meestal komen onze god of zijn uitverkorenen naar de kdah-klks kijken, want onze god beleeft altijd plezier aan de wedstrijden. Als de kdah-klks voorbij zijn, zal hij prijzen toekennen. Dan zal hij de slaven bij zich roepen. De tanen die slaven hebben gevangen, zullen die bij onze god brengen, die hun waarde zal beoordelen en dan harnasonderdelen en wapens zal geven in ruil voor de slaven die hij te werk wil stellen. Alle slaven die hij uitkiest, worden dan naar de mijnen gebracht, of ergens anders heen, wat onze god maar wil. De mensenvrouwen zullen waarschijnlijk hier blijven. Jij zult zeker naar de mijnen worden gestuurd, want onze god heeft sterke slaven nodig om daar te werken.'

Verbeeldde hij het zich of klonk ze alsof ze het jammer vond dat hij weg zou gaan? Raaf had zich afgevraagd of hun dagelijkse gesprekken voor haar enige betekenis hadden, of ze het leuk vond om met hem te praten, of dat hij gewoon een van haar klusjes was. Hij had vermoed dat het laatste het geval was, maar nu begon hij te denken dat hij het mis had gehad.

Hij kauwde zwijgend op zijn laatste hap vlees. Dur-zor wierp voortdurend ongeruste blikken over haar schouder op Qu-tok. Gelukkig werd de krijger volledig in beslag genomen door het verhaal van een andere krijger en leek hij hen helemaal vergeten te zijn.

Toen hij zijn laatste hap doorslikte, had Raaf een besluit genomen. Hij had geen idee wat hij ermee zou opschieten, maar hij had niets te verliezen.

'Dur-zor,' zei Raaf, 'ik wil dat je tegen Qu-tok zegt dat ik mee wil doen aan die' – hij struikelde over de naam – 'die kuddekluks.'

Haar ogen werden groot van verbazing. 'De kdah-klks?'

'Ja, die dingen,' zei Raaf.

'Onmogelijk.' Dur-zor probeerde de kom voor hem weg te grissen. 'Je bent een slaaf.'

'Nee! Wacht, Dur-zor! Laat me uitpraten!' Raaf hield de kom stevig vast en weigerde die terug te geven, en ze durfde niet dicht genoeg bij hem te komen om hem het ding af te pakken. 'Zeg tegen Qu-tok dat ik mijn waarde als zijn slaaf wil bewijzen door aan de wedstrijd mee te doen. Ik zou graag tegen Qu-tok willen vechten,' vervolgde hij en aan de blik op Dur-zors gezicht zag hij onmiddellijk dat een dergelijke eer niet tot de mogelijkheden behoorde. 'Maar als ik niet tegen hem kan vechten, vecht ik tegen wie hij maar voor me uitkiest. Ik zal vechten zoals hij wil, met een wapen of met blote handen.'

Dur-zor schudde haar hoofd.

'Zeg tegen Qu-tok dat als ik win, ik mijn gewicht in harnasonderdelen waard ben,' vervolgde Raaf.

'Als je verliest, als je gedood wordt, is Qu-tok zijn buit kwijt.'

'Dat risico zal hij moeten nemen. Ik neem ook een risico. Houdt Qu-tok van een gokje, Dur-zor?'

Dur-zor beet op haar lip. 'Wil je dit echt, Aanvallende Raaf?'

'Ja, Dur-zor.'

Ze zuchtte en even was hij bang dat ze het niet wilde proberen, maar toen haalde ze plotseling haar schouders op en glimlachte. 'Zoiets is nog nooit gebeurd bij de kdah-klks. Maar er is een kans dat ze ermee instemmen. Alle tanen houden van gokken. Ik zal Qu-tok vertellen wat je hebt gezegd.'

Raaf zette de lege kom neer. Dur-zor pakte die op en vertrok. Ze liep naar de kring van krijgers en knielde in het zand op enige afstand van hen totdat een van hen zich zou verwaardigen haar te zien. De sjamaan, R'lt, zag haar uiteindelijk en vestigde Qu-toks aandacht op de halftaan. Die leek hoogst geïrriteerd te zijn dat hij werd onderbroken en terwijl hij haar ruw overeind trok, hief hij zijn hand om haar in haar gezicht te slaan.

Maar Dur-zor begon snel te spreken en gebaarde herhaaldelijk naar Aanvallende Raaf, die strak naar Qu-tok stond te staren.

De taan luisterde verbaasd. Een paar krijgers begonnen spottend te lachen, maar Qu-tok niet. Raaf bleef hoop houden. Qu-tok leek geïntrigeerd. Misschien was hij inderdaad een gokker, die alles wilde riskeren voor een hoge prijs. Qu-tok zei iets en het gelach van de krijgers veranderde in kreten van verontwaardiging en woede.

De sjamaan, R'lt, zweeg. Het stamhoofd, Dag-ruk, ook. Qu-tok sprak haar aan. De andere krijgers werden stil. Dag-ruk vroeg iets aan R'lt. Raaf verstond hun taal niet, maar hij kon wel raden wat die vraag inhield. Dag-ruk vroeg haar sjamaan of de god er bezwaar tegen zou hebben. R'lt haalde zijn schouders op en schudde zijn hoofd. Dag-ruk keek naar Qu-tok en knikte kort.

Qu-tok was zeer zelfvoldaan. Zo te zien aan de norse gezichten van de andere krijgers had Qu-tok een of ander voordeel over hen behaald. Qu-tok gaf Dur-zor een zet in de richting van Raaf, en toen ging de krijger verder met het vertellen van zijn verhaal.

'Qu-tok vindt het goed,' meldde Dur-zor. 'De jachtmeester heeft haar toestemming gegeven. De sjamaan zegt dat onze god er geen bezwaar tegen zal hebben. De jachtmeester zal de wapens en je tegenstander kiezen. Waarschijnlijk een van de jonge krijgers,' vervolgde ze met een gebaar naar de jonge tanen die geen harnas droegen. Ze hingen rond aan de rand van de kring van krijgers en staarden vol verlangen en met onverhulde afgunst naar de ervaren krijgers. 'Gewoonlijk zouden ze zich te goed voelen om met een slaaf te vechten, maar ze willen wel graag in een goed blaadje komen bij Qu-tok en de jachtmeester.'

'Wanneer zal het gebeuren?' vroeg Raaf verlangend en ongeduldig.

'Wanneer de jachtmeester dat zegt,' antwoordde Dur-zor. Ze fronste haar wenkbrauwen boven haar snuitvormige neus. 'Ik weet wat je probeert te doen, Raaf.' Ze sprak zijn naam vreemd uit, met een rollende r.

'O ja, Dur-zor?' Hij nam haar op en vroeg zich af of ze Qu-tok zou waarschuwen.

'Je wilt een snelle dood,' zei ze. Ze schudde haar hoofd. 'Ik denk niet dat je die zult krijgen. Wat je ook doet.'

Raaf haalde opgelucht adem en grijnsde. 'Wens me maar geluk, Durzor.'

'Geluk.' Ze herhaalde het woord schouder ophalend. 'Geluk is voor de meesters. Voor slaven en wezens zoals ik bestaat dat niet.'

Toen de zon hoog aan de hemel stond, begonnen de kdah-klks.
In opdracht van R'lt maakten zijn leerlingen een grote cirkel naast
de binnenste kring van tenten. Voor het eerst zag Raaf de tanen de
magie van de Leegte gebruiken. Onder het toeziend oog van de sjamaan gingen de leerlingen met hun handen door het gras en overal
waar ze het aanraakten, werd het gras zwart, verdroogde en ging
dood. Toen de buitenste ring was gemaakt en de sjamaan tevreden
was, werkten de jonge tanen van daaruit naar binnen en doodden al
het gras binnen de cirkel; de dode sprieten stampten ze plat met hun
blote voeten.
Raaf kreeg kippenvel van walging. Hij keek om zich heen met de gedachte dat sommige tanen misschien geschokt zouden zijn door het
gebruik van zulke gruwelijke magie, maar zag alle tanen enthousiast
en vol verwachting toekijken. Toen kwam het bij Raaf op dat de tanen niet geschokt waren door het gebruik van de magie van de Leegte omdat dat de soort magie was die ze altijd gebruikten. De volken
van Loerem waren bedreven in de verschillende vormen van magie
van de schepping. De tanen waren blijkbaar bedreven in de magie
van de vernietiging.
Voor het eerst sinds zijn gevangenneming dacht Raaf aan de rest van
de mensen van Loerem, aan degenen die binnenkort tegenover dit leger van woeste monsters zouden staan, vakkundige krijgers en vakkundige tovenaars die dood en verderf zaaiden. Hoe konden de mensen van Loerem zo'n brute aanval overleven? Hij stelde zich voor hoe
de ene trotse stad na de andere zou vallen voor deze wezens en hun
god, Dagnarus, zoals Dunkar was gevallen. De tanen hadden de Trevinici verslagen, de grootste krijgers ter wereld. Dan maakte de rest
helemaal geen kans.
Toen de cirkel was voltooid, ging R'lt in het midden ervan staan en
begon diep in zijn keel een loeiend geluid te maken dat weleens een
lied zou kunnen zijn, want zijn stem werd hoger en lager. De tanen

verzamelden zich om de cirkel heen; de werkers hadden de kleine kinderen bij zich en de krijgers stonden bij elkaar. De halftanen mochten er ook bij zijn en namen hun plaats in achter de werkers en kinderen. Er waren slaven aanwezig als trofeeën, en hun kettingen werden vastgehouden door de werkers. De mensenvrouwen keken lusteloos en afgestompt toe, zonder belangstelling voor wat er ging gebeuren.

De jachtmeester kwam naar voren, ging in het midden van de cirkel staan en sprak de gevechtsgroep toe. Vele malen had Raaf een van zijn eigen stamoudsten op een vergelijkbare plek zien staan om de regels van een wedstrijd uiteen te zetten, en hij werd overmand door een gevoel van heimwee dat hem bijna de moed ontnam. Hij bande de herinnering uit zijn gedachten en concentreerde zich op de gebeurtenissen.

Er waren blijkbaar niet veel regels, want Dag-ruk sprak niet lang. Ze liep de cirkel uit. Hij verstijfde, want hij dacht dat hij misschien geroepen zou worden om te vechten, maar twee tanenkrijgers namen hun plek in. Ze hadden allebei een vreemd wapen in hun hand: een zwaard met twee klingen, die samen een v vormden.

Raaf wist niet wie er het eerste toestak, want het gevecht barstte razendsnel los. Hij kon het slecht zien vanwaar hij stond, want de tanen stonden ervoor. Omdat het gebrul en het gekletter van staal dat hij hoorde klonken als een goed gevecht, deed hij zijn best om iets te zien en vervloekte hij degenen die hem het zicht belemmerden.

Hij had verondersteld dat het gevecht binnen de cirkel gevoerd moest worden, want zo gaat het bij wedstrijden onder de Trevinici. Maar bij de tanen was de cirkel blijkbaar alleen een soort toneel, want het gevecht verplaatste zich al snel naar erbuiten. De vechtende krijgers braken door de menigte en liepen een paar kinderen omver die niet snel genoeg uit de weg waren. Niemand scheen dat erg te vinden, de kinderen al helemaal niet; ze krabbelden overeind en renden enthousiast achter de krijgers aan om de rest van het gevecht te zien.

De strijd speelde zich door het hele kamp af. De twee hieuwen met de afschrikwekkend ogende wapens naar elkaar, botsten tegen tenten op, liepen kookpotten omver en kwamen eenmaal gevaarlijk dicht bij het vuur waarboven het zwijn hing te roosteren. Beiden hadden bloed doen vloeien, want hun huid zat onder de bloedvlekken.

Raaf had nu een goed zicht en hij keek met aarzelende bewondering toe, onder de indruk van de vaardigheid van de krijgers in het hanteren van wat hem een wapen leek dat net zo gevaarlijk kon zijn voor de gebruiker ervan als voor de tegenstander. Hij zag dat een van de tanen zwakker leek te worden. Zijn voet gleed weg. Hij viel op één knie en sprong niet zo snel overeind als had gekund. Hij greep het moment aan om te proberen op adem te komen.

Zijn tegenstander gaf hem die kans niet, maar zette zijn aanval voort en dwong de taan om moeizaam overeind te komen. De strijd eindigde kort daarna, toen de sterkere taan het wapen uit de hand van zijn tegenstander trapte en hem toen met een kaakstoot tegen de grond sloeg.

De verslagen taan lag met zijn ogen knipperend naar de lucht te kijken en probeerde zich waarschijnlijk te herinneren wie hij was en wat hij daar deed. Zijn tegenstander stond over hem heen gebogen met zijn wapen klaar om toe te steken voor het geval dat de geveldе taan verder zou willen vechten, maar al snel wees de andere taan in een verslagen gebaar naar de overwinnaar.

Er werd gejuicht en gefloten door de toeschouwers, afhankelijk van wie op wie had gewed. Na een gebaar van de sjamaan haastten zijn twee leerlingen zich naar voren om de gewonde taan te verzorgen. Die ging zitten, schudde versuft zijn hoofd en wees hun goede zorgen met een kwade snauw af. De winnaar paradeerde zo trots als een pauw heen en weer, zwaaide met zijn armen en brulde. De verliezer hinkte terug naar de cirkel, waar hij verder weigerde iemand aan te kijken of iets te zeggen.

Dag-ruk kwam naar voren, kondigde de volgende wedstrijd aan, en er begon een nieuw gevecht. Deze keer was het een wedstrijd tussen ervaren krijgers. De twee waren aan elkaar gewaagd. Ze hanteerden gebogen zwaarden met getande randen en gebruikten nog een eigenaardig voorwerp: twee lange stokken die met leer waren bekleed en zodanig aan elkaar waren bevestigd dat ze een x vormden. Raaf keek met belangstelling hoe de tanen dat gebruikten zoals een menselijke zwaardvechter een schild zou gebruiken: ze hielden de x in één hand en keerden hem alle kanten op om de slagen af te weren en te proberen het zwaard van de tegenstander te pakken te krijgen tussen de dwarslatten.

Raaf kreeg steeds meer bewondering voor de krijgers. Hij werd zo meegesleept dat hij alles om zich heen vergat en op een gegeven moment riep: 'Mooie slag! Mooie slag!' Sommige tanen hoorden hem, draaiden zich om en staarden hem aan. Een van de mensenslaven wierp hem een blik vol haat toe. Hij wist dat hij zich zou moeten schamen, maar een goede slag was een goede slag, wie het zwaard ook hanteerde.

Het zag ernaar uit alsof het gevecht wel de hele dag en tot diep in de nacht door zou kunnen gaan, want geen van beide krijgers kreeg de overhand. Ze deelden allebei klappen uit en deden allebei bloed vloeien. Geen van beiden werd zwakker en uiteindelijk stapte Dag-ruk naar voren en maakte een einde aan de wedstrijd. Ze riep een winnaar uit door naar een van de tanen te wijzen. Raaf was het met haar beslissing eens, maar de verliezer nam het niet goed op. Ze stampvoette, gooide haar schild en zwaard op de grond en schopte zand in de richting van de jachtmeester.

De tanen werden plotseling stil. Dag-ruk keek de verliezer strak aan en stak toen heel langzaam en weloverwogen haar hand uit naar de overwinnaar, die zijn zwaard en schild aan haar gaf. De jachtmeester ging tegenover de verliezer staan. Eerst leek de krijger bereid te zijn de uitdaging aan te gaan, maar toen bekoelde haar woede en won het gezonde verstand het. Ze keek van onder haar neergeslagen oogleden naar Dag-ruk en stak toen haar hand op en wees naar de winnaar, maar ze keek niet naar hem. Daarna draaide ze zich om, beende terug naar haar tent en verdween naar binnen.

Dag-ruk en de sjamaan R'lt wisselden blikken. Een aantal krijgers keek ernstig en sommige werkers sisten. Raaf vermoedde dat de verliezende taan meer had verloren dan alleen de wedstrijd. Ze was het respect van haar volk kwijt.

Raaf verstijfde weer. Als een oud oorlogspaard was hij opgewonden door de strijd, de geur van bloed en het gekletter van staal. Hij had het gevoel dat hij klaar was om te vechten en hoopte dat hij aan de beurt zou zijn. Zijn hoop ging in vervulling, want Dag-ruk zei iets tegen Qu-tok, die in Raafs richting keek.

Raaf hoopte dat Qu-tok zijn gevangene zelf zou komen halen en dat ze de zaken tussen hen dan meteen konden regelen. Maar minne klusjes als het ophalen van een slaaf waren beneden de waardigheid van een krijger. Qu-tok stuurde twee werkers, twee grote mannen, om Raaf te halen.

De werkers maakten de ketting los waarmee Raaf aan de staak lag. Ze haalden de ijzeren band van zijn hals, maar lieten de boeien om zijn polsen zitten en maakten ze met een zware ketting aan elkaar vast. Ze klemden boeien om zijn enkels en verbonden die ook met elkaar door middel van een ketting. Daarna namen ze hem mee naar de cirkel van dood gras. Hij bewoog onhandig en langzaam in zijn boeien.

De andere tanen lachten en jouwden spottend, althans, zo interpreteerde hij de zonderlinge geluiden die ze maakten. Hij negeerde hen en bleef strak naar Qu-tok kijken, die op enige afstand van de kring met de andere krijgers bij hun jachtmeester stond. De jonge krijgers, die geen harnas droegen, streden roepend en elkaar duwend en verdringend om zijn aandacht. Een grijnzende Qu-tok bekeek hen van top tot teen en koos er uiteindelijk een uit. De jonge krijger gaf een kreet van verrukking terwijl zijn kameraden sip keken en achteruit stapten.

De werkers duwden Raaf de cirkel van dood gras in. Raaf keek om zich heen waar Dag-ruk was, stak zijn geboeide handen in de lucht en schudde met de ketting, om zo zonder woorden te vragen of zijn boeien afgedaan konden worden. De jachtmeester grijnsde en schudde haar hoofd. De andere tanen vonden dat grappig, want hun gnuivende geluiden werden rauwer. Een paar kinderen gooiden kluiten aarde naar hem.

Raaf keek vragend naar Dur-zor, maar ze schudde alleen haar hoofd en haalde haar schouders op. Er was niets aan te doen. Dit was zijn idee. Hij moest zich aan hun regels houden.

Grimmig plantte Raaf zijn voeten stevig neer en wachtte op zijn tegenstander. De ketenen waren een nadeel, daar was geen twijfel over. Maar ze konden ook als wapen worden gebruikt. Hij vroeg zich af of de tanen zo dom waren dat ze daar niet aan hadden gedacht. Eén blik op Qu-tok overtuigde Raaf ervan dat de taan misschien vele fouten had, maar dat domheid daar niet bij hoorde. Qu-toks lippen weken in een grijns. Dag-ruk knikte, haar blik op Raaf gevestigd. Enkele andere krijgers zeiden iets; misschien sloten ze weddenschappen af, want Qu-tok knikte beamend.

De jonge taan kwam de ring binnen. Hij was lang en mager, een en al botten, spieren en pezen. Hij had wel wat littekens, maar lang niet zoveel als de oudere krijgers. Hij droeg geen harnas en had maar een paar stenen onder zijn huid zitten. De jonge taan keek zelfvoldaan; blijkbaar dacht hij dat dit een makkie zou worden. De jachtmeester verhief haar stem, zoals ze bij de andere wedstrijden ook had gedaan, om de regels uiteen te zetten.

Raaf schudde zijn hoofd om aan te geven dat hij haar niet verstond. De jachtmeester zei iets tegen Qu-tok, die Dur-zor tussen de toeschouwers vandaan haalde en haar met een handgebaar naar voren riep.

Dur-zor kwam naast Raaf staan en vertaalde.

'De Kutryx heeft de regels van de wedstrijd bekend gemaakt. Lf'kk mag je niet doden, want jij bent het bezit van Qu-tok. Als Lf'kk je per ongeluk wel doodt, moet hij je waarde aan Qu-tok vergoeden door hem zelf voor de tijd van één zonnecyclus als slaaf te dienen. Lf'kk stemt hiermee in. Als slaaf – een derrhuth – ben jij niet door dergelijke beperkingen gebonden. Het staat jou vrij om Lf'kk te doden.'

Sommige halftanen, die de Taal der Oudsten verstonden, lachten hartelijk om dit bespottelijke idee.

'Lf'kk mag de magie van zijn stenen niet gebruiken tijdens het gevecht,' vervolgde Dur-zor. 'Dat is gebruikelijk bij alle kdah-klks.'

Raaf had geen idee wat dat betekende, maar het leek in zijn voordeel te zijn, dus zei hij niets.

De jonge taan stak zijn handen op en sprak. De toeschouwers grinnikten en stootten elkaar aan.

'Lf'kk zegt dat hij met zijn blote handen met jou zal vechten,' legde Dur-zor uit. 'Hij wil niet een van zijn wapens bederven door het te bezoedelen met het bloed van een slaaf.'

Raaf gromde. 'Wat krijg ik als ik win?'

'Je leven,' zei Dur-zor met een verbaasd gezicht.

'Dat is niet genoeg. Ik wil iets anders. Vertel Dag-ruk dat ik, als ik win, nog een keer wil vechten.'

Dur-zor vertaalde de woorden voor Dag-ruk, die Raaf met toegeknepen ogen aankeek.

'Vertel haar,' vervolgde Raaf, 'dat ik, als ik win, wil vechten tegen een zelfgekozen tegenstander. Vertel haar dat.'

De jachtmeester overwoog dit. Qu-tok zei iets tegen haar, maar ze negeerde hem en bleef strak naar Raaf kijken. Uiteindelijk sprak ze.

'Nou?' vroeg Raaf ongeduldig.

'De Kutryx zegt dat ze je vermakelijk vindt en dat ze ermee instemt. Als je Lf'kk verslaat, mag je vechten tegen een krijger die je zelf kiest.'

'Dat is alles wat ik vraag,' zei Raaf.

Hij wierp een laatste blik op Qu-tok en dwong zichzelf toen om te kalmeren en zich op zijn tegenstander te concentreren. Raaf zou snel een einde moeten maken aan dit gevecht, want hij kon het zich niet veroorloven uitgeput te raken. Niet voordat het echte gevecht begon.

Lf'kk begon om Raaf heen te cirkelen, en Raaf verplaatste zich langzaam om tegenover hem te blijven, voorzichtig dat hij niet struikelde over de ketting tussen zijn enkels. Hij hield zijn handen uit elkaar en wachtte totdat de taan aanviel; hij wist nu zeker dat deze jongeman hem onderschatte en te gretig en onvoorzichtig zou zijn.

Lf'kk sprong op Raaf af en stak zijn handen uit naar Raafs keel. Raaf pakte de ketting vast die zijn polsen met elkaar verbond, maakte er een lus van en slingerde die uit alle macht rond. De klap raakte de taan in het middenrif, sloeg de lucht uit zijn longen en brak waarschijnlijk een paar ribben.

Lf'kk wankelde en viel op één knie neer; hij hapte naar lucht. Raaf sloeg met de ketting naar het hoofd van de taan, maar de taan was er niet meer. Hij had Raafs aanval zien aankomen en had zich plat op de grond laten vallen. Raafs ketting suisde zonder iets te raken over zijn hoofd heen. De taan greep met zijn sterke handen de ketting vast die Raafs enkels met elkaar verbond en trok hem onderuit. Raaf kwam met een dreun op zijn rug neer. Lf'kk sprong op hem af en probeerde hem weer bij zijn keel te pakken. Raaf trok zijn knieën op en schopte Lf'kk tegen zijn borst, waardoor hij naar achteren vloog en smadelijk op zijn achterste neerkwam. Onhandig krabbelde Raaf overeind terwijl hij Lf'kk in de gaten hield, die opsprong om zijn tegenstander weer aan te vallen. De jonge taan was kwaad, zijn ogen schoten vuur. Zijn trots was gekrenkt door een slaaf. Lf'kk wierp zich op Raaf in de hoop hem met zijn lichaamsgewicht mee te sleuren.

Raaf stapte opzij, niet zo snel als hij misschien had gedaan zonder de ketenen, maar hij slaagde erin de taan te ontwijken. Hij sloeg de ketting over Lf'kk's hoofd en trok haar strak om zijn nek. Lf'kk bracht zijn handen naar de ketting en probeerde zich te bevrijden. Raaf draaide aan de ketting, zodat hij de taan langzaam wurgde. Lf'kk snakte benauwd naar adem. Hij trok met zijn handen aan de ketting en zijn ogen puilden uit zijn hoofd. De andere tanen hadden eerst gejuicht, maar waren nu stil, afgezien van een enkeling die sissend zijn adem naar binnen zoog. Raaf bleef aan de ketting draaien. Lf'kk zakte op zijn knieën. Zijn gezicht begon akelig blauw te zien en zijn tong hing uit zijn mond.

Raaf bleef de ketting ronddraaien. De jonge taan zonk steeds verder naar de grond. Raaf keek op naar de slavin die vol haat naar hem had gekeken. Haar gezicht was bont en blauw en één oog was zo gezwollen dat het bijna dicht zat. Ze was praktisch naakt, want haar jurk hing in flarden om haar heen. Haar lijf zat onder de krassen en sporen van de zweep. Ze had ongeïnteresseerd toegekeken, maar nu ontmoette haar blik die van Raaf.

Hij gaf een ruk aan de ketting. Er was een knakkend geluid en Lf'kk verslapte: zijn nek was gebroken.

Raaf zei niets. De vrouw zei niets. Maar ze begreep het. Hij had het onrecht dat haar was aangedaan enigszins gewroken. Ze glimlachte droevig en ging rechterop staan.

Raaf liet de ketting los en stapte naar achteren. Het lichaam van de taan gleed op de grond en bleef daar liggen, terwijl zijn levenloze ogen naar de menigte staarden. Eén taan begon een gorgelend geluid in zijn keel te maken, en toen nog een en nog een, en al snel deden ze allemaal mee. Ze stampten met hun voeten. Sommige krijgers, die een harnas droegen, sloegen met hun vlakke hand op hun borstplaat. Als Raaf het had kunnen geloven, had hij gedacht dat ze hem toejuichten.

De tanen begonnen te schreeuwen en misschien was het maar goed dat hij hen niet verstond, want het zou zijn vastberadenheid misschien aan het wankelen hebben gebracht.

De tanen schreeuwden: 'Sterk voedsel! Sterk voedsel!'

Raaf besteedde geen aandacht aan het gejuich en geschreeuw. Hij ging tegenover Dag-ruk staan. Hij had maar één hoop: dat de tanen enig eergevoel hadden. Dat ze haar belofte zou houden en hem met een zelfgekozen tegenstander zou laten vechten.

'Kutryx Dag-ruk,' zei hij. 'Ik heb de wedstrijd gewonnen. Nu eis ik mijn prijs op. Ik mag mijn eigen tegenstander voor het volgende gevecht kiezen. Ik kies hem.'

Raaf wees recht naar Qu-tok.

Dag-ruk noch de andere tanen verstonden hem, maar er bestond geen twijfel over wat hij had gezegd. Dur-zor nam niet eens de moeite om het te vertalen. Qu-tok begreep het ook, en het beviel hem niets. De andere krijgers grijnsden, grinnikten en maakten opmerkingen die Qu-tok woedend leken te maken, want hij keek hen dreigend aan, snauwde iets terug en kwam toen aanbenen om met de jachtmeester te praten. Terwijl hij naar Raaf wees, begon Qu-tok heftig te argumenteren.

Raaf keek smekend naar Dur-zor, haar in stilte vragend wat er gebeurde. Met een ongemakkelijke blik op Qu-tok kwam Dur-zor een paar passen de cirkel in, dichter naar Raaf toe, zodat hij haar boven het tumult uit kon verstaan.

'Door te durven doen alsof je de gelijke van Qu-tok bent, heb je hem te schande gemaakt.'

'Mooi zo,' zei Raaf grimmig.

Dur-zor schudde haar hoofd. 'Je snapt het niet. Hij heeft geen reden om met jou te vechten. Hij heeft er niets bij te winnen, want je verwerft geen roem met het doden van een slaaf.'

'Maar ik zou hem kunnen doden,' zei Raaf, en zijn angst dat dit zou mislukken nam toe, zijn woede groeide.

Dur-zor schudde verdrietig haar hoofd. 'Je hebt een jongen gedood die een vergissing maakte. Qu-tok is een sterke krijger. Hij zal geen vergissingen maken.'

Raaf zei niets. Hij keek weer naar de jachtmeester, die nog steeds naar het gesputter en gegrauw van Qu-tok luisterde.

Dur-zor keek aandachtig naar Raaf en plotseling begreep ze het. 'Je gelooft niet echt dat je hem kunt doden, hè? Je wilt dat hij jou doodt. Je wílt sterven.'

'Ik wil een eervolle dood,' zei Raaf met opeengeklemde kaken. Hij balde zijn geboeide handen tot vuisten. 'Is dat zo moeilijk te begrijpen?'

'Nee,' zei Dur-zor zacht. 'Nee, dat is het niet.'

'Vertel me dan wat ik kan doen om hem zover te krijgen dat hij met me vecht!'

'Goed,' zei Dur-zor peinzend. 'Dat zal ik je vertellen. Je moet...'

'Kutryx!' Er klonk een luide kreet door het kamp, en alle hoofden draaiden zich om. 'Kutryx!'

Door het lange gras kwam een taan aanrennen. Hij had een speer in zijn hand en daar zwaaide hij mee om de aandacht te trekken. 'Kylsarnz! Kyl-sarnz!' Hij bleef staan en wees met zijn speer achter zich. 'Kyl-sarnz!' herhaalde hij.

'Kyl-sarnz,' riepen de andere tanen uit, en ze klonken jubelend en opgetogen.

De jachtmeester begon orders uit te delen. De tanen verspreidden zich in alle richtingen, allemaal opgewonden pratend. Kinderen sprongen op en neer en maakten lawaai. Qu-tok en de andere krijgers brulden tegen de werkers, die aan kwamen rennen om hun harnas recht te trekken en glanzend te poetsen met handen vol gras en hun eigen spuug. Twee werkers stapten de cirkel in om het lijk van Lf'kk weg te slepen. Twee andere werkers kwamen op Raaf af, die midden in de zwart geblakerde kring stond en verwilderd om zich heen keek.

'Wat gebeurt er, Dur-zor? Wat is er aan de hand?'

'De verkenner zegt dat er een kyl-sarnz aankomt.'

'Wat is dat?' vroeg Raaf. 'Is dat jullie god? Komt de god eraan?'

'Nee,' zei Dur-zor. 'Onze god is ver weg, in een ander land, hebben we gehoord. Maar hij heeft de kyl-sarnz gestuurd en dat is een heel grote eer. Kyl-sarnz betekent "door god aangeraakte". De kyl-sarnz zijn tanen die door de god, Dagnarus, zijn gekozen als zijn belangrijkste dienaren, de commandanten van zijn legers. Een van hen komt ons vandaag bezoeken. Dat is een zeldzame gebeurtenis en het kan betekenen dat onze gevechtsgroep voor iets speciaals is uitgekozen. Daarom is iedereen zo opgewonden.'

'Dur-zor,' riep Raaf wanhopig uit, toen ze zich omdraaide om weg te lopen, 'betekent dit dat de kdah-klks voorbij zijn?'

Dur-zor keek over haar schouder. 'Je zult vandaag niet sterven, Raaf. Het spijt me.'

Raaf viel ten prooi aan zo'n bittere teleurstelling dat hij er lichamelijk ziek van werd. Hij was duizelig en misselijk, en zijn buik en darmen verkrampten pijnlijk. Het kon hem niet meer schelen wat er met hem zou gebeuren. Zijn kans om zich te wreken was verkeken. Het zou lang duren voordat er weer een kwam; daar zou Qu-tok wel voor zorgen. De werkers duwden Raaf terug naar zijn staak en trokken hem mee toen hij niet snel genoeg vooruitkwam naar hun zin. Ze gooiden hem in het zand en legden hem aan de ketting. Raaf boog zich voorover en kotste zijn ontbijt uit.

Boos over de troep die hij had gemaakt, want dat betekende meer werk voor hen, sloeg een van de werkers Raaf hard in zijn gezicht terwijl de ander een emmer water ging halen. Raaf gaf opnieuw over, deze keer over de voeten van de taan. De werker gaf hem opnieuw een klap, een heel harde, en Raaf bereikte zijn doel. Hij raakte buiten westen.

Raaf werd wakker met een bonzend hoofd en in een diepe stilte. Hij hoorde niets, geen beweging in het kamp, geen vogels of het gezoem van bijen, geen geratel van sprinkhanen. Hij hoorde zelfs de wind niet door het gras ruisen. De tanen waren er nog. Hij zag hen heel duidelijk, bijeen in het midden van het kamp. Even vreesde Raaf dat de taan hem een of andere ernstige verwonding had toegebracht zodat hij doof was geworden.

Zijn kiezen op elkaar zettend tegen de pijn in zijn hoofd, slaagde Raaf erin zich op te richten tot een zittende houding. Het gekletter en gerinkel van zijn ketenen klonken luid in de stilte. Hij was opgelucht dat hij die hoorde, hoewel sommige tanen aan de rand van de cirkel zich omdraaiden en hem een boze blik toewierpen. De stilte had iets eerbiedigs. De Kyl-sarnz was zeker gearriveerd. Beroofd van zijn krachten en zijn emoties installeerde Raaf zichzelf om toe te kijken; hij was te zwak en ontmoedigd om iets anders te doen.

Een stem doorbrak de stilte. Raaf kon de spreker niet zien, want die bevond zich in het midden van de menigte tanen. De stem sprak de taal van de tanen, maar hij klonk niet als een taan. Het was een vreemde, koude en harde stem. De taal van de tanen was lelijk om te horen, ruw en diep vanuit de keel, dierlijk. Maar ze had wel een zekere warmte, de warmte van de emotie, ook al waren dat vaak primitieve, wrede en woeste emoties. In deze stem klonk geen enkele emotie door, geen enkele warmte, geen leven.

De stem zweeg. Een andere stem antwoordde. Raaf herkende de stem van de jachtmeester. Dag-ruk klonk vol respect en ontzag. Toen ze ophield met spreken, verhieven de andere tanen hun stem en begonnen in koor te roepen: 'Lnskt, Lnskt,' terwijl ze allemaal tegelijk bogen.

De kring van tanen week uiteen. Er verscheen een groep krijgers. Raaf zag Qu-tok er zelfverzekerd tussen lopen. In het midden van de groep liep de kyl-sarnz.

Toen hij die zag, ging er een huivering door Raafs lijf. Zijn darmen trokken samen van angst. Zijn hart sprong in zijn keel en hij kon niet ademhalen. Daarna begon er adrenaline door zijn lichaam te stromen en voelde hij een bijna niet te bedwingen impuls om op te springen en weg te rennen, ook al zat hij vastgebonden aan de staak. Hij moest deze verschrikking ontvluchten, ook al zou het betekenen dat hij zijn armen uit de kom moest rukken.

Het vervloekte harnas dat hij naar de Tempel van de Magiërs had gebracht, was tot leven gekomen. Het vervloekte harnas liep en bewoog.

Raaf verstijfde van angst. Hij durfde niet te bewegen, uit vrees dat het geharnaste wezen zijn afschuwelijke hoofd zou omdraaien en hem zou zien. Hij was nog nooit in zijn leven zo bang geweest, had tot op dit moment nooit geweten wat echte angst was. De aanblik van dit wezen bracht de gruwelen terug van die nachtmerrieachtige tocht met het harnas, de verschrikking van de dromen waarin het harnas tot leven was gekomen, hem was komen halen en hem had meegesleurd de eindeloze, lege duisternis in.

De helm was naar de gelijkenis van de tanen gemaakt, maar het gezicht was van metaal en veel angstaanjagender en weerzinwekkender dan de gezichten van de tanen. Gebogen stekels staken uit bij de ellebogen en schouders van het harnas; de gepantserde handen liepen uit in lange, scherpe klauwen.

De kyl-sarnz was in gezelschap van enkele taanse sjamanen, wier gewaden veel bewerkter waren dan die van R'lt en versierd met een felgekleurde feniks. Een groep krijgers liep achter de kyl-sarnz en vormde een erewacht. Die krijgers droegen een met zorg gemaakt harnas, waar dat waar Qu-tok zo trots op was magertjes bij afstak. Dit harnas was niet bij elkaar gestolen van dode krijgers, maar was duidelijk speciaal voor deze tanen gemaakt. Ze zaten onder de littekens en hadden overal bulten van de stenen. Ze waren afschuwelijk om te zien en leken bijna misvormd. Ze waren gewapend met een zwaard, een schild en een speer en liepen fier met geheven hoofd. De andere tanen keken vol eerbied, ontzag en afgunst naar hen.

Samen met zijn entourage verliet de kyl-sarnz het kampement van de tanen. De tanen bleven 'Lnskt, Lnskt' roepen tot lang nadat de Vrykyl uit het gezicht was verdwenen. Toen slaakte Dag-ruk, de jachtmeester, een kreet van vreugde en maakte een luchtsprong. De andere krijgers begonnen te schreeuwen en springen en rond te rennen door het kamp, terwijl ze met hun wapens zwaaiden en brulden. Het werd donker. Vuren brandden hoog. De tanen vierden tot diep in de nacht feest.

Raaf keek toe hoe de tanen dansten; hij zag hun lichamen zwart afgetekend tegen het felle oranje van de vuren. De uitputting sloeg toe. Hij dommelde een beetje, maar elke keer als hij wegzakte, wekte een bloedstollende kreet hem uit zijn slaap, uit een afschuwelijke droom dat hij weer met dat zwarte harnas rondreed.

Hij werd wakker doordat iets zijn arm aanraakte. Hevig geschrokken omdat hij dacht dat het een zwart geharnaste hand was, sprong hij op van de grond; bevend en met al zijn spieren gespannen stond hij klaar om op leven en dood te vechten. Zo stond hij even te rillen en met zijn ogen te knipperen, totdat hij besefte dat de gestalte die voor hem was neergehurkt en hem verbaasd aanstaarde geen Vrykyl was, maar Dur-zor.

Dit was de eerste keer dat ze bij hem in de buurt had durven komen, de eerste keer dat ze hem had aangeraakt.

Raaf zuchtte beverig en liet zich weer op de grond zakken. 'Sorry dat ik je aan het schrikken heb gemaakt,' zei hij. Hij schudde zijn hoofd. 'Ik had een nare droom.'

'Ah,' zei ze, en ze knikte. Ze had een houten bord met geroosterd zwijnenvlees in haar hand, dat ze voor Raaf neerzette.

'Wat is dit?' vroeg hij terwijl hij de slaap uit zijn ogen wreef. De pijn in zijn hoofd was afgenomen tot een dof gevoel. Zijn lege maag rammelde, maar hij had geen zin in eten. Hij was bang dat hij er weer misselijk van zou worden. 'Je zei dat slaven geen sterk voedsel kregen.'

'Dag-ruk heeft het gestuurd,' zei Dur-zor, en ze glimlachte, blij voor hem. 'Ze zegt dat je ons geluk brengt. Jij hebt de kyl-sarnz naar ons kamp gebracht.'

'Nee!' riep Raaf met holle stem, achteruitdeinzend. Het koude zweet brak hem uit en druppelde van zijn voorhoofd, langs zijn hals en zijn borst. 'Nee, zeg dat niet!'

Dur-zor leek verbaasd over zijn reactie. 'Waarom niet? Het is goed als er een kyl-sarnz komt. Kyl-bufftt Lnskt heeft onze stam een groot voorrecht verleend. Onze god wil dat wij de slavenkaravaan terug naar Taan-Cridkx escorteren. En als we terugkomen, zal Dag-ruk tot nizam worden benoemd, een grote eer.'

'Je bedoelt dat jullie krijgers de slavenkaravaan zullen escorteren terug naar... waar dat ook moge zijn. Gaat Qu-tok ook mee?'

'Natuurlijk,' zei Dur-zor. 'Waar zou hij anders heen gaan?'

'Mooi,' zei Raaf. Zijn eetlust kwam terug. Hij stak zijn hand uit naar het bord. 'Ik zal eten. Bedank Dag-ruk namens mij voor het sterke voedsel.'

24

De bootreis over de Zee van Redesh naar het noorden was een betrekkelijk gemakkelijke tocht, hoewel niet erg comfortabel. Jessan gebruikte het bloedmes bijna elke avond om zijn eten te doden en hij bleef last houden van nachtmerries; letterlijk nachtmerries, want hij hoorde het hoefgetrappel van een paard in zijn slaap. Elke ochtend als de Grootmoeder wakker werd, stak ze de stok met de ogen in de lucht en elke ochtend keek ze Jessan vreemd aan.
Jessan was gebelgd over haar onuitgesproken beschuldiging. Hij had niets verkeerds gedaan. Hij kon er ook niets aan doen als een of andere stomme stok dacht iets te zien, en hij was een oude pecwaevrouw geen verantwoording schuldig voor zijn daden. Hij had haar of in elk geval Bashae natuurlijk kunnen vertellen over de nare dromen, maar eigenlijk schaamde Jessan zich ervoor. Hij streefde ernaar zijn naam te vinden, zijn plaats als sterke krijger in de stam te verdienen, en dan werd hij 's nachts trillend en bevend wakker als een grienend jongetje dat zijn moeder kwijt is. Hij bewaarde zijn geheim, want hoe kon hij toegeven dat hij een slappeling was, een lafaard?
Somber, neerslachtig en voortdurend moe door slaapgebrek hanteerde Jessan zijn roeispaan in een broeierige stilte, met spijt dat hij er ooit mee had ingestemd deze reis te ondernemen. De Grootmoeder was niet op haar gemak en in een slecht humeur. Ze staarde achterdochtig in de schaduwen langs de oever, sloeg steeds alarm zonder dat er iets aan de hand was en was voortdurend in de weer met haar stenen. Bashae, die tussen twee vuren zat, probeerde met Jessan te praten, maar werd steeds onvriendelijk afgewezen. Als hij probeerde met de Grootmoeder te praten, snauwde ze hem af en zei ze dat hij haar met rust moest laten, want dat ze niet was meegekomen op deze reis om zich steeds aan haar kop te laten zeuren. Bashae, die voor in de boot zat, haalde zijn schouders op en roeide als hem dat werd gezegd, maar hij zat het grootste deel van de tijd te genieten van de schoonheid en wonderen van zijn steeds veranderende omgeving.

De scheepvaart nam toe naarmate ze noordelijker kwamen. Jessan moest dicht bij de oever blijven om niet te worden overvaren door de immense schepen uit alle landen die over de Zee van Redesh voeren. Bashae was diep onder de indruk van de aanblik van hun kleurrijke zeilen en de honderden riemen die door het water gleden in wat een wonderbaarlijk ritme leek te zijn; hij genoot erg van de tocht en daar werden de spanningen in de boot niet minder om, want zowel de Grootmoeder als Jessan vond dat Bashae niet het recht had om plezier te hebben als zij dat niet hadden en ze namen hem dat zeer kwalijk.

Het ging weer wat beter tussen hen drieën toen ze in de buurt van de havenstad Myanmin kwamen. Ze ontmoetten een groep Trevinici-huursoldaten die terugkeerden naar hun post bij het Nimoreaanse leger. De Trevinici wilden graag weten waarom Jessan twee pecwae's rondroeide. Jessan vertelde de Trevinici het verhaal van de ridder en dat deed hun plezier, zoals elk verhaal over een krijger die waardig had gevochten en waardig was gestorven hun plezier zou hebben gedaan. Ze betoonden de Grootmoeder veel respect, gaven haar een ereplek in hun midden en bedienden haar. Dat bracht de Grootmoeder in een goede bui en ze begon zelfs weer tegen Jessan en Bashae te praten.

Jessan vrolijkte ook op. De Trevinici hadden een overvloed aan eten bij zich en stonden erop het met hen te delen. Jessan hoefde het bloedmes dus niet meer te gebruiken en droomde niet meer zo naar. De ogen van vuur staarden hem niet meer recht aan, en hoewel hij nog wel hoefgetrappel hoorde, leek dat van verder weg te komen.

Bovendien kwam hij veel te weten over de stad Myanmin, de hoofdstad van Nimorea.

'Voor een stad is Myanmin mooi om te zien,' vertelde Ogen-Als-De-Dageraad, 'want er wonen en werken veel elfen in Myanmin en bij elfen kun je er altijd op rekenen dat ze respect hebben voor de natuur en niet alles omhakken, platbranden, plaveien of ommuren.'

De andere Trevinici knikten instemmend.

'Maar ja,' besloot ze, 'Myanmin is en blijft een stad, en er zijn heel veel gebouwen, allemaal van steen en hout, en heel veel straten en mensen. De Nimoreanen hebben één eigenaardige gewoonte die ze hebben behouden nadat ze uit Nimra verbannen waren: ze bouwen hun tempels voor hun goden onder de grond, als mieren.'

Jessan was verbaasd. 'Hoe kunnen de goden, die in de uitgestrekte hemelen wonen, worden geëerd door een gebouw dat niets meer dan een mierenhoop is?'

'Ze bouwen ze op die manier om ze beter te kunnen verdedigen. In tegenstelling tot de tempels in andere steden staan Nimoreaanse tempels niet open voor buitenstaanders, tenzij de geestelijkheid hun speciale toestemming heeft verleend om er binnen te gaan. Iedereen die die regels overtreedt, kan ter dood worden gebracht.'

'Terecht,' zei Scherp Zwaard. 'En hun ziel moet naar de Leegte worden verwenst.' Hij sprak op strenge toon en de anderen waren het met hem eens. De Trevinici zijn een vroom volk met respect voor alle goden, niet alleen die van henzelf.

'Maar toch proberen sommigen het,' zei Ogen-Als-De-Dageraad, 'want er wordt beweerd dat er een grote hoeveelheid juwelen, gouden beelden en zilverstukken te vinden is in de Nimoreaanse tempels. Sommigen denken dat het inleveren van hun ziel voor een dergelijke rijkdom misschien wel een goede gok is.'

Jessan voelde zich slecht op zijn gemak bij de wending die het gesprek had genomen. Het gepraat over zielen die aan de Leegte werden verkocht, deed hem denken aan de ogen die 's nachts naar hem hadden gekeken. Hij veranderde van onderwerp door te vertellen dat hij in de Vliegermakersstraat moest zijn en te vragen hoe hij die kon vinden.

'Wat maken ze in die straat?' vroeg Bashae nieuwsgierig. 'Ik heb wel gehoord van de levensgevaarlijke vliegerspin. Ik heb er zelfs ooit een door de lucht zien zweven; hij wachtte totdat hij zich op iemand kon laten vallen. Spinnen de Nimoreanen daar hetzelfde soort webben als die spin? Of kweken ze daar spinnen?'

Als de Trevinici glimlachten, zorgden ze in elk geval dat de pecwae het niet zag.

'Nee, het heeft niets met spinnen te maken, Bashae,' zei Scherp Zwaard. 'De vliegerspin heeft zijn naam te danken aan het soort vliegers dat de Nimoreanen maken in de Vliegermakersstraat. Een vlieger is een houten constructie, bespannen met rijstpapier. Als een vlieger wordt losgelaten in de wind, draagt de wind hem hoog de lucht in. Met een lang touw dat aan de vlieger vastzit, kan iemand op de grond hem bedienen.

Sommige vliegers zijn klein en kleurig, en hebben de vorm van een vogel of een vlinder. Die worden als kinderspeelgoed gebruikt. Sommige vliegers worden vechtvliegers genoemd. Die hebben een lemmet als van een mes onder aan de vlieger. De elfen laten de vliegers op om wedstrijden mee te doen, waarbij elke elf probeert het touw van de ander door te snijden. Maar andere vliegers worden voor serieuzere dingen gebruikt. Sommige zijn zo groot als een huis en sterk genoeg om mensen de lucht in te tillen. Die gebruiken de elfen vaak om de vijand te bespioneren, want die vliegers – die ze levende vliegers noemen – kunnen over vijandelijke stellingen vliegen en buiten het bereik van pijlen blijven.'

Jessan luisterde beleefd, want deze Trevinici waren ouder dan hij en ervaren krijgers. Maar hij was ervan overtuigd dat ze hem voor de gek hielden, want zulke buitensporige verhalen kon hij niet geloven. Hij werd bijna kwaad, maar toen verbeterde zijn humeur weer, want de Trevinici begonnen verhalen te vertellen over hun veldslagen en die geloofde hij wel. Hij luisterde gretig en toen het tijd was om te gaan slapen, kon hij alweer grijnzen om de gedachte aan vliegende elfen.

De Trevinici gingen vroeg slapen om bij zonsopgang te vertrekken. De Grootmoeder liet haar avondlijke gebruik van het neerleggen van de zevenentwintig turkooizen stenen rond het kamp achterwege. Aangezien de Trevinici haar eer hadden bewezen, vond ze dat ze verplicht was dat op haar beurt ook jegens hen te doen.

'In de aanwezigheid van zulke dappere en vermaarde krijgers,' zei ze met een buiging waar de kralen aan haar rok van tegen elkaar tikten en de belletjes van rinkelden, 'weet ik zeker dat ons vannacht geen kwaad zal overkomen.'

Jessan was hier diep dankbaar voor, want hoewel hij wist dat de Trevinici uiterlijk respect zouden tonen, was hij bang dat ze innerlijk zouden lachen. Door zijn slaapgebrek en de zware lichamelijke inspanning van het roeien viel hij bijna meteen in slaap toen hij op zijn deken ging liggen. Kort daarna werd hij weer wakker met het gevoel dat er iemand vlak bij hem was. Hij was verbaasd toen hij merkte dat het de Grootmoeder was. Hij deed alsof hij sliep en hield zijn ogen dicht, want hij wilde niet met haar praten. Hij hoopte tegen beter weten in dat ze weg zou gaan en hem met rust zou laten. De Grootmoeder maakte hem niet wakker en zei niets tegen hem. Ze scharrelde bij hem in de buurt rond, maar hij kwam er niet achter wat ze deed. Uiteindelijk won zijn vermoeidheid het en viel hij weer in slaap.

Jessan werd bij zonsopgang wakker. Toen hij ging zitten, zag hij tot zijn ontsteltenis en verontrusting dat de Grootmoeder heimelijk zeven van de turkooizen stenen om hem heen had gelegd.

Ze gingen vroeg in de ochtend de stad binnen, want Jessan wilde die Arim in de Vliegermakersstraat opzoeken en dan meteen doorgaan naar het land van de elfen. Hij verwachtte dat het omstreeks het middaguur zou zijn als ze Arim hadden gevonden en dat ze dan bij het vallen van de avond onderweg konden zijn naar Tromek. Ze kwamen tegelijk de stad in met degenen die hun waren naar de markt brachten, de drukste tijd van de dag. Dat was waarschijnlijk een voordeel, want de druk bezette poortwachters lieten hen zonder veel vragen door, hoewel ze wel naar de pecwae's staarden, waarvan je er tegenwoordig maar weinig zag buiten de wildernis.

'Houd een oogje op je kleine vrienden,' zei een van de wachters waarschuwend tegen Jessan. 'Het is verboden om in pecwae-slaven te handelen, maar er zijn mensen die er niet tegen opzien om de wet te overtreden, als het ze maar genoeg oplevert.'

'Pecwae-slaven,' herhaalde Jessan verbaasd. 'Waarom zou iemand een pecwae als slaaf willen hebben? De eerste pecwae die wil werken voor zijn brood moet nog geboren worden.'

De wachter grinnikte. Hij was soldaat geweest, had samen met Trevinici in het leger gezeten en waardeerde de openhartige manier waarop ze zich uitdrukten. 'De rijke vrouwen van Nieuw Vinnengael houden ze als huisdieren,' zei hij. 'Ze betalen er dik voor, dus daarom zeg ik: houd ze in de gaten, vooral die jonge.'

Bashae had zich voorgesteld dat Myanmin op de Wilde Stad zou lijken, met misschien wat meer gebouwen en een paar straten meer. De pecwae was volkomen onvoorbereid op de uitgestrektheid en pracht van de Nimoreaanse stad. Hij was verbluft toen ze door de stadspoort liepen en staarde vol verwondering naar de stenen gebouwen die zo hoog waren – sommige hadden wel drie verdiepingen – dat ze de hemel leken te raken. Hij gaapte naar de Nimoreanen, die hun huid schijnbaar allemaal glanzend diepzwart hadden geverfd.

Hij zag in één oogopslag meer mensen dan hij had gedacht dat er op de hele wereld konden bestaan. De herrie van wagens die over de keien ratelden, klepperende paardenhoeven en kooplui die hun waren aanprezen, naar vrienden riepen of ruzieden met andere kooplui was oorverdovend. Zijn knieën knikten, hij was misselijk en licht in zijn hoofd en kon zich niet verroeren. Hij zou waarschijnlijk op één plek zijn blijven staan om wortel te schieten als Jessan zijn vriend niet in zijn rug had gepord en hem streng had bevolen niet te kijken als een gapende pecwae die voor het eerst een stad zag.

'Maar dat bén ik,' protesteerde Bashae gekrenkt.

'Daarom hoef je er nog niet zo uit te zien!' vertelde Jessan hem. 'Doe je mond dicht en loop door.'

Als de Grootmoeder geïntimideerd was, liet ze dat in elk geval niet blijken. Ze begaf zich zelfverzekerd in de menigte met haar tikkende kralen, rinkelende zilveren belletjes en stok met ogen van agaat, en haar scherpe blik schoot alle kanten op. Daar was Jessan blij om. Zelf was hij diep vanbinnen overweldigd en verbijsterd door wat hij allemaal zag, hoorde en rook, maar met het typische stoïcisme van de Trevinici zorgde hij ervoor dat hij dat niet liet merken. Dit zelf-verzekerde air liep een deuk op toen hij bijna werd overreden door een paard en wagen, want hij had er niet aan gedacht om om zich heen te kijken voordat hij de straat op stapte.

Bashae trok zijn vriend net op tijd voor de neuzen van de paarden vandaan. De wagenmenner vloekte naar Jessan en zwaaide met zijn zweep terwijl de wagen langs zoefde. Hij schreeuwde 'barbaar' in het Naru, de taal van Nimra en Nimorea, een taal die Jessan gelukkig niet verstond.

'Die idioot had uit de weg moeten gaan,' verkondigde Jessan terwijl hij de wagen dreigend nakeek en nog dreigender keek naar de mensen om hem heen, van wie er een paar grinnikten.

Jessan keek om zich heen, inwendig verbijsterd door de doolhof aan straten die zich voor hem uitstrekte, en allemaal zinderend van activiteit.

De Trevinici hadden hem verteld hoe hij moest lopen, maar hij zag geen van de oriëntatiepunten die ze hadden genoemd: een bord met een kraai die een munt in zijn snavel had en een gebouw dat bestond uit drie huizen op elkaar. Jessan begon alle instructies door elkaar te halen en vergat wat hij het eerste zou moeten zien, en voordat hij ook maar iets had gedaan, was hij al verdwaald.

Hij kon zijn zwakheid niet tonen met de pecwae's erbij, want die rekenden op hem, en terwijl de moed hem in de schoenen zonk, koos hij uiterlijk vol zelfvertrouwen een willekeurige straat. Hij vrolijkte op toen hij een bord met een kraai erop zag, hoewel de kraai een kroes in zijn klauw hield, en geen munt in zijn snavel. De straat liep echter dood. Ze moesten dezelfde weg terug nemen, terwijl Jessan mompelde dat hij had willen zien wat er achter in die steeg was.

De zon klom tot hoog aan de hemel. Ze hadden de hele ochtend gelopen en geen spoor van vliegers of vliegermakers gezien. Bashae liep moeizaam, want zijn voeten waren rauw geschuurd door de straatstenen. De Grootmoeder hield zich kranig, hoewel ze wel wat langzamer begon te lopen en wat zwaarder op haar stok leunde. Jessan werd regelmatig aan de vriendelijke waarschuwing van de wachter herinnerd, want de pecwae's trokken heel wat aandacht en soms leek die aandacht onheilspellend. Hij hield zijn hand op Bashaes schouder.

'Laten we naar de vliegermaker gaan, Jessan,' zei Bashae terwijl hij bleef staan om medelijdend naar een arm kind te kijken dat in steen was veranderd en water spoog.

Hij had veel mensen van steen gezien in deze stad. Hij kon alleen maar concluderen dat dat een of andere afschuwelijke straf was en hij was bang dat hij per ongeluk een wet zou overtreden en zelf ook zo zou eindigen.

'Mijn voeten doen pijn en deze stad bevalt me niet.'

De stad beviel Jessan ook niet. Hij wilde maar al te graag naar de vliegermaker, maar hij had geen flauw idee waar die zou kunnen zijn. De gedachte kwam bij hem op dat ze een leven lang door deze stad konden dwalen zonder ooit de weg te vinden, want ze hadden al de hele ochtend gelopen en waren nog geen twee keer op dezelfde plek geweest. Hij stond op het punt zich te vernederen, zijn trots in te slikken en toe te geven dat hij verdwaald was, toen hij tot zijn grote opluchting twee van de Trevinici zag die ze de voorgaande avond hadden ontmoet.

Jessan zwaaide. De Trevinici zwaaiden terug en kwamen naar hem toe lopen. 'Bij de goden,' zei Scherp Zwaard. 'Wat doen jullie in dit deel van de stad? De straat die je zocht is helemaal aan de andere kant.'

'Ze bekijken de bezienswaardigheden,' zei Ogen-Als-De-Dageraad. 'Wij gaan zelf ook naar de Vliegermakersstraat,' vervolgde ze, en ze gaf Scherp Zwaard een por met haar elleboog toen hij zijn mond opendeed. Ze herinnerde zich hoe het was om achttien jaar en trots te zijn. 'Willen jullie met ons meelopen?'

'Nadat we even rustig hebben gezeten en iets hebben gegeten,' zei Scherp Zwaard, die de hint van zijn partner begrepen had.

Ze gingen naast het stenen kind zitten om brood en gedroogd vlees te eten en het water te drinken, dat helder en koud was. Ogen-Als-De-Dageraad stelde Bashae gerust door hem te vertellen dat het kind niet in steen was veranderd maar uit steen was gehouwen, zoals Bashae vogels maakte van turkoois.

Halverwege de middag kwamen ze in de Vliegermakersstraat aan. Bashae vergat onmiddellijk de pijn in zijn voeten en Jessan zijn afkeer van steden, want deze straat was een wonder.

De lucht was vol vliegers in alle soorten en maten: vliegers die vissen of vogels voorstelden, vliegers in fantasievormen en in alle kleuren van de regenboog en meer, kleuren waar de goden zelf niet eens aan hadden gedacht. De vliegermakers hadden de plek van hun winkels heel slim gekozen, want de smalle straat fungeerde als windtunnel voor de bijna voortdurende bries vanuit de bergen naar het westen.

Voor elke winkel stonden leerjongens van de vliegermakers hun waren te demonstreren. Ze lieten de vliegers duiken en dansen en kunstjes doen in de lucht. Helemaal aan het einde van de straat konden potentiële klanten een van de enorme vliegers bewonderen die een mens konden dragen. De vlieger was werkelijk zo groot als een huis van twee verdiepingen en Jessan verontschuldigde zich in stilte tegenover de twee Trevinici omdat hij aan hun woorden had getwijfeld.

'Hoe heet de man die jullie zoeken?' vroeg Scherp Zwaard.

Terwijl hij, Jessan en Bashae wegliepen om een van de leerjongens te vragen waar ze ene Arim konden vinden, bleef de Grootmoeder met Ogen-Als-De-Dageraad in de straat staan. De Grootmoeder had vrolijk en verwonderd naar de vliegers staan kijken toen ze plotseling ergens naar wees.

'Wat is dat?' vroeg ze.

'Een elf,' zei Ogen-Als-De-Dageraad. 'En zijn gevolg.'

De Grootmoeder ademde diep in en voordat de Trevinici haar kon tegenhouden, liep ze naar de elf toe en ging recht voor hem staan.

De elfenheer was een edelman van het huis Wyval en overwoog een paar van de grote vliegers te kopen voor zijn leger. Hij was op weg naar een demonstratie van een van die vliegers toen hij geschrokken bleef staan en neerkeek op de kleine gestalte die zijn weg blokkeerde. Zijn gevolg van hoge militairen en een paar lijfwachten kwam met veel gekletter van staal achter hem tot stilstand. Hij stak zijn hand afwerend op toen zijn lijfwachten instinctief hun zwaard trokken.

De Grootmoeder stond te dicht bij hem. Ze was onbewust de kring van de aura van de elf binnengetreden, maar de edelman was te welopgevoed om haar te beledigen door achteruit te stappen. Toen hij zag dat ze op leeftijd was, boog de edelman beleefd voor haar, want elfen hebben een grote eerbied voor wie lang heeft geleefd.

De Grootmoeder staarde met onverholen nieuwsgierigheid omhoog naar de elf en bekeek alles aan hem, van zijn lange, smalle neus tot aan zijn amandelvormige ogen, zijn sluike zwarte haar en zijn elegante gewaad. De edelman voelde zich opgelaten over dit nauwkeurige onderzoek, dat onder zijn volk als extreem ongemanierd beschouwd zou worden. Hij wist niet wat hij met de situatie aan moest, want hij kon iemand op leeftijd niet zomaar opzij duwen, maar hij kon ook niet om haar heen lopen zonder zelf ongemanierd te lijken.

'Nu kan ik sterven,' zei de Grootmoeder op besliste toon in het Twithil, en ze bonkte met haar stok op de grond.

'Wat zegt ze?' vroeg de van zijn stuk gebrachte elf aan Ogen-Als-De-Dageraad, die was komen aanrennen.

'Ze is een pecwae en ze heeft nooit eerder een elf gezien, edele heer,' antwoordde Ogen-Als-De-Dageraad in de Taal der Oudsten, die door de meeste inwoners van Loerem wel werd verstaan. 'Ze zegt dat ze nu kan sterven, omdat ze lang genoeg heeft geleefd om een droom in vervulling te zien gaan.'

'Aha, ik snap het,' zei de elf met een flauwe glimlach. Hij zweeg even en dacht na over een gepaste reactie. 'Vertel haar maar dat ik nooit eerder iemand van het volk der pecwae's heb aanschouwd en dat er ook voor mij een droom in vervulling is gegaan.'

Ogen-Als-De-Dageraad vertaalde de woorden van de elf voor de Grootmoeder, die hard lachte, wat haar een tersluikse blik van de elf opleverde, want om iemand lachen was nog ongemanierder. Hij wenkte zijn adjudant. Die haalde een grote beurs te voorschijn, diepte er een zilveren munt uit op en gaf dat met koele, stijve waardigheid aan de Grootmoeder, die er verwonderd naar keek en er toen aan likte.

Ze opende een van de tassen die ze aan de riem rond haar middel droeg en begon erin te rommelen.

'Ze wil u op haar beurt ook iets geven,' zei Ogen-Als-De-Dageraad. 'Zeg haar dat dat niet hoeft...' begon de edelman, maar zijn woorden stokten toen de Grootmoeder een turkoois te voorschijn haalde, die in de vorm van een schildpad was gesneden.

De Grootmoeder stak de turkoois naar hem uit en maakte hetzelfde soort knixje als hij had gedaan. Eerst verklaarde de elf dat hij zo'n kostbaar geschenk niet kon aannemen, maar de Grootmoeder drong er met een gegrinnik en een gebiedend handgebaar op aan. De elf verzette zich precies zo lang als de beleefdheid eiste en nam de turkoois toen met een tweede, veel diepere, buiging aan.

Ogen-Als-De-Dageraad pakte de Grootmoeder vast, die opnieuw boog en in staat leek de hele dag te blijven buigen, en trok haar opzij, zodat de elf en zijn gevolg verder konden lopen.

'Dus dat is een elf,' zei de Grootmoeder.

Enigszins duizelig van al het gebuig ging ze op de stoep van een vliegerwinkel zitten, waardoor ze de doorgang volledig blokkeerde. De vertoornde eigenaar kwam achter zijn toonbank vandaan en zette koers in de richting van de Grootmoeder. Toen hij echter de Trevinici-krijger zag, trok hij zich terug achter de toonbank, waar hij op een kruk luid en klaaglijk ging zitten zuchten.

'Wat vond u van hen?' vroeg Ogen-Als-De-Dageraad.

De Grootmoeder keek de elfen na, in hun glanzende harnassen en fraai geborduurde zijden gewaden. Ze tuitte peinzend haar lippen en stak haar kaak naar voren.

'Leugenaars,' verklaarde ze. 'Maar ze bedoelen het goed.'

Het was niet moeilijk voor Scherp Zwaard, Jessan en Bashae om

Arim te vinden. Elke winkelier in de straat was goed op de hoogte van de zaken van zijn concurrenten en de eerste leerjongen aan wie ze het vroegen, wees naar de winkel waar ze Arim de vliegermaker konden vinden.

Ze gingen de winkel binnen, die donker leek na het felle zonlicht, en bleven even in de deuropening staan, totdat hun ogen aan het donker gewend waren. De winkelier had met een brede glimlach een paar stappen naar voren gezet maar bleef staan toen hij twee Trevinici en een kleine gestalte, die hij aanzag voor een kind, in de deuropening zag. Hij rolde geërgerd met zijn ogen en wees met zijn duim naar het drietal, en een van zijn leerjongens, een zeer grote Nimoreaan, kwam naar voren om de invasie af te slaan.

'Mijn baas bedankt u dat u deze winkel met een bezoek vereert, maar zoals de heren ongetwijfeld kunnen zien, hebben we het op het moment erg druk en hij denkt dat u de winkels van onze concurrenten veel interessanter zult vinden...'

Terwijl hij sprak, gebruikte de leerjongen zijn armen en zijn lichaam in een poging het drietal de deur uit te werken, waarbij hij Bashae bijna omverliep. Jessan liep rood aan van woede. Hij greep zijn vriend vast zodat die zijn evenwicht hervond en leek op het punt te staan iets tegen de leerjongen te zeggen dat bijna zeker tot een vechtpartij zou leiden. Scherp Zwaard wierp de jongeman een zijdelingse blik toe en schudde bijna onmerkbaar zijn hoofd.

'Een ogenblikje, vriend,' zei Scherp Zwaard. Hij plantte zijn voeten stevig neer en legde zijn hand op de borst van de Nimoreaan om de grotere man tot stilstand te brengen. 'Zeg tegen je baas dat het waar is dat we niet zijn gekomen om zijn waren te kopen, maar dat we hier niet zomaar uit nieuwsgierigheid zijn binnengestapt. We zoeken iemand.'

De leerling keek naar zijn baas voor instructies. De baas stak geërgerd zijn handen in de lucht en zei in het Nimoreaans: 'Als ze hier maar weggaan. Barbaren. Ze jagen mijn klanten nog weg.'

Scherp Zwaard, die Nimoreaans verstond, grijnsde. Jessan, die dat niet deed, fronste en keek naar Scherp Zwaard. De krijger knikte om aan te geven dat Jessan het woord maar moest doen.

'We zijn op zoek naar ene Arim,' zei Jessan in de Taal der Oudsten. 'Arim de vliegermaker.'

De winkelier keek aandachtiger naar hen, met een scherpe, onderzoekende blik. 'Ga tegen Arim zeggen dat hij bezoek heeft.'

De leerjongen vertrok om zijn opdracht uit te voeren. De twee Trevinici en de pecwae stonden in de deuropening. Bashae staarde met open mond naar de wonderbaarlijke verscheidenheid aan vliegers die als felgekleurde vleermuizen aan het plafond hingen. Jessan deed hetzelfde, maar besefte toen dat nieuwsgierigheid bij een pecwae weliswaar vergeeflijk was, maar beneden de waardigheid van een krijger. Hij deed Scherp Zwaard na, die met zijn armen over elkaar geslagen kalm naar niets stond te kijken en intussen alles zag.

De leerjongen kwam terug, samen met een andere Nimoreaan. Hij was lang en slank en zijn huid leek op een zachte, zwarte stof die in blauwe verf was gedompeld. Zijn ogen waren bruin, warm en zachtmoedig, net als zijn glimlach. Zijn handen waren smal, en op zijn lange, soepele vingers zaten verfvlekken. Hij had een kwastje in zijn hand en veegde dat aan een doek af terwijl hij naderbij kwam. Hij leek enigszins verbaasd te zijn toen hij zag wie hem wilden zien en wierp een korte vragende blik op de winkelier, die zijn hoofd schudde en toen met zijn duim naar de deur wees, alsof hij wilde zeggen: 'Het kan me niet schelen waarom ze hier zijn, als je maar zorgt dat ze weggaan.'

Arim glimlachte verontschuldigend naar hem en terwijl hij onzeker van de ene krijger naar de andere keek, vroeg hij in de Taal der Oudsten: 'Waar kan ik u mee helpen, heren?'

Jessan deed een stap naar voren en sprak met de karakteristieke openhartigheid van de Trevinici: 'Een ridder uit Vinnengael, ene Heer Gustav...'

Arim begon te hoesten. Het was zo'n zware hoestbui dat hij ervan dubbel klapte. Hij hapte piepend en fluitend naar lucht. De leerjongen keek geschrokken. De winkelier vroeg of hij een slokje water wilde. Arim, die gegeneerd leek, gebaarde naar zijn keel en bracht ten slotte hijgend uit dat het door het stof kwam en dat hij zich beter zou voelen in de frisse lucht. Hij strompelde naar buiten.

'Ik kan een kompres maken tegen hoesten,' zei Bashae, die bezorgd van Scherp Zwaard naar Jessan keek. 'Het wordt gemaakt van mosterdzaad. Daar wrijf ik dan zijn borst mee in. Ik zou het hier kunnen maken, als ik wat water had en iets om de zaadjes mee te verpulveren. Willen jullie dat tegen hem zeggen?'

'Wat doen we nu?' vroeg Jessan onzeker.

Scherp Zwaard haalde zijn schouders op. 'Als hij de man is die je moet spreken, moet je hem spreken,' zei hij met onweerlegbare Trevinici-logica.

Bashae stond al in zijn ransel te zoeken. De winkelier gebaarde haastig naar de leerjongen, die de deur dichtsloeg, een teken voor voorbijgangers dat de winkel voor vandaag gesloten was. De zon begon achter de bergen te zakken en wierp lange schaduwen in de straat. De klanten van die dag deden hun laatste aankopen. De leerjongens begonnen hun vliegers in te halen, deden de luiken voor de ramen en haalden de kleurrijke zonneschermen op. Even later was een straat vol kleuren en wonderen veranderd in een doodgewone, alledaagse straat.

Arim stond op straat naar adem te snakken en hij veegde zijn bezwete voorhoofd af met dezelfde doek die hij had gebruikt om zijn kwast mee schoon te maken.

'Vergeef me, heren,' zei hij toen hij weer iets kon uitbrengen. Zijn stem klonk nog schor. 'Het komt door het steenstof. Sommige verven die we gebruiken...' Meer kon hij niet zeggen, maar hij stak zijn hand op om hun geduld te vragen.

De Trevinici-krijgers stonden midden op straat en keken hulpeloos en gegeneerd vanwege de zwakte die de Nimoreaan toonde. De straat liep langzaam leeg. Winkeliers en hun leerjongens trokken zich achter gesloten luiken en deuren terug.

De Grootmoeder en Ogen-Als-De-Dageraad kwamen aanlopen.

'Hij heeft een kompres nodig,' zei Bashae terwijl hij een flesje met gele zaadjes te voorschijn haalde.

Arim schudde zijn hoofd. 'Nee,' zei hij schor. 'Doe alstublieft geen moeite...'

'Ik hoorde het tumult. Wat is er aan de hand?' vroeg Ogen-Als-De-Dageraad. 'We moeten eigenlijk terug naar het kampement,' vervolgde ze tegen Scherp Zwaard. 'De commandant zal zich afvragen waar we blijven. Kunnen onze vrienden zich verder redden?'

'Wij kunnen ons prima redden,' zei Jessan onmiddellijk. 'Dank jullie voor jullie hulp, Scherp Zwaard, Ogen-Als-De-Dageraad.'

Scherp Zwaard keek met toegeknepen ogen naar de Nimoreaan en nam Jessan toen samen met Ogen-Als-De-Dageraad apart.

'Ik vertrouw hem niet,' zei Scherp Zwaard. 'Kom met ons mee naar het kamp. Dan kunnen jullie morgenochtend terugkomen, als het moet.'

Jessan aarzelde. Hij verlangde ernaar deze stad met haar lawaai, drukte en vieze lucht achter zich te laten. Hij wilde niets liever dan een aangename avond doorbrengen met de Trevinici en luisteren naar verhalen over moed en dapperheid in de strijd. Maar hij had een taak te vervullen, hij had de stervende Domeinheer zijn woord gegeven. Hij kon zijn oom Raaf bijna naast zich zien staan, ontstemd fronsend omdat hij er alleen al aan dacht om zijn plicht te verzaken.

'Bedankt, Scherp Zwaard en Ogen-Als-De-Dageraad,' zei Jessan. 'Maar ik heb iets beloofd en dat moet ik doen. We redden ons wel.'

De twee Trevinici keken elkaar aan. Ze waren zich beiden bewust van de gevaren die schuilgingen in de nachtelijke duisternis van de stad en wilden Jessan tegenspreken toen de Nimoreaan naar hen toe kwam.

'Bent u degene die me wil spreken?' vroeg Arim nadat hij zijn keel had geschraapt, en hij keek Jessan aan. 'U en uw pecwae-vrienden?' Jessan knikte.

Arims blik ging naar de twee oudere krijgers. 'En u hebt hem de weg gewezen en moet nu weer aan het werk. U durft uw kameraad eigenlijk niet bij mij achter te laten. Klopt dat?'

Arim glimlachte. 'Maakt u zich alstublieft geen zorgen over de jongeman. De pecwae's en hij zullen vannacht bij mij te gast zijn. Ik zal hen morgenochtend naar uw kampement brengen, als ze dat willen.'

'Doe dat, Nimoreaan,' zei Ogen-Als-De-Dageraad. 'Aan de Trevinici heb je goede vrienden, maar slechte vijanden.'

'Ja, dat weet ik,' zei Arim ernstig. 'U hebt mijn woord dat ze veilig zullen zijn. Dat zweer ik op de glanzende ogen van mijn koningin. Mogen die hun gezegende licht voorgoed van me afwenden als ik uw vertrouwen beschaam.'

Scherp Zwaard was onder de indruk. Hij kende de Nimoreanen goed genoeg om te weten dat dit een zeer plechtige eed was, want de koningin van Nimorea was niet alleen het staatshoofd maar ook de geestelijke leidsvrouwe van haar volk. Arim de vliegermaker had zichzelf eigenlijk veroordeeld tot ballingschap van zijn volk en zijn geloof als hij zijn gelofte niet nakwam.

Als eenvoudige en eerzame mensen, die anderen beoordelen naar hun eigen maatstaven, vonden de twee Trevinici deze eed ruim voldoende; het kwam niet bij hen op dat als Arim een man met slechte bedoelingen was, hij waarschijnlijk al verdoemd was en niets meer te vrezen had. De twee krijgers gingen er op een holletje vandoor, zodat ze snel hun kampement zouden bereiken.

Jessan keek hen na en probeerde de moed niet te verliezen. Hij was weer alleen op deze vreemde plek, met deze vreemde man, en droeg de verantwoordelijkheid voor zijn twee metgezellen. Jessan sloeg zijn armen over elkaar, zette zijn voeten een stukje uiteen en kwam ter zake.

'Zoals ik daarnet wilde zeggen...'

'Alstublieft, meneer,' zei Arim vriendelijk. 'Hoe heet u, overigens?'

'Ik heb mijn naam nog niet gekozen,' zei Jessan blozend, 'maar ik word Jessan genoemd. Dit is mijn vriend Bashae en dit is de Grootmoeder.'

De Nimoreaan boog elegant naar elk van hen.

'Ik ben Arim,' zei hij. Hij maakte een gracieus gebaar. 'Mijn woning is hier niet ver vandaan. Als u me de eer zou willen verschaffen me te vergezellen, zullen we daar iets te eten en te drinken vinden, en een plek waar we kunnen praten zonder degenen om ons heen te storen.'

De Grootmoeder nam de Nimoreaan aandachtig op. Zijn blik ontmoette de hare en bleef op haar gevestigd.

'Ik weet niet hoe het met jou zit, Jessan,' zei ze plotseling, 'maar ik zou wel graag ergens heen gaan waar ik met mijn voeten in een teiltje water kan zitten.'

De Grootmoeder stak haar hand uit en wreef met haar vinger over de arm van de Nimoreaan. 'Geeft die kleur af, zwarte meneer?' vroeg ze terwijl ze in het schemerlicht naar haar vinger tuurde. 'Nee, dat doet hij niet.' Ze klonk vol ontzag. 'Hoe zorgen jullie ervoor dat de verf blijft zitten?'

'Mijn huid is niet geverfd. Zwart is de kleur waarmee ik ben geboren. Alle Nimoreanen hebben een zwarte huid.'

'Nu kan ik sterven,' zei de Grootmoeder op besliste toon. 'Ik heb een elf gezien, en mensen met een huid die de kleur van middernacht heeft. Nu kan ik sterven.'

'Ik hoop dat u dat nog lang niet zult doen,' zei Arim beleefd.

'Ha!' De Grootmoeder grinnikte en prikte hem met haar vinger. 'Dan zijn we met zijn tweeën.'

In Arims straat stonden alleen maar woonhuizen, stenen en houten
huizen die dicht tegen elkaar aan stonden, zodat alleen de muren het
ene huis van het andere scheidden. Ze waren niet alleen op deze manier gebouwd om ruimte te besparen – altijd een voordeel in een ommuurde stad – maar ook om minder warmte kwijt te raken in de win-
ters, die streng en koud waren, zo ver noordelijk. De meeste huizen
hadden geen ramen, want daardoor zou de kou naar binnen kunnen
komen. Alle huizen leken op elkaar, met hun stenen muren krijtwit
in het donker. Bashae vroeg slaperig hoe Arim wist welke het zijne
was, maar meteen daarna moest hij zo gapen dat hij het antwoord
miste.

Arim gebruikte een sleutel om zijn deur te openen, en hij legde uit
dat diefstal helaas bij het leven hoorde, zelfs in Myanmin. Jessan trok
een grimas om de vreemde gebruiken van stadsbewoners en vroeg
zich opnieuw af waarom iemand die twee voeten had op zo'n vreselijke plek zou blijven. Hij zei trots dat Trevinici geen sloten op hun
deur nodig hadden. Arim glimlachte en zei dat Jessan wel blij mocht
zijn dat hij tot zo'n nobel volk behoorde.

Jessan voelde zich altijd slecht op zijn gemak in huizen, en in dit huis
had hij dat nog erger dan anders, doordat het geen ramen had. Het
was een kleine woning met twee kamers, een voorkamer om in te leven en een achterkamer om in te slapen. De kamers waren prachtig
gedecoreerd. Er hingen vliegers aan de muren. Hun warme kleuren
sprankelden in het licht van een vuur dat Arim had aangelegd in een
verhoogde, kegelvormige haard die midden in de kamer stond en naar
alle kanten open was. De vloer was bedekt met mooie, dikke, zachte tapijten. Arim legde nog een paar tapijten neer en nodigde zijn gasten uit te rusten terwijl hij het eten klaarmaakte.

Bashae en de Grootmoeder gingen bij het vuur liggen en waren al
snel onder zeil. Jessan ging niet liggen maar zat tegen de deur geleund, zo dicht mogelijk bij de buitenwereld. Hij was vastbesloten

niet in slaap te vallen. Hij wilde de Nimoreaan in de gaten houden. Maar de vermoeienissen van de dag bleken te veel te zijn geweest. Het was stil in het huis, want de dikke stenen muren hielden alle geluiden van de stad buiten en de tapijten dempten de geluiden van binnen.

Arim liep rond en mompelde dat hij iets voor hen te eten zou maken en dat het een eer voor hem zou zijn als ze zijn gasten waren en zijn eenvoudige maaltijd zouden delen. Hij sprak zachtjes en liep zachtjes, en zijn bewegingen waren zo gracieus dat hij over de grond leek te zweven in plaats van zijn voeten erop neer te zetten. Jessan merkte dat hij wegdommelde. Zijn hoofd zakte op zijn borst en hij sliep. Hij schrok wakker van de schrille stem van Bashae en de zoetvloeiende woorden van Arim. Bashae zat op een hoge kruk van donker, warm gekleurd hout, die glanzend was gepoetst. In de poten van de kruk waren allerlei fantasievolle patronen uitgesneden. Arim stond aan het aanrecht vis te bereiden, zo te ruiken. De Grootmoeder sliep en snurkte op de achtergrond van hun gesprek.

Jessan, die boos op zichzelf was omdat hij in slaap was gevallen terwijl hij de wacht hield, sprong overeind en vroeg enigszins knorrig waar ze het over hadden.

Bashae wendde zich tot zijn vriend. 'Arim stond op het punt me het verhaal te gaan vertellen van hoe de eerste elf aan een vlieger meevloog.' Hij draaide zich gretig terug. 'Ga verder, Arim.'

Arim vormde de vis tot kleine balletjes, die hij door meel rolde, vermengd met allerlei blaadjes en kruiden, die een aangename, scherpe geur verspreidden. Een pan met een of andere vloeistof was boven het vuur gehangen en begon te borrelen.

Arim glimlachte over zijn schouder naar Bashae. 'Eerst moeten jullie iets over de elfen weten. Het elfenland Tromek is verdeeld onder zeven grote adellijke huizen. Deze huizen voeren vaak oorlog met elkaar en het verhaal dat ik ga vertellen, speelt zich vele eeuwen geleden tijdens een van die oorlogen af. Niemand weet of herinnert zich de aanleiding voor de oorlog. Het huis Sithmara was ten strijde getrokken tegen het huis Wyval. Het huis Wyval bleek het sterkste te zijn en versloeg zijn vijanden met een overwinning die zo groot was dat het erin slaagde de edelman die aan het hoofd stond van huis Sithmara, zijn vrouw en hun zoon gevangen te nemen.

De edelman wilde ter dood worden gebracht omdat hij zijn eer was verloren, en dat verzoek werd ingewilligd. Voordat hij stierf, vroeg hij of hij afscheid mocht nemen van zijn vrouw en zoon. Hardop sprak hij de gebruikelijke afscheidswoorden tot zijn zoon, maar hij fluisterde de jongeman in het oor dat hij alles moest doen wat hij kon om te overleven en op een dag terug te keren om hun huis aan te voeren en zich te wreken op hun vijanden. De zoon beloofde dat.

De edellieden van huis Wyval discussieerden lang over wat ze met de zoon en erfgenaam van huis Sithmara zouden doen. De jongeman was achttien en volgroeid, maar in het land van de elfen word je dan nog beschouwd als een kind en bij de elfen is er geen grotere misdaad dan het doden van een kind, zelfs als het het kind van je vijand is.'

Jessan keek geschokt bij het idee dat iemand van achttien – zijn eigen leeftijd – als een kind werd beschouwd.

'Vergeet niet dat de levensduur van een elf tweehonderd jaar of meer is,' zei Arim om dit te verklaren. 'Een elf wordt pas als volwassen beschouwd als hij vijfentwintig wordt. Tot die tijd is hij afhankelijk van zijn ouders en mag hij niet in veldslagen vechten en niet trouwen en heeft hij niets te zeggen in politieke zaken.'

'Vertel over de vlieger,' zei Bashae, de vreemde gewoonten van de elfen terzijde schuivend.

'De edellieden van huis Wyval konden de zoon dus niet ter dood brengen, maar ze konden hem wel verbannen, en dat hebben ze gedaan. Ze stuurden de jongeman en zijn moeder naar een huisje op een eilandje midden in een groot meer. Ze kregen een voorraad voedsel en brandhout voor een jaar en werden daar toen alleen achtergelaten. De edellieden van huis Wyval waren heel trots op zichzelf dat ze dit hadden bedacht, want dat bespaarde hun de kosten van bewakers, die ze hadden moeten betalen als ze de twee in een of andere gevangenis hadden opgesloten. Het water van het meer was de bewaker, want het was ijskoud en onmetelijk diep en de oever was heel ver weg, zo ver dat ze die niet konden zien. Eenmaal per jaar stuurden de edellieden van huis Wyval een nieuwe jaarvoorraad voedsel en brandhout, want ze hadden geen bijlen achtergelaten bij de gevangenen uit angst dat ze dan hout zouden hakken om een boot te bouwen. Huis Wyval wilde hen voor de rest van hun leven gevangenhouden.

De moeder en zoon hadden weliswaar geen bijlen gekregen, maar wel messen om hun voedsel te snijden. Om de uren van verveling door te komen, sneed de moeder takjes van de bomen en maakte er een vlieger van met stukken papier waarin hun voedsel verpakt had gezeten. Ze schreef gebeden aan de goden op het papier van de vlieger, bond er touw aan van de zakken rijst en liet de vlieger met de gebeden op, in de hoop dat de wind die naar de oren van de goden zou blazen. De goden verhoorden haar gebeden, want op een dag toen ze aan het vliegeren was, kreeg haar zoon het idee om een vlieger te bouwen die groot genoeg was om een van hen naar de vrijheid te brengen.'

De Grootmoeder werd wakker en kwam bij hen zitten om naar het verhaal te luisteren. Arim liet de visballetjes voorzichtig een voor een in de borrelende pan vallen, zodat er geen hete olie overheen spatte. 'De volgende dag begonnen ze aan het bouwen van een gigantische vlieger, zo groot als niemand ooit had gezien of zich had voorgesteld. Ze moesten een deel van het voedsel verloren laten gaan om genoeg papier en touw te hebben, en ze wisten dat ze, als dit zou mislukken, zouden verhongeren. Maar ze waren er zo zeker van dat de goden bij deze inspanning aan hun kant stonden, dat ze doorzetten.

De dag brak aan dat de reusachtige vlieger klaar was. Ze hadden besloten dat de moeder met de vlieger weg zou vliegen, want ze woog minder dan de zoon en ze hadden zijn kracht nodig om de vlieger te leiden en het touw vast te houden. Hij snoerde zijn moeder vast aan de houten kruisbalken van de vlieger en de twee namen afscheid van elkaar alsof ze gingen sterven.

Toen riepen de moeder en de zoon de goden aan en ze smeekten hun om hun gebeden te verhoren. Dat deden de goden; ze stuurden een sterke wind over het meer, een wind die zo krachtig was dat hij de vlieger met de moeder eraan de lucht in tilde. De zoon hield met zijn sterke handen het touw vast en al snel was de vlieger nog maar een stipje in de lucht. Hij bleef het touw vasthouden totdat zijn armen trilden van vermoeidheid en zijn handen tot bloedens toe waren opengeschuurd. Hij verloor de vlieger uit het gezicht en toen werd het touw plotseling slap. De vlieger was naar beneden gekomen, maar hij wist niet of dat boven land of boven water was. Het zou heel goed kunnen dat zijn moeder dood was en hij de rest van zijn leven alleen op dat eiland zou zitten.

Hij hield het verstrijken van de tijd bij door inkervingen te snijden in een boom. Het werden lange rijen streepjes, die op en neer gingen langs de bast van de boom. Er gingen maanden voorbij en hij begon de hoop te verliezen. Toen stond hij op een dag uit te kijken over het water en zag hij een boot. Zijn hart ging sneller kloppen, want het was niet de tijd waarop zijn vijanden gewend waren hun voorraden te brengen. Om een lang verhaal kort te maken,' zei Arim, 'want de visballetjes zijn gaar en moeten warm gegeten worden, in de boot zat zijn edele moeder met soldaten die trouw waren aan het huis Sithmara. Onder leiding van zijn moeder had het leger een grote slag geleverd tegen huis Wyval en die gewonnen. De zoon werd bevrijd en zou een kloeke leider van zijn volk worden, en zijn moeder wordt nog steeds vereerd als de Dame van de Vlieger, de eerste elf die het vergund is geweest te vliegen.'

De Grootmoeder ging gehurkt op de grond zitten en spreidde haar rok met kralen zorgvuldig om zich heen.

'Leugenaars,' was haar oordeel. 'Maar ze bedoelen het goed.'

Arim schepte de dampende visballetjes in gelakte kommen, versierd met afbeeldingen van bloemen en dieren en gevuld met rijst. Aangezien hij gewend was bij elke maaltijd geroosterd vlees te eten, had Jessan zijn twijfels gehad over dit vreemde gerecht, maar ofwel hij had erge honger ofwel de visballetjes waren heerlijk, want hij verslond er een paar, en toen die op waren, zag hij tot zijn plezier dat Arim er nog meer maakte. De rijst at hij niet, want die vond hij klef en smakeloos.

Jessan probeerde opnieuw, tussen de visballetjes door, om Arim het verhaal van Heer Gustav te vertellen, de reden dat ze gekomen waren. Maar Arim zei dat je tijdens het eten nooit over zaken moest spreken, omdat dat niet goed was voor de spijsvertering. Nadat hij had opgeruimd, zette hij thee van rozenbottels en hibiscus. Dat dronk hij uit een kopje van porselein dat zo dun was dat Bashae het licht van het vuur erdoorheen zag schijnen. Hij bood zijn gasten ook thee aan. De Grootmoeder en Bashae zeiden ja. Jessan sloeg het aanbod af en zei dat hij alleen maar water dronk.

'Vertel me nu alsjeblieft over Heer Gustav,' zei Arim, 'en waarom hij jullie naar me toe heeft gestuurd.'

Bashae vertelde zijn verhaal. Hij zou onmiddellijk begonnen zijn bij het gevecht aan het meer als Jessan, die de dingen graag ordelijk had, hem niet had gezegd dat hij eerst moest vertellen hoe ze de dwerg hadden ontmoet en van daaraf verder moest gaan. Arim kon goed luisteren. Hij hield zijn blik op Bashae gevestigd en als hij hem onderbrak, was het alleen om opheldering te vragen over een detail.

Bashae kwam bij zijn favoriete deel van het verhaal. 'Het water van het meer borrelde en kolkte. Heer Gustav keek met getrokken zwaard naar het meer. Hij waarschuwde ons dat hem iets kwaads op de hielen zat, dat hij daarmee moest vechten en dat wij uit de buurt moesten blijven. Toen kwam er een ridder uit het water met een zwart harnas dat afschuwelijk was om te zien. Het was zo gruwelijk dat ik banger was dan ik ooit was geweest. Zelfs Jessan was bang, hè?'

Jessan verdedigde zich. 'De ridder zei tegen ons dat het verstandig was om bang te zijn voor iets dat afkomstig was uit de Leegte, een Vrykyl...'

Arim sprong overeind. Zijn theekopje viel uit zijn hand en kwam op het tapijt neer; het brak niet, maar de thee spatte over de Grootmoeder.

'Een Vrykyl,' zei Arim met holle stem. 'Weten jullie dat zeker?'

'Ja. Toen wisten we nog niet dat die krijger van de Leegte zo heette, maar dat heeft de dwerg ons later verteld.'

'Een Vrykyl die Gustav volgde,' zei Arim bij zichzelf. Hij bukte zich, pakte het lege theekopje op en zette het op het aanrecht. Zijn hand beefde. 'Vergeef me mijn zwakheid. Ga alsjeblieft verder met je verhaal.'

Bashae wierp een onzekere blik op Jessan, die zijn schouders ophaalde. Hij wist ook niet wat hij ervan moest denken. Bashae beschreef Gustavs gevecht met de Vrykyl en hun eigen rollen daarin. Arim glimlachte toen hij hoorde dat ze de Domeinheer hadden geholpen bij het doden van dat verachtelijke wezen, maar zijn mond trilde een beetje en hij zuchtte diep.

Toen Bashae was aanbeland bij het deel waarin Jessan het harnas van de Vrykyl meenam, keek Arim naar Jessan en glimlachte de Nimoreaan niet meer. Zijn gezicht was ernstig en somber.

'Dat was dom,' zei hij kalm.

'Waarom zegt iedereen dat toch de hele tijd?' vroeg Jessan geïrriteerd. 'Het was een goed harnas, het beste dat ik ooit had gezien. Dat vond mijn oom Raaf ook.'

'Waar is het harnas nu?' vroeg Arim.

Jessan was niet van plan antwoord te geven. Het ging deze man niets aan.

'Waar is het harnas nu, Jessan?' herhaalde Arim, en door de ernst in zijn stem voelde Jessan zich genoodzaakt antwoord te geven.

'Mijn oom Raaf heeft het,' zei Jessan. 'Hij heeft het meegenomen naar Dunkar.'

Arim zei iets in het Nimoreaans.

'Wat betekent dat?' vroeg Jessan.

'Ik zei: mogen de goden hem bijstaan,' zei Arim met sombere stem. Jessan kromp ineen. Hij had de suggestie dat het harnas kwaad kon doen niet serieus genomen. Maar nu, nadat hij ochtend na ochtend was ontwaakt uit die slopende nachtmerries, wist hij het niet meer zo zeker. Hij kreeg het koud van angst om zijn oom, en zijn maag verkrampte zo dat het voedsel dat hij net had gegeten plotseling veranderde in een koude, harde steen.

'Ik wist het niet!' riep Jessan uit, en hij sprong op en ijsbeerde heen en weer door het kamertje, waarvan de muren op hem af leken te komen. 'Het was gewoon een harnas. Verder niets.' Hij rukte de voordeur open, ademde een paar teugen lucht in die niet fris rook, want het was stadslucht, maar in elk geval verminderde het zijn opgesloten en gekooide gevoel. 'Verder niets.'

Hij bleef nog even in de deuropening staan, draaide zich toen langzaam om en keek weer naar binnen. De Grootmoeder staarde in de vlammen. Bashae keek hem medelijdend en begripvol aan. Arims gezicht verraadde niets van zijn gedachten. Jessan bevochtigde zijn droge lippen.

'Wat zou het harnas kunnen doen? Hoe kan een harnas kwaad doen? Het is toch maar een harnas?' herhaalde hij.

Arim zuchtte diep. Hij stond op, liep naar Jessan toe en legde zijn hand op de arm van de jongeman. Gewoonlijk werd Jessan niet graag door iemand aangeraakt, vooral niet door een vreemde. Maar de hand van de man voelde warm aan op Jessans verkilde huid en de aanraking was geruststellend.

'Wat een zware last voor iemand die zo jong is,' zei Arim. 'Maar de goden zullen hun redenen wel hebben. Maak jezelf geen verwijten, Jessan. Je kon het niet weten. Nee, het harnas van een Vrykyl is niet gewoon een harnas. Het is... hun vlees, hun geraamte, hun huid. Wat gebeurde er nadat de Vrykyl was gedood? Er lag zeker alleen wat stof in het harnas?'

'Ja,' zei Jessan verbaasd. 'Maar hoe...'

'Hoe ik dat weet? Ik weet het een en ander van Vrykyls. Tot mijn verdriet weet ik het een en ander van ze. Een Vrykyl is geen levend wezen, Jessan. Hij is dood en dat misschien al meer dan honderd jaar. Een Vrykyl is een lijk dat door toedoen van de kwade magie van de Leegte lijkt te leven, en die magie is opgenomen in het zwarte harnas. Het harnas en de Vrykyl kunnen nooit gescheiden worden, net zomin als jij gescheiden kunt worden van je eigen lijf. Als de Vrykyl vernietigd wordt, valt het lijk tot stof uiteen. Het harnas behoudt de essentie van de Vrykyl, de magie van de Leegte.'

Jessan was ontzet. 'Wat kan er met mijn oom gebeuren?' vroeg hij angstig.

'Ik weet het niet,' bekende Arim. 'Ik heb nooit eerder gehoord van iemand die het harnas van een Vrykyl meenam, van iemand die dat durfde.'

Toen hij Jessans ongerustheid zag, zei Arim wat opgewekter: 'Je oom is een sterke krijger, een man met gezond verstand. Laten we er maar van uitgaan dat hij een manier heeft gevonden om zich van het vervloekte harnas te ontdoen.'

'Maar als hij dat niet heeft gedaan,' vroeg Jessan, die zich losrukte van Arims poging hem gerust te stellen. 'Wat zou het dan kunnen doen?'

Jessan was bleek onder zijn zongebruinde huid en zijn blik was overschaduwd en gekweld. Hij was bang, en Arim besefte plotseling dat die angst niet alleen zijn oom gold. Er kwam een vermoeden op bij Arim.

'Het harnas is een voorwerp van de Leegte. Het zou een andere Vrykyl naar je oom kunnen brengen. Of je oom naar een van hen kunnen lokken.'

Jessan sloot zijn ogen en leunde slapjes tegen de deurstijl. 'Wat heb ik gedaan?' mompelde hij.

Arim was verontrust, maar hij zorgde dat zijn stem kalm klonk. 'Wat héb je dan gedaan, Jessan? Heb...' – hij zweeg even en dacht na hoe hij dit het beste onder woorden kon brengen – 'heb je nog iets meegenomen van de Vrykyl? Iets dat je hebt gehouden?'

'Vertel me,' zei Jessan uiteindelijk met een diepe, huiverende zucht, 'hebben de Vrykyl... ogen van vuur?'

'Laat het me zien, Jessan,' zei Arim zacht.

Jessans vingers werkten niet goed. Hij frunnikte aan de schede om die open te krijgen. Zijn hand beefde. Hij balde zijn vuist en met veel moeite hervond hij zijn zelfbeheersing. Hij trok het benen mes te voorschijn en hield het in zijn handpalm. Eens had hij het glanzend en sierlijk gevonden. Nu zag het er afschuwelijk uit.

Bashae hapte naar lucht en deinsde achteruit, zo ver van het mes als maar mogelijk was. Arim maakte geen aanstalten om het mes aan te raken. Hij keek ernaar, keek weer op naar Jessan, fluisterde een zegenwens in het Nimoreaans en trok Jessan toen terug de kamer in. Daarna leunde Arim uit de deur en keek zorgvuldig alle kanten op de straat in. Hij sloot de deur, vergrendelde die en ging er met zijn rug tegenaan staan.

'Weet je wat je in je hand hebt, Jessan?' vroeg Arim, en op het moment dat hij die vraag stelde, besefte hij dat de jongeman dat natuurlijk niet wist. Voor hem was het een mes en meer niet. De Leegte maakte misbruik van die onschuld. 'De Vrykyls handhaven hun verdorven bestaan door zich te voeden met de zielen van levende wezens. Het mes dat je in je hand hebt, heet een bloedmes. Als iemand door de Leegte wordt opgeëist en in een Vrykyl wordt veranderd, is de eerste handeling van de Vrykyl om een mes te maken... van zijn eigen bot.'

Jessan staarde hem geschokt aan. Maar begreep hij het echt?

'Ze gebruiken het mes om hun slachtoffers te vermoorden,' vervolgde Arim meedogenloos. 'Om hun ziel te stelen.'

Arim wilde deze jongeman niet nog meer kwellen, maar hij moest wel de ernst inzien van wat hij had gedaan. 'Bovendien gebruiken de Vrykyls dit mes om met elkaar te communiceren, om contact te onderhouden. Ze kunnen via het mes met elkaar praten. Jessan, heeft het mes bloed doen vloeien?'

'Niet van een mens,' zei Jessan met onvaste stem. Zijn leren tuniek was doorweekt van het zweet. Hij veegde met zijn hand over zijn voorhoofd. 'Ik wist het niet. Hoe had ik het kunnen weten?'

'Maar heeft het bloed geproefd?' hield Arim aan.

'Ik heb een konijn gedood...' Jessans adem stokte en hij keek om zich heen alsof hij overwoog zich met blote handen een weg door een muur heen te banen. 'Misschien een paar. Ik weet het niet meer. Toen begonnen de ogen naar me te zoeken. Ogen van vuur. En het hoefgetrappel. Ik kan niet slapen. De grond trilt ervan. Horen jullie het niet...?'

Jessan sprong naar voren en gooide het mes in het vuur. Hij deinsde achteruit, greep met zijn rechterhand zijn linker beet en staarde naar zijn handpalm. 'Het bewoog!' bracht hij hijgend uit. 'Ik voelde het kronkelen in mijn hand alsof het leefde. Het is kwaad. Vervloekt. Laat het branden.'

'Ik vrees...' begon Arim.

'Stilte!' zei de Grootmoeder op scherpe toon en op haar commando waren ze allemaal stil, zelfs Jessan, hoewel zijn zware ademhaling luid weerklonk door het kleine huisje.

De Grootmoeder had zich niet in het gesprek gemengd. Ze had rustig op het kleed gezeten en strak in de vlammen van het vuur gestaard. Maar ze had ieder woord gehoord.

Het benen mes lag op de gloeiende kolen in het warmste deel van het vuur. De vlammen likten eraan, maar konden het niet verteren. Het vuur bracht het mes geen schade toe. Terwijl ze naar het mes staarde, begon de Grootmoeder te zingen.

Het lied was in het Twithil, de taal van de pecwae's, die meestal vrolijk en zorgeloos klonk en de toehoorder deed denken aan vogelgekwetter. Maar ook Twithil had zijn duistere kant, want de pecwae's staan dicht bij de natuur en weten dat de natuur wreed kan zijn, zonder mededogen voor zwakheid of zorg om onschuld. De uil scheurt met zijn scherpe snavel de muis in stukken; de gaai breekt de eieren van het roodborstje en verslindt de ongeborenen; spinnen maken webben om vlinders te vangen. Het lied van de Grootmoeder klonk griezelig; de kreten van de uil, het harde krassen van de gaai en het paniekerige geklapper van de vleugels van de vlinder. Terwijl ze zong, wees ze.

De anderen kwamen om haar heen staan en staarden in de vlammen. Er reed een donkere gestalte op een paard. Het zwarte harnas reflecteerde het licht van de vlammen. Oranje vuur brandde in de oogspleten van de helm. De hoefslagen van het paard waren zacht, gedempt, maar ze hielden aan en stierven niet weg.

'De Vrykyl!' zei Bashae vol ontzag. 'De Vrykyl die door de ridder is gedood.'

'Nee,' zei Arim. 'Dit is een andere. Hij heeft bloed geproefd via het bloedmes.'

'Hij komt achter mij aan, hè?' fluisterde Jessan. 'Hij komt het mes terughalen.'

'Het lijkt er wel op,' zei Arim. Hij pakte de tang, tilde het bloedmes voorzichtig uit het vuur en liet het in de kolenbak vallen. 'Deze vlammen zullen het geen schade toebrengen. Ik betwijfel of zelfs de heilige vuren van de berg Sa 'Gra het zouden kunnen vernietigen.' Hij keek met nieuw respect naar de Grootmoeder.

'Ik wist niet dat de magie van de pecwae's zo sterk was,' zei hij, met een buiging voor het geval hij haar beledigde.

'De stok zag hem aankomen,' zei de Grootmoeder, en ze legde haar hand eerbiedig op de stok met de ogen van agaat. 'Hij zag het kwaad, maar wist niet wat hij ermee aan moest.'

Ze gebaarde naar het mes in de kolenbak. 'Als die krijger van de duisternis het mes wil hebben, moeten we het aan hem geven. Dan zal hij weggaan en Jessan met rust laten.'

'Ik ben het met u eens, Grootmoeder,' zei Arim beleefd. 'Helaas ligt de zaak niet zo eenvoudig. Nu we weten hoe ernstig het is, kunnen we ons erop voorbereiden. Het mes mag nooit meer bloed proeven. Het mes zelf trekt hem aan. Als ermee wordt gedood, spreekt het tot hem, schreeuwt het naar hem. Het is net als wanneer je vriend, Bashae, verdwaald zou zijn in een grot. Jij weet dat hij die grot in is gegaan en je hebt wel ongeveer een idee waar je hem kunt vinden, maar het zoeken is makkelijker als hij naar je roept en jij het geluid van zijn stem kunt volgen. Dat is wat het mes doet als het bloed proeft. Het roept naar elke Vrykyl die het maar kan horen.'

'Je weet blijkbaar heel veel over deze wezens,' zei Jessan beschuldigend. Hij begon zich te herstellen van de schrik, de angst en de ontzetting. Omdat hij zich schaamde voor zijn zwakheid, had hij de behoefte om verloren grond terug te winnen.

'Ja, dat klopt,' zei Arim bedaard. 'Maar dat is een ander verhaal. Nu zou ik graag de rest van jóuw verhaal willen horen, Bashae. Heer Gustav heeft jullie naar mij gestuurd. Waarom? Waar is hij? Waarom kon hij zelf niet komen?'

'Hij is dood,' zei de Grootmoeder. 'Er is een zware strijd gevoerd om zijn ziel, maar maak je geen zorgen. De Trevinici hebben zij aan zij met hem gevochten en zijn ziel is gered. De Leegte heeft hem niet meegenomen.'

'Daar ben ik je volk dankbaar om, Jessan,' zei Arim. Met ineengeslagen handen sloeg hij zijn ogen neer en zei hij in zijn hart een gebed. 'Heer Gustav was mijn vriend. Een dappere en oprechte ridder. Hij had één levenslange queeste...'

Arim onderbrak zichzelf. Zou dat waar kunnen zijn? Zou dat de reden kunnen zijn? Het zou heel goed kunnen, maar als het zo was, hoopte hij dat de goden hem zouden bijstaan. Mochten de goden hem bijstaan!

'Alsjeblieft, Bashae, ga verder met je verhaal,' zei Arim terwijl hij het plotselinge bonzen van zijn hart probeerde te kalmeren. Hij was blij dat zijn huid zo donker was, want hij voelde het warme bloed naar zijn gezicht stijgen en hij wilde zijn opwinding niet laten merken.

'Voordat Heer Gustav stierf, heeft hij me gevraagd een aandenken als liefdesblijk naar zijn geliefde te brengen, een elf die hij Vrouwe Damra noemde.'

Bashae pakte de knapzak terwijl hij sprak. Hij haalde de zilveren ring met de paarse steen eruit. 'Het is een amethist.'

'Ja, dat weet ik,' zei Arim terwijl hij de ring bekeek. Hij herkende hem en wist dat hij van Gustav was. Maar de ring was een erfstuk en van weinig waarde. Gustav zou nooit een boodschapper op een lange en gevaarlijke reis hebben gestuurd om een ring van amethist af te leveren. En een Vrykyl zou niet achter een erfstuk aan jagen. 'Zit er nog iets anders in de knapzak?'

'Nee,' zei Bashae, en Arim was hevig teleurgesteld.

'Heeft Heer Gustav je niets anders gegeven? Je niets anders verteld?' vroeg Arim.

'Neeeee...' zei Bashae op langgerekte toon, en hij voelde zich zichtbaar ongemakkelijk onder de blik uit Arims donkere ogen.

'Aha!' Arim begreep het. 'Er is nog iets, maar Heer Gustav heeft gezegd dat je het aan niemand mocht vertellen behalve aan Vrouwe Damra. Ik zal je niet vragen zijn geheim te verklappen. Ik zou niet willen dat je je gelofte verbrak.'

'Heer Gustav zei dat u ons naar de elfendame kon brengen. Hij zei dat de elfen ons niet zouden toelaten in hun land, maar dat u ervoor kunt zorgen dat ze ons binnenlaten.'

'Ja, ik kan jullie naar binnen loodsen en als jullie gids dienen. Ik heb veel gereisd in het land van de elfen. Vrouwe Damra is een vriendin van me.' Arim begreep alles, tenminste, dat veronderstelde hij. 'Je hebt het goed gedaan, Bashae. Heer Gustav heeft een moedige en betrouwbare boodschapper gekozen.'

'De goden hebben de boodschappers gekozen,' zei de Grootmoeder. 'Hen beiden. Hem.' Ze knikte als een vogeltje naar Bashae. 'En hem.' Nu knikte ze naar Jessan. 'Het is de bedoeling dat ze samen reizen.' Arim wierp haar een scherpe blik toe. Blijkbaar had ze zijn gedachten gelezen, want precies op dat ogenblik had hij overdacht hoe hij de twee kon scheiden. Hij was van plan met Bashae en de Grootmoeder naar Tromek te gaan en Jessan achter te laten bij de krijgers met wie hij vriendschap had gesloten. Arim zou hen waarschuwen dat de jongeman in gevaar was en dat hij dag en nacht bewaakt moest worden. Jessan zou niet veilig zijn zolang hij het bloedmes bij zich had en Arim wist geen manier waarop Jessan zich van het vervloekte voorwerp van de Leegte kon ontdoen.

Arim had zijn kennis over de Vrykyls te danken aan Damra's echtgenoot Griffith, die een Wyred was, een elfentovenaar. De Wyred moeten verstand hebben van alle vormen van magie en de vorige keer dat Arim bij Vrouwe Damra en haar man op bezoek was geweest, twee jaar eerder, was Griffith druk bezig met het bestuderen van de Vrykyls.

De elfen hadden uitgebreide rapporten over die ridders van de Leegte, had Griffith gezegd, ze waren zelfs beter gedocumenteerd dan de Tempel der Magiërs in Nieuw Vinnengael, want de informatie van de elfen was uit de eerste hand, afkomstig van iemand die getuige was geweest van de schepping van de Vrykyls, terwijl alle anderen hun gegevens haalden uit verhalen van degenen die de vernietiging van Oud Vinnengael hadden overleefd.

Arim herinnerde zich het gesprek nog zo duidelijk alsof Griffith naast hem zat. Hij had er toen niet lang bij stilgestaan, maar nu zag hij dat het een duister voorteken was geweest.

Waarom bestuderen jullie die Vrykyls terwijl niemand zich er in de afgelopen honderd jaar druk om heeft gemaakt? had Arim gevraagd. *Omdat we gewaarschuwd zijn om dat te doen*, had Griffith geantwoord.

'We moesten maar eens gaan slapen,' zei de Grootmoeder. 'Ik neem aan dat we morgenochtend vroeg op pad gaan, vliegermaker?' Ze keek met haar hoofd schuin naar hem op en leek heel erg op een onderzoekende mus.

Arim hield op met piekeren over wat er was gebeurd en keerde terug naar het heden. 'Op pad waarheen? O... u bedoelt dat we morgen op pad zouden gaan naar Tromek.' Hij schudde zijn hoofd. 'Ik vrees dat dat niet mogelijk is. Ik moet met de elfenministers praten. We moeten documenten aanvragen die ons toestemming geven in het land van de elfen te reizen. Zonder die documenten zouden we gearresteerd worden.'

'Tijdverspilling,' riep Jessan uit. 'We hebben de ring. We hebben de instructies van Heer Gustav. Hij heeft ons gezegd dat we die naar de elfendame moeten brengen. Waar hebben we die... hoe noem je die dingen, voor nodig?'

'Documenten. De elfen zijn erg voorzichtig met wie ze in hun land toelaten. Vooral bij mensen. Ze denken dat alle mensen komen om hen te bespioneren. Ik moet hen ervan overtuigen dat dat niet het geval is. De elfen vertrouwen mijn volk, voor zover ze niet-elfen ooit zullen vertrouwen. Geloof me,' zei Arim, die wel kon raden wat Jessan dacht, 'als je naar de grens gaat en in je eentje probeert het land in te komen, zullen ze je tegenhouden en waarschijnlijk gevangennemen.'

'Hoe lang duurt het dan?' vroeg Jessan.

Weken, wilde Arim zeggen, maar toen dacht hij aan de Vrykyl. 'Ik zal doen wat ik kan om hen ervan te overtuigen dat het dringend is,' antwoordde hij, zich ondertussen vertwijfeld afvragend hoe hij dat moest doen zonder de waarheid te onthullen. De bureaucraten van de elfen stonden niet bekend om hun snelheid van begrip of hun scherpzinnigheid. Integendeel, ze leken hun uiterste best te doen om zo traag mogelijk te werken.

'Een paar dagen. Misschien drie of vier. Ik heb een vriend op het ministerie, maar het kan zijn dat hij er niet is of dat hij het druk heeft. Dat moet ik afwachten. Jullie kunnen in mijn kamer slapen, de achterkamer,' vervolgde Arim terwijl hij opstond om de kamer voor hen klaar te maken. 'Maak het jullie gemakkelijk. Schrik niet als je me hoort rondlopen, want ik blijf vaak tot laat op. En als jullie morgenochtend wakker worden, ben ik waarschijnlijk weg.' Hij keek Jessan doordringend aan. 'Voor je eigen veiligheid en die van je vrienden, raad ik je aan mijn woning niet te verlaten.'

Jessan mompelde iets en Arim had het gevoel dat zijn waarschuwing aan dovemansoren gericht was geweest. Meer kon hij echter niet doen, behalve hen opsluiten, maar hij betwijfelde of dat de Trevinici zou tegenhouden.

Jessan en Bashae gingen naar de slaapkamer, Bashae met de knapzak over zijn schouder. Voordat ze hen achternaliep, zette de Grootmoeder de stok met de ogen van agaat bij de kolenbak.

'Zo,' zei ze. 'De ogen zullen de wacht houden. De krijger van de duisternis is nog ver weg.'

'Maar hij komt dichterbij,' zei Arim.

'Ja.' De Grootmoeder zuchtte. 'Dat is waar. Is er geen manier om hem tegen te houden?'

'Ik zou niet weten hoe. Misschien dat de elfen het weten. Ze hebben een hekel aan de Leegte en alles wat ermee te maken heeft. We zijn misschien veiliger in het land van de elfen, maar zelfs dat weet ik niet zeker.'

De Grootmoeder wenkte hem met een vinger. Arim was bijna één meter tachtig lang, de Grootmoeder eerder één meter twintig. Hij bukte zich, zodat zijn gezicht dicht bij het hare kwam.

'De krijger van de duisternis zit niet achter de amethist aan, hè?' vroeg ze fluisterend.

'Nee,' bevestigde hij zacht, want hij kon niet tegen haar liegen. 'Dat is waar.'

'Volgt hij ons vanwege het benen mes?'

'Ik denk het niet. Ik vermoed dat er nog iets is. Het geheim dat Heer Gustav alleen met Bashae heeft gedeeld.' Arim vervolgde aarzelend: 'Jessan brengt Bashae en u in gevaar.'

'Dat hoef je mij niet te vertellen,' zei de Grootmoeder sarcastisch. Ze wees naar boven. 'Vertel dat maar aan de goden. Zij zijn degenen die hem hebben gekozen. Waarom denk je dat ik heb besloten om mee te gaan? Iemand moest hem in het oog houden.'

Nadat ze Arim goedenacht had gewenst, gaf ze de stok met de agaten een afscheidstikje en de aansporing om goed op te letten, en liep tikkend en rinkelend naar de slaapkamer.

Arim doofde het vuur, zodat ze geen last zouden hebben van het licht, en schonk zichzelf een beker honingwijn in uit een schenkkan. Hij bleef nog lang zitten, terwijl hij met kleine teugjes van de wijn dronk, naar de nagloeiende kooltjes keek en peinsde over wat hij tegen de elfenministers zou gaan zeggen en wat hij met Jessan en het bloedmes moest beginnen.

Toen zijn wijn op was, had hij een beslissing genomen. Nadat hij de beker had uitgespoeld, zodat er geen mieren op het restje zoetigheid zouden afkomen, borg hij de beker en de kan weg en ging kijken hoe het met zijn gasten was.

Ze waren alle drie diep in slaap. Bashae sliep opgerold in een bal, met één arm door de riem van de knapzak gestoken. Jessan sliep onrustig; hij lag te woelen en draaien op zijn mat. De Grootmoeder snurkte en snoof. De zilveren belletjes rinkelden zachtjes elke keer dat ze bewoog.

Arim keerde terug naar de voorkamer en legde zijn slaapmatje voor de voordeur. Uit een rijkelijk bewerkte kist, ingelegd met ivoor, die in een hoek stond, pakte hij een kromzwaard. Hij ging voor de deur liggen met het ontblote zwaard vlak bij zijn hand.

Hij lag wakker en staarde in het donker voor zich uit. Als hij het bij het juiste eind had, was het kostbaarste voorwerp van Loerem vandaag in zijn bezit gekomen, in zijn verantwoordelijkheid. Ten slotte viel Arim in slaap, maar hij sliep niet goed.

Bashae werd in het donker wakker. Hij was geruime tijd gedesoriënteerd en kon zich niet herinneren waar hij was of wat hij daar
deed. Toen kwam zijn herinnering terug, en daarmee de angst die hij
de avond tevoren had gevoeld. Hij lag op zijn matje in de duisternis
te staren en vroeg zich af of het midden in de nacht was of bijna ochtend. Hij had net besloten dat het nacht moest zijn, toen hij een vogel hoorde tjilpen om potentiële rivalen eraan te herinneren dat dit
haar nestplaats was en dat ze uit de buurt moesten blijven. Ze kreeg
een slaperig klinkend antwoord en toen leek het alsof de hele vogel-
gemeenschap wakker werd. Hun gekwetter ging in elkaar over, zodat Bashae de verschillende gesprekken niet meer kon volgen.
De duisternis in de kamer was grijzig geworden. Hij wierp een blik
op Jessans mat en het verbaasde hem niet dat die leeg was. Toen hij
zachte voetstappen hoorde, sloot Bashae snel zijn ogen en deed alsof hij sliep. Jessan zou verbaasd zijn als hij merkte dat zijn vriend,
die meestal tot laat sliep, al wakker was. Hij zou vragen stellen en
Bashae wilde geen antwoorden geven, voornamelijk omdat hij die
niet had.
Toen Jessan hem wakker probeerde te schudden, deed Bashae zeer
realistisch of hij schrok, vond hij zelf, en gromde hij iets. Hij rolde
om, knipperde met zijn ogen, geeuwde en vroeg slaperig: 'Hoe laat
is het?'
'Zonsopgang.'
'Zonsopgang! Ga weg.' Bashae rolde zich weer terug. Hij hoopte echt
dat Jessan weg zou gaan. Niet dat Bashae weer wilde gaan slapen;
dat zou toch niet lukken. Hij wilde tijd voor zichzelf, om na te denken.
Maar Jessan hield vol. Als hij eenmaal iets in zijn hoofd had, gaf hij
het nooit op.
'Sta op, luiwammes!' zei hij. 'Ik heb je hulp nodig.'
Bashae ging zitten en wreef in zijn ogen. 'Hulp? Waarmee?'

Jessan wierp een blik in de richting van de slapende Grootmoeder. 'Niet hier.'

Met een diepe zucht kwam Bashae overeind en volgde Jessan naar de voorkamer. Het vuur was uitgegaan; er was alleen een hoopje vederlichte as van over.

Bashae keek om zich heen. 'Arim?' riep hij zachtjes.

'Hij is er niet,' zei Jessan met grimmige stem.

'Waarom zeg je dat zo?' vroeg Bashae. Hij mocht de Nimoreaan graag, met zijn zachte stem, bedaarde manier van doen en elegante bewegingen. 'Hij heeft gezegd dat hij weg zou zijn voordat we wakker werden.'

'Ik vertrouw hem niet,' mompelde Jessan.

'Trevinici vertrouwen niemand,' stelde Bashae vast. 'Je bent gewoon boos omdat...'

Jessan draaide zich naar hem om. 'Omdat wat?'

'Niets,' zei Bashae. Sommige woorden zijn zo scherp als messen. Zulke woorden kunnen het hart doen bloeden en littekens achterlaten die nooit meer verdwijnen. 'Waar heb je me voor wakker gemaakt?'

Jessan liep naar de kolenbak en wees ernaar. 'Ik wil dat je die stok oppakt.'

'Waarom?' vroeg Bashae terwijl hij naast zijn vriend kwam staan.

'Ik wil het mes hebben,' zei Jessan. 'Dat wil zeggen: ik wíl het niet hebben,' vervolgde hij in reactie op Bashaes verbaasde blik. 'Maar ik móét het hebben. Als je het dan per se wilt weten: ik ga zorgen dat ik het kwijtraak.'

Bashae vrolijkte op. 'O ja? Wat ga je ermee doen?'

'Ik heb er gisteravond over nagedacht. Ik breng het naar de tempel waar onze vrienden ons over hebben verteld.'

'Dat lijkt me een goed idee, Jessan,' zei Bashae, en hij vervolgde aarzelend: 'Maar de Trevinici zeiden dat alleen Nimoreanen de tempel binnen mogen...'

'De goden hebben me gekozen,' zei Jessan. 'Zij kunnen dat wel regelen. Ik heb mijn ziel erop ingezet.'

Op dat ogenblik wist Bashae dat het geen zin had om nog te redetwisten. Als een Trevinici 'zijn ziel ergens op inzet', zal hij doen wat hij zegt of sterven bij de poging daartoe.

'Denk je dat je de tempel kunt vinden? Al die straten...' Bashae maakte een hulpeloos gebaar.

'Scherp Zwaard heeft me verteld dat er een straat is die de Koninginnenstraat heet en die door het centrum van Myanmin loopt. De straat loopt van de kaaien in het zuiden naar de tempel in het noorden en gaat langs de militaire kazerne. Dat heeft hij me verteld voor het geval ik later naar hen toe wilde komen. Die straat ligt maar zes straten ten westen van de Vliegermakersstraat. We hoeven hem alleen maar te vinden en in noordelijke richting uit te lopen, naar de tempel.'

'Zal Arim zich geen zorgen maken als hij terugkomt en ziet dat we weg zijn?'

'De Grootmoeder blijft hier,' zei Jessan kortaf. 'Hij weet dat we niet zonder haar zouden vertrekken.'

Bashae overwoog dit en besloot dat het logisch klonk. Hij pakte de stok met de ogen op. Jessan wilde zijn hand in de kolenbak steken om het mes te pakken. Hij stopte, richtte zich op en keek boos naar de stok.

'Haal die weg,' beval hij.

'Maar, Jessan...'

'Ik wil niet dat hij naar me kijkt.'

Terwijl hij zijn glimlach verborg, bracht Bashae de stok naar de achterkamer, waar de Grootmoeder lag te slapen. Hij legde de stok bij haar hand. In zichzelf mompelend legde ze haar hand op de stok en glimlachte in haar slaap.

'Zo,' zei Bashae toen hij terugkwam. 'Hij kan je niet zien.'

Jessan stak zijn hand in de kolenbak en na een moment van aarzeling griste hij het mes eruit. Met een grimas duwde hij het mes snel in een leren buideltje dat hij gebruikte om stukken vuursteen in te bewaren. Het zweet stond op zijn voorhoofd en zijn lippen waren bleek.

'Laten we gaan,' zei hij.

Vastbesloten de weg niet kwijt te raken, keken ze allebei voor zich uit. Ze dachten er geen van tweeën aan om achterom te kijken.

De Nimoreanen zijn vrome mensen, die regelmatig de goden raadplegen, voordat ze iets ondernemen dat enige invloed op hun leven kan hebben. Volgens de Nimoreanen spelen de goden een actieve rol in alle aspecten van het leven, van familie- tot zakelijke aangelegenheden. De Nimoreaanse koningin is ook de hogepriesteres, zowel de staatkundige als de geestelijke leidsvrouwe.

De tempel van Myanmin lag in het noordelijke deel van de stad en was een van de oudste gebouwen van die stad, want ze was als eerste gebouwd toen de verbannen Nimranen ongeveer driehonderd jaar eerder naar het noorden waren gekomen.

De straat die Jessan en Bashae volgden, eindigde bij de stadsmuur. Door een poort in de muur kwam je in een dennenbos. Toen ze het bos in wilden lopen, onder de hoge bomen, bleef Bashae staan.

'Wat is er?' wilde Jessan weten.

'Dit bos is oud,' zei Bashae vol ontzag. 'Oud en magisch. Voel je dat niet? Mijn vingertoppen gaan ervan tintelen.'

'Het is in elk geval donker, dat is zeker,' zei Jessan terwijl hij slecht op zijn gemak het bos in keek. 'Is het ons kwaad gezind?'

Bashae overwoog dit. 'Nee, op het moment niet. Maar ik denk dat het kwaad zou kunnen worden, als het dat zou willen.'

Jessan zuchtte diep. 'We zijn nu al zo ver gekomen...' Met een somber gezicht stapte hij het bos in. Bashae volgde hem en legde zijn hoofd in zijn nek in een poging de toppen van de hoge dennen te zien.

Onderweg wierpen mensen nieuwsgierige blikken op het stel en sommigen bleven zelfs onwillekeurig staan om naar de pecwae te staren. Maar de Nimoreanen zijn beleefd, en niemand viel hen lastig.

De twee liepen onder de dennenbomen. Jessan was ver vooruit en wenkte steeds ongeduldig naar Bashae, die via een kronkelige route in de dichte schaduw achter hem aan dwaalde, de scherpe geur inademde en met zijn handen over de dennentakken streek.

Toen ze tussen de dennen te voorschijn kwamen, hadden ze een prachtig uitzicht, een uitzicht dat behalve Nimoreanen maar weinigen ooit aanschouwden. Groen gras, zo zacht en glad als zijde, omlijstte een groot ravijn dat was uitgehouwen door magie en liefhebbende handen. Het bouwwerk zelf lag helemaal onder de grond en was achthonderd meter lang en achthonderd meter breed. De bovenrand van de tempelmuur was gemaakt van graniet, waarin het reliëf van dieren was uitgehakt. Men zei dat ieder dier dat op Loerem rondliep vertegenwoordigd was in het beeldhouwwerk, allemaal vele malen groter dan levensgroot en zo realistisch dat de leeuw klaar leek om te springen en het reekalf klaar om met onzekere stapjes weg te lopen.

Onder de rand met landdieren was een rand met alle vogels en andere gevleugelde dieren en daaronder een met de vissen en de andere zeedieren. Tussen alle dieren waren de planten van het land en de zee afgebeeld.

Op elk van de vier hoofdwindstreken stond een draak, één voor elk van de elementen: aarde, lucht, vuur en water. De stenen draken hielden de wacht over de trappen die naar beneden de tempel in leidden. De bewakers waren Nimoreaanse mannen, die allemaal waren gekozen vanwege hun lengte, hun imponerende gestalte en hun moed in de strijd. Ze waren stuk voor stuk minstens twee meter lang en hadden gespierde armen en een brede borst. Ze droegen een enorme helm, versierd met zwarte veren, waardoor ze nog groter leken. Elk van hen had een glanzend bronzen harnas aan, klassiek van ontwerp maar nieuw gemaakt, en droeg een beschilderd manshoog schild en een enorme speer, ook versierd met veren. Ze hielden hun speren met de punten tegen elkaar, zodat ze een toegangspoort vormden waar iedereen die de tempel wilde betreden doorheen moest. De bewakers zeiden geen woord tegen degenen die de trap naderden, maar bekeken iedereen met een doordringende, fonkelende blik.

De bewakers zagen Jessan en Bashae op het ogenblik dat de twee onder de bomen vandaan liepen. Daarna verloren de bewakers hen geen moment meer uit het oog.

Jessan wist dat als de goden hier al niet woonden, ze in elk geval vaak op bezoek kwamen. Hij ging langzamer lopen. De vreselijke last die hij droeg, drukte zo zwaar op hem dat zijn schoenen wel van lood leken.

Bashae, de angstige, de laffe, voelde zich hier helemaal op zijn gemak. Nu was hij degene die vooruitliep en pas bleef wachten toen hij besefte dat zijn vriend stilstond. Bashae keek medelijdend en bezorgd naar Jessan.

'Wat is er aan de hand?'

'Ze weten het,' was alles wat Jessan kon uitbrengen. 'Ze weten het.'

'Wil je dat ik vooruitga?' vroeg Bashae.

Jessan kon geen antwoord geven, maar hij knikte.

Bashae liep naar de bewakers, maar toen hij er bijna was, zonk ook hem de moed in de schoenen. Hij had nog nooit zulke grote mensen gezien, wist niet eens dat die bestonden. Hij keek in de strenge gezichten om te zien of hij er iets uit kon opmaken, maar hoewel ze wel naar hem keken, verrieden hun ogen niets. Omdat hij wist dat Jessan op hem rekende, slikte Bashae zijn angst weg en liep naar voren, de knapzak stevig vasthoudend. Hij liep onder de poort van speren door. Niemand zei een woord. Hij draaide zich om, grijnsde naar Jessan en wenkte hem.

Met een grimmig gezicht en zijn kaken zo gespannen dat ze trilden, deed Jessan een stap naar voren. Met een snelle en plotselinge beweging kruisten de bewakers hun speren, waardoor hem de doorgang werd versperd.

'Laat hem door,' zei een stem.

Jessan draaide zich om. Hij had zich zo geconcentreerd op de bewakers dat hij niet had gehoord dat er achter hem plotseling een stilte was gevallen. Hij zag dat de Nimoreanen zich op één knie lieten zakken, één hand op de grond legden en de andere over hun hart.

Er stond een Nimoreaanse vrouw voor hem. Ze droeg een wit zijden gewaad met gouddraden erin, een gouden gordel bezet met smaragden, gouden armbanden, die warm kleurden tegen haar huid, die zo zwart was als ebbenhout, gouden oorringen en een gouden band om haar hoofd. Haar zwarte haar was zeer kort en haar ogen waren groot en helder en stonden ver uiteen.

Jessan had nog nooit iemand gezien die zo mooi was en de eerste gedachte die bij hem opkwam, was dat ze een van de goden was. Die gedachte werd bevestigd door het feit dat alle Nimoreanen zich op een knie hadden laten zakken. Hij dacht dat hij zelf misschien ook die houding aan moest nemen, maar zijn lichaam leek niet te willen doen wat zijn brein het opdroeg.

Een plotselinge beweging trok zijn aandacht. Arim kwam vanuit het bos naar hen toe rennen. Toen hij bij Jessan was aangekomen, knielde Arim neer voor de vrouw.

'Hogepriesteres, vergeef hem deze heiligschennis,' zei Arim. 'Hij is mijn gast en kent de gebruiken van ons volk niet. Laat zijn straf in plaats van hem mij treffen.'

'Er is geen sprake van heiligschennis,' zei de priesteres. 'Hij komt in deemoed. Zijn hart onder de schaduw is goed. Zijn vriend en hij mogen binnentreden. U mag met hen meekomen, Arim de vliegermaker.'

Met een zucht van verlichting kwam Arim overeind. Nadat hij nogmaals voor de priesters had gebogen, zei hij: 'Eerst moet ik tegenover deze heren verklaren waarom ik hen zonder dat ze dat wisten ben gevolgd.'

De hogepriesteres neeg haar hoofd om genadig toestemming te geven.

Arim wendde zich tot Jessan en Bashae. 'Ik moest zeker van jullie zijn. Ik hoop dat jullie dat begrijpen.'

In eerste instantie was Jessan geneigd boos te worden, maar de gedachte aan het afschuwelijke voorwerp dat hij bij zich had en de wetenschap dat hij weinig had gedaan om het vertrouwen van onverschillig wie te verdienen, deden hem zijn gal inslikken. Hij knikte met een strak gezicht.

Bashae keek Arim doordringend aan. 'Kunnen wij ook zeker zijn van jou?'

Arim was even van zijn stuk gebracht. Omdat de pecwae zo klein was als een kind, had Arim verwacht dat hij ook dacht als een kind. Hij besefte dat hij zich had vergist.

'Jullie kunnen zeker van mij zijn,' zei Arim. 'Dat zweer ik bij de goden in wier tegenwoordigheid we nu komen.'

'Dat is goed genoeg,' zei Bashae. 'Voorlopig.'

Op het bevel van de priesteres hieven de bewakers hun speer. De priesteres gaf met een handgebaar aan dat Arim en de Trevinici haar voor moesten gaan.

De weg naar beneden was lang en de trap, die was uitgehouwen in de rotswand, steil. Onder aan de trap lag een grote binnenplaats die geplaveid was met witte marmeren stenen met gouden spikkels. Banken en fonteinen boden degenen die moe waren van de lange afdaling rust en verkwikking. Aan de noordkant van de binnenplaats was een dubbele deur van brons met het symbool van de koningin van Nimorea erop: een witte beer van ingelegd marmer.

'Ik heb nog nooit een witte beer gezien,' zei Bashae, en toen sloeg hij zijn hand voor zijn mond, want zijn hoge stemmetje weergalmde over de hele binnenplaats.

'Toch komen ze in ons land voor,' antwoordde de priesteres met een glimlach. 'Toen onze prinses Hykael haar volk naar dit land leidde, kwamen ze een witte beer tegen, die hun de weg versperde. De mensen waren bang, want ze wisten dat de witte beer door de goden gestuurd was. De mensen smeekten de prinses om voor de beer te vluchten. De prinses weigerde te doen wat ze vroegen. Ze liep op de witte beer af terwijl ze zei dat ze, als hij haar zou doden, zou weten dat de goden haar hadden gestraft voor haar misstappen. Ze kwam bij de beer aan en knielde voor hem neer.

De witte beer draaide zich om en liep weg. De prinses volgde hem en met haar haar hele volk, hoewel de beer hen weg leidde van het pad. De mensen hoorden een vreselijke herrie, als van de rollende donder, maar dan op het land en niet in de lucht. Later ontdekten ze dat een lawine van de bergen naar beneden was gekomen en alles rond het pad had meegesleept. Als ze op dat pad hadden gelopen, waren ze allemaal dood geweest. De witte beer had hen naar de veiligheid gebracht. Prinses Hykael verklaarde de witte beer heilig en nu staat er de doodstraf op om er een om te brengen.'

Terwijl ze praatte, staken ze de grote binnenplaats over. Mensen lieten zich eerbiedig op hun knieën zakken als ze langsliep.

'Bent u de koningin?' vroeg Bashae verlegen en vervuld van ontzag.

'Nee, dat ben ik niet,' zei de priesteres met een glimlach. 'Ik ben Sri, de dochter van de koningin.'

Sri nam hen mee door de bronzen deuren met hun grote witte beren. Er stonden geen bewakers bij de deuren, want als de bewakers boven aan de trap zich bedreigd voelden, hoefden ze alleen met de achterkant van hun speer in het oog van een draak te prikken om een mechanisme te activeren dat ervoor zorgde dat de bronzen deuren dichtvielen.

Er heerste rust en vrede in de tempel. De mensen spraken met zachte stem. De muziek van een fluit, een klokkenspel en kabbelend water vormden een kalmerende achtergrond voor de gebeden van de smekelingen. Achter de bronzen deuren was in het midden een altaar, waarop broden en fruit, rollen zijde, bewerkte houten kommen en andere offergaven, sommige kostbaar en andere bescheiden, hoog lagen opgetast. De priesteres wachtte terwijl Arim erheen liep en zijn offer achterliet, een stuk papier dat overdekt was met afbeeldingen en dat volgens hem door de elfen als geld werd gebruikt.

'Ik heb niets meegebracht,' zei Jessan bedrukt.

'Ik wel!' zei Bashae. 'Wacht even!'

Hij stak zijn hand in zijn buidel en haalde een turkooizen steen te voorschijn. Nadat hij plechtig naar het altaar was gelopen, legde Bashae de steen erop.

'Past u maar goed op die steen,' zei Bashae tegen de priesteres. 'Die is heel krachtig. Je kunt nooit te veel bescherming hebben.'

'Dat zal ik doen, en ik dank je,' zei de priesteres.

Bashae zou het nooit weten, want hij zou nooit meer terugkomen in Nimorea, maar toen Sri, de dochter van de koningin, een paar maanden later de troon besteeg, had ze de turkooizen steen in haar kroon laten zetten. En misschien was de steen inderdaad krachtig, want koningin Sri overleefde een moordaanslag door een Vrykyl, de eerste en enige mens die daar ooit in slaagde. Maar dat is een ander verhaal.

Nadat ze hun offergaven hadden achtergelaten, gingen de meeste Nimoreanen het hoofdvertrek binnen om daar voor de gebeeldhouwde afbeeldingen van de goden te knielen en tot hen te bidden. De drie zagen maar een glimp van dat schitterende vertrek, want de priesteres nam hen mee een kleinere hal in.

De tempel was een ware doolhof van tunnels en kamers, een miniatuurstad onder de grond. Hier woonden degenen die de goden dienden: priesters en priesteressen, hun kinderen, bedienden en acolieten. De koningin woonde niet hier, maar in het koninklijke paleis in Myanmin, een prachtig herenhuis van marmer op een rotspunt in de uitlopers van het Faynir-gebergte. Maar de koningin had wel privévertrekken in de tempel en verdeelde haar tijd gelijkelijk over geestelijke en wereldlijke zaken.

De deuren die naar het binnenste deel van de tempel leidden, waren niet duidelijk zichtbaar. De meeste waren geheime deuren, en alleen degenen die erachter woonden, kenden de manier om ze open te maken.

Sri nam hen mee naar een kamer helemaal achter aan de gang. In eerste instantie leek het alsof ze in een doodlopende gang waren, want de deur was zo gemaakt dat die deel uit leek te maken van de vlakke rotswand. Ze legde haar hand op een bepaalde plek, haar handpalm plat tegen het gesteente, en drukte. De deur draaide geluidloos open aan goed geoliede scharnieren. Ze nodigde hen uit naar binnen te gaan.

Toen hij langs haar heen keek, was Arim geïmponeerd en onthutst. Eerbiedig sloeg hij zijn ogen neer en hij liet zich bijna onmiddellijk op zijn knieën zakken. Hij wilde dat hij Jessan en de pecwae kon vertellen wat een buitengewone eer hun te beurt viel, maar dat durfde hij niet. Als de priesteres wilde dat ze dat wisten, zou ze het hun wel vertellen.

'Dit is mijn privéaltaar,' zei Sri. 'Het doet me genoegen u en uw vrienden hier te verwelkomen, Arim de vliegermaker.'

'Ik dank u voor deze eer, dochter van de goden,' zei Arim.

Zijn gezicht was bekend rond het paleis, want onder de dekmantel van het maken en repareren van de koninklijke vliegers had hij verscheidene netelige staatskwesties afgehandeld voor de koningin. Hij had Sri nooit in het paleis gezien en had niet geweten dat de prinses zich van hem of zijn activiteiten bewust was. Maar nu hij erover nadacht, verbaasde het hem niet. Als troonopvolgster werd ze natuurlijk op de hoogte gehouden van alles wat er in haar moeders rijk voorviel.

Arim stelde zijn metgezellen voor. De priesteres en hij spraken de Taal der Oudsten, als hoffelijkheid jegens hun gasten. Bashae was vervuld van ontzag en opwinding. Jessan kon zijn blik niet van Sri afhouden. Hij boog, maar zei niets.

Het was schemerig in de kleine kamer. Het enige licht was afkomstig van kooltjes die rood gloeiden in een komfoor dat op een verhoging stond. In de kamer hing een bedwelmende geur van de aromatische oliën waar priesteres Sri haar huid mee inwreef en van de wierook die er was gebrand.

Sri wendde zich tot Jessan. 'Weet je waarom de bewakers je de toegang weigerden?'

Jessan bloosde in het warme licht van de kooltjes. 'Ik... Ja,' zei hij na een inwendige strijd. 'Ik denk dat ik het weet.'

'Toen de bewakers naar je keken, zagen ze een fistel, een zweer in je geest. Dat weet ik, want ik zie hetzelfde. De wond is niet hier.' Sri legde haar hand over zijn hart. Haar aanraking was zacht maar leek toch pijn te doen, want zijn lichaam beefde. 'En ook niet hier.' Ze liet haar vingers met haar lange nagels licht op zijn voorhoofd rusten. 'Houd je handen op.'

Dat deed Jessan, met de handpalmen naar boven gedraaid.

'De fistel is hier,' zei Sri, en ze wees zijn rechter handpalm aan. Ze raakte hem niet aan.

Jessan deed onwillekeurig zijn hand dicht, bijna alsof er echt een wond was, hoewel de huid in werkelijkheid ongeschonden was.

'Ik heb een mes, een voorwerp van de Leegte,' zei hij. Hij keek haar in de ogen en stortte zijn hart uit. 'Dat heb ik van een wezen van de Leegte afgenomen, een ding dat een Vrykyl heet. Ik wist dat wat ik deed verkeerd was. De dwerg heeft me gewaarschuwd en de stervende ridder ook. Maar ik wilde het hebben en heb niet geluisterd. Ik wist dat het verkeerd was,' herhaalde hij, 'maar ik wist niet dat het mes verdorven was. U moet me geloven.' Hij huiverde en balde zijn vuisten. 'Ik wist niet dat het van... van menselijk bot was gemaakt. Nu ik dat wel weet, wil ik het nooit meer aanraken of zien. Ik wil het kwijt.'

'Een van die Vrykyls komt achter ons aan om het mes terug te krijgen,' voegde Bashae eraan toe. 'De Grootmoeder heeft het in het vuur gezien en het aan ons laten zien. Jessan heeft het ook gezien.'

'Het mes is een bloedmes,' verklaarde Arim. 'Een krachtig voorwerp van de Leegte. Bashae heeft gelijk. Een van die Vrykyls volgt hen inderdaad.'

'Ik breng degenen die ik moet beschermen in gevaar,' zei Jessan. 'Ik wist niet wat ik moest doen. Ik ben hierheen gekomen omdat ik hoopte dat de goden het mes zouden aannemen en vernietigen.'

'We zullen zien of de goden het willen aannemen.' Sri gebaarde naar het komfoor met gloeiende kooltjes. 'Leg het mes op het heilige vuur, Jessan.'

Jessan liet het mes uit de schede glijden; hij pakte het met tegenzin vast, maar tegelijk verlangend om ervan af te zijn. Het benen mes glom griezelig, spookachtig wit in het rood getinte schemerlicht. Jessan hield het mes voorzichtig vast, liep naar het komfoor en probeerde het mes op de hete kolen te laten vallen.

Met een verbluffende snelheid veranderde het lemmet van vorm en wikkelde het zich om zijn hand.

Jessan blies zijn adem vol afgrijzen tussen zijn tanden door. Hij hapte naar lucht en probeerde het mes los te schudden, maar het hield stevig vast, niet in paniek, maar als een handboei die hem een gevangene maakte en die hem voor zichzelf opeiste.

Schreeuwend van pijn trok Jessan zijn hand terug. Op het moment dat het mes uit de warmte was van de toorn van de goden, nam het lemmet weer zijn oorspronkelijke vorm aan.

Huiverend wierp Jessan het op de grond.

'Ik moet het kwijt!' riep hij met holle stem terwijl hij vol walging naar het mes keek. 'Als de goden het niet willen aannemen, gooi ik het in de Zee van Redesh...'

Sri schudde haar hoofd. 'De zee is niet diep genoeg. De oceaan is niet diep genoeg. Elke afgrond heeft een bodem. Een voorwerp als dit kun je niet kwijtraken als het gevonden wil worden. De andere Vrykyls weten dat het bloedmes nog bestaat. Ze zijn ernaar op zoek. Het mes zou zijn weg vinden naar de netten van een of andere visser of aanspoelen en gevonden worden door een kind dat schelpen zoekt. Het mes zou een nieuwe eigenaar zoeken, een onschuldige, die niets weet van de kwade aard van wat hij heeft gevonden. Zou je dat willen?'

Jessan schudde zijn hoofd. Hij hoorde de stem van zijn oom. *Een man moet verantwoordelijkheid nemen voor zijn eigen daden. Het is laf om te proberen de schuld op een ander te schuiven of je eigen aandeel te ontkennen uit angst voor vergelding. Het enige dat nog laffer is, is vluchten als je tegenover een vijand staat.*

'Ik weet dat het grote moed zal vergen om het benen mes te blijven dragen, Jessan,' zei Sri, 'maar ik geloof dat jij die moed hebt.'

'Ik weet niet of ik die heb of niet,' zei Jessan zacht en gekweld. 'Elke nacht zie ik de ogen en hoor ik de hoefslagen. Elke nacht vraag ik me af of dit de nacht zal zijn dat de ogen me zien. Elke nacht weet ik dat de hoefslagen naderbij komen. Het ergste is dat ik het gevaar lok naar degenen om wie ik geef.'

Jessan rechtte zijn schouders. 'Het is mijn last. Die rust op mij. Ik zal het mes houden, maar ik zal mijn vrienden alleen verder laten gaan. Ik zal me bij mijn volk voegen, de andere Trevinici...'

'Maar, Jessan,' onderbrak Bashae hem, 'dat kan niet. We zijn allebei uitverkoren. Weet je nog? Wij samen. Ik ben niet bang voor het gevaar. Heus niet.'

'Je wilt de feiten niet onder ogen zien, Bashae! Je doet dom...'

'Dan doen de goden ook dom,' zei Sri. 'Jullie tweeën zijn verbonden door een streng, een streng van licht en duisternis. Zonder het een bestaat het ander niet. Zo moet het zijn tot het einde van jullie reis.'

'Dan zit je aan me vast, Jessan,' zei Bashae vrolijk.

Jessan glimlachte niet. Zijn gelaatsuitdrukking was grimmig en zijn ogen waren overschaduwd.

'Hebben de goden úw vraag beantwoord?' vroeg ze plotseling terwijl ze zich tot Arim wendde.

'Ja, dochter van de goden, dat hebben ze,' antwoordde Arim.

'Zult u hen begeleiden naar de plek waar ze moeten zijn?'

'Ja, dochter van de goden, ik zal hen begeleiden. En beschermen.'

Hierbij trilden Jessans mondhoeken. De jonge krijger wierp een zijdelingse blik op de tengere gestalte van de vliegermaker en zijn smalle handen, geschikt om vogels en vlinders te schilderen. Hij zei niets, maar dacht bij zichzelf dat hij er nog een verantwoordelijkheid bij kreeg, nog iemand voor wie hij moest zorgen.

'Mogen de goden met u zijn,' zei Sri. Ze trok een ring van haar vinger en gaf die aan Arim. 'Breng deze naar het elfenministerie. Dan zult u geen problemen hebben met het binnengaan van het land van de Tromek.'

'Mogen de goden met u zijn, dochter van de goden.' Arim was blij met de ring, want die droeg het koninklijke zegel en zou zijn opdracht heel wat gemakkelijker maken. 'Ik zou de goden nog één gunst willen vragen voordat ik vertrek.'

'En dat is?' Sri's blik was warm; haar ogen weerspiegelden de gloed van de kooltjes.

'Ik zou de goden om vergiffenis willen smeken omdat ik aan hun wijsheid heb getwijfeld,' zei Arim nederig.

'Het is u vergeven,' zei Sri.

Nadat ze het riviertje de Nabir waren overgestoken, dat vanuit de Zee van Redesh stroomde, reisden Wolfram en Ranessa nog verder naar het zuiden, naar de oevers van de Zee van Kalar. Hun reis was vredig, te vredig naar Wolframs smaak. Ze zagen helemaal niemand tijdens deze etappe van hun tocht en dat midden in de zomer, het beste seizoen om te reizen. Wolfram had zich erop verheugd om zich aan te sluiten bij wat gezellige medereizigers als ze dicht bij hun bestemming waren, de Karnuaanse zeehaven Karfa 'Len, en hij was teleurgesteld toen de dagen verstreken zonder dat ze iemand tegenkwamen. Een gedeelde reis is een kortere reis, zo luidde het gezegde, en de dwerg had nog nooit zo naar een kortere reis verlangd als deze keer.

Wolfram mokte hierover totdat Ranessa het zat werd om hem te horen klagen en hem zei dat hij zijn mond erover moest houden.

'Er zijn geen mensen op de weg, nou en?' zei ze. 'Er zijn toch al te veel mensen op de wereld. Ik houd van eenzaamheid en stilte, vooral van stilte.'

Beledigd gaf Wolfram haar haar zin. Als hij praatte, was dat tegen zijn paard en dan zorgde hij ervoor dat Ranessa buiten gehoorsafstand was. Naarmate de dagen verstreken en de weg zich leeg voor hen bleef uitstrekken, ging Wolframs teleurstelling over in verontrusting. Er waren maar twee dingen die karavanen en kooplui van de weg konden houden: sneeuw en oorlog. Er was geen sneeuw. Dan bleef er alleen oorlog over.

Er bestond zo'n grote vijandschap tussen Dunkarga en Karnu dat de twee over het minste of geringste al oorlog voerden. Er konden honderden doden vallen vanwege een gestolen kip. Wolfram had er geen behoefte aan om in een burgeroorlog terecht te komen. Hij had niets te vrezen van gedisciplineerde soldaten, maar vaak maakten tuchteloze bendes gretig misbruik van de onrust van een burgeroorlog om roof- en plundertochten te houden op het platteland, en daar werden ongelukkige reizigers de dupe van.

Wolfram hield de omgeving scherp in de gaten. Sinds Ranessa had beweerd dat ze gevolgd werden, had de dwerg ogen in zijn rug voelen priemen. Meer dan eens was hij 's nachts wakker geworden met het gevoel dat iemand hem besloop. Bij het geluid van een krassende uil schrok hij midden in de nacht wakker en brak het koude zweet hem uit.

Wolfram verweet dat Ranessa. Zij zou iedereen de stuipen op het lijf jagen, met haar slechte buien en haar rusteloze geijsbeer en gestaar naar het oosten alsof ze in trance was. Als ze nog veel langer samen bleven reizen, zou hij net zo gek worden als zij.

Het gevoel dat er iemand naar hem keek werd iets minder toen ze verder naar het zuiden trokken. Wolfram sliep zelfs drie nachten achter elkaar goed en voelde zich beter dan hij in dagen had gedaan.

'Wat het ook was dat je beweerde dat ons volgde, het is ons blijkbaar kwijtgeraakt,' merkte hij die ochtend tegen Ranessa op. 'Waarschijnlijk zijn we er te slim voor. We hebben het op een dwaalspoor gebracht.'

Hij bedoelde het sarcastisch, maar zoals gewoonlijk ontging dat Ranessa.

Ze richtte haar blik op het noorden en zei ernstig: 'Ja, we hebben het afgeschud, maar niet voor lang.' Ze keek met haar vreemde ogen naar hem. 'Het komt voor jou.'

Hij voelde een rilling langs zijn ruggengraat gaan en had er spijt van dat hij erover was begonnen.

Wolfram was opgetogen toen ze de rivier de Nabir overstaken, want dat betekende dat ze bijna bij hun bestemming waren. Een halve dag rijden bracht hen bij de stadsmuren van Karfa 'Len. Dit was niet het einde van hun reis, bij lange na niet, maar de eerste etappe zat erop. Aangezien hij voor zichzelf al had geconcludeerd dat het land in oorlog was, was Wolfram niet verrast toen hij zag dat de stadspoorten gesloten, vergrendeld en zwaar bewaakt waren. Het verraste hem wel dat de Karnuaanse soldaten op de muren hun hand aan hun boog hadden en dat ze achterdochtig op hem en Ranessa neer blikten.

'Waarom kijken ze zo naar mij?' vroeg Wolfram. 'De dwergen hebben Karnu toch zeker niet de oorlog verklaard?'

Hij reed rond naar het uitvalspoortje dat op enige afstand van de grote poort was. Terwijl hij afsteeg, zei hij tegen Ranessa dat ze moest blijven waar ze was en haar mond dicht moest houden. Toen liep hij naar het uitvalspoortje en klopte krachtig op de deur met ijzeren grendels.

Er schoof een paneel open en er tuurde een onvriendelijk oog naar buiten.

'Wat wilt u?' vroeg een stem in het Karnuaans.

'Binnenkomen,' gromde Wolfram. Hij sprak een paar woordjes Karnuaans, genoeg om zich te redden. 'Wat dacht u dan?'

'Ik weet het niet en het kan me niet schelen ook,' antwoordde de stem ijzig. 'Rijd door.'

Het paneel begon dicht te schuiven. Wolfram wilde juist iets zeggen toen Ranessa hem opzij duwde en haar hand naar binnen stak, zodat het paneel niet verder dicht kon schuiven.

'We moeten hier zijn,' meldde ze in de Taal der Oudsten.

'Haal je hand weg van die deur of je raakt hem kwijt,' zei de stem.

Bij wijze van antwoord greep Ranessa het houten paneel vast en rukte het uit de deur. Ze wierp het met een verachtelijk gebaar op de grond en keek dreigend door de opening naar binnen.

Wolfram staarde met open mond naar het afgebroken stuk hout. Het was zo dik als zijn duim. Een sterke man zou het met veel gehijg en gekreun en een uiterste krachtsinspanning waarschijnlijk nog niet hebben losgerukt. De Karnuaan aan de andere kant van de deur was net zo verbijsterd, zowel over de brutaliteit als over het krachtsvertoon.

Ranessa wendde zich tot Wolfram. 'Vertel hem wat we hier moeten,' zei ze gebiedend. Ze stapte achteruit, sloeg haar armen over elkaar en wachtte af. Als ze zelf al vond dat ze iets opmerkelijks had gedaan, was dat niet te merken aan haar kalme gedrag.

Wolfram rukte met moeite zijn blik los van het afgebroken paneel en liep schuchter naar voren. 'Ik... eh... moet Osim de schoenlapper in de Laarzenstraat spreken.'

'De winkels zijn gesloten. Het is oorlog.'

'Dat weet ik,' zei Wolfram ongeduldig. 'Of in elk geval vermoedde ik het. Waar verdenken jullie me van? Denken jullie dat ik het Dunkargaanse leger in mijn zak verborgen heb? Jullie houden ons al acht kilometer lang in de gaten. Het meisje en ik, dat is alles. Als jullie in oorlog zijn, is er alleen maar meer reden om ons binnen de muren te laten, waar het veilig is.'

'Het is nergens veilig,' zei de stem. 'En we zijn niet in oorlog met Dunkarga.'

Het gezicht verdween en Wolfram bleef achter, zich afvragend met wie ze dan in naam van de Wolf wel in oorlog waren. Hij zou zich kunnen voorstellen dat het de Vinnengaelezen waren, want Karnu had het rijk vernederd en gekrenkt door onverwachts uit het zuiden op te rukken en het Vinnengaelse Portaal bij Romdemer te veroveren, dat nu Delak 'Vir heette. Maar de Karnuanen hadden de Vinnengaelse ingang van het Portaal nu al vele jaren in bezit en hoewel de Vinnengaelezen opgewonden spraken over een herovering, hadden ze nooit meer gedaan dan loze dreigementen uiten.

Het gezicht kwam terug. 'Jullie mogen binnenkomen,' zei de soldaat met tegenzin. 'Maar jullie worden wel in het oog gehouden, dus pas op wat je doet.'

Toen hij zijn paard door het uitvalspoortje meenam naar de binnenhof, viel het Wolfram op dat de gezichten van de soldaten om hem heen grimmig, streng en waakzaam stonden. En angstig, had hij eraan toe kunnen voegen, maar dat was moeilijk te geloven van Karnuanen.

Het uitvalspoortje sloeg achter hen dicht. Er kwamen werklui aanlopen om het beschadigde paneel te repareren. Een bewaker kreeg opdracht hen te begeleiden over de binnenhof naar de eigenlijke stadsmuur. De soldaat was een vrouw, want zowel mannen als vrouwen krijgen van hun vijftiende tot hun twintigste een militaire opleiding. De beste krijgers worden opgenomen in het Karnuaanse leger en de rest keert terug naar huis en haard om het land te bewerken of een vak te gaan beoefenen en hun kinderen op te voeden tot toekomstige krijgers. Maar hun militaire opleiding is niet verspild, want ze dienen als stadswachten en bewaken hun huizen als de krijgers hun werk in andere gebieden moeten doen. Dit burgerleger mag niet onderschat worden, want het zijn goed getrainde mensen die zeer gemotiveerd zijn: ze verdedigen hun naasten.

'Zijn jullie uit het noorden gekomen?' vroeg de soldaat. Ze sprak afgemeten. Haar stem klonk gespannen. Het weinige dat hij onder haar helm van haar gezicht kon zien, stond strak en afgetobd.

'Ja,' zei Wolfram.

'En niemand gezien? Geen énkel levend wezen?' vroeg ze nadrukkelijk.

'Nee,' zei Wolfram verbaasd en steeds ongeruster. 'De weg was leeg, afgezien van haar.' Hij wees met zijn duim achter zich naar Ranessa. 'Ongebruikelijk voor deze tijd van het jaar. Ik was al bang dat er iets aan de hand was. Dat is een van de redenen dat we ervoor hebben gekozen samen te reizen, zij en ik.'

Dat zei hij met luide stem. Hij keek om naar Ranessa en wierp haar een doordringende blik toe om haar duidelijk te maken dat ze hem niet moest tegenspreken. Hij had geen andere verklaring kunnen verzinnen voor het vreemde feit dat een dwerg en een Trevinici metgezellen waren.

Ranessa zag zijn blik en nam die in zich op, maar of ze van plan was zijn verhaal te steunen of niet, daar had hij geen idee van. Ze keek zo verwonderd om zich heen dat ze de teugels van het paard uit haar handen had laten vallen. Nu het vrij was om te doen wat het wilde, draafde het paard naar Wolfram toe.

Terwijl hij de teugels pakte, gaf Wolfram Ranessa met zijn laars een niet al te zachte schop tegen haar schenen. 'Houd op met staren, meisje. Je ziet eruit alsof je net een klap van de molen hebt gehad. De hele wereld hoeft niet te weten dat je nooit eerder in een stad bent geweest.'

'Het is hier,' zei ze, en ze keek de dwerg aan. 'Vlakbij.'

'Wat is hier?' snauwde Wolfram.

'Het ding dat jou volgt.'

Terwijl hij op de tast zijn mes zocht, draaide Wolfram zich zo snel rond dat hij er duizelig van werd.

Achter zich zag hij niets, behalve meer stad en meer soldaten. Wolframs op hol geslagen hart kwam weer tot rust.

'Dat moet je niet doen, meisje!' zei hij boos. 'Dat heeft me minstens tien jaar van mijn leven gekost. Waarom vertel je me dat er iets is dat er niet is?'

'Het was hier,' zei ze schouder ophalend. 'Het is hier.'

De Karnuaanse soldaat stond verbaasd naar hem te kijken. 'Wat mankeert je, dwerg?'

'Ik ben alleen een beetje schrikachtig,' beweerde hij zwakjes. 'Met al dat gepraat over oorlog en zo. Daar word ik zenuwachtig van.'

De Karnuaanse wierp hem een geringschattende blik toe en rolde vol weerzin met haar ogen. De lage dunk die ze al van dwergen had gehad, was nu nog lager geworden.

'Ik ben maandenlang onderweg geweest,' vervolgde Wolfram. Hij praatte tegen de soldaat en negeerde Ranessa nadrukkelijk. 'In het land van de Trevinici. Ik heb geen nieuws gehoord. Wat is er aan de hand?'

De vrouw wierp hem door de oogspleten van haar helm een koele blik toe. 'Heb je dan niet gehoord dat de stad Dunkar is gevallen?'

'Wat? Dunkar gevallen! Ik veronderstel dat een felicitatie op zijn plaats is,' zei Wolfram, maar toen zag hij dat de vrouw niet blij was met het nieuws dat ze vertelde.

'Het is niet in onze handen gevallen,' zei de soldaat verbitterd, 'maar in die van een nieuwe vijand, afzichtelijke wezens die uit het westen zijn gekomen en worden aangevoerd door ene Dagnarus, die beweert dat hij het bloed van vroegere Dunkargaanse koningen in zijn aderen heeft. Hij zegt dat hij Dunkarga in haar oude glorie zal herstellen en hij heeft de stad Dalon 'Ren en het Karnuaanse Portaal aangevallen.'

Wolframs mond viel open. 'Daar heb ik niets van gehoord,' begon hij, maar toen werd hij bijna tegen de grond geslagen door Ranessa. Ze sprong naar voren en greep de soldaat bij de arm. 'Dunkar gevallen! Vertel me over de Trevinici-krijgers. Wat is er met ze gebeurd?'

'Ze heeft een broer die in het Dunkargaanse leger vecht,' vulde Wolfram aan.

De soldaat schudde Ranessa's hand, waarvan de nagels in haar huid werden gedrukt, van haar arm. 'In tegenstelling tot de Dunkarganen, die snotterende lafaards, hebben de Trevinici standgehouden en zijn ze stuk voor stuk weggevaagd, hebben we gehoord.' Ze voegde er de traditionele Karnuaanse zegenwens voor een gevallen krijger aan toe, *Al shat alma shal*, hij is de dood gestorven, wat betekende: hij is de heldendood gestorven.

'Ik ben onaardig tegen hem geweest,' zei Ranessa zacht. 'Dat was niet mijn bedoeling. Ik kon er niets aan doen.' Ze sloeg haar armen om zich heen en streek met haar handen op en neer over haar bovenarmen. 'Af en toe voelt mijn huid aan alsof die te strak zit!'

Ze sprak in het Tirniv, en daar was Wolfram dankbaar voor, want hij wilde niet dat hun begeleidster zou beseffen dat ze een krankzinnige de stad hadden binnengelaten. We blijven hier niet lang, dacht hij. Het klinkt alsof dit deel van de wereld hard bezig is ten onder te gaan. Hoe sneller we hier weg zijn, des te beter.

Ze waren net bij de stadsmuur aangekomen toen er een kreet klonk: 'Zeilen! Zeilen in het zuiden!'

Als echo van de eerste weerklonk een tweede kreet.

'Orken!'

De soldaat liet hen ogenblikkelijk alleen; ze draaide zich om en rende terug om haar plek in te nemen op de buitenste muur. Wolfram trok aan de teugels van zijn paard en haastte zich naar het poortje in de muur, terwijl hij de dieren aanspoorde voort te maken. Hij wierp een blik achterom en brulde naar Ranessa. Ze liep met gebogen hoofd, zodat haar haar als een haveloze sluier voor haar gezicht hing. Ze leek zich totaal niet bewust van de opwinding die om haar heen uitbrak.

'Schiet op, meisje! Heb je dat niet gehoord?'

Ze hief haar hoofd. 'Wat? Wat gehoord?'

'Orken! De stad wordt belegerd!'

Ze had geen idee wat dat betekende, dat was wel duidelijk, maar ze legde er wel een stapje op. Ze werden zonder vragen toegelaten in de stad, want de Karnuanen hadden het nu veel te druk om zich bezig te houden met een dwerg en een barbaar.

In de hele stad luidden klokken. Mensen haastten zich naar de muren of klommen op hun dak om zelf te zien wat er gebeurde. Dat hoefde Wolfram niet te doen. Hij had al eerder orkenschepen gezien, de lange slanke schepen met hun geverfde zeilen en rijen roeispanen die in een gracieuze, dodelijke beweging op en neer gingen.

Op het ogenblik dat Ranessa en hij voet zetten in de stad, begonnen de eerste klodders van het meest gevreesde wapen van de orken, gelatinedynamiet, neer te regenen op Karfa 'Len.

Het gelatinedynamiet wordt met katapulten, die op de schepen van de orken staan, naar de stad geslingerd en is een licht ontvlambare substantie die alles wat het aanraakt in brand zet, inclusief mensen. Het ergste is dat de vlammen niet gedoofd kunnen worden. Water zorgt er alleen maar voor dat het vuur zich verspreidt.

Wolfram verwenste zijn pech. Als ze een uur eerder in de stad waren aangekomen, zouden ze hier nu alweer uit de buurt zijn geweest. Maar nu bevonden de Trevinici en hij zich bij de courtine, waar de orken het eerste zouden aanvallen in de hoop de verdedigers te verdrijven. De orken hadden bootjes te water gelaten en stuurden krijgers om over land aan te vallen terwijl hun schepen de stad vanaf de zee bleven bestoken.

De Karnuanen begonnen met hun blijden zware keien op de orkenschepen af te vuren in de hoop er een goed te raken en tot zinken te brengen. Wolfram haalde zich de plattegrond van de stad voor de geest. De orken zouden eerst de haven aanvallen, want de courtine strekte zich niet tot over het water uit. Grote houtblokken die met zware kettingen verbonden waren, blokkeerden de ingang tot de haven, maar die zouden de orken niet lang tegenhouden. En dan hadden ze ook nog de pech dat de Laarzenstraat maar een paar blokken bij de haven vandaan was.

'We moeten maken dat we hier wegkomen!' gromde Wolfram, en voor deze ene keer sprak Ranessa hem niet tegen.

Hij hield de paarden stevig vast, want om hen heen laaiden hier en daar vlammen op. De lucht begon naar rook te ruiken. De paarden rolden met hun ogen, nerveus van de geur van brand en de angst, die voelbaar in de lucht hing. Wolfram bleef dicht bij de hoofden van de dieren en sprak hen voortdurend geruststellend toe. De paarden lieten zich door hem door de chaos, de as en de rook leiden.

De straten van Karfa 'Len waren vol mensen, maar in tegenstelling tot de inwoners van Dunkar raakte hier niemand in paniek. Elke burger was een geoefend krijger en wist wat hij moest doen en waar hij heen moest. Maar Wolfram en Ranessa moesten zich toch een weg banen door straten, waar het wemelde van de soldaten die kwamen aanrennen om de ploegen op de muren te versterken of wegstormden om de branden te bestrijden die nu in verschillende delen van de stad waren uitgebroken. Ze kwamen nog maar met een slakkengang vooruit.

Met de dikker wordende rook en het toenemende lawaai had Wolfram er zijn handen aan vol om de paarden kalm te houden. Hij kon zich niet ook nog eens om Ranessa bekommeren. Ze zorgde dat ze bij hem bleef of niet, een van tweeën. Elke minuut kwamen de orken dichterbij en hoewel orken over het algemeen vriendelijk staan tegenover dwergen, zouden deze orken niet vriendelijk staan tegenover iedereen die ze in de stad van hun meest gehate vijand aantroffen, degenen die hun heilige berg Sa 'Gra hadden aangevallen en veroverd en vele orken tot slaven hadden gemaakt.

Hij sloeg een straat in en zag dat die geblokkeerd was. Een houten huis had vlamgevat en was ingestort, waardoor er brandend puin in de straat terecht was gekomen. Hij liep terug en vond een andere straat, maar nu maakte hij zich zorgen dat hij verdwaald zou raken. Aangezien hij de Karnuanen niet erg mocht, wat wederzijds was, bracht hij nooit veel tijd door in Karfa 'Len. Hij kende de weg naar waar hij moest zijn, maar dat was het wel zo ongeveer.

Ranessa bleef dicht bij hem; ze hield de manen van haar paard vast. Hij had geen adem over om tegen haar te praten. De rook brandde in zijn keel en prikte in zijn ogen. Zijn armen deden pijn. Hij hoestte, knipperde tranen weg en bleef verder ploeteren.

Aan het eind van de volgende straat werd hun weg versperd door een rij mensen, van de put naar een brandend huis, die volle emmers water doorgaven en lege weer terug, om ze opnieuw te vullen. Wolfram liep door, vastbesloten om zich tussen hen door te dringen als ze hem niet lieten passeren.

Een klodder gelatinedynamiet kwam op de keien vlak bij de Karnuanen terecht en spetterde op sommigen van hen, zodat kleren en huid in brand vlogen. Ze lieten hun emmers vallen en probeerden haastig weg te komen terwijl het gelatinedynamiet zich over de keien verspreidde. Sommigen rukten brandende kleren van hun lijf, anderen schreeuwden omdat de druppeltjes gaten in hun vlees brandden. De licht ontvlambare drab sloeg het dichtst bij een oude man in. De brandende gelatine overdekte zijn borst en gezicht, brandde in een oogwenk zijn kleren weg en zette zijn vlees zelf in brand. Hij gilde van pijn, wankelde achteruit en klauwde met zijn handen door de lucht. Zijn huid blakerde zwart, barstte en trok blazen van de hitte. Zijn kreten van pijn weerklonken door de straat en waren afschuwelijk om te horen. Een jonge vrouw liep om hem heen, riep dat het haar vader was en smeekte de anderen om hem te helpen. De mannen om hem heen keken met medelijden en ontzetting naar hem, maar niemand kwam bij hem in de buurt. Ze konden niets doen. Als iemand hem zou aanraken, zou de brandende substantie aan diegene blijven kleven en ook hem of haar in brand steken.

Uiteindelijk pakte een van de mannen – een oudere man met een houten been – een stuk hout op dat van het brandende gebouw was gevallen en sloeg de oude man ermee op zijn hoofd. Zijn schedel werd verbrijzeld en hij viel op de grond. Zijn geschreeuw verstomde.

'*Al shat alma shal*,' zei de man met het houten been.

Hij gooide het bebloede stuk hout opzij en pakte een emmer op, en de rij herstelde zich weer. De mensen stapten voorzichtig om de resten van het gelatinedynamiet heen. Het lichaam van de oude man bleef branden. Zijn dochter bleef even met gebogen hoofd naast hem staan en toen ging ook zij verder met het doorgeven van de emmers. Wolfram had hier maar een glimp van opgevangen. Toen de vlammen vlak voor hem waren opgelaaid, had het paard in paniek gesteigerd en Wolframs armen bijna uit de kom getrokken. Hij had een paar zware momenten geworsteld met de bokkende en steigerende dieren en vertwijfeld geprobeerd hen te kalmeren.

Uiteindelijk had hij de paarden weer onder controle. Hij stond uitgeput te hijgen en probeerde op adem te komen, maar hij ademde alleen maar rook in en daar moest hij weer vreselijk van hoesten. Ranessa stond roerloos voor zich uit starend naast hem.

'Je had me wel even mogen helpen met de dieren, meisje!' grauwde Wolfram toen hij weer iets kon uitbrengen.

Ze draaide zich om en keek hem heel vreemd aan: alsof ze hem van grote afstand zag, alsof ze op een bergtop stond en hij in het dal daaronder, of alsof ze ergens op een wolk zat en hij op een uitgestrekte oceaan dreef.

'Waarom doen mensen elkaar dit aan?' vroeg ze.

'Doe niet zo dom, meisje,' zei hij geërgerd. 'De oude man had nog urenlang vreselijke pijn kunnen lijden. De soldaat heeft hem daarvan verlost.'

'Dat bedoel ik niet alleen,' zei ze zacht, en ze klonk en keek alsof ze hem nooit eerder had gezien. Ze praatte tegen een vreemde. 'Alles.'

'Volledig geschift,' zei Wolfram hoofdschuddend bij zichzelf. Hij wierp een blik op het lichaam van de oude man, waar nu weinig meer van over was dan een geblakerde en smeulende hoop. Hij keek naar het brandende huis, de jonge vrouw die emmers doorgaf terwijl de tranen ongehinderd over haar wangen stroomden, en de oudere man die de emmers water bleef doorgeven terwijl hij een grimmige blik over zijn schouder in de richting van de haven wierp.

Vlak bij hen was een omheinde ruimte voor slaven en een veilingplaats. Verscheidene orken, die met boeien om hun enkels en kettingen aan elkaar vastzaten, werden haastig naar een veilige plek gebracht. Hun meesters waren niet bezorgd over het welzijn van de orken maar over hun eigen verdiensten. De orken hieven hun hoofd en spanden zich in om de haven te kunnen zien, waar hun vrijheid lag. Ze durfden niet te juichen toen er een Karnuaans huis in vlammen opging, want de slavendrijvers hadden zwepen. Maar ze glimlachten wel.

'Alles,' herhaalde Ranessa.

Wolfram deed de paarden omdraaien. 'Laten we een andere weg zoeken.'

Jedash, de Vrykyl, raakte de dwerg en de Trevinici kwijt toen ze de Nabir overstaken. Dagenlang kamde hij de omgeving uit op zoek naar enig teken van hen. Toen hij dat uiteindelijk vond, was het spoor koud. Hij schatte dat ze minstens drie dagen op hem voorlagen. Jedash werd steeds bozer en gefrustreerder over zijn falen. Hij had geen antwoord op de aanhoudende verzoeken om informatie van Shakur en deed nu zijn best hem te ontlopen. Jedash gebruikte het bloedmes zo min mogelijk.

Jedash was zich ervan bewust dat Shakur woedend op hem was. Shakur vervloekte zijn luitenant om zijn incompetentie en begreep niet waarom Jedash zo'n gemakkelijke prooi nog niet gegrepen had. Jedash kon het zelf ook niet verklaren. Het was alsof hij op rook joeg. Het ene moment zag hij die duidelijk en het volgende moment kwam er een briesje en was hij verdwenen.

Bij de resten van hun kampeerplaats stond Jedash voor een moeilijk besluit. Hij had wel een idee waar ze naar op weg waren. Karfa 'Len was de enige grote stad in dit deel van Karnu en ze reisden over de weg die daarheen leidde. Hij kon achter hen aan blijven trekken en tijd verspillen met ronddolen op zoek naar hen, of hij kon erop gokken dat ze naar Karfa 'Len reisden, daarheen gaan en op hen wachten. Als hij hen in de stad te pakken kreeg, zou het hun niet meevallen om hem af te schudden.

Jedash besloot dat zijn kansen goed waren en begaf zich haastig naar Karfa 'Len. Hij meed de hoofdweg, want hij had zich al een tijdje niet gevoed en als een Vrykyl zich niet voedt, is het moeilijker voor het wezen om zijn ware aard te verhullen.

Tegen de tijd dat Jedash bij de stad aankwam, waren de poorten gesloten, maar het kostte hem geen moeite binnen te komen. Hij wachtte tot de avond was gevallen en gebruikte de magie van de Leegte om over de stadsmuur te klimmen. Zijn honger was inmiddels enorm en grensde aan paniek, want hij voelde dat de magie die de wegrotten-de delen van zijn lichaam bijeenhield, zwakker werd. Hij doodde de eerste soldaat die hij zag door het bloedmes in zijn hart te drijven. Jedash voerde een kort en hevig gevecht met de ziel van de man, maar uiteindelijk bezweek die voor de wil van Jedash en die nam haar in zich op, waardoor de magie van de Leegte werd versterkt en zijn honger gestild.

Daarna maakte hij een paar moeilijke momenten door omdat hij re-kenschap moest afleggen bij Shakur, die Jedash had weten te berei-ken door middel van het gedeelde bewustzijn van het bloedmes. Je-dash verzekerde Shakur ervan dat de twee hem nu niet meer konden ontsnappen.

Jedash ontdeed zich van het lijk door een bezwering van de magie van de Leegte te gebruiken die hij van taanse sjamanen had geleerd, een bezwering die de ontbinding van een lijk bespoedigt. De tanen gebruiken die om hun aantallen gesneuvelden voor de vijand ver-borgen te houden. Jedash vond de bezwering handig om zijn moor-den te verdoezelen. Hij nam de gedaante van de soldaat aan en maak-te diens wacht af. Het enige dat er over was van het lijk was een bergje zwart, vochtig stof.

Jedash gaf zichzelf een post bij de poort en bleef daar dag en nacht. Zijn gok was goed geweest, zijn idee klopte. Hij keek voldaan toe hoe de dwerg naar de poort reed en probeerde de stad binnen te ko-men.

Jedash keek naar de metgezellin van de dwerg, de Trevinici-vrouw. Eigenaardig, maar hij kon haar niet goed zien. Het was net alsof hij probeerde recht in de zon te kijken. Het lukte niet. Elke keer dat hij het probeerde, was hij gedwongen zijn blik af te wenden. Hij begreep er niets van. In tegenstelling tot de zon, brandde de vrouw niet in zijn ogen. Ze zond geen verblindend licht uit. Ze leek een volkomen normale mensenvrouw te zijn, maar hij kon niet naar haar blijven kijken.

Jedash stond op het punt zijn post te verlaten en van de muur naar beneden te komen toen hij besefte dat ze zich van hem bewust was. Ze zocht naar hem. Hij verstijfde. Hij voelde haar vlak bij zich en toen was haar aandacht plotseling niet meer op hem gericht.

Opgelucht wachtte hij tot de twee de binnenhof waren overgestoken en het volgende poortje waren binnengegaan. Tegen die tijd had het alarm geklonken dat de orken aanvielen. Jedash gaf niets om orken. Hij was blij met de verwarring, die het gemakkelijker zou maken om de dwerg te grijpen.

Jedash stormde over de binnenhof. Hij moest zich een weg banen tussen soldaten door die zich verdrongen rond het poortje en toen dat was gelukt, rende hij de straat in en zag hij geen spoor meer van de dwerg of zijn vreemde metgezellin.

Jedash tuurde verbijsterd om zich heen. Ze konden hem niet zijn ontglipt! Niet opnieuw.

Vloekend dook de Vrykyl de menigte in.

Wolfram was verdwaald. De laatste omweg was een vergissing gebleken. Hij was een straat ingeslagen waarvan hij dacht dat die naar
de haven liep, maar had ontdekt dat die met een bocht naar het zuiden liep. De Laarzenstraat was een flink stuk ten westen vanwaar hij
nu was. Aan het getrompetter op de tritonshoorns kon hij horen dat
de orken erin waren geslaagd aan land te komen.
De orken stichtten nog meer branden toen ze de stad binnenstroom-
den. Rookwolken stegen op. Maar hun schepen slingerden geen gelatinedynamiet meer naar de stad, waarschijnlijk omdat ze bang waren hun eigen soldaten te raken.
Wolfram was doodmoe. Zijn keel was rauw. Zijn armen waren door
het stevig vasthouden van de teugels zo slap dat ze beefden. Hij had
niet meer de kracht om met een kind te vechten, laat staan met een
ork. Toen hij een drinkbak met water vond, slaakte hij een zucht van
verlichting. Hij bracht de paarden erheen en liet ze drinken terwijl
hij het koude water in zijn gezicht plensde, zijn nek ermee waste en
de rook uit zijn mond spoelde.
Daarna voelde hij zich wat beter, en hij nam de situatie in ogen-
schouw. De straten in dit deel van de stad waren bijna verlaten, want
de inwoners waren naar de haven gerend om tegen de orken te vechten. Dit was een winkelstraat, en de luiken voor de winkels waren
dicht. Uit de ramen boven de winkels gluurden kindergezichtjes. Af
en toe keek er ook een volwassene naar buiten, die was achtergebleven om op de kinderen te passen en wilde weten wat er gebeurde.
Wolfram ging op de rand van de drinkbak zitten en stak zijn voeten
in het koude water.
'Wat ben je aan het doen?' vroeg Ranessa.
'Ik zit met mijn voeten in het water.'
'Maar... waarom blijf je hier zitten? Moeten we niet verder?'
'Nee,' zei hij hoofdschuddend.
Ranessa keek hem met haar handen in haar zij dreigend aan.

'Hoor eens, meisje, in de Laarzenstraat, waar we moeten zijn, is het op dit moment vergeven van de orken. Als we daar nu heen gaan, hebben we geluk als onze keel wordt doorgesneden, want anders eindigen we als gevangenen op een orkenschip.'

'Maar we kunnen hier toch niet gewoon blijven!' protesteerde Ranessa.

'Jawel, hoor,' zei Wolfram terwijl hij tevreden zijn voeten door het water bewoog. 'Leer mij die invallende orken kennen. Ze zijn hier voor drie dingen: om zoveel mogelijk schade aan te richten, om zoveel mogelijk buit te roven en om alle orkenslaven te bevrijden die ze kunnen vinden. Als ze die doelen hebben bereikt, zullen ze teruggaan naar hun schepen en op huis aan koersen. We hoeven alleen maar te wachten totdat ze weggaan, dat is alles.' Hij keek om zich heen. 'Dit lijkt me daar net zo'n goede plek voor als elke andere.'

Ranessa kon niet stilzitten en liep te ijsberen. Wolfram begon te denken dat hij een vergissing had gemaakt. Hij hoorde stemmen van orken naderbij komen, vrolijk joelend of brullend van pijn, samen met het gekletter van staal en bevelen die door officieren in het Karnuaans werden geschreeuwd. De volwassenen die uit de ramen hadden gekeken, kwamen nu naar beneden en gingen tot de tanden bewapend in de deuropeningen staan, klaar om hun winkels en gezinnen te verdedigen.

Er weerklonk een ijzingwekkende kreet, waar Wolfram van ineenkromp.

'Misschien kun je beter even naar de hoek van die straat lopen om een kijkje te nemen, meisje,' zei hij nerveus terwijl hij zijn voeten uit de drinkbak haalde. 'Ik blijf wel bij de paarden.'

'Ik heb het je toch gezegd,' antwoordde Ranessa met een dreigende blik.

'Wat heb je me gezegd?' vroeg Wolfram, maar ze was al weggerend naar een dwarsstraat verderop. 'Als ik geluk heb, wordt ze misschien door een ork gegrepen...'

Toen hij uit zijn ooghoek een glimp opving van een beweging, legde Wolfram zijn hand op het gevest van zijn zwaard en draaide zich om. Bij de Wolf, hij was echt schrikachtig. Het was alleen een Karnuaanse soldaat, die door de straat liep. Wolfram ontspande en keek de andere kant op; hij hield met een half oog Ranessa in de gaten, die aan het einde van de straat was. Aangezien hij mensen nooit helemaal vertrouwde, wierp Wolfram een blik achterom op de soldaat. De Karnuaan had een doelbewuste tred en zijn blik was op de dwerg gericht. Wolfram voelde een steek van onrust en begon na te denken over het plotselinge verschijnen van de soldaat. Wat deed hij hier alleen, ver van zijn post? Ver vanwaar er gevochten werd? Ranessa's waarschuwing schoot Wolfram weer te binnen, en hoewel hij toen weinig waarde aan haar woorden had gehecht, leken ze nu in vurige letters voor zijn ogen te dansen.

Het is hier. Het volgt je.

Wolfram trok zijn zwaard.

De Karnuaan ging sneller lopen.

Wolframs hand op het gevest werd klam. De soldaat kwam op hem af, dat was zeker. Misschien hadden de Karnuanen besloten alle dwergen te arresteren of misschien was dit iets veel ergers, het iets dat hen over de grasvlakte had achtervolgd...

Een bloedstollende stoot op een hoorn deed Wolfram opzij springen; zijn hart bonsde in zijn keel. Diepe stemmen bootsten het hoorngeschal na. Aan het einde van de straat verscheen een groep orken.

De orken hadden brandende toortsen en enorme kromzwaarden bij zich. Hun handen zaten tot aan de ellebogen onder het bloed, hun gezichten waren overdekt met vuil, roet en bloedsmeren. Een van hen hief een tritonshoorn en gaf er nog een stoot op. Sommige orken sloegen winkelruiten kapot en gooiden hun toortsen door de gebroken ramen. Anderen, die de Karnuaanse soldaat in het oog kregen, zwaaiden met hun wapens en brulden hun strijdkreten. Karnuaanse burgers kwamen met getrokken wapens hun deur uit stormen.

De Karnuaanse soldaat stond tussen Wolfram en de oprukkende orken in. De soldaat keek met een lelijk gezicht van de orken naar de dwerg en terug. De orken wierpen zich met groot genoegen op de soldaat, die alleen en onbeschermd was. Ze zagen hem als een gemakkelijke prooi. Er kwamen wel andere Karnuanen aanrennen, maar dat waren er maar vijf tegen ongeveer veertien orken.

Erop rekenend dat de orken de soldaat wel bezig zouden houden, zette Wolfram het op een lopen. Hij rende de straat uit naar Ranessa, die aan het andere einde was. Toen hij gebrul en gevloek in twee talen en het gekletter van staal hoorde, veronderstelde hij dat de Karnuanen en de orken nu kennis met elkaar hadden gemaakt. Hij wierp een blik over zijn schouder.

De Karnuaanse soldaat was weg. Hij had tussen Wolfram en de orken in moeten zijn, vechtend voor zijn leven. Hij was er niet. De soldaat was verdwenen. Er stond een ork voor hem in de plaats. Toen Wolfram omkeek naar de ork, keek de ork naar Wolfram en zette de achtervolging in.

Wolfram begreep niet wat er gebeurd kon zijn. Hij was zo verbaasd dat hij vergat te kijken waar hij liep. Hij struikelde over zijn eigen benen en viel languit op de keien.

Hij werd overspoeld door de kilte van de dood. Wolfram was nog nooit in zijn leven zo bang geweest. Er kwamen afschuwelijke herinneringen aan de Vrykyl bij hem boven, aan het doodsbed van Gustav, aan het harnas in de grot, waaruit het kwaad te voorschijn sijpelde...

Wolfram sprong met bonzend hart overeind. Hij begon al te rennen voordat hij goed en wel stond en schoot de straat door.

Zijn benen waren kort, die van de ork waren lang, en de dwerg had kostbare tijd verloren door zijn val. Wolfram hoorde de dreunende voetstappen van de ork vlak achter zich. Hij ademde diep in en brulde uit alle macht: 'Ranessa! Help! Hel...'

De ork greep Wolfram vast, sloeg een hand voor zijn mond, en met een kracht die zelfs voor een ork ongelooflijk was, tilde hij de zware dwerg van de grond.

Ranessa stond aan het einde van de straat, die heuvel afwaarts liep, naar de haven. Ze wist niets van belegeringen of militaire strategie, maar zelfs zij kon zien dat de orken het slagveld verlieten. Nu hun doel was bereikt en hun inval succes had gehad, bliezen de kapiteins de aftocht. De orken begonnen zich terug te trekken. Gedisciplineerd en georganiseerd bleven ze huizen in brand steken en buit bijeengrissen terwijl ze vertrokken. Ze hadden bevrijde orkenslaven bij zich. De slaven hadden hun boeien nog om, maar dat zou niet lang meer duren.

Toen ze hen weg zag rennen, gaf Ranessa een woeste juichkreet.

'Ranessa! Help! Hel...'

Toen ze Wolfram hoorde schreeuwen, draaide Ranessa zich om en zag dat Wolfram werd opgetild door een ork. De ork duwde de gezette dwerg onder zijn arm met een gemak alsof het een vaatje bier was en begon de straat uit te rennen.

Ranessa werd door razernij gegrepen. Ze had niet veel op met de dwerg, maar hij was haar dwerg en hij zou haar naar de Drakenberg brengen. En nu bedierf deze ork alles.

Haar woede werd steeds groter. De gestalte van de ork flakkerde en verdween toen. In zijn plaats stond er een ridder met een helm en een harnas van de dood.

Ranessa herkende de Vrykyl, herkende de vloek die Jessan naar hun dorp had gebracht. De vloek die Raaf en de rest van haar volk onheil had gebracht.

Ranessa rukte haar zwaard uit de schede.

Meer dan eens had Wolfram geprobeerd Ranessa over te halen het zware zwaard achter te laten. Toen ze dat niet wilde, had hij pogingen ondernomen haar te leren hoe ze het moest gebruiken, zodat ze

in elk geval geen vitale onderdelen van haarzelf of hem zou afhakken. Zijn onderricht had slechts beperkt succes gehad. Ranessa was
niet atletisch en haar coördinatie was ook niet fantastisch. Als ze met
haar zwaard zwaaide, was het een gok wie ze meer schade zou toebrengen, haar vijand of zichzelf.

Ranessa gaf een schrille kreet die in niets op een menselijk geluid leek
en rende recht op de ridder af terwijl ze het zwaard in onhandige bogen om zich heen zwaaide en daarmee bijna haar eigen dijbenen
openreet.

Jedash had Ranessa niet eens gezien. Hij was alleen geïnteresseerd in
de dwerg. De Vrykyl had gelukkig ooit een ork gedood, zodat hij
zich van een Karnuaanse soldaat had kunnen transformeren tot een
ork. Hij was bijna ontkomen toen hij Ranessa hoorde gillen.

Hij kwam wankelend tot stilstand. Verbijsterd en angstig staarde hij
naar het ding dat hem tegemoet kwam. Dit had hij niet verwacht. Bij
lange na niet.

Hij was zeker niet van plan ermee te gaan vechten. Hij wilde de andere kant op vluchten en draaide zich om, maar bemerkte toen dat
alle orken weg waren. Jedash in de gedaante van een ork was de enige ork in de straat. De Karnuaanse burgers kwamen met zwaarden
die glinsterden in het licht van de vuren op hem af, vastbesloten om
hun woede te koelen op de enige ork die voorhanden was.

In zijn werkelijke vorm zou de Vrykyl snel hebben afgerekend met
de Karnuanen. Zelfs met Ranessa had hij dan een kans gehad, maar
dat zou een zware strijd zijn geworden, een strijd die hij nog niet wilde aangaan. Jedash slingerde de dwerg naar de naderende Karnuanen. De brullende Wolfram rolde tegen hen aan en kegelde hen omver. Nu deze bedreiging was uitgeschakeld, rende Jedash haastig weg,
inmiddels Shakur vervloekend, die hem op deze rampzalige missie
had gestuurd zonder hem van alle details op de hoogte te stellen.

Ranessa zette de achtervolging in. Haar enige gedachte was om de
Vrykyl te pakken te krijgen en het slechte wezen te doden. Maar haar
zwaard ging steeds zwaarder wegen en gleed bijna uit haar greep,
doordat haar handen klam waren van het zweet. Ze was niet gewend
aan hardlopen. Haar benen deden pijn en ze had hevige kramp in
haar zij en geen lucht meer in haar longen. Met een laatste schreeuw,
die zowel een overwinningskreet als een uitdaging was, kwam ze tot
stilstaan en ze bleef staan hijgen in de straat.

Ze wierp het zware zwaard op de grond en terwijl ze opgelucht haar
pijnlijke handen wrong, liep ze terug naar de plek waar Wolfram en
de Karnuanen hun best deden zich te ontwarren. Ranessa stak haar
hand uit om de dwerg overeind te helpen.

Wolfram pakte haar hand. Ze gaf er zo'n ruk aan dat hij bijna weer omviel.

'Dank je, meisje,' zei hij beverig. 'Je hebt mijn leven gered.'

'Ja, hè?' Ze was zelfvoldaan. 'Hoewel ik graag de kans had gehad hem een klap met mijn zwaard te verkopen. Ben je gewond?'

Wolfram schudde zijn hoofd. Hij had een paar bulten, zijn zwakke enkel deed pijn, zijn ribben waren gekneusd waar dat ork-monster hem had vastgegrepen en hij had een lange, diepe snee over zijn arm van een Karnuaans zwaard.

De Karnuanen keken wantrouwig naar Ranessa. In plaats van blij te zijn dat ze hen had geholpen, mopperden ze dat zij hun de gelegenheid tot vergelding had ontnomen. Wolfram, die de Karnuanen en hun manier van denken kende, vermoedde dat het slechts een kwestie van tijd zou zijn voordat het bij de Karnuanen opkwam hun woede op andere vreemdelingen in de stad te koelen.

'Alles is in orde,' zei Wolfram. 'Laten we maken dat we hier wegkomen.'

Ranessa was het met hem eens. Ze had genoeg tijd binnen deze muren doorgebracht. Ze wilde alleen nog maar weg.

'Die straat loopt naar de haven,' zei ze wijzend.

Wolfram was blij en tevreden dat hun paarden nog steeds bij de drinkbak stonden. Uit liefde voor de dwerg hadden de paarden hun instinctieve angst voor de Vrykyl kunnen weerstaan. Wolfram pakte de teugels vast en strompelde de straat uit in de richting van de Laarzenstraat.

Ranessa liep naast hem. Ze vonden de stilte tussen hen allebei aangenaam. Hun gedeelde ervaring, hun blik in de afgrijselijke muil van de Leegte, hun onuitgesproken angsten en ontzetting verbonden hen met elkaar.

'Waar gaan we heen?' vroeg ze uiteindelijk. 'Naar een schoenlapper?'

'Osim,' zei Wolfram. 'In de Laarzenstraat.'

'Zo te zien staat die buurt voor het grootste deel in brand. Misschien is er alleen nog maar as over van die schoenlapper van jou.'

'Dat geeft niet,' zei Wolfram. 'Het gaat eigenlijk niet om hem. Achter zijn werkplaats zijn de openbare privaten.' De dwerg grinnikte en zijn tanden staken wit af tegen zijn beroete gezicht. 'Het lijkt me niet waarschijnlijk dat de orken die in brand hebben gestoken. In de privaten is een Portaal, een van de magische tunnels door tijd en ruimte. Dat is de reden dat we hier zijn gekomen.'

'Gaan we via die tunnel hier ver vandaan?'

'Ja,' zei Wolfram en hij herhaalde het nadrukkelijker. 'Ja.'

'Mooi,' zei ze.

Wolfram miste plotseling iets. 'Je hebt je zwaard laten vallen, meisje,' zei hij, en hij hield zijn pas in. 'Wil je teruggaan om het te halen?'

Ranessa schudde haar hoofd. 'Nee, ik wil het niet meer. Het zwaard is te zwaar voor me. Te zwaar om te dragen.'

DEEL

11

De officiële titel van de elfenheer Garwina van huis Wyval was Schild van de Goddelijke. Hij was ofwel de machtigste elf in Tromek ofwel de op een na machtigste, dat hing er maar van af aan wie je het vroeg. Die ochtend deed Garwina wat hij elke ochtend deed: hij knielde voor het huisaltaar dat gewijd was aan zijn Geëerde Voorouder.

Elk elfenhuishouden, van de overdadig ingerichte paleizen van de Goddelijke tot het nederigste hutje van zijn nederigste onderdaan, heeft zo'n heiligdom. In het paleis van het Schild was het groot, kostbaar en fijn bewerkt. Een altaar van zwart gelakt hout, ingelegd met ivoor en versierd met zilver, stond op een verhoging in een alkoof met prachtige zijden gordijnen ervoor. Op de zijde, die speciaal met de hand was geweven en geverfd door Nimoreaanse vaklieden, was in gouddraad het embleem van het huis van het Schild geborduurd: een gevleugelde draak die een distel vasthield.

Op de tafel waren de bezittingen van de Geëerde Voorouder verzameld: zijn fluit, zijn set gegraveerde albasten wijnbokalen, een zilveren kan die bij een plundering was meegenomen uit het kasteel van een Vinnengaelse heer en andere trofeeën en aandenkens, waaronder zijn schild en zijn zwaarden. Er stond een bijpassende stoel achter de tafel. Hier kwam de Geëerde Voorouder bijna dagelijks met zijn kleinzoon praten.

Geknield op de rand van de verhoging stak het Schild de kaarsen aan en bracht hij zijn offergave: besuikerde wafels, gevuld met honing en noten. De wafels waren het lievelingskostje van de Geëerde Voorouder geweest en waren gemaakt door de vrouw van het Schild, niet door een bediende.

De Geëerde Voorouder verscheen, een spookachtige gestalte die flakkerde in de stoel als de rook van een kaars in een zuchtje wind. De voorouder was gestorven toen hij tweehonderdzestig was, aan verwondingen die hij in de strijd had opgelopen. Hij droeg de herinnering aan zijn harnas, om imponerender over te komen. Het haar van de oude elf was zilvergrijs geweest toen hij stierf, maar hij herinnerde het zich als het glanzende zwart van zijn jeugd. Zijn gezicht was mager, hoekig en bleek, en leek op het gezicht van zijn kleinzoon; de trekken waren kenmerkend voor de leden van het huis Wyval. Hun karakters leken ook erg op elkaar. Ze waren allebei streng, onvermurwbaar, trots en onbuigzaam. In het verleden waren ze het altijd eens geweest.

Maar deze keer niet.

De Geëerde Voorouder negeerde de besuikerde wafels. Hij stak zijn doorschijnende hand niet uit naar de fluit, zoals hij vaak deed, want hoewel hij deze niet meer kon aanraken, kon hij zich wel herinneren hoe dat had aangevoeld. Hij keurde de zwaarden geen blik waardig, hoewel het Schild die had laten slijpen en poetsen. Hij hield zijn armen over elkaar geslagen en keek dreigend naar zijn kleinzoon.

'Luister je naar wat ik te zeggen heb?'

'Ik luister, grootvader,' zei het Schild met een eerbiedige buiging.

'Je luistert wel, maar je trekt je er niets van aan,' zei de Geëerde Voorouder met een sneer.

Dat irriteerde het Schild. 'Grootvader...'

'Genoeg! Laat me uitspreken. Ik heb belangrijke informatie. Deze Dagnarus, die zichzelf nu tot koning van Dunkarga uitroept, is in werkelijkheid Dagnarus, de zoon van de vroegere koning Tamaros.'

De gelaatsuitdrukking van het Schild verhardde. 'U wilt me voor de gek houden, grootvader. Die Dagnarus is omgekomen bij de val van Oud Vinnengael...'

'Hij is niet omgekomen,' zei de Geëerde Voorouder. 'Hij heeft zijn leven verlengd met behulp van de magie van de Leegte. Hij heeft overleefd op levens die hij van anderen heeft gestolen en zo overleeft hij nog steeds. Hij is een walgelijk creatuur, een wezen van het kwaad. En daarbij wil jij je aansluiten. Het is al erg genoeg dat het een mens is. Maar hij is een mens die magie gebruikt om zijn vervloekte leven in stand te houden.'

'Hij is ook een mens die een kans maakt Nieuw Vinnengael te veroveren, zichzelf tot koning te kronen en zijn heerschappij tot alle landen van de mensen uit te breiden. Hij is de mens die me heeft beloofd dat hij, als hij aan de macht komt, al het land aan de elfen zal teruggeven waarover nu wordt getwist met het Rijk. Al het land, grootvader! Er is geen enkel huis dat dan niet bij me in het krijt zal staan, want ze maken allemaal wel aanspraak op een lap grond langs de grens.'

Het Schild stond op en begon te ijsberen, hoewel hij wist dat dit zijn grootvader zeer zou irriteren, want die kon alleen in zijn herinnering ijsberen. In tegenstelling tot veel doden, die er heel tevreden mee waren dood te zijn, was de Geëerde Voorouder van het Schild buitengewoon jaloers op de levenden.

'De Goddelijke zelf heeft recht op ongeveer tweehonderd hectare land ten zuiden van MyrLlineth. Hij zal dan bij mij moeten komen smeken om zijn land. Hij zal zich voor me moeten vernederen, zich moeten verlagen. Alle elfen in Tromek zullen zien wie de ware macht heeft in het land. Betekent dat niets voor u, grootvader? Dat ons huis eindelijk de eer zal krijgen die ons toekomt?'

'En wat kost deze edelmoedigheid je, kleinzoon?'

'Ik sta de troepen van koning Dagnarus toe het Portaal van Tromek binnen te gaan en garandeer hun een veilige doorgang. Wees niet bang, grootvader. De mensen zullen niet in het land van de elfen blijven. Als zijn troepen eenmaal door het Portaal zijn, trekken ze naar het zuiden om Nieuw Vinnengael in te nemen. De stad zal als een rotte vrucht voor hem vallen, want de blikken van die domme mensen zijn naar het westen gericht uit angst voor een invasie van Karnu. Ze zullen geen aanval uit het noorden verwachten.'

'En jij gelooft deze man, die zijn ziel heeft overgeleverd aan de kwade magie van de Leegte. Dat maakt jou nog dommer. Dagnarus heeft de ondergang van huis Mabreton veroorzaakt...'

'Natuurlijk geloof ik hem niet. Ik heb mijn eigen plannen beraamd en als dit dezelfde Dagnarus is, zoals u beweert, dan heeft hij ook de ondergang van huis Kinnoth bewerkstelligd,' merkte het Schild koel op. De huizen van Kinnoth en Wyval waren lang vijanden geweest.

'Pff!' De Geëerde Voorouder liet zich niet vermurwen. 'Kinnoth heeft zijn eigen ondergang bewerkstelligd. Door die Dagnarus is het huis van de Goddelijke aan de macht gekomen.'

'En door mij zal de Goddelijke die macht verliezen,' zei het Schild.

'En wat betreft die magie van de Leegte...' Hij haalde zijn schouders op. 'Als ik het me goed herinner, hebt u in de Slag om Tinnafah een beroep gedaan op de Wyred om hun magie te gebruiken...'

'Dat heb ik niet!' wierp de Geëerde Voorouder woedend tegen. 'Ik zou nooit zoiets laags doen als mijn toevlucht nemen tot het gebruik van magie in de strijd. De Wyred zijn geheel zelfstandig te werk gegaan.'

'Wees tenminste eerlijk tegen me, grootvader,' antwoordde het Schild ijzig. 'Wij elfen spelen dat spelletje al eeuwenlang. We geven niet toe dat we magie gebruiken, maar de Wyred zijn altijd toevallig op het juiste tijdstip op de juiste plek om voor een kentering in de strijd te zorgen. Ik laat in het bijzijn van een zeker lid van mijn huishouden vallen dat ik hun magie goed zou kunnen gebruiken en diegene laat dat weer vallen in het bijzijn van een bepaald iemand uit zijn huishouden, die ervoor zorgt dat de Wyred ervan horen. De volgende dag vind ik de veer van een raaf op het pad waar ik mijn ochtendwandelingetje maak en ik weet dat alles geregeld is. Ik heb er niets mee te maken. De magie raakt mij niet. In dit geval vertrouw ik op mensen voor de magie, niet op de Wyred. Ik zie geen verschil.'

'Nee, dat zie je niet. Mogen de Vader en de Moeder je bijstaan,' antwoordde de Voorouder verbitterd. 'En die mensen van je moeten je ook maar bijstaan. Ik zal het niet meer doen. Ik vraag je voor de laatste keer: neem je nota van mijn woorden? Zul je deze slechte man afwijzen en alle banden met hem verbreken?'

'Ik houd de herinnering aan u in ere, grootvader,' zei het Schild kalm. 'Maar u bent dood en ik leef. U hebt uw kans op glorie gehad. Nu is het mijn beurt.'

'Ik kom niet meer terug!' dreigde de Geëerde Voorouder.

Het Schild boog zwijgend.

'Het water van de sneeuw in de bergen stroomt door je aderen. Je zult me niet meer zien.' De Geëerde Voorouder vervaagde.

'Opgeruimd staat netjes,' mompelde het Schild terwijl hij zich omdraaide. 'Bemoeizieke ouwe zeikerd.'

Hij pakte de besuikerde wafels en at ze zelf op.

Na zijn middagmaal maakte het Schild van de Goddelijke op het middaguur een wandelingetje in zijn tuin om het eten te laten zakken. Hij had een drukke middag voor de boeg, want hij moest brieven schrijven. Aangezien missives bij de elfen altijd in de vorm van ingewikkelde gedichten worden geschreven, zag het ernaar uit dat hij wel tot in de avonduren bezig zou zijn. De voorouders zij dank hoefde hij de gedichten niet zelf te schrijven. Het Schild was niet voor dichter in de wieg gelegd. Hij huurde klerken in, die van jongs af aan waren opgeleid voor zulke taken.

Hij wilde net de huisdichters laten komen toen er een bediende aan het einde van het pad verscheen, die boog en in die houding bleef staan totdat het Schild zich verwaardigde hem op te merken. De bediende was de eigen, persoonlijke huisknecht van het Schild, een man die in het wereldje van de huishoudelijke staf van het Schild net zo belangrijk was als het Schild in de buitenwereld. Deze bediende werd de Bewaarder van de Sleutels genoemd, want hij had alle sleutels van alle sloten in het elfenhuishouden in zijn bezit, zodat hij een grote macht had.

Bij de elfen hebben niet veel kamers een slot op de deur. Bij de elfen hebben niet veel kamers een deur, aangezien de elfen er de voorkeur aan geven in hun tuinen te wonen, die zorgvuldig zijn aangelegd, met veel afgezonderde alkoven en grotten, heggen, bosjes en bloemperken. De Bewaarder had de sleutels van de kisten met de perkamentrollen waarop de familiegeschiedenis was vastgelegd, de sleutels van de kisten met de rijkdommen van de familie, de sleutel van het vat met juwelen en de sleutel tot de grot waar het Schild zijn wijn bewaarde. Bovendien was de Bewaarder van de Sleutels verantwoordelijk voor het aannemen van alle andere huisbedienden en wist hij wie van hen spionnen waren en voor welk huis. Hij was verantwoordelijk voor het comfort van het Schild en zijn zakelijke transacties, voor het beheren van de agenda van het Schild en voor de planning van eventuele reizen die het Schild maakte.

Het Schild wist dat de Bewaarder van de Sleutels hem niet zou storen als het niet urgent was en wenkte hem om naderbij te komen. Nadat hij tot op de gepaste afstand was genaderd, boog de Bewaarder en verkondigde: 'Vrouwe Godelieve is gearriveerd, edele heer. Vrouwe Godelieve weet hoe kostbaar de tijd van mijnheer is en ze weet dat ze het niet waard is om er ook maar een seconde van in beslag te nemen, maar ze smeekt u haar onwaardigheid door de vingers te zien en haar de gunst van een audiëntie te verlenen. Het gaat om een zeer belangrijke kwestie, anders zou ze er niet van dromen om haar onbetekenende persoon op deze wijze aan u op te dringen.' Onbetekenende persoon! Het Schild glimlachte. Vrouwe Godelieve was een van de mooiste en bekoorlijkste vrouwen die hij ooit had gekend. Ze was even mysterieus als mooi, want ze zorgde er vaardig voor dat haar verleden nooit ter sprake kwam. Hij wist heel weinig over haar, alleen dat ze tot huis Mabreton behoorde, een huis dat na de val van Oud Vinnengael oorlog had gevoerd met huis Kinnoth, wat had geleid tot de ondergang van beide families. Mabreton had gewonnen, maar de oorlog had veel levens en veel geld gekost, en tweehonderd jaar later was het huis Mabreton nog steeds geruïneerd.

Huis Kinnoth was er nog slechter aan toe, want een van de leden ervan had onder één hoedje gespeeld met de elf die destijds Schild was om twee edellieden van huis Mabreton te vermoorden en had daarna meegewerkt aan de verleiding van een dame van dat huis door dezelfde prins Dagnarus waar de vorouder het over had gehad. Deze elfenheer, die Silwyth heette, en alle andere leden van huis Kinnoth waren in ongenade gevallen. Alle titels, al het grondgebied en alle privileges waren ingetrokken door het nieuwe Schild van de Goddelijke (de eerder genoemde vorouder van het huidige Schild). Het hoofd van huis Kinnoth had 'om de dood verzocht', zoals gebruike-

lijk was onder dit soort omstandigheden. De familienaam was geschrapt uit het register van Tromek.

Omdat het als gedoemd werd beschouwd, genoot het huis Kinnoth
geen bescherming onder de elfenwet. De leden ervan werden niet toegelaten aan het hof van de Goddelijke of van het Schild van de Goddelijke. Ze waren herkenbaar aan de familietatoeëring, die was aangebracht rond de ogen. De leden van huis Kinnoth die zich in andere
delen van het elfenrijk waagden, werden gemeden, uit winkels gezet
en niet toegelaten in taveernes. Als iemand van hen zich op het land
van huis Mabreton zou wagen, zou die ter plekke worden gedood.
Zo duurde hun straf voort totdat enig lid van hun huis iets zeer held-
haftigs of zeer barmhartigs deed. Dan zou hun zaak worden voor-
gelegd aan de Goddelijke, die als blijk van erkentelijkheid het huis
Kinnoth kon rehabiliteren en weer zijn oude plek in de elfenmaatschappij kon geven.

Hoezeer de leden van huis Mabreton die van huis Kinnoth ook haatten, ze haatten de leden van huis Trovale van de Goddelijke bijna net
zo erg, want ze hielden de Goddelijke verantwoordelijk voor hun
rampzalige financiële situatie. Ze waren er zeker van dat veel van hun
rijkdom in de geldkisten van de Goddelijke terecht was gekomen.

Volgens vrouwe Godelieve (haar naam betekende 'bemind door de
goden' in de elfentaal) was het huis Mabreton van plan de val van
de Goddelijke te bewerkstelligen, om terug te winnen wat er gestolen was. Om hun plan te kunnen verwezenlijken, hadden de Mabretons zich aangesloten bij de man die zichzelf nu koning Dagnarus
noemde. De mooie vrouwe Godelieve was de geheime afgezant van
de Mabretons bij Dagnarus. In die hoedanigheid was ze gekomen om
het Schild van de Goddelijke aan de kant van de Mabretons te krijgen.

'Waar is de dame?' vroeg het Schild.

'In de tiende tuin, edele heer,' zei de Bewaarder. 'Ik weet dat ze zeer
bij u in de gunst staat. Ze heeft een lichte maaltijd aangeboden gekregen, die ze heeft geweigerd omdat ze nooit eet op het warmst van
de dag.'

'Breng haar onmiddellijk bij me,' zei het Schild. 'Nee, wacht even.
Breng haar naar het Eiland. Daar zal ik haar ontmoeten.'

De Bewaarder knikte en boog voordat hij vertrok.

Het meest afgezonderde deel van het uitgestrekte grondgebied van
het Schild was een grote plas van kristalhelder water met treurwilgen eromheen. Een schip dat in het midden van de plas lag afgemeerd,
werd 'het Eiland' genoemd. Het was een wonder van vakmanschap,
een drijvende patio met een zijden hemel erboven om de aanwezigen

tegen de zon te beschermen. Er was een ophaalbrug van de oever naar het schip. Als het Schild en zijn gasten de brug waren overgestoken, werd die opgehaald. Er stonden wachters bij de brug en rond de plas. Niemand mocht erlangs, op straffe van de dood, zodat het Schild en zijn gezelschap absolute afzondering genoten, een zeldzaam iets in grote elfenhuishoudens, waar afluisteren als kunstvorm wordt beschouwd.

Het Schild kwam als eerste bij de boot aan. Gezeten onder de zijden hemel bewonderde hij de schoonheid van de dag en verheugde hij zich op de schoonheid van vrouwe Godelieve. Het Schild hoefde niet lang te wachten. De Bewaarder van de Sleutels verscheen, samen met de dame. Ze droeg een eenvoudige zijden jurk, niet extravagant. Als lid van een verarmd huis kende ze haar plaats en wist ze dat het dragen van luxueuze kleding gezien zou worden als een poging om boven haar stand te leven. Maar ze was zo mooi dat ze ook gekleed in een jutezak nog de aantrekkelijkste vrouw van het rijk zou zijn. Haar teint was volmaakt, bleek met kornalijnrode lippen. Er glansden donkere regenbogen in haar lange zwarte haar. Haar amandelvormige ogen waren groot en verrukkelijk en herbergden geheimen in hun mysterieuze diepte. Droevige geheimen, vermoedde het Schild, want vrouwe Godelieve glimlachte nooit.

Het Schild ontving de dame met behoedzame hoffelijkheid. Ze boog overvloedig en betoonde zich allercharmantst dankbaar voor zijn edelmoedigheid haar te ontvangen. Hij liet haar in de stoel met het beste uitzicht zitten, vergewiste zich ervan dat alles naar haar zin was en vroeg of hij haar nog ergens mee van dienst kon zijn. Ze protesteerde dat ze al die aandacht niet waard was en verzocht hem ook te gaan zitten. Hij bood aan zijn bedienden elke heerlijkheid te laten brengen die ze maar mocht wensen en vroeg of ze thee wilde gebruiken, want het was nog wat vroeg op de dag voor wijn.

Vrouwe Godelieve sloeg zijn aanbod af en hij drong niet aan. Nadat ze een uur lang de gebruikelijke beleefdheden hadden uitgewisseld die bij de elfen vrijwel altijd vereist zijn om een gesprek in te leiden, konden de twee eindelijk ter zake komen.

'Zijne Majesteit koning Dagnarus is tevreden met de voorwaarden die mijnheer heeft voorgesteld,' zei vrouwe Godelieve.

Het Schild uitte zijn tevredenheid over de tevredenheid van de koning.

Vrouwe Godelieve maakte zittend een buiging, een gebaar zo elegant dat het de treurwilgen om hen heen in de schaduw stelde. 'Zijne Majesteit koning Dagnarus heeft me gevraagd de plannen nogmaals met u door te nemen, zodat we in volledige overeenstemming zijn.'

Er verscheen een lichte blos op de bleke wangen van de dame. 'Ik ben me ervan bewust dat mijnheer het recht heeft een dergelijke herhaling als een belediging op te vatten. Ik heb geprobeerd dat aan Zijne Majesteit uit te leggen, maar hij kon het niet begrijpen. Hij bleef erop aandringen.'

De gelaatsuitdrukking van het Schild verhardde. Hij was inderdaad beledigd, want hij had de voorwaarden gedicteerd en nu zou hij gedwongen zijn toe te horen terwijl ze hém weer gedicteerd werden.

'Ik ben geen schooljongen,' zei hij koel, 'die braaf de les moet volgen.'

Vrouwe Godelieve legde haar hand op de zijne. Haar schitterende ogen waren zacht van sympathie voor hem en verzochten om begrip. 'Koning Dagnarus is een mens, edele heer. Houdt u daar rekening mee en weest ruimhartig. Zijne Majesteit zegt, en ik moet toegeven dat hij daar gelijk in heeft, dat dit zo belangrijk voor beide partijen is dat hij zeker wil weten dat hij niets verkeerd heeft begrepen.'

De Schild pakte haar hand in de zijne en streelde zacht haar slanke vingers. 'Ach, vrouwe Godelieve, uw schoonheid is zo buitengewoon dat u me ervan zou kunnen overtuigen dat de maan de zon is, dat de dag de nacht is, dat de dood het leven is.'

De blos die haar gezicht had verwarmd, verdween. Ze keek hem met een lijkbleek gezicht strak aan. Als hij zijn ogen had opgeslagen om in de hare te kijken, zou hij zijn teruggedeinsd voor de blik die hij daar had gezien, een blik die haat en minachting uitdrukte, die leek te zeggen: *Wat weet jij van de dood of het leven, enorme idioot?*

Ze kreeg haar woede onder controle. Toen hij inderdaad zijn ogen opsloeg van haar hand, was haar blik onvertroebeld en rustig als het water.

'Kan ik beginnen, edele heer?'

'Alstublieft, ga uw gang,' zei hij beleefd, terwijl hij bedacht dat dit eigenlijk niet zo'n gek idee was. De man had gelijk. Hun plan was zo hachelijk, zo gevaarlijk, dat het goed was als beide zijden wisten wat er van hen werd verwacht. Bovendien zou hij wel tot in de eeuwigheid naar vrouwe Godelieve kunnen blijven kijken.

'Het is de bedoeling van koning Dagnarus om ramp na ramp uit te storten over de Goddelijke, zodat hij uiteindelijk zal bezwijken onder de last daarvan,' verklaarde vrouwe Godelieve. 'Om te beginnen zult u ervoor zorgen dat de elfen-Domeinheren onze plannen niet zullen verijdelen. Degenen die niet aan uw kant staan, worden ofwel geëlimineerd ofwel machteloos gemaakt. Dat is heel belangrijk voor koning Dagnarus.'

'Dat heeft hij al eerder duidelijk gemaakt en het bevreemdt me. Zijne Majesteit lijkt een irrationele angst voor Domeinheren te hebben,' zei het Schild enigszins zelfvoldaan. 'Hoeveel magische kracht ze ook hebben, het zijn maar stervelingen.'

'Koning Dagnarus is voor niets bang, noch in dit leven noch in het volgende,' zei vrouwe Godelieve. 'Hij respecteert de Domeinheren en de invloed die ze hebben over de zwakken van geest. Hij vindt dat u te gemakkelijk over hen denkt, edele heer, en hij wil de verzekering dat u de dreiging die ze vormen serieus neemt.'

'Daar kunt u hem van verzekeren,' zei het Schild, en zelfs het kalmerende effect van de schoonheid van de dame kon zijn groeiende woede niet temperen. 'Drie van de Domeinheren, die van huis Llywer, huis Tanath en huis Maghuran, staan aan mijn kant. Ze vinden dat de Goddelijke zwak is en te veel onder de invloed van de Vinnengaelezen staat. Van de vier Domeinheren die tegen me zijn, is er een verwikkeld in een boerenopstand op zijn familiegrond. Een ander is naar het land van de orken gestuurd om te bestuderen in welke staat het orkenleger zich bevindt, terwijl een derde...'

'Dat weet ik allemaal, edele heer,' onderbrak vrouwe Godelieve hem bedaard. 'Maar hoe zit het met de vierde: Damra van huis Gwyenoc? Ze laat zich nog steeds in het openbaar kleinerend uit over u en uw beleid. Ze steunt de Goddelijke openlijk. We beschikken over informatie dat de drie die nu aan uw kant staan, naar haar argumenten beginnen te luisteren.'

'Ze zal haar praatjes niet lang meer rondstrooien, dat verzeker ik u,' zei het Schild. 'Ik heb Damra van Gwyenoc bij me ontboden. Ze komt vandaag aan, om precies te zijn.'

Vrouwe Godelieve was verrast. 'Wat hebt u gezegd om haar over te halen hierheen te komen, edele heer? Gezien haar mening over u.'

'Klaarblijkelijk is haar echtgenoot verdwenen,' zei het Schild. 'Een hoogst betreurenswaardige gebeurtenis. Ik heb Damra een brief gestuurd waarin ik mijn medeleven betuigde en mijn hoop uitsprak dat haar echtgenoot snel weer ongeschonden teruggevonden zal worden en dat ze herenigd zullen worden.'

'Werkelijk?' prevelde vrouwe Godelieve terwijl ze het Schild strak aankeek. 'Dat is inderdaad heel erg voor haar.'

'Ik heb in mijn brief ook geschreven dat ik informatie had ontvangen over zijn verblijfplaats, informatie die ik niet graag aan het papier toevertrouw, aangezien de Wyred erbij betrokken zijn. Ik heb voorgesteld dat ze me hier, in mijn paleis in Glymrae, zou ontmoeten, waar ik haar de informatie zou onthullen en zij en ik ons samen zouden inspannen om ervoor te zorgen dat haar echtgenoot terugkomt.'

'Ik neem aan dat de man gevonden is,' zei vrouwe Godelieve terwijl ze haar sierlijke wenkbrauwen optrok.

'In werkelijkheid is hij nooit zoek geweest,' zei het Schild met een glimlach. 'Niet voor mij, in elk geval. Hij wordt vastgehouden door de Wyred uit mijn eigen hofhouding.'

'En weet ze dat?'

'Je kunt veel van Damra zeggen, maar niet dat ze gek is. Ze kan net zo goed azijn als inkt lezen. [Een toespeling op het feit dat elfen vaak azijn gebruiken om geheime boodschappen mee te schrijven, die alleen zichtbaar zijn als het papier tegen het licht wordt gehouden.] Natuurlijk weet ze het. Als ze eenmaal met mijn voorwaarden instemt, zal haar man worden vrijgelaten.'

Vrouwe Godelieve leek sceptisch. 'Damra van Gwyenoc schijnt een sterke wil te hebben...'

'Ze heeft het grote ongeluk van haar man te houden,' zei het Schild droog. 'Een destructieve emotie, liefde. Ik begrijp niet wat de dichters erin zien. Ik ben blij dat ik er zelf nooit aan ten prooi ben gevallen.'

Het Schild gaf de Bewaarder van de Sleutels een signaal om te gaan kijken of Damra was aangekomen. De bediende en de meester kenden elkaar zo goed dat het Schild alleen maar hoefde te gebaren en dan begreep de Bewaarder wat hij wilde. De Bewaarder boog en ging zijn opdracht uitvoeren.

'We hadden het over de liefde,' zei het Schild terwijl hij zich weer tot zijn gast wendde. 'Een destructieve emotie, zoals ik al zei...' Hij zweeg geschrokken. 'Mevrouw, bent u ziek?'

'Nee, nee,' zei vrouwe Godelieve, maar de woorden waren onhoorbaar en ze kon haar lippen nauwelijks bewegen.

'U ziet er niet goed uit. Ik zal onmiddellijk de brug laten zakken.' Het Schild stond al. 'Een glaasje wijn... wat kandeel met honing...'

'Alstublieft, doet u geen moeite voor mij, edele heer.' Vrouwe Godelieve stak haar hand uit en legde haar koele vingers op zijn arm. 'Een lichte ongesteldheid, verder niets. Ik ben er al overheen. Laten we ons gesprek voortzetten.'

'Als u het zeker weet...' Het Schild keek haar ongerust aan.

De dame verzekerde hem dat ze in orde was en het Schild ging weer zitten. Hij had nog zijn twijfels, want ze was doodsbleek en hij zag duidelijk sporen in haar handpalm waar ze haar nagels in haar vlees had gedrukt. Maar hij vroeg niet verder. Bij de elfen is iemands gezondheid een privéaangelegenheid. In tegenstelling tot mensen, die elkaar op feestjes met groot genoegen onthalen op ijzingwekkende verslagen van hun laatste jichtaanval en de ondraaglijke pijnen die ze hebben geleden door een ontstoken appendix, spreken elfen in het openbaar niet over ziekte en in hun privéleven heel weinig. De begroeting van de mensen – 'Hoe gaat het met je?' – stuit elfen tegen de borst, want zij zouden het niet in hun hoofd halen om een ander zo'n persoonlijke vraag te stellen. Hoe bezorgd hij ook mocht zijn over zijn gast, de beleefdheid gebood het Schild om verder te gaan alsof er niets was gebeurd.

'De Domeinheren zijn geen punt,' zei het Schild. 'Vrouwe Damra zal wel bijdraaien. Ze heeft geen keuze.'

Vrouwe Godelieve keek alsof ze daar zo haar twijfels over had, maar ze zei niets en sneed het volgende onderwerp aan: de aanval op het Portaal van Tromek.

'De legers van koning Dagnarus hebben hun positie ingenomen langs de Nimoreaanse grens,' meldde vrouwe Godelieve. 'Hij houdt de tanen natuurlijk verborgen. Als hij het bericht krijgt dat het elfendeel van de Verheven Steen veilig is, en niet langer in handen van de Goddelijke, zal koning Dagnarus het Portaal aanvallen. U zult ervoor zorgen dat hij wint.'

'Uiteraard. Hoe verloopt de oorlog met Karnu?' vroeg het Schild. 'Is het Portaal van Karnu al gevallen?'

Vrouwe Godelieve fronste. Ze wierp het Schild een ontstemde blik toe. 'De oorlog met Karnu vordert langzaam, maar zeker.'

Het Schild wenste de koning beleefd succes, hoewel hij inwendig betwijfelde of Karnu zou vallen. Het Karnuaanse leger was een van de best getrainde, best uitgeruste krijgsmachten op Loerem. Spionnen van het Schild meldden dat de oorlog van koning Dagnarus tegen Karnu in een impasse was geraakt, dat Dagnarus de onverschrokkenheid en vasthoudendheid van de Karnuanen schromelijk had onderschat. De belegering van de Karnuaanse hoofdstad Dalon 'Ren was afgeslagen en Dagnarus had grote verliezen geleden toen een leger van de nabijgelegen stad Karfa 'Len de hoofdstad te hulp was gekomen. De tanen waren tussen de hamer en het aambeeld terechtgekomen en hadden zich moeten terugtrekken. De belegering van het Karnuaanse Portaal duurde voort, maar het was nog niet gevallen.

'Stuurt koning Dagnarus versterkingen naar Karnu?' vroeg het Schild. 'Dat vraag ik alleen omdat ik de indruk krijg dat hij zijn legers dun uitsmeert. Ik wil er zeker van zijn dat zijn aanval op Nieuw Vinnengael succesvol zal zijn. U begrijpt mijn zorg, vrouwe Godelieve.'

'Volledig, edele heer,' antwoordde ze. 'Koning Dagnarus denkt dat het aantal troepen dat hij in Karnu heeft ruim voldoende is om de overwinning te behalen. Bovendien, als koning Dagnarus Vinnengael in handen heeft, kan hij Karnu behalve uit het westen ook vanuit het oosten aanvallen. Of Karnu nu valt of later, Karnu zal vallen.'

Zo, dacht het Schild, Dagnarus stuurt dus geen versterkingen. Zijn troepen in Karnu moeten het doen met wat ze hebben. Hij vroeg zich af of de commandanten van het tanenleger wisten dat ze voor de wolven werden geworpen. Maar hij had gehoord dat die monsters het als een eer beschouwden om te vallen in de strijd, dus misschien kon het hun niets schelen.

'Het Portaal van Tromek zal vallen. Daar zal ik voor zorgen,' zei het Schild. 'In ruil daarvoor belooft koning Dagnarus dat hij zijn troepen meteen door het Portaal zal sturen, dat hij ons land binnen vierentwintig uur weer zal verlaten en dat hij de zeggenschap over het Portaal weer uit handen zal geven nadat hij er gebruik van heeft gemaakt.'

De dame vond dit gepraat over oorlog vervelend. Terwijl ze naar het Schild luisterde, rustte haar blik op een paar schitterende witte vogels, aigrettes. Het waren een mannetje en een vrouwtje, die samen door het kristalheldere water van het meer schreden; ze tilden hun lange, gracieuze poten langzaam en weloverwogen op en de witte pluimpjes op hun kop wapperden in de wind. Een van de twee, het mannetje, zag een vis. Zijn kop schoot het water in en hij griste de vis eruit. Die bood hij aan zijn vrouwtje aan, die hem met een verfijnde gratie aannam en in zijn geheel verzwolg.

De dame keek nog even naar de twee vogels en zei toen: 'Dat belooft koning Dagnarus, edele heer. Omdat ik weet dat het logisch is dat twee mensen die elkaar nooit hebben ontmoet elkaar niet helemaal vertrouwen, bied ik mezelf aan als waarborg. Ik zal in Glymrae blijven, onder uw toezicht. Mocht koning Dagnarus zijn eed verbreken, dan hebt u toestemming uw woede op mij te koelen.'

'Dan heb ik geen twijfels meer,' zei het Schild hoffelijk. 'Want ik weet zeker dat koning Dagnarus nooit zal willen riskeren dat zo'n schone dame, die hij ongetwijfeld zeer waardeert en respecteert, iets overkomt.'

Vrouwe Godelieve mompelde haar dank voor het compliment en benadrukte dat die lof onverdiend was. Al die tijd keek ze hem niet aan, maar hield ze haar blik op de aigrettes gevestigd.

'Dan blijft alleen de Verheven Steen over,' zei het Schild en met die woorden herwon hij de aandacht van de dame. Hierin was ze zeer geïnteresseerd. 'U loopt een groot risico. Ik moet bekennen dat ik u met tegenzin aan zoveel gevaar blootstel.'

'Ik denk niet luchtig over het gevaar, edele heer, maar ik denk dat u het overschat. Ons plan is goed. En,' vervolgde ze bescheiden, 'als er al iets fout gaat, kan ik makkelijk opgeofferd worden. Ik ben vervangbaar.'

'Als u vastbesloten bent...'

'Dat ben ik, edele heer. Alles is gepland. Het is te laat om nu nog terug te krabbelen.'

Het Schild zwichtte uiterst vriendelijk, zoals hij al die tijd al van plan was geweest. 'Uitstekend. Als de diefstal van de Verheven Steen wordt ontdekt, zal ik boodschappers door het hele rijk sturen, die verkondigen dat de goden zelf ons het teken hebben gegeven dat ze de Goddelijke de rug toe hebben gekeerd. Hebt u een veilige plek geregeld voor de Steen?'

'Jazeker,' zei de dame uiterst kalm. 'Daar kunt u gerust op zijn.'

Het Schild keek haar lang en doordringend aan. Hoe graag hij ze ook wilde negeren, de woorden van zijn Geëerde Vorouder schoten hem te binnen. *Dagnarus is een walgelijk creatuur, een wezen van het kwaad. En daarbij wil jij je aansluiten.* Het Schild bewonderde de schoonheid van vrouwe Godelieve, maar hij was geen verliefde jongeling, die ten prooi viel aan zijn kloppende geslachtsdeel en zijn gezonde verstand liet varen. Het Schild was een lange man, en zelfs naar elfenmaatstaven mager. Zijn lijf bestond uit spieren, botten en ambitie, zei men. Hij had een vrouw; zoals gebruikelijk was bij de elfen, was hun huwelijk door hun ouders geregeld. Ze hadden samen het vereiste aantal kinderen geproduceerd en behalve dat ze bij officiële gelegenheden samen verschenen, hadden ze niet veel met elkaar te maken. Hij had geen maîtresses, want hij wist dat die een gevaar voor hem konden vormen. Hij legde alles in zijn leven langs één meetlat – zijn streven naar politieke macht – en nam met die meetlat ook vrouwe Godelieve de maat.

'Ik blijf in uw bewaring, Schild,' zei de dame kalm. 'Vanaf dit moment ligt mijn leven in uw handen.'

'U weet, vrouwe Godelieve,' zei het Schild, 'dat het me veel verdriet zou doen om u kwaad te berokkenen.'

De dame maakte zittend een buiging.

'Maar het is een verdriet,' vervolgde hij minzaam, 'waar ik snel weer van zou herstellen.'

'Ik zou u in geen geval verdriet willen doen, edele heer,' zei vrouwe Godelieve.

De Bewaarder van de Sleutels verscheen op de oever. Hij ving de blik van het Schild en maakte een gebaar. Vrouwe Godelieve zag dit en kwam snel overeind; ze zei dat ze, hoewel ze het zeer naar haar zin had, er zeker van was dat het Schild dringende bezigheden had. Het Schild maakte tegenwerpingen, zei dat hij met plezier een maand zou doorbrengen in het gezelschap van de dame en probeerde haar over te halen weer te gaan zitten. Maar ze hield vol, en uiteindelijk was het Schild gedwongen zich erbij neer te leggen.

De brug werd neergelaten. De dame betrad die en het Schild liep met haar mee.

'Ik zag u mijn vogels bewonderen,' zei hij. 'Ze zijn tamelijk zeldzaam. Ik heb ze uit het zuiden laten importeren. Het zou me groot plezier doen om ze u ten geschenke aan te bieden, vrouwe Godelieve.'

'Mijn hartelijke dank,' zei vrouwe Godelieve zonder een blik op de vogels te slaan, 'maar ik heb geen geluk met levende wezens. In mijn zorg zouden ze zeker sterven.'

Vrouwe Godelieve sloeg de beleefde uitnodiging van de vrouw van het Schild om de rest van de dag met haar door te brengen af. Aangezien de vrouw van het Schild vreselijk jaloers was op de mooie vrouwe Godelieve, aanvaardde ze de weigering van de dame met slechts een zwak gemompeld protest, zoals de goede manieren dat voorschreven.

Toen ze eindelijk alleen was, kon vrouwe Godelieve terugkeren naar haar kleine gastenverblijf, een van de vele gastenverblijven op het terrein van het paleis. Ze zag dat een ander gastenverblijf, niet ver van het hare, nu in gebruik was. Bedienden brachten kannen met warm water voor het gebruikelijke bad dat men nam na een lange reis, schalen met vers fruit en andere lekkernijen. Vrouwe Godelieve bleef even in de schaduw van een bloeiende heg staan om te zien of de zojuist aangekomen gast zou verschijnen.

Er kwam een vrouw in de deuropening staan om naar buiten te kijken. Vrouwe Godelieve had Damra van huis Gwyenoc nooit eerder gezien of ontmoet, maar ze twijfelde er niet aan dat deze vrouw Damra was.

Hoewel Damra een Domeinheer was, had ze niet de titel 'Heer' of 'Vrouwe', aangezien elfen-Domeinheren buiten de eigenlijke samenleving van de elfen staan. Domeinheren krijgen een magisch harnas en soms het vermogen om magie te gebruiken. Elfen wantrouwen magie; het gebruik ervan in de strijd wordt in het openbaar oneervol geacht en het gebruik ervan bij andere gelegenheden verdacht. In het geheim verlaten elfen zich wel op magie, maar ze moeten discreet zijn in hun zaken met de machtige en mysterieuze elfentovenaars, de Wyred.

Toen de elfen meer dan tweehonderd jaar eerder de gelegenheid kregen om hun eigen Domeinheren te creëren, met behulp van de magie van het deel van de Verheven Steen dat voor de elfen was bedoeld, waren de elfen blij om ridders te kunnen creëren die door de Vader en de Moeder gezegend waren en over grote krachten beschikten. Tegelijkertijd vroegen de elfen zich af hoe die ridders in de strakke structuur van de elfenmaatschappij zouden passen. De Domeinheren waren geen Wyred en vielen niet in die categorie. Maar ze waren ook geen gewone ridders, en het werkte veel elfen op de zenuwen dat ze magie konden gebruiken wanneer ze maar wilden.

De Goddelijke bepaalde dat alle elfen aan wie de hoge eer werd toegekend Domeinheer te worden, een offer moesten brengen om die eer te verwerven. Dit offer was hun positie in de elfenmaatschappij. Hun huizen en landerijen vervielen aan het hoofd van hun huis, die hun een plaats om te wonen toewees. Ze bleven wel inkomsten ontvangen van de landerijen, maar mochten alleen behouden wat ze nodig hadden om van te leven. Alles wat er over was, werd aan het huis gegeven om onder de armen te verdelen. In tegenstelling tot andere elfen staat het Domeinheren vrij om te reizen zonder toestemming te vragen aan het hoofd van het huis. Ze mogen geen partij kiezen in een strijd tussen de huizen, maar moeten als bemiddelaars optreden en hun best doen vrede te bewerkstelligen.

Deze regels zonderen de Domeinheren niet alleen af van de elfenmaatschappij, maar zorgen er ook voor dat zulke machtige ridders niet te machtig worden. De Vader en de Moeder kiezen natuurlijk alleen maar individuen die bekendstaan om hun loyaliteit en mededogen, moed en eergevoel. Het is niet waarschijnlijk dat zulke ridders de politieke macht proberen te grijpen, maar de elfen zijn een voorzichtig volk en weten dat het nooit kwaad kan om voorzorgsmaatregelen te treffen.

Alle Domeinheren dragen een habijt als kenmerk van hun verheven status (en om duidelijk te maken dat ze anders zijn). Het ontwerp ervan dateert uit de tijd van koning Tamaros. Er staan twee blauwe griffioenen op die een gouden schijf vasthouden. Damra droeg zo'n habijt over de lange wijde broek die traditioneel werd gedragen om te reizen. Er was een brede sjerp om het slanke middel van de vrouw geknoopt. Ze droeg twee zwaarden: het wapen van de Domeinheer en het ceremoniële zwaard van haar huis. De goden hadden Damra benoemd tot Heer van de Raaf. Het bijbehorende embleem stond op de rugzijde van haar habijt.

Elfen eren de raaf als een majestueuze vogel, die snel van begrip, onbevreesd en trots is. Deze Damra zou de belichaming van die karaktertrekken moeten zijn. Vrouwe Godelieve wist dat niet, maar ze dacht dat de titel misschien ingegeven was door het feit dat Damra nogal op een raaf leek. Ze was geen schoonheid. Ze had de geprononceerde neus en doordringende zwarte ogen van haar familie. Haar schouders waren breed en ze liep met een mannelijke tred: ze nam ferme, grote passen, en niet de kleine gracieuze pasjes die van elfenvrouwen van goede komaf werden verwacht.

Damra liep de deur uit en kwam vlak langs de plek waar vrouwe Godelieve tussen de bloemen verborgen stond, zodat vrouwe Godelieve de opstandige Domeinheer goed kon bekijken.

De vrouw zag er op dat moment niet erg opstandig uit. Met een bleek en afgetobd gezicht wierp ze een snelle blik achterom naar het gastenverblijf en zuchtte zacht, waardoor vrouwe Godelieve de indruk kreeg dat Damra alleen wilde zijn met haar gedachten en wilde ontsnappen aan de drukte en bedrijvigheid van bedienden die hun benen uit hun lijf liepen om het haar gerieflijk te maken. Vrouwe Godelieve wachtte totdat de Domeinheer uit het gezicht was en ging toen haar eigen gastenverblijf binnen.

Ze stuurde de bedienden weg en vertelde hun dat ze ging bidden en haar Geëerde Voorouder ging raadplegen. Vrouwe Godelieve sloot de luiken voor de ramen en vergrendelde de deur.

Toen ze veilig alleen was en zeker wist dat ze niet zou worden gestoord (want het raadplegen van de Geëerde Voorouder is een heilig ritueel), stak vrouwe Godelieve haar hand in de plooien van de sjerp die ze droeg en haalde een mes van glad been te voorschijn. Eens was het mes smetteloos wit geweest. Nu begon het te vergelen. De punt was zwart van bloed.

Ze hield het mes in haar handen en streelde het zacht. Het was alsof er een zwarte, stroperige vloeistof uit al haar poriën kwam. De druppels vloeiden ineen, zodat het er even uitzag alsof het lichaam van de vrouwe glinsterde van zwarte olie. Het pantser veranderde van vorm en verhardde, totdat het sterker was dan het sterkste staal dat de beroemde smeden van de dwergen konden maken.

Met het mes in haar hand knielde de Vrykyl neer.

'Edele heer,' zei ze.

'Valura!'

Dagnarus antwoordde onmiddellijk. Ze voelde zijn ongeduld, zijn geestdrift, hoewel zulke emoties gewoonlijk niet werden doorgegeven door het bloedmes. Ze voelde dat doordat ze hem kende, hem goed kende en van hem hield. Na tweehonderd jaar hield ze nog steeds van hem. Helaas.

Valura had alles voor hem opgegeven, hem alles gegeven, haar lichaam, haar eer, haar ziel. Voor hem had ze onschuldigen vermoord en dat zou ze blijven doen, want daar voedde ze zich mee. Zij was zijn schepping. Hij had haar in dit ding van het kwaad veranderd, dat geen rust kon vinden. Ze kon het hem niet kwalijk nemen. Zij had de keuze gemaakt de Leegte te aanvaarden. Toen ze had geweten dat ze op het punt stond te sterven, had ze hem gesmeekt haar in een Vrykyl te veranderen, zodat ze voor altijd bij elkaar konden blijven. Hij had haar bloed gedronken. Ze had hem haar levenskern gegeven. Ze hadden een verdorven huwelijk, niet gezegend maar vervloekt door de goden. De twee waren gebonden door de Leegte.

En op het ogenblik dat ze verenigd werden, was ze hem kwijtgeraakt. Dagnarus had haar nodig. Hij vertrouwde op haar. Daar was ze zeker van. Na Shakur, de oudste van zijn Vrykyls, was Valura de machtigste. Van allemaal, inclusief Shakur, was Valura het trouwst aan Dagnarus. Hij die eens van haar had gehouden, haatte haar nu. Elke keer dat hij naar haar keek, zag Valura de weerzin in zijn ogen. Hij voelde weerzin voor haar, maar zijn ware, geheime weerzin was voor hemzelf en wat hij was geworden. Maar hij kon zichzelf niet tegenhouden. Zijn ambitie, die werd gevoed door de Leegte, was zelf weer brandstof voor die Leegte.

'Is alles geregeld?' vroeg hij.

'Ja, edele heer,' zei ze. 'De ondergang van de Goddelijke is zeker. Het Schild is alles wat u maar kunt wensen: inhalig, ambitieus en met een overdreven hoge dunk van zijn eigen scherpzinnigheid. Hij is als was in uw handen.'

'En hoe zit het met die Domeinheer, degene die de plannen van het Schild dreigt te dwarsbomen?'

'Damra van Gwyenoc is uitgeschakeld, edele heer. Het Schild heeft haar man gegijzeld. Als ze hem levend terug wil, zal ze zwijgen.'

'Dat klinkt amateuristisch,' zei Dagnarus. 'Wat hebben we voor zekerheid dat ze zal meewerken?'

'Ze heeft het grote ongeluk van haar man te houden, edele heer,' zei Valura zacht, de woorden van het Schild herhalend. 'Maar door toedoen van de Leegte, moet ik wel aannemen, is Damra van Gwyenoc op dit moment hier, in het paleis van het Schild. Ik zou voor een meer permanente oplossing kunnen zorgen...'

'Ja, doe dat. Maar wees sluw. Wek geen verdenkingen.'

'Maakt u zich geen zorgen, edele heer. U kunt op mij vertrouwen.'

'Dat weet ik.' De stem van Dagnarus klonk grimmig en ironisch. 'Wanneer steel je de Verheven Steen?'

'Vanavond, edele heer.'

'Breng hem meteen naar mij. Het deel van de mensen is gevonden. Het deel van de elfen heb ik in handen. Alles begint eindelijk op zijn plaats te vallen, Valura. We weten waar het deel van de dwergen is en ik heb er een paar Vrykyls op afgestuurd. Shakur en Jedash hebben het deel van de mensen bijna te pakken. Alleen dat van de orken ontbreekt nog, maar ik weet waar het is. Ik ben er dichtbij! Heel dichtbij.'

'Ja, edele heer.'

En wat dan, edele heer, vroeg Valura hem in stilte. Als je de Verheven Steen hebt, als die van jou is, wat dan? Zal dat de leegte in je vullen? Of zal de Steen worden verteerd door de duisternis die al het andere heeft verteerd?

Ze schrok ervan dat ze zulke dingen dacht en ze bande de gedachten ogenblikkelijk uit, bang dat hij ze via het bloedmes zou lezen. Maar Dagnarus was te opgetogen, te verrukt over zijn eigen ophanden zijnde triomf om op haar te letten. Ze wachtte nog even om te zien of hij verdere instructies had, en besefte toen dat hij weg was.

Valura stond op uit haar geknielde houding. Het harnas verdween en daarvoor in de plaats verscheen de illusie van wat ze eens was geweest: een mooie en verleidelijke elfenvrouw.

Vrouwe Godelieve, bemind door de goden, ging aan een van de spionnen die ze in de hofhouding had geïnstalleerd vragen waar en wanneer het Schild en Damra van huis Gwyenoc elkaar zouden ontmoeten.

Damra's ontmoeting met het Schild zou plaatsvinden op het tijdstip dat de Idyllische Tijd wordt genoemd, het uur voor zonsondergang. Die tijd was op zichzelf al een belediging, want dat is het tijdstip dat iedereen wordt verondersteld uit te rusten na de inspanningen van de dag. Het is een tijd om een lichte wijn te drinken, in de tuinen te wandelen en de zonsondergang te bewonderen. Aangezien de avondmaaltijd altijd wordt geserveerd als de kaarsen ontstoken worden, betekende dat dat het Schild eigenlijk een tijdslimiet aan hun gesprek had gesteld.

Damra maakte zich geen illusies. Op het moment dat ze het overdadige gedicht van het Schild had gelezen, had ze geweten dat haar man gegijzeld was. Griffith was al vele maanden vermist en in het begin had Damra zich niet veel zorgen gemaakt. Griffith was een van de Wyred voor het huis Gwyenoc en vervulde vaak geheime opdrachten voor zijn heer. Maar hoewel hij dan niet kon vertellen waar hij was of wat hij deed, vond hij altijd wel een manier om met haar te communiceren en stuurde hij haar door bemiddeling van de Wyred brieven waarin hij schreef over zijn liefde voor haar. Door diezelfde bemiddeling kon zij hem ook brieven terugschrijven, waarin ze haar toewijding uitte en hem de laatste roddels van het hof vertelde.

Toen er geen brieven meer van hem kwamen, wist ze onmiddellijk dat er iets mis was. Ze was wanhopig genoeg om te proberen rechtstreeks met de Wyred te communiceren, en dat was geen gemakkelijke opgave, zelfs niet voor een Domeinheer. Het gezegde luidt dat de Wyred als rook en de schaduw van de maan zijn. Ze had geen geluk: de Wyred leken wel van de aardbodem te zijn verdwenen. Ze begon in paniek te raken, en toen was het epistel van het Schild gekomen.

Huis Gwyenoc had lang aan de kant van de Goddelijke gestaan in zijn machtsstrijd met het Schild. Cedar van huis Trovale was een vooruitstrevend denker. Hij zag dat de economie van het elfenrijk stagneerde. Hij wilde het land van de elfen openstellen voor kooplieden: mensen, orken en dwergen. Omdat de bevolking groeide, waardoor veel elfensteden bijna uit hun voegen barstten en er meer voedsel werd geconsumeerd dan het land kon opbrengen, wilde de Goddelijke elfen aanmoedigen te migreren, te reizen, werk te zoeken in andere landen.

Het Schild en degenen die hem steunden weigerden zoiets zelfs maar te overwegen. Ze stelden dat de cultuur van de elfen voor een groot deel verloren zou gaan als vreemdelingen zich onder hen mengden. Mensen, een ruw, luidruchtig, vulgair en de orde verstorend volk, zouden hun verdorven levensstijl meebrengen naar de landen van de elfen, hun vrouwen verkrachten en hun kinderen ontvoeren naar hun krankzinnige, snelle wereld.

De Goddelijke wist tot zijn spijt dat sommige van de ijzingwekkende gebeurtenissen die zijn tegenstanders voorspelden inderdaad konden plaatsvinden, hoewel hij hoopte dat hij, door het aantal vreemdelingen te beperken met behulp van visa en andere officiële documenten, degenen die zijn land binnenkwamen onder controle kon houden. Maar als er niets werd gedaan, zag hij het er nog van komen dat zijn land instortte, als een huis dat met verrotte balken is gebouwd. Eén jaar droogte, één slechte oogst zou hongersnood en ziekte brengen.

Waarom zag het Schild dat gevaar zelf niet? Eerst dacht Cedar dat het Schild zich gewoon niet bewust was van het gevaar of het niet onder ogen wilde zien, maar Cedar raakte er steeds meer van overtuigd dat het Schild wist dat er rampspoed op komst was en in koelen bloede plannen smeedde om die rampspoed te gebruiken om zijn eigen doel te bereiken. Hij begon in te zien dat Garwina in staat was duizenden onschuldigen op te offeren om zelf meer macht te verwerven.

Damra was een goede vriendin van Cedar van Trovale en deelde zijn verdenkingen jegens het Schild, wat een van de redenen was dat ze elke zet die Garwina deed actief had bestreden. Ze had wel verwacht dat er een vergeldingsactie zou komen, maar was zo naïef geweest te denken dat die haar zou treffen. Daar was ze op voorbereid geweest. Ze was er niet op voorbereid geweest dat hij haar man zou aanpakken.

Terwijl ze op haar audiëntie wachtte, vroeg ze zich somber af wat ze zou doen, wat ze zou zeggen. Het Schild was slim, dat moest ze hem nageven. Hij had haar gevangen in een web dat zo transparant was als spinrag en zo sterk als staal. Als ze hem aangaf, zou hij beweren dat hij onschuldig was en aangezien ze geen bewijs had, was het dan zijn woord tegen het hare. Omdat haar man een van de Wyred was, stond hij buiten de wetten van de elfenmaatschappij en zelfs het hoofd van huis Gwyenoc (de oudste broer van haar man) kon geen vinger uitsteken om hem te redden.

De Bewaarder van de Sleutels bracht Damra naar de Blauwe Grot. Ook die plek was een belediging. De Blauwe Grot lag ver van het paleis en werd door het Schild gebruikt om te spreken met elfen uit de hogere middenklasse: welvarende burgers, lagere overheidsfunctionarissen enzovoort. De Grot was geen plek voor een privégesprek. De ondiepe holte in het gesteente met zijn vele lelies en het opborrelende water uit een bron was weliswaar een heilige plek, die naar men dacht gemaakt was door de elfengeesten die bywca worden genoemd, maar er stonden hoge heggen van hulst en dicht opeen geplante dennenbomen omheen, die een volmaakte schuilplaats vormden voor allerlei spionnen, met name die van het Schild zelf. Als hij getuigen nodig had van wat er was gezegd tijdens hun 'privégesprek', kon hij die altijd opvoeren: bedienden die 'toevallig langs waren gelopen'.

Damra's grootste fout was haar opvliegendheid en dat wist het Schild, want toen ze Domeinheer was geworden, was ze gezakt voor de test die daarop betrekking had, een test die hij mede had beoordeeld. Ze was de goden dankbaar dat ze haar fout door de vingers hadden gezien en haar desondanks toch de eervolle titel hadden gegeven, en ze werkte en bad dagelijks om die fout te overwinnen. Het Schild vernederde haar om te proberen haar uit haar tent te lokken en ze was vastbesloten om hem daar niet in te laten slagen.

Het Schild was al aanwezig, maar hij stond met zijn rug naar haar toe – een vreselijke belediging – en deed alsof hij zijn lelies bewonderde. Damra kneep hard in het gevest van haar zwaard, zo hard dat het gevest rode plekken op haar huid maakte die pas uren later zouden wegtrekken. Een van de lijfwachten van het Schild, die nooit ver bij hem vandaan waren, stapte naar voren.

'Ik moet u vragen uw wapens af te geven zolang u in het huis van het Schild bent, Damra van Gwyenoc,' zei de bewaker.

Damra staarde hem aan. 'Ik ben een Domeinheer. Ik ben vrijgesteld van dat soort regels. De Goddelijke vraagt niet van Domeinheren dat ze hun wapens afgeven.' Ze wierp een vernietigende blik op de rug van het Schild. 'Waarom doet zijn dienaar dat wel?'

Dat was niet meer dan de waarheid. Het Schild van de Goddelijke werd verondersteld de Goddelijke te dienen en moest elk jaar een eed van trouw afleggen. Maar het Schild vond het niet prettig om zo genoemd te worden. Het prikje kwam aan. Hij draaide zich om en keek haar ijzig aan.

'Een man die invloed en macht heeft, maakt altijd vijanden, Damra van Gwyenoc,' zei het Schild. 'Ik benijd de Goddelijke om zijn gevoel van veiligheid.'

Ga er niet op in. Laat je door hem niet gek maken, hield Damra zichzelf voor.

Ze haalde zich haar man voor de geest, zijn warme blik en zijn zachtmoedige glimlach. De Wyred leren om met zachte stem te spreken en zichzelf weg te cijferen, om noch gezien noch gehoord te worden. Griffith moest wel geboren zijn met die eigenschappen, want het ging hem natuurlijk af. Hij vulde haar perfect aan, hij was de geluidloos vallende sneeuw die haar knappende vuur kon doven. De angst hem kwijt te raken golfde door haar heen. Niets anders was belangrijk, en haar trots al helemaal niet.

Ze haalde beide zwaarden uit de scheden en gaf ze zwijgend aan de bewaker, die ze met een buiging aannam en zich achteruit terugtrok. 'Ik ben gekomen in reactie op uw brief, edele heer,' zei Damra, en ze vervolgde ongeduldig: 'U zult het me wel vergeven dat ik de gebruikelijke beleefdheden over het weer en de welriekendheid van uw tuin achterwege laat. U hoeft mijn voorouders en mijn schoonheid niet te prijzen. We hebben niet veel tijd en u kunt zich misschien voorstellen dat deze zaak voor mij van het grootste belang is. U suggereerde in uw brief aan mij dat u nieuws had over mijn man.'

Het Schild draaide zich af van zijn lelies en gebaarde naar een stoel. Damra had geen keuze, ze moest wel gaan zitten. Het Schild bleef staan en keek op haar neer, waardoor hij in het voordeel was. De woede kolkte in haar maag. Het onderdrukken ervan maakte haar misselijk.

'U staat bekend om uw openhartigheid en oprechtheid, eigenschappen die ik bewonder. Ik weet ook dat u me als vijand beschouwt, Damra van Gwyenoc,' zei het Schild op bedroefde toon. 'Dat doet me verdriet. We zijn het over bepaalde politieke zaken niet eens, maar welke twee individuen zijn het op dat gebied wel altijd eens? Ik zou graag zien dat u me als vriend beschouwt, en daarom heb ik, toen ik hoorde dat u zich zorgen maakte over de geheimzinnige verdwijning van uw man, kosten noch moeite gespaard om informatie over hem in te winnen.'

Je bedoelt dat je kosten noch moeite hebt gespaard om hem gevangen te nemen, meedogenloze schoft, dacht Damra, maar dat zei ze niet. Ze vertrouwde haar stem niet, dus knikte ze alleen eenmaal met haar hoofd, abrupt, om aan te geven dat ze luisterde.

'Waar uw man was en wat hij aan het doen was, weet zelfs ik niet, want de Wyred zullen hun geheimen nooit prijsgeven. Hij is nu bij mijn Wyred, Damra. Uw man is onder vrienden.'

Mogen de Vader en de Moeder hem bijstaan, bad Damra vertwijfeld. De Wyred worden op één centrale, geheime plek opgeleid. Ze groeien van kinds af aan samen op, maar worden dan naar hun eigen huis gestuurd om daarvoor te werken. Hun loyaliteit aan het huis gaat boven alles. Griffith had de Wyred van het huis van het Schild vaak bestreden. Hij was evenmin onder vrienden als zij dat nu was, hoezeer het dubbelhartige Schild haar ook van het tegendeel probeerde te overtuigen.

Ze keek behoedzaam naar het Schild en probeerde erachter te komen wat voor spelletje hij speelde. Aan de ene kant deed hij zijn uiterste best haar te beledigen. Aan de andere kant deed hij alsof hij haar vriend was. Ontbloot staal in de ene hand, een tortelduif in de andere.

'Weet u wat ik het mooiste vind van dit deel van mijn tuin, Damra van Gwyenoc?' vroeg het Schild. Hij liet een veelbetekenende stilte vallen en zei toen: 'Het gekabbel van het stromende water. Het zegt niets, maar toch vind ik het geluid zeer rustgevend.'

Damra begreep het. Welke hand ze ook koos, zij zou verliezen en hij winnen. Als het hem lukte haar driftig te maken, zou hij beweren dat ze zijn leven had bedreigd. Hij kon haar laten arresteren en haar smadelijk laten wegvoeren uit zijn huis. Zelfs de Goddelijke zou haar die overtreding dan niet in het openbaar kunnen vergeven. Als ze de tortelduif van het zwijgen in ruil voor het leven van haar man aannam, verspeelde ze niet alleen haar trots, maar deed ze ook afstand van haar eer en haar gekoesterde overtuigingen. Haar afvalligheid zou de positie van de Goddelijke ernstig verzwakken. Cedar zou wel begrijpen dat ze geen keuze had gehad, maar hij zou zijn respect voor haar verliezen en ze zou het vertrouwen en de achting kwijtraken van een man die ze zeer bewonderde.

Damra werd gekweld als een gevangene op een pijnbank, wiens gewrichten bij elke omwenteling van de schroef verder uiteen worden getrokken. De wetenschap van wat ze moest doen, bond haar vast aan het martelwerktuig en de wetenschap van wat ze wilde doen, draaide aan het wiel. Griffith zou willen dat ze de Goddelijke trouw bleef, ook al zou het hem zijn leven kosten. Als ze zijn vrijheid kocht, zou hij teleurgesteld zijn en ze kon het niet verdragen om zijn vertrouwen te verliezen.

Maar hoe kon ze zonder hem verder gaan, zonder haar trouwe vriend, haar beste raadgever, haar hart, haar ziel? Dan kon ze beter sterven...

'Bewaarder? Waarom stoort u ons?' Het Schild klonk geschrokken, zijn toon was gespannen.

Damra had nietsziend naar het stromende water gestaard, zo gekweld dat ze de Bewaarder van de Sleutels niet had zien naderen. Dit moest wel een noodgeval zijn, want geen enkel gesprek met het Schild werd ooit onderbroken.

'Vergeef me deze inbreuk, edele heer,' zei de Bewaarder met zijn diepste buiging, 'maar er is bezoek gearriveerd voor Damra van Gwyenoc. Een Nimoreaan, vergezeld van twee pecwae's en een barbaars mens, heeft een boodschap voor haar van iemand die zich kortgeleden bij zijn voorouders heeft vervoegd. De boodschap is de laatste wens van deze man geweest, edele heer.'

Damra was geschrokken. Ze kon niemand bedenken die een laatste wens tot haar zou richten, en al helemaal niet via de tussenkomst van zulke bizarre boodschappers. Haar eerste gedachte was dat dit weer een truc van het Schild was en ze wierp een blik op hem.

Het Schild keek echter niet zelfvoldaan of sluw. Hij was duidelijk ontstemd over de onderbreking en waarom ook niet? Hij was zeker geweest van de overwinning en nu ging het moment voorbij. Hij keek de Bewaarder dreigend aan, maar kon de man geen verwijten maken.

De Bewaarder wierp zijn meester een verontschuldigende blik toe. Onder de elfen is de laatste wens van een stervende heilig, en die moet met de grootste eerbied worden behandeld. Op het ogenblik dat de Bewaarder hoorde dat een dode tot Damra wilde spreken, had de plicht hem geboden Damra op te zoeken en haar zijn nieuws mede te delen, net zoals de plicht haar gebood met deze mensen te gaan praten.

Wie ze ook zijn, ze moeten door de goden gestuurd zijn, besefte Damra. Ze lag nog steeds op de pijnbank, maar haar folteraars waren een kopje thee gaan drinken. Door de zandloper om te draaien, veranderen de zandkorrels van de tijd van plaats: de korrels die onderaan lagen, verhuizen naar boven. Hopelijk kon ze, als ze wat ruimte had om adem te halen, het antwoord vinden waarnaar ze zo wanhopig op zoek was.

Ze betuigde buigend haar verontschuldigingen. Het Schild moest ze wel aanvaarden. Damra vertrok en werd door de Bewaarder buiten het terrein van het paleis naar de allereerste tuin gebracht – de tuin voor de kooplui – want ook al brachten ze de wens van een dode, zulke buitenissige bezoekers zouden nooit in de buurt van het paleis van het Schild worden toegelaten.

Het Schild vervloekte de Vader en de Moeder zoals Damra hen had gezegend. Garwina had haar gehad waar hij wilde en ze was erin geslaagd hem te ontsnappen. Maar toen hij er even over nadacht, kalmeerde hij. Hoe hard ze ook met haar vleugels fladderde, ze kon niet loskomen uit het web. Ze zou aan zijn voorwaarden voldoen. Hij had het lijden in haar ogen gezien. Ze zou haar man nooit opofferen.

'Pecwae's… Trevinici…' mompelde Valura bij zichzelf.

De schone vrouwe Godelieve was verdwenen. Valura had de gedaante aangenomen van een lagere tuinman die ze had gedood met een gelegenheid als deze in gedachten, en zo had ze het gesprek tussen het Schild en de Domeinheer afgeluisterd. Ze lag op haar knieën in de aarde en deed alsof ze onkruid uittrok dat onder de bougainville groeide; ze was een onbelangrijke, onbetekenende persoon, onzichtbaar voor de meesten in de hofhouding van het Schild.

Valura hield de illusie van de tuinman in stand en begaf zich naar de eerste tuin. Ze nam de route voor de bedienden, want ze kon zich niet op het hoofdpad vertonen. De bewakers hielden haar aan, want de nederigste bediende kon een verborgen huurmoordenaar zijn. Ze fouilleerden haar routinematig op wapens, maar vonden niets. De magie van de Leegte zorgt ervoor dat het bloedmes onzichtbaar is voor nieuwsgierige ogen. Doordat ze de korte route had genomen, was Valura een stuk eerder in de tuin dan Damra en de Bewaarder. Valura liet zich achter een laag stenen muurtje op haar knieën zakken en gluurde voorzichtig over de rand. Toen ze de vier wachtende bezoekers ontwaarde, legde ze haar hand op het bloedmes.

'Shakur…' De naam zoemde door het mes.

Ze voelde zijn reactie.

'Valura.'

Shakur haatte haar. Hij was jaloers op de status die ze bij Dagnarus had. Dat wist ze en ze genoot ervan; het was een van de weinige pleziertjes die haar nog restten. Ze waren verbonden door het bloedmes en bovendien door de dolk van de Vrykyls, en hadden dus geen andere keuze dan samen te werken. Misschien zou ooit de tijd komen dat een van hen gedwongen was de ander te vernietigen, maar dat was nu niet aan de orde. Ze werkten aan één doel: de heerschappij van hun heer en meester.

'Je hebt me verteld over een jonge Trevinici en twee pecwae's. Je zei dat het mogelijk was dat ze iets met het mensendeel van de Verheven Steen te maken hadden.'

'Ja… Waarom? Heb je iets over hen gehoord?'

'Heb je een signalement? Hoe zien ze eruit?'

'Als een Trevinici en twee pecwae's, hoe anders?' antwoordde Shakur.

'Is er niets speciaals aan hen?'

'Een van hen, de Trevinici, heeft Svetlana's bloedmes bij zich.'

Valura gluurde over de muur. De jonge Trevinici ijsbeerde heen en weer door de tuin op een manier die zeer aanstootgevend was voor zijn elfengastheer, want iedereen die de tuin binnenkwam werd verondersteld te worden overmand door bewondering en eerbied. De Nimoreaan praatte tegen hem en legde een hand op zijn schouder in een poging hem te kalmeren. Zoals een haai zelfs het kleinste beetje bloed ruikt in de uitgestrektheid van de oceaan, zo rook Valura de aanwezigheid van het bloedmes in de uitgestrektheid van de Leegte. Het mes was in het bezit van de Trevinici.

'Ja, hij heeft het, Shakur.'

'Met behulp daarvan volgde ik hem, want hij was zo dom om het te gebruiken om mee te doden. Maar hij moet gewaarschuwd zijn, want hij heeft het nu al wekenlang niet meer gebruikt. Waar ben je? En belangrijker nog, waar zijn zij?'

'De Trevinici en zijn metgezellen zijn in de eerste tuin van het paleis van het Schild in Glymrae.'

'Wat doen ze daar in naam van de Leegte?' Shakur was verbaasd.

'Ze zijn gekomen om een Domeinheer te spreken, ene Damra van Gwyenoc. Ze zeggen dat ze een laatste wens van een stervende overbrengen...'

'Dat is het!' Shakur was opgetogen. 'Dat moet de Verheven Steen zijn! Dat of in elk geval informatie erover. Ik ben bij onze heer, in de buurt van het Portaal van Tromek. Als ik de paarden gewoon laat doodgaan, kan ik er in een paar dagen zijn...'

'Niet snel genoeg,' zei Valura koel. 'Blijf bij onze heer. Ik regel dit wel.'

Ze had onvoorstelbaar veel geluk, om in de gelegenheid te zijn Dagnarus twee delen van de Verheven Steen te bezorgen, het deel van de elfen en dat van de mensen. Vooral dat van de mensen, de schat waar hij tweehonderd jaar naar had gezocht, de schat waarvoor hij had gemoord, de schat die hem bijna zijn leven had gekost. Hij zou haar hierom respecteren en misschien zou hij zelfs weer van haar gaan houden.

Shakur was razend. Ook hij zag dit als een manier voor haar om meer macht te krijgen. Zijn woede was ijzig.

'Dit is te belangrijk om in je eentje te regelen. Ik sta erop dat je op me wacht.'

'Jij bent mijn baas niet, Shakur,' zei Valura. 'Jij bent ver weg en ik ben vlakbij. Ik zal doen wat er gedaan moet worden.'

Hij kookte van woede, maar kon niets beginnen. Hij wist dat ze gelijk had, dat tijd van wezenlijk belang was, maar dat besef maakte hem alleen maar kwader.

'Ik zal hier met onze heer over spreken, Valura!'

'Doe dat, Shakur,' zei ze, en ze duwde het bloedmes terug achter haar riem. Nog steeds in de gedaante van de tuinman ging ze op haar knieën achter het muurtje zitten, groef wat tussen de wortels en bollen, en luisterde.

Damra kwam samen met de Bewaarder van de Sleutels de eerste tuin binnen. Ze liet haar blik over de tuin gaan en nam alles op, wat niet moeilijk was, want in tegenstelling tot de complexe, doolhofachtige tuinen hoger op de heuvel was de eerste tuin klein en overzichtelijk. Gekleurde bloemen stonden in concentrische cirkels om het mozaïek van een zonnewijzer. Overdag glansden de stenen in het zonlicht. De schaduw van de tijd viel over het oppervlak van de zonnewijzer en raakte de gemarkeerde uren lichtjes aan voordat ze verder schoof. De zonnewijzer lag nu helemaal in de schaduw, want de zon was ondergegaan.

Het uur van de avondmaaltijd naderde. Er liepen bedienden door de tuin om kaarsen aan te steken, die in fraaie smeedijzeren lantaarns op gelijkmatige afstand van elkaar langs de tuinmuur stonden. Het licht viel op een pecwae-vrouw die op haar hurken zat en door de stenen rommelde die de zonnewijzer vormden. Deze enorme belediging deed de adem van de Bewaarder stokken en hij stond op het punt de bewakers te roepen. Gelukkig werd de Nimoreaan zich bewust van het schandalige gedrag van de pecwae. Hij liet de jonge barbaar alleen en haastte zich naar de pecwae om haar de les te lezen. Damra had geschokt kunnen zijn door de aanblik van deze bezoekers, ware het niet dat ze de Nimoreaan herkende. Het was Arim de vliegermaker, een trouwe en goede vriend. Hem te zien verwarmde en kalmeerde haar als kruidenwijn, ook al vroeg ze zich af wat voor dringende zaak hem hierheen gebracht kon hebben, en nog wel in zulk vreemd gezelschap. De hoop werd onmiddellijk bij haar gewekt dat hij misschien informatie over haar man had.

Damra lette op de indeling van de tuin en zag één ingang en twee uitgangen. De bewakers van het Schild stonden bij de ingang en beide uitgangen en hielden de gasten in het oog. De bewakers waren ver weg. Ogenschijnlijk te ver weg om een gesprek te kunnen volgen, maar Damra vermoedde dat hun helmen hun oren niet bedekten, zoals het gezegde luidde.

Bovendien was ze zich bewust van de Bewaarder, die nog bij haar in de buurt was. Hij zou niet vertrekken totdat hij zeker wist dat alle gasten van het Schild, zelfs onverwachte gasten in de eerste tuin, alles hadden wat ze zich maar konden wensen.

Arim richtte zich op nadat hij met de pecwae had gepraat. De Nimoreaan boog naar Damra. Zijn buiging was vormelijk en bestudeerd, de begroeting van een vreemde, een vreemde die laag in rang was. Ze beantwoordde de buiging met een klein knikje van haar hoofd. Ze zei niets en keek naar de Bewaarder.

Als de Bewaarder al teleurgesteld was dat ze haar gasten niet openlijk ondervroeg in zijn aanwezigheid, was hij te goed opgeleid om dat te laten merken. Hij kwam naar voren om zich voor te stellen en te vragen of de gasten iets te eten of te drinken wensten. Hij nam er de tijd voor en somde de hele voorraad van de provisiekamer op in de hoop iets te vinden dat de bezoekers zou aanspreken. Damra ziedde van ongeduld, maar keek aandachtig naar de gelaatsuitdrukkingen van de twee pecwae's en de jonge barbaar. De Bewaarder sprak Tomagi, de taal van de elfen. Arim gaf het beleefde antwoord in het Tomagi, want bijna alle Nimoreanen spreken die taal vloeiend. Wat betreft de andere drie, of ze waren uitstekende simulanten of ze verstonden geen woord Tomagi.

De mannelijke pecwae staarde vol ontzag naar alles om hem heen, van de tuin naar het schitterende huis van het Schild, dat ver boven hen lag en zeven verdiepingen hoog was vanaf de rotsrand waarop het was gebouwd, zodat het boven de hele omgeving uittorende. De vrouwelijke pecwae – een ouder exemplaar, zo te zien aan de rimpels in het walnootachtige gezicht – porde nog steeds stiekem met een magere voet tegen de stenen van de zonnewijzer als ze dacht dat Arim niet keek. De jonge barbaar leek net zo ongeduldig te zijn als Damra. Hij kon niet stil blijven staan, maar bewoog onrustig; dat is kenmerkend voor mensen, want dat is een volk dat altijd iets moet dóén. Toen hij de bewakers zag, tuurde hij zo geïnteresseerd naar hun wapens dat ze dat al snel als bedreigend zouden ervaren. Hij deed een stap in hun richting. Gelukkig zag Arim het en hij legde een hand op de arm van de jongeman om hem tegen te houden.

Dit verschafte Arim het excuus dat hij nodig had. Hij onderbrak de Bewaker vriendelijk in zijn aanbod van citroenwater en gerstekoekjes en verontschuldigde zich voor het ongemanierde gedrag van zijn gasten.

'Ik denk dat het het beste zou zijn, Bewaarder, als we ons droeve bericht overbrengen en dan vertrekken,' zei Arim.

De Bewaarder, die zojuist had gezien hoe de pecwae-vrouw haar ongelooflijk lange en beweeglijke tenen rond een steen had geslagen en die had weggetrokken van het mozaïek, beaamde met bedeesde stem dat dat inderdaad het beste zou zijn. Na een vormelijke buiging en een laatste gekwelde blik op de Grootmoeder vertrok de Bewaarder.

'Ik ben Damra van huis Gwyenoc,' zei Damra met een buiging.

'Arim de vliegermaker uit Myanmin,' antwoordde de Nimoreaan even vormelijk.

Bij die koele formaliteiten keek de Trevinici verbaasd. Zijn blik ging van de een naar de ander, alsof hij het vreemd vond dat oude vrienden zich zo gedroegen. Arim zei iets tegen de jongeman in de Taal der Oudsten. Die wierp een blik op de bewakers en knikte; hij had het snel door.

De jongeman was groot en gespierd. Hij had het vierkante, open gezicht waarop elke gedachte te lezen is, een gezicht dat geen geheimen kon houden en op elke leugen betrapt zou worden. Zijn blik was helder en hij keek haar aan zonder zijn ogen neer te slaan. Er was iets aan hem dat ze weerzinwekkend vond. Ze wilde hem niet aanraken. Arim stelde hem voor als Jessan van de Trevinici en toen de jongeman zijn hand uitstak in de mensengewoonte om elkaar de hand te schudden als je aan elkaar werd voorgesteld, deed Damra alsof ze die gewoonte niet kende en hield haar armen langs haar zijden.

De Trevinici keek beledigd, maar Arim ving de gênante situatie handig op. Hij keek Damra even aan en ze zag in zijn ogen dat hij het begreep. Ze zag ook een verhulde onrust in zijn ogen, een dringende behoefte om haar onder vier ogen te spreken.

Arim stelde de twee pecwae's voor, vreemde wezens voor Damra, die nooit eerder een lid van hun volk had gezien. Ze spraken met hoge stemmetjes en klonken als tjirpende mussen. De oudste pecwae, die de Grootmoeder werd genoemd, had zeer doordringende ogen waarmee ze onverschrokken recht in die van Damra keek.

'U hebt meer pit dan de anderen,' zei de Grootmoeder nadat ze haar zo ongemanierd had opgenomen. 'Dat is een compliment,' voegde ze er bars aan toe.

'Dank u, oudste,' zei Damra ernstig, want tegen ouderen moet je altijd beleefd zijn.

De jonge pecwae heette Bashae. Damra deed hem af als een kind en vroeg zich af waarom ze hem hadden meegenomen op zo'n lange reis. Misschien was dat de gewoonte van de pecwae's.

'Ik zou graag naar de ondergaande zon kijken,' zei Damra met een stem die bedoeld was om tot bij de bewakers te reiken. 'Loopt u met me mee?'

Arim stemde daarmee in en maakte de anderen met een blik duidelijk dat ze achter hen aan moesten lopen. Ze nam hen mee naar de muur die naar het westen gedraaid stond, zo ver van de bewakers als ze in de tuin maar konden komen.

'Blijf met je rug naar hen toe staan, Arim,' zei Damra zacht in het Tomagi. 'Misschien kunnen ze liplezen.'

'Zelfs bij kaarslicht?' Arim glimlachte.

'Zelfs bij kaarslicht,' zei Damra kalm. 'Mijn goede vriend, ik ben zo blij om je te zien. Je hebt geen idee wat dat voor me betekent.'

'We zijn eerst bij je huis langs geweest, Damra,' zei Arim. 'Ik heb met je bediende Lelo gesproken. Hij vertelde me dat Griffith vermist is.'

'Niet vermist, Arim,' zei Damra met een gekweldheid die ze niet kon onderdrukken. 'Ik weet precies waar hij is.' Ze wierp een duistere blik in de richting van het huis van het Schild. 'Ik had gehoopt dat jouw komst hier misschien betekende dat je nieuws over hem had...'

'Helaas, Damra,' zei Arim. 'Ik wist niet eens dat hij vermist was totdat ik Lelo sprak. Het spijt me dat ik je last niet kan verlichten en die alleen maar groter kom maken.'

Damra herinnerde zich de reden die was opgegeven voor hun komst: de laatste wens van een stervende. Even werd ze overvallen door de irrationele angst dat de stervende Griffith was geweest, maar na een bang moment kreeg haar logica de overhand. Arim had gezegd dat hij niet had geweten dat Griffith vermist was en Arim was een van de weinige mensen in deze wereld die Damra kon vertrouwen.

'Je zei dat je me een wens van een stervende kwam brengen,' zei Damra. 'Wie is er gestorven? Ik kan me niet voorstellen...'

Maar op dat moment wist ze het. 'Gustav,' zei ze.

Bij dit woord, het eerste dat hij verstond, hief de jonge pecwae met een ruk het hoofd. 'Heeft ze het over Heer Gustav?' vroeg Bashae aan Arim. 'Moet ik het haar nu vertellen?'

'Het spijt me,' zei Damra in de Taal der Oudsten. 'Dat was onnadenkend van me. Ik bied mijn verontschuldigingen aan en hoop dat jullie die willen aanvaarden.'

'Ik aanvaard ze,' zei Bashae. 'Wat hebt u verkeerd gedaan?'

'Het is niet beleefd om in het bijzijn van anderen een taal te spreken die ze niet verstaan,' legde Arim uit. 'Ik verontschuldig me ook.'

'Laten we nou maar opschieten,' zei Jessan ongeduldig. 'Je zegt steeds dat dit dringend is, Arim. We hebben onze benen uit ons lijf gerend om zo snel mogelijk hier te komen en nu staan we maar te praten en te buigen. Geef haar de knapzak, Bashae, en de boodschap, dan is dat maar gebeurd.'

Wat is er toch zo weerzinwekkend aan die jongeman, vroeg Damra zich af. Ze merkte dat ze wenste dat hij er niet bij was, en toch zou ze hem niet vertrouwen als hij buiten haar gezichtsveld was.

'Praat wat zachter, Jessan,' zei Arim berispend. Hij keek Damra vragend aan. 'Ik zou er liever niet hier over spreken.'

'Ik kan er niets aan doen, mijn vriend,' zei ze hulpeloos. 'De bewakers van het Schild zullen ons tegenhouden als we proberen weg te gaan. Ik kan jullie niet meenemen naar mijn gastenverblijf. Ik denk dat we in de eerste tuin redelijk veilig zijn. We kunnen waarschijnlijk het beste de Taal der Oudsten blijven spreken. Ik betwijfel of de bewakers de taal van Vinnengael kennen.'

De elfen beschouwen de Taal der Oudsten als een primitieve taal; niet alleen is het beneden hun waardigheid om die te leren, maar ze zijn ook bang dat het superieure elfenverstand erdoor zou worden aangetast.

'Goed dan,' zei Arim met een zucht. 'Hoewel het verhaal dat we te vertellen hebben het beste in het licht kan worden verteld, want het is duisterder dan de duisternis. Ik spreek tot je vanuit mijn hart. Je hebt het goed geraden. Heer Gustav, onze goede vriend, is dood. Hij is gestorven in een Trevinici-dorp, het dorp van deze jongeman. De Trevinici hebben hem de eer betoond die een gevallen krijger verdient en hebben hem een heldenbegrafenis gegeven. Zijn ziel heeft zich bij de ziel van zijn beminde vrouw gevoegd. We treuren niet om hem.'

'We treuren niet om hem,' herhaalde Damra, maar als ze aan de wijze en moedige vriend dacht die ze had verloren, betreurde ze zijn heengaan wel degelijk, ze betreurde het diep. 'Hoe komt het dat hij zo ver van zijn huis is gestorven? Over wat voor duistere daden heb je het?'

'Hij is gestorven aan wonden die hij had opgelopen in een gevecht tegen een vreselijke vijand,' zei Arim. 'Een Vrykyl. Deze twee' – hij gebaarde naar de pecwae-jongen en de Trevinici – 'zijn getuige geweest van het gevecht.'

De avondlucht was plotseling kil, en de avondhemel donker.

'Mogen de goden hem bijstaan,' zei Damra.

'Dat hebben ze gedaan, Damra,' zei Arim. Hij stak instinctief zijn hand uit om de hare te pakken. Toen hij zich herinnerde waar ze waren en wie er toekeek, liet hij zijn hand vallen. Ze begreep het. Ook zij voelde behoefte aan de troost van de warmte van een ander levend wezen. De Trevinici sloeg zijn ogen neer en staarde grimmig naar de grond.

'Hij heeft zijn vijand verslagen,' vervolgde Arim. 'Die heeft hij teruggestuurd naar de Leegte die hem had voortgebracht. Maar voor die tijd was de Vrykyl erin geslaagd hem een dodelijke verwonding toe te brengen.'

'De Leegte heeft geprobeerd hem op te eisen,' zei de Grootmoeder, tot Damra's schrik, want die was de oude vrouw helemaal vergeten. 'Maar daar is ze niet in geslaagd. De krijgers die aan de andere zijde vechten, zijn bijeengekomen en hebben zich bij de ridder aangesloten. Ze hebben gewonnen.'

'Daar wil ik je voor bedanken,' zei Damra terwijl ze zich tot Jessan wendde en hem aandachtig opnam. 'Ik ben je volk dankbaar.'

Hij mompelde iets, maar keek niet op. Damra keek even naar Arim. Hij schudde nauwelijks merkbaar zijn hoofd en ze liet de zaak rusten.

'Heer Gustav wist dat hij ging sterven. Maar hij kon deze wereld niet verlaten zonder af te maken waaraan hij was begonnen,' vervolgde Arim. 'De queeste van zijn leven. Ik denk dat hij die heeft voltooid.'

Damra staarde haar vriend ongelovig aan. Goden van aarde, wind, lucht en vuur! Dit was geen plek om hierover te praten!

'Dat vind ik heel fijn voor hem,' zei ze halfhartig.

'Bashae,' vervolgde Arim, die haar wenken volgde, 'nu mag je de dame het geschenk van Heer Gustav geven en de woorden herhalen die erbij horen. Zeg precies wat Heer Gustav je heeft opgedragen te zeggen.'

Verlegen en ingetogen stak Bashae de knapzak, die hij steeds tegen zich aan had gedrukt, naar Damra uit. 'Ik heb het uit mijn hoofd geleerd,' zei hij, en nu ze hem in de ogen keek, besefte ze dat hij geen kind was. 'Heer Gustav heeft gezegd: vertel haar dat in de knapzak het kostbaarste juweel ter wereld zit en dat het afkomstig is van mij, die een leven lang naar zo'n juweel heeft gezocht. Ik geef het aan haar om het naar zijn eindbestemming te brengen.'

Damra hoorde een geluid. Ze kon niet thuisbrengen wat het was of wat de bron ervan was, en was er zelfs niet zeker van of ze het echt had gehoord. Het geluid kwam van de andere kant van het muurtje rond de tuin. Ze boog haar hoofd, alsof ze door emoties overmand was, liet zich op het stenen muurtje zakken en bracht haar hand naar haar ogen. Toen ze een snelle blik langs de buitenkant van het muurtje wierp, ving ze een glimp op van een schaduw die in het donker verdween.

'Wat is er?' vroeg Arim zacht.

'Er was daar iemand,' antwoordde Damra. Ze stond snel weer op. 'Niet verbazingwekkend. Het Schild heeft overal spionnen. Maar die kunnen toch onmogelijk begrijpen...'

Ze zweeg. Arim en Jessan wisselden grimmige blikken. Jessan wendde zijn gezicht af en keek strak de duisternis in.

'Wat?' vroeg Damra.

'Misschien is het geen spion van het Schild,' zei Arim. 'We worden gevolgd. We dachten dat we de achtervolger hadden afgeschud, maar misschien...'

De Grootmoeder stak haar wandelstok in de lucht. De stok was versierd met agaten die op ogen leken en was het lelijkste ding dat Damra ooit had gezien. De Grootmoeder draaide de stok alle kanten op. De ogen van agaat tuurden het donker in.

'Het kwaad is hier geweest,' verkondigde ze. 'Het is nu weg, maar niet ver.' Ze tikte met de stok tegen de muur en keek dreigend naar de ogen van agaat. 'Dit is wel een heel goed moment om me dat te laten weten! Wat heb ik aan jullie? Jullie zijn net zo stout als mijn kinderen.'

Het leek alsof de ogen van agaat knipperden, terugschrokken. Damra had bijna de indruk dat ze verdrietig keken.

Ze schudde dat waanidee van zich af. 'Ik begrijp niet...'

Met een abrupte beweging rukte Jessan een mes uit een lederen schede die hij aan zijn middel droeg.

'Het gaat hierom,' zei hij op een toon die uitdagend was, maar ook enigszins beschaamd. Hij hield het mes schoorvoetend in het licht.

Het mes was gemaakt van been, slank en delicaat, en met donkere vlekken van bloed. Damra herkende het mes. Ze begreep onmiddellijk de volle omvang van het gevaar waarin ze verkeerden.

'Een bloedmes. Jullie worden gevolgd door een Vrykyl.' Damra's drift laaide op. 'Jij wist dit, Arim, en toch heb je hem meegenomen! Dat was dom, dat was waanzin...'

'Nee, het was geloof,' zei de Grootmoeder scherp. 'Jessan is uitverkoren, net als Bashae. De goden hebben hen verbonden.'

'Dat is waar, Damra,' zei Arim. 'De priesteres heeft het bevestigd. Jessan heeft het mes meegenomen zonder te weten wat hij deed. Hij heeft zijn last aanvaard. Hij had het gevaar van zich af kunnen werpen, zodat een onschuldige het had gevonden, maar hij draagt zijn verantwoordelijkheid moedig, in de wetenschap dat het zijn ondergang kan betekenen.'

Arim kwam dichterbij en zei zacht: 'Als de Vrykyl Jessan gevangen zou nemen, Damra, zou hij de Vrykyl naar ons leiden. Daar zou hij niets aan kunnen doen. Ze zouden zijn ziel verslinden om die informatie te verkrijgen.'

Jessan stak het mes naar haar uit en kwam een stap dichterbij. 'U bent een Domeinheer, net als Heer Gustav was. Hij heeft dat ding gedood. U zou dit kunnen nemen...'

'Nee!' Damra deinsde achteruit. Ze kon het nauwelijks verdragen om naar het mes te kijken, want het leek te kronkelen en zich in bochten te wringen in de hand van de jongeman.

Jessan rechtte zijn schouders en hief zijn hoofd. Zijn mond verstrakte. 'Het geeft niet,' zei hij kortaf. 'Ik kan het wel aan.'

Damra kreeg medelijden met hem. 'Mijn man is een van de Wyred,' zei ze. 'Een elfentovenaar. Hij heeft een studie gemaakt naar deze kwade wezens. Hij zou wel een manier weten...'

Haar stem stierf weg. Griffith zou wel een manier weten, maar hij was ver weg. Ver van haar weg. Hij werd gevangengehouden door het Schild, die nog steeds op haar beslissing wachtte. En wat moest ze doen? De levenslange queeste van Heer Gustav was de zoektocht geweest naar het deel van de Verheven Steen dat de mensen toebehoorde. Als de Verheven Steen het juweel was dat in de knapzak verborgen zat, was het haar plicht als Domeinheer om die in alle haast naar de Raad van Domeinheren in Nieuw Vinnengael te brengen.

De mensen wachtten al tweehonderd jaar op de terugkeer van de Steen. Ze begonnen te wanhopen. Het aantal Domeinheren nam af. Sommigen weten dat aan de afwezigheid van de Steen, anderen aan een afnemend geloof. Wat er de reden ook van was, de terugkeer van de Steen zou de Vinnengaelezen sterker maken.

Damra voelde dat ze boos werd. De goden gebruikten haar als speelgoed, als pion, als marionet. Om aan haar ene verplichting te voldoen, moest ze de andere verzaken. Maar ze leek geen keuze te hebben.

'Ik neem hem aan,' zei ze. Nooit eerder had ze iets met zoveel tegenzin gezegd. Ze stak haar handen uit naar de knapzak. 'In naam van de goden aanvaard ik... Hou de zak stil!' beval ze geërgerd. 'Dit is geen moment voor spelletjes!'

'Ik doe niets!' bracht Bashae uit. 'Hij beweegt uit zichzelf!'

'Dit is bespottelijk!' zei Damra boos en ze griste naar de knapzak. Geschrokken liet de pecwae hem los. De knapzak viel aan haar voeten op de grond. Damra bukte zich om hem op te pakken en terwijl ze dat deed, werd ze zich bewust van de magie. Nu ze erop lette, voelde ze dat de knapzak magie uitstraalde, een kracht die haar afweerde maar haar geen kwaad wilde doen. Nog niet. De magie lag als een kussen van dik, zacht distelpluis om de knapzak heen. Ze zou haar vingers er wel met kracht doorheen kunnen duwen, maar ze voelde de distels zelf daaronder al prikken.

Damra begon te lachen. Ze hoopte maar dat de Vader en de Moeder ook lachten. Iemand moest hier toch enig vermaak uit putten.

Arim keek haar ongerust aan. Haar lach had een vreemde bijklank. 'Ik kan de knapzak niet pakken, Arim,' zei ze toen ze genoeg gekalmeerd was om te praten. 'Ik kan hem niet aanraken. Er ligt een laag van aardemagie omheen, die hem tegen mij beschermt.'

'Maar jij bent een Domeinheer,' protesteerde Arim ontsteld.

'Ik ben een Domeinheer die verbonden is met de magie van de woeste wind en de zeebries, de blauwe lucht en de hoog oprijzende wolken. Onze magie is de magie van de lucht, niet die van de aarde.'

Damra zuchtte diep. 'Gustav heeft dat niet geweten toen hij de Steen naar me toestuurde. Hij wist niets van magie.'

Bashae pakte de knapzak weer op en drukte die tegen zijn borst. Hij keek van de een naar de ander. 'Wat doen we nu?'

'Slapen,' zei de Grootmoeder met nadruk.

Het lag op het puntje van Damra's tong om ongeduldig te zeggen dat ze geen tijd hadden om te slapen, dat ze onmiddellijk moesten vertrekken. Dat zat in haar karakter. Ogenblikkelijk actie ondernemen. Een deel van haar dacht al na over de wijze waarop ze zich tegenover het Schild kon verontschuldigen, over het regelen van vervoer naar het Portaal, en wat ze mee zou moeten nemen. Als ze eenmaal besloten had iets te doen, wilde Damra dat ook meteen gaan doen. Ze was vreselijk slecht in mahjong: ze vergooide de kans op een kong van draken om een chow van gewone kleurstenen te kunnen maken. In het echte leven was ze net zo: ze ging altijd maar door, zonder ooit de tijd te nemen om na te denken over de consequenties.

Zonder ooit aan anderen te denken.

Rustig aan, Damra, berispte ze zichzelf. Doe het nu eens één keer rustig aan. Kijk naar hen. Ze zijn uitgeput. Ze zouden vanavond toch niet ver meer kunnen reizen. En jij. Je hebt tijd nodig om na te denken. Het feit dat het mensendeel van de Verheven Steen is gevonden is een aardbeving die het politieke landschap open zal doen splijten, die het land van de elfen op zijn grondvesten zal doen schudden. Je moet rekening houden met alle gevolgen die dit kan hebben, bedenken wat je tegen de Goddelijke gaat zeggen en wanneer, hoe je dit het beste veilig en geheim kunt houden. Dit kon weleens het voordeel zijn dat je nodig hebt tegen het Schild. Als je Griffiths leven wilt redden, moet je niet voor de gewone kleurstenen kiezen omdat dat het snelste en het gemakkelijkste gaat. Je moet geduldig op de draken wachten.

'Heb je een veilige plek om de nacht door te brengen?' vroeg ze Arim. Hij knikte. 'Dezelfde plek waar ik altijd verblijf. Die ken je wel.'

'Laat niemand bij jullie in de buurt komen,' waarschuwde Damra.

'Niemand. De Vrykyls kunnen een innemende gedaante aannemen om de onvoorzichtigen in de val te lokken.'

'Dat heeft Griffith me eens verteld,' zei Arim kalm. 'Ik begrijp het.'

'Mooi.' Ze keek even naar Jessan, naar de pijlen en de boog die hij bij zich had. 'Je moest maar een zwaard voor hem kopen. We hebben alle hulp nodig die we kunnen krijgen. We zullen elkaar morgenochtend ontmoeten in Glymrae, in de straat van de vliegermakers.'

Damra stak haar hand uit naar Jessan. Hij keek geschrokken, maar toen nam hij met een glimlach haar hand in de zijne. Daarna schudde Damra de hand van de Grootmoeder, die aanvoelde als een vogelklauwtje. Ten slotte pakte ze Bashaes hand.

'Ik kan je last niet overnemen,' zei ze, 'maar ik kan jullie bewaken totdat jullie je eindbestemming bereiken.'

'Waar is dat?' vroeg Bashae.

De Grootmoeder porde hem met haar stok in zijn zij.

'Morgenochtend,' zei ze. Ze draaide zich om en liep de tuin uit, waarbij ze de bewakers in aanzienlijke verwarring bracht door in het voorbijgaan haar stok omhoog te steken, zodat die hen goed kon bekijken.

'Mogen je voorouders vannacht over je waken,' zei Damra zacht tegen Arim toen ze uiteengingen.

Ze zorgden ervoor dat ze afscheid namen als bekenden en elkaar geen zoen gaven, zoals oude vrienden deden.

'Mogen je voorouders over je waken,' zei Arim op zijn beurt, de traditionele afscheidsgroet.

De voorouders keken misschien wel toe, maar ze waren zeker niet de enigen.

Damra keerde terug naar het gastenverblijf en trof daar vijf bedienden van het Schild aan, die geduldig op haar wachtten. Vier van hen hadden schalen bij zich en de vijfde een boodschap van het Schild dat hij haar, aangezien ze het uur van de avondmaaltijd had gemist, lekkernijen van zijn eigen tafel had gestuurd. Hij betuigde zijn spijt over het feit dat ze elkaar niet meer hadden gesproken, maar misschien was het mogelijk elkaar over een paar weken weer te ontmoeten. Het speet hem vreselijk dat zijn drukke agenda hem niet toestond haar eerder te ontvangen. Het zou hem echter een genoegen zijn bericht van haar te ontvangen en hij wenste haar voor de volgende ochtend een veilige en aangename terugreis naar huis, als ze besloot te vertrekken. Als ze besloot te blijven, zou hij helaas gedwongen zijn haar in een ander gastenverblijf onder te brengen, aangezien dit gereserveerd was voor familieleden van zijn vrouw.

Zo vertelde hij haar in beleefde bewoordingen dat het de bedoeling was dat ze zorgde dat ze morgenochtend weg was. Als ze wilde blijven, zou hij haar ergens anders onderbrengen, maar dat zou ongetwijfeld op een ongerieflijke en onaangename plek zijn, waarschijnlijk in een van de tijdelijke gebouwtjes waarin menselijk bezoek werd gehuisvest, gebouwtjes die naderhand werden afgebroken, want de elfen waren ervan overtuigd dat de stank die mensen achterlieten in de muren trok. Hij zei niets over haar bezoekers, want dan zou het lijken alsof hij zich met haar persoonlijke zaken bemoeide. En waarschijnlijk wist hij toch alles over de ontmoeting, van zijn spionnen.

De bediende vroeg Damra of ze haar maaltijd buiten in de gastentuin of binnen wilde gebruiken. Damra wilde alleen zijn en als er toevallig een andere gast in de tuin was, zou ze gedwongen zijn een beleefdheidsgesprek te voeren. Ze zei dat ze binnen zou eten. De vier bedienden gingen het gastenverblijf binnen, waar ze onder toezicht van de vijfde de schalen op een tafel zetten en veel aandacht besteedden aan het zodanig arrangeren van het voedsel dat het aantrekkelijk en volgens de etiquette gepresenteerd werd.

Het gastenverblijf was klein, en met vijf mensen erin was het vol. Damra bleef buiten terwijl ze hun werk deden, en liep door de gastentuin, waarin het wemelde van de felle lichtjes van vuurvliegjes. In de andere gastenverblijven brandde geen licht. Damra herinnerde zich dat de bedienden haar hadden verteld dat het Schild maar één andere gast had, een edelvrouw van het huis Mabreton. Damra had de vrouw in het voorbijgaan gezien en was getroffen door haar schoonheid. Damra vroeg zich af of de aanwezigheid van de vrouw een bewijs was van het groeiende vermoeden van de Goddelijke dat het Schild en de Mabretons de onderlinge banden aanhaalden.

Damra's gedachten buitelden over elkaar en ze probeerde er enige ordening in aan te brengen, net zoals ze dat deed met de mahjongstenen aan het begin van het spel. Dat bleek moeilijk te zijn, want er was zoveel gebeurd dat ze zich erdoor overweldigd voelde. Ze legde de stenen in de ene volgorde en daarna weer in een andere: de Verheven Steen, het Schild, de Goddelijke... Griffith, het draaide steeds weer om Griffith. Ze werd zo in beslag genomen door haar overpeinzingen en zorgen dat ze niet in de gaten had dat de bedienden klaar waren totdat ze er, toen ze haar hoofd hief, een aan de rand van haar blikveld zag aarzelen. Hij gaf te kennen dat de maaltijd klaarstond en vroeg of hij nog iets anders voor haar kon doen.

Damra stuurde hen voor de rest van de avond weg. Na nog een rondje door de tuin te hebben gelopen, ging ze het gastenverblijf binnen en sloot de deur achter zich. Ze wierp een blik op het eten, dat er heerlijk uitzag, maar ze was te gespannen om te eten. Ze had veel te doen en zoals kenmerkend voor haar was, wilde ze die dingen meteen doen. Ze begon het voedsel opzij te schuiven, want ze zou de tafel nodig hebben om te schrijven. De geur van gember deed haar watertanden en ze besefte dat ze honger had. Ze had de hele dag nog niet gegeten. Het schrijven van een omzichtig geformuleerde brief aan het Schild – waarin ze de schijn moest wekken dat ze voor zijn eisen zwichtte en er tegelijk niet voor mocht zwichten – zou haar uren kosten. Ze zou haar kracht en helderheid van geest nodig hebben.

Damra ging aan tafel zitten. Ze koos de meest uitgelezen hapjes en legde die bij elkaar op een gelakt schaaltje dat ze naar het altaar van de Geëerde Voorouder bracht, dat ze in een hoek van het gastenverblijf had gecreëerd. Aangezien de meeste elfen hun Geëerde Voorouders regelmatig om raad en steun vragen, was er al een plek in het gastenverblijf gereserveerd om dat te doen. In een hoek stond een kamerscherm van rijstpapier, beschilderd met vliegende vogels, die de

zielen van de voorouders symboliseerden. Daarvoor stond een op-
klaptafeltje en daar weer voor lag een kussen. De gast kon persoonlijke bezittingen op het tafeltje leggen, een kaars aansteken en op het
kussen gaan zitten om op comfortabele wijze met de Voorouder te
communiceren.

Helaas was Damra noch Griffith gezegend met een behulpzame
Geëerde Voorouder. Griffiths Voorouder was diep gegriefd geweest
toen hij ontdekte dat een van zijn familieleden tot de Wyred behoorde
en hij had Griffith in de steek gelaten en besteedde al zijn energie aan
Griffiths oudere broer.

Damra's Geëerde Voorouder was een zachtaardige oude ziel die dol
op Damra was geweest toen ze nog een kind was, maar die nu niets
meer van haar begreep. Toen Damra Domeinheer was geworden, had
haar familie niet geweten wat ze met haar aan moest en had besloten haar zoveel mogelijk beleefd te negeren. De Geëerde Voorouder
had wel contact gehouden, maar ze maakte er geen geheim van dat
haar krijgshaftige kleindochter een diepe teleurstelling voor haar was.
Elke keer dat ze haar bezocht, herinnerde de geest Damra er fijntjes
aan dat haar jongere zus zestien kinderen had en dat de zeventiende
op komst was.

Damra bleef even bij het altaar staan om een takje orchideeën in een
vaasje te zetten en hoopte maar dat de Geëerde Voorouder dit moment niet zou kiezen om een bezoekje te brengen.

Het altaar bleef leeg.

Opgelucht en nu wat rustiger ging Damra aan haar eigen maaltijd
zitten. Ze bracht een lepel van de sterk gekruide gemberpompoen-
soep naar haar mond.

'Eet dat niet, Damra van Gwyenoc,' zei een stem.

Damra schrok en maakte een plotselinge beweging met de lepel, zodat ze soep op haar schoot morste. De stem was uit de richting van
het altaartje gekomen, maar het was niet de stem van de Geëerde
Voorouder. Damra keek die kant op. Toen ze daar geen geestverschijning zag, wierp ze een snelle blik om zich heen in de kamer.

'Wie ben je en waarom praat je vanuit de duisternis tegen me?' vroeg
ze. 'Laat jezelf zien en vertel me waarom ik het voedsel van mijn gast-
heer niet mag eten.'

Er verscheen een gedaante uit de hoek van het altaar, van achter het
kamerscherm. Dit was geen geestverschijning, vriendelijk of vijandelijk. Dit was een sterveling, een elf van vlees en bloed. Damra was
niet bang voor huurmoordenaars, want het harnas van een Domeinheer zou ogenblikkelijk reageren om haar tegen gevaar te beschermen, of ze het nu wel of niet zag aankomen. Haar eerste reac-

tie was dat ze kwaad werd op zichzelf omdat ze niet de tijd had genomen haar kamer te doorzoeken. Ze was per slot van rekening in het huis van de man die haar echtgenoot gevangenhield en zijn leven bedreigde.

De elf kwam naar voren, het licht in dat afkomstig was van de ene kaars die op de altaartafel brandde. Damra keek allereerst naar het masker dat rond de ogen van de elf was getatoeëerd. Ze had een heel goed gezichtsvermogen, de ogen van een raaf, maar ze kon de details van het masker, dat rond de ogen van elk kind wordt getatoeëerd om zijn of haar afkomst aan te geven, niet goed zien. Het was misschien wel de oudste elf die Damra ooit had gezien. Het getatoeëerde masker was vervaagd van ouderdom.

De elf was zo krom, met een rug die gebogen was onder de last der jaren, dat hij eerder kroop dan liep. Hij leunde zwaar op een versleten houten wandelstok. Zijn verschrompelde gezicht was zo gerimpeld als een verdroogd appeltje. Zijn hoofd was kaal, er groeide geen enkele haar meer op. Twee donkere amandelvormige ogen tuurden haar aan van onder wimperloze, roodomrande oogleden, die zo dun waren dat ze de aderen erin kon zien lopen. Zijn ogen waren helder, niet met een vlies of een mist erover van de grauwe staar die vaak met de jaren kwam. De ogen verraadden niets, reflecteerden alleen de kalme, stabiele vlam van de kaars op haar blad. Hij zei geen woord en leek af te wachten tot zij iets zou zeggen of doen.

Terwijl ze in eerste instantie geërgerd was geweest, neigde ze nu naar medelijden, want ze dacht dat de oude man misschien in zijn verwarring per ongeluk haar gastenverblijf binnen was gedwaald. Maar zijn stem had helder en lucide geklonken, niet weifelend of verward. Seniel of niet, de man was ouder dan zij en verdiende haar respect. 'Geëerde Vader, u komt in het geheim in de nacht bij me. U spreekt tegen me alsof u me kent en u gebiedt me mijn voedsel niet te eten. Ik zou graag willen dat u die raadsels verklaart. Wie bent u, meneer? Wat is uw huis en uw naam?'

De elf kroop naar voren totdat hij heel dicht bij de tafel stond. Hij bewoog langzaam en bedachtzaam en zette de ijzeren punt van de wandelstok behoedzaam op de grond, zodat die geen geluid maakte. Al die tijd namen zijn roodomrande ogen haar aandachtig op. 'Mijn huis is het huis Kinnoth,' antwoordde de elf, en zijn stem was zwak, alsof elke ademtocht zorgvuldig moest worden uitgemeten en niet verspild mocht worden aan woorden als hij misschien nodig was om leven te verschaffen. 'Het vervloekte huis. Wat mijn naam betreft, eens had die een betekenis en een reputatie, maar die heb ik verloren. Ik heet Silwyth.'

'Silwyth van huis Kinnoth!' herhaalde Damra verbaasd, geschokt en ongelovig. Ze fronste. 'Ik heb maar van één persoon met die naam gehoord, en die leefde vele jaren geleden. Hij is in schande gestorven.'

'Er is maar één persoon met die naam en hij leeft nog steeds in schande,' antwoordde de elf kalm.

'U bent... Silwyth!' Damra staarde hem aan. 'Is dat mogelijk? U zou... bijna driehonderd jaar oud moeten zijn.'

'De goden zijn goed voor me geweest,' zei Silwyth met een duistere en bittere glimlach.

Damra schudde haar hoofd. 'Uw leven is hier in gevaar. U bent vogelvrij verklaard en de doodstraf is over u uitgesproken. Ik zou u hier ter plekke kunnen doden, en dan zou ik als heldin worden beschouwd.'

De oude man knikte en haalde zijn schouders op. Zijn handen waren knoestig en de huid stond er strak overheen, zodat de kleinste botjes, pezen en aderen duidelijk zichtbaar waren. Hij was helemaal in het zwart gekleed, in de eenvoudige kleding van een boer: een wijde broek en een lange tuniek met een open hals. Hij liep op blote voeten, waarvan de huid leerachtig, gebarsten en eeltig was.

'Mijn leven is overal in gevaar. Maar ik ben niet degene die het meeste risico loopt, Damra van huis Gwyenoc.' De oude man tilde zijn stok op en wees ermee naar de soep. 'Als u dat had gegeten, zou u nu dood of stervende zijn. Het magische harnas van een Domeinheer beschermt tegen vele wapens, maar niet tegen degene die van binnenuit werken.'

Damra legde de lepel neer. Ze veegde haar vingers zorgvuldig af aan het servet. Ze keek weer naar de oude man. Als wat er over hem gezegd werd waar was, bevond ze zich in het gezelschap van een van de onbetrouwbaarste elfen die ooit geboren was.

'Er valt veel aan te merken op Garwina van Wyval, maar hij is geen moordenaar. Tenminste,' vervolgde ze toen ze aan Griffith dacht en aan het feit dat zijn leven in gevaar was, 'het Schild zou geen gast vermoorden. Zijn eigen huis zou tegen hem in opstand komen als hij zo'n snode, schandelijke daad beging. En het zou onmogelijk zijn de misdaad te verhullen. De bedienden hebben me gezien. Velen weten dat ik hierheen ben gekomen, onder wie de Goddelijke. Er zouden vragen worden gesteld...'

'En vragen worden beantwoord,' stelde Silwyth. 'U zou zijn gestorven aan een hartstilstand, Damra van Gwyenoc. Dat is de uitwerking van vingerhoedskruid. Zo'n dood zou verrassend zijn bij een vrouw van uw leeftijd, maar niet ondenkbaar. Maar u hebt gelijk. Garwina van Wyval heeft deze moordpoging niet begaan. Het is geen man voor zulke subtiliteiten.'

Nee, maar u blijkbaar wel, dacht Damra terwijl ze de oude man behoedzaam opnam. Hoewel hij gekleed ging als een boer, was hij dat niet. Ze hoorde de verfijnde toon van beschaving in zijn stem, van ontwikkeling zoals alleen de adel die kon bereiken, omdat die voldoende tijd heeft om te studeren. Silwyth van huis Kinnoth, die in verhalen en liederen werd beschimpt, was een edelman geweest.

'Waarom vertelt u me dit? Waarom waarschuwt u me? Wat hoopt u daarmee te bereiken?' vroeg Damra.

'Dat mijn huis in ere wordt hersteld en weer een plaats krijgt in het register van Tromek. Mijn huis kan dat doel bereiken door middel van een zeer heldhaftige of een zeer barmhartige daad. Ik ben verantwoordelijk voor de ondergang van mijn huis,' zei Silwyth. Zijn stem werd zachter. 'Niet alleen dat, maar ik ben ook verantwoordelijk voor het ruïneren van een zeer mooie, zeer edele dame. Mijn tijd in deze wereld is bijna op. Voordat ik vertrek om mijn straf uit te dienen in de gevangenis van de doden, wil ik doen wat ik kan om de vreselijke misstanden die ik in het leven heb veroorzaakt recht te zetten.'

'En dat wilt u nu doen, aan het einde van uw leven?' vroeg Damra op smalende toon.

'Ik heb hier vele jaren aan gewerkt,' antwoordde Silwyth. 'Ik heb grote afstanden afgelegd met maar één doel in gedachten: om de plannen van degene die eens mijn prins was, de Heer van de Leegte, te dwarsbomen. Ik heb al iets kleins bereikt, hoewel weinigen dat hebben gemerkt. Nu ben ik klaar om iets groots te bereiken... met uw hulp, Domeinheer.'

Damra dacht na; ze was nog niet bereid hem te vertrouwen, maar wilde wel horen wat hij te zeggen had.

'Wie wil mij dan doden?' vroeg ze.

'Degene die u vanavond in de eerste tuin van achter de muur heeft bespied.'

'Het lijkt me dat u dat moet zijn, Silwyth van huis Kinnoth,' zei Damra terwijl ze haar servet opvouwde en op tafel legde. Ze had in elk geval geen eetlust meer. 'Hoe lang bespioneert u me al?'

'Ik was er ook,' gaf Silwyth onmiddellijk toe. 'Maar niet om u te bespioneren, Damra van Gwyenoc. Ik was een ander gevolgd. Degene die ik volgde, heeft me naar u geleid. Zij en ik hebben uw gesprek allebei afgeluisterd. Ik heb zeer intrigerende dingen gehoord. En zij ook.' Hij wees weer met de wandelstok naar de kom. 'Vandaar het vingerhoedskruid in de soep.'

'U hebt toegegeven dat u vogelvrij bent, onteerd en in ongenade gevallen. Ik weet niet wat voor spelletje u speelt, maar ik begin te vermoeden dat u geld wilt.' Damra stond op. 'Dank u voor de waarschuwing. Of die terecht was of niet, u hebt een beloning verdiend voor uw moeite...'

'Maakt u zich niet zo gemakkelijk van me af, Damra van Gwyenoc.' Silwyths toon werd harder. 'Valura denkt dat u dood bent. Ze zal zo hier zijn, want ze komt het voorwerp in de knapzak stelen. U hebt haar gehoord, achter de muur. U hebt naar haar gezocht en ze was gedwongen te vluchten. Daardoor heeft ze niet gezien hoe u probeerde de knapzak aan te nemen van de pecwae en daar niet in slaagde. Gelukkig maar, want anders zou ze vannacht een bezoekje brengen aan de pecwae en zijn vrienden. Zij zouden de ontmoeting niet overleven. Maar in plaats daarvan is ze achter u aangegaan.'

'Ik wil u nogmaals bedanken voor de waarschuwing...'

'Weet u wat ze is, Damra van Gwyenoc? Ze is een Vrykyl. Wat moet het frustrerend zijn geweest voor die arme Valura.' Silwyth glimlachte, een duistere, strakke glimlach. 'Om de schat te vinden waar Dagnarus al tweehonderd jaar naar op zoek is en die niet te kunnen bemachtigen. Wat moet ze ernaar hebben verlangd om u in de tuin te vermoorden en meteen de schat mee te grissen. Maar ze moet vanavond nog iets anders doen, iets belangrijks. Ze durfde een gevecht niet te riskeren, want dat zou de aandacht trekken en de bewakers van het Schild zouden zich ermee bemoeid hebben. U vergiftigen was veel makkelijker, sneller en veiliger.'

Damra zweeg verontrust.

'U gelooft me niet,' zei Silwyth en hij klonk eerder geamuseerd dan beledigd. 'Mijn bewijs zal door die deur binnen komen lopen. Wat gaat u doen als de Vrykyl komt?'

'Als wat u zegt waar is...'

'Dat is het.'

'... dan zal ik dat kwade wezen, als het komt, doden...'

'Nee, dat moet u niet doen, Damra van Gwyenoc. Zoals ik al zei, moet ze vanavond nog iets anders doen, voor haar Heer Dagnarus. We moeten haar in staat stellen dat inderdaad te doen, want dan zullen de kuiperijen en intriges van Garwina van Wyval onthuld worden en dan zult u het bewijs hebben dat u nodig hebt om hem te dwingen uw man vrij te laten.'

Damra schoot uit haar slof. 'U weet wel heel veel van mijn persoonlijke zaken, oude man. Te veel!'

'Veel te veel,' gaf hij toe, en er klonk verdriet door in zijn stem. Zijn blik was somber.

Damra wierp hem gefrustreerd een boze blik toe. Met heftige woorden zou ze niets opschieten en misschien zou ze er zelfs wel slechter van worden. Om te kalmeren, wendde ze haar blik af van de ergerlijke oude man en keek ze weer naar de kom met inmiddels lauwe soep. Ze keek naar het kamerscherm waarachter de oude man zich had verborgen. Ze keek naar het altaar van de Geëerde Voorouder, die het eenzame kleine meisje had getroost maar de vrouw nu niet kon helpen, hoezeer Damra daar ook naar verlangde.

'Goed dan. Ik zal doen wat u voorstelt. Ik zal afwachten of die Vrykyl verschijnt.' Toen ze dat besluit eenmaal had genomen, was Damra ook meteen klaar om tot actie over te gaan. 'Wanneer denkt u dat ze zal komen?'

'In het holst van de nacht,' zei Silwyth. 'Ze zal verwachten dat u dood bent.'

Damra slaakte een geïrriteerde zucht. 'Dit is bespottelijk. Op het moment dat ze me aanraakt, zal ze ontdekken dat ik springlevend ben. Het gezegende harnas zal me automatisch beschermen tegen de Leegte. Dan moet ik haar wel doden.' Damra piekerde over het probleem. 'Ik zou mijn kracht kunnen gebruiken om een illusie van de dood te creëren...'

'Illusies houden de levenden voor de gek. De Vrykyls leven niet. Zij danken hun bestaan aan de Leegte en kunnen door een illusie heen kijken. Maar als u uw rol goed speelt, Damra van Gwyenoc, zal Valura u niet aanraken of zelfs maar bij u in de buurt komen. Ze heeft geen belangstelling voor u. Ze komt voor één ding, het voorwerp dat voor haar waardevoller en kostbaarder is dan alle juwelen en al het goud in de hele wereld.'

'Zo waardevol is het voorwerp nu ook weer niet,' zei Damra nonchalant, want ze wilde niet toegeven dat ze wist waar de oude man het over had.

'Voor sommigen niet. Het Schild, bijvoorbeeld, wil de Verheven Steen gebruiken om macht te verwerven. Maar voor vrouwe Valura' – Silwyths stem werd zacht – 'zij gebruikt hem om iets terug te kopen dat ze lang geleden is kwijtgeraakt. Voor haar is hij van onschatbare waarde.'

Hij maakte een buiginkje, stapte de cirkel van kaarslicht uit en ging met zijn bedaarde, langzame tred op weg naar de deur. 'Ik zal in de buurt zijn, mocht u me nodig hebben.'

Met dat slakkengangetje heb jij niemand gevolgd, Silwyth van huis Kinnoth, dacht Damra. Die kromme, gebogen rug van je is een leugen. Alles aan jou is een leugen. Maar toch durf ik de soep niet op te eten.

Ze hoorde de deur niet opengaan en voelde de buitenlucht niet, maar toen ze riep, gaf Silwyth geen antwoord. Was hij weg of verborg hij zich weer? Ze griste de kaars van het tafeltje, doorzocht de kamer en keek achter het scherm, maar vond geen spoor van hem. 'Wat probeer ik te bewijzen?' vroeg ze zichzelf. 'Zoals hij zei, zal het bewijs door die deur binnenlopen of niet. Als het dat doet, moet ik er klaar voor zijn. Als het dat niet doet, maak ik mezelf natuurlijk belachelijk, maar daar zou ik zo langzamerhand aan gewend moeten zijn.'

Zou ze de kaars moeten uitblazen? Nee. Als ze was gestorven terwijl ze aan de avondmaaltijd zat, zou de kaars nog branden. Ze wist van vingerhoedskruid alleen dat elfengenezers het in kleine doses aan patiënten met hartklachten gaven. Een grote dosis kon fataal zijn, maar ze wist niet hoe het zou werken. Sommige giffen werkten snel. Ze dacht niet dat vingerhoedskruid zo snel zou werken. Ze hoopte in elk geval van niet, want ze had niet veel zin om voorover op tafel met haar gezicht in haar soepkom te gaan liggen.

'Wie weet hoeveel uur ik moet wachten. Dan moet ik het mezelf in elk geval gerieflijk maken. Wat zou ik doen als ik me ziek ging voelen? Gaan liggen. Ik zou zijn gaan liggen en op bed zijn gestorven.'

Damra ging liggen. Toen ze probeerde de houding aan te nemen van een lijk, werd ze zich plotseling bewust van het lachwekkende van de situatie en begon ze te giechelen. Verschrikt besefte ze dat ze toegaf aan haar nervositeit en dwong ze zichzelf te kalmeren. Ze liet haar gedachten de vrije loop en de ene gedachte leidde tot de andere.

Doen alsof je dood bent. Elfenhuurmoordenaars kunnen dat goed. Ze kunnen hun ademhaling en hun hartslag vertragen, zodat het bloed langzaam gaat stromen en zelfs de lichaamstemperatuur lager wordt. Een krijger zou zoiets verachtelijks nooit doen, maar huurmoordenaars hadden geen eer, dus hoefden ze zich daar ook niet druk over te maken. Damra vroeg zich plotseling af of Silwyth was opgeleid tot huurmoordenaar. Dat zou veel over hem verklaren.

Veel, maar niet alles.

Hij was van adel en het was zeer ongebruikelijk dat edellieden het duistere en ellendige pad van de huurmoordenaar opgingen. Ongebruikelijk, maar niet ongekend, vooral niet voor elfen wier huis verarmd of gedoemd was, want dan waren er weinig eerzame manieren om aan geld te komen. Maar de meeste edellieden zouden liever eerzaam de hongerdood sterven dan huurmoordenaar worden. Het verdriet in zijn stem, de somberheid in zijn blik waren het verdriet en de somberheid van het berouw geweest, een luxe die een harteloze huurmoordenaar zich niet kon veroorloven.

Wat haar het meest overtuigde, was dat Silwyth met kennis van zaken over de Vrykyls praatte. De meeste elfen zijn zich niet eens bewust van het bestaan van Vrykyls. De Wyred wel, zoals die alles weten wat met magie te maken heeft, maar die houden hun kennis geheim, want kennis is macht.

Damra wist van de Vrykyls af, net als alle Domeinheren, want Vrykyls zijn hun duistere tegenpolen, die op mysterieuze wijze via de Verheven Steen met hen verbonden zijn. Damra, die altijd nieuwsgierig was, had meer over de Vrykyls willen weten dan ze van de Raad van Domeinheren te weten had kunnen komen. Haar nieuwsgierigheid had Griffith ertoe aangezet de Vrykyls te kiezen als zijn specialisatie en had ervoor gezorgd dat ze de Bastaardridder Gustav hadden ontmoet, wiens leven in het teken had gestaan van de studie naar de Verheven Steen en alles wat daarmee te maken had. Via hem was ze in contact gekomen met Arim, die als tussenpersoon optrad tussen Damra en Heer Gustav, een Vinnengaelees en daarmee een vijand.

Doordat Gustav door een Vrykyl verwond was, wist hij dat de Vrykyls de Verheven Steen op het spoor waren. Toen hij stervende was, had hij de Steen naar haar gestuurd, omdat hij wist dat zij het enige lid van de Raad van Domeinheren was dat het gevaar volledig zou onderkennen. Silwyth van huis Kinnoth zou ook verstand hebben van Vrykyls. Als hij was wie hij beweerde te zijn, was hij aanwezig geweest bij de schepping van die verdorven wezens. Hij was naar haar gekomen zoals Gustav naar haar was gekomen.

De rimpeling breidt zich uit, raakt de grenzen aan en begint weer naar binnen te golven...

Damra schrok wakker en vervloekte zichzelf om haar gebrek aan discipline. Ze lag roerloos, want ze dacht dat ze iets had gehoord. Toen ze zich concentreerde, hoorde ze het geluid opnieuw, deze keer onmiskenbaar: een hand die langzaam en heimelijk de deur openduwde.

De doden hebben hun ogen meestal open, maar Damra vertrouwde zichzelf niet. Ze sloot de hare tot op een klein kiertje, zodat ze tussen haar donkere wimpers door kon kijken. Er kwam een vrouw haar kamer binnen, en haar zijden jurk ruiste: de mooie vrouwe Godelieve. Damra was verbaasd. Deze mooie, elegante vrouw een kwaadaardig wezen? Ze zou het niet hebben geloofd als haar eigen zintuigen het haar niet vertelden. Deze vrouw sloop het gastenverblijf binnen op een nachtelijk uur waarop ze volgens de etiquette in haar eigen bed had moeten liggen.

De vrouwe liep de kring van kaarslicht in. Damra zag de uitdrukking op het mooie gezicht en twijfelde niet langer. Vrouwe Godelieve keek naar Damra, keek naar haar slachtoffer, en haar blik was leeg. Geen medegevoel. Geen haat. Niets. Ze gaf geen zier om het leven dat ze genomen had. Silwyth had gelijk gehad.

Vrouwe Godelieve verloor de aandacht voor haar slachtoffer en ging op zoek naar de Verheven Steen. Nu veranderde haar gelaatsuitdrukking in één van hoop en verwachting. Damra bleef roerloos liggen en haalde zo oppervlakkig mogelijk adem. Haar hartslag leek ongewoon luid te klinken; ze was bang dat die haar zou verraden. Ze voelde de krachtige magie van de Leegte in haar buurt en ze moest haar uiterste best doen om stil te blijven liggen en geen beroep te doen op de magische krachten van haar heilige harnas, geen hand uit te steken naar een van haar zwaarden.

De vrouwe doorzocht de kamer grondig. Ze hield huis op het altaar voor de Voorouder, keerde schaaltjes om, goot het water uit het vaasje en tuurde erin. Ze keek achter het scherm. Damra wilde dat haar zoektocht voorbij was, dat ze wegging. Ze kon de spanning niet verdragen.

Vrouwe Godelieve keek besluiteloos om zich heen, met een woede die Damra kon voelen.

'Hij is er niet,' zei de Vrykyl op verbitterde toon.

Damra deed haar ogen een stukje verder open. Tussen haar wimpers door zag ze dat de vrouw een smal mes in haar hand had, het bloedmes.

'Ik heb overal gezocht, edele heer. Hij is hier niet, ik weet het zeker. Anders zou ik hem toch wel vinden?' De Vrykyl zweeg even en luisterde naar die andere stem en zei toen: 'Ik voelde hem niet toen ik binnenkwam. Ja, ik weet zeker dat ik hem zou voelen. Vergeet niet dat ik hem heb gezien. Ik was erbij, met uw vader en uw broer, Helmos.' Ze zweeg weer even en zei toen: 'Het kan me niet schelen wat Shakur zegt. Hij is een lafaard. Wat verwacht u dan? Ik zou hem voelen! Dat weet ik zeker!' Haar stem beefde van passie, was laag en vertwijfeld. 'Ik zou hem voelen zoals u hem zou voelen, edele heer.' De Vrykyl werd kalmer terwijl ze naar de stem luisterde, en toen ze weer sprak, was haar toon koel. 'Misschien heb ik me vergist. Misschien heeft de Domeinheer de Steen niet aangenomen. In dat geval moet een van haar bezoekers hem nog hebben. Ik zal hem morgenochtend bemachtigen. Eerst de ene,' zei ze, 'en daarna de andere.'

Ze stak het mes weer achter de sjerp die ze om haar jurk droeg. De Vrykyl wierp een laatste blik op Damra en deze keer was het een vijandige blik, een blik van diepe weerzin die het mooie gezichtje verwrong. Even ving Damra een glimp op van het afschuwelijke gezicht van de Vrykyl, het grijze en rottende vlees dat aan de schedel hing en de oogkassen met daarin de duisternis van de Leegte. En toen was de Vrykyl verdwenen; de kaars flakkerde en doofde toen ze erlangs liep.

Damra ademde bevend in. Ze was doorweekt van het koude zweet en trilde over haar hele lichaam. Ze werd overvallen door een golf van misselijkheid. Ze ging duizelig zitten, bang dat ze moest overgeven. Nooit eerder was ze zo bang geweest, met zo'n verschrikkelijke, verlammende angst dat ze zich er zwak en beverig van voelde.

'Haast u, Damra van Gwyenoc,' riep de oude man uit de deuropening. 'Schud uw angst van u af. We moeten haar volgen.'

Damra stond op van haar bed. Nu de Vrykyl weg was, begon haar angst te vervagen en kwam daarvoor in de plaats een grote vastbeslotenheid om het wezen te doden en de wereld van dat kwaad te bevrijden. Het magische harnas van een Domeinheer vloeide over haar huid en bracht haar de liefde en kracht terug die er van de Vader en de Moeder naar haar was uitgegaan tijdens de Transfiguratie.

Toen Damra buiten het gastenverblijf stond, keek ze om zich heen naar het terrein. Het paleis van het Schild was in duisternis gehuld, want hoewel de diepste nacht al voorbij was, gloorde er nog geen licht aan de oostelijke hemel.

De wereld zelf leek te sluimeren, want de stilte was diep, maar niet iedereen in de hofhouding van het Schild sliep. Er zouden bewakers wakker zijn en over het terrein patrouilleren. Het was algemeen bekend dat Damra het Schild vijandig gezind was. Als ze haar op dit uur van de nacht zagen rondsluipen, zouden ze het slechtste denken.

'Silwyth,' riep Damra zachtjes in het donker, want ze had geen idee waar hij gebleven was.

'Hier ben ik,' zei hij en dat was hij inderdaad, zo dichtbij dat ze hem had kunnen vastpakken.

'Waar gaat ze heen? Wat wil ze?'

'De Verheven Steen,' zei Silwyth fluisterend. 'Niet de Steen die u is nagelaten, Damra van Gwyenoc. Daar heeft Valura naar gezocht, maar die heeft ze niet gevonden. Nu is ze op weg naar de Steen die de elfen hebben gekregen van koning Tamaros, mogen de voorouders hem eren.'

'Onze Verheven Steen! Die kan ze onmogelijk stelen,' protesteerde Damra ontzet. 'De Steen wordt dag en nacht bewaakt door soldaten die het Schild trouw zijn en soldaten die de Goddelijke trouw zijn...'

'Maar die zullen geen van allen veel in te brengen hebben tegen een Vrykyl,' zei Silwyth grimmig. 'Het is aan u om haar tegen te houden.'

'De Verheven Steen wordt bewaard in een verborgen tuin in het midden van het landgoed van het Schild. Bij elke bocht en hoek van hier tot daar staan gewapende bewakers. Als ik met hen allemaal moet vechten, zou ik hen ongetwijfeld kunnen verslaan,' zei Damra kalm, 'maar dan wordt het wel een heel lange nacht.

Wat betreft mijn ravenmagie,' vervolgde ze, vooruitlopend op wat ongetwijfeld zijn volgende suggestie zou zijn, aangezien hij zoveel over haar wist, 'dankzij mijn harnas kan ik de gezegende lucht bevelen me op te tillen en te dragen waarheen ik wil. Helaas zullen de Wyred van het Schild de grond helemaal hebben bezaaid met betoveringen om elementaire magie te verstoren en hoewel mijn magie krachtig is, is ze niet onfeilbaar. Ik zou niet willen riskeren dat er iets mis gaat terwijl ik me op de hoogte van de boomtoppen bevind.'

'U bent niet onfeilbaar,' beaamde Silwyth. 'En daarom had u vannacht de behoefte om te gaan bidden bij het Heiligdom van de Vader en de Moeder, Damra van Gwyenoc.'

'Natuurlijk,' zei Damra geërgerd. 'Wat dom van me om daar niet aan te denken. Waar zult u zijn?' vroeg ze enigszins achterdochtig.

'Waar ik moet zijn,' antwoordde hij.

Diep over zijn stok gebogen liep hij bij haar weg; hij zag eruit als een stokoude, driepotige spin die wegkroop in het donker. Damra probeerde hem in het oog te houden, maar hij versmolt met de nacht.

Ze kon geen tijd verspillen met peinzen over Silwyth. Nu niet meer. Tot nu toe had hij de waarheid gesproken. Ze sloeg haar hand om een zilveren hanger die ze om haar hals droeg, een hanger die de vorm had van een stralende zon die werd vastgehouden door twee griffioenen, het symbool van de Domeinheren. Het magische harnas dat ze droeg, verdween. Ze was weer gekleed in haar habijt en wijde broek. Ze zou haar strijdzwaard moeten achterlaten, want niemand zou zijn wapens meenemen naar het heiligdom. Maar haar ceremoniële zwaard zou ze wel kunnen dragen, want dat was een symbool van eer dat haar was toegekend door de voorouders, en kon dus wel in heilige ruimtes worden gedragen.

De nachtlucht was zacht. Er riep een uil. Een andere, een eindje weg, gaf antwoord. Damra liep snel van de gastenverblijven naar het eerste van vele hekken die ze zou moeten passeren om het Heiligdom van de Vader en de Moeder te bereiken. Volgens de wet van de elfen kon niemand haar tegenhouden.

De geschiedenis van het deel van de Verheven Steen dat de elfen toebehoort, is een bloedige; een droevig feit dat wijlen koning Tamaros nooit heeft geweten. De goede man stierf in de overtuiging dat de Verheven Steen de volken van Loerem in vrede zou samenbrengen. Als de goden genadig zijn, houden ze de waarheid nog steeds voor hem verborgen.

Toen koning Tamaros de Verheven Steen kreeg en aankondigde dat hij elk van de vier delen aan een van de vier volken zou geven, ging de Goddelijke, de vader van de huidige Goddelijke, ervan uit dat de Steen naar hem zou gaan, als geestelijk leider van het land Tromek. Hij stuurde zijn afgevaardigde, heer Mabreton, om de Steen uit naam van de Goddelijke aan te nemen. Het Schild van de Goddelijke had andere ideeën. Hij zag in dat de Steen degene die hem in zijn bezit had een buitengewone macht zou verlenen.

Met de hulp van een lagere elfenheer, Silwyth, die zich uitgaf als kamerheer van prins Dagnarus maar in werkelijkheid een spion aan het hof van de mensen was, zorgde het Schild ervoor dat heer Mabreton in het geheim werd omgebracht. Het Schild nam de Verheven Steen aan van de onwetende koning Tamaros en ging niet in op alle verzoeken van de Goddelijke om de Steen naar hem te sturen.

Het Schild liet een speciale tuin aanleggen om de Steen in te huisvesten, beschermd door listige en sterke magische strikken. De Steen zou daar echter niet lang blijven. Toen prins Dagnarus Heer van de Leegte werd, verklaarde hij Vinnengael en zijn broer, koning Helmos, de oorlog. De vier volken waren bij het accepteren van de Verheven Steen overeengekomen dat als een van de volken bedreigd werd, de andere drie hun deel van de Steen zouden inleveren om de vrede te behouden. Helmos stuurde boodschappers naar de andere volken om hun te vragen hun deel van de Steen terug te geven. De anderen weigerden een voor een.

Omdat het Schild bang was dat het elfendeel van de Steen gevaar kon lopen, bracht hij het over naar zijn eigen paleis. Het Schild was een geheime bondgenoot van prins Dagnarus. Er vochten troepen van de elfen aan de zijde van Dagnarus en er stonden er meer aan de grens, klaar om op te rukken als Dagnarus de overwinning behaalde, om land in te nemen dat hun was beloofd in ruil voor hun hulp.

Er sneuvelden veel elfen bij de vernietiging van Vinnengael. Het Schild moest jegens de Goddelijke verantwoording afleggen voor hun levens. Daar had het Schild zich nog wel uit kunnen redden, ware het niet dat Silwyth toen de misdaden van het Schild onthulde, te beginnen met de moord op Heer Mabreton. Het Schild was omsingeld door zijn vijanden. Hij verzocht te mogen sterven door toedoen van de Goddelijke, die dat plezier overliet aan de jongere broer van Heer Mabreton. Vanaf die dag was huis Kinnoth geruïneerd.

Niemand wist wat er met Silwyth was gebeurd. Door het Schild ten val te brengen, veroorzaakte hij ook zijn eigen ondergang, want zelfs de Goddelijke was niet machtig genoeg om hem vergiffenis te schenken. De jongere heer Mabreton spaarde kosten nog moeite om hem te vinden, want Silwyth was degene die zijn broer daadwerkelijk had gedood en die Dagnarus had geholpen met het verleiden van vrouwe Valura, de vrouw van Heer Mabreton. Heer Mabreton zette een vorstelijke prijs op Silwyths hoofd en velen beproefden hun geluk, maar niemand had hem ooit kunnen vinden. Nu, tweehonderd jaar later, werd algemeen aangenomen dat hij dood was, want hoe kon iemand met zo veel vijanden en zo weinig vrienden zo lang overleven? Dat vroeg Damra zich ook af.

Na de ondergang van het huis van het Schild bracht de Goddelijke de Verheven Steen naar het Heiligdom van de Vader en de Moeder in de hoofdstad van Tromek, Glymrae. Garwina van huis Wyval, een levenslange vriend van Cedar, werd tot Schild van de Goddelijke benoemd. Om zijn nieuwe status recht te doen, schonk de Goddelijke Garwina een koninklijk paleis in Glymrae. Op het terrein dat bij dit schitterende paleis hoorde, lagen ook het Heiligdom van de Vader en de Moeder en de nieuwe tuin waarin de heilige Verheven Steen gehuisvest werd.

De Steen werd bewaakt door soldaten die trouw waren aan het Schild en de Goddelijke. Zelfs toen de betrekkingen tussen de Goddelijke en zijn vroegere vriend verslechterden, was de Goddelijke nooit bang geweest dat de Verheven Steen in gevaar kon zijn. Als man van eer en integriteit zou de Goddelijke zich niet kunnen voorstellen dat iemand anders zo immoreel kon zijn dat hij zou overwegen het heilige voorwerp te stelen voor zijn eigen gewin.

Ook Damra kon zich dat niet voorstellen. Als Silwyth gelijk had en het Schild samenzwoer met de Vrykyl om de Steen voor hem te stelen, stal het Schild niet van de Goddelijke maar van het elfenrijk. Het Schild had de taak op zich genomen de Steen in bewaring te houden voor het elfenvolk. Daar had hij zich toe verplicht met het afleggen van een eed. Als hij die eed brak, zouden de Vader en de Moeder hem de rug toekeren. Zijn eigen voorouders zouden hem verstoten. Zo'n misdaad zou nog gruwelijker zijn dan de vergrijpen die huis Kinnoth had begaan. Garwina en zijn huis zouden geruïneerd en onteerd zijn, misschien wel zonder kans om het ooit weer goed te maken. Er waren wel huizen uit het register geschrapt, maar er was nog nooit een huis ontbonden, opgeheven, zodat het ophield te bestaan. Het zijne zou heel goed het eerste kunnen zijn.

Hoezeer Damra het Schild en zijn politiek ook afkeurde, zo'n vreselijk lot kon ze hem niet toewensen, want hij zou niet de enige zijn die eronder zou lijden. Hij zou vele duizenden onschuldigen verdoemen, de elfen die afhankelijk waren van zijn huis voor bescherming. Als hij viel, zou hij hen meeslepen.

Damra kwam aan bij het eerste van de vele wachthuisjes die tussen haar en het Heiligdom van de Vader en de Moeder stonden. De bewakers waren klaarwakker en alert. Ze hielden haar tegen en beken haar met koele en behoedzame blikken. Ze vertelde hun dat ze vannacht de behoefte had te gaan bidden. Ze lieten haar door, zoals ze verplicht waren te doen. Toen ze onopvallend omkeek, zag ze een van hen wegrennen naar het grotere gebouw van de bewaking. Hij zou haar aanwezigheid doorgeven aan zijn meerdere. Zou die weer rapport uitbrengen aan een hoger geplaatst iemand? Hoe snel zou het nieuws het Schild bereiken?

Damra ging wat sneller lopen. Ze zei bij elke wachtpost die ze passeerde hetzelfde. Het terrein rond het paleis van het Schild was uitgestrekt, het had een diameter van misschien wel dertig kilometer of meer. Door de tuinen van het paleis kronkelden zich verscheidene paden naar het Heiligdom.

Het was een heldere nacht, met een zilveren maan en fonkelende sterren. Damra kon moeiteloos haar weg vinden. Ze was alleen. Er was niemand anders op de been vannacht. Maar er konden wel spionnen rondsluipen, dus durfde ze niet te rennen, want dat zou argwaan wekken. Ze liep zo snel ze kon en hield haar pas in tot een bedachtzaam wandeltempo als ze de bewakers naderde. Aangespoord door een gevoel van haast dat groter werd naarmate ze dichter bij het Heiligdom kwam, moest Damra haar uiterste best doen om niet tegen de bewakers te snauwen of, nog erger, met ongepaste snelheid langs hen te benen.

Ze passeerde de laatste controlepost met een overweldigend gevoel van opluchting. Toen ze boven aan een heuveltje kwam, zag ze het Heiligdom van de Vader en de Moeder onder zich liggen. Elfen geloven dat ze kinderen van de goden zijn, met name van de Vader en de Moeder, die aan het hoofd staan van de familie van de goden en de familie van de doden, de voorouders van de elfen. De elfen voelen zich nauw verbonden met hun voorouders en gaan dus graag met alle problemen en klachten naar hen toe. Elfen hebben eerbied en ontzag voor de Vader en de Moeder. Hun raad vragen ze alleen onder zeer moeilijke omstandigheden.

De Goddelijke is formeel het hoofd van de kerk, hoewel de priesters hun eigen hiërarchie hebben. In tegenstelling tot de kerk van de mensen, die religie en magie combineert, spant de kerk van de elfen zich in om die twee te scheiden. De priesters hebben niet veel macht, maar hun belang ligt in het feit dat zij de enigen zijn die de strikte grenzen binnen de elfenmaatschappij kunnen overschrijden. Een priester, hoe laag van geboorte ook, mag tegen iedereen praten. Een boer die vindt dat hem onrecht is aangedaan, kan niet met zijn grief bij het Schild terecht, want de boer zou niet in de omgeving van het Schild worden toegelaten. De boer gaat met zijn grief naar de priester, die, ook al is hij zelf afkomstig uit een boerenfamilie, een audiëntie bij het Schild kan krijgen om hem te vertellen over de ellende van de boer. Als gebouw was het Heiligdom niet mooi of indrukwekkend. Zo te zien was het weinig meer dan een steenhoop met openingen in de steenblokken bij wijze van ramen en een grotere opening die dienst deed als deur. Het Heiligdom was een van de oudste bouwwerken op heel Loerem, want in de allervroegste geschriften van de elfen wordt het al als oud betiteld. De stenen die de muren van het Heiligdom vormen, zijn naar men zegt door de Vader zelf neergelegd en daarom is het de heiligste van alle heilige plaatsen in Tromek.

Er scheen helder licht door de ramen naar buiten. Het Heiligdom was dag en nacht open voor iedereen die steun en raad nodig had. Een aantal priesters stond als silhouetten afgetekend tegen het licht in de deuropening de nacht in te turen. Er was iets aan de hand.

Het kon Damra nu niet meer schelen wie haar zag, dus begon ze te hollen. Ze sloeg haar hand om de hanger die ze om haar hals droeg. Het harnas van de Domeinheer vloeide over haar lichaam. Ze zou door een bosje ceders moeten lopen. Dat was de eerste verdedingingsbarrière.

Toen ze bij het cederbosje aankwam, bleef ze staan en keek verontrust om zich heen. Afgebroken takken lagen op de grond of bungelden afgeknapt aan de bomen. Eén boom was volledig in tweeën gespleten, alsof hij door de bliksem was geraakt, maar hij was niet zwartgeblakerd en er rees geen rook op van het versplinterde hout. De lucht was doordrongen van de magie van de Leegte. Damra kon nauwelijks ademhalen, zo dicht was de damp. De Wyred hadden krachtige magische hinderlagen in het bosje gelegd om dieven weg te houden. De kracht van de Leegte had die verpulverd. De Vrykyl had zich zeer grondig een weg gebaand.

Damra greep het gevest van haar ceremoniële zwaard, trok het en hield het voor zich uit terwijl ze geluidloos over het pad van vernietiging sloop dat haar vijand had gecreëerd. Ze moest goed uitkijken waar ze haar voeten neerzette en zegende de ravenogen die ze van de goden had gekregen. Ze bereikte de rand van het bosje en zag de bewaarplaats van de Steen zelf.

Er hing een kristallen bol aan een draad van bladgoud die was bevestigd aan de bovenkant van een kooi, waarvan de spijlen van staal met goud vervlochten waren. In die bol lag de Verheven Steen te fonkelen in het felle zilveren licht dat eromheen hing. De kooi stond in het midden van een spiegelvloer, die de kooi en de glinsterende Steen weerkaatste. Het oppervlak van de spiegel was zo volmaakt dat de weerspiegelde voorwerpen niet te onderscheiden waren van de echte. De spiegelvloer stak aan alle kanten van de kooi nog anderhalve meter uit.

Wee degene die dat oppervlak onvoorzichtig betrad, want tenzij je wist waar je moest lopen (en er werd gezegd dat slechts twee mensen in Tromek de geheime route kenden, de Goddelijke en het Schild van de Goddelijke), zou je van de vaste grond in het niets stappen, want de spiegel was een illusie die was gecreëerd door de Wyred. Een dief zou in een diepe kuil vallen, vanbinnen bekleed met messcherpe ijzeren pinnen, en een afschuwelijke dood sterven.

Als je erin slaagde om de illusoire vloer veilig over te steken, moest je door de spijlen van de kooi zien te komen, die met zeven sloten was afgesloten (een voor elk van de belangrijkste huizen) en waarvoor je de zeven sleutels nodig had. Vier daarvan waren in het bezit van de Goddelijke en drie in het bezit van het Schild. Dan en alleen dan kon je de Verheven Steen bereiken, die in zijn kristallen bol hing. Op de grond eromheen lagen de lichamen van verscheidene bewakers. Sommigen droegen de wapenrusting van huis Trovale van de Goddelijke, anderen dat van het Schild van de Goddelijke. De strijd was bloedig geweest en door beide zijden was er verbeten gevochten. De bewakers die loyaal waren aan het Schild hadden gewonnen, want daarvan waren er nog zes in leven, maar geen van hen was ongedeerd gebleven. Eén bewaker drukte zijn verbrijzelde arm tegen zijn zijde.

Van een ander was het gezicht tot op het bot opengehouwen. Een derde knielde neer naast een kameraad en knoopte haastig een tourniquet om het dijbeen van de man. De soldaten die trouw aan de Goddelijke waren geweest, waren allemaal dood.

Damra kon zich de strijd voorstellen, en hoe fel en wanhopig die was geweest. Hoewel ze trouw waren aan verschillende huizen, hadden deze mannen jarenlang samengewerkt. Ze moesten wel vrienden geworden zijn, kameraden; sommigen stonden elkaar misschien wel zo na als broers. Toen hadden, in één enkele nacht van verraad, sommigen zich tegen hun vrienden, hun kameraden, hun broeders gekeerd. Ze hadden bevelen uitgevoerd. Hun plicht gedaan. Niemand kon hun iets kwalijk nemen, want de plicht jegens iemands huis ging voor vriendschap, liefde en zelfs familie. Toch maakte de gedachte eraan Damra ziek.

Ze keek behoedzaam toe en nam de situatie op, in plaats van er meteen heen te rennen. De bewakers leken op iemand te wachten. Ze tuurden om zich heen in de duisternis. Ze waren nerveus en ongerust, omdat ze niets hoorden behalve de beschuldigende stemmen van de zielen van hun vermoorde slachtoffers. Damra begon ook ongerust te worden. De Vrykyl had zich een weg door het cederbosje gebaand. Waar was ze? Verschool ze zich in de duisternis van de Leegte, keek ze toe en maakte ze de balans op van de situatie, net als Damra?

Damra zag uit haar ooghoek iets bewegen. De soldaten hieven hun bebloede zwaarden en groepeerden zich om zich te verdedigen.

Er kwam een gedaante te voorschijn uit het donker van de ceders tegenover Damra. Het was een vrouw. Ze was mooi en fragiel en liep met een elegante gratie over het met bloed doordrenkte en vertrapte gras. De bewakers lieten hun wapens zakken en stapten achteruit om haar te laten passeren.

Vrouwe Godelieve merkte hen nauwelijks op. Ze keek naar links noch rechts. Haar blik was op de Verheven Steen gevestigd, die fonkelde in zijn kristallen bol.

Damra's eerste impuls was om uit haar schuilplaats te voorschijn te rennen en toe te slaan, het wezen in zijn zwakste vorm aan te vallen. Een Vrykyl kan zijn beschermende, magische harnas net zo snel aantrekken als een Domeinheer, maar Damra zou het voordeel van de verrassing hebben en dat zou haar wel iets opleveren, vooral daar de Vrykyl geloofde dat ze dood was.

Damra stond op het punt gehoor te geven aan deze impuls, hoewel dat betekende dat ze ook met de bewakers van het Schild zou moeten vechten. Ze greep het gevest van haar zwaard en boog zich wat naar voren.

Er sloot een hand om haar pols.

Damra schrok vreselijk en keek om.

Silwyth stond naast haar.

'Wat...' begon ze in een boze, gedempte fluistering.

De greep om haar pols werd steviger. De oude man had opmerkelijk veel kracht in zijn handen. Zijn lippen vormden één woord: 'Wacht.'

Damra bracht haar woest bonkende hart tot bedaren en nam een meer ontspannen houding aan. Ze had geen idee hoe hij hier was gekomen, hoe hij erin was geslaagd om haar bij te houden of hoe hij langs de bewakers was gekomen, die een lid van huis Kinnoth ogenblikkelijk gedood zouden hebben. Deze oude elf was niet wat hij bij oppervlakkige beschouwing leek.

Vrouwe Godelieve bleef aan de rand van de bewaarplaats van de Steen staan en riep een van de bewakers.

'Houd de wacht,' droeg ze hem met haar melodieuze stem op.

De bewaker boog diep. Zijn overblijvende manschappen namen een positie in rond de spiegelvloer, met hun gezicht naar het cederbosje en met getrokken zwaard.

Vrouwe Godelieve liep langs de rand van de illusoire vloer en keek aandachtig naar de stenen erlangs totdat ze bij een bepaald punt kwam. Hier tilde ze de rok van haar jurk, die met bloed bevlekt was, een stukje op en zette voorzichtig haar voet op het gladde spiegeloppervlak. Toen ze daar steun vond, nam ze nog een stap, en nog een paar, en ze schreed zo gracieus over het spiegeloppervlak als een schaatser die over het glanzende ijs glijdt. Ze kwam veilig bij de kooi aan.

Ze had vast de zeven sleutels niet, maar spijlen van staal en goud houden een Vrykyl niet tegen die zich zojuist een weg door een bos heeft geblazen. Toch verwachtte Damra dat de kooi de Vrykyl nog wel wat inspanning zou kosten, haar zou vertragen, al was het maar even. Damra keek verbijsterd toe hoe de Vrykyl haar hand dwars door de spijlen heen stak, alsof de kooi niet bestond.

Vrouwe Godelieve hief haar hoofd en keek op naar de Verheven Steen, die boven haar hing. Ze bleef er even naar kijken, knielde toen neer op de vloer van de kooi en stak haar hand uit naar de weerspiegeling van de Verheven Steen, die onder haar voeten glinsterde.

Pas toen doorzag Damra de illusie. De Verheven Steen hing niet aan de bovenkant van de kooi. Hij lag op een sokkel, die van onderen af omhoogstak. De weerspiegeling was de werkelijkheid, de werkelijkheid de weerspiegeling. De illusie was zo sterk dat Damra's ogen zich nog steeds lieten bedriegen, zelfs nu ze begreep hoe het werkte, en dat ze moeite moest doen om wat ze zag te verzoenen met wat ze wist dat de waarheid was.

Damra wierp een blik op Silwyth. De oude elf staarde met een strak, onbewogen gezicht naar de Vrykyl.

'Was de vrouw tijdens haar leven echt zo mooi?' vroeg Damra. Net als met de illusie probeerde ze wat ze met haar ogen zag te verzoenen met wat ze wist dat de waarheid was.

'Nog mooier,' antwoordde hij zacht. 'Dit is maar een herinnering aan haar schoonheid.'

Een bittere herinnering, dacht Damra, en ze richtte haar aandacht weer op de Vrykyl.

Vrouwe Godelieve zat op haar knieën op de grond van de kooi. Ze stak beide handen uit naar beneden en pakte de kristallen bol met de Verheven Steen erin van zijn sokkel. Ze staarde lang naar de Steen. Ze glimlachte niet. Haar gezicht drukte een rustige, zelfvoldane triomf uit.

'Nu!' fluisterde Silwyth. 'Neem de bewakers, Damra. Vrouwe Valura is mijn verantwoordelijkheid.'

Damra stond op het punt tegen te werpen dat hij onmogelijk tegen een Vrykyl op kon, maar toen zag ze dat het gebogen lijf zich rechtte. De moeizame gang veranderde in een snelle sprint. Geoefende, sterke handen hanteerden de wandelstok, die een wapen was geworden. Silwyth bewoog zo snel dat hij een veeg in haar blikveld was, een schaduw die over het bebloede gras schoot. Een van de bewakers van het Schild kreeg hem in het oog. Zijn schreeuw waarschuwde de anderen. De zes begonnen Silwyth te omsingelen.

Damra's zilverkleurige harnas glansde met een heilige schittering toen ze te voorschijn kwam om de strijd aan te gaan. De aandacht van de bewakers werd afgeleid van Silwyth, die enkel een donkere vlek was, door deze glinsterende verschijning, die als een wraakgodin op hen af leek te komen. Ze staarden vol ontzag naar haar, alsof ze door de bliksem getroffen waren.

Damra maakte onmiddellijk gebruik van hun verbazing. 'Zoals jullie verraders zijn, zijn ook jullie verraden,' riep ze. 'Jullie zijn bedrogen door een wezen van de Leegte. Geef jullie over en ik zal jullie leven sparen.'

'Ik ken haar,' grauwde een bewaker. 'Damra van Gwynoc. Vanavond nog heeft het Schild haar een landverrader genoemd. Ze heeft haar leven verspeeld.'

Hij had zijn zwaard al in zijn hand, en nu trok hij een dolk uit zijn riem. Alle krijgers van het Schild waren geoefend in het vechten met twee handen en dit waren zijn beste soldaten. Vijf van hen draaiden zich naar haar om. De zesde achtervolgde Silwyth.

Damra was alleen gewapend met een kort zwaard dat eerder ceremonieel dan praktisch was. Maar ze had een sterker wapen. Damra had haar ravenmagie en de raaf staat bekend om zijn trucjes.

Plotseling stonden de bewakers van het Schild tegenover drie Domeinheren. Uit het niets verschenen er twee illusies van Damra aan weerszijden van de bewakers. De zesde had Silwyth bijna te pakken toen hij een stem in zijn oor hoorde.

'Help! Ik heb je hulp nodig!'

Het was de melodieuze stem van vrouwe Godelieve, tenminste, dat dacht de man. Hij bleef staan, keek om zich heen en zag dat de aandacht van vrouwe Godelieve op de Domeinheer was gericht en dat haar mooie gezichtje was vertrokken tot een frons. Hij besefte dat hij was beetgenomen, maar toen hij zijn slachtoffer zocht, was de oude elf nergens meer te bekennen.

Damra veranderde handig van positie zodat de bewaker een van haar illusies aanviel. Toen hij zijn slag uitdeelde, floot zijn zwaard door de lucht en door de kracht van zijn zwaai verloor hij zijn evenwicht. Damra viel hem van achteren aan en gaf hem een klap waardoor hij voorover op de grond viel.

De illusies van haar waren ongelooflijk realistisch en bootsten haar precies na. Een van de bewakers wist op het ogenblik dat zijn zwaard niets tastbaars raakte dat hij tegen de lucht vocht. Hij draaide zich om zijn as, zag Damra en een illusie van Damra en verspilde een kostbare seconde met een poging te bepalen wat wat was. Damra trapte hem met haar voet vol in zijn borst, waardoor hij naar achteren vloog. Toen ze zware ademhaling achter zich hoorde, herstelde ze zich van haar trap, draaide zich om en zwaaide met haar zwaard. De kling drong onder het harnas van de bewaker bij zijn middel binnen, in zijn ribbenkast. Schreeuwend van pijn klapte hij dubbel. Ze gaf hem met het gevest van haar zwaard een klap tegen zijn kaak en sloeg hem bewusteloos.

Toen ze zich snel omdraaide om andere tegenstanders te zoeken, zag ze dat er een was gevlucht, waarschijnlijk om versterking te halen. Een ander stond alert naar haar te kijken; zijn blik schoot van de ene Damra naar de andere in een poging te besluiten welke hij zou aanvallen.

Ze zocht Silwyth en zag dat hij de bewaarplaats van de Steen had bereikt. Hij stapte de illusoire vloer op. Damra hield haar adem in en verwachtte hem in de kuil te zien tuimelen, maar hij had geen problemen. Hij stak op dezelfde plek en op dezelfde manier over als vrouwe Godelieve had gedaan. Hij besloop de Vrykyl, die haar rug naar hem toe had. Valura hield de Domeinheer in de gaten. De Vrykyl zag Silwyth niet en hoorde hem niet naderen.

Silwyth zag niet dat een van de bewakers van het Schild achter hem aan sloop. De bewaker kende de geheime route. Hij stak de illusoire vloer moeiteloos over. Met geheven zwaard stond hij klaar om de oude elf in de rug te steken.

'Silwyth!' riep Damra. 'Achter je!'

Silwyth draaide zich om en haalde met de wandelstok uit om de bewaker met de ijzeren punt in zijn middenrif te prikken, onder de borstplaat. De bewaker verloor zijn evenwicht en viel met een gil in de kuil.

Valura hoorde het gevaar achter haar. Ze draaide zich ernaar om en op dat ogenblik nam ze de afschrikwekkende gedaante van een Vrykyl aan.

Damra had geen tijd om zich zorgen te maken over de Vrykyl of Silwyth. Haar kreet had een einde gemaakt aan de illusie. De overblijvende bewaker kwam behoedzaam naderbij om haar aan te vallen.

'Kunt u alleen met magie vechten, Domeinheer? Vecht eens eervol,' zei hij honend.

'Jij moet nodig over eer praten,' antwoordde Damra smalend. 'Hoeveel soldaten van de Goddelijke heb je in de rug gestoken?'

'Het Schild heeft hen tot verraders verklaard,' zei de bewaker boos, op verdedigende toon. 'Verraders hebben geen eer, zoals u zelf hebt bewezen.'

'Kijk eens naar de Verheven Steen,' vertelde Damra hem. 'Wees getuige van de eer van het Schild.'

'Weer een trucje!' snauwde de bewaker, maar hij was duidelijk van zijn stuk gebracht, in de war. Hij had zijn plicht gedaan en zijn bevelen opgevolgd, maar het verraad van die nacht was hem niet bevallen. Hij begon te twijfelen.

Damra liet haar wapen zakken en stapte naar achteren. 'Kijk dan,' spoorde ze aan.

De bewaker hield zijn wapens klaar voor de aanval. Hij wilde een snelle blik op de Steen werpen en dan verder gaan met het gevecht. Hij zag de Vrykyl, met het donkere harnas dat het zilveren licht van de spiegelvloer absorbeerde, alsof het probeerde het licht van de hemel te vernietigen.

'Voorouders, red ons,' bracht hij hijgend uit. 'Wat voor kwaad is er op ons neergedaald?'

'Het bedrog van het Schild in zichtbare vorm,' vertelde Damra hem.

Damra riep de vleugels van de raaf te hulp, hief haar armen en zweefde de lucht in. Terwijl ze recht voor de verbijsterde bewaker hing, schopte ze hem in zijn gezicht. Hij sloeg achterover en het bloed spoot

uit zijn neus en mond. Damra kwam weer neer op de grond.
'Tegen een eervolle tegenstander vecht ik eervol,' zei ze tegen hem,
en toen draaide ze zich om om te zien hoe het Silwyth verging.

Valura had niets gehoord van het gevecht, het geschreeuw van de bewakers van het Schild of de kreten van de stervenden. Die stervelingen lieten haar koud. Ze waren insecten voor haar en of ze bleven
leven of stierven was haar om het even. Haar aandacht was alleen
gericht op de Verheven Steen. Ze had de kristallen bol in haar handen en staarde gebiologeerd naar het fonkelende juweel daarin.
'Ik heb de Steen, edele heer!' riep ze uit.
De opgetogenheid, de triomfantelijkheid en de vreugde van Dagnarus sloegen door haar heen en brachten herinneringen terug aan lang
geleden, toen het haar lichaam was geweest dat hem genot had gebracht, en zijn liefde die haar vreugde had geschonken. Het waren
nu bittere herinneringen, vol pijn, en toch hield ze die stevig vast,
want ze vormden de laatste verbinding die ze had met wat ze ooit
was geweest. Ze stond op het punt de kristallen bol kapot te slaan
en de Steen te pakken, toen ze Damra's waarschuwende kreet hoorde.
'Silwyth! Achter je!'
Silwyth! De naam maakte deel uit van Valura's pijnlijkste herinneringen. Silwyth, de kamerheer van Dagnarus, had meegewerkt aan
hun verboden ontmoetingen. Hij had briefjes heen en weer gebracht
en had haar cadeaus gebracht van haar minnaar. Silwyth had haar
geholpen haar misleide echtgenoot te bedriegen. Silwyth, die van haar
hield om wat ze was geweest en medelijden met haar had om wat ze
was geworden.
Zijn medelijden. Elke keer dat ze in zijn ogen had gekeken, had ze
zijn medelijden gezien en daar haatte ze hem om, zelfs na al die jaren nog. Ze kon Dagnarus' weerzin jegens het wezen dat ze was geworden verdragen, hoewel die haar meer pijn deed dan zelfs het sterven haar had gedaan. Maar Silwyths medelijden kon ze niet
verdragen.
Valura's blik ging van de Verheven Steen in haar handen naar de oude elf. Silwyth stond achter haar, gevaarlijk balancerend op de stapstenen die over de illusoire vloer leidden.
Vrouwe Godelieve verdween; de illusie was vergeten, in de steek gelaten. In plaats daarvan stond de Vrykyl er.
Een harnas donkerder dan de donkerste diepten van haar haat vloeide over Valura's skeletachtige lijf. Van haar magere handen en van
haar schouders staken messcherpe stekels uit. De afzichtelijke helm

met het vraatzuchtige gezicht van een eeuwig hongerige dood bedekte haar schedel en gaf de lege kassen ogen van vuur.

Silwyth was stokoud, afgeleefd, zijn gezicht zo gerimpeld en verschrompeld dat hij bijna niet meer te herkennen was. Maar ze herkende hem toch, ze wist dat het Silwyth was. Ze zag het medelijden in zijn ogen.

Valura gooide de kristallen bol op het platform aan diggelen. De bol versplinterde. Tussen de scherpe, puntige scherven van kristal lag de Verheven Steen te glinsteren aan haar voeten. Ze besteedde geen aandacht aan de Steen; ze hoefde die nu alleen nog maar op te pakken. Ze trok haar zwaard en sprong op Silwyth af.

Valura bracht haar wapen naar beneden met een snelle beweging die haar tegenstander in tweeën had moeten klieven. De kling sloeg met zo'n kracht tegen de stenen dat er vonken af vlogen en het gesteente barstte. Het zwaard had Silwyth gemist, en die stond nu achter haar.

Een klap van Silwyths stok raakte Valura in haar onderrug en sloeg haar bijna van het platform af.

'Te lang heb je me gekweld, ben je in mijn voetstappen gevolgd,' grauwde ze terwijl ze zich omdraaide om een einde te maken aan zijn leven.

Verblind door haar woede viel ze met het zwaard naar hem uit. Hij ontweek de klap met een verbluffende behendigheid. Ze kwam op hem af. Haar woeste slagen dreven hem naar achteren. De scherven van het gebroken kristal knerpten onder zijn blote voeten. Er vloeide bloed.

'Ik ben me van je bewust geweest, Silwyth,' zei Valura tegen hem, terwijl ze haar voordeel uitbuitte. 'Je hebt me gevolgd en hebt geprobeerd mijn plannen te dwarsbomen.' Ze viel weer naar hem uit en dreef hem nog een stap achteruit. 'Nu heb je een keuze, ouwe stumper. Sterven aan mijn zwaard of sterven aan de ijzeren pinnen onder je.'

'U vergist zich in me, vrouwe Valura,' zei Silwyth en zijn stem was zacht van medelijden, reden om hem tot in het oneindige te vervloeken. 'Ik heb u al die jaren gezocht om u een geschenk te geven.'

'Wat is dat dan?' riep ze uit terwijl ze weer naar hem uithaalde.

Hij dook onder het fluitende zwaard door. Hij greep een lange, scherpe scherf kristal van de grond en stak Valura in haar buik.

'De dood.'

De kristalscherf drong door het harnas van de Vrykyl heen diep het lichaam in dat lang geleden was weggerot. De wond van het magische kristal dat door de Vader en de Moeder was gezegend, sneed de

koorden van de Leegte door die Valura aan dit leven bonden. Schreeuwend van woede en doodsangst liet ze haar zwaard vallen en greep
ze met beide handen de scherf vast. Ze probeerde die los te trekken.
'Aanvaard mijn geschenk, vrouwe Valura,' drong Silwyth aan, en zijn
stem was vol pijn, haar pijn, die hij deelde. 'Laat dit gekwelde leven
dat geen leven is onder uw vingers wegglijden. Vind eindelijk rust en
troost.'

Het begon donker te worden in Valura's hoofd. Ze voelde zichzelf
wegzinken in die duisternis, zoals je in slaap kunt zinken. Het einde
van de pijn, het einde van haar lijden, het einde van het schuldgevoel, het einde van... de liefde.

De Verheven Steen lag fonkelend aan haar voeten. Ze hoorde de stem
van Dagnarus.

'Valura? Heb je de Steen voor me?'

Met een sidderende kreet rukte Valura de kristalscherf uit haar lijf.
Ze viel uit naar Silwyth.

Hij spreidde zijn armen, deed een stap naar achteren en viel in de
kuil.

Daar was ze blij om. Ze wachtte op zijn doodsskreet, die haar als muziek in de oren zou klinken. De kreet kwam niet. Hij stierf in stilte.
Dat gaf niet. Hij was weg en zou haar niet meer lastig vallen. De
kracht van de Leegte begon haar afschuwelijke wond al te helen. Ze
bukte zich en stak haar hand uit om de Verheven Steen op te pakken.

Ze kon hem niet pakken. Valura probeerde haar hand naar de steen
te brengen, maar haar hand werd weggeduwd door een aura van magie. Getart riep ze de kracht van de Leegte te hulp en stak opnieuw
haar hand uit naar de Verheven Steen.

De magische aura rond de Steen spatte uiteen. Triomfantelijk pakte
Valura de Steen.

De woede van de goden golfde door haar heen. Een schok van withete pijn vulde de Leegte binnen in haar, zodat die opzwol en open-
barstte. Beroofd van haar magie zakte Valura op het platform ineen.
De Verheven Steen rolde uit haar levenloze hand en bleef liggen op
de scherven van kristal.

Damra rende naar de rand van de spiegelvloer met het idee tussenbeide te komen in het gevecht tussen de stokoude, afgeleefde elf en
de sterke Vrykyl. Toen ze daar aankwam, bleef ze staan omdat ze
tot haar verbazing zag dat Silwyth de dodelijke slag van de Vrykyl
ontweek, de lucht in sprong en zijn magere lijf draaide voordat hij
achter haar neerkwam. Hij sloeg haar met zijn stok tegen haar rug.

Damra zou de Vrykyl van achteren kunnen aanvallen, maar daarvoor moest ze eerst de illusoire vloer oversteken en ze kende de route niet.

'Wind van waarheid!' riep ze terwijl ze haar handen uitstak. 'Blaas de mist van het bedrog weg!'

De opgeroepen magie zorgde ervoor dat de illusies rond de Verheven Steen voor haar ogen verdwenen. De spiegelvloer verdween. Zes ronde stapstenen leidden naar het platform waarop de Vrykyl stond. Toen ze in de kuil keek, zag ze de messcherpe ijzeren pinnen die van de vloer naar boven staken. Het lichaam van een van de bewakers van de Goddelijke lag op de pinnen gespietst. Zijn dode mond was opengesperd in een geluidloze kreet. De pinnen staken door zijn borst, buik, dijen en armen naar boven. De bodem van de kuil lag vol bloed.

Damra's maag trok zich samen bij de gedachte aan de afschuwelijke dood die de man was gestorven. Ze concentreerde zich op de stapstenen en was er net in geslaagd naar de eerste van de zes te springen toen Silwyth de kristalscherf in de buik van de Vrykyl dreef.

Damra's hart stokte van de gil van het wezen, en ze verstijfde en balanceerde gevaarlijk op de steen. Ze zag Silwyth tegen de Vrykyl praten. Zijn stem was zacht, ze kon niet verstaan wat hij zei. Het volgende ogenblik rukte de Vrykyl de kristalscherf los en dook naar Silwyth.

Damra keek ontzet toe hoe hij rustig van het platform stapte. Toen de Vrykyl zich bukte om de Verheven Steen te pakken, sprong Damra naar de volgende steen. Ze moest het platform bereiken en met de Vrykyl vechten op een plek waar ruimte was om te manoeuvreren.

De woede van de goden die werd ontketend toen de Vrykyl probeerde de Steen te pakken, uitte zich in een explosie van wit vuur die de stilte van de nacht met een geweldige klap doorbrak. Damra wendde haar gezicht af van het verblindende licht. Haar magische harnas beschermde haar tegen de kracht van de hete, harde wind die opstak. Toen de wind ging liggen en het licht doofde, keek Damra weer naar het platform en zag de Vrykyl daar roerloos liggen. De Verheven Steen lag glinsterend op het platform, dicht bij de rand.

Damra liep verder over de stapstenen. Toen ze het platform bereikte, trok ze haar zwaard en hield dat boven de Vrykyl. Het wezen verroerde zich niet. Damra cirkelde om de gestalte in het zwarte harnas heen en stapte bijna op een bebloede hand die zich aan het platform vastgreep.

'Help me eens,' zei Silwyth terwijl hij een andere met bloed bevlekte hand opstak.

Damra pakte de hand vast en trok Silwyth over de rand van het platform.

'Waarom bent u niet dood?' vroeg ze.

'Een vraag die velen hebben gesteld,' antwoordde hij met een half glimlachje.

Hij hurkte neer en praatte tegen de Vrykyl.

'Vrouwe Valura,' zei Silwyth zo zacht dat Damra hem niet zozeer hoorde als wel voelde in haar ziel. 'Er is u door velen gruwelijk onrecht aangedaan, en ik ben een van hen. Ik vraag u om vergiffenis.'

De Vrykyl bewoog niet. Met een zucht kwam Silwyth overeind en deed een stap naar achteren. Damra hief haar zwaard en liet het neerkomen op de nek van de Vrykyl, zodat haar hoofd van haar romp werd gescheiden. De helm rolde een stukje weg. Damra verzamelde haar moed en tuurde erin. Ze zag niets, alleen duisternis. Toen ze zich van het weerzinwekkende wezen afkeerde, zag ze dat Silwyth zijn hand naar haar uitstrekte. In zijn handpalm lag de Verheven Steen.

'Neem de Steen, Damra van Gwyenoc,' zei hij. 'U hebt het deel van de elfen en de pecwae heeft dat van de mensen. De goden hebben de twee samengebracht.'

'Die kan ik niet aannemen,' riep Damra geschrokken uit. 'De Goddelijke is de enige die de Verheven Steen mag bezitten.'

'Niemand mag hem bezitten. Geen enkele sterveling,' zei Silwyth. 'Luister naar me, want we hebben niet veel tijd. Het Schild is gewaarschuwd dat zijn plan is mislukt. Hij en zijn bewakers zijn op weg hierheen en we moeten allebei weg zijn voordat ze aankomen.'

'Ik luister,' zei Damra met tegenzin.

'Toen koning Tamaros de Steen kreeg, hebben de goden hem verteld dat de mensheid nog niet wijs genoeg was om te begrijpen hoe hij gebruikt moest worden. Hij sloeg hun waarschuwing in de wind en stuurde de vier delen van de Steen de wereld in. Zowel toen als nu zijn er moorden gepleegd vanwege de Steen.' Silwyth gebaarde naar de lichamen van de soldaten die om hen heen lagen. 'De Steen is in bloed gedrenkt.'

Damra schudde haar hoofd, niet overtuigd. 'Zonder de Verheven Steen verliezen we het vermogen om Domeinheren te creëren...'

'Breng de Stenen naar de Raad van Domeinheren. Laat die beslissen wat er moet gebeuren,' drong Silwyth aan terwijl hij het deel van de Verheven Steen naar haar bleef uitsteken. 'De positie van Heer Dagnarus wordt dagelijks sterker. Dat weet ik, want ik heb gezien hoe groot zijn legers zijn. De aantallen soldaten zijn immens, en ze zijn hem volledig toegewijd, want ze geloven dat hij een god is. Hij is van plan alleen al tienduizend soldaten naar Nieuw Vinnengael te sturen. De tanen zijn schrikwekkende krijgers, fel in de strijd, want hun wordt voorgehouden dat er geen grotere glorie is dan om hun leven voor hem te geven. Die tienduizend soldaten zijn al onderweg naar de westelijke ingang van het Portaal van Tromek.'

'Het Portaal zal standhouden...'

'Het Portaal zal vallen. Het Schild heeft Dagnarus vrije doorgang beloofd.'

'De idioot!' zei Damra verbitterd.

'De twee delen van de Verheven Steen mogen niet in het land van de elfen blijven, Damra,' zei Silwyth ernstig. 'De Goddelijke is te zwak om ze te beschermen.'

'Maar wat zal er met mijn man gebeuren? Ik kan hem niet achterlaten om te sterven terwijl het in mijn macht ligt om hem te bevrijden. Nee, ik zal niet...'

'Uw man is al bevrijd,' zei Silwyth. 'Door mij. Hij is veilig weggesmokkeld uit Tromek. Hij wacht op u op een plek ten noorden van Nieuw Vinnengael: het Bolwerk van Shadamehr.'

Damra staarde hem aan. 'Ik geloof u niet. U hebt zelf gezegd dat ik deze informatie kon gebruiken om mijn man vrij te krijgen. En nu beweert u dat hij al vrij is...'

'Dus hebt u de informatie goed gebruikt, Damra van Gwyenoc,' zei Silwyth met een glimlach.

'Hoe kan ik u vertrouwen?' vroeg ze gefrustreerd en boos.

'Ik geef u de Verheven Steen,' zei Silwyth.

Damra aarzelde, maar ze had eigenlijk niet veel keuze. Ze kon de Steen niet hier laten liggen, maar ook niet achterlaten in handen van Silwyth van huis Kinnoth.

'Goed dan,' zei ze.

Silwyth legde de Verheven Steen voorzichtig in haar hand. De Steen was kleverig van zijn bloed en fonkelde niet meer in het licht.

'Ik vraag één gunst van u, Damra van Gwyenoc. Vertel de Goddelijke wat ik vannacht heb gedaan,' zei Silwyth. 'Ik vraag geen vergeving voor mezelf, maar voor mijn familie, voor de jongeren, wier leven al is verwoest voordat het goed en wel begonnen is, en voor de ouden, die zonder waardigheid sterven. Herstel huis Kinnoth in ere.'

'Als alles wat u hebt gezegd waar blijkt te zijn, zal ik dat doen.' Meer kon Damra niet beloven.

Blijkbaar was dat voldoende, want Silwyth boog en draaide zich om om te vertrekken. Voordat hij ging, wees hij.

In de duisternis lichtten brandende toortsen op. Het embleem van het Schild glansde op harnassen en op banieren.

Ongerust over Silwyth keek Damra om zich heen, maar ze zag hem niet. Ze haalde haar schouders op en zette hem uit haar hoofd. Hij had bewezen dat hij wel voor zichzelf kon zorgen. Ze had andere dingen aan haar hoofd.

Damra verborg de Verheven Steen achter de borstplaat van haar harnas. Ze was nog steeds niet zeker van haar besluit. Ze had meer informatie nodig. Had het Schild de Steen echt willen stelen? Had hij samengespannen met het wezen van de duisternis? Damra keerde op haar schreden terug over de stapstenen en verschool zich toen in het cederbosje om te zien wat er zou gebeuren.

De lijfwacht van het Schild inspecteerde de plaats des onheils als eerste, om zich ervan te vergewissen dat het Schild niet aan gevaar zou worden blootgesteld. De ridders staarden met oprechte verbijstering naar het gruwelijke tafereel en Damra concludeerde dat ze niet in het complot hadden gezeten. De eerste die merkte dat de magie was uitgeschakeld, riep uit dat de Verheven Steen weg was. Een paar van hen renden naar de bewaarplaats van de Steen, maar hun officier bracht hen tot staan.

Hij droeg hun op te onderzoeken of de omgeving veilig was, te kijken of ze de gewonden konden helpen en te proberen iemand onder de gewonden te vinden die kon vertellen wat er was gebeurd. De ridders verspreidden zich en Damra kroop wat verder achteruit het donker in. Ze had de magie van haar harnas verborgen onder het zwarte verenkleed van de raaf en was niet bang gezien te worden, maar er was altijd de kans dat iemand tegen haar op zou lopen.

De Vrykyl lag roerloos op het platform. De officier wierp één doordringende blik op het zwart geharnaste wezen. Hij was duidelijk nieuwsgierig, maar hij was het voorzichtige type, wat hij ook wel moest zijn, met de verantwoordelijkheid voor het leven van het Schild op zijn schouders. De Vrykyl bewoog niet en hij was niet van plan zijn manschappen erheen te sturen voordat hij zeker wist dat er niet meer van dat soort in de buurt verscholen waren. De ridders doorzochten het bos, maar ze vonden niets, ook Damra niet. Nadat de bewakers zich in een wijde kring hadden opgesteld, kwam er een terug om de officier te melden dat alles veilig was.

De bewaker die door Damra in zijn gezicht was getrapt, ging met zijn hand over zijn gebroken neus zitten. De officier knielde naast hem neer en vroeg hem wat er gebeurd was. Mompelend door het bloed gaf de bewaker antwoord en spoog wat tanden uit.

'Hij zegt dat hij alleen met het Schild wil praten,' zei de officier terwijl hij de man grimmig opnam. Hij kwam overeind en overzag het terrein. 'Een van jullie moet teruggaan naar de kazerne waar het Schild wacht. Hij is door de voorouders gewaarschuwd dat zoiets zou kunnen gebeuren. Vertel hem wat je hebt gezien en vraag of hij hierheen wil komen.'

De officier wierp een blik op de Vrykyl en keek om zich heen naar de gesneuvelde soldaten van de Goddelijke. Hij liep naar een van hen toe en legde zijn hand tegen de hals van de man om te voelen of er nog een hartslag was. Hij schudde zijn hoofd en zijn gezicht werd somberder.

'Een waarschuwing van zijn voorouders,' mompelde Damra zachtjes. 'Wat handig. Maar hebben ze hem ook gewaarschuwd voor de Vrykyl?'

De officier liep naar de bewaarplaats. Hij tuurde naar beneden en zag het lichaam in de kuil. Hij trok zijn zwaard en liep over de stapstenen behoedzaam naar de Vrykyl toe. Zijn mannen keken zwijgend toe. De nacht was zo stil dat Damra de scherven van het kristal duidelijk kon horen knerpen onder de laarzen van de officier. Ze hoorde hem scherp inademen toen hij vlak bij de Vrykyl was, die eruitzag als een of ander monsterlijk insect dat dood op zijn rug lag. Hij stak voorzichtig zijn hand uit om het harnas aan te raken, misschien om te zien of het wezen nog leefde.

Zijn vingers beroerden het oppervlak. Hij trok met een ruk zijn hand terug en veegde zijn vingers af aan de zijden tuniek die hij onder zijn harnas droeg. Hij zocht het platform af en tuurde zelfs in de kuil in een poging de Verheven Steen te vinden. Toen hij die niet kon vinden, keek hij weer naar de gestalte in het zwarte harnas en schopte met de punt van zijn laars tegen de handen om te zien of de Vrykyl hem misschien nog vast had. Toen hij er niet in was geslaagd de Steen te vinden, liep de officier terug over de stenen. Hij veegde steeds weer zijn hand aan zijn tuniek af.

Blijkbaar was het Schild niet in de kazerne gebleven en was hij zijn lijfwachten op de voet gevolgd, want hij kwam veel eerder aan dan verwacht. Garwina was kalm. Hij had zijn verhaal klaar. Hij keek streng om zich heen en wilde net op hoge toon vragen wat er gebeurd was, toen hij de Vrykyl zag.

Garwina was er goed in om zijn ware gevoelens te verbergen. Hij had een gezicht van klei dat, eenmaal geboetseerd, altijd dezelfde vorm behield. Maar bij de aanblik van het zwart geharnaste wezen dat temidden van de scherven van de uiteengespatte bol lag, barstte het gezicht. De ogen van het Schild werden groot en zijn mond viel open. Hij staarde onthutst naar het wezen.

'Wat... wat is dat?' brabbelde hij.

'Ik weet het niet, edele heer,' zei de officier. 'Ik hoopte dat u me dat kon vertellen.'

Bij de grimmige toon van de officier keek het Schild hem scherp aan. Al zijn ridders keken nors en namen hem met gefronste wenkbrauwen op. Zijn blik schoot van hen via de dode soldaten en de gewonde soldaat naar de bewaarplaats van de Steen. Damra kon de hersenen van het Schild bijna horen kraken.

'Is dat dan niet duidelijk?' zei hij, en zijn ogen schoten vuur vanwege hun verdenkingen. 'De waarschuwing die ik heb gekregen was terecht. Dit was een poging van de Goddelijke om de Verheven Steen te stelen. Hij heeft dat weerzinwekkende wezen' – het Schild wees naar de Vrykyl – 'gestuurd om de Steen te bemachtigen. Onze soldaten hebben geprobeerd het tegen te houden.'

'Wat ik zie, is dat de soldaten van de Goddelijke in de rug zijn gestoken,' zei de officier. 'Breng die man hier.'

Twee ridders sleepten de soldaat met de gebroken neus naar het Schild.

'Vertel ons wat er gebeurd is,' beval de officier.

De man keek naar het Schild, liet zich op zijn knieën zakken en boog zijn hoofd. 'Ik heb gefaald in mijn plicht. Ik verzoek om de dood, edele heer!' riep de man uit.

Het Schild trok zijn zwaard, maar al te bereid om aan dit verzoek te voldoen, maar de officier stapte tussen de twee in.

'Eerst zul je de waarheid spreken,' zei de officier. 'Het was een heilige plicht die je te vervullen had. Je hebt trouw gezworen aan het Schild, aan de Goddelijke en aan het land Tromek. Als je die eed hebt verbroken, zal je ziel naar de gevangenis van de doden gaan en je familie zal voor zeven generaties te schande zijn gemaakt en in ongenade vallen. Spreek de waarheid en je kunt je eed nog vervullen, en jezelf en je familie redden.' De officier wierp het Schild een blik toe. 'Ik weet zeker dat je heer je zal opdragen de waarheid te spreken.'

Het Schild probeerde iets te zeggen, maar de spieren van zijn gezicht waren zo verstijfd dat zijn woorden onverstaanbaar waren. De gewonde man keek even naar zijn heer, maar zag niets dat hem kon helpen. Hij begon te praten.

'Ons is verteld dat de Goddelijke een plan beraamde om de Verheven Steen te stelen. We kregen de opdracht zijn soldaten te doden voordat zij dat met ons zouden doen. We vonden het wel raar, want ze gaven er geen enkel blijk van dat ze verraad gingen plegen. Ze praatten en lachten met ons, net als altijd. Ze waren onze vrienden...'

De man zweeg even en toen zei hij op gevoellozer toon: 'We hebben onze bevelen uitgevoerd, maar het was moeilijk. Ik kende Glath al vele, vele jaren. Zijn zoon is met mijn dochter getrouwd. Maar mijn eerste verplichting had ik jegens mijn heer. Ik heb Glath in de rug gestoken. Nooit zal ik vergeten hoe geschokt hij keek, omdat ik hem had verraden. Hij vervloekte me terwijl hij stierf.'

De man liet zijn hoofd hangen. 'Toen werd ik bang dat ik degene was die verraden was. Ik wilde het niet toegeven totdat de Domeinheer kwam en...'

'Domeinheer!' riep het Schild uit. 'Wat voor Domeinheer?'

'Ik ken haar van uiterlijk, edele heer,' zei de soldaat. 'Ik heb haar hier gezien in gezelschap van de Goddelijke. Maar ik weet niet hoe ze heet.'

'Ik wel,' zei het Schild tandenknarsend.

'Ga verder,' zei de officier met een onheilspellende blik op het Schild. 'Ons was verteld dat er een dame zou komen om de Verheven Steen in veiligheid te brengen. Ze verscheen en verdween toen weer en dat ding' – de officier wees naar de Vrykyl – 'nam haar plaats in. Wat er daarna is gebeurd weet ik niet, want de Domeinheer heeft me geschopt en ik ben een tijdje bewusteloos geweest. Ik ben wakker geworden van een vreselijke klap. Ik zag de Domeinheer bij dat wezen staan, samen met een oude man, en toen waren ze allebei verdwenen.'

'Had de Domeinheer de Verheven Steen?' vroeg het Schild.

'Ik... ik weet het niet, edele heer,' zei de ongelukkige man.

'Dat moet wel,' zei het Schild. Hij wendde zich weer tot de officier. 'Zie je nou wel? De Goddelijke heeft zijn vertegenwoordiger gestuurd om de Steen te stelen.'

'Het klinkt mij meer in de oren alsof de Goddelijke zijn vertegenwoordiger heeft gestuurd om hem te redden,' zei de officier. 'De Domeinheren zijn gezegend door de goden. Dat ding' – hij wees naar de Vrykyl – 'is een wezen van de Leegte.'

De mond van het Schild bewoog. Hij beefde van woede, maar hij kon niets zeggen, durfde niets te zeggen totdat hij er goed over had nagedacht. De officier stak zijn hand uit, greep de soldaat bij zijn kraag en hees hem overeind.

'Je zult je verhaal aan de Goddelijke vertellen.'

'Het is mijn woord tegen het zijne,' stelde het Schild vast.

'Er zijn hier meer gewonden, die zijn verhaal zullen bevestigen,' zei de officier. Hij keek het Schild niet aan, maar hield zijn blik afgewend.

De ridders verzamelden de gewonden en droegen hen weg. Het Schild bleef alleen achter, temidden van de brokstukken van zijn plan. Hij had zijn armen over elkaar geslagen en zijn gezicht was weer het koude, bewegingloze masker. Hij was nog steeds plannen aan het beramen, dat kon Damra aan hem zien.

Damra had alles gehoord wat ze moest weten. Haar ergste verdenkingen waren bevestigd. Ze zou naar de Goddelijke moeten gaan en Cedar de waarheid moeten vertellen. Ze zette koers in die richting, maar ze liep langzaam en uiteindelijk bleef ze staan.

Als ze naar de Goddelijke ging, zou ze de Verheven Steen moeten afgeven. De woorden van Silwyth over die vijand, die Heer Dagnarus, en de nadrukkelijke toon waarop hij had gesproken stonden in haar geheugen gegrift. *Ik heb gezien hoe groot zijn legers zijn. De aantallen soldaten zijn immens, en ze zijn hem volledig toegewijd... De Goddelijke is te zwak... Als ze naar de Goddelijke ging, zou ze verstrikt raken in een politiek web van beschuldigingen, tegenbeschuldigingen en misschien zelfs burgeroorlog. Het Schild had een flinke klap gehad, maar hij was niet dood. Hij was zo rijk, machtig en slim dat hij hier nog bovenop zou kunnen komen.*

'Wat er verder ook gebeurt, ik moet de pecwae en zijn metgezellen naar de Raad van Domeinheren brengen. Als ik Silwyth geloof, wacht mijn man op me in het Bolwerk van Shadamehr in het Vinnengaelse Rijk. Daar ligt mijn bestemming. Hier is niets voor mij.'

Damra keek om zich heen, naar het complotterende en manipulerende Schild, naar de lichamen van degenen die hij had laten doden, naar het zwart geharnaste kwaad dat tussen de restanten van de bewaarplaats van de Steen lag.

'Nu niet. Misschien wel nooit meer.'

Damra liep de nacht in.

Toen hij alleen was achtergebleven, overdacht Garwina van huis Wyval zijn situatie. Hij was koel en berekenend van aard, niet het type om wanhopig te tobben. Het lot was voor hem gekeerd. Dat kon gebeuren in het leven en daarom hadden de goden de kat gezegend met het vermogen zich in de lucht om te draaien en op zijn pootjes terecht te komen. Net als de kat probeerde ook Garwina er het beste van te maken.

Het grootste probleem was in zijn ogen dat lijk van het vreemde wezen van de Leegte. Al het andere kon weggeredeneerd worden, zelfs de moorden, want hij had zich al voorzien van documenten die op het eerste gezicht tamelijk onschuldig waren, maar waar hier en daar iets aan kon worden veranderd om aan te tonen dat de Goddelijke had meegewerkt aan een poging om de Verheven Steen te stelen.

Garwina hield het lijk in de gaten terwijl hij erheen liep om het te onderzoeken. Hij was geen lafaard maar had net als alle elfen een diep wantrouwen jegens magie. Elfen vinden vooral de magie van de Leegte weerzinwekkend, want het gebruik daarvan is een belediging van de goden, een gruwel. Als de Goddelijke zou kunnen bewijzen dat Garwina samenzweer met tovenaars van de Leegte, zou het Schild echt geruïneerd zijn. Hij zou dan, om zijn eer en die van zijn huis te redden, zelfs gedwongen kunnen zijn om de dood te verzoeken.

Maar wat voor bewijs had de Goddelijke? Alleen het woord van een paar ridders dat ze het wezen hadden gezien, want de idioten waren vertrokken zonder eraan te denken het bewijs mee te nemen. Garwina hoefde zich alleen maar van dat lijk te ontdoen en dan zou hij kunnen beweren dat de ridders het slachtoffer waren van een illusie die was gecreëerd door de Domeinheer. Ja, Garwina zag nog wel een uitweg.

Het Schild liep over de stapstenen naar het platform. Hij staarde naar het zwart geharnaste ding dat roerloos aan zijn voeten lag. Hij wist niet waar het vandaan kwam en kon alleen maar aannemen dat vrouwe Godelieve het had gebruikt om de Verheven Steen te stelen. Het feit dat ze onder één hoedje speelde met de Leegte verraste hem niet erg. Dat deed ze ook met mensen. Van het een naar het ander was geen grote stap.

Zijn maag trok zich samen en hij kreeg kippenvel bij de gedachte het walgelijke ding aan te raken, maar hij moest het zwarte harnas en het lijk daarin wegslepen en begraven, verbranden of op een andere manier vernietigen. Nadat hij moed had verzameld voor die akelige taak, zette Garwina zijn kiezen op elkaar en bukte zich om de helm af te doen, zodat hij het gezicht kon bekijken.

Er kwam een zwart geharnaste hand omhoog, die Garwina bij de pols greep.

Garwina's adem stokte. Hij kon geen lucht krijgen en zich niet verroeren. Verstijfd van angst stond hij te staren terwijl de Vrykyl overeind kwam. Het wezen bleef het Schild bij de arm vasthouden, met zoveel kracht dat hij naar lucht hapte van pijn. En toen sloeg zijn angst om in verbijstering: de Vrykyl smolt weg en loste op in de Leegte. Op het platform naast hem stond vrouwe Godelieve, met haar smalle hand om zijn pols geslagen.

Het Schild deinsde achteruit en viel bijna in de kuil.

'U bent dood! Dat moet wel! Uw hoofd...' Hij kon zijn zin niet afmaken.

'U hebt gelijk. Ik ben dood. Al tweehonderd jaar. Je bent zo wijs, Silwyth, maar toch heb je een vergissing gemaakt. Je hebt me niet in mijn hart gestoken.' Ze dempte haar stem. 'Niet zoals Dagnarus heeft gedaan, toen hij me maakte tot wat ik ben...'

'Wat bent u dan?' riep het Schild angstig uit.

Vrouwe Godelieve keek hem minachtend aan. 'Een macht die uw begrip te boven gaat. Een grote macht. Die u kan helpen.' Ze deed een stap naar hem toe.

Garwina zag haar schoonheid, maar ook het afschuwelijke gezicht onder de illusie. Hij zag haar zachte huid en haar rottende vlees. Hij zag de hoge jukbeenderen en de verbleekte botten van haar schedel. Hij zag de prachtige ogen en de lege kassen. Hij zag de gebogen, sensuele lippen wijken in de grijns van een lijk. Het Schild was ontzet en tegelijkertijd geïntrigeerd. Ze had gelijk. Dit was macht. Immense macht. En die had zich bij hem aangesloten.

Hij onderdrukte een huivering.

'Wat wilt u dat ik doe?' vroeg hij.

'Help me de Verheven Steen terug te krijgen,' antwoordde ze.

Damra wist waar ze Arim kon vinden. Hij zou logeren in het huis van de Nimoreaanse ambassadeur. Damra liep om het huis zelf heen naar de gastenverblijven, die achter het hoofdgebouw lagen. In het raam van een van de kleine huisjes brandde een kaars, een signaal van Arim voor Damra, voor het geval ze hem nodig had. Ze klopte zachtjes op de deur en kreeg onmiddellijk antwoord.

Ze fluisterde haar naam en voegde daaraan toe: 'Laat niemand in je buurt.'

Arim opende de deur en keek naar buiten. Hij had zijn zwaard in zijn hand.

'Er is iets gebeurd,' zei Damra. 'We moeten meteen gaan. Maak de anderen wakker. Haast je!'

Arim verspilde geen tijd aan vragen. Hij verdween in het donker en liet Damra achter om ongerust de wacht te houden. Aangezien Arim zijn metgezellen had gezegd dat ze hun kleren aan moesten houden en ze weinig bezittingen hadden, hoefden ze alleen maar de zeven-entwintig turkooizen stenen bijeen te rapen die de Grootmoeder om hen heen had gelegd en die stuk voor stuk moesten worden opgepakt en tweemaal moesten worden geteld, hoe ernstig de situatie ook was. Toen dat gebeurd was, vertrokken ze snel en geruisloos.

Damra was bang geweest dat ze haar zouden lastig vallen met vragen, maar geen van hen zei een woord. Dankbaar nam ze hen over het platteland mee naar de stad Glymrae.

Onder het lopen vertelde ze Arim wat er was gebeurd. Hij luisterde zwijgend, verbaasd en verontrust. Toen Damra het over Silwyth van huis Kinnoth had, fronste Arim zijn wenkbrauwen en schudde hij zijn hoofd. 'Ik zou hem niet vertrouwen.'

'Dat dacht ik zelf ook,' zei Damra. 'Maar als je hem ziet en hoort... Alles wat hij voorspelde, gebeurde zoals hij had gezegd dat het zou gebeuren.'

Arim sprak haar niet tegen. Hij was geen elf en had geen recht te bekritiseren wat hij niet begreep. Hij kon bijna niet geloven wat hij hoorde toen Damra hem vertelde dat ze het elfendeel van de Verheven Steen bij zich had en wat ze ermee van plan was. Hij betuigde zijn medeleven toen ze het had over haar ongerustheid over haar man en zei niets toen ze vertelde dat Griffith veilig en wel in het Bolwerk van Shadamehr zou zijn. Het was niet nodig haar eraan te herinneren dat die informatie afkomstig was van een elf van een huis dat in ongenade was gevallen, en dus van een onbetrouwbare bron. Aan de manier waarop ze sprak, hoorde hij dat ze Silwyth wel heel graag wilde geloven, maar dat ze realistisch genoeg was om te weten dat hij dit misschien had gezegd om zijn eigen doel te bereiken.

'Wat weet je van die Shadamehr?' vroeg ze.

'Niet veel,' erkende Arim. 'Alleen dat hij een Domeinheer is die geen Domeinheer is. Hij is geslaagd voor de tests,' verklaarde hij, 'maar hij heeft geweigerd de Transfiguratie te ondergaan.'

Damra fronste haar voorhoofd. 'Dat bevalt me niet. Het is op zijn minst oneerbiedig. Een belediging voor de goden. Is de man dan een lafaard, dat hij er niet mee door wilde gaan?'

'Ik heb vele dingen over hem gehoord, onder andere dat hij een dief, een schurk en een bandiet is, en nog wat onvriendelijker benamingen, maar ik heb nog nooit gehoord dat iemand hem van lafheid beschuldigde. Hij is een mysterie. Zijn Bolwerk ligt maar een paar honderd kilometer bij de oostelijke ingang van het Portaal van Tromek vandaan. Als Griffith aan de Wyred van het Schild is ontsnapt, zou dat een goede plaats voor hem zijn om heen te gaan. Shadamehr staat erom bekend dat hij leden van alle volken en alle nationaliteiten opneemt.'

'Dan is mijn besluit genomen,' zei Damra. 'We zijn dicht bij de westelijke ingang van het Portaal. Dat is de snelste route naar Nieuw Vinnengael en de Raad van Domeinheren. Daar gaan we heen.'

'Maar als wat Silwyth heeft gezegd waar is,' voerde Arim aan, 'dan is er een vijandelijk leger onder commando van de Heer van de Leegte ongezien door Nimorea geglipt en is de grens met het elfenland overgestoken met de opdracht het Portaal in te nemen. We lopen misschien de bek van de kat binnen.' Hij zinspeelde op een sprookje voor elfenkinderen waarin de slimme kat de domme muis ervan weet te overtuigen dat de bek van de kat het veilige hol van de muis is.

'De ingang van het Portaal wordt ook door Wyred bewaakt...'

'En die zijn ook van het huis van het Schild,' bracht Arim onder de aandacht.

'Maar het zijn wel Wyred. Ze zullen ontzet zijn als ze horen dat het Schild samenspant met een wezen van de Leegte. Als ik hen kan overtuigen, zullen ze zich van het Schild afkeren. Ze zouden zich nooit lenen voor zulk verraad.'

Arim schudde zijn hoofd. 'Wie weet, misschien zijn zij wel degenen die hem hebben geadviseerd dit te doen. Ik denk niet dat je op hun hulp kunt rekenen, Damra.'

'Ik moet toch ergens op rekenen,' zei Damra kordaat. 'Als het niet de Wyred zijn, dan maar de Vader en de Moeder. Het Portaal is de snelste weg om Nieuw Vinnengael en de Raad van Domeinheren te bereiken. Ze moeten onmiddellijk op de hoogte worden gesteld van deze ernstige situatie. We kunnen ons niet veroorloven drie maanden te verdoen met reizen over het land.'

'Er zijn natuurlijk de hippogriffioenen...' opperde hij.

Damra onderbrak hem. 'Daar heb ik al aan gedacht. We kunnen hippogriffioenen gebruiken om de korte afstand naar het Portaal te vliegen, maar ze houden er niet van om veel langere reizen te maken, want ze willen niet te lang wegblijven bij hun jongen. Zelfs als we ze konden overhalen om helemaal naar het Bolwerk van Shadamehr te vliegen, zouden ze niet veel sneller zijn dan paarden, want ze kunnen elke dag maar een paar uur vliegen met een berijder voordat ze moeten rusten.'

'Jij kent die wezens,' zei Arim. 'Ik niet.'

'Ach, Arim.' Damra zuchtte. 'Ik doe mijn uiterste best me niet te laten beïnvloeden door de gedachte dat Griffith misschien in dat Bolwerk is, hoewel het weinige dat je me over die Shadamehr hebt verteld voldoende is om me nog ongeruster te maken dan ik al was. De Wyred zijn in elk geval elfen. Die begrijp ik. Mensen zal ik nooit begrijpen, aanwezigen uitgezonderd, goede vriend. Ik heb Griffiths steun en wijsheid nodig. De last van deze verantwoordelijkheid is bijna te zwaar om te dragen.'

Ze wierp een blik achterom naar hun metgezellen. Behalve dat ze zich voor hun leven verantwoordelijk voelde, had Damra het elfendeel van de Verheven Steen bij zich. Sinds de Schenking van de Steen waren de twee delen niet meer zo dicht bij elkaar geweest.

Sinds de Schenking hadden ze ook nog nooit zoveel gevaar gelopen. De Trevinici droeg het bloedmes bij zich en hoewel hij ervoor zorgde dat het geen bloed proefde, konden de Vrykyls het toch gebruiken om hen op te sporen. Damra had geprobeerd een manier te verzinnen om van het bloedmes af te komen, maar aangezien ze bijna niets van de magie van de Leegte wist, was ze bang dat ze meer kwaad dan goed zou doen. Griffith zou wel een manier weten. Griffith zou haar raad geven. Ze wilde dolgraag geloven dat Silwyth haar de waarheid had verteld.

'Waar hebben ze het over?' vroeg Bashae aan Jessan; ze liepen naast elkaar een paar passen achter Arim en Damra.

'Ik weet het niet,' antwoordde Jessan humeurig. 'Ik versta maar een op de tien woorden.'

'Ze spreken toch de Taal der Oudsten?' vroeg Bashae onzeker. 'Toch geen elfentaal?'

'Ze spreken de Taal der Oudsten, maar zoals de elf die uitspreekt zou het net zo goed een vreemde taal kunnen zijn.'

'Ik vind het mooi klinken,' zei Bashae. 'Ik heb altijd gevonden dat de Taal der Oudsten klinkt alsof iemand stenen tegen elkaar slaat, maar bij haar klinkt het als zingende vogels. Bijna zoals Twithil. Weet je waar we naartoe gaan?'

Ze trokken door heuvelachtig grasland achter Damra aan, die, te oordelen naar de vastbeslotenheid en het tempo van haar tred, een duidelijk doel voor ogen had. De Grootmoeder moest haar best doen om hen bij te houden en bleef af en toe een beetje achter. Ze weigerde echter te vragen of het wat langzamer kon, want de ogen zagen overal gevaar. Jessan moest af en toe op haar wachten, haar bij de arm nemen en haar een stukje ondersteunen.

'Iets met een stal,' antwoordde Jessan. Hoewel hij keek alsof hij geërgerd was, was de manier waarop hij de Grootmoeder aanraakte steevast zachtmoedig en geduldig. 'Dat is maar goed ook,' vervolgde hij nadrukkelijk, 'want we hebben paarden nodig.'

'Ja, dat hebben we zeker,' zei de Grootmoeder. 'Want ik weet dat jullie jongeren er vaak moeite mee hebben me bij te benen.'

De ochtend gloorde toen ze de weg naar de hoofdstad Glymrae zagen liggen. In het land van de mensen zou zo'n hoofdweg geplaveid zijn, want mensen gebruiken aardemagie om hun wegen aan te leggen en te onderhouden. De elfen, die luchtmagie gebruiken, minachten geplaveide wegen, want die beschouwen ze als een belediging voor de natuur. Hun hoofdwegen zijn van stevig samengepakte aarde en langs weerszijden zijn bomen, heggen en rozenstruiken geplant. Niet alleen zijn de bomen en heggen een lust voor het oog van de reiziger, maar ze bieden ook een strategisch voordeel: als een vijandelijk leger via zo'n weg oprukt, kunnen verdedigers aanvallen vanuit een hinderlaag tussen het gebladerte.

Voor zich uit zagen ze vele daken met rode dakpannen glanzen in de vroege ochtendzon. Er wapperden vlaggen. Damra bracht hen tot staan.

'Het kasteel dat jullie zien, is het fort van de Goddelijke. Daar ga ik heen om rijdieren te bemachtigen voor onze reis naar het Portaal. Ik laat jullie bij Arim achter. Hij zal jullie vertellen wat er gebeurd is en wat onze plannen zijn. Ik blijf niet lang weg. Verberg jullie totdat jullie mijn signaal horen.'

Bij deze laatste woorden keek ze naar Arim. Hij knikte en Damra vertrok met een glimlach die geruststellend bedoeld was.

Het groepje verliet de weg en liep achter Arim aan naar een bosje. Hier gingen ze zitten om uit te rusten. De Grootmoeder stak haar stok in de zachte grond en wierp toen een scherpe blik op Arim.

'Vertel ons wat de Domeinheer is overkomen,' zei ze. 'Er is iets misgegaan, hè? Dat is de reden dat ze vannacht bij ons is gekomen.'

'Ik vrees van wel,' zei Arim, en hij vertelde in het kort wat hij van Damra had gehoord.

'Dus we hebben allebei een deel van de Verheven Steen,' zei Bashae toen Arim was uitgesproken. De stem van de pecwae was zacht van ontzag en trots. 'Een Domeinheer en ik.'

'Ik moet m'n biezen pakken,' zei Jessan resoluut. 'Ik breng jullie allemaal in gevaar.'

'Daar heeft Damra over nagedacht, Jessan,' zei Arim terwijl hij zijn hand opstak om de jongeman tegen te houden, die op het punt leek te staan om weg te stormen. 'Ze heeft erover gedacht je achter te laten. Ik vertel je dat omdat ik niet wil dat je denkt dat we een onverstandig offer brengen door je mee te nemen. Wil je haar redenering horen?'

Jessan leek te aarzelen en liet zich toen weer op zijn hurken zakken. 'Ik luister. Maar ik ben niet overtuigd. Elke keer dat ik mijn ogen dichtdoe, zie ik de rode ogen naar me zoeken. Het is alleen een kwestie van tijd voordat zij mij zien.'

'Als we je alleen achterlieten, zonder bescherming...'

Jessan maakte een beweging, maar hij zei niets.

'... zou de Vrykyl je bijna zeker te pakken krijgen. Nu weet hij alleen dat je het benen mes hebt. Hij weet niets van de anderen, wie we zijn en wat we bij ons hebben. Als hij jou te pakken kreeg, zou hij je dwingen hem alles te vertellen wat je weet.

Dat is geen belediging, Jessan,' voegde Arim eraan toe, toen hij Jessans gezicht rood zag aanlopen. 'Ik weet dat je dapper bent. Alleen een moedig man zou aanbieden dit monsterlijke wezen in z'n eentje onder ogen te zien. Maar je zou er niets aan kunnen doen. De Vrykyl zou je vermoorden met het bloedmes en dan je lichaam, je kennis en je herinneringen overnemen. Hij zou je lichaam gebruiken om ons te vinden en dan zou hij ons in jouw gedaante kunnen benaderen en aanvallen. Daarom vindt Damra dat het veiliger is om bij elkaar te blijven dan om uiteen te gaan. Vind je haar redenering logisch?'

'Ja, ik geloof het wel,' zei Jessan. Hij was opgelucht maar tegelijk ook teleurgesteld.

Het idee om Bashae en de Grootmoeder aan de zorg van anderen over te laten en er alleen op uit te trekken, vrij en onafhankelijk, leek overdag heel aanlokkelijk. Als krijger uit een volk van krijgers was hij niet zo dom te denken dat hij in een gevecht van de Vrykyl kon winnen. Maar hij sloeg zijn woudloperskwaliteiten wel zo hoog aan dat hij dacht de Vrykyl te kunnen ontlopen, in elk geval totdat hij een manier vond om het mes te vernietigen.

Dat waren zijn gedachten bij daglicht. 's Nachts, als hij die rode ogen vanuit het donker van zijn dromen naar hem zag staren, was hij blij dat hij zijn vrienden om zich heen had. Dan was hij zelfs blij met de zevenentwintig turkooizen stenen.

Jessan ging op zijn rug op de grond liggen, staarde naar de boomtoppen en droomde van thuis. De Grootmoeder deed een dutje. Arim hield de wacht, net als de stok. Bashae zat met de knapzak dicht tegen zich aan gedrukt te denken aan de zware verantwoordelijkheid die hij droeg. Hij wilde dat Heer Gustav eerlijk tegen hem was geweest en was bedroefd dat de ridder hem niet voldoende had vertrouwd om hem te vertellen wat hij bij zich had.

Maar zou ik een volslagen vreemde zoiets belangrijks hebben toevertrouwd, vroeg Bashae zich af. Ik vertrouwde Arim niet genoeg om hem erover te vertellen.

'Ik begrijp het, edele ridder,' zei Bashae zacht tegen de ziel van de overleden man. 'Het spijt me dat ik aan u twijfelde.'

Toen vroeg Bashae zich af of hij blij was dat hij de waarheid wist of dat hij die liever niet had geweten. Hij besloot dat hij blij was dat Damra eerlijk tegen hem was geweest. Nu kon hij betere beslissingen nemen. Als hij terugkeek op de Bashae die zo luchthartig aan deze reis was begonnen, was die Bashae een vreemde voor hem. Dat bracht een andere vraag bij hem boven.

Bashae kroop naar de Grootmoeder en schudde haar bij de schouder. 'Grootmoeder,' fluisterde hij.

'Ga weg,' zei ze met haar ogen dicht. 'Ik slaap.'

'Grootmoeder,' fluisterde Bashae weer. 'Het is belangrijk.'

Met een zucht richtte de Grootmoeder zich op één elleboog op en keek hem dreigend aan. 'Wat moet je?'

'Ik vroeg me alleen af: wist u wat de ridder me heeft meegegeven? Wilde u daarom met ons meekomen, omdat u dacht dat Jessan en ik niet verstandig genoeg waren om het alleen aan te kunnen? Ik zou het u niet kwalijk nemen als het zo was,' verzekerde hij haar.

De Grootmoeder ging weer op haar rug liggen, maar sloot haar ogen niet. Ze sloeg haar handen voor haar borst ineen en zei abrupt: 'Ik wilde daar niet begraven worden.'

'Wat?' vroeg Bashae geschrokken. Dit was niet het antwoord dat hij had verwacht. 'Wat zei u?'

'Ben je doof? Ik zei dat ik daar niet begraven wilde worden,' herhaalde de Grootmoeder geïrriteerd.

Ze keek op naar de blauwe hemel, draaide met haar duimen en bewoog haar voeten van links naar rechts, zodat haar tenen tegen elkaar aan tikten. Door de ritmische beweging gingen de belletjes aan haar rok rinkelen.

'Ik ben daar geboren. Ik heb er jaar na jaar gewoond. Ik kende er elke boom en elk rotsblok, en zij kenden mij.' Ze klonk niet alsof dat een groot genoegen was geweest. Ze ging zitten. 'Denk je dat ik daar voor de eeuwigheid tegenaan wil liggen kijken? Verandering van spijs doet eten,' zei ze verdedigend, alsof ze ergens van beschuldigd was. 'Iedereen wil weleens wat anders zien.'

Ze keek Bashae streng aan. 'Dus als ik dood neerval, stop me dan onder de grond waar ik gevallen ben. Ga me niet mee terugslepen naar huis.'

'Ja, Grootmoeder,' zei Bashae, en hij wilde glimlachen maar bedacht zich toen.

'Mooi zo,' zei ze, en ze ging weer liggen, draaide met haar duimen en glimlachte naar de hemel.

Toen het dag werd, begonnen er reizigers op de weg te verschijnen. Arim waarschuwde zijn metgezellen stil te zijn en geen plotselinge bewegingen of geluiden te maken die de aandacht op hen zouden vestigen. Gezeten in de schaduw van de bomen zagen ze colonnes soldaten over de weg marcheren, kooplieden naar de markt trekken en een rijke dame van adel langsgedragen worden in een palankijn terwijl haar gevolg erachter liep. Alles leek normaal, het dagelijkse leven ging zijn gangetje. Arim zag niets dat erop wees dat er in die nacht een grote aardverschuiving had plaatsgevonden in de elfenpolitiek.

Maar het zou slechts een kwestie van tijd zijn voordat het nieuws bekend werd. Hij keek naar de zon, die steeds hoger aan de hemel klom, en begon zich zorgen te maken. Damra was al vier uur weg.

Arim maakte een plan voor noodgevallen. Als ze op het middaguur niet hier was, zou hij vertrekken en de Verheven Steen zelf naar Nieuw Vinnengael brengen. Hij zat te denken over de route die ze moesten nemen, toen Jessan zijn arm aanraakte en wees.

'Ze zoekt ons.'

Arim zag Damra boven de heg uitkomen; ze verdween en kwam weer te voorschijn van achter de bomen die langs de weg stonden, en hij slaakte een zucht van verlichting. Ze zat zelf op een rijdier en voerde de andere dieren achter zich aan. Ze hield een bedaard tempo aan, alsof ze een ochtendwandelingetje maakte, maar af en toe wierp ze een doordringende, zoekende blik tussen de bomen.

Arim waarschuwde de anderen om laag te blijven en liep de weg op naar haar toe. Zolang er andere mensen in zicht waren, bleven ze samen op de weg staan praten, alsof ze elkaar toevallig waren tegengekomen. Toen de weg leeg was, stapte Damra tussen de bomen door, met de dieren die ze had meegebracht achter zich aan.

Toen ze de dieren zag, stak de Grootmoeder de stok met de ogen van agaat omhoog. 'Kijk maar eens goed,' zei ze ertegen. 'Zoiets zullen jullie niet snel meer zien.'

'Wat zijn het?' Bashae staarde naar de dieren.

'Griffioenpaarden,' zei Jessan achteloos, alsof hij niet echt geïnteresseerd was, alsof hij elke dag hippogriffioenen tegenkwam. 'Mijn oom Raaf heeft me erover verteld. Elfenkrijgers trekken erop ten strijde.'

'Ik geloof dat ik liever een gewoon paard heb,' zei Bashae. 'Die griffioenpaarden zien er te onhandig uit om van veel nut te zijn.'

'Dat lijkt maar zo,' antwoordde Jessan, en zijn stem begon enthousiaster te klinken. 'Aan hun voorpoten hebben ze klauwen. Hun achterpoten lijken op die van een paard, maar ze kunnen harder lopen dan alle paarden ter wereld. Als ze hun vleugels erbij gebruiken, vliegen ze over de grond. En ze hoeven niet op de grond te blijven. De elfen gebruiken griffioenpaarden om vanuit de lucht aan te vallen. Ze duiken op de vijand neer en gebruiken hun klauwen om hem te krabben en te verscheuren. Ze kunnen het hoofd van een mens met hun sterke bek afbijten of hem met hun klauwen de lucht in tillen. Dan laten ze hem los, zodat hij doodvalt.'

'Doen ze dat vaak, Jessan? Mensen dood laten vallen?' vroeg Bashae nerveus.

'Alleen hun vijanden,' zei Jessan. 'Hun berijders laten ze niet vallen.'

'Maar als die berijders zichzelf nou laten vallen? Hoe zorg je dat je blijft zitten? Ik zie geen zadels.'

'Dat vertellen ze ons wel. Geen enkele andere Trevinici van onze stam heeft ooit op een griffioenpaard gereden,' stelde Jessan voldaan vast. 'Ik zal de eerste zijn. Jij bent waarschijnlijk de eerste pecwae die er een berijdt.'

'Fantastisch,' zei Bashae.

Damra nam de hippogriffioenen mee onder de bomen. Zij en Arim praatten snel met elkaar en vergaten in de ernst van het moment om de Taal der Oudsten te spreken.

'Zoals ik al voorspeld had, is het Schild erin geslaagd het mes dat op zijn keel stond om te keren, zodat het nu op de keel van de Goddelijke staat.'

'Hoe heeft hij dat voor elkaar gekregen?' vroeg Arim verbijsterd. 'Je zei dat zijn eigen ridders hem niet geloofden.'

'Dat geldt blijkbaar niet voor allemaal. Hij heeft zijn strijdkrachten verzameld en heeft zich in zijn fort verschanst, van waaruit hij de Goddelijke uitdaagt hem aan te vallen. Hij beweert dat de goden zelf de Verheven Steen hebben weggenomen om blijk te geven van hun woede jegens de Goddelijke. Hij zegt dat als dat niet waar is en als de Goddelijke de Steen heeft, die hem alleen maar hoeft terug te geven.'

'Wat ga je doen?'

'Ik houd de Steen, natuurlijk,' zei ze alsof ze verbaasd was dat hij zich iets anders kon voorstellen. Haar stem verhardde. 'Ik weet nu zekerder dan ooit dat ik de juiste beslissing heb genomen. Deze twee zien de Verheven Steen als een pion in hun spel.'

In de verte, van het fort van de Goddelijke, klonk hoorngeschal. De mensen op de weg bleven staan en luisterden. Sommigen schudden hun hoofd. Anderen hieven hun vuist. Ze hadden dat geluid eerder gehoord en wisten allemaal wat het betekende. Kooplui met wagens gaven een klapje met de teugels om hun paarden te laten galopperen. Soldaten gingen rennen en hielden hun hand op hun zwaard aan hun zijde zodat het niet heen en weer slingerde. Sommigen zetten koers in de richting van het kasteel van de Goddelijke, anderen gingen de tegenovergestelde kant op.

'Daar was ik al bang voor,' zei Damra. 'Ze worden te wapen geroepen. De Goddelijke heeft het Schild de oorlog verklaard.'

Bij het geluid van de trompetten hieven de hippogriffioenen hun kop. Hun pientere ogen fonkelden en ze knarsten met hun tanden. Hun griffioenenklauwen trokken voren door het gras en hun paardenstaarten zwiepten. Damra ging snel naar hen toe om hen te kalmeren en aaide hen over het verenkleed dat zich vanaf hun griffioenenkoppen tot aan hun schoften uitstrekte.

'We moeten voortmaken,' zei Damra. 'Ik heb deze uit de stallen geleend. Ik kon er maar drie meenemen. Jij en ik zullen elk een van de pecwae's bij ons nemen.'

Jessan kwam naar haar toe. 'Wat zijn al die trompetten?'

'Oorlog,' zei ze bondig. 'Kun je paardrijden?'

'Natuurlijk,' zei Jessan beledigd.

'Mooi. Dan kun je ook op een hippogriffioen rijden. Ga hier zitten, op hun rug. Raak hun vleugels niet aan. Daar houden ze niet van en dan slaan ze misschien je hoofd eraf. Ik had geen tijd om ze te zadelen, dus we zullen zonder zadel moeten rijden. Het foefje is om je met je benen stevig vast te klemmen, je dijen in hun flanken te duwen en voorover te gaan liggen. Sla je armen om hun nek. Je hebt geen teugels nodig. De hippogriffioenen weten waar ze naartoe moeten.'

'Ik snap het,' zei Jessan.

Hij liep naar een van de hippogriffioenen, ging recht voor het dier staan en keek het aan. De hippogriffioen beantwoordde zijn blik en bleef terugkijken. Jessan zei iets in het Tirniv tegen het dier. Het valt te betwijfelen of de hippogriffioen hem verstond, maar ze hoorde het respect in de toon van de jonge krijger en voelde geen angst in hem, alleen opwinding. Ze gaf een knikje met haar trotse kop en bleef stil staan zodat hij kon opstijgen. Jessan pakte het dier bij de schoften, zwaaide zichzelf erop en zijn been erover. Hij leek te zijn geboren op de rug van het beest en glimlachte opgetogen.

Dat was een opluchting voor Damra. Eén zorg minder. Ze had nog meer dan genoeg andere zorgen en kon deze dus best missen.

Met deinende rokken en tikkende kralen bleef de Grootmoeder voor een andere hippogriffioen staan en sprak hem toe. Dat verraste Damra niet, maar ze was wel verbaasd toen ze zag dat de hippogriffioen zijn kop liet zakken en aandachtig leek te luisteren. Damra keek naar Arim, die zijn schouders ophaalde.

De Grootmoeder wenkte Bashae, die schoorvoetend kwam aanlopen en zijn hand beschroomd op de hals van de hippogriffioen legde. Zo te zien beëindigden de Grootmoeder en de hippogriffioen hun gesprek tot beider tevredenheid. De Grootmoeder kwam naar Damra. 'We zijn bang. Wij pecwae's zijn altijd bang. Maar het griffioenpaard heeft gezegd dat we niet bang moesten zijn. Het is niet ver, het is goed weer om te vliegen en hij verheugt zich erop tussen de wolken te vliegen, waar de lucht schoner is dan hier beneden, waar de lucht verontreinigd is door het gesnuif van de vleugellozen.'

'En dat heeft u gerustgesteld?' vroeg Damra aarzelend.

'Jazeker,' zei de Grootmoeder. Ze stak de stok omhoog en draaide hem alle kanten op. 'We kunnen misschien beter gaan. De ogen zijn niet tevreden met wat ze zien.' Ze gaf de stok aan Damra. 'Bind de stok op mijn rug. Zorg ervoor dat hij goed vastzit.'

Met een verbaasde blik naar Arim deed Damra wat de Grootmoeder haar had opgedragen. Damra besteeg haar hippogriffioen, waarbij ze er meer dan anders op lette dat ze het dier respect betoonde. Om de een of andere reden had Damra altijd aangenomen dat hippogriffioenen eerbied en ontzag hadden voor de elfen, die hun meesters waren, en het onthutste haar te horen dat de dieren de 'snui-vende vleugellozen' blijkbaar minachtten. Ze trok de Grootmoeder omhoog en zette haar achter zich, waarna ze haar waarschuwde om haar armen stevig om Damra's middel te slaan.

Toen hij zag dat Bashae, ondanks de geruststellingen van het dier, toch een beetje groen in zijn gezicht was geworden, zette Arim de pecwae voor zich, tussen de vleugels, en sloeg één arm stevig om hem heen. Hij knikte ten teken dat ze klaar waren.

Damra gaf het bevel om te gaan vliegen en voelde zich slecht op haar gemak terwijl ze dat deed; ze vroeg zich af of ze er misschien een ver-zoek van moest maken. Maar de hippogriffioenen gehoorzaamden. Ze plantten hun achterhoeven stevig in de grond, maakten een enor-me sprong en gebruikten hun vleugels om henzelf en hun berijders van de grond te tillen.

Ze stegen op tot boven de boomtoppen. Jessans gezicht gloeide. Hij gaf een wilde kreet, vergat voorover te liggen en viel bijna naar be-neden. Hij kon zich nog net aan de veren vastgrijpen. Maar die bij-na-ramp deed hem niets. Met open mond dronk hij de lucht in die in zijn gezicht blies en hij lachte van vreugde.

Bashae hield zijn ogen stijf dichtgeknepen. Hij schudde zijn hoofd heftig toen Arim hem aanspoorde te kijken. Damra had geen tijd om op haar medeberijdster te letten. Ze hield de grond in de gaten, bang dat ze gezien werden. Gelukkig vroeg het uitbreken van de oorlog ie-ders aandacht. Als iemand al drie hippogriffioenen had zien opstij-gen uit het bos, veronderstelde hij waarschijnlijk dat die deel uit-maakten van de verhoogde militaire activiteit. Ze lieten de rode pannendaken van het paleis van de Goddelijke achter zich en einde-lijk ontspande Damra zich.

Ze waren ontsnapt. De weg voor haar lag open en was gemakkelijk te bereizen. Zoals de hippogriffioen had gezegd, was het goed weer om te vliegen.

7

De zonnestralen die die ochtend over Tromek vielen, hadden het land waar Jessans oom Raaf in ketenen rondliep nog niet bereikt. Jessan dacht niet aan zijn oom. Raaf was wakker en hij dacht wel aan zijn neef, en aan al zijn familie, vrienden en kameraden die hij nooit meer zou zien.

Raaf werd vaak voor zonsopgang wakker. Hij sliep onrustig; de krijger in hem luisterde naar alle geluiden in het kamp. De tanen gingen graag vroeg aan de slag en stonden altijd bij het aanbreken van de dag op, wat betekende dat de andere slaven en hij dan ook op waren. Deze paar ogenblikken, voordat de tanen opstonden, waren de enige momenten van rust die hij kreeg.

Vaak dacht hij na over plannen en listen om zijn enige doel in het leven te verwezenlijken. Deze ogenblikken gebruikte hij om te dromen over het gevecht of manieren te bedenken om Qu-tok zo ver te krijgen om de strijd met hem aan te gaan. Tot dan toe was geen van die pogingen succesvol geweest. Qu-tok vermaakte zich zeer om Raafs beledigingen en uiteindelijk leed alleen Raaf zelf eronder, want hij werd gestraft zoals een slaaf wordt gestraft. Hij kreeg geen eten of werd geslagen, maar hij werd niet uitgehongerd en ook nooit ernstig verwond. Zoals een mens trots kan zijn op een felle hond, zo was Qu-tok trots op Raafs razernij. De halftaan Dur-zor vertelde Raaf dat er 's avonds rond het kampvuur vaak met smaak werd verhaald over zijn woede-uitbarstingen, om de kinderen te vermaken.

Vandaag gingen Raafs gedachten naar zijn neef, die ver bij hem vandaan op reis was. Misschien keek Jessan ergens naar dezelfde zon die nu haar best deed boven de horizon uit te komen. Terwijl hij naar de zon keek, stuurde Raaf zijn neef en degenen in zijn verantwoordelijkheid een geluidloze zegenwens. Toen keerden zijn gedachten weer terug om, als een paard aan een waterrad, rondjes te lopen door het uitgesleten spoor van zijn haat.

De slavenkaravaan bestond uit ongeveer vijfhonderd slaven, voor het grootste deel mensenmannen, die naar de mijnen werden gebracht om naar goud en zilver te graven om het oorlogsapparaat van Dagnarus te financieren. De mensenvrouwen in de karavaan werden door de tanen opgeëist. Hun leven was een hel op aarde, want 's nachts werden ze wreed misbruikt en overdag werden ze gedwongen om allerlei klusjes voor de tanen te doen. Veel van hen stierven onderweg, ofwel doordat ze werden gedood door de tanen als straf voor een klein vergrijp, ofwel doordat ze ziek werden. De tanen lieten de zieken langs de weg liggen om te sterven, want de tanen beschouwen ziekte als een teken van zwakte. Een van de vrouwen was gek geworden en had zichzelf verdronken in een rivier. De anderen leefden van dag tot dag totdat ze de halfbloedbaby's moesten baren die sommigen nu droegen.

De mannen werden beter behandeld, want die waren kostbare handelswaar en moesten hun bestemming bereiken in een conditie die nog voldoende was om zwaar werk te kunnen verrichten. De meesten waren jong en sterk, want de ouderen en zwakkeren waren allemaal al gestorven. De mannen zaten in lange rijen van vijfentwintig met kettingen aan elkaar vast en waren gedwongen geboeid te lopen. Als een van hen te zwak bleek te zijn om te marcheren, ondersteunden zijn kameraden hem, want de tanen maakten hem niet los. Als een van de slaven tijdens de mars stierf, moesten zijn kameraden zijn lichaam dragen of het over de grond laten slepen totdat de avond viel, want dan pas maakten de tanen het lichaam los en gooiden het in een kuil. De tanen legden vijftig kilometer per dag af door vroeg op te staan en tot laat te marcheren, en ze lieten zich door niets of niemand ophouden.

Raaf was de enige die niet aan de anderen was vastgeketend. Er was een ketting aan de ijzeren band om zijn hals vastgemaakt en hij werd aan die ketting meegevoerd als een dansende beer die hij eens op een kermis in Dunkar had gezien. Soms nam Qu-tok de ketting en pronkte hij met zijn slaaf. Dan rukte Raaf aan de ketting, zette zijn hakken in het zand en deed alles wat hij kon om Qu-tok kwaad te maken. Dat lukte nooit, want Qu-tok grinnikte alleen maar en maakte meestal een einde aan het wedstrijdje door Raaf omver te trekken en over de grond achter zich aan te slepen. Andere keren gaf Qu-tok de ketting van Raaf aan een paar van de jonge krijgers. Deze jonge tanen pestten en sarden Raaf in de hoop dat hij naar hen zou uithalen of hen zou aanvallen, maar ze werden altijd teleurgesteld. Raaf besteedde geen aandacht aan hen. Alleen aan Qu-tok.

De andere slaven keken naar Raaf met een afgunst die aan haat grensde. Dat wist Raaf niet, en het zou hem niets hebben kunnen schelen als hij het wel had geweten, want hij praatte nooit met de andere slaven en lette niet erg op hen. Hij had zijn eigen problemen en kon de hunne er niet bij hebben.

Wat Raaf als vernedering zag, zagen de andere slaven als zaligmakend. Hij mocht alleen slapen, vastgeketend aan een staak en niet aan vierentwintig andere ongelukkige mensen. Hij kreeg meer te eten en had af en toe gezelschap van een vrouw, ook al was dat dan maar een van die gedegenereerde monsters. De andere slaven zagen Raaf al snel als een verrader. Ze noemden hem 'reptielenvriend' en andere dingen, die grover waren. Raaf negeerde hen.

Hij raakte alle begrip voor tijd kwijt; de ene dag ging over in de andere, en de voorgaande avond, toen hij de vollemaan had zien opkomen, had hij tot zijn verrassing beseft dat ze al een maand onderweg waren.

Dan moeten we wel dicht bij onze bestemming zijn, dacht hij. Zijn wanhoop groeide, want als de slaven eenmaal veilig waren afgeleverd, zou Qu-tok zijn betaling voor Raaf in ontvangst nemen en vertrekken.

'Ja,' zei Dur-zor die ochtend toen ze hem zijn eten bracht, 'over een paar dagen zijn we bij de mijnen. Er is sprake van geweest dat we vandaag halt zouden houden zodat de krijgers op jacht konden gaan, want we hebben niet veel voedsel meer, maar Dag-ruk wil verder trekken. Ze wil de slaven snel afleveren, zodat ze kan terugkeren naar de oorlog en naar haar promotie tot nizam.'

Het lag op het puntje van Raafs tong om Dur-zor te vragen hem te bevrijden, maar hij slikte de woorden in, zoals hij dat al eerder had gedaan. Ze was een vriendin voor hem geweest en hij wilde haar vriendschap niet belonen door haar te vragen iets te doen dat haar het leven zou kosten. Ze was hem aardig gaan vinden. Dat wist hij, en hij wilde geen misbruik maken van haar vriendschappelijke gevoelens. Als ze Raaf bevrijdde, zou ze Qu-tok een kostbaar bezit afnemen en er waren maar weinig dingen die tanen erger vonden dan diefstal. De tanen zouden haar doden, waarschijnlijk door haar te martelen totdat ze stierf.

Raaf zag dat ze hem aandachtig opnam en hij was bang dat ze wist wat hij had gedacht. Dat bewees ze door te zeggen: 'Als ik iets heel graag wil, bid ik tot onze god Dagnarus om mijn wens te vervullen. Heb jij al tot jullie goden gebeden?'

'Voortdurend,' zei Raaf droogjes. Terwijl hij at, keek hij naar Durzor, die rustig voor hem gehurkt zat. 'Heb je tot die god van jullie gebeden om je een krijger te maken?'

'Jazeker,' zei ze, heftig knikkend.

'En nog steeds breng je me elke dag mijn eten en moet je je door Qu-tok laten slaan,' zei Raaf schouder ophalend. 'Jouw god is blijkbaar al net zo doof als de mijne.'

'Ik heb vertrouwen,' zei Dur-zor. 'Ik word elke dag behendiger met de kep-ker. Ik denk niet dat onze god me die vaardigheid zou geven als het niet zijn bedoeling was dat ik die zou gebruiken.'

'Dus de goden zouden Qu-tok niet geschapen hebben als het niet hun bedoeling was geweest dat ik hem doodde?' zei Raaf, en zijn mond trok een beetje.

Dur-zor fronste. 'Waarom maak je grapjes over serieuze zaken?'

'Grapjes maken is een manier voor mensen om met serieuze zaken om te gaan,' verklaarde Raaf slecht op zijn gemak. Hij dacht dat hij misschien iets te ver was gegaan. 'Het spijt me, Dur-zor. Het komt gewoon doordat ik de hoop begin te verliezen...'

'Hoop,' herhaalde ze. 'Wat betekent dat woord? Ik heb het nooit eerder gehoord.'

Raaf was in de war gebracht. Zo'n vraag zou een tempelmagiër misschien nog in de war brengen, en Raaf was geen geleerde.

'Nou,' zei hij langzaam, 'hopen betekent dat we graag willen dat iets gebeurt. Ik hoop dat het gaat regenen, bijvoorbeeld. Of ik hoop dat er een grote kei op Qu-toks hoofd valt...'

Daar glimlachte Dur-zor om, hoewel ze eerst schuldig over haar schouder keek voordat ze dat deed. Ze hadden niet veel tijd om met elkaar te praten. De tanen waren klaar met hun ontbijt en het voeren van de slaven. Ze waren het kamp aan het opbreken, een klus die niet lang duurde. Alles wat een taan bezat, moest hij met zich mee kunnen dragen. Daaronder vielen zijn tent, zijn wapens en zijn proviand. Elke taan droeg zijn eigen last en kon dat niet laten doen door een werker of een slaaf. De meest vermaarde krijger sjouwde zijn eigen tent. Dag-ruk, hun stamhoofd, droeg haar eigen uitrusting.

'Maar hoop is meer dan dat,' vervolgde Raaf toen Dur-zor opstond om te vertrekken. 'Het is niet alleen een verlangen. Het is een behoefte. Een behoefte om te geloven dat ons leven beter zal worden. Een behoefte om te geloven dat er iets zal gebeuren, waardoor alles beter wordt. Jij hoopt een krijger te worden. Dat is wat je gaande houdt, is het niet, Dur-zor? Daardoor kun je het verdragen als Qu-tok je slaat. We moeten allemaal hoop hebben. Dat is net zo belangrijk voor ons als vlees of water. Zonder hoop sterven we.'

'Maar jij wilt sterven. Jij hoopt te sterven.' Dur-zor gebruikte het nieuwe woord vol trots.

'Ik hoop dat ik wraak kan nemen op Qu-tok. Als ik daarbij sterf...'

Raaf haalde zijn schouders op. 'Dan kan ik dat aanvaarden. Maar het ziet er niet naar uit dat ik die kans zal krijgen.'

Van de andere kant van het kamp brulde Qu-tok. Dur-zor sprong overeind. 'Ik zal nadenken over wat je hebt gezegd.' Ze griste Raafs lege kom weg en rende terug naar Qu-tok, die haar traagheid afstrafte met een dreun tegen haar hoofd waarmee hij haar tegen de grond sloeg.

Raaf keek hoe ze overeind krabbelde en verder ging met haar werkzaamheden. De keren dat ze bij hem was gekomen met een gekneusd en gezwollen gezicht, een blauw oog of een kapotte lip waren niet te tellen. Geen wonder dat ze niet op iets beters hoopte. Voor zover zij wist, was er niets beters. Op een dag zou Qu-tok haar een beetje te hard slaan, zodat haar schedel brak, en dan was het afgelopen.

De tanen gaven de slaven het bevel zich in rijen op te stellen en te gaan lopen; iedereen die niet snel gehoorzaamde, werd geschopt en met een zweep geslagen. Qu-tok stuurde twee jonge krijgers om Raaf te halen. Qu-tok zou vandaag niet met hen mee marcheren. Hij zou samen met andere krijgers voorop gaan en ongeveer een kilometer voor de karavaan uit lopen om het terrein te verkennen en te zien of er gevaar dreigde.

Raaf kon zich niet voorstellen wat voor gevaar de tanen verwachtten, want er was helemaal niets in deze godverlaten uithoek van west-Loerem. Dur-zor vertelde hem dat hun god Dagnarus hen had gewaarschuwd dat er bendes reuzen in deze streek leefden, maar daar moest Raaf om lachen. Reuzen zijn bijzonder lui en niet al te snugger, en wonen het liefst in bevolkte gebieden, waar ze dorpen kunnen plunderen voor voedsel. Een reus die hier zou wonen, zou verhongeren, want Raaf zag nergens enig teken van beschaving. Of die god van hen wist niets over reuzen, of hij had dat gezegd om de tanen alert te houden.

Raaf negeerde de jonge krijgers, die zich onderweg vermaakten door hem in zijn rug te prikken met de achterkant van hun krul-uts, een wapen dat op een speer leek, maar dan met drie snijplaten in plaats van een.

Hij sjokte somber voort. Hij was sterker geworden in de afgelopen maand, was gewend geraakt aan het gewicht van de ijzeren band om zijn hals, zodat hij die nauwelijks meer voelde. De tanen hadden de boeien om zijn enkels afgedaan, want daar gingen de slaven langzamer van lopen, en de tanen wilden zo snel mogelijk hun bestemming bereiken, hun beloning incasseren en weer ten strijde trekken. Na een tijdje verloren de jonge krijgers hun belangstelling voor het pijnigen van Raaf, want wat is daar voor lol aan als het slachtoffer niet reageert?

Raaf was zo diep in gedachten verzonken dat het een tijdje duurde voordat hij besefte dat er iets mis was.

Geschreeuw. Geschreeuw dat van voor hen uit kwam.

Raaf keek snel naar Dag-ruk, het stamhoofd. Ze stak haar hand op en bracht de karavaan tot staan. Er viel een stilte onder de tanen, want iedereen luisterde. De jonge krijgers aan weerszijden van Raaf waren gespannen en alert. Raaf zocht met zijn ogen naar Dur-zor. Als ze dicht bij hem was geweest, zou hij haar gevraagd hebben wat er aan de hand was, maar ze was ver weg, achteraan met de andere halftanen.

Ze trokken door een golvend heuvellandschap. De karavaan bevond zich in een laagte tussen twee van die heuvels. Voor hen uit, in het westen, rees een heuvel op, en in het noorden een andere. In het zuiden was een bosje. Qu-tok en de andere krijgers die vooruit waren gegaan, verschenen plotseling boven aan de heuvel. Ze renden zo snel ze konden, zwaaiden met hun wapens en wezen naar het noorden.

Er barstte een hels spektakel los onder de tanen. De twee jonge krijgers naast hem braken uit in een ijzingwekkend gegil waarvan de rillingen over Raafs rug liepen. Andere tanen begonnen te schreeuwen en te gebaren. Raaf vervloekte zijn onvermogen om te begrijpen wat er gebeurde en hield zijn blik op Dag-ruk gericht, die bevelen snauwde. Ze was eraan gewend ogenblikkelijk gehoorzaamd te worden en haar bevelen werden dan ook meteen opgevolgd. De krijgers waaierden uit en vormden een kring. Werkers, kinderen en de kostbare slaven werden de bosjes in gedirigeerd, naar een veilige plek. De halftanen werden aan zichzelf overgelaten. Sommigen grepen een wapen. Dur-zor pakte de kep-ker, de stok waarmee ze had leren vechten.

Er klonk meer geschreeuw van de andere kant van de heuvel. Hij kon niets zien, want op bevel van Dag-ruk grepen de twee jonge krijgers hem vast en sleepten hem het bos in. Ze gooiden hem op de grond en stormden toen terug om hun plek in te nemen bij de krijgers in de buitenste kring. De vijanden vielen vanuit het noorden aan en zo te horen aan de herrie waren ze met velen. De slaven spanden zich in iets te zien. Ze riepen opgewonden dat het de Dunkargaanse cavalerie was, die hen te hulp kwam.

Raaf geloofde dat niet. Hij had Dunkarganen nog nooit zo'n godvergeten herrie horen maken als hij van over de heuvel hoorde komen. De tanen om hem heen riepen strijdkreten. De vijand antwoordde en dat gaf Raaf een vermoeden van wat er aan de hand was. De vijand kwam over de heuveltop heen en Raaf zag dat zijn vermoedens juist waren. Een leger van tanen, zwaaiend met wapens en met de tanenversie van een schild, stroomde de heuvel af. De krijgers onder Dag-ruks commando hieven hun wapens, hielden stand en wachtten tot de vijand bij hen was.

Op de top van de heuvel stond de aanvoerder van de troepen, een van de kyl-sarnz: een Vrykyl.

Raafs bloed ging sneller stromen van het geschreeuw en het wapengekletter. Hij verlangde ernaar de strijd in elk geval te zien en op dat moment, toen pas, besefte hij dat de jonge krijgers in hun haast waren vergeten zijn ketting aan een staak vast te maken.

Raaf was vrij.

Hij bevond zich in een uithoek van Loerem, hij had geen idee waar precies, en was omgeven door meer tanen dan hij kon tellen, die in een felle strijd gewikkeld waren en vastbesloten leken te zijn elkaar af te slachten, en hij was nog nooit zo blij geweest. Hij was zo opgetogen dat hij een woeste oorlogskreet slaakte waar een taan trots op geweest zou zijn. Nogal laat besefte hij dat hij de aandacht niet op zich moest vestigen. Gelukkig hadden de tanen het druk met hun eigen problemen.

Raaf tilde de zware ketting op en sloeg die over zijn schouder. Hij sloop langs de rand van de menigte en baande zich onopvallend een weg naar Dur-zor, die haar post had ingenomen temidden van de werkers.

Hij tikte haar op haar schouder.

Geschrokken draaide ze om haar as en hief ze haar kep-ker om aan te vallen. Haar ogen werden groot van verbazing en daarna kneep ze ze tot spleetjes toen ze de ketting over zijn schouder zag bungelen.

'Dur-zor,' zei Raaf op dringende toon, 'vertel me wat er gebeurt. Wie zijn die tanen? Waarom vallen ze jullie aan?'

Ze keerde zich van hem af om de naderende vijand te kunnen zien. Waarschijnlijk vroeg ze zich af of ze hem zou moeten aangeven of vastzetten. De voorste gelederen van de tanen ontmoetten elkaar met een gekletter van wapens en een gebrul van razernij. Ze keek even naar hem om.

'Er zijn tanen die niet in onze god Dagnarus geloven. Ze zeggen dat hij ons heeft weggeleid uit ons vaderland en van onze goden om ons voor zijn eigen doel te gebruiken. Dat hij ons bloed vergiet voor zijn eigen gewin en ons uiteindelijk zal verraden. Die rebellen lagen in een hinderlaag op ons te wachten. Ze zijn van plan onze slaven te stelen en ons te bekeren tot hun zienswijze.'

'Bekeren!' herhaalde Raaf verbaasd. De krijgers hakten woest op elkaar in en het tanenbloed vloeide rijkelijk. 'Rare manier van bekeren...' Hij zweeg en zijn adem stokte.

'O, nee, dat gaat niet door!' riep hij woedend uit. 'Die is van mij.'
'Raaf! Stop!' riep Dur-zor, maar hij negeerde haar.

Raaf baande zich duwend en trekkend een weg door de menigte,
schoof werkers opzij en maaide kinderen van hun voeten. Hij besteedde geen aandacht aan het fanatieke geroep van de slaven. Toen
ze zagen dat hij vrij was, smeekten ze hem hun boeien los te maken
en ze vervloekten hem toen hij wegrende. Raaf zag de enorme Vrykyl niet op de heuveltop staan en neerkijken op de slag. Raaf had
maar één doel. Hij hoorde niets anders en zag niets anders. Niets anders was van belang.

Niets, behalve zijn angst dat een vijandelijke taan Qu-tok zou doden.

Qu-tok stond tegenover een andere ervaren krijger, een taan die meer
littekenweefsel dan gewone huid had. De beide krijgers gebruikten
de tum-olt, een gigantisch tweehandig zwaard met een getande kling
die zeer effectief was bij het openhalen van de dikke tanenhuid. De
strijders vielen elkaar met een klap en veel gebrul aan. De scherp getande klingen werden tegen elkaar geduwd. Vechten met de tum-olt
is een krachtproef, afgezien van de benodigde behendigheid. De strijders spanden zich allebei tot het uiterste in om het zwaard uit de handen van de ander te trekken.

Qu-tok en zijn tegenstander zetten zich allebei schrap, hijgden en
duwden. De tegenstander schopte tegen Qu-toks knie in een poging
hem zijn evenwicht te doen verliezen, maar Qu-tok kende dat trucje en gebruikte de manoeuvre van zijn tegenstander tegen hem, waardoor die bijna viel. De vijandelijke taan was snel en behendig. Hij
slaagde erin op de been te blijven en tegelijk het zwaard vast te blijven houden.

Er kwam geen andere taan tussenbeide. Tanen vechten aan het begin van een slag man tegen man; elke taan kiest een tegenstander.
Het staat de winnaar vrij om een nieuwe tegenstander te zoeken of
een kameraad te helpen als die in moeilijkheden zit.

Raaf rende over het slagveld, wegduikend en opzij springend, geconcentreerd op Qu-tok. De tanen letten niet op hem. Hij was per
slot van rekening een slaaf.

Raaf bereikte de strijders. Qu-tok duwde grommend en kreunend tegen het zwaard van zijn tegenstander. De andere taan zette zich schrap
tegen Qu-tok. Hun zwaarden, met de scherpe tanden, grepen in elkaar. Hun spieren stonden bol. Hun voeten woelden de aarde om. Er
stroomde bloed langs Qu-toks rechterarm. De andere taan had open-
gehaalde knokkels. De eerste taan die zou verslappen, zou sterven.
Raaf greep zijn ketting in beide handen, zwaaide die in het rond en

wierp de ketting toen met al zijn kracht naar de worstelende tanen. De ketting wond zich rond hun in elkaar gehaakte zwaarden. Met één ruk trok Raaf beide zwaarden uit de handen van de tanen.

De uitdrukking op Qu-toks gezicht was bijna lachwekkend. Ook de andere taan was overdonderd. Ze staarden allebei verbijsterd naar hun zwaarden, die de lucht in vlogen en verdwenen. Beledigingen schreeuwend en met zijn ketting zwaaiend mengde Raaf zich in de strijd. De twee tanen staarden naar hem. Ze keken elkaar aan en barstten allebei in lachen uit.

'Derrhuth,' zei de vijandelijke taan minachtend.

Hij stak zijn grote hand uit en pakte de rondslingerende ketting, die nog steeds aan de ijzeren band om Raafs nek vastzat. De taan gaf er zo'n harde ruk aan dat Raaf omver werd getrokken en bijna zijn ruggengraat brak. Hij zakte op zijn knieën. De vijandelijke taan maakte aanstalten hem een verpletterende slag toe te brengen. Raaf zag de dood in de ogen. Hij kon zich niet verroeren, want de taan had zijn ketting stevig vast. Wat Raaf wilde was mislukt, maar hij zou in elk geval eervol sterven...

Er floot een stok langs Raafs hoofd, rakelings langs zijn wang. Het botte uiteinde van de stok raakte de taan vlak onder zijn borstbeen. Hij kromp kreunend ineen.

Dur-zor ging beschermend voor Raaf staan. Toen de taan ineenkromp, sloeg ze hem hard op zijn hoofd, zodat hij op de grond zakte. Met een laatste slag met het uiteinde van de kep-ker tegen zijn schedelbasis brak ze zijn nek.

Dur-zor grijnsde opgetogen. 'Ik ben een krijger!' riep ze uit. 'En jij hebt hoop. Vecht je gevecht. Ik zal je van achteren beschermen.'

Raaf sprong overeind en draaide zich om naar zijn vijand.

Qu-tok had gewacht tot de andere taan met de lastige slaaf afrekende, zodat de ware strijd tussen gelijken kon worden hervat. Hij was perplex toen hij Dur-zor – een minderwaardig wezen – naar voren zag komen en zijn tegenstander zag doden. Qu-toks verbijstering sloeg om in razernij. Rivalen van hem zouden hier misbruik van maken; ze zouden zeggen dat Qu-tok aan de verliezende hand was geweest en dat een halftaan zijn leven had gered. En alsof dat nog niet beledigend genoeg was, werd hij nu door zijn eigen slaaf tot een gevecht uitgedaagd. Niets was kostbaarder voor een taan dan zijn eer, en Qu-toks eer was bezoedeld.

Raaf zag Qu-toks ogen vuur spuwen en wist dat hij eindelijk Qu-toks volledige aandacht had. Toen hij het speeksel uit de open mond van de taan zag vliegen en de razernij in zijn ogen zag, wist Raaf dat Qu-tok hem deze keer wilde doden.

Qu-tok griste zijn mes uit zijn riem en viel naar Raaf uit; hij richtte op zijn hart. Raaf hield stand, met de zware ketting als enige wapen. Hij zwaaide met de ketting en sloeg Qu-tok tegen zijn hand in de hoop dat die het mes zou laten vallen.

De ketting scheurde de huid van Qu-toks vingers open, maar bracht hem verder weinig schade toe. Met het mes nog steeds in zijn rechterhand stak Qu-tok zijn linkerhand uit naar Raaf om hem bij zijn haar te pakken en dan zijn keel door te snijden.

Raaf dook onder de arm van de taan door en wierp zichzelf letterlijk op Qu-tok. De twee vielen op de grond. Qu-tok kwam met een grom op zijn rug neer. Raaf sprong boven op hem. Qu-tok probeerde de mens van zich af te schudden. Raaf zat schrijlings op de taan en klemde hem met zijn knieën vast. Hij balde zijn vuist en gaf Qu-tok een kaakslag die een mens niet zou hebben overleefd.

Qu-tok knipperde niet eens met zijn ogen. Terwijl hij zich probeerde te bevrijden, zwaaide hij met het mes naar Raaf.

Raaf kreeg de hand van Qu-tok te pakken waarin hij het mes had en sloeg de vuist van de taan tegen de grond. Qu-tok maakte gebruik van Raafs manoeuvre. De sterke taan liet zich opzij rollen en gooide Raaf op zijn rug. Ze worstelden om het mes.

Dur-zor stond voor Raaf, hield met beide handen de kep-ker vast en zwaaide er behendig mee om te zorgen dat er niemand tussenbeide kwam. Eerst had niemand erop gelet, maar toen zag de opmerkzame Dag-ruk wat er gebeurde. Ze schreeuwde en kwam naar voren rennen om de rebellerende slaaf te doden.

Dur-zor sloeg de jachtmeester tegen haar arm. Dag-ruk gromde woedend en stapte op Dur-zor af, die trots de kep-ker in haar handen klemde en op haar dood wachtte.

Er klonk een stem over het slagveld, een koude, diepe stem, zo duister als een bron van duisternis.

'Intiki!'

Met dat bevel kwam er een eind aan de veldslag. Alle tanen, van beide kanten, bevroren midden in hun beweging en keken vol angstige eerbied op. De taanse Vrykyl stond met geheven hand op de heuveltop.

'Intiki!' riep hij opnieuw.

Er waren er maar twee die hem niet gehoorzaamden en doorgingen. Raaf hoorde de kreet van de Vrykyl niet en als hij die wel had gehoord, zou hij hem niet begrepen hebben. Qu-tok hoorde hem wel, maar was te razend om te luisteren.

De afschuwelijke ogen van de Vrykyl vestigden zich op Dur-zor. Ze liet haar stok vallen en wierp zich op haar knieën. Dag-ruk, die naast de halftaan stond, deed hetzelfde.

Achter hen lagen Qu-tok en Raaf te rollen, te grommen en te schoppen, te bijten en om het mes te worstelen.

'Intiki!' brulde K'let opnieuw. 'Laat hen vechten!'

De tanen lieten hun wapens zakken, maar ze staken die niet weg; alle tanen hielden hun tegenstander behoedzaam in de gaten terwijl ze tegelijk probeerden te zien welk gevecht de aandacht van de Vrykyl had getrokken.

De slaven probeerden het ook te zien, maar er bevonden zich zoveel tanen rond de vechtenden dat ze er alleen af en toe een glimp van opvingen. Een van hen gaf een juichkreet, maar de anderen legden hem onmiddellijk het zwijgen op, want ze wilden de aandacht niet op zich vestigen.

Raaf wist hier allemaal niets van. Zijn lijf zat onder het bloed en zijn schouder was tot op het bot opengesneden. Zijn vingers waren gehavend. Hij had overal striemen van de ketting en krassen van Qu-toks klauwen. Raaf voelde geen pijn. Het enige dat hij voelde was het levende vlees, de botten en de pezen van zijn vijand onder zijn handen.

Tijdens hun felle gevecht wond de lange ketting zich rond beide krijgers en bond hen met ijzeren schakels aaneen. De ketting zat om hun benen geslagen en verstrikte hun armen. Wild om zich heen maaiend verplaatsten ze zich over de grond. De toekijkende tanen deinsden haastig achteruit om hun ruimte te geven. Raaf zag een grote steen die half in de grond zat. Hij greep Qu-toks hand beet, waarin die nog steeds het mes hield, en sloeg de hand van de taan hard tegen de steen. Het mes vloog uit Qu-toks vingers en Raaf was eventjes opgetogen, maar daar kwam een einde aan toen Qu-tok met zijn sterke hand de steen vastgreep en die uit de grond wrikte. Hij zwaaide met de steen en wilde Raaf ermee op zijn hoofd slaan. De ketting belemmerde hem in zijn bewegingen. Hij kon de klap niet veel kracht geven en hem ook niet erg goed richten. Raaf ving de klap op met het vlezige deel van zijn bovenarm.

Qu-tok liet zijn arm zakken voor een volgende klap en toen zag Raaf zijn kans. Qu-tok had geen enkele verdediging. Er was maar één probleem. Raaf kon niet tegelijk aanvallen en de volgende klap ontlopen. Die zou hij dus moeten verduren. Raaf pakte de ketting in beide handen, legde er een lus in en sloeg de ketting om Qu-toks nek. Tandenknarsend van razernij sloeg Qu-tok Raaf met de steen.

De pijn golfde door Raafs hoofd, en hij zag sterren in de zwarte nacht die voor zijn ogen begon te vallen. Hij duizelde van de klap en vocht met zijn hele wezen om de ketting vast te houden en bij bewustzijn te blijven.

Gelukkig had Qu-tok niet zijn volledige spierkracht kunnen gebruiken bij de klap. Als hij dat wel had gedaan, zou de taan Raafs schedel hebben gekraakt alsof het een zargnoot was. Zoals het nu was gegaan, bonsde Raafs hoofd en stroomde het bloed zijn linkeroog in, maar hij was niet dood. Hij kon nog denken en handelen. Terwijl hij in elke hand een uiteinde van de lus in de ketting had, gebruikte hij zijn laatste krachten om er een flinke ruk aan te geven.

Er kraakten botten onder de ketting. Qu-toks ogen puilden uit; hij gorgelde en stikte bijna in zijn eigen bloed. Hij liet de steen vallen en probeerde vertwijfeld om de ketting weg te trekken van zijn luchtpijp. Raaf bleef trekken. Hij keek strak naar de ogen van de stervende taan en toen hij zag dat het licht begon te doven, ging hij harder trekken.

'Ga dan dood, klootzak!' zei hij steeds weer. 'Ga dood!'

Er droop bloed uit Qu-toks mond. Zijn hakken sloegen tegen de grond. Het lijf van de taan verstijfde en werd toen slap. Qu-tok verzette zich niet meer. Zijn ogen rolden naar achteren in zijn hoofd. Er ging nog een laatste spiertrekking door zijn armen en benen, en toen lag hij stil.

Omdat hij hem niet vertrouwde, bleef Raaf aan de ketting trekken.

'Het is voorbij,' zei Dur-zor.

Raaf hoorde haar niet. Hij liet de ketting alleen maar los omdat hij te zwak was om die nog langer vast te houden. De strijdlust vloeide uit hem weg en Raaf voelde de pijn die hij tijdens het gevecht niet had gevoeld.

Het kon hem niet schelen. Hij zou nu toch snel sterven. De andere tanen zouden hem doden. Hij was verrast dat ze dat nog niet hadden gedaan en toen bedacht hij dat ze hem waarschijnlijk dood zouden martelen voor dit misdrijf.

Hij haalde zijn schouders op. Er was op dit ogenblik nog maar één ding belangrijk voor hem. Hij stak zijn beboede handen in de lucht, liet zijn hoofd achteroverzakken en gaf de overwinningskreet van de Trevinici: het gehuil van een coyote als die iets heeft gedood.

Raaf was nooit eerder zo trots en voldaan geweest. Zijn kreet stierf weg. Hij liet zijn schouders hangen. Hij zakte ineen boven het lichaam van zijn dode vijand en viel toen opzij, bewusteloos.

8

Dur-zor liet haar kep-ker vallen en boog zich over Raaf. Ze legde haar wijsvinger tegen zijn hals om zijn hartslag te controleren, keek toen op en verkondigde trots: 'Zijn hartslag is sterk. Hij leeft nog.'
De tanen keken elkaar aan en keken toen naar de Vrykyl. Niemand wist precies wat er moest gebeuren. De krijgers hadden bewondering voor Raafs moed en volharding. Ze waren onder de indruk van de manier waarop hij Qu-tok had gedood. Maar hij was een slaaf, een slaaf die in opstand was gekomen tegen zijn meester, en hoe moedig hij ook was, hij moest gestraft worden. Normaal gesproken zouden de tanen hem dagenlang hebben gemarteld, als voorbeeld voor de andere slaven, voordat ze hem zouden hebben toegestaan te sterven. Daarna zouden ze hem de eer hebben bewezen om zijn vlees te eten, zelfs ruzie hebben gemaakt over wie zijn hart mocht opeten. Nu keken de tanen naar K'let, dankbaar dat hij hen deze voorstelling had gegund, maar onzeker over wat hij verder van hen wilde.
De Vrykyl heette K'let en hij was de machtigste en de meest gerespecteerde van de taanse Vrykyls. K'let kwam van de heuveltop af. Vergezeld van zijn lijfwachten – immense tanen, gehuld in schitterende harnassen – liep de Vrykyl tussen de tanen door, die uiteenweken om hem door te laten. Veel van zijn volgelingen staken een hand uit om hem in het voorbijgaan aan te raken. De lijfwacht van de Vrykyl was eigenlijk een erewacht, want geen enkele taan, zelfs zijn vijanden niet, zou het wagen hem iets te doen en het viel te betwijfelen of er een taan bestond die hem iets zou kúnnen doen. De tanen van Dag-ruks stam weken terug toen hij naderde; ze bekeken K'let met respect, maar ook met wantrouwen.
K'let stond bij Raaf en keek neer op de bewusteloze, bebloede mens, die nog steeds de ijzeren band van de slaaf om zijn hals droeg. Zijn ketting zat nu om een lijk verankerd.
'Deze mens heeft het hart van een taan,' verklaarde K'let en de andere tanen klikten instemmend met hun tong tegen hun verhemelte.

'Hij is sterk voedsel,' vervolgde K'let. 'Ikzelf zou vereerd zijn om zijn vlees te eten.'

De andere tanen betuigden hun instemming door met hun wapen op de grond te dreunen of ermee tegen hun borstplaat te kloppen.

'Ik ken maar één andere mens die zo sterk is,' zei K'let. 'Dagnarus.' De volgelingen van K'let grijnsden naar elkaar. De tanen van Dagruk werden stil en fronsten hun voorhoofd. Dagnarus was geen mens. Hij was een god die er om de een of andere vreemde reden voor had gekozen de vorm van een mens aan te nemen.

'Ja, ik zeg dat Dagnarus een mens is,' zei K'let. Hij droeg een donkere helm met het gezicht van een woeste, grimassende taan van zwart metaal, en hij keerde dat angstaanjagende gezicht naar de krijgers van Dag-ruks stam. 'Ik weet dat hij een mens is. Ik ben van het begin af aan bij hem geweest. Dit is wat ik toen was.'

Het harnas van de Vrykyl verdween. Daarvoor in de plaats stond een taan. Hij was groot en gespierd, en zijn lichaam droeg de littekens van vele veldslagen. Zijn huid had niet de bruine kleur van de andere tanen. K'lets huid was wit. Zijn haar was wit en zijn ogen waren felrood. Geen van de tanen was verbaasd door de transformatie. Ze kenden het verhaal van K'let allemaal, want het was het verhaal van hun god. Maar tanen zijn dol op dit verhaal en ze hadden er geen bezwaar tegen het nog eens te horen.

'Ik ben met een witte huid geboren en was een schande voor mijn ouders. Binnen de stam werd ik gemeden en vaak bedreigd met uitstoting. Toen kwam Dagnarus bij ons. Hij was een mens, maar hij was sterk. De sterkste mens die we ooit hadden gekend. Hij vocht met de nizam van onze stam en doodde die. We betoonden hem eer en wilden dat hij onze nizam zou worden. Dagnarus weigerde. Hij kondigde aan dat hij een wedstrijd zou houden om een nieuwe nizam te kiezen. In die tijd vochten we op leven en dood om de juiste leider te kiezen. Het ging niet zoals tegenwoordig, nu de tanen zwakkelingen zijn geworden.'

K'let keek dreigend om zich heen, met ogen die vuur spuwden. Sommige tanen lieten hun hoofd hangen, maar anderen, onder wie Dagruk, keken hem uitdagend aan.

'Ik ben naar Dagnarus gegaan,' vervolgde K'let. 'Ik vereerde hem toen, net als alle andere tanen. Ik heb hem verteld dat ik hem als mijn god zou nemen als hij me de kracht zou geven om de wedstrijd te winnen. Hij stemde hiermee in, als ik er tenminste mee akkoord zou gaan om hem mijn leven te geven op het moment dat hij dat wilde. Ik heb de overeenkomst gesloten. Ik won de wedstrijd. Ik versloeg de andere taan. Ik heb Dagnarus als mijn god genomen. Ik heb naast hem gelopen toen we door ons land reisden om andere tanenstammen tot zijn verering te bekeren. Ik heb aan zijn zijde gevochten om onze verdiensten te bewijzen aan de nizam van die andere stammen. Ik heb geholpen de tanen ervan te overtuigen om Dagnarus tot hun god te kiezen. Ik ben met hem naar zijn wereld gekomen, om zijn strijd te strijden. Toen hij een beroep op me deed om mijn belofte te vervullen, heb ik Dagnarus mijn leven gegeven. Hij heeft een Vrykyl van me gemaakt.

En toen, nadat de Leegte me had genomen, zag ik wat Dagnarus werkelijk is. Een mens. Een machtig mens, een mens die door de Leegte is uitverkoren, maar toch een mens. Op dat moment wist ik dat ik machtiger was dan Dagnarus en op dat moment wist ik dat hij geen god was.'

Zijn volgelingen verhieven hun stem en riepen K'lets naam. Sommige tanen van Dag-ruk keken onzeker en wierpen elkaar steelse blikken toe. Dag-ruk keek dreigend om zich heen en zei iets tegen R'lt, die zijn ogen neersloeg en zijn hoofd schudde. Dag-ruk keek verontrust.

'Door middel van de magie van het bloedmes voelde Dagnarus mijn twijfel,' vervolgde K'let. 'Hij wilde me bewijzen dat hij mijn meester was. Hij zou me doen inzien dat ik geen andere keuze had dan hem te gehoorzamen, omdat ik aan hem gebonden was via de dolk van de Vrykyls. Hij droeg me op mijn partner Y'ftil te doden en haar ziel te verorberen, waarmee ik haar de kans zou ontzeggen om te vechten in de laatste slag van de godenoorlog. Het mes was in mijn hand. Ik zag mijn hand omhooggaan en ik zag mijn voeten mijn onwillige lijf naar Y'ftil dragen. De wil van Dagnarus dwong me verder te gaan. Mijn wil vocht tegen de zijne in een strijd die veel leek op de strijd die we hier vandaag hebben gezien, want ook wij waren aan elkaar geketend, alleen waren onze ketenen gesmeed van Leegte.

Ik heb gewonnen,' zei K'let en zijn stem weerklonk door de plotselinge stilte. 'Ik heb Dagnarus verslagen. Ik heb het mes waarmee hij wilde dat ik Y'ftil stak in de keel van een van zijn sjamanen gedreven. Toen ben ik voor Dagnarus neergeknield en heb hem trouw gezworen, niet omdat ik daartoe gedwongen was, maar omdat ik in zijn zaak geloofde. Ik zwoer dat ik hem zou volgen zolang hij de tanen met respect bleef behandelen. Hij beloofde me dat hij de tanen deze vruchtbare wereld met haar bossen en voldoende water als onze wereld zou geven. Hij beloofde me dat we van de inwoners zouden smullen en vele slaven zouden hebben. Hij beloofde me de rijkdom van deze wereld, haar staal en zilver en goud, haar juwelen om onder onze huid te schuiven en ons kracht te geven.'

K'let zweeg even. De tanen mompelden instemmend. Ze wisten allemaal dat Dagnarus dergelijke beloften had gedaan.

'Een voor een,' zei K'let op plechtige toon en met een stem die trilde van woede, 'brak Dagnarus zijn beloften.'

K'let wees met een vinger naar de slaven. 'Mogen jullie die sterke slaven voor eigen gebruik houden? Nee, dat mogen jullie niet. Jullie moeten ze aan Dagnarus geven.' Hij wees naar Dur-zor, die terugdeinsde. 'Mogen jullie die monsters vernietigen? Nee, we moeten hun soort onder ons verdragen. Mogen jullie op leven en dood vechten om jullie leiders te kiezen? Nee, jullie leiders worden nu voor jullie aangewezen. Mogen we de oude goden vereren, de goden die de tanen ter wereld hebben gebracht en ons het leven hebben gegeven? Nee, er wordt ons voorgehouden dat die goden geen echte goden zijn en dat deze mens de enige god is. Mogen we terugkeren naar ons vaderland? Nee, dat mogen we niet. Het Portaal waardoor we zouden kunnen terugkeren naar onze wereld wordt dag en nacht bewaakt. De tanen die proberen het binnen te gaan, worden ter dood gebracht. Heeft Dagnarus zijn belofte gehouden en ons dit land voor onszelf gegeven? Nee, we moeten steeds weer een andere slag voor hem vechten, en dan nog een.'

Dag-ruk bewoog en verhief toen uitdagend haar stem. 'Geeft Dagnarus om de tanen? Ja, dat doet hij!'

'Nee, dat doet hij niet!' brulde K'let. 'En dat zal ik jullie bewijzen. Hij heeft tanen naar het zuiden gestuurd, naar een land dat Karnu heet, om daar tegen mensen te vechten en een magisch Portaal te veroveren. Het was maar een klein aantal tanen, want Dagnarus vertelde ons dat die mensen zwak waren en dat ze voor ons weg zouden rennen als konijnen in paniek. Dat was een leugen. Die mensen bleken net zo sterk te zijn als deze.' Hij wees naar de bewusteloze Raaf. 'Ze hadden het hart van een taan en vochten als tanen. We stierven op het slagveld en we konden hen niet de baas worden. Onze aanvoerders gingen naar Dagnarus en vertelden hem dat de tanen deze mensen wel konden verslaan, maar alleen als hij ons meer troepen stuurde.

Zijn antwoord was: nee.'

Er viel een diepe stilte. De tanen verroerden zich niet, maar stonden strak voor zich uit te staren.

'Dagnarus weigerde versterkingen te sturen. Hij zei dat hij de troepen nodig had voor een belangrijker slag, een slag in het land van de gdsr.'

De tanen keken afkeurend. De 'gdsr' waren de elfen, een volk dat als nog zwakker dan mensen bekendstond, een volk van geen enkele waarde. Als de tanen een elf gevangennemen, trekken ze hem zijn armen en benen uit alsof hij een insect is.

'Dagnarus zei dat onze tanen in het land van de mensen maar voor zichzelf moesten zorgen. Ze moesten daar blijven en vechten, en winnen of sterven.'

Dag-ruk bleef strak naar de Vrykyl kijken, maar iedereen kon zien dat ze twijfelde. R'lt, de sjamaan, fluisterde iets in haar oor.

'Toen heb ik Dagnarus verteld dat als hij niet loyaal was jegens de tanen, ik mezelf niet meer verplicht voelde hem trouw te blijven. Hij lachte me uit en zei dat ik geen keuze had. Ik had hem eens getrotseerd, maar nu was hij sterker. Ik zou hem niet nog eens het hoofd kunnen bieden. Hij zou me vernietigen.'

K'let spreidde zijn armen. Hij verhief zijn stem en riep naar de hemel: 'Iltshuzz, god der schepping, wees mijn getuige! Ik sta hier onbeschadigd, ongekrenkt voor jullie! Dagnarus kon zijn dreigement niet waarmaken. Hij heeft het geprobeerd, maar ik was te sterk. Ik heb me van hem afgekeerd en ben bij hem weggelopen. Nu vecht ik mijn eigen oorlog in dit land. Ik vecht een oorlog om de tanen te bevrijden. Ik vecht om de tanen terug te brengen tot de aanbidding van de oude goden. Ik vecht een oorlog tegen de mens die durft te beweren dat hij een god is.'

'Als u zo sterk bent, K'let,' zei Dag-ruk terwijl ze de waarschuwende hand van de sjamaan opzij duwde, 'waarom hebt u Dagnarus dan niet gedood?'

K'let liet zijn armen zakken. Hij liet zijn blik van de hemel naar Dag-ruk gaan. 'Een terechte vraag, krijger. Ik begrijp waarom u jachtmeester bent.'

Dag-ruk gaf een kort knikje, maar liet zich niet afschepen.

'Uw antwoord?' zei ze, respectvol maar vasthoudend.

'Dagnarus is geen god. Hij is een mens, hij is sterfelijk, maar hij heeft veel levens, levens boven op levens gestapeld. Elk leven dat hij neemt met behulp van de dolk van de Vrykyls verlengt zijn eigen levensduur. Het had geen zin om hem eenmaal te doden. Ik zou hem vele malen achter elkaar moeten doden. Hij is bang van me. Hij zorgt dat hij voortdurend omringd is door andere Vrykyls, die nog aan hem gebonden zijn. Ik ben tot nu toe de enige die erin is geslaagd me aan zijn gezag te onttrekken. Het is nog niet mijn tijd. Die komt wel, maar nu nog niet.'

Dag-ruk overdacht dit en leverde geen commentaar.

K'let schudde de illusie van hoe hij eens was geweest af. Hij stond weer voor hen in zijn zwarte harnas, als een sterke macht. Hij keek om zich heen naar zijn volk. 'Het is verkeerd om elkaar te doden. Er is bloed van heel wat goede krijgers vergoten in deze strijd en dat betreur ik. Ik ben blij dat ik deze kans had om jullie toe te spreken. Ik vraag jullie om je wapens neer te leggen en je bij mij aan te sluiten. Voorlopig moeten we in dit land blijven, maar ik beloof jullie plechtig dat de dag zal komen dat ik jullie terug zal leiden naar ons land. Terug naar het land dat jullie nooit hebben gekend, terug naar de ware goden. Degenen onder jullie die bereid zijn me trouw te zweren, moeten hun wapens neerleggen. Toon jullie trouw aan mij door me jullie slaven te geven en de gedrochten, de halftanen, te doden. Als jullie je niet bij me willen aansluiten, zullen we een eerlijke strijd tegen jullie vechten. Ik geef jullie tijd om met jullie jachtmeester te overleggen.'

K'let keerde zich weer naar Raaf, die net begon te bewegen en te kreunen. 'Wat betreft deze mens, die bevalt me wel. Ik maak hem lid van mijn lijfwacht. Hij dient met alle respect behandeld te worden. Jij' – hij gebaarde naar Dur-zor – 'vertel hem wat ik heb gezegd.'

Dur-zor knielde naast Raaf neer en hielp hem om te gaan zitten. Hij knipperde met zijn ogen en probeerde te zien wat er gebeurde. Zijn ene oog zat dichtgekleefd door opgedroogd bloed en het andere begon op te zwellen en paars te worden.

'Ik ben niet dood,' zei hij met dikke tong terwijl hij tegen haar aan leunde.

'Nee, je bent niet dood. Er wordt je een grote eer verleend,' zei Dur-zor en ze vertelde hem wat K'let had bevolen.

'Huh?' Raaf begreep het niet helemaal. 'Wie is K'let?'

Terwijl hij zijn kiezen op elkaar zette tegen de pijn die de beweging hem deed, keek Raaf naar de Vrykyl. Wat hij zag, bracht het afschuwelijke zwarte harnas bij hem boven, en die nachtmerrieachtige rit.

'Nee!' riep Raaf, huiverend van afschuw. 'Nee! Dat doe ik niet.'

'Je weet niet wat je zegt!' Dur-zor probeerde hem te bepraten, zich ervan bewust dat K'let aandachtig naar hen keek. 'Je moet dit doen, anders doodt hij je. Je zult een vreselijke dood sterven, want je weigering zal een belediging voor hem zijn.'

'Ik ga liever dood!' mompelde Raaf met gescheurde en bebloede lippen.

'O ja?' vroeg Dur-zor met een glimlach, hoewel haar lippen beefden. Aangezien ze een van de gedrochten was, wist ze dat haar eigen dood niet lang meer op zich zou laten wachten. 'Je hebt niet met Qu-tok gevochten als een man die wil sterven. Je hebt gevochten om te leven.'

'Ik heb gevochten om te doden,' zei Raaf. 'Dat is heel iets anders.'

'En het was K'let die je die kans heeft gegeven,' zei Dur-zor. 'Denk je dat Qu-toks medekrijgers een slaaf hadden toegestaan een eerlijk gevecht met hem te hebben? Ze stonden op het punt je te doden, maar K'let heeft hun opgedragen jullie te laten vechten.'

'Is dat zo?' Raaf keek op naar de Vrykyl. Hij kon de aanblik van het afzichtelijke wezen niet verdragen en wendde haastig zijn blik af.

'Je hebt Qu-toks dood aan hem te danken,' zei Dur-zor. 'Ga zitten, dan kan ik naar je schouderwond kijken.'

Raaf kreunde. Zijn hoofd deed vreselijk pijn. Zijn schouder stond in brand. Een van de sjamanen kwam, na een blik op K'let, naar hem toe en stak zijn hand met iets erin uit naar Raaf.

'Wat is dat?' Raaf keek er achterdochtig naar.

'Boomschors,' zei Dur-zor. 'Het verlicht de pijn.'

Raaf pakte de schors aan, stopte die in zijn mond en kauwde erop. De smaak was bitter, maar niet onaangenaam. Hij probeerde helder te denken. Dur-zors scherpe logica drong door de vermoeidheid en de pijn heen. *Je hebt gevochten om te leven.* Blijkbaar was hij nog niet zo bereid om te sterven als hij had gedacht.

'Ik zal doen wat hij wil,' zei Raaf en zijn adem stokte, want Dur-zor onderzocht de wond op zijn rug en duwde er met haar vingers tegen. 'De kling is over het bot gegaan, maar het bloeden is al gestopt. De wond zal genezen en je zult er een mooi litteken aan overhouden.'

Raaf wilde knikken, maar bedacht zich.

'Ik heb veel aan je te danken, Dur-zor,' zei hij kauwend. 'Ik heb meer aan jou te danken dan aan die… K'let.'

Ze pakte zijn hand en begon zijn gehavende vingers te onderzoeken. 'Praat wat zachter,' fluisterde ze.

'Waarom? K'let is een taan. Hij verstaat niet wat we zeggen.'

Dur-zor wierp een zijdelingse blik op de Vrykyl. 'Misschien doet hij dat wel. Hij heeft heel lang onder mensen geleefd. K'let was eens de gunsteling van onze god.'

Er klonk bedroefdheid door in haar stem, een verdriet dat Raaf niet begreep. Ze liet haar hoofd weer zakken en ging verder met haar werk.

'Ik heb veel aan je te danken, Dur-zor,' herhaalde Raaf ernstig. 'Ik heb gezien dat je die taan hebt gedood. Als jij niet tussenbeide was gekomen, zou ik dood zijn en Qu-tok zou op mijn tenen zitten te kauwen.'

Hij hoopte dat dat hem een glimlach zou opleveren, maar Dur-zor hield haar hoofd gebogen, zodat hij haar gezicht niet kon zien.

'Je hebt goed gevochten vandaag, Dur-zor. Je bent een echte krijger. Dat kan niemand ontkennen.'

Ze keek naar hem op en hij zag dat dat haar plezier deed. 'Dat weet ik. Daar ben ik blij om.' Langzaam en voorzichtig, om hem niet nog meer pijn te doen, liet ze zijn handen los. 'Ik geloof niet dat er ernstige schade is, maar je moet uitkijken dat je geen last krijgt van de stinkende ziekte.'

Raaf begreep dat ze gangreen bedoelde. 'Als je water voor me haalt, zal ik de wonden wassen. Dur-zor, wat is er?'

'Ik mag misschien geen water voor je halen,' zei Dur-zor zacht. 'De dingen zijn veranderd. Kijk maar om je heen.'

Raaf herinnerde zich dat de tanen in een felle strijd gewikkeld waren, en het viel hem nu pas op dat er niet meer werd gevochten. Hij vroeg zich af wat er gebeurd was. Dag-ruk stond met haar krijgers te praten, die zich om haar en de sjamaan R'lt hadden verzameld. Ze leken in een verhit debat gewikkeld te zijn, want er werd geschreeuwd en heftig gebaard. De andere tanen, de vijandelijke, verzorgden hun gewonden, maakten hun wapens schoon of zaten duimen te draaien. De slaven keken behoedzaam naar de tanen. Ze begrepen wel dat er over hun lot werd beslist, maar wisten niet hoe of waarom. De halftanen waren bijeengedreven en werden bewaakt door vijandelijke tanen.

'Er wordt meer gepraat dan gevochten. Is dit de manier waarop de tanen hun strijd altijd uitvechten?' vroeg Raaf.

'K'let heeft onze stam gevraagd zich bij de rebellen aan te sluiten,' antwoordde Dur-zor. 'Ze overwegen het. R'lt is ervoor. Dag-ruk neigt ook in die richting. Sommige krijgers pleiten ertegen, maar als Dag-ruk een beslissing neemt, is die definitief. Dan kunnen ze zich bij haar aansluiten of de stam verlaten.'

Ze ging staan en keek neer op Raaf. 'Ik zal vragen of ik je water mag brengen. Zo niet...' Ze zweeg even, glimlachte toen en rechtte haar schouders. 'Ik was een krijger,' zei ze trots. 'Een goede. Onze god zal tevreden over me zijn. Hij zal mijn ziel in zijn leger opnemen.'

'Waar heb je het over?' Raaf stond op. Hij voelde zich wat beter en leek helderder te kunnen denken, hoewel hij een raar gezoem in zijn oren had. De pijn was afgenomen tot een dof gevoel met af en toe een uitschieter. 'Je ziel opnemen. Wat betekent dat?'

'Als Dag-ruk zich bij de rebellen aansluit, heeft K'let opgedragen dat alle halftanen gedood moeten worden. Wij zijn gedrochten. We verdienen het niet te leven.'

Raaf staarde haar aan. Ze sprak kalm en zakelijk, alsof ze het zelf geloofde.

'Wat? Nee! Dat is krankzinnig!' Hij keek suffig om zich heen. 'Met wie moet ik praten? K'let? Goed, dan ga ik met K'let praten.' Hij stak zijn bebloede hand uit en pakte haar bij haar pols. 'Kom met me mee.'

Dur-zor staarde hem wezenloos aan, te geschokt om te reageren. Toen ze begreep dat hij echt van plan was te doen wat hij zei, probeerde ze zich los te trekken uit zijn greep.

'Jij bent degene die krankzinnig is!' bracht ze hijgend uit terwijl ze trok en worstelde.

Hij zei niets, maar sleepte haar achter zich aan. Zijn benen waren slap; hij slingerde als een dronkaard na een zuippartij van drie dagen. Hij wist niet precies wat hem de moed gaf om tegen de Vrykyl in opstand te komen. Misschien was het de boomschors, of misschien het feit dat hij zijn leven aan Dur-zor te danken had.

Nee, dacht hij grimmig, ik heb meer aan haar te danken dan dat. Ik heb mijn gezonde verstand aan haar te danken. Als zij er niet was geweest, zou ik allang gek zijn geworden, net als die arme vrouw die zichzelf in de rivier heeft verdronken.

K'let stond te praten met een van de sjamanen uit zijn gevolg. De sjamaan heette Derl en hij was de oudste levende taan, en zeer gerespecteerd. Aan zijn littekens kon je zien dat hij zijn mannetje had gestaan in de strijd. Er zaten zeer waardevolle en kostbare edelstenen onder zijn huid. Hij gebruikte de magie van de Leegte om zijn leven te verlengen, hoewel niemand precies wist hoe hij dat deed. Hij was geen Vrykyl, maar een levende taan. Zijn haar was wit geworden en zijn huid dofgrijs. Dat en het feit dat hij langzaam en weloverwogen bewoog, alsof hij zijn krachten wilde sparen, waren de enige dingen waaraan je kon zien dat hij al honderdvijftig jaar op deze wereld was. Derl en K'let praatten over Raaf.

'Waarom maak je die mens tot een van je gerespecteerde lijfwachten?' vroeg Derl, zonder moeite te doen zijn weerzin te verhullen. 'Hij is inderdaad moedig en sterk... voor een mens. En ik weet dat je het leuk vindt dat er een mens voor jou werkt, zoals jij ooit gedwongen was voor een mens te werken. Maar toch' – Derl schudde zijn hoofd – 'zo'n verachtelijk wezen zal je meer last opleveren dan hij waard is.'

K'let keek Derl met toegeeflijk geduld aan. 'Je kijkt niet voorbij de eerste bocht in de weg, m'n vriend. Natuurlijk zal de mens nu een beetje lastig zijn, maar er zal een dag komen dat hij me met onvoorwaardelijke gehoorzaamheid zal dienen. Je weet over welke dag ik het heb, is het niet, Derl?'

Het gezicht van de sjamaan plooide zich in een grijns. De grijns verscheen langzaam, want hij leek zelfs zijn gezichtsspieren zo min mo-

gelijk te bewegen. 'De dag dat de dolk van de Vrykyls van ons is...'
'Ik heb Lokmirr, de godin van de dood, gezworen dat ik geen taan in een Vrykyl zal veranderen,' zei K'let streng. 'Alleen mensen. Hij zal mijn tweede worden.' Hij haalde zijn schouders op. 'Als hij dan nog leeft. Dat zal op zichzelf al een goede test zijn.'
'Als hij de tweede is, wie zal dan de eerste zijn?' vroeg Derl sluw, alsof hij het antwoord al kende.
'Wie denk je?' vroeg K'let.
Derl gaf een droog lachje. 'Geloof je echt dat één steek met de dolk van de Vrykyls een eind zal maken aan de vele levens van Dagnarus?'
'Het is het proberen waard,' zei K'let bedaard. 'Jij bent een sjamaan van de Leegte. Zeg jij het maar.'
'Ik zeg dat je de botten al zit af te kluiven voordat je slachtoffer in de kookpot zit,' antwoordde Derl. 'Dagnarus heeft de dolk en hij heeft jou een verrader genoemd, die ter plekke vernietigd moet worden.'
'Er zal een dag komen dat het hem zal berouwen dat hij dat heeft gezegd,' zei K'let met een grootse onverschilligheid. 'Die dag zal komen.'
Derl boog zijn hoofd. 'Ik zal vanavond een offer brengen aan Dekthzar, de god van de strijd en de man van Lokmirr, om hem je woorden te doen verhoren. Maar voorlopig,' vervolgde Derl, en zijn listige blik ging naar een punt achter de Vrykyl, 'komt je lievelingsmens je iets vertellen.'
K'let draaide zich om en zag dat zijn lijfwachten de mens vasthielden. Raaf probeerde zich los te rukken en vervloekte hen allemaal grondig. K'let sprak de mensentaal niet en wilde dat ook niet, want de woorden voelden zacht en slijmerig aan. Maar doordat hij meer dan tweehonderd jaar temidden van mensen had geleefd, verstond hij de taal wel. Hij liet dat niet merken, want hij wist dat mensen in hun zorgeloze arrogantie hun ware gedachten in zijn aanwezigheid zouden uitspreken.
'Laat me los, stelletje klootzakken. Ik ben zijn lijfwacht, net als jullie. Ik heb iets te zeggen,' schreeuwde de mens.
Terwijl de mens met de lijfwachten worstelde, bleef hij de pols van een van de halftanen stevig vasthouden. Zij leek doodsbang.
'Hij spreekt de waarheid,' zei K'let. 'Ik heb hem tot een van mijn lijfwachten benoemd. Laat hem naderbij komen.'
De mens strompelde naar voren en sleurde de halftaan met zich mee. Hij had de ijzeren band waaraan je kon zien dat hij een slaaf was, nog om zijn hals en sleepte de ketting achter zich aan. Hij sloeg zijn ogen op naar K'lets gezicht, maar sloeg ze onmiddellijk weer neer.

Er ging een huivering door zijn lijf. Maar hij hield vol en sprak met een schoorvoetend respect.

'Dur-zor hier zegt dat u me de kans hebt gegeven om Qu-tok te doden en mijn eer te herstellen. Daar wil ik u voor bedanken, K'let.' Hij struikelde over de naam.

K'let knikte en wilde zich weer afdraaien. Naar zijn mening had de mens alles gezegd wat hij moest zeggen.

'Wacht even, eh... meneer,' riep de mens uit.

Verbaasd draaide K'let zich terug.

De mens stond met neergeslagen ogen naar de grond te staren. 'Dur-zor heeft me verteld dat u zegt dat de halftanen gedrochten zijn en dat u hen wilt doden.'

De mens liet de halftaan los, die zich onmiddellijk in het stof wierp. K'let deed alsof hij hem niet begreep. Hij droeg de halftaan op als tolk op te treden. Dat deed ze met zachte stem, haar voorhoofd tegen de grond gedrukt.

'Volgens mij zou dat een vergissing zijn,' zei de mens koppig. 'Vertel hem wat ik heb gezegd, Dur-zor,' zei hij toen de halftaan zijn woorden niet vertaalde.

Dat deed ze, terwijl ze smekend opkeek naar K'let en ineenkromp, alsof ze hem ervan wilde overtuigen dat die woorden niet de hare waren.

'Vraag hem waarom het een vergissing zou zijn,' zei K'let nieuwsgierig.

'Dur-zor heeft me verteld dat u een opstand leidt tegen die god van u,' zei de mens. Hij stond op zijn benen te zwaaien en knipperde steeds met zijn ogen. 'Uw leger is niet erg groot. U staat tegenover een enorme overmacht. Ik zou denken dat u alle krijgers kon gebruiken die u kunt krijgen.' Hij gebaarde naar Dur-zor. 'Zij is een verdomd goeie krijger. Verspil haar krachten niet. Laat haar en de anderen uw strijd voor u strijden. Wat voor kwaad kunnen ze per slot van rekening doen? Ze kunnen zich niet voortplanten. Ze zullen snel uitsterven.'

De mens hief zijn hoofd en keek K'let eindelijk recht aan. 'Als u niet meer van die "gedrochten" wilt hebben, lijkt het me dat u uw volk misschien moet vertellen dat ze er niet meer moeten maken.'

K'let was tevreden. Hij had de juiste keuze gemaakt. Hij vond deze mens nog amusanter dan hij had verwacht.

'Heb je met hem gepaard?' vroeg hij aan Dur-zor.

Dur-zor was ontsteld. 'Natuurlijk niet, kyl-sarnz! Hij is een slaaf.'

'Er zit wel wat in, in wat hij zegt. Mensen zijn in elk geval pragmatisch ingesteld. Hoe heet deze mens?'

'Aanvallende Raaf, kyl-sarnz.'

'Is hij naar een vogel genoemd?' vroeg K'let vol afkeer. 'Ik zal mensen nooit begrijpen. Vertel deze Aanvallende Raaf dat zijn suggestie me bevalt en dat ik zal doen wat hij zegt. De halftanen mogen blijven leven, op voorwaarde dat ze voor me willen vechten.'

'Dat zal ons een eer zijn, kyl-sarnz,' zei Dur-zor.

'Jij zou een goede partner voor hem zijn. Vertel hem dat.' K'let gebaarde.

Dur-zor staarde K'let aan.

'Vertel hem dat,' herhaalde K'let.

Dur-zor keek over haar schouder naar Raaf. Ze herhaalde K'lets woorden met zachte stem.

Raaf zei niets en zette zijn kiezen op elkaar. Toen bukte hij, pakte Dur-zor bij de hand en trok haar overeind.

'Dank u, kyl-sarnz,' zei Raaf.

Hij draaide zich om en wilde weglopen, maar hij had hooguit vier stappen gezet toen zijn knieën knikten en hij op de grond ineenzakte, finaal buiten westen. De halftaan wierp een ongeruste blik achterom naar K'let, bang dat dit vertoon van zwakte de Vrykyl misschien van gedachten zou doen veranderen.

K'let zwaaide met zijn hand. Hij had belangrijker zaken aan zijn hoofd dan deze mens. Het laatste dat K'let zag van de mens die naar een vogel was genoemd, was dat de halftaan hem letterlijk de heuvel af sleepte.

Raaf schrok wakker van een scherpe, metalige klap vlak bij zijn oor. Een sterke hand op zijn schouder duwde hem naar beneden.

'Niet bewegen,' zei Dur-zor. 'We zijn je ketenen aan het afdoen.'

Raaf ontspande zich. Hij had nare dromen gehad en hoewel hij zich er niets over kon herinneren, leek de klap van de hamer op staal er precies in te passen. Hij bleef stil liggen en zette zich schrap terwijl een andere halftaan met een primitief ogende hamer op de band om zijn hals sloeg. Raaf kromp bij elke slag ineen, maar gelukkig duurde het karwei niet lang. De band kwam los en daarmee zijn kettingen. Hij ging langzaam zitten, want zijn hoofd bonsde nog steeds, en ademde diep in.

Hij was geen slaaf meer.

De duisternis was gevallen. Hij had lang geslapen. Van een kampvuur in de verte stegen vonken op. Uit het kamp klonk gebulder, geschreeuw en wild gelach. De tanen vierden feest en sprongen rond het kampvuur, zwaaiend met hun wapens.

'Ik neem aan dat dit betekent dat Dag-ruk heeft besloten over te lopen?' zei Raaf. Zijn hand was schoongemaakt en er was een of andere smurrie opgesmeerd. Zijn schouder deed bij iedere beweging pijn, net als zijn hoofd. Maar hij voelde zich goed. Hij kon zijn gevoelens niet anders benoemen. Hij voelde zich goed.

'Ja,' zei Dur-zor. 'Het beviel Dag-ruk niet om te horen dat onze god...' Ze onderbrak zichzelf en zei zacht: 'Zo moet ik Dagnarus niet meer noemen. Dag-ruk heeft bevolen dat we niet meer op die manier aan hem mogen denken. Ze zegt dat we de oude goden weer zullen gaan vereren. De sjamaan Derl zal ons over hen vertellen. Maar ik denk niet dat ik die goden van de tanen aardig vind. Ze houden niet van halftanen.'

'Ik zal je over mijn goden vertellen,' zei Raaf. Hij keek naar de vonken die in de lucht dansten en omhoogspiraalden naar de hemel. 'Mijn goden hebben eerbied voor moedige krijgers, van welk volk dan ook.'

'Echt waar? Ja, dat zou ik wel willen,' zei Dur-zor. 'Dat moeten we dan geheimhouden. Dag-ruk was kwaad toen ze hoorde dat Dagnarus de tanen in het land dat Karnu wordt genoemd in de steek had gelaten. Nu volgt ze K'let. Onze stam zal met hem meegaan.'

'En de slaven?' vroeg Raaf met een licht schuldgevoel. Hij keek om zich heen, maar zag hen niet.

'K'lets krijgers hebben ze naar de mijnen gebracht. De beloning voor hen zal naar de rebellen gaan. We wachten hier een paar dagen totdat de krijgers terug zijn en dan trekken we verder.'

'Waarheen?'

Dur-zor haalde haar schouders op. 'Dat is K'lets beslissing.' Ze keek Raaf zijdelings aan. 'Dag-ruk is langsgekomen toen je bewusteloos was. Ze zei dat ze vereerd zou zijn als je bij de stam bleef. Ze zal je Qu-toks tent, zijn wapens en zijn plek in de kring van krijgers geven. Zou je dat willen?'

'Ja, dat zou ik wel willen,' zei Raaf. 'Maar ik moet met dat... wezen mee. Als zijn lijfwacht.' Hij kon een huivering niet onderdrukken.

'K'let heeft vele lijfwachten,' zei Dur-zor achteloos. 'Je hoeft alleen maar voor hem te werken als hij je laat halen. Ik hoop dat dat geen teleurstelling voor je is.'

Raaf slaakte een zucht van verlichting. 'Nee,' zei hij vanuit de grond van zijn hart. 'Helemaal niet. Hebben alle krijgers besloten met K'let mee te gaan?'

'Sommige jonge krijgers waren het er niet mee eens. Dag-ruk heeft hun gezegd dat ze konden vertrekken, maar dan mochten ze niets meenemen, zelfs hun wapens niet. En dus zijn ze met lege handen vertrokken. Ze zullen het moeilijk krijgen, want als verstotenen zullen ze niet snel worden opgenomen door andere stammen.'

Ze zijn alleen in een vreemd land, dacht Raaf. Zonder duidelijk idee van waar ze zijn of hoe ze kunnen terugkeren naar wat ze ooit zijn geweest. En misschien is er geen terugkeer mogelijk. Nu zeker niet. Misschien wel nooit.

'Raaf,' zei Dur-zor zacht, als in antwoord op zijn gedachten, 'je bent vrij. Je kunt ontsnappen, als je dat wilt. Je moet jezelf niet verplicht voelen om hier te blijven vanwege mij.'

Dur-zors blik ging naar het vuur, naar de tanen, die met hun voeten stampten en luchtsprongen maakten, en naar de halftanen, die de tanen eten en drinken brachten, voor de kinderen van de tanen zorgden en de werkers hielpen.

'Ik zou het me niet kunnen voorstellen om een verstotene te zijn en mijn volk te moeten verlaten,' vervolgde ze kalm. 'Dat zul jij wel vreemd vinden, als je bedenkt hoe we behandeld worden.'

Nee, dat vond hij niet. Nu niet. Op dit moment niet. En dit moment was het enige dat telde. Niet wat er was geweest of wat er nog zou komen.

Raaf stak zijn arm uit, pakte Dur-zors hand en kneep er stevig in.

'Waarom doe je dat?' vroeg Dur-zor verbaasd.

Raaf glimlachte. 'Bij de mensen is dat een teken van vriendschap, van genegenheid.'

Dur-zor fronste haar voorhoofd. 'Genegenheid. Weer een woord dat ik niet ken. Wat betekent het?'

Raaf wierp een blik over zijn schouder, naar het bosje achter hen. 'Kom mee,' zei hij terwijl hij haar in zijn armen nam, 'dan zal ik je leren wat dat betekent.'

'Hoe ver is het nog?' vroeg Ranessa. 'Moeten we nog een keer door zo'n tunnel?'

'Wees geduldig, meisje,' antwoordde Wolfram geïrriteerd. 'We zijn er een heel stuk dichterbij dan we een maand geleden waren en verdomd veel dichterbij dan we zouden zijn zonder die tunnels, zoals jij ze noemt. Ze heten Portalen en je zou er dankbaar voor moeten zijn in plaats van erop te spugen.'

'Ik heb niet op een Portaal gespogen,' verklaarde Ranessa.

'Je hebt op de grond ervoor gespogen,' zei Wolfram op beschuldigende toon. 'Dat komt op hetzelfde neer. Ik weet nog niet hoe ik dat aan de monniken moet uitleggen.'

'Dat weten ze niet!' riep ze uit. 'Hoe kunnen ze dat nou weten?'

'Ze hebben zo hun manieren,' mompelde Wolfram terwijl hij over zijn armband wreef.

Ranessa keek een beetje geïntimideerd. Na hun succesvolle ontsnapping uit Karfa 'Len had Wolfram een groot deel van hun reis besteed aan het vertellen over de monniken van de Drakenberg. Hij had grote nadruk gelegd op de raadselachtigheid en de magische krachten van de monniken. Hij had haar verteld over de vijf draken die de berg bewaakten, een draak voor elk van de elementen – aarde, lucht, vuur en water – en een draak voor de Leegte, de afwezigheid van alle elementen. Hij had haar verteld over het klooster waarin de monniken woonden en over de bibliotheek waarin de lijken van de monniken hun laatste rustplaats vonden, en dat er geleerden kwamen studeren in het klooster, dat er edelen en boeren vragen kwamen stellen en dat de monniken iedereen gelijk behandelden en over elke vraag serieus nadachten.

Wolfram vertelde Ranessa dat hij voor de monniken werkte, dat hij een 'informatieleverancier' was, zoals hij dat graag noemde. Dat moest hij wel doen om te kunnen verklaren hoe hij van het bestaan van de Portalen wist en dat hij en andere 'leveranciers' de enigen wa-

ren die ze binnen mochten gaan. Als hij de waarheid enigszins verfraaide en de monniken beschreef als zulke verheven en ontzagwekkende individuen dat de goden zelf misschien wel een beetje voor hen
op hun hoede waren, was dat omdat Wolfram dat nodig vond. Ten
eerste hoopte hij dat Ranessa van gedachten zou veranderen en van
de ontmoeting zou afzien en ten tweede, als ze volhield dat ze naar
de berg wilde, wilde hij het onvoorspelbare vrouwspersoon ervan
doordringen dat ze zich netjes moest gedragen en eerbiedig moest
spreken.

Een mindere man zou het allang hebben opgegeven, maar Wolfram
bleef hopen.

'Dit is het laatste Portaal waar we doorheen gaan,' vervolgde hij korzelig, 'als dat enige troost voor je is.'

'Dat is het,' zei ze.

'Ik snap niet wat je er zo vervelend aan vindt,' gromde Wolfram. 'De
meeste mensen vinden het reizen door een Portaal juist kalmerend.'

'Ik ben niet de meeste mensen,' antwoordde Ranessa.

'Dat kun je wel zeggen,' prevelde Wolfram binnensmonds.

'Je loopt altijd te mompelen. Dat kan ik niet uitstaan. Wat is er nu
weer? Ben je het Portaal kwijt?'

'Nee, ik ben het niet kwijt,' antwoordde Wolfram vinnig, hoewel de
ingang van het Portaal zich inderdaad niet bevond op de plek waar
hij die had verwacht.

Ze waren door Karnu gereisd en hadden in een maand meer dan vijftienhonderd kilometer afgelegd. Nadat ze Karfa 'Len hadden verlaten,
hadden ze niets bijzonders meer meegemaakt, tot grote dankbaarheid
van Wolfram. Ze hadden het zuiden van Karnu gemeden, want dat
zou veroverd zijn door afschuwelijke monsters die probeerden het Portaal in te nemen. Wolframs geheime Portaal had hun de gevaarlijke
reis door het Salud Da-nek-gebergte bespaard. Na twee weken flink
doorrijden waren ze bij een volgend geheim Portaal aangekomen. Dat
had hen naar de rivier de Deverl gebracht, die de grens vormde tussen Karnu en het Vinnengaelse Rijk. Al die tijd hadden ze geen levende
ziel gezien. Ranessa had niet meer het gevoel dat ze gevolgd werden.
Blijkbaar had de Vrykyl de achtervolging opgegeven. Daar was Wolfram blij om, maar hij vroeg zich wel af wat de reden was.

Het was dit tweede Portaal waar Ranessa op had gespogen, tot grote woede van Wolfram. Nadat ze de Deverl waren overgestoken, hadden ze nog een week door de bossen van het Vinnengaelse Rijk gereisd, vlak langs de rivieroever, naar het zuiden. Wolfram was op
zoek naar het derde en laatste Portaal, dat hen naar de Drakenberg
zou brengen.

In diezelfde tijd was Ranessa's broer Raaf met de tanen op reis en de voorgaande dag was die waarop hij Qu-tok doodde. Ranessa's neefje Jessan en zijn metgezellen gingen op deze ochtend samen met Damra naar het Portaal van Tromek. Niet dat Ranessa aan haar broer of aan haar neefje dacht. Die had ze achtergelaten aan de kust van haar leven, en naarmate haar reis langer duurde, werden ze kleiner en kleiner totdat ze uit het zicht verdwenen waren.

In haar gedachten en in haar dromen doemde een berg op, de Drakenberg. Die zag ze als een ontzagwekkende, puntige piek, donker en mysterieus, die afstak tegen het licht van een purperen, goudgerande zonsopkomst. Elke ochtend werd ze wakker met de verwachting dat beeld te zien, en elke ochtend werd ze teleurgesteld. Bitter teleurgesteld. 's Ochtends was Ranessa altijd in een slecht humeur.

Wolfram was afgestegen en liep door het bos, op zoek naar het Portaal. Hij was hier nog nooit geweest en herhaalde in gedachten de aanwijzingen die de monniken hem hadden gegeven. Bij een scherpe bocht in de Deverl moest hij zoeken naar een zwart met wit gestreept rotsblok. Als hij dat had gevonden, moest hij vijfhonderd passen pal naar het oosten lopen, in een rechte lijn, naar de grot met de schilderingen. Die ochtend kwamen ze bij een scherpe bocht in de rivier en daar was het zwart met witte rotsblok: een gigantische kei die aan de oever lag.

Wolfram liep er vijfhonderd passen vandaan, hardop tellend, tenminste, dat probeerde hij, want hij moest Ranessa voortdurend zeggen dat ze haar mond moest houden; haar geratel leidde hem af. Echt iets voor dat meisje om een week lang geen mond open te doen en dan te gaan praten op het enige moment dat hij dat niet kon gebruiken. Hij wist bijna zeker dat hij zich door haar geklets had verteld, en daar kwam nog bij dat hij nooit kon onthouden of passen bij de monniken dwergenpassen of mensenpassen waren.

Hij bleef staan. Dit was de plek, maar waar was de grot? Hij scharrelde tussen de bomen door, tastte onder het kreupelhout, tuurde en porde. De monniken hadden gezegd dat de ingang verborgen was achter een bosje berken en hij had nog geen berk gezien.

Ranessa liep achter hem aan en hield de paarden vast. Na al die weken samen was hij er eindelijk in geslaagd haar te leren paard te rijden op een manier waar hij zich niet voor hoefde te schamen. De paarden waren haar gaan tolereren, ook al waren ze niet dol op haar. Ze had het laatste halfuur voortdurend luid en bitter geklaagd over dit doelloze gedwaal en Wolfram, die toch al gespannen was, overwoog net serieus om haar met een boomtak haar hersens in te slaan toen hij zijn evenwicht verloor en plat voorover in een modderpoel viel.

Er klonk gelach van achter hem. Dit was de eerste keer dat Wolfram Ranessa hoorde lachen en op elk ander moment zou hij gezegd hebben dat ze een aangename lach had, diep en hees. Maar aangezien ze hem uitlachte, werd hij er alleen maar bozer van. Hij hief zijn hoofd en wilde Ranessa net met een vernietigende opmerking het zwijgen opleggen toen hij de ingang van het Portaal recht voor zich zag.

Blijkbaar was het al heel lang door niemand gebruikt, want de ingang was zo overwoekerd met kreupelhout en struiken dat hij die misschien wel nooit had gevonden als hij niet zo ongeveer op de stoep ervan was gevallen.

Wolfram krabbelde overeind en veegde de modder van zijn gezicht. 'Breng de paarden,' beval hij. Hij had gezien dat er een stroompje vlakbij was.

'Wat gaan we nu doen?' vroeg Ranessa.

'Ik ga een bad nemen. En het zou geen kwaad kunnen als jij dat ook deed. Je stinkt.'

'Dat doen de paarden ook, en die hoeven van jou niet in bad.'

'Dat is anders,' zei Wolfram. 'Dat is een paardenlucht. Een lekkere lucht. Jij ruikt naar... naar...' Hij kon niet bedenken waar ze naar rook. Het was geen onaangename geur, niet zoals sommige mensen roken. Het was een verwarrende lucht. 'Rook,' zei hij uiteindelijk. 'Je ruikt naar rook.'

Ze lachte weer, maar nu klonk haar lach spottend. 'De volgende keer dat we een vuur maken, moeten we het hout eerst wassen.'

'Waarom neem je geen bad?' vroeg Wolfram terwijl hij zich naar haar omkeerde.

Ze keek hem boos aan en zei toen zacht: 'Ik heb een lelijke vlek op mijn lijf. Toen ik klein was, wezen de andere kinderen ernaar en ik schaamde me ervoor. Ze zeiden dat de vlek de vloek van de goden was. Sindsdien... Maar waarom vertel ik je dit? Je begrijpt het toch niet.'

Over schaamte en de vloek van de goden? 'Het klinkt misschien raar, meisje,' zei Wolfram bars, 'maar ik denk dat ik het wel begrijp. Breng de paarden. Die kunnen wel wat water gebruiken.'

'En daarna zoeken we verder naar het Portaal,' zei ze.

'O, dat,' zei Wolfram nonchalant. 'Dat heb ik al gevonden. Daar, achter die struiken.' Hij gebaarde met zijn hand.

Ranessa staarde hem sprakeloos aan.

Wolfram was met zichzelf ingenomen. Eindelijk had hij eens het laatste woord.

De reis door het Portaal nam enige tijd in beslag, want het was een lang eind. Ranessa vond de tocht onaangenaam, maar ze zweeg en klaagde niet. De magische Portalen door ruimte en tijd zijn op zich niet angstaanjagend. Ze zijn door de magiërs van Oud Vinnengael ontworpen voor reizigers, want koning Tamaros geloofde dat de beste manier om vrede te bereiken was ervoor te zorgen dat de inwoners van Loerem elkaar kenden. Het Portaal heeft een grijze vloer, gladde grijze muren en een grijs plafond. De paarden waren niet bang, maar sjokten zo tevreden door het Portaal alsof het hun eigen weide was.

Ranessa vond het akelig. De grijze muren leken haar in te sluiten. Het plafond drukte op haar neer. Ze voelde zich alsof ze verpletterd werd. De andere Portalen waren kort geweest; ze kon aan beide uiteinden het daglicht zien en dat had haar erdoorheen geholpen. Maar in dit Portaal verloor ze het daglicht achter zich uit het gezicht en zag ze voor zich uit ook alleen maar grijs.

Er was niet genoeg lucht en ze hijgde en snakte naar adem. Het zweet parelde op haar voorhoofd en liep langs haar nek. Haar maag trok zich samen en ze dacht dat ze misselijk zou worden. Ze moest zorgen dat ze van deze afschuwelijke plek wegkwam, anders zou het Portaal om haar heen instorten en zou ze levend begraven worden.

Ranessa zette het op een rennen. Wolfram riep haar achterna – iets over voorzichtig zijn aan de andere kant, omdat je nooit kon weten wat daar was – maar ze negeerde hem. Ze zou liever weer tegenover dat zwart geharnaste wezen komen te staan dan nog een seconde langer in dit Portaal te blijven.

Ranessa stormde het Portaal uit, recht het donker in. Het was halverwege de middag geweest toen ze het binnengingen, en nu was het nacht. Ze keek op en zag het uitgestrekte hemelgewelf boven zich, bezaaid met talloze fonkelende sterren. De koele lucht van de zomer die op zijn einde liep, kalmeerde haar en ze zoog die met diepe teugen in haar longen. Om de een of andere vreemde reden kreeg Ranessa in een opwelling zin om te vliegen, om op te stijgen in die sterrenhemel en zich door de wind te laten meevoeren, hoger dan de boomtoppen.

Deze impuls was zo sterk dat ze er met hart en ziel naar verlangde daaraan te kunnen toegeven. Het besef dat ze dat niet kon, maakte haar heel verdrietig. Wanhopig liet ze zich op de grond zakken en huilde ze van frustratie en de vreselijke pijn van een onvervulbaar verlangen.

Toen Wolfram eindelijk met de paarden het Portaal uit kwam, keek hij om zich heen, maar hij kon haar niet vinden.

'Waar is die verdomde meid nu weer gebleven,' mopperde hij.

De paarden hadden daar geen antwoord op en het kon ze ook niet zoveel schelen. Ze waren moe en wilden eten, water drinken en geborsteld worden. Binnensmonds vloekend nam Wolfram hen mee naar een beekje. Een van de paarden schrok en sprong behendig over iets dat op de grond lag.

Toen hij naar beneden keek, zag Wolfram Ranessa. Ze lag in elkaar gekropen onder een grote boom, slecht te zien in het donker.

Wolfram werd door angst gegrepen. Hij liet de paarden los en boog zich snel over haar heen. Hij zuchtte diep toen hij een sterke en regelmatige hartslag voelde onder zijn vingers. Ze was niet dood. Ze sliep. Toen hij haar haar voorzichtig uit haar gezicht streek, zag hij het licht van de sterren glinsteren in de tranen waarvan haar wangen nog nat waren.

'Meisje, meisje,' zei hij zachtjes tegen haar. 'Ik heb heel wat met je te stellen. Maar de Wolf hale me als ik niet om je ben gaan geven. Ik weet niet waarom.'

Wolfram ging naast haar zitten en streek nog wat haar uit haar gezicht. 'Ik heb nooit eerder iets om iemand gegeven. Waarom zou ik? Niemand heeft ooit iets om mij gegeven. Toen kwam de dag dat dat zwarte monster me aanviel en jij kwam aanrennen om me te redden. Dat was me een schouwspel, meisje. Met je zwaard om je heen zwaaiend. Rennend om die ouwe Wolfram te redden. Alsof ik het waard was gered te worden.'

De dwerg zuchtte en schudde zijn hoofd. 'Wat de monniken met jou willen of jij met de monniken, is me een raadsel. Maar we zullen er snel genoeg achter komen, want we zijn bijna aan het einde van onze reis.'

Hij gaf de paarden eten en water en borstelde hen. Hij nam zelf ook iets te eten en dronk water, en al die tijd hield hij Ranessa in de gaten, die overal doorheen sliep. Hij maakte geen vuur, want hij voelde zich niet op zijn gemak. Hij bleef de hele nacht wakker om de wacht te houden en op de dageraad te wachten.

Ranessa werd wakker en herinnerde zich eerst niet waar ze was. Ze keek verbaasd om zich heen. De hemel was licht. De boomtoppen waren al in de zon, maar de stammen nog in de schaduw. Ze ging gedesoriënteerd zitten en toen hoorde ze vlak bij zich een diep gesnurk. Wolfram was zittend in slaap gevallen. Hij zat tegen een boom met zijn kin op zijn borst te slapen.

Ranessa trok een grimas. Hij zou vanochtend een stijve nek hebben en daar de hele dag over klagen. Ze vroeg zich met een schuldig gevoel af of hij 's nachts had geprobeerd haar wakker te maken voor haar beurt om de wacht te houden en besloot toen dat als hij dat had gedaan en hij haar niet wakker had kunnen krijgen, dat zijn schuld was en niet de hare. Ze wilde hem net wakker maken, gewoon voor de lol om hem te horen grommen en mopperen, toen haar aandacht werd getrokken door een lichtflits.

Ranessa keerde zich naar het oosten. De zon kwam op van achter een puntige piek, die stond afgetekend tegen een purperen, goudgerande dageraad.

De Drakenberg.

De weg de Drakenberg op was niet veel meer dan een ezelspaadje.
Het kronkelige paadje wond zich rond enorme keien van rood gesteente, slingerde zich langs rotsranden en kroop om knoestige spar-
ren heen. Het kon dagen kosten om het te beklimmen. De Omarah,
een mensenvolk dat de monniken vereert en dient, hebben kleine hutjes langs de route gebouwd waarin reizigers warmte en beschutting
kunnen vinden als ze de nacht op de bergwand moeten doorbrengen.
De hutjes zijn eenvoudige gebouwtjes, net als de woningen van de
Omarah, en liggen altijd vol brandhout.
Wolfram kende dit pad; hij had het vele malen beklommen, en de
reis kostte hem te voet meestal drie dagen. Aangezien het steile berg-
pad niet geschikt is voor paarden, had een ondernemend groepje Vinnengaelezen een dorpje gesticht onder aan de berg, waar degenen die
de klim maakten hun paarden konden stallen en muildieren en ezels
konden huren. Wolfram bracht de paarden onder bij de Vinnengaelezen, hoewel hij de prijs die ze rekenden exorbitant vond, maar hij
achtte het beneden zijn waardigheid om een ezel te berijden. Dwergen beschouwen ezels als mislukte paarden en gebruiken hen alleen
als lastdieren. Wolfram beklom de berg altijd te voet en nam er de
tijd voor. Hij had zijn favoriete hutten langs de route, waar hij graag
de nacht doorbracht.
Ranessa stuurde uiteraard zijn plannen in de war. Als ze vleugels had
gehad, zou ze nog niet snel genoeg bij de top zijn geweest naar haar
zin. Nu ze gedwongen was het met voeten te doen, rende ze de berg
op met een snelheid waar de dwerg al snel van begon te hijgen en
puffen. Iedere keer dat Wolfram bleef staan om op adem te komen,
trok ze een chagrijnig gezicht, ijsbeerde ze brandend van ongeduld
heen en weer en vroeg ze om de halve minuut of hij al klaar was om
verder te gaan of dat hij wortel had geschoten.
'Het klooster is er al eeuwen, meisje,' protesteerde de dwerg. 'Het zal
echt niet bij de eerstvolgende windvlaag wegvliegen.'

Ze weigerde te luisteren, maar zeurde en joeg hem op, zodat hij geen moment rust had. Op een bepaald ogenblik kwamen ze wat mede-reizigers tegen, een groepje geleerden uit Krammes die terugkeerden van een ontmoeting met de monniken. Op de berg is het de gewoonte dat groepen die elkaar op het pad ontmoeten een praatje maken en het laatste nieuws uitwisselen. Deze mensen waren zeer belangstellend toen ze hoorden dat Wolfram en Ranessa uit het westen kwamen. Was het gerucht over een oorlog in Dunkarga waar?

Wolfram zou dolgraag met hen hebben gepraat, maar toen hij Ranessa vertelde dat hij even met deze vriendelijke mensen ging praten, kreeg ze een woedeaanval. Haar kwade geschreeuw werd weerkaatst door de bergwand en toen de Krammerianen de woeste blik in haar ogen zagen, veranderden ze haastig van gedachten en vervolgden ze hun reis. Wolfram had spijt van elke vriendelijke gedachte die hij in de voorgaande nacht over Ranessa had gehad.

De zon stond al laag in het westen toen ze de eerste van zijn favoriete hutten bereikten. Wolfram kondigde aan dat ze de nacht hier zouden doorbrengen. Ranessa was ontsteld en hield vol dat het nog urenlang licht zou blijven. Maar Wolfram gaf niet toe, want de volgende hut was een halve dagreis verder de berg op en hij was niet van plan om zich door het donker op de helling te laten overvallen. Geërgerd zei hij haar dat ze verder kon klimmen als ze dat wilde. Ranessa keek even alsof ze dat zou gaan doen, maar toen zag ze de wijsheid van het besluit van de dwerg in, of ze was vermoeider dan ze wilde toegeven. Ze stampte de hut binnen en liet zich op de vloer vallen, waar ze de rest van de nacht bleef mokken.

Als ze mokte, was ze in elk geval stil. Wolfram beschouwde dat als een zegening. Tevreden met zijn overwinning bereidde hij zich voor om te gaan slapen. Hij nam niet de moeite om de wacht te houden, want het pad werd bewaakt door de Omarah. De dwerg viel ogenblikkelijk in slaap, wat maar goed was ook, want Ranessa maakte hem in de loop van de nacht tweemaal wakker om te proberen hem ervan te overtuigen dat het ochtend was en tijd om op pad te gaan. Na een tweede dag met Ranessa op de berg, besloot Wolfram dat alles – zelfs van de berg vallen – beter was dan nog een seconde langer met haar door te brengen. Tot haar grote vreugde stemde hij ermee in tot ruim na zonsondergang verder te klimmen. Gelukkig liepen ze een Omarah tegen het lijf, die op alle uren van de dag en de nacht over het pad lopen. Wolfram nam de Omarah apart, liet de vrouw zijn armband zien en zei dat hij op een zeer dringende missie was en haar hulp nodig had. Ze stemde ermee in voor de rest van de weg hun gids te zijn.

De Omarah zijn de grootste mensen op Loerem. Hun gemiddelde lengte is twee meter tien, en sommigen zijn groter. Het zijn zwijgzame, onverstoorbare mensen, die alleen praten als ze iets te zeggen hebben en dat dan met zo min mogelijk woorden zeggen. Omarah zijn uiterst beleefd, maar houden zich niet bezig met oppervlakkige gesprekken of loze praatjes. Ze beantwoorden vragen door met hun hoofd te knikken of te schudden en als de vraag niet op die manier beantwoord kan worden, beantwoorden ze die niet. Niemand weet veel van hen, want ze praten met geen enkele buitenstaander over zichzelf. Voor zover bekend, zijn er alleen Omarah op de Draken-berg. Als ze ergens anders op de wereld voorkomen, weet niemand daar iets van.

De Omarah-vrouw liep voor hen uit. Ze droeg een leren harnas en een cape van bont en had een gigantische speer in haar hand, die tevens dienst deed als wandelstok. De klim bleek tamelijk gemakkelijk te zijn, want de lucht was zo helder als het fijnste kristal en de sterren zo talrijk dat de hemel ermee bezaaid leek te zijn. Toen ze boven aan een helling kwamen, wees de Omarah zwijgend voor zich uit.

Er stond een gebouw voor hen, waaruit licht naar buiten scheen.

'Is dat het?' vroeg Ranessa vol ontzag.

'Dat is het,' zei Wolfram, die nog nooit zo blij was geweest om een bepaald gebouw te zien. 'Het klooster van de monniken van de Vijf Draken.'

Hij bedankte de Omarah, die weigerde zich te laten betalen maar zich zwijgend omdraaide en het pad weer afbeende. Wolfram ging op weg naar het klooster, naar warm eten, koud bier en een gerieflijk bed. Hij had al een flink stuk gelopen toen hij besefte dat hij alleen was. Hij draaide zich verbaasd om en zag Ranessa staan staren waar hij haar had achtergelaten.

'Kom je?' vroeg hij.

Ze schudde heftig haar hoofd.

'Wat?' brulde Wolfram. 'Na al die haast van je, waarmee je me op dat verdomde pad zo ongeveer om zeep hebt geholpen, kom je nu niet mee?'

Hij liep stampend naar haar terug, ziedend van woede.

'Ik ben bang,' zei ze met trillende stem.

'Bang!' Hij snoof.

Hij pakte haar hand, vastbesloten haar mee te slepen als dat nodig was, maar schrok toen hij voelde dat die hand zo koud was als die van een lijk en dat ze letterlijk beefde van angst.

'Wat is er om bang voor te zijn?' vroeg hij verbijsterd. 'Je wilde hier toch heen? Je hebt de hele zomer nergens anders over gepraat!'

'Ik weet het,' jammerde Ranessa. 'Ik wil hier zijn en toch ook weer niet. Ik kan het niet uitleggen. Ik begrijp het niet. Ik... ik denk dat ik misschien maar weer naar beneden ga.'

'O nee, daar komt niets van in,' zei Wolfram. Zijn armband werd snel warmer, maar dat geheugensteuntje had hij niet nodig. 'We gaan naar binnen om te eten en te slapen. Als je morgenochtend wilt vertrekken, moet je dat zelf weten.' Hij keek haar dreigend aan. 'Kom je mee of moet ik je dragen?'

'Ik... ik kom wel mee,' zei ze gedwee.

Gedwee! Hij had nooit gedacht dat hij dit nog eens zou meemaken. Omdat hij haar niet vertrouwde, hield hij haar hand stevig vast en nam haar mee naar het klooster. Ze greep zich aan hem vast als een angstig kind. Toen ze in het licht waren en hij een blik op haar wierp, zag hij dat ze verontrustend bleek was geworden.

'Is het wat ik je over de monniken heb verteld, meisje? Ben je daar zo bang van geworden? Het is mogelijk dat ik een klein beetje overdreven heb. De monniken zijn erg aardig. Ze doen geen vlieg kwaad. Je bent een tikje vreemd, meisje, maar ze zijn hier gewend aan vreemde mensen. Ze krijgen hier van alles over de vloer. Ze zullen je heel hartelijk ontvangen.'

Ranessa lette niet op zijn geruststellende woorden. Ze staarde naar het klooster en haar ogen waren zo groot dat hij het immense granieten gebouw met zijn vele ramen in haar donkere pupillen weerspiegeld kon zien.

Wolfram, die geen idee had wat er mis was, hield haar stevig vast om te voorkomen dat ze zou wegvluchten in de nacht, nam haar mee naar een breed bordes en beklom de trap naar de ingang.

Er stond geen bewaker bij de deur, want er was geen deur. Er was geen portier om te reageren op het aankloppen van een vreemde. Degenen die naar het klooster komen, worden niet als vreemden beschouwd. De ramen hebben geen spijlen of ruiten, maar laten het zonlicht en de nacht, de wind en het regenwater vrijelijk toe. Nadat ze door de poort binnen waren gekomen, nam Wolfram Ranessa mee de reusachtige gemeenschappelijke kamer in. In het midden brandde een enorm vuur. Elke dag brachten de Omarah grote houtblokken naar binnen voor het vuur. Er brandde altijd een vuur, zelfs in de zomer, want de lucht was koel op de bergtop. De monniken hadden eten en drinken klaarstaan voor hun gasten. In het midden van de kamer stond een grote houten tafel vol met eenvoudig maar voedzaam voedsel: brood, kaas en noten, grote kruiken bier en een ketel met dampende kruidenwijn.

De verdeling van de slaapplaatsen was eenvoudig. Iedereen die naar het klooster kwam, van koning tot houthakker, kreeg een biezen mat, een wollen deken en een plek op de stenen vloer rond het vuur. De belangrijke Karnuaanse generaal betoogde vergeefs dat hij zijn eigen slaapvertrek moest hebben. De Vinnengaelse koopman bood vergeefs zilverstukken aan voor een kamer. Koopman en generaal eindigden op de vloer, tussen alle anderen. De kamers waren voor de monniken, die onder geen beding gestoord mochten worden bij hun studie. Toen ze eenmaal in het klooster waren, zag Wolfram tot zijn opluchting dat Ranessa wat kalmer werd. Hij installeerde haar bij het vuur met de opdracht zich te warmen, ging een deken voor haar halen en sloeg die om haar schouders, en maakte een drukte om haar alsof ze zijn enige dochter was en de volgende ochtend in het huwelijk zou treden. Hij schepte een beker vol dampende wijn en haalde haar over een slokje te nemen. De wijn bracht weer wat kleur op haar wangen. Ze hield op met beven, maar kon niets eten. Gelukkig waren er geen andere bezoekers. Ranessa en hij hadden de enorme kamer voor zichzelf.

Nadat ze haar wijn had opgedronken, ging Ranessa op haar mat liggen en sloot haar ogen.

Wolfram wachtte totdat hij zeker wist dat ze sliep en vertrok toen naar de ontmoetingsruimte om verslag uit te brengen en het zilveren kistje af te geven dat van Heer Gustav de Bastaardridder was geweest.

Hoewel het zeer laat was, waren er nog acolieten en een paar monniken wakker; ze studeerden en zaten te schrijven, luisterden naar vragen of verstrekten informatie. Een acoliet kwam hem glimlachend begroeten. Wolfram gaf zijn naam, liet zijn armband zien en wilde net zeggen dat hij dringend een van de monniken moest spreken, toen de acoliet hem onderbrak.

'We verwachtten u al, Wolfram de Paardloze,' zei hij vriendelijk. 'Vuur heeft laten weten dat we u onmiddellijk naar haar moesten sturen als u arriveerde.'

'Vuur!' bromde Wolfram. 'Zo, zo.'

Er staan vijf monniken aan het hoofd van de orde van Tijdbewaarders, één monnik voor elk element en een voor de Leegte. Die monniken worden bij de naam van hun element genoemd, niet bij een naam van henzelf, aangenomen dat ze die ooit hebben gehad.

Elke monnik vertegenwoordigt het volk dat het meest met een bepaald element wordt geïdentificeerd. Vuur is dus een dwerg, Lucht een elf, Aarde een mens en Water een ork. Niemand weet tot welk volk de monnik van de Leegte behoort, want bij de zeldzame gelegenheden dat die monnik in het klooster verschijnt, draagt hij een zwarte mantel met capuchon, die zijn hele lijf bedekt. Zelfs zijn handen zijn in zwarte lappen gewikkeld.

Maar weinig bezoekers van de berg krijgen de vijf monniken te zien die aan het hoofd van de orde staan, want ze zijn nogal op zichzelf en verwaardigen zich zelden om met de vele bezoekers te praten die op zoek naar goede raad of antwoorden op vragen naar het klooster komen. Wolfram had de hoofden van de orde nooit gezien en had niet verwacht dat hij dat deze keer zou doen. Hij was verrast, maar nadat hij er even over had nagedacht, concludeerde hij dat het eigenlijk niet zo verbazingwekkend was.

Wolfram en de acoliet liepen de trappen op naar de hoogste verdieping van het klooster, die gereserveerd was voor de hoofden van de orde.

De acoliet liet Wolfram een kamer binnen en ging toen weg om Vuur te melden dat de dwerg was gearriveerd. Wolfram zat in een stoel, trapte met zijn hakken tegen de poten en keek om zich heen. Er was niet veel te zien. Een eenvoudig bureau met een leeg blad. Twee houten stoelen, heel gewoon van model en afwerking. Een raam dat in de muur was uitgehakt en uitzicht bood op de sterren.

De monnik liet Wolfram niet lang wachten. Er kwam een dwerg in een fel oranje gewaad de kamer binnen. Wolfram wilde opstaan, maar ze stak een hand op om aan te geven dat hij kon blijven zitten. Ze liep door de kamer, ging achter het bureau zitten en keek hem aan met ogen waarin iets van het element flikkerde waarnaar ze was genoemd. Ze begroette hem in zijn eigen taal en vroeg of hij een voorspoedige reis had gehad.

Wolfram gaf antwoord terwijl hij haar behoedzaam opnam.

De monnik was een dwerg, maar ze had iets uitgesproken ondwergachtigs. Wat het was, kon Wolfram niet zeggen. Misschien het fel oranje gewaad, een kledingstuk waarin geen enkele zichzelf respecterende dwerg dood gevonden zou willen worden. Of misschien was het de manier waarop ze Fringrees sprak, alsof ze de taal heel goed kende maar er toch niet helemaal vertrouwd mee was. Dan was daar het feit dat geen enkele dwerg vrijwillig op één plek zou blijven wonen, tenzij ze een Paardloze was en ertoe gedwongen was.

Wolfram concludeerde op dat moment dat de geruchten die hij al die jaren over de hoofden van de orde had gehoord, waar moesten zijn. Dit was geen dwerg. Dit was een wezen dat de gedaante van een dwerg had aangenomen. Hij was onmiddellijk op zijn hoede.

Het gesprek begon goed. Hij zette het zilveren kistje dat Heer Gustav hem had gegeven op het bureau en vertelde Vuur wat hij haar van Heer Gustav moest vertellen.

'Ik ben de pluvier met de gebroken vleugel. De jongens zijn een andere richting op gegaan,' zei Wolfram terwijl hij naar het kistje keek. 'Zijn plan heeft gewerkt. We zijn door het gevaar gevolgd.' Hij vertelde haar over de Vrykyl. 'Ik hoop dat de jongens veilig weg zijn gekomen,' vervolgde hij, vissend naar meer informatie.

Vuur zei niets. Ze keek hem verwachtingsvol aan. Haar gezicht was onbewogen en uitdrukkingsloos.

'Wat er in dat kistje zit, moet wel heel kostbaar zijn,' zei Wolfram in een nieuwe poging.

Vuur glimlachte, pakte het kistje op en zette het opzij. Ze gebaarde dat hij verder moest gaan met zijn verhaal.

Schouder ophalend deed Wolfram dat; hij gaf een korte samenvatting van de rest van zijn reis. Hij trad niet in details. Dat zou hij wel doen als de monniken zijn beschrijving op hun lichamen tatoeëerden. Vuur luisterde zonder commentaar te leveren. Hij sprak in het voorbijgaan over Ranessa, en zei alleen dat ze een Trevinici was die graag met hem mee wilde reizen. Hij hoopte dat Vuur blijk zou geven van enige nieuwsgierigheid over zijn metgezellin of een hint zou geven over de reden dat ze haar wilden zien. Als ze dat deed, zou Wolfram haar vragen hebben kunnen pareren met een paar vragen die hij zelf had. Maar de monnik zei er helemaal niets over. Haar stilzwijgen bracht Wolfram in een nadelige positie.

Nadat hij zijn verhaal had gedaan, leunde Wolfram tegen de rugleuning van zijn stoel en keek naar het kistje. Vuur had het kistje opzij gezet, alsof het van geen enkel belang was, maar haar hand lag er nog steeds op. Haar vingers streken over het kistje en soms dwaalde haar blik ernaar af.

'U ziet dat het zegel niet verbroken is,' zei Wolfram.

Vuur knikte. Ze verbrak het zegel en opende het kistje.

Wolfram keek nauwlettend toe. Heer Gustav had gezegd dat het kistje werd bewaakt door een betovering, maar als dat zo was, rekende Vuur daar snel mee af. Dit bevestigde Wolframs vermoedens dat hij niet in het gezelschap van een echte dwerg verkeerde, want die koesteren over het algemeen een weerzin en een wantrouwen jegens magie.

Vuur pakte een perkamentrol met een rood zijden lint eromheen uit het kistje. Ze trok het lint los, rolde het perkament uit en las het aandachtig.

Wolfram zat met zijn armband te spelen. Hij zou moe moeten zijn en dat was hij ook, maar tegelijk ook weer niet. Hij was nerveus en geagiteerd en wist niet precies waarom.

'Alles is in orde,' zei Vuur, toen ze uiteindelijk klaar was met lezen.

'We zullen de laatste wens van Heer Gustav natuurlijk vervullen en jou het eigendomsrecht op zijn land en kasteel geven. Je bent nu een Vinnengaelse heer, Wolfram. En een welvarend man. De Wolf zij geprezen.'

Ze gaf hem de akte. Wolfram nam de perkamentrol van haar aan en stak die tussen zijn riem. Hij was niet zo blij als hij had verwacht. Hij hield zijn blik op het kistje gericht.

'Was dat alles wat erin zat?'

'Ja, Wolfram.' Vuur pakte het kistje op en hield het zo dat hij erin kon kijken. 'Moge de Wolf over je slaap waken.'

Ze stond op. Wolfram kon gaan, maar hij wilde nog niet weg. Hij bleef zitten.

'Je bent vast wel moe,' vervolgde Vuur. 'Je mag nu gaan rusten. Een van de monniken zal morgen bij je komen om je verhaal tot in de details vast te leggen.'

'Ik denk dat de Vrykyl achter het kistje aan zat,' verklaarde Wolfram abrupt.

Vuur knikte. 'Dat is heel goed mogelijk.'

'Waarom? Wat moet een Vrykyl met land en een landhuis?'

'Ik geloof dat je het antwoord zelf al hebt bedacht, Wolfram,' zei Vuur. 'Je kende Heer Gustav. Je wist van zijn queeste.'

'Ja, daar wist ik van.' Hij schoof heen en weer in zijn stoel. 'En de jongens? Hebben ze het gehaald?'

'Er is nog veel onzeker,' antwoordde Vuur.

Wolfram snoof. 'En Ranessa?' vroeg hij plotseling.

'Wat is er met haar?' was de wedervraag van Vuur, die hem minzaam aankeek.

'Ze is hier.' Wolfram wees met zijn duim in de richting van de gemeenschappelijke kamer. 'Ik heb haar meegebracht.'

'Ja, dat weet ik.' Vuur fronste haar voorhoofd een beetje. 'Als je een of andere extra beloning verwacht...'

'Beloning!' brulde Wolfram. 'Is dat wat u van me denkt? Dat ik alleen maar om het gewin geef? Hier!' Hij rukte de eigendomsakte uit zijn riem en wierp die op het bureau. Toen sprong hij overeind en schudde de pols met de armband voor haar gezicht heen en weer. 'Jullie hebben me gebruikt en ik ben het zat. Jullie hebben ervoor gezorgd dat ik de Bastaardridder tegenkwam. Jullie hebben me opgedragen het kistje mee te nemen. Jullie hebben me opgedragen Ranessa mee te nemen. Toen kreeg ik de Vrykyl achter me aan. Als het meisje er niet was geweest, de Wolf zegene haar, zou de Vrykyl nu bij jullie op de stoep staan met dat kistje in zijn rottende hand, en niet ik. Nu ligt het meisje daar te slapen, doodsbang, en ik weet niet wat jullie met haar willen en het enige waar u het over hebt is een beloning! Ik pik het niet langer.'

Hij begon aan de armband te rukken en te trekken. 'Haal hem eraf!' raasde hij. 'Haal hem eraf!'

Vuur kwam snel naar hem toe. Ze legde haar hand op zijn arm, rond de armband.

'Dat zal ik doen, Wolfram,' zei ze, en haar stem was vriendelijk en geruststellend. 'Maar ga eerst eens rustig zitten en luister naar me.'

Wolfram keek haar lelijk aan, maar toen hij ervan overtuigd raakte dat ze zou doen wat ze zei, liet hij zich weer in de stoel vallen.

'Het zal u niet lukken me over te halen hem om te houden,' zei hij nors.

'Dat was ik ook helemaal niet van plan,' zei Vuur. 'Sterker nog, we wilden je al van deze verantwoordelijkheid ontheffen, want jouw bestemming ligt nu ergens anders. Ik wil dat je begrijpt wat er met je is gebeurd en waarom we hebben gedaan wat we hebben gedaan.

Toen je deze betrekking als waarnemer aannam, hebben we je verteld dat de armband je naar plekken zou brengen waar we dachten dat je moest zijn. De keuze is aan jou, Wolfram. Je weet dat je ervoor kunt kiezen de armband te negeren. Dan zal hij weer afkoelen en voel je hem niet meer.'

'Ik kan hem niet negeren als ik betaald wil worden,' mompelde hij. Toen hij besefte dat dat in tegenspraak was met wat hij net had gezegd, schopte hij geërgerd tegen de stoelpoten. 'Goed dan, er was een tijd dat ik om niets anders dan om mijn betaling gaf. Nu is dat anders en dat verschil bevalt me niet erg. Vertel me dit.'

Wolfram keek de monnik aan. 'Die queeste van Heer Gustav is belangrijk. Heel belangrijk. Misschien wel het belangrijkste dat er in eeuwen is gebeurd. Waarom hebben jullie niet een van jullie monniken gestuurd om het zelf vast te leggen? Waarom hebben jullie mij gestuurd?'

'Het is waar dat onze monniken de wereld in trekken om gebeurtenissen vast te leggen terwijl ze plaatsvinden. Maar we moeten voorzichtig zijn dat we die gebeurtenissen niet beïnvloeden,' legde Vuur uit. 'Daarom denken we lang en diep na voordat we de monniken op pad sturen. Er was bijvoorbeeld geen monnik in de stad Dunkar toen de tanen aanvielen. Waarom niet? Als er een monnik was gearriveerd, hadden de mensen geweten dat er iets gedenkwaardigs te gebeuren stond en dan hadden ze zich dienovereenkomstig gedragen.'

'Dan hadden ze zich misschien weten te redden,' zei hij beschuldigend.

'Of hun leger was misschien opgerukt naar Karnu, om dat aan te vallen, want ze dachten dat de Karnuanen hun grootste vijanden waren,' reageerde de monnik. 'Of ze hadden misschien helemaal niet aan oorlog gedacht, maar vermoed dat hun koning ziek zou worden en zou sterven.'

Vuur draaide haar handpalm naar boven. 'Talloze mogelijkheden, maar als we er zelfs maar de kleinste van veroorzaken, bemoeien we ons met het werk van de goden. Onze waarnemers waren er wel, onopgemerkt. Zij hebben in zich opgenomen wat er gebeurde en dat aan ons gemeld.'

'Degenen die het overleefd hebben.'

'Ja,' zei Vuur. 'Degenen die het overleefd hebben. Ze zijn op de hoogte van de risico's, net als jij was, Wolfram, toen je ermee instemde voor ons te gaan werken. Het was hun eigen keuze om die te nemen, net zoals het jouw eigen keuze was.' De monnik glimlachte. 'Het is niet de hitte van de armband waar je last van hebt, Wolfram. Het is de hitte van je eigen onverzadigbare nieuwsgierigheid. Die zit je dwars.'

'Misschien,' zei hij, niet overtuigd. 'Misschien.' Hij legde zijn hand om de armband en tot zijn verrassing kwam die los van zijn pols. Hij hield hem in het licht en legde hem toen met schoorvoetend respect voor de monnik neer. 'Ben ik er nu van af? Ben ik vrij om mijn leven te leiden zoals ik dat wil?'

'Dat was je altijd al, Wolfram,' zei Vuur.

Hij stond op. 'U wilt me niets over Ranessa vertellen, hè? Over de reden dat u wilde dat ik haar meebracht?'

Vuur aarzelde en zei toen: 'Jij hebt haar niet hierheen gebracht, Wolfram. Ik wil dat je dat weet. Jij was haar gids. Je hebt haar reis korter gemaakt. Te zijner tijd zou ze ons toch hebben gevonden, want haar verlangen daarnaar was sterk. Wat er ook gebeurt, ik wil niet dat je jezelf de schuld geeft.'

'Wat er ook gebeurt...' Wolfram kreeg een rilling. 'Mezelf de schuld geven. Waarvoor? Wat gaat er dan gebeuren?'

'Er leiden talloze wegen de toekomst in, Wolfram,' zei Vuur. 'Daaronder is de weg die uiteindelijk wordt gekozen, maar we kunnen nooit weten welke dat zal zijn. Ga rusten en laat de zaken van de goden aan de goden over.'

Deze keer werd Wolfram echt weggestuurd. De stem van de monnik was vastberaden met een vleugje strengheid, een waarschuwing dat hij riskeerde haar toorn te wekken als hij bleef. Hij was gefrustreerd en angstig genoeg om dat toch te doen, maar hij zag uit zijn ooghoek iets bewegen. Een van de reusachtige Omarah wachtte in de gang voor het vertrek van de monnik.

De enorme Omarah kon de dwerg bij zijn nekvel optillen. In plaats van die vernedering te ondergaan, gaf Wolfram er de voorkeur aan te vertrekken. Hij zou toch geen antwoorden krijgen. Niet van dat wezen dat met twee tongen sprak, van gedaante kon verwisselen en zich een dwerg noemde. En wat een opluchting om van die verdomde armband af te zijn!

Nu was hij heel moe. Hij kon nauwelijks meer op zijn benen staan en geeuwde zo hard dat zijn kaak ervan kraakte. Zijn gesprek had de rest van de nacht geduurd. De dageraad werd voorafgegaan door een flauw grijs licht in de schemerige gangen. Hij zou even kijken of alles met Ranessa goed was en dan de rest van de dag gaan slapen. Dat had hij verdiend. Terwijl hij voortkloste, herinnerde hij zich dat hij de eigendomsakte van Gustavs land en landhuis op het bureau van de monnik had laten liggen.

Een dramatisch gebaar, maar een waar hij nu spijt van had. Hij zou morgen teruggaan, toegeven dat hij een vergissing had gemaakt en vragen of hij het document terug mocht hebben. Hij wilde helemaal geen landheer zijn, maar hij kon het landgoed altijd nog verkopen en het zilver door een Vinnengaelse geldhandelaar voor hem laten bewaren. Dan zou hij genoeg hebben om de rest van zijn leven comfortabel van te leven.

'Van nu af aan geen gepingel meer om paarden,' beloofde hij zichzelf. 'Alleen nog maar de beste paarden voor heer Wolfram.' Hij grinnikte om zijn nieuwe titel.

Toen hij de gemeenschappelijke kamer binnenstapte, bleef hij als aan de grond genageld staan.

Er hing een sluier van rook in de kamer. Het was er een chaos. Tafels waren omgegooid. Dekens waren aan flarden gescheurd en verbrand. De biezen van de matten lagen door de hele kamer verspreid. Ook het stro was in brand gestoken. Het lag zwartgeblakerd op de grond te smeulen.

Een invasieleger zou minder schade hebben veroorzaakt.

Wolfram tuurde door de rook op zoek naar Ranessa.

Ze was niet te vinden.

11

Ranessa deed alsof ze sliep; ze bleef doodstil liggen totdat de dwerg weg was gegaan, iets mompelend over dat hij de monniken moest spreken om zijn beloning op te halen. Ze lag op de mat naar boven te staren, naar de dichte duisternis onder het plafond. Ze had zo lang van deze plek gedroomd, en nu ze hier was, wist ze niet waarvoor ze gekomen was. Een stem probeerde het haar uit te leggen, maar ze verstond het niet, want die sprak een vreemde taal.

Maar de stem was geduldig en bleef de woorden steeds maar weer herhalen, zoals je tegen een heel klein kind deed. Net als een kind raakte Ranessa gefrustreerd over de stem. Ze wierp de deken van zich af, sprong overeind en schreeuwde tegen de stem.

'Ik hoor je wel, maar ik weet niet wat je wilt.' Ze keek boos om zich heen. 'Spreek duidelijk. Spreek mijn taal, verdomme!'

De stem sprak weer, rustig en geduldig, maar het was koeterwaals voor haar.

Woedend rende Ranessa naar de lange schragentafel met voedsel er-op. Ze greep de rand beet, gaf er een ruk aan en gooide de tafel om-ver. Broden tuimelden op de grond. Houten borden kletterden op de stenen vloer en ronde gele kazen rolden in de hoeken. Aardewerken kannen gleden van de tafel en vielen kapot. Er stroomde schuimend bier uit, wat duidelijk te ruiken was.

'Geef antwoord!' riep Ranessa. 'Vertel me wat je van me wilt!'

De stem sprak weer, kalmerend als een lijdzame ouder tegen een re-calcitrante kleuter. De woorden beukten in Ranessa's hoofd, maar ze zeiden haar niets. Ze trok haar haren uit haar hoofd en dacht dat ze gek zou worden van razernij.

Ze stampte op het brood. Ze trapte tegen de scherven van de kannen. Ze pakte een paar dekens, verscheurde de stof en gooide de flar-den om zich heen door de kamer. Ze rukte de matten aan stukken en slingerde de biezen de lucht in, zodat ze om haar heen neerkwamen als een stoffige regen. Ze rende naar het vuur, greep een brandend stuk hout en slingerde dat in de berg droge biezen. Die vlogen in brand en vulden de lucht met rook.

De stem sprak weer. Razend greep Ranessa naar haar hoofd. Ze gilde en schreeuwde en rende blindelings de deur uit de nacht in.

De monniken hoorden het tumult wel, maar niemand ging kijken wat er de oorzaak van was. Ze hieven hun hoofd van hun boek of openden hun ogen en gingen in bed zitten. Een voor een zuchtten ze zacht en gingen weer verder met werken of slapen.

De Omarah doofden het vuur.

Ontsteld door de vernielingen stond Wolfram midden in de rokerige kamer en probeerde hij zijn gedachten te ordenen. Zijn eerste angstige idee was dat Ranessa was overvallen en ontvoerd. Die gedachte liet hij onmiddellijk weer varen. De Omarah hielden voortdurend de wacht. Zij zouden niet toestaan dat er zoiets gewelddadigs in het klooster gebeurde. Maar wat was er dan wel gebeurd?

Waar waren die verdomde monniken? Ze moesten het lawaai toch hebben gehoord. Waarom waren ze niet hier? Hij herinnerde zich Vuurs woorden: 'Wat er ook gebeurt...'

'Jullie hebben iets met haar gedaan of tegen haar gezegd,' zei Wolfram op kwade, beschuldigende toon tegen de muren, want er was niemand anders om naar hem te luisteren. 'Iets dat haar overstuur heeft gemaakt. Het is jullie schuld en, bij de Wolf, als het meisje iets is overkomen, zal ik zorgen dat jullie ervoor boeten!'

Hij stormde de nacht in.

Ranessa dwaalde in het donker over de bergtop. De stem schalde in haar oren en sprak nog steeds in die onbegrijpelijke taal, een taal die zo zoet in haar oren klonk als een wiegeliedje, of dat in elk geval gedaan zou hebben als ze er een touw aan had kunnen vastknopen. Ze zag nauwelijks waar ze liep, struikelde over de oneffen grond en knalde tegen keien op. Ze viel een paar keer en schaafde de huid van haar knieën en handen open. In de stallen trapte ze een hooiberg omver en joeg ze de zachtmoedige muildieren de stuipen op het lijf. De Omarah waakten over haar om ervoor te zorgen dat ze zichzelf of anderen geen kwaad deed in haar razernij.

Ten slotte zakte ze uitgeput ineen op de rotsachtige grond en huilde met een moeizaam, pijnlijk gesnik waar haar lichaam van schokte.

'Ik heb u teleurgesteld,' zei ze toen haar tranen waren gedroogd en haar gesnik was overgegaan in een soort gehik. 'Het spijt me. Ik weet niet wat u van me wilt. Ik heb het nooit geweten!'

De zon rees boven de berg uit. Ranessa hief haar hoofd en het felle licht scheen recht in haar gezicht en verblindde haar ogen, die rood en dik waren van het huilen. Ze knipperde met haar ogen en hief haar hand om ze af te schermen tegen het licht. Er kwam een gedaante in zicht, die langs de rand van de steile afgrond liep.

Ranessa kon het niet duidelijk zien, want haar zicht was vertroebeld, maar het was een kleine gestalte die op een dwerg leek, want de schouders en het middel waren breed. De dwerg droeg een oranje gewaad en doordat Ranessa verblind werd, leek het voor haar alsof ze het vurige kleed van de ochtendzon had geleend.

De dwerg leek haar niet te zien en Ranessa bleef stil liggen. Ze was te beschaamd en moedeloos om te praten. Ze keek zwijgend toe hoe de gestalte de uiterste rand van de rotswand bereikte. De dwerg spreidde haar armen.

De armen waren geen armen, maar vleugels... vleugels van vuur.

Langzaam kwam Ranessa overeind.

De stem sprak en deze keer verstond Ranessa haar.

'Mijn kind,' zei de stem, geduldig, vriendelijk en liefdevol. 'Je bent thuis.'

Tranen, zachte tranen, tranen vanuit haar hart stroomden over Ranessa's wangen. Deze tranen verblindden haar niet. Deze tranen onthulden haar de waarheid.

Met een woeste kreet van blijdschap spreidde Ranessa haar armen en sprong ze van de bergtop de zonsopgang in.

Steeds weer riep Wolfram Ranessa's naam. Hij had een besluit genomen. Als hij haar vond, zou hij haar hier weghalen. Hij wist niet wat hij met haar moest beginnen, maar hij zou ervoor zorgen dat niemand haar ooit nog kwetste of bang maakte. Per slot van rekening had ze zijn leven gered. Hij was haar iets schuldig.

De zon was nog niet te zien, maar de dageraad brak bijna aan. De hemel achter de berg was al rood met goud. Toen hij bleef staan en luisterde, hoorde Wolfram iets dat op huilen leek. Haastig liep hij die kant op. Toen hij een hoek van het gebouw omsloeg, bevond hij zich vlak bij de rotsrand waar de monniken dagelijks hun gymnastiekoefeningen deden. Het uitzicht vanaf deze rotsrand was adembenemend. Ver onder hem wond de rivier zich tussen de steile, hoog oprijzende rode rotsen door. Vanaf deze hoogte gezien was de brede rivier een kronkelige blauwe draad die door een rode lap was geregen. Als hij op deze rotspunt stond, vroeg Wolfram zich vaak af of hij de wereld zag zoals de goden die zagen. Als dat zo was en als hij beneden langs de rivier liep, zou hij zichzelf vanaf de bergtop niet kunnen zien. Hij zou nog geen vlekje zijn. Maar toch zou hij er zijn.

Andersom, als hij op de rivieroever stond en omhoogkeek, zou hij zichzelf ook niet kunnen zien. En toch zou hij er zijn.

'Op dezelfde manier,' redeneerde hij vaak, 'kan ik de goden niet zien, maar toch weet ik dat ze er zijn. En hoewel ze mij misschien ook niet kunnen zien, weten ze dat ik er ben.'

Dat vond hij een troostende gedachte.

Wolfram zag uit zijn ooghoek iets bewegen, en daar was de monnik Vuur, die haar ochtendwandelingetje maakte. Brommend van ongenoegen besloot Wolfram haar aan te spreken en te eisen dat ze hem vertelde wat er met zijn metgezellin was gebeurd.

Op dat moment kwam de zon boven de berg uit, en haar licht was warm en verblindend. Verlicht door de felle gloed stond Ranessa op van achter een kei.

Wolfram slaakte een hartgrondige zucht van verlichting en haastte zich naar haar toe. Ze zag hem niet. Ze begon in de richting van de monnik te lopen.

Wolfram ging wat sneller lopen in de hoop haar te bereiken voordat Vuur haar zag.

'Meisje,' begon hij, en het woord klonk zoet in zijn mond.

Ranessa gaf een woeste kreet die het woord terugdrong zijn keel in. Ze spreidde haar armen en rende naar de rand van de steile rots. Hij brulde haar naam. Als ze hem al hoorde, sloeg ze in elk geval geen acht op hem. Doodsbang zette Wolfram het op een rennen. Hij was te ver weg. Hij bereikte de rand net op tijd om te zien hoe ze zich in de afgrond wierp.

Wolfram gaf een schreeuw van verdriet die tussen de bergtoppen echode en hij sloeg zijn handen voor zijn gezicht.

Een stem sprak tegen hem. 'Doe je ogen open,' zei Vuur. 'Doe je ogen open en zie de waarheid.'

Wolfram gluurde tussen zijn vingers door. De monnik die de gedaante van een dwerg had aangenomen, was er niet meer. Wolframs vermoedens werden bevestigd. Er stond een draak op de rand, die met gespreide vleugels genoot van de zon van een nieuwe dageraad.

De schubben van de draak weerkaatsten de gloed van het zonlicht. De sierlijke kop met de lange snuit en rijen glinsterende scherpe tanden was naar de lucht geheven. De ogen keken naar de hemel en zochten de goden zelf. De vleugels van de draak waren oranje en de zon scheen erdoorheen alsof het zijden gordijnen waren. De lange staart lag gracieus rond het glanzende lichaam gebogen. De klauwen waren diep in de rotsachtige grond geslagen. De kop draaide op de lange, flexibele hals. De donkere ogen van de draak keken Wolfram doordringend aan.

Huiverend en zelfs niet blij met de wetenschap dat hij de waarheid had vermoed over de hoofden van de orde, wendde Wolfram zijn blik af van de draak. Hij keek naar beneden, naar de plek waar hij verwachtte Ranessa's lichaam te zien liggen, verwrongen en geschonden op de met bloed bevlekte rotsen.

Ze was er niet. Hij knipperde met zijn ogen en tuurde om zich heen. Hij kon haar niet vinden.

'Waar is ze?' vroeg hij schor.

'Daar,' zei Vuur en ze keek naar de lucht.

Wolfram sloeg zijn ogen op om uit te kijken over de bergtoppen. Een jonge draak, zo oranje als een vlam, cirkelde door de azuurblauwe lucht. De schubben van de draak glansden als nieuw in het zonlicht; de vleugels glinsterden, alsof ze nog nat waren van het ei. Ze vloog aarzelend, onzeker, want ze moest haar kracht nog beproeven en leren hoe ze met haar nieuwe lichaam moest omgaan. Hij kende haar niet en toch kende hij haar. Toen ze over hem heen vloog, keek ze naar beneden en zag ze hem staan. Hij keek in haar ogen en zag Ranessa.

'Wist je het niet?' vroeg Vuur hem.

'Nee,' zei Wolfram somber. Hij was geïmponeerd en trots als een jonge ouder, maar tegelijk voelde hij zich ook eenzaam en verloren. 'Nee, hoe had ik dat kunnen weten?'

'Ze droeg het merkteken,' zei Vuur. 'Net als wij allen.'

Toen glimlachte Wolfram en hij schudde zijn hoofd. 'Is ze uw kind, mevrouw?' vroeg hij deemoedig.

'Ja,' zei Vuur. 'Ze is mijn kind en ze is thuisgekomen.'

Jonge draken komen niet uit eieren, zoals vogels of andere reptielen. De draken van Loerem leggen hun eieren in het lichaam van mensen of elfen, orken of dwergen. Als het drakenkind wordt geboren, neemt het de gedaante aan van een lid van het volk van de moeder. De moeder weet niet beter en verzorgt de baby waarvan ze denkt dat het de hare is. De jonge draak weet ook niet beter en denkt dat hij een mens, een elf of een dwerg is.

'Vaak komen de kinderen het nooit te weten,' zei Vuur terwijl ze met liefdevolle trots naar haar glinsterend geschubde dochter keek. 'Zulke drakenkinderen leven hun hele leven temidden van mensen of elfen, dwergen of orken, en zijn tevreden en gelukkig met hun lot. Die kinderen zijn voor ons verloren. Dat weten we en dat aanvaarden we, want die kinderen waren niet voorbestemd om te zijn wat wij zijn.

Sommige kinderen, degenen in wie het bloed van onze soort sterk stroomt, weten vanaf hun eerste bewuste gedachte dat ze niet zijn wat ze lijken. Ze weten dat ze anders zijn. Ze zijn vaak ongelukkig, dat is waar,' gaf Vuur toe. 'Maar het is dat ongelukkige gevoel, hun ontevredenheid met zichzelf, dat ervoor zorgt dat ze zichzelf leren kennen. Ranessa is een van hen. Ze verlangde ernaar de waarheid te weten, ze heeft er actief naar gezocht.'

'U bent een belazerde dwerg, Vuur, weet u dat?' mopperde Wolfram. Hij sloeg snel zijn handen voor zijn ogen.

Vuur keek naar Wolfram en de blik uit haar donkere ogen was zacht van sympathie. 'Zoals ik je al zei, was jij alleen maar haar gids. Je hebt haar reis korter gemaakt. Uiteindelijk zou ze ons zelf gevonden hebben.'

'Dat zegt u,' mompelde hij.

Hij dacht dat hij maar eens zou opstappen. Hij zou verslag uitbrengen bij de monniken en dan vertrekken, misschien eens gaan kijken hoe dat landhuis van hem eruitzag. Het zou in elk geval lollig zijn om de bedienden orders te geven. Hij zou er plezier in hebben totdat hij het zat werd en zijn voeten gingen jeuken, en het landhuis zou krimpen totdat het te klein werd om hem vast te kunnen houden. Wolfram dacht dat hij zou opstappen, maar dat deed hij niet.

Hij ging op een rotsblok zitten dat door de zon verwarmd was en keek toe hoe Ranessa leerde vliegen.

Het Portaal van Tromek was oorspronkelijk gemaakt om van de mensenstad die nu Oud Vinnengael werd genoemd gemakkelijk naar de elfenhoofdstad Glymrae te kunnen reizen. Met de val van Oud Vinnengael en het verbrijzelen van de Portalen was het Portaal van Tromek van plaats veranderd. De elfen waren verslagen toen ze merkten dat het Portaal was verdwenen uit de stad Glymrae, want ze waren de voordelen gaan inzien van het handeldrijven met de mensen.

De meeste elfen dachten dat de goden de Portalen hadden vernietigd, maar de Wyred waren daar niet zo zeker van. Ze wisten dat magie, als die eenmaal in de wereld was, wel veranderd kon worden maar dat het vrijwel onmogelijk was om die te vernietigen. In het geheim stuurden de Wyred patrouilles op pad om naar de Portalen te zoeken. Toen ze via hun spionnen in de landen van de mensen hoorden dat de Karnuanen een Portaal hadden ontdekt in de buurt van de stad Delak 'Vir, verdubbelden de Wyred hun inspanningen.

Na vijf jaar zoeken ontdekten de Wyred eindelijk de westelijke ingang van het Portaal van Tromek. Ze vonden die in een dichtbebost gebied op ongeveer tachtig kilometer ten oosten van de grens met Nimorea. Aangezien niemand wist waar het Portaal zou uitkomen, boden enkele Wyred zich als vrijwilliger aan om de tunnel in te gaan en dat te ontdekken. Ze maakten een lange reis, waardoor ze dachten dat de magische tunnel door tijd en ruimte een grote afstand overbrugde. Toen ze naar buiten kwamen, bleken ze in de bergen te zijn. Omdat ze wisten dat ze dit gebied in kaart zouden moeten brengen, hadden ze allerlei hulpmiddelen meegenomen om dat te doen. Ze ontdekten dat ze nog in het land van de elfen waren, slechts ongeveer zestig kilometer ten noorden van de grens met het herboren Vinnengaelse Rijk, recht ten noorden van wat vele jaren later de hoofdstad, Nieuw Vinnengael, zou worden.

De elfen waren zeer ingenomen met hun ontdekking: zij hadden het enige Portaal dat binnen de grenzen van één land begon en eindigde.

Hoewel elfenkooplui wel naar andere landen reizen, hebben elfen het niet begrepen op buitenlanders die hun gebied binnenkomen en ze bouwden aan beide uiteinden van het Portaal sterke vestingen, beschermd door magie en staal. De ingangen van het Portaal worden bewaakt door de Wyred en hun magie. De muren om die ingangen worden beschermd door de krijgers en hun zwaarden. Het hele verdedigingssysteem bestond uit ringen: een buitenste ring van stenen muren en torens en een binnenste ring van magie.

Met de hulp van mensen uit Nimorea die aardemagie konden beoefenen, bouwden de elfen een dubbele muur van graniet rond de buitenkant van het Portaal. Die twee muren werden gescheiden door een loopgraaf van ongeveer twee meter breed en twee meter diep. In die loopgraaf bouwden ze een reeks torens die niet alleen een uitstekend uitzicht op het Portaal en het omliggende land boden, kilometers ver in alle richtingen, maar ook een ideale plek waren om boogschutters te posteren. Kolossale poorten, breed genoeg om grote wagens door te laten, vormden de in- en uitgang van het Portaal. De poorten werden goed bewaakt, maar gingen zelden dicht. De elfen verdienden een flinke som aan degenen die via het Portaal reisden en wilden het handelsverkeer niet belemmeren.

Iedereen die het Portaal binnenging, werd ondervraagd. Mensenkooplieden moesten papieren hebben die door functionarissen van de elfen ondertekend waren en waarin was vastgelegd dat ze goed aangeschreven stonden bij hun eigen gilde en dat ze toestemming hadden om het elfenland binnen te gaan en om hun waren te verkopen. Elfen die naar het buitenland reisden, moesten papieren hebben die waren getekend door het hoofd van hun huis, om te bewijzen dat ze een geldige reden hadden om hun vaderland te verlaten en dat ze daar toestemming voor hadden gekregen. Alle wagens werden doorzocht om er zeker van te zijn dat er geen smokkelwaar in zat. Nadat de reiziger het tarief had betaald, mocht hij de poort door naar de volgende ring, die door de Wyred werd bewaakt.

De meeste menselijke reizigers hadden er geen idee van dat ze nauwlettend in de gaten werden gehouden door elfentovenaars. De reizigers liepen door een prachtige tuin, met bomen, beekjes en boogbruggetjes, goudvissen en bloemen, en paden van steengruis die allemaal naar het Portaal leidden. Na al die schoonheid was het Portaal zelf een teleurstelling voor degenen die het voor het eerst binnengingen. Het Portaal zag eruit als een poel met stilstaand grauw water midden in een bosje met bloeiende bomen.

Het Portaal was echt, maar alles eromheen – de bomen, de tuin, de bloemen, de vissen – was een illusie. De Wyred liepen, gehuld in magie, onzichtbaar tussen de reizigers door, luisterden hun gesprekken af en onderzochten hen heimelijk op verborgen magie. Degenen die ze niet vertrouwden, werden onder betovering gebracht en weggevoerd naar grotten onder het Portaal, waar ze werden ondervraagd en dan ofwel werden vrijgelaten om hun reis voort te zetten ofwel werden gearresteerd en overgedragen aan het leger voor verder verhoor. De Wyred hadden andere magische beveiligingen bedacht om in te zetten tegen een invallend leger, maar wat die waren, wat er schuilging onder de illusies van de tuin, wist niemand.

Het Portaal werd bewaakt door een leger van duizend elfensoldaten, die het Schild en huis Wyval trouw waren, en vijfentwintig Wyred, die ook volkomen loyaal waren jegens het Schild. De soldaten woonden in een kazerne die dicht bij het Portaal was gebouwd. Hun werk was saai en vervelend, want het Portaal lag in een verlaten uithoek. Het dichtstbijzijnde centrum van beschaving was een dorpje dat op ongeveer acht kilometer afstand was ontstaan om de behoeften van reizigers en soldaten te vervullen.

De dienstdoende commandant van de verdediging van de Buitenste Ring van het westelijke Portaal was voor zonsopgang gewekt door een boodschapper, die op een hippogriffoen van Glymrae naar het Portaal was gevlogen. Nu, twee uur later, terwijl het zonlicht de boomtoppen verguldde, stond commandant Lyall op het uitkijkpunt boven de hoofdpoort en zag negenhonderd van de duizend elfen die verondersteld werden het Portaal te bewaken, wegmarcheren.

Hij keek van de rij soldaten die over de kronkelende weg naar Glymrae verdween naar de brief die de boodschapper hem die ochtend had gebracht. Lyall had hem al vele malen gelezen, in de flauwe hoop dat hij er dan misschien meer van zou gaan begrijpen. Maar de twintigste keer bleek niet verhelderender te zijn dan de eerste.

De elfen verpakken hun boodschappen aan elkaar vaak in bloemrijke verzen, die schitterend zijn maar soms ruimte laten voor verkeerde interpretaties. Militaire berichten worden echter niet in dichtvorm gestuurd, want die moeten duidelijk begrepen worden en geen ruimte voor twijfel laten. Commandant Lyall, die somber naar de missive in zijn hand staarde, had dan ook geen enkele twijfel. Het Schild had de opdracht gegeven ogenblikkelijk negenhonderd soldaten terug te sturen naar Glymrae. Hij gaf geen reden op. Dat hoefde hij ook niet. Hij was het Schild en stond aan het hoofd van de militaire verdediging van het land. De boodschapper vertelde Lyall wat iedereen in de hoofdstad wist: de breuk tussen het Schild en de Goddelijke was niet meer te herstellen. Het land van de elfen stond op de rand van een burgeroorlog. Het Schild had elke soldaat nodig die hem trouw was.

Wat betreft het achterlaten van genoeg manschappen om het Portaal te bewaken: het was in geen tweehonderd jaar aangevallen. Er was geen reden om te verwachten dat dat nu wel zou gebeuren.

'Heeft hij mijn rapporten dan niet ontvangen?' vroeg Lyall aan de boodschapper.

De boodschapper was maar een boodschapper. Hij had geen idee.

Lyall was een trouw volgeling van het Schild en daar had hij reden toe, want hij was van lage afkomst, de veertiende zoon van een boer, en het Schild had hem de rang van commandant gegeven. Lyall had hard gewerkt om deze positie te bereiken. Hij had dapper gevochten in de strijd en had meerdere malen zijn leven op het spel gezet. Een Trevinici-krijger zou trots zijn op het aantal oorlogslittekens dat Lyall had. Hij was beloond met deze rang en deze positie.

Lyall wist natuurlijk dat er van hem verwacht werd dat hij het Schild een wederdienst zou bewijzen voor zijn promotie. Hij wist dat hij deze positie had gekregen omdat het Schild als commandant van de Buitenste Ring iemand wilde hebben op wie hij kon rekenen. Lyall was die man. Als het Schild er niet was geweest, had Lyall nu met een ploeg achter zich aan door de velden gesjokt. Elke avond, als Lyall zijn gebeden tot de goden zei, noemde hij ook de naam van het Schild.

Maar toch was er in de duisternis van de vroege ochtend een ogenblik dat Lyall in de verleiding kwam te twijfelen aan de wijsheid van zijn meester. Het Schild had de meeste manschappen weggeroepen bij het Portaal, precies op het moment dat ze daar misschien wel het hardst nodig waren.

Nog maar vijf dagen eerder had Lyall het Schild een dringend bericht gestuurd waarin hij meedeelde dat hij geloofde dat er zich een mensenleger schuilhield in de bossen rond het Portaal. Verkenners, zowel elfen als Nimoreanen, die regelmatig in het gebied patrouilleerden, hadden niets bijzonders gezien, maar er waren er een paar vermist geraakt. Verontrust had Lyall zijn troepen in verhoogde staat van paraatheid gebracht en de wacht in de torens verdubbeld. Hij had de Wyred niet op de hoogte gesteld, want als militair moest hij de verachtelijke en twijfelachtige activiteiten van tovenaars negeren. Bovendien had hij er het volste vertrouwen in dat de Wyred alles wisten van de aanwezigheid van de vijand, misschien wel meer dan hijzelf.

Hij had geen antwoord gekregen op zijn bericht en nu gebeurde dit. Lyall begreep het niet. Hij kon alleen maar gehoorzamen.

De soldaten vertrokken. Lyall had geen tijd om te treuren over het verlies. Hij ontbood alle officieren die hij nog had en maakte nieuwe plannen voor de verdediging van het Portaal bij een eventuele aanval. Hij stelde een nieuw schema op voor de wacht. Hij deed wat hij kon om het moreel hoog te houden, om de zaak luchtig op te vatten, en zei dat ze zich die avond te buiten zouden gaan aan een uitgebreid diner, want nu hoefden ze de proviand niet meer met zijn duizenden te delen.

De officieren lieten zich niet voor de gek houden, maar ze zeiden wat er van hen werd verwacht. Ze dachten allemaal hetzelfde. Wat was er daarbuiten, in de wildernis? Wat had de dieren opgeschrikt en de vogels verjaagd? Wie onderschepte een voor een hun verkenners?

Niemand wist de antwoorden, maar één ding wisten ze allemaal: wie het ook was, hij had zojuist de meeste verdedigers van de vesting zien vertrekken.

Lyall stuurde de mannen weer aan het werk, ging aan zijn bureau zitten en dacht na over zijn volgende zet.

Waarschijnlijk hadden de Wyred dezelfde orders gekregen als Lyall. Waarschijnlijk waren hun aantallen op dezelfde wijze gereduceerd. Lyall wist het niet zeker. Hij had nog nooit met de commandant van de Wyred gepraat. Bij de zeldzame gelegenheden dat ze gedwongen waren te communiceren – meestal als er problemen waren met iemand die het Portaal binnen wilde gaan – verschenen de Wyred eenvoudigweg met de overtreder en droegen die over. Lyall wist niet eens hoe de commandant heette. Hij wist zo weinig over de beoefenaars van magie dat hij er zelfs niet zeker van was dat de Wyred een commandant hadden.

De situatie was nijpend. Hij had geen tijd om de omslachtige route te volgen die normaal gesproken werd gebruikt door krijgers die afhankelijk waren van de Wyred maar de schijn moeten ophouden dat ze dat niet waren. Hij moest te weten komen wat er gebeurde, wat hij kon verwachten als er een aanval zou komen.

Andere officieren zouden bang zijn geweest voor eerverlies. Lyall was een boer. Hij had geen eer te verliezen, was zijn redenering. Misschien was het de boer in hem die ervoor zorgde dat hij toch al de neiging had gezond verstand hoger aan te slaan dan eer.

Lyall liep van de Buitenste Ring over de onbeschutte, geplaveide binnenplaats die de ene invloedssfeer van de andere scheidde en ging de tuin binnen. Hij draalde wat tussen de azalea's en de bougainvilles, keek naar alles in het algemeen en niets in het bijzonder.

Tegen de azalea's of misschien tegen de goudvissen zei Lyall kalm: 'Ik zou graag het hoofd van de Wyred willen spreken. Het gaat om een zeer dringende kwestie.'

Hij bleef nog even staan luisteren naar het zoemen van de bijen en keek naar de vlinders die tussen de bloemen fladderden, en toen wandelde hij verder, met een air van onverschilligheid, hoewel hij steeds nerveuzer werd. Hij kon alleen maar vermoeden dat hij gezien en gehoord was. Als dat niet het geval was, of als de Wyred om de een of andere reden niet met hem wilden praten, had hij geen idee wat hij moest beginnen. Van dit plan afzien en een ander bedenken. Maar hij had geen tijd meer te verliezen.

Het pad waarop hij liep, eindigde bij een visvijver. Lyall bleef even staan om naar de vissen te kijken en draaide zich toen om met het idee terug te wandelen.

De Wyred stond voor hem, zo dichtbij dat Lyall haar had kunnen aanraken.

Lyall had geen voetstappen gehoord, had niet gemerkt dat er iemand achter hem was komen aanlopen. Hij schrok vreselijk en deed onwillekeurig een stap naar achteren, waardoor hij bijna in de visvijver viel. Hij herstelde zich, maar voelde wel een vlaag van irritatie. Hij slikte zijn ergernis snel weg en maakte een buiging.

'Dank u dat u bent gekomen. Ik ben vereerd door deze ontmoeting.'

'Nee, dat bent u niet,' zei de Wyred koeltjes. 'Integendeel, uw eer staat erdoor op het spel. Maar dat doet er niet toe. Wat is deze dringende kwestie, die u heeft genoodzaakt alle ongeschreven wetten te overtreden en met me te komen praten?'

Hij betrapte zich erop dat hij naar haar staarde, dat hij zijn blik niet kon losmaken van de vrouw. Het getatoeëerde masker rond haar ogen gaf aan uit welke familie ze kwam, maar behalve dat masker had ze ook tatoeages die haar kenmerkten als Wyred. Die waren veel ingewikkelder. Spiralen en cirkels, strepen en symbolen liepen over haar wangen naar beneden en wonden zich om haar kin. Gaven deze tatoeages haar positie onder de Wyred aan? Hadden ze iets met haar magie te maken? Of was het enkel opsmuk? Hij had geen idee. Hij probeerde zijn gedachten te bepalen tot de zaak die speelde, maar hij kon zijn blik niet afwenden van haar gezicht.

'U zei dat de kwestie dringend was,' zei ze, met een beginnende irritatie over het oponthoud.

Door de tatoeages was het moeilijk om haar leeftijd te schatten. Haar ogen waren ondoorgrondelijk; er viel niets in te lezen. Ze gaven niet, ze namen alleen. Ze stond met haar handen in haar lange mouwen gestoken, waarvan de vrolijk gekleurde zijden mouwomslagen tot bij de grond hingen. Haar zijden gewaad was versierd met een grillig patroon van vogels, die stuk voor stuk een rand van gouddraad hadden.

'Bent u op de hoogte van het uitbreken van de oorlog tussen het Schild van de Goddelijke en de Goddelijke?' begon Lyall.

De Wyred trok een wenkbrauw op, verbaasd door zulke openhartigheid. 'Jazeker.'

'U weet dat mijn eenheid is teruggebracht van duizend naar honderd soldaten,' vervolgde Lyall.

'Daar ben ik me van bewust, ja.'

'Heeft uw...' Lyall zweeg even. Dit moest voorzichtig onder woorden worden gebracht. 'Heeft uw eenheid een overeenkomstige reductie ondergaan?'

De Wyred leek eerst op het punt te staan een antwoord te weigeren, maar na een ogenblik te hebben nagedacht, gaf ze een kort knikje.

Lyall verwerkte dat nieuws zwijgend en zei toen: 'U weet dat er verkenners vermist zijn geraakt en andere vreemde dingen zijn gebeurd in het bos. U weet dat de mensen uit het dorp onrustig zijn en dat velen zijn vertrokken. U weet dat het aantal reizigers uit de landen van de mensen aanzienlijk is afgenomen en dat degenen die nog wel komen, vertellen over oorlog in Dunkarga en Karnu en onrust in Nimorea en andere mensenlanden.'

'Dat weet ik,' zei ze. 'En nog veel meer. Er bevindt zich een leger in het bos. Het is enorm groot. Wij denken dat het een onderdeel is van hetzelfde leger dat Karnu en Dunkarga heeft aangevallen.'

Lyall luisterde ontsteld.

De Wyred sprak verder. 'Het Schild is op de hoogte van dit leger.'

Lyall staarde haar verbijsterd aan. 'Hij is op de hoogte! Maar waarom...?'

'De Wyred schudde haar hoofd. Als ze iets wist of vermoedde, wilde ze dat niet zeggen.

'Mag ik vragen wat u hiervan vindt?' vroeg Lyall.

'Het Schild van de Goddelijke is van huis Wyval. Ik ben van huis Wyval. Ik ben loyaal aan het Schild en mijn huis,' antwoordde de Wyred en haar stem klonk koel.

Daar zou Lyall het mee moeten doen. Ze was duidelijk niet van plan hem meer te vertellen.

'Dan weet u dat ik uw hulp nodig heb,' zei hij.

De Wyred trok dezelfde wenkbrauw nog hoger op. Ze wachtte totdat hij verder ging.

'Als we worden aangevallen, moet de vijand de indruk krijgen dat we genoeg mannen hebben om het Portaal te verdedigen. Is dat mogelijk?'

Op het moment dat hij de vraag stelde, besefte hij dat hij een vergissing had gemaakt.

De Wyred reageerde stekelig. 'Natuurlijk is dat mogelijk. Het creëren van zo'n illusie is doodsimpel. Maar u moet beseffen dat het een risico met zich meebrengt. Als uw mannen weten dat het een illusie is, is het misschien moeilijk voor hen om het spelletje mee te spelen. Officieren die illusoire soldaten aanvoeren in een charge, moeten dat doen in de wetenschap dat ze in werkelijkheid alleen tegenover de vijand staan. Maar als de soldaten de waarheid niet kennen en denken dat de illusie echt is, verlaten ze zich misschien te veel op illusoire soldaten om dan op het laatste moment te ontdekken dat hun illusoire kameraad hen niet te hulp kan komen. Ik hoef u niet te vertellen dat het vertrouwen in hun officieren en in elkaar daardoor een deuk zal oplopen, niet alleen nu maar ook voor de toekomst.'

'Ik zal het de mannen vertellen,' zei hij. 'Ik heb hun altijd de waarheid verteld.'

'Dat lijkt me het beste,' beaamde ze, en er was misschien een glimpje respect in haar ogen.

Ze hadden alles gezegd wat er gezegd moest worden. Hij had veel om over na te denken en moest plannen gaan maken, en hij nam aan dat dat ook voor haar gold. Hij boog opnieuw, ten teken dat hij zou gaan. Tot zijn verrassing keek ze hem peinzend aan.

'We worden opgeofferd voor de eer van het Schild. Weet u dat?'

Waarom stelt ze die vraag, vroeg Lyall zich slecht op zijn gemak af. Om zijn loyaliteit te testen?

'Het is mijn plicht het Schild te gehoorzamen,' antwoordde hij voorzichtig. 'Het Schild weet wat het beste voor ons is. Het is niet mijn plaats om te twijfelen aan zijn wijsheid.'

De Wyred nam Lyall nog even op, maar hij kon niets opmaken uit haar gelaatsuitdrukking. Hij beantwoordde haar blik zonder een spier te vertrekken en ze keerde zich zonder commentaar van hem af. Ze liep rustig door de tuin in de richting van het Portaal.

Hoewel Lyall belangrijke dingen moest doen, bleef hij staan om haar na te kijken, tegelijkertijd gefascineerd en vol afkeer. Lyall zou de kwestie moeten uitleggen aan zijn officieren en daarna zou hij de troepen moeten toespreken, of wat daar nog van over was. Hij zou hun de waarheid vertellen, maar niet de hele waarheid. Hij zou niets zeggen over het offer.

Dat konden ze zelf wel bedenken.

In zijn commandotent hield Dagnarus, Heer van de Leegte en nu zelfverklaarde koning van Dunkarga, een bijeenkomst met zijn officieren. Zijn legerkamp lag binnen aanvalsbereik van het Portaal van Tromek. Tanen die hoog in de takken van de grote pijnbomen zaten, konden de ring van steen in de verte zien. Het dichte bos dat de elfen beschouwden als deel van hun verdediging, was van groter voordeel gebleken voor hun vijand. Dagnarus had de dekking ervan gebruikt om tienduizend soldaten ongezien over het noordelijke deel van het Faynir-gebergte te krijgen. Daarna was hij naar het zuiden opgerukt, naar het Portaal van Tromek, zonder dat de mensen uit Nimorea of de elfen uit Tromek zich ervan bewust waren geweest dat een vijand hun gebied was binnengevallen. Met de weinigen die toevallig op het tanenleger stuitten werd snel afgerekend en hun lichamen werden met behulp van de magie van de Leegte vernietigd, zodat er niets van overbleef.

'Ik stel het tijdstip van onze aanval uit,' vertelde Dagnarus de verzamelde officieren.

Sommige officieren waren mensen, want hij had een leger van menselijke huurlingen onder zijn commando. De meesten waren hoge taanse nizam, onder leiding van Nb'arsk, een taanse Vrykyl. Shakur was er ook. Hij hield zich op de achtergrond en nam niet deel aan de bespreking. De meesten besteedden niet veel aandacht aan hem, want ze namen aan dat hij er was als Dagnarus' lijfwacht, nu Valura er niet was.

'We zouden bij zonsopgang aanvallen, maar ik heb informatie gekregen die me heeft doen besluiten die orders te veranderen. Jullie zullen niet bij zonsopgang aanvallen, maar op mijn signaal wachten. Jullie troepen zullen in positie worden gebracht, maar zullen verborgen blijven tot ik het signaal geef.'

De taanse krijgers morden, niet blij met het uitstel. Dagnarus wierp een grimmige blik om zich heen en het gemor verstomde. Hij droeg het zwarte harnas van de Heer van de Leegte, inclusief zijn helm. De tanen vereerden hem als hun god en vreesden hem als hun god, maar hij was zich ervan bewust dat hij iets van zijn status bij hen verloor als hij in zijn menselijke gedaante verscheen.

'Maak jullie geen zorgen,' zei hij tegen de tanen, 'we hebben niet dit hele eind afgelegd om voor het Portaal te blijven zitten en toe te kijken hoe de elfen af en aan reizen. We zullen aanvallen. Misschien een uur na zonsopgang, misschien op het middaguur of misschien pas in de avondschemering. Maar we zullen aanvallen. Alle andere orders blijven zoals ze waren. Generaal Gurske, zoals we hebben besproken zullen we, als we het Portaal eenmaal in handen hebben, erdoor marcheren om Nieuw Vinnengael aan te vallen. Uw troepen zullen achterblijven om het Portaal bezet te houden.'

Generaal Gurske knikte. Hij was een mens, de aanvoerder van de menselijke eenheid.

'Het moet een fluitje van een cent zijn om het Portaal in handen te houden, generaal,' vervolgde Dagnarus. 'Het dichtstbijzijnde leger van de elfen marcheert op dit moment terug naar Glymrae en het dichtstbijzijnde leger van de mensen bevindt zich in Myanmin. Het Schild zal ervoor zorgen dat er geen elfentroepen door het Portaal komen om de weinige verdedigers ervan te versterken. Alle reizigers die naar het Portaal komen, zullen door u als slaven gevangen worden genomen en u neemt hun handelswaar in beslag.'

Generaal Gurske knikte weer. Hij kende zijn orders en voorzag geen problemen. Hij verheugde zich erop van de tanen af te zijn. Zijn manschappen leefden en vochten nu al een paar jaar zij aan zij met de tanen, maar de twee volken konden het slecht met elkaar vinden en hadden weinig respect voor elkaar.

'De tanen zullen onder aanvoering van Nb'arsk helpen met het veroveren van het Portaal. Als dat eenmaal is gebeurd, zal Nb'arsk een eenheid vooruit sturen door de tunnel om de elfen aan te vallen die het Portaal aan het oostelijke uiteinde verdedigen. Dan zal de rest door het Portaal trekken, en daarna hun kamp opslaan en op verdere bevelen wachten.'

Nb'arsk gaf aan dat ze het begreep. Dagnarus vertelde hun wat het signaal zou zijn, vroeg of er vragen waren en stuurde hen weg toen die er niet waren. Hij kende zijn troepen en wist wat ze waard waren. Hij twijfelde er niet aan dat ze zijn bevelen zouden opvolgen.

Toen ze allemaal weg waren, wenkte hij Shakur.

De Vrykyl stapte uit het schemerdonker te voorschijn en kwam voor zijn meester staan.

'Ik neem aan dat u iets hebt gehoord?' zei Shakur.

'Ik heb van Valura het bericht ontvangen dat het deel van de Verheven Steen van de mensen en dat van de elfen samen worden vervoerd. Ze denkt, en ik ben het daarmee eens, dat ze op weg zijn naar het Portaal.'

'Dat denk ik ook,' zei Shakur. 'Ik voel dat het bloedmes met de minuut dichterbij komt. Degene die het mes in zijn bezit heeft, heeft waarschijnlijk ook de Verheven Steen.'

'Precies. Daarom heb ik de aanval uitgesteld. Ik wil hen niet afschrikken. Jij zult met een klein groepje het Portaal in gaan, vermomd als kooplui. Blijf daar totdat je die mensen vindt. Als je hen vindt, geef me dan een teken, zodat ik de aanval in gang kan zetten. In de verwarring grijp jij hen en brengt hen bij mij.'

'Levend, edele heer?'

'Indien mogelijk. Voor het geval ik hun vragen wil stellen.' Dagnarus haalde zijn schouders op. 'Maar het doet er niet veel toe. Ik zal de Stenen van hun levende lijven of dode lijken nemen. Eén waarschuwing, Shakur. Probeer niet zelf de Stenen te pakken. De Stenen zijn doordrenkt van elementaire magie die hen beschermt tegen de Leegte. Valura heeft er een aangeraakt en is er bijna door vernietigd.'

'Hoe kunt ú ze dan pakken, edele heer?'

'Je vergeet dat ik de Stenen al eens heb vastgehouden, Shakur,' zei Dagnarus. 'Ze zijn me stuk voor stuk in mijn handen gegeven door mijn vader, koning Tamaros. Een voor een heb ik de delen van de Verheven Steen naar de vertegenwoordigers van elk volk gedragen. *Ik* was de uitverkorene van de goden. Niet mijn broer, Helmos!'

Dagnarus balde zijn vuist en verhief zijn stem door de hevigheid van zijn emotie. 'Toen de tijd gekomen was dat Helmos om alle delen van de Steen vroeg, wilden de andere volken die niet inleveren. Ze zijn voorbestemd om bij mij te komen. Dit zijn de eerste twee. De rest zal volgen.'

Shakur gromde. 'Wat gaat Valura doen?'

Dagnarus kende zijn luitenant. Hij wist dat deze schijnbaar onschuldige vraag bedoeld was om hem erop te wijzen dat Valura de klus had verknoeid en dat Shakur het nu verder mocht opknappen. Het vlees rot weg, de botten worden breekbaar, de hersenen en het hart vervallen tot stof. Waarom overleeft de ziel? Dat vroeg Dagnarus zich vaak af over zijn Vrykyls, en menigmaal vervloekte hij het feit dat het zo was. Het zou een stuk gemakkelijker voor hem zijn als die wezens van hem robots waren, die alleen dachten wat hij hun leerde te denken en reageerden zoals hij hun leerde te reageren. Het was waar dat die lastige zielen hen veel 'menselijker' maakten en daardoor veel waardevoller als spionnen, infiltranten, moordenaars en legeraanvoerders. Maar die 'menselijkheid' betekende ook dat Dagnarus moest leven met de kinderachtige jaloezie, beoordelingsfouten en de openlijke rebellie van zijn dienaren. Soms had hij er spijt van dat hij ooit de dolk had bemachtigd waarmee hij hen had gecreëerd. Dat soort gedachten had hij de laatste tijd vaker dan vroeger, sinds de rebellie van K'let.

Dagnarus was niet bang voor de taanse Vrykyl. K'let durfde zijn krachten niet rechtstreeks met die van zijn meester te meten. Maar K'let was er wel in geslaagd hem te trotseren, en dat zat Dagnarus erger dwars dan hij zichzelf wilde toegeven. Hij had er alle vertrouwen in dat hij de andere Vrykyls onder controle had, maar alleen al het feit dat hij zich voortdurend moest vergewissen van hun loyaliteit was zeer ergerlijk, en dat precies in een tijd dat hij zich volledig diende te concentreren op de oorlog die hem de rechtmatige heerser over Loerem zou maken.

'Valura gehoorzaamt mijn bevelen,' antwoordde Dagnarus kortaf. 'Net als jij zult doen, Shakur.'

Shakur boog zwijgend en vertrok.

Dagnarus ging weer aan het werk. In zijn hoofd was de slag om het Portaal van Tromek al voorbij. Hij begon de slag voor te bereiden waar hij eeuwenlang naar had uitgekeken: de slag om Nieuw Vinnengael.

De hippogriffioenen vlogen de rest van die dag tot diep in de nacht
door. De hemel was bezaaid met sterren, de lucht was helder en de
maan halfvol. De hippogriffioenen pauzeerden om te rusten, maar
niet langer dan nodig was, want niet alleen Damra verlangde ernaar
hun reisdoel te bereiken, ook de hippogriffioenen zelf wilden graag
hun taak volbrengen om terug te kunnen keren naar hun jongen.
Het Portaal kwam in zicht toen de dag aanbrak: een cirkel van witte steen in het groene bos. Damra wilde de hippogriffioenen net gaan
vertellen waar ze moesten landen toen de dieren door de lucht begonnen te cirkelen en rauwe klanken tegen elkaar gingen uitstoten.
'Wat denk je dat er met ze aan de hand is?' vroeg Damra verbaasd
aan Arim. 'Wat is er mis?'
De Grootmoeder porde haar in de ribben. Damra schrok ervan, want
ze dacht dat de oude pecwae nog sliep. Die had het grootste deel van
de tocht rustig geslapen, met haar hoofd tegen Damra's rug geleund.
'Ze zeggen dat er een vreemde geur in de lucht hangt,' riep de Grootmoeder. 'Onbekend. Het bevalt ze niet.'
Silwyth had gezegd dat er een leger klaarstond om het Portaal in te
nemen. Damra keek aandachtig naar de grond, maar zag geen enkel
teken van onrust. Maar terwijl ze dat deed, besefte ze dat er zich onder de bomen hele volksstammen verborgen konden houden. Hoewel het vreemd was dat de hippogriffioenen de geur niet herkenden.
Ze wisten hoe mensen roken. Ze beval hun op scherpe toon om verder te gaan. De hippogriffioenen bleven cirkelen. Een van de twee
schudde zijn adelaarskop, klapperde met zijn snavel en keek met een
schrandere, grimmige blik naar haar om.
'Ze brengen ons er wel heen,' zei de Grootmoeder. 'Maar daarna
moeten we het zelf uitzoeken. Ze willen hier niet blijven.'
'Dat kan ik hun niet kwalijk nemen,' zei Damra. 'Dat is goed.'
De Grootmoeder praatte tegen de hippogriffioen in wat Damra vermoedde dat de pecwae-taal was, want die was net als zij: de woor-

den waren kort, snel en kwiek. De hippogriffioenen hielden op met cirkelen en vlogen naar het Portaal. Ze hielden goed in de gaten of ze op de grond iets zagen bewegen.

'Kunt u echt verstaan wat dieren zeggen?' vroeg Damra terwijl ze zich omdraaide naar de Grootmoeder.

'Niet wat ze zeggen,' antwoordde de Grootmoeder. 'Dat zou een mooie boel zijn!' Ze grinnikte. 'Luisteren naar al dat geloei en gesnater, geblaat en gekras. Wij pecwae's weten wat dieren denken. Meestal.'

'Alle dieren?' vroeg Damra. De Grootmoeder praatte er zo nuchter over dat het moeilijk was om haar niet te geloven.

'Behalve vissen. Domme wezens, vissen.'

'Als u de gedachten van dieren kunt lezen, kunt u dan ook de gedachten van mensen lezen? Míjn gedachten, bijvoorbeeld?' Dat was geen aangenaam idee.

De Grootmoeder schudde nadrukkelijk haar hoofd. 'De gedachten van dieren zijn duidelijk en eenvoudig: angst, honger, vertrouwen, wantrouwen. De gedachten van mensen zijn een chaotisch zootje. Die kunnen alleen de goden lezen, en van mij mogen ze.'

Ze vlogen boven het Portaal. Damra speurde het terrein net zo nauwlettend af als de hippogriffioenen. Ze zag alleen een handelskaravaan naderen over de weg: één paard en wagen, die er vanuit de lucht uitzagen als speelgoed, en kleine poppetjes die vast de kooplui waren. Toen ze de hippogriffioenen met de hulp van de Grootmoeder vroeg of ze iets zagen, gaven ze aan dat dat niet het geval was. Maar de dieren voelden zich niet op hun gemak, dat was duidelijk. Ze vlogen snel in een spiraal naar beneden, in steeds kleinere cirkeltjes, en landden op een grote open plek.

Toen Damra en de anderen waren afgestegen, vertrokken de hippogriffioenen onmiddellijk weer. Ze sprongen de lucht in, spreidden hun vleugels en verdwenen al snel uit het zicht, in de richting van Glymrae.

'Daar gaat onze vluchtmogelijkheid,' stelde Arim met spijt vast terwijl hij hen snel kleiner zag worden in de verte. 'Ze hadden in elk geval kunnen wachten tot we veilig het Portaal binnen waren.'

'Er is niets aan te doen,' zei Damra. 'Je hebt gezien hoe onrustig ze waren. Ze zouden ook niet gebleven zijn als ik het ze had opgedragen. Ze hebben gelijk. Er hangt een vreemde sfeer rond dit bos. Ik ben een geboren en getogen stadsmens, maar zelfs ik voel het. Jij ook?'

'Ja. Des te meer reden om het te betreuren dat de hippogriffioenen weg zijn,' zei Arim kalm.

'Net als zij zullen ook wij hier niet blijven rondhangen,' zei Damra en ze liep naar de poort in de Buitenste Ring.

Ze waren de enige mensen bij de poort. De kooplui die Damra vanuit de lucht had gezien, waren toegelaten en waren op weg door de Buitenste Ring. Damra had verwacht dat de bewakers problemen zouden hebben met de Trevinici en de twee pecwae's en ze werd niet teleurgesteld.

'Onmogelijk,' zei de Portaalbewaker hoofdschuddend. 'Ik kan hen niet toelaten tot het Portaal.'

'Ze hebben papieren,' zei Arim terwijl hij hun documenten liet zien. 'Zoals u kunt zien, is alles in orde. Ze hebben toestemming gekregen om de grens over te steken...'

'Ik kan niet verantwoordelijk worden gehouden voor wat de grenswachten doen,' zei de Portaalbewaker op een toon die impliceerde dat de grenswachten luilakken waren die zelfs tweehoofdige trollen ongestraft door zouden laten. 'U moet met commandant Lyall praten.'

'Dat zullen we doen,' zei Damra kordaat. 'Vertel hem dat Domeinheer Damra van Gwyenoc toegang vraagt tot het Portaal, voor haarzelf en haar gezelschap.'

De bewaker boog plichtmatig vanwege haar eervolle titel, maar hij had aan haar habijt al gezien dat ze een Domeinheer was en blijkbaar was hij daar niet erg van onder de indruk. Hij bracht hen naar een wachtkamer in het poorthuis. De kamer had geen ramen en er stonden alleen maar banken in. De deur kwam uit op een gang.

'Waar gaat die gang heen?' vroeg Jessan, die niet stil kon zitten.

'Hij houdt er niet van om opgesloten te zijn,' zei Bashae met een geeuw.

'Dat heb ik gemerkt,' zei Damra terwijl ze toekeek hoe de jongeman ijsbeerde als een hongerige kat. Ze was zelf ook nerveus en had de neiging zijn voorbeeld te volgen, maar ze wilde in elk geval de indruk wekken dat ze kalm was. 'Die gang komt uit op een trap naar boven, naar het kantoor van de commandant, de eetzaal en een paar andere kamers.'

'Ik kan hier geen lucht krijgen,' zei Jessan en hij liep naar de deur. 'Ik wacht buiten wel.'

'Niet in je eentje,' zei Damra rustig. 'Blijf alsjeblieft hier bij ons.'

Jessan draaide zich met een donkere en opstandige uitdrukking op zijn gezicht naar haar om, en even dacht ze dat hij ging weigeren. Ze was zo voorzichtig geweest haar woorden als een verzoek te formuleren, omdat ze wist dat hij gepikeerd zou zijn als ze hem ronduit een bevel zou geven. Ten slotte liet hij zich met een ontevreden blik op een bank zakken. Het volgende ogenblik stond hij op en ging hij weer ijsberen.

Arim schoof naar Damra toe en zei zacht tegen haar: 'Die commandant Lyall is trouw aan het Schild. Stel dat hij is gewaarschuwd voor onze komst.'

'Niemand wist dat we van plan waren naar het Portaal te gaan, zelfs Silwyth niet,' zei Damra.

'Nee, maar het was niet moeilijk te raden dat we deze kant op zouden gaan.'

'Dat hebben ze waarschijnlijk ook gedaan,' zei Damra.

Arim schudde zijn hoofd en leunde weer tegen de muur.

'Commandant Lyall zal Damra van Gwyenoc ontvangen,' kondigde de bewaker aan.

Damra liep met de bewaker mee naar boven.

Commandant Lyall stond op achter zijn bureau om haar te begroeten. De twee bogen en wisselden de gepaste beleefdheden uit, zoals dat bij de elfen vereist is, ook al is de situatie nog zo nijpend. Damra merkte onmiddellijk dat Lyall afwezig en ongerust was.

'Ik ben op weg naar Nieuw Vinnengael om de magiërs van de tempel te bezoeken,' zei Damra. 'Ik heb de interessante ontdekking gedaan dat de legendes waar zijn: pecwae's kunnen inderdaad met dieren praten. Mijn metgezel en ik brengen deze twee pecwae's naar de magiërs in de hoop dat we hen kunnen bestuderen en kunnen onderzoeken of ze magie gebruiken of dat dit een aangeboren eigenschap is van pec...'

'U bent van huis Gwyenoc,' zei Lyall plotseling, met een scherpe blik op de tatoeage rond haar ogen. 'U staat bekend als trouw aan de Goddelijke.'

'Zoals alle elfen,' antwoordde Damra poeslief.

Hij zou hun de toegang weigeren. Ze bereidde zich voor op die mededeling. Tot haar verbazing pakte commandant Lyall vijf pasjes, bracht op alle vijf zijn zegel aan en gaf ze aan haar.

'Ga het Portaal snel binnen en treuzel niet als u de andere kant bereikt,' zei hij.

Damra wilde hem bedanken, maar de commandant draaide haar zijn rug toe en liep naar het raam. Ze werd weggestuurd, en nogal lomp ook. Maar ze zou er geen aanstoot aan nemen.

Toen ze de kamer verliet, merkte hij op: 'Alles wat ik ben, heb ik aan het Schild te danken.' Zijn stem klonk droevig.

Damra wist niet wat ze moest zeggen. Uiteindelijk concludeerde ze dat het niet de bedoeling was dat ze iets zei. De man praatte tegen zichzelf. Ze verspilde geen tijd, maar rende met de pasjes naar beneden, zich nog steeds het hoofd brekend over die raadselachtige opmerking.

'We hebben toestemming om het Portaal in te gaan,' vertelde Damra haar metgezellen. 'Pak jullie spullen. Blijf bij elkaar, volg mij en laat Arim of mij het woord doen.'

Jessan en Bashae luisterden en knikten allebei. Geen van hen had veel spullen om te pakken. Jessan droeg het zwaard dat Arim voor hem had gekocht, en hij droeg het met trots, want het was het eerste zwaard dat hij ooit had gehad. Bashae klemde de knapzak in zijn handen. Die hield hij zelfs stevig vast als hij sliep. Damra doelde ook eigenlijk meer op de Grootmoeder, die in een zonnig hoekje in slaap was gesukkeld.

'Damra,' zei Arim met gedempte stem, 'ik heb de soldaten afgeluisterd. Gisteravond heeft hun commandant het bevel ontvangen om zijn garnizoen uit te kleden. Er zijn vanochtend negenhonderd soldaten weggemarcheerd naar Glymrae.'

'Dus dat is de verklaring,' zei Damra zacht, met de opmerking van de commandant in gedachten. Ze wierp een blik naar boven en vroeg zich af of hij nog bij het raam stond uit te kijken naar zijn naderende dood. 'Hij is de baby die voor de uitgehongerde wolven wordt geworpen en dat weet hij. Hij heeft ons gewaarschuwd op te schieten.'

Damra liet de bewaker hun pasjes zien. Hij wees haar welke route ze moesten nemen. Damra ging voorop door de Buitenste Ring, die bestond uit twee hoge stenen muren met een met gras begroeide greppel ertussenin. In de greppel tussen de twee stenen ringen stonden acht stenen torens van drie verdiepingen hoog. Op elke verdieping waren rondom schietgaten. Af en toe ving Jessan een glimp op van licht dat weerkaatst werd door de stalen punt van een pijl of zag hij de schaduw van een elfenkrijger langskomen. Boven op de torens stonden bewakers in het volle zicht. Sommigen hielden het omliggende land in de gaten. Anderen hielden een oogje op wat er binnen gebeurde. Het waren er echter maar weinig. Jammerlijk weinig. Damra ging sneller lopen.

Nadat ze de Buitenste Ring waren gepasseerd, kwamen ze op een brede geplaveide binnenplaats en daarachter lag een tuin, de Binnenste Ring van de verdediging, het terrein van de Wyred. Damra vroeg zich af of ze de mensen en de pecwae's zou waarschuwen dat de tuin magisch was. Ze besloot dat niet te doen. De meeste reizigers – zelfs elfen – hadden geen idee dat de tuin meer was dan die leek te zijn. Er was geen noodzaak om twijfels te wekken en vragen op te roepen. Alles ging goed. Nog maar een paar minuten en dan zouden ze veilig in het Portaal zijn.

Toen ze uitkeek over de geplaveide binnenplaats zag Damra tot haar verwarring dat de handelskaravaan van de mensen in het midden geparkeerd stond. Blijkbaar hadden ze problemen met hun wagen, want twee van hen tuurden onder de wagenbak en wezen naar iets. Een derde zat op de koetsiersplaats en staarde voor zich uit naar de oren van de paarden. Een vierde laadde dozen in die waren uitgeladen om de wagen lichter te maken tijdens het uitvoeren van de reparatie.

De karavaan had hun ver vooruit moeten zijn. Het feit dat die nog hier was, gaf haar een onbehaaglijk gevoel. Waarschijnlijk maakte ze zich zorgen om niets, maar ze was eraan gewend op haar intuïtie te vertrouwen. Ze nam haar metgezellen mee schuin de binnenplaats over zodat ze niet in de buurt van de karavaan kwamen. Ze hield de kooplui zorgvuldig in de gaten. Degene die de dozen inlaadde, stopte daarmee. Hij zei iets tegen de twee die de wagen inspecteerden. Ze kwamen overeind, draaiden zich alle drie om en keken naar de kleine optocht.

'Kijk, Jessan. Mensen!' zei Bashae opgewonden. 'Ik vraag me af waar ze vandaan komen. Misschien uit Dunkarga. Misschien kennen ze je oom...'

'Doorlopen. Doe niets dat de aandacht trekt,' zei Damra op scherpe toon.

De Grootmoeder bleef staan en stak haar stok met de ogen van agaat omhoog.

Alle ogen in de stok staarden naar de mensen bij de wagen.

'Kwaad!' gilde de Grootmoeder met een schrille stem die over de binnenplaats galmde.

Toen ze haar hoorden schreeuwen, draaiden de elfensoldaten in de torens zich om om te zien wat er binnen hun muren gebeurde. Van buiten de muren klonken hoorngeschal en tromgeroffel. De stemmen van tienduizenden tanen verhieven zich in een onstuimige kreet, woest en bulderend. De schaduwen van het bos namen een vorm en een gedaante aan en begonnen zich in hoog tempo naar de Buitenste Ring van verdediging te begeven.

'Ze vallen aan!' riep Damra, en ze probeerde de Grootmoeder mee te krijgen. 'Snel...'

'Damra!' Arims stem sloeg over. Hij staarde over haar hoofd heen naar iets achter haar.

Damra draaide zich vliegensvlug om; haar ene hand lag om het medaillon en de andere greep haar zwaard. Het zilveren harnas van de Domeinheer vloeide over haar lichaam. Ze trok in een snelle beweging haar zwaard. Maar bij de aanblik van wat er tegenover hen stond, deed ze onwillekeurig een stap naar achteren.

Er klom een Vrykyl van de wagen af, en hij liep doelbewust op hen af. Het harnas van de Vrykyl verduisterde het zonlicht. Er viel een kille schaduw over hen heen. Hoewel de zon verder overal scheen, stonden zij in de duisternis, de duisternis van de Leegte. De magie van de Leegte benam hun de moed en de hoop, zoog hun ziel leeg.

De mensenkooplui bleken soldaten te zijn. Met getrokken zwaard renden ze voor de Vrykyl uit. De aandacht van de soldaten was gericht op Arim en Jessan. Ze negeerden Damra. De soldaten zouden een Domeinheer en haar magie aan de Vrykyl overlaten.

Een hinderlaag, dacht Damra met spijt. En ik ben er recht in gelopen. Ze keek om naar haar metgezellen.

Zoals het konijn verstijft als hij de coyote ziet, zo verstijfden de twee pecwae's bij de aanblik van de Vrykyl. Ze stonden met doodsbleke gezichten en bibberend van angst naar hem te staren. Damra riep Bashaes naam driemaal, maar hij hoorde haar niet. Hij maakte een jammerend geluid. Damra stak haar hand naar hem uit en schudde hem flink door elkaar.

'Bashae!' riep ze.

Zijn ogen waren groot van angst. Hij staarde haar hulpeloos aan.

'Ren naar de tuin! De tuin!'

Ze wees nadrukkelijk. Bashae slikte. Zijn angstige blik dwaalde van de Vrykyl weg naar de tuin, maar schoot in paniek terug naar de Vrykyl. Damra hoopte dat hij het begreep, want ze had geen tijd om hem meer te vertellen. Met haar zwaard in haar hand rende ze naar voren om de Vrykyl tegen te houden, in de hoop zijn aandacht af te leiden van Bashae.

Pecwae's zijn lafaards. Ze worden als lafaards geboren en schamen zich daar niet voor, want alleen door harder te rennen dan de leeuw die hen wil verslinden hebben ze als volk overleefd. Het instinct van de pecwae vertelt hem weg te vluchten van gevaar, en nadat de eerste verlammende effecten van de angst zijn weggeëbd, krijgt het instinct de overhand.

Alle gedachten van trouw aan zijn kameraden en genegenheid voor zijn vrienden vloeiden weg uit Bashae. Misschien had hij Damra gehoord, misschien ook niet. Hij wist alleen dat er op enige afstand een landschap was dat hem bekend voorkwam, een landschap dat hem aan thuis deed denken. Er waren bomen om je achter te verschuilen, rotsblokken om onder te kruipen, struiken die beschutting boden. De pecwae's pakten elkaar bij de hand en vluchtten naar deze veilige haven zonder enige heldere, bewuste gedachte behalve de dringende noodzaak aan de dood te ontsnappen.

Ook Jessan was ontzet bij de aanblik van de Vrykyl, het vleesgeworden wezen uit zijn nachtmerries. Hij stond ernaar te staren, niet in staat om zich te verroeren of helder te denken. Hij zou zich misschien ook hebben omgedraaid en angstig zijn weggerend, net als zijn kleine vriend, als een van de mensen geen strijdkreet had geroepen. De kreet bracht de Trevinici-krijger in Jessan boven. Er stond een vijand van vlees en bloed tegenover hem. Dit was een kans om zichzelf eindelijk te bewijzen in de strijd. Dat besef joeg de afschuwelijke Vrykyl uit zijn gedachten. Met geheven zwaard gaf Jessan een huiveringwekkende kreet en wierp hij zich op de vijand.

'Zullen de elfen ons komen helpen?' schreeuwde Arim.

'Die hebben hun eigen problemen!' schreeuwde Damra terug.

Achter zich hoorde ze het tumult van het garnizoen dat zich voorbereidde op de verdediging tegen de plotselinge aanval. Officieren riepen bevelen, soldaten kwamen aanrennen uit hun barakken en stormden de trappen op om hun plaats in een van de torens in te nemen. De poorten in de Buitenste Ring vielen met een dreun dicht.

Damra's wapen ontmoette met het gekletter van staal dat van een van de mensen. Ze vocht verstrooid met hem, want haar aandacht was bij de Vrykyl. De Vrykyl bleef naderbij komen, met de blik uit zijn vurige ogen op Damra gericht. Zelfs van deze afstand voelde ze de hitte van zijn haat.

Mooi zo, dacht ze. Laat hij zich maar op mij concentreren.

Haar tegenstander begon vervelend te worden. Ze had hem twee wonden toegebracht, maar die verdomde mens wilde maar niet dood. Damra richtte haar aandacht volledig op het gevecht en wachtte haar gelegenheid af. Toen ze die zag, stak ze haar zwaard door het leren harnas van de man en in zijn dikke buik. Nadat ze haar wapen had losgetrokken, sprong ze over het nog vallende lichaam heen en stormde op de Vrykyl af.

Tot zijn teleurstelling merkte Jessan dat zijn eerste gevecht niet zo gemakkelijk was als hij had verwacht. De Trevinici staan bekend om hun moed en gewelddadigheid, maar niet om hun behendigheid. Ze hebben een eenvoudige strategie. Ze jagen hun tegenstander met een vertoon van woeste razernij angst aan en overweldigen hem dan met hun kracht. Slimme commandanten zetten Trevinici-soldaten in de frontlinie om de vijand murw te maken en een gat in zijn gelederen te slaan. De tegenstander die de eerste aanval van de Trevinici het hoofd kan bieden, merkt al snel dat de Trevinici-krijger daar erg gefrustreerd van raakt. Ze verliezen snel hun geduld en beginnen dan fouten te maken.

Jessans tegenstander was door de wol geverfd. Doordat hij aanvallen van tanen had meegemaakt, was de soldaat niet geïntimideerd door deze brullende barbaar. De veteraan wist dat de razernij van de jongeman snel uitgewoed zou zijn. Hij hoefde alleen maar te zorgen dat hij tot die tijd overleefde. Hij weerde de slagen zoveel mogelijk af, ontdook die welke hij niet kon afweren en bleef in de verdediging.

Jessan werd boos en onder die boosheid begon hij aan zichzelf te twijfelen. Hij had deze soldaat met gemak moeten kunnen doden, want Jessan was duidelijk de betere krijger. Zijn tegenstander deed niets anders dan wegduiken, ontwijken en opzij springen. Jessan richtte slag na slag op het hoofd van de man, slagen die zijn schedel zouden splijten als ze hem eenmaal zouden raken. Maar het zwaard van de man zat steeds in de weg. De soldaat was sterk en groot en was met brute kracht in staat Jessans aanvallen af te weren.

Uit zijn ooghoek zag Jessan de elfenvrouw met een verbluffend gemak afrekenen met haar tegenstander. Arim vocht met een vaardigheid die Jessan verbaasde, want hij had de elegante, tengere Nimoreaan bij zichzelf afgedaan als zwak. Arims kromzwaard leek overal tegelijk te zijn. Zijn tegenstander zat onder het bloed.

Woedend hakte Jessan op de soldaat in. Het volgende dat hij wist, was dat zijn zwaard uit zijn handen vloog. Hij zag tot zijn verbijstering dat de kling van zijn vijand op zijn keel was gericht.

Arim zag dat de jongeman in moeilijkheden verkeerde. Hij gaf zijn tegenstander de genadeslag en wierp zich op Jessans soldaat, schreeuwend om de aandacht van de man te trekken. Toen hij een nieuwe vijand van achteren op zich af hoorde komen, was de soldaat gedwongen Jessan zijn rug toe te keren. Er kwam een derde soldaat aanrennen, die de plaats innam van degene die Arim had gedood. Arim vocht met allebei, maar hij verloor terrein.

Jessan keek om zich heen waar zijn zwaard was en zag dat het te ver weg lag om te gaan halen. Hij nam instinctief zijn toevlucht tot het enige wapen dat hij nog had: het bloedmes.

Toen Damra binnen aanvalsafstand van de Vrykyl kwam, keek ze hem aan zoals ze elke vijand aankeek, om te peilen wat hij zou doen. Dat was een vergissing. In de ogen zag ze een oeroude kracht, die stamde uit de tijd voor het begin der tijden, toen er nog niets bestond, geen licht en geen leven.

De goden scheurden de Leegte aan stukken om de sterren aan de hemel te zetten. De goden hadden de zon en de maan in de Leegte geplaatst en leven in het heelal gebracht. Maar ze konden de Leegte niet uitbannen. De Leegte kwam voor het begin en zou er aan het eind nog zijn. In de lege ogen van de Vrykyl zag Damra de Leegte, en die was vreselijk om te zien.

Damra was maar één keer eerder in paniek geraakt, en dat was tijdens de Transfiguratie, toen ze voelde dat haar vlees werd verteerd door de van de goden gegeven magie van de Verheven Steen. Toen was haar paniek geweken voor vervoering. Nu voelde ze het tegenovergestelde: haar paniek maakte plaats voor wanhoop.

Damra worstelde om haar angst de baas te blijven. Haar eerste instinct was om haar illusiemagie te gebruiken om tegen de Vrykyl te vechten zoals ze al tegen zoveel anderen had gevochten. Ze herinnerde zich Silwyths waarschuwing dat Vrykyls door illusies heen konden kijken, maar ze was wanhopig. Ze zou het risico nemen. Ze bracht de betovering uit, haar krachtigste betovering.

De magie verkruimelde tot stof als een verdroogde roos, waar de blaadjes bruin en dood omheen vallen.

De Vrykyl viel naar haar uit met zijn zwaard. Damra weerde de klap af en pareerde met een eigen slag. Hij trok zijn wapen terug en sloeg weer toe. Opnieuw weerde ze hem af, maar nu besefte ze dat elke keer dat haar zwaard dat vervloekte wapen raakte de ondermijnende magie van de Leegte een sterkere greep op haar kreeg. Ze vocht vertwijfeld en viel steeds opnieuw aan, hopend dat de Vrykyl één vergissing zou maken, haar één opening zou bieden.

De Vrykyl maakte geen vergissingen. Hij beantwoordde elke slag, bijna alsof hij haar gedachten kon lezen. Door de kracht van de Leegte werd de dag om haar heen donker. Haar energie nam af. Haar moed begon uit haar weg te stromen als bloed uit een dodelijke wond. Haar zwaard werd zwaar in haar handen, zo zwaar als het besef van haar eigen sterfelijkheid.

Ze was gedwongen keer op keer in die lege ogen te kijken en elke keer zag ze daarin haar eigen leegte. Die was zo uitgestrekt en donker dat ze het besef van haar ik kwijt begon te raken. Herinneringen, alle herinneringen, herinneringen aan wie ze was en wat ze was, herinneringen aan vreugde, liefde, verdriet en angst vervaagden, en toen alle herinneringen verdwenen waren, had ze alleen nog maar de herinnering aan het ogenblik van haar geboorte, een vlammetje van een druipende kaars dat in één ademtocht zou doven, haar laatste ademtocht.

Doordat Damra ten prooi viel aan Shakurs magie van de Leegte, verloor ze haar wil te overleven. Ze liet haar zwaard zakken en het volgende ogenblik zou ze het hebben laten vallen. Maar toen stak Jessan zijn vijand met het bloedmes.

Het mes proefde bloed. De warmte stroomde door Shakur en maakte zijn eigen herinneringen los. Hij draaide zich om en zag Jessan, met het bloedmes in zijn hand.

Wie het bloedmes in zijn bezit heeft, heeft ook de Verheven Steen. Daar was Shakur van overtuigd. Terwijl hij de Domeinheer nog in zijn verwoestende greep had, richtte Shakur zijn aandacht op de mens met het mes.

De elfenkrijgers zagen de Vrykyl materialiseren op de geplaveide binnenplaats binnen de Buitenste Ring. Ze wisten dat het een wezen van de Leegte was, maar ze konden Damra en haar metgezellen niet te hulp komen. Degenen die het zagen, hadden alleen de tijd om een verbijsterde blik te werpen, en toen werden ze door het gesuis van pijlen en het gebrul van de vijand gedwongen te negeren wat er op de binnenplaats gebeurde en zich te concentreren op het vechten voor hun eigen leven.

De voorhoede van het leger dat de Buitenste Ring aanviel, werd gevormd door een eenheid mensen. Daar waren Lyalls mannen op voorbereid. Ze waren niet voorbereid op de tweede aanvalsgolf: een enorm leger van monsterlijke wezens die schreeuwend en brullend het bos uit kwamen rennen. Deze wezens liepen als mensen, maar ze hadden een dierenkop, met een lange snuit en een grote bek vol vlijmscherpe tanden. Ze droegen bizar ogende wapens en vielen woest en zonder enige angst aan. Ze bestormden de poort en de muur met een grijns op hun afzichtelijke kop.

Het waren er duizenden. Ze vielen een eenheid van honderd man aan.

Wat is het Schild van plan, vroeg Lyall zich verbitterd af. Het Schild wil dat het Portaal valt, dat is duidelijk. Maar hij wil dat het lijkt alsof het per ongeluk is gevallen. Hij kan zich altijd verdedigen met de bewering dat hij niet had kunnen weten dat er een vijand in de buurt was. Mijn rapporten waarin ik het tegendeel meld, zullen op onverklaarbare wijze zijn zoekgeraakt. En hier zal niemand meer in leven zijn om hem tegen te spreken.

'Stuur een boodschapper door het Portaal naar de oostelijke uitgang,' droeg hij zijn adjudant op. 'Vertel hun daar dat we onder aanval liggen van een forse krijgsmacht. We zullen zo lang mogelijk standhouden, maar ze moeten zich voorbereiden op een aanval.'

De adjudant vertrok. Lyall liep weer naar het raam.

Als ik maar wist waarom, zei hij bij zichzelf. Als ik wist waarom, zou dat het misschien gemakkelijker maken om te sterven.

De tanen zetten ladders tegen de muren. De elfen vochten tegen hen, vochten en verloren. De tanen stroomden over de muren en sprongen naar beneden in de greppel. De Wyred waren hun belofte nagekomen en hadden de illusie van elfensoldaten gecreëerd. Ze hadden hun werk goed gedaan. Als hij naar beneden keek, kon Lyall niet zien welke soldaten echt waren en welke niet.

Een slachtoffer dat door een illusoire pijl wordt geraakt, denkt dat hij door een echte is geraakt. Hij ziet bloed en voelt pijn. Hij raakt misschien bewusteloos of zakt in elkaar, maar na verloop van tijd zal hij beseffen dat de wond niet echt is. De illusies kunnen de vijand even tegenhouden, maar dat is alles. Even maar.

Honderd tanen kwamen met een enorme stormram op de poort af. Elfen vuurden een regen van pijlen op hen af. Sommige raakten hun doel. De tanen vielen, maar dat hield de stormram niet tegen. De doden bleven liggen waar ze waren neergevallen en hun lijken werden vertrapt door degenen die achter hen kwamen. De ram sloeg met zo'n donderende klap tegen de ijzeren poort dat de grond ervan trilde. De poort hield het, maar de scharnieren begonnen los te raken uit hun bevestigingspunten. Met een honend gebrul liepen de tanen weg om het nog een keer te proberen.

De poort zou vallen. Dat kon Lyall op geen enkele manier voorkomen. De vijand had net zoveel soldaten om de stormram te dragen als hij in zijn hele vesting had. Hij gaf de elfen bij de poort het bevel zich terug te trekken en de torens te bemannen. Daar konden ze in elk geval nog een tijdje standhouden.

Hoewel het de vraag is waarom we eigenlijk standhouden, dacht Lyall. Er zullen geen versterkingen komen. De elfen begonnen zich ordelijk terug te trekken, ondertussen pijlen afschietend. Lyall keek naar het bos. In de schaduwen wemelde het van beweging: meer van deze demonen die naar het Portaal kwamen rennen. De grote poort bezweek met luid geraas. Triomfantelijk schreeuwend stormden de tanen het poorthuis in.

Brede voeten dreunden op de trap. Lyall hoorde hun schorre stemmen en rook hun weerzinwekkende stank. Zijn lijfwacht stelde voor de deur te vergrendelen en er meubilair tegen op te stapelen, maar dat zou de monsters niet lang tegenhouden. Lyall greep zijn zwaard en ging op de vijand af.

Hij was een boer. Hij had geen eer om te verliezen. Vandaag kon hij eer verwerven.

Jessans adem stokte van angst. Zijn maag trok zich samen en zijn handen werden gevoelloos. Er gingen rillingen door zijn lijf, zijn mond was droog en zijn tong voelde dik aan. De Vrykyl uit Jessans nachtmerries liep op hem af, met zijn zwart gepantserde hand uitgestrekt. 'De Steen,' zei een stem die binnen in Jessan versplinterde en scherven van pijn alle kanten op deed spatten. 'Ik weet dat je hem hebt. Ik zal hem vinden, ook al moet ik je levende brein doorzoeken totdat je me onthult waar hij is.'

Jessan had de waarheid kunnen vertellen, dat hij de Steen niet had, dat Bashae die bij zich had. Maar dat zou hij nooit doen. De angst knaagde aan zijn botten, maar kon zijn hart niet verteren. Generaties lang hadden de Trevinici gewaakt over de pecwae's, het kleine, vriendelijke volkje dat afhankelijk was van de sterkere mensen. Toen, in dat ogenblik van doodsangst, wist Jessan wat zijn ware naam was. Hij zou misschien nooit de kans hebben om die naam hardop te zeggen of anderen dat te horen doen. Niemand zou hem ooit kennen. Alleen hij. Maar als hij zou sterven, had hij in elk geval zijn naam verworven.

Verdediger.

Met het bloedmes stevig in zijn hand gaf Jessan een woeste kreet en wierp hij zich op zijn vijand. Hij viel in koelen bloede aan. Hij had niet de gedachte dat hij het kwade wezen kon verslaan. Een mes van been kon niet door een harnas van metaal dringen. Hij hoopte de Vrykyl zo ver te krijgen dat hij hem zou doden, zodat hij niet gedwongen kon worden degenen te verraden die erop rekenden dat hij hen beschermde.

Omdat hij verwachtte dat het lemmet in stukken zou breken als het de borstplaat van de Vrykyl raakte, kon Jessan zijn ogen niet geloven toen hij zag dat het lemmet door het zwarte metaal sneed. De Vrykyl kromp ineen onder Jessans hand, alsof het lemmet warm vlees had doorboord.

Shakur voelde pijn, lichamelijke pijn. Tweehonderd jaar eerder had Dagnarus Shakur met de dolk van de Vrykyls in zijn rug gestoken. Hij had een folterende, brandende, ondraaglijke pijn gevoeld. Op dat moment was hij blij geweest dat hij stierf, tot hij had ontdekt dat de heerlijke vergetelheid van de dood hem werd ontzegd. De pijn van dat besef was een grotere kwelling geweest dan de pijn van de dolk, en die voelde hij nu weer. Het benen mes raakte de kern van Shakurs wezen. Als een bliksemafleider begon de magie van de Leegte van het mes diezelfde magie van Shakur, die zijn bestaan waarborgde, af te tappen.

Diep binnen in Shakur fluisterde een stem dat hij de magie via het mes moest laten wegvloeien, en dat hij mee zou vloeien de kalme duisternis in. Maar een razend gebrul overstemde de fluistering. Deze jongen, deze sterveling, dit menselijke insect had het gewaagd Shakur te trotseren, door te proberen hem te vernietigen.

Het benen mes bleef in Shakurs borst zitten. Jessan hield het heft stevig in zijn hand en probeerde het dieper te duwen. Shakur sloeg zijn hand om die van Jessan en hield hem vast. Met een uiterste inspanning van zijn wilskracht slaagde Shakur erin de stroomrichting van de magie van de Leegte om te draaien, zodat zijn magie niet langer werd afgetapt.

De magie begon nu Jessan leeg te zuigen.

Jessan schreeuwde en kronkelde. Hij voelde zijn leven uit zich wegvloeien en probeerde uit alle macht het mes los te laten. Shakur hield hem in een verpulverende greep.

Shakur voelde een plotselinge pijn in zijn arm. Hij was de andere krijgers vergeten. Toen hij dreigend om zich heen keek, zag hij dat hij door een ander mens werd aangevallen, een Nimoraan, die een slank kromzwaard hanteerde dat een felle gloed verspreidde. Alleen een kling die door de goden is gezegend kan een Vrykyl schade toebrengen en dit was zo'n kling. De Nimoreaan sloeg opnieuw en probeerde Shakur te dwingen de jongeman los te laten.

Shakur negeerde hem. De pijn was voor hem als de steek van een bij. Toen voelde hij een andere klap, deze tegen zijn rug en nu was de pijn veel erger. Grommend draaide Shakur zich om, terwijl hij Jessan vast bleef houden.

Die vervloekte Domeinheer. Hij had geen tijd gehad om haar af te maken. Hij zou de jonge mens vernietigen, zijn ziel uitzuigen zoals een slang een vogelei uitzuigt, en dan zou hij met de rest afrekenen. De Domeinheer raakte hem opnieuw. Shakur hapte naar adem en huiverde, maar hij hield Jessan stevig vast. Hij stond op het punt de Domeinheer de vergetelheid in te slaan toen een windvlaag, zo sterk als de sirocco, Shakur raakte met de kracht van een gepantserde vuist. Zeven Wyred kwamen op hem af, hand in hand, met ogen die fonkelden binnen de zwarte patronen van hun tatoeages. Hij voelde hun magie, voelde de opgekropte toorn van de goden, een ingehouden adem die ernaar verlangde losgelaten te worden, ernaar verlangde hem te vernietigen.

In zijn menselijke gedaante had Shakur altijd geweten wanneer de kansen zich tegen hem keerden, wanneer hij moest weglopen van de strijd, wanneer hij het moest opgeven om het gevecht te kunnen voortzetten als zijn kansen beter waren. Hij liet de jonge Trevinici los. Jessan viel op de grond. Shakur hoopte dat hij niet dood was. Nadat hij het benen mes uit zijn borst had gerukt, wierp Shakur het minachtend op het roerloze lichaam van de jongeman.

'De vloek blijft bij je,' zei Shakur. 'Net als ik.'

De Vrykyl riep zijn kracht aan en werd één met de Leegte. Hij was niets. Hij was leeg. Een schaduw had meer substantie dan Shakur. Hij verdween.

Damra doodde de ene overgebleven menselijke huursoldaat. Arim boog zich over Jessan heen en voelde naar zijn hartslag. De Wyred beëindigden hun betovering.

'Zoek naar het wezen van de Leegte,' zei hun leider.

Twee van hen gingen weg. De leider stuurde de anderen terug naar het Portaal, terwijl ze zelf in de richting van de Buitenste Ring keek. Van overal om hen heen klonken de geluiden van een veldslag, het gedreun van keien die met blijden werden weggeschoten en tegen de torens sloegen, het geschreeuw van de gewonden en de stervenden, het vreemde gebrul van de monsterlijke vijand.

De Wyred draaide zich om naar Damra.

'Domeinheer, de Vrykyl kwam voor u. We vragen ons af waarom.'

'Zijn de pecwae's veilig?' vroeg Damra ontwijkend. Ze was uitgeput, aan het einde van haar krachten. Ze was geschokt door de gruwelijkheid van de confrontatie en was nauwelijks tot denken in staat. Toch moest ze zich blijven concentreren. Ze moest bepalen wat haar volgende stap was.

'Ze zijn veilig,' zei de Wyred en ze keek Damra doordringend aan. 'Voorlopig, in elk geval.' Haar blik ging naar de Buitenste Ring en daarna weer naar Damra. 'U reist in vreemd gezelschap, Domeinheer.'

'Met wie ik reis is mijn zaak, niet de uwe,' zei Damra terwijl ze vermoeid haar zwaard in de schede stak.

Ze dacht niet dat Bashae zijn geheim zou vertellen aan de Wyred, want ze hadden de pecwae's vast wel ondervraagd, maar ze kon er niet zeker van zijn. De Wyred konden intimiderend zijn, als ze dat wilden. Ze knielde naast Jessan neer, blij om een excuus te hebben om niet met de Wyred te praten. Het was grof, maar je kon grof zijn tegen de Wyred. Daar waren ze aan gewend.

'Hoe gaat het met de jongen?' vroeg Damra aan Arim. 'Ik ben bang dat hij dodelijk gewond is.'

'Zijn hartslag was eerst zwak, maar wordt al sterker. Hij is een taaie, die Trevinici. In zijn hand zijn een paar botjes gebroken, en hij heeft bloed verloren uit die japen, maar hij zal in leven blijven.'

Jessan bewoog, zijn oogleden trilden en sprongen toen open. Hij gaf een holle kreet van angst en vloog overeind, met zijn hand naar Arims keel.

'Je tegenstander is weg,' zei Arim terwijl hij Jessan bij de schouder pakte en door elkaar schudde om hem bij zinnen te brengen.

Jessan kromp ineen van pijn. Hij trok zijn gewonde hand terug en hield die in zijn andere arm. Hij keek huiverend om zich heen. 'Wat is er gebeurd? Waar is hij gebleven?'

'Terug naar de duisternis waaruit hij afkomstig is,' zei Damra. 'Dat was heel moedig, jongeman. Ik heb nog nooit zoiets moedigs gezien. Of zoiets doms.' Ze glimlachte om haar woorden te relativeren. 'Hij had me bijna te pakken. Je hebt mijn leven gered.'

Jessan bloosde van blijdschap om haar lof, maar hij moest eerlijk zijn. Een ware krijger kent zijn eigen waarde en hoeft niet te liegen. 'Ik was niet moedig. Ik was...' Jessan dacht terug aan het gebeurde en sidderde bij de herinnering. 'Ik weet niet wat ik was. Ik kon hem Bashae geen kwaad laten doen. Waar zijn ze? De Grootmoeder en Bashae. Is alles goed met ze?'

Damra wierp een tersluikse blik op de Wyred, die ongetwijfeld haar oren gespitst had om elk woord te horen.

'Ze zijn veilig. Ze wachten in de tuin op ons. Kun je lopen? Als we hier nog langer blijven, zitten we straks midden in een veldslag. Als we aan de andere kant van het Portaal zijn, hebben we tijd om naar je verwondingen te kijken. Die van jullie allebei,' voegde ze eraan toe toen Arim een strook stof die hij van zijn overhemd had gescheurd om een bloedende snee in zijn bovenarm wond.

'Ik kan lopen,' verklaarde Jessan, zoals hij dat ook verklaard zou hebben als allebei zijn benen afgehakt waren.

Hij kwam enigszins wankelend overeind, maar kon zich op eigen kracht voortbewegen.

'Hier zijn onze pasjes,' zei Damra, en ze liet ze aan de Wyred zien. 'We verwachten dat we zonder problemen het Portaal binnen kunnen gaan. Dank u voor uw hulp met de Vrykyl,' vervolgde ze met tegenzin. Ze hield er niet van om huis Wyval iets verschuldigd te zijn. Nadat ze naar de Wyred had gebogen, ging Damra in een gematigd tempo op weg terwijl ze Jessan bezorgd in het oog hield. Die schudde zijn schrik over zijn confrontatie met de Vrykyl van zich af en werd sterker met elke stap die hij zette. Damra begon te denken dat ze toch nog veilig zouden ontsnappen, toen de Wyred tot haar woede naast haar kwam lopen.

'We willen u niet van uw werk houden,' zei Damra.

'Onze verdediging is in positie gebracht,' antwoordde de Wyred. 'We hebben alles gedaan wat we kunnen. Er zijn duizenden van die wezens daarbuiten, en ze beschikken allemaal over de magie van de Leegte. Dat hadden we niet verwacht.'

'Heeft het Schild er niet aan gedacht u dat te vertellen?' antwoordde Damra vinnig. 'Wat slordig van hem.'

Toen ze de tuin binnenliepen, rende Bashae op Jessan af.

'Ben je gewond?' vroeg Bashae bezorgd. 'Laat eens zien.'

Hij pakte Jessans gewonde hand en onderzocht die.

'Het is de hand waarin ik mijn zwaard houd,' zei Jessan, duidelijk ongerust. 'Kun je hem genezen?'

'Daar hebben we geen tijd voor,' zei Arim streng. 'We moeten blijven lopen. Dat komt later wel.'

Bashae negeerde hem en bleef Jessans hand onderzoeken. 'Ja,' zei hij even later, 'maar niet in één keer en niet hier.' Hij keek op. 'Arim heeft gelijk. We moeten een rustige plek opzoeken.'

De Wyred draaide zich om naar Damra en blokkeerde haar de doorgang. 'Ik zou jullie kunnen tegenhouden,' zei ze.

'U zou het kunnen proberen,' zei Damra. 'Maar wat voor nut heeft het als wij met elkaar gaan vechten, behalve dat onze vijanden er veel plezier om zullen hebben?'

'Het Portaal staat op het punt te worden ingenomen. U bent Domeinheer. Uw zwaard en uw magie zouden ons kunnen helpen. Als het Portaal valt, zal het land van de elfen in gevaar zijn.'

'Daar had het Schild dan maar aan moeten denken voordat hij de verdedigers van het Portaal wegriep,' zei Damra op scherpe toon. 'Denkt u echt dat hij niets van dit leger wist? Bent u zo lichtgelovig? Natuurlijk wist hij ervan. Hij heeft een of andere overeenkomst gesloten met die mensen. Hij geeft hun zo ongeveer vrije doorgang door het Portaal van de elfen, een doorgang die wordt betaald met elfenbloed.'

'Het Schild is wijs...' begon de Wyred aan de aloude riedel, maar toen zweeg ze.

Damra had medelijden met de vrouw. Zij en de anderen waren de onschuldige slachtoffers van het bedrog van hun meester, en misschien begonnen ze dat nog maar net te beseffen.

'Ik zou u helpen als ik kon,' zei Damra op vriendelijker toon. 'Ondanks het feit dat uw Wyred betrokken waren bij de ontvoering van mijn man.' Toen ze de Wyred met haar ogen zag knipperen, wist ze dat haar opmerking raak was. 'Maar ik heb mijn eigen slag te vechten, mijn eigen oorlog te voeren.'

'Tegen het Schild,' zei de Wyred koel.

'Nee,' zei Damra. Ze wees naar de binnenplaats, achter zich. 'Tegen die Vrykyl en dat soort wezens van de Leegte. Zij zijn de ware vijand. Zo de voorouders het willen, zullen we dat op een dag allemaal begrijpen en ophouden oorlog te voeren tegen elkaar.'

'U leeft in een heel mooie wereld, Domeinheer,' zei de Wyred. 'Ik vraag me af voor hoe lang nog.'

Ze draaide zich boos om en beende weg.

'Dat vraag ik mezelf ook af,' erkende Damra somber. 'Niet lang, als we hier blijven. Dat kan wachten,' zei ze resoluut terwijl ze de Grootmoeder, die geheel verdiept was in een of ander pecwae-ritueel, zo te oordelen naar haar gegil, zachtjes voor zich uit duwde. Ze renden naar het Portaal, een ovale, grijze vorm tegen een achtergrond van bomen en bloeiende struiken. Ze hadden het bijna bereikt toen ze hoorden dat het gebrul achter hen harder werd. Damra wierp een blik over haar schouder. Hordes tanen renden over de binnenplaats recht op hen af. 'Opschieten!' bracht ze hijgend uit. 'De Vrykyl heeft ze achter ons aan gestuurd...'

Een hevige windstoot rukte de woorden uit haar mond. De bomen rond het Portaal losten op en de bloemen verdwenen. De wind was zo hard dat de pecwae's van hun voeten werden geblazen. Bashae sloeg tegen Jessan op. Arim greep de Grootmoeder beet toen ze langs hem kwam vliegen en hield haar stevig vast terwijl de wind dreigde haar uit zijn greep te rukken.

De lucht kreeg een spookachtige oranje tint. De tuin verdween en ze stonden in een woestijnlandschap. Het zand wervelde om hen heen, prikte in hun vlees en plakte hun ogen dicht. De wind benam hun de adem. De magische helm van de Domeinheer beschermde Damra's gezicht tegen de zandstorm. Zij was de enige die iets kon zien.

Jessan had zich diep voorover gebogen. Zijn lange haar wapperde achter hem. Hij hield Bashae met zijn ene hand vast en bedekte met de andere zijn ogen. Gegeseld door de wind hield Arim de Grootmoeder vast, die zich om hem heen had geslagen als een sjaal om een boomstam. Hij schreeuwde iets tegen Damra, maar ze verstond er geen woord van boven de beukende wind uit.

'Pak elkaar bij de hand!' riep ze.

Ze konden haar niet verstaan, maar ze zagen haar wel. Het magische harnas glansde zilver in de vreemde grijsoranje duisternis. Jessan gromde van pijn toen Bashae zijn gebroken hand pakte, maar hij bleef hem vasthouden en maakte geen ander geluid. Hand in hand worstelden ze zich vooruit naar het Portaal. Damra was de enige die het kon zien. De anderen konden niet opkijken, maar strompelden met gebogen hoofd achter haar aan als een stelletje blinde bedelaars.

Rondwervelend zand benam Damra het zicht, waardoor ze net zo blind was als de rest. Ze handhaafde haar koers en richtte haar blik op de plek waar ze het Portaal het laatst had gezien. Ze spande zich zo in om er een spoor van te zien dat haar ogen ervan gingen tranen. De angst groeide in haar dat ze het hadden gemist, dat ze doelloos ronddwaalden.

Ze bleef lopen in de richting waar ze het Portaal het laatst had gezien, hoewel ze al snel duizelig en verward was door het rondwervelende zand. Haar krachten begonnen af te nemen. De anderen, die zich aan haar vastklemden, voelden aan als een dood gewicht dat ze moest meeslepen. Grimmig ploeterde ze verder. Ze dacht dat ze een glimp van het Portaal zag, een vleugje grijs, en het volgende ogenblik blies de wind het zand uiteen. Het Portaal verscheen vlak voor hen. Met een zucht van verlichting dook ze erin en sleurde de anderen met zich mee.

De stilte van het Portaal viel om hen heen en onttrok de geluiden van de geselende wind en het griezelige gehuil van het rondgeblazen zand aan het gehoor. Net voorbij de ingang bleven ze als één man staan. Er stroomden tranen over Bashaes groezelige wangen. Hij hoestte en proestte, maar hij hield de knapzak stevig vast. Arim knipperde met zijn ogen en probeerde zich te bevrijden van de grijpende handen van de Grootmoeder. Ze had haar ogen stijf dichtgeknepen en weigerde ze open te doen. Jessan spoog zand uit en keek droevig naar zijn blote armen, die bloedden uit talloze kleine sneetjes, alsof hij ze had ingewreven met zout. Zijn hand was gezwollen en de vingers stonden onder vreemde hoeken.

'Hoe lang kunnen de Wyred dat volhouden?' vroeg Arim met schorre stem, want zijn keel was rauw. Hij slaagde er eindelijk in de vingers van de Grootmoeder los te wrikken.

'Dat ligt eraan hoeveel er deze betovering uitbrengen,' antwoordde Damra. 'Een paar uur, misschien. Niet veel langer.'

'Dat geeft jullie in elk geval de tijd om de andere kant veilig te bereiken,' zei Arim.

'Ja, maar we moeten niet…' Damra zweeg. Ze besefte nu pas wat hij had gezegd.

Arim scheurde een lange reep stof van zijn overhemd en wond die voor zijn neus en mond.

'Arim, je kunt niet teruggaan naar buiten,' zei Damra ontsteld. 'Je hebt de Wyred gehoord. Er zijn duizenden van die monsters…'

Arims ogen glansden. 'Ik ben niet gek, Damra,' zei hij met gedempte stem. 'Ik ben niet van plan te gaan vechten, tenzij het echt niet anders kan. Ik zal wegglippen in de verwarring en teruggaan naar huis. Ik moet mijn koningin gaan waarschuwen, Damra. Deze oorlog gaat niet alleen de elfen aan.'

'Arim,' zei Damra zacht, en ze stapte over op de elfentaal. 'Dat kun je niet doen. Je zult je leven vergooien. Daar kun je niet doorheen komen…'

'Ik moet het proberen, Damra,' zei Arim rustig. 'Ik moet het proberen. Doe Griffith mijn hartelijke groeten. Mogen de Moeder en de Vader je bewaken.'

'Arim,' begon ze, maar ze zag in dat redetwisten zinloos was en bovendien zou het hem vernederen. Ze pakte de beide handen van haar vriend en kuste hem op beide wangen. 'Mogen de voorouders over je waken, Arim.'

Hij wendde zich tot Jessan, die grauw zag van de pijn, en de twee pecwae's, die hem verbijsterd aankeken.

'Waar dacht jij heen te gaan?' vroeg de Grootmoeder streng.

'Terug naar mijn vaderland,' zei Arim. 'Op een dag zullen jullie ook veilig teruggaan naar dat van jullie. Dat is wat ik jullie het meest toewens. Jessan, je bent een dappere krijger. Bovendien heb je me geleerd de wijsheid van de goden in te zien. Als ik mijn verstand had gevolgd en jou met het bloedmes had weggestuurd, zouden we nu allemaal dood zijn.'

'Ik beschouw je als vriend. Als je ooit naar het land van de Trevinici komt,' zei Jessan, 'dan zul je een welkome gast zijn in mijn huis.'

Arim maakte geroerd een buiging. Zijn vriendschap is het grootste geschenk dat een Trevinici je kan geven. Arim wendde zich tot Bashae. 'De goden hebben goed gekozen. Je hebt bewezen een moedige en waardige bode te zijn.'

'Dank je, Arim,' zei Bashae. Die woorden leken zo schamel, maar hij wist niet wat hij anders moest zeggen. Zeker niet de woorden in zijn hart, die spraken van verdriet en een slecht voorgevoel.

'Neem dit mee, als je dan per se moet gaan,' zei de Grootmoeder. Ze zocht in de ransel die aan de stok met de ogen van agaat hing en haalde er een turkoois uit.

'Maar dat is een van uw beschermingsstenen,' protesteerde Arim. 'Die kan ik niet aannemen.'

'Zevenentwintig of zesentwintig, wat maakt het uit?' zei de Grootmoeder terwijl ze de steen in Arims hand drukte en zijn vingers eromheen vouwde. 'Jij zult hem harder nodig hebben dan ik.'

Arim bracht de steen eerbiedig naar zijn lippen en klemde hem stevig in zijn hand. 'Mogen de goden aan jullie zijde lopen, met hun armen om jullie heen.'

Hij trok zijn zwaard, zwaaide met een gracieus gebaar naar hen en voordat een van hen nog een woord kon uitbrengen, rende hij het Portaal uit. Hij verdween onmiddellijk uit het zicht in het langswaaiende zand.

'Wat zal er met hem gebeuren?' vroeg Bashae met zachte stem. Hij tuurde ingespannen naar buiten in de hoop een laatste glimp van zijn vriend op te vangen.

Toen Damra geen antwoord gaf, keek Bashae haar recht aan. 'Hij zal sterven, hè? Hij maakt geen kans. Ze zullen hem te pakken krijgen en doden.'

'Nee, dat zullen ze niet,' zei Damra, en ze probeerde geruststellend te klinken. 'Arim de vliegermaker is sterk en geslepen. Op een dag zal ik jullie een verhaal vertellen over hoe hij een veel groter gevaar dan dit overleefde.'

'Hij zal veilig zijn,' zei de Grootmoeder vol vertrouwen. 'Ik heb hem mijn steen gegeven.'

'Uw steen, Grootmoeder?' vroeg Bashae, plotseling ongerust. 'Maar u hebt er toch nog acht? Negen voor mij en negen voor Jessan en negen voor u?'

De Grootmoeder grinnikte. 'Ha! Alsof ik negen beschermingsstenen nodig heb. Er waren er dertien voor jou en dertien voor hem' – ze wees met haar vinger naar Jessan – 'en een voor mij. En ik had hem niet echt nodig. Hij wel.' Ze gaf een kort knikje in de richting waarin Arim was vertrokken. 'Een roekeloze man,' zei ze zacht. 'Maar hij bedoelt het goed.

En verder wil ik er geen woord meer over horen,' snauwde de Grootmoeder met een dreigende blik naar Bashae. Daarna keek ze Damra aan. 'Moesten we niet eens gaan? Of blijven we hier de hele dag staan praten?'

'Ja, we moesten maar eens gaan,' zei Damra somber. Ze had niet veel vertrouwen in de turkoois. 'We hebben maar een paar uur om onze bestemming te bereiken, voordat dat leger te dicht nadert.'

'Waar zijn we trouwens? In een grot?' De Grootmoeder snoof. 'Het ruikt niet als een grot.'

'We zijn in een van de magische Portalen,' antwoordde Damra terwijl ze haar kudde voortdreef.

De ogen van de Grootmoeder werden groot. 'Een Portaal,' herhaalde ze bij zichzelf in het Twithil. Ze stak de stok met de ogen van agaat omhoog. 'Kijk maar eens goed, jongens. Zoiets zien jullie nooit meer.'

'Ik kan nu wel iets aan je hand doen,' zei Bashae tegen Jessan. 'Ik kan de botten niet zetten, maar ik kan de pijn verlichten. We moeten het wel onder het lopen doen, dus probeer hem stil te houden.'

Jessan legde zijn gewonde hand in zijn goede, terwijl Bashae een paar groene en rode stenen uit zijn gordeltas haalde. In zichzelf mompelend legde Bashae de bloedstenen voorzichtig in de palm van Jessans gebroken hand.

'Voelt dat beter?' vroeg hij terwijl hij de hand met een deskundige blik bekeek. 'Kijk, de zwelling vermindert. Ik zal de botten zetten als we stoppen om te overnachten. Probeer je hand zo min mogelijk te bewegen.'

'Het voelt inderdaad beter,' zei Jessan. 'Bedankt.' Hij zweeg even en zei toen bijna verlegen: 'Ik heb mijn volwassen naam. Die kreeg ik toen ik met de Vrykyl vocht.'

'O ja?' vroeg Bashae, blij voor zijn vriend. 'En, wat is het?'

'Verdediger,' zei Jessan bruusk.

'Een beetje gewoontjes,' zei Bashae teleurgesteld. 'Heel anders dan Hak-Hun-Hoofd-Af of Bierzuiper. Denk je dat je misschien nog een betere krijgt? Een die wat opwindender is?'

Jessan schudde zijn hoofd. 'Deze bevalt me.'

'Goed dan. Moet ik je van nu af aan Verdediger noemen in plaats van Jessan? Ik zal er wel even aan moeten wennen.'

'Nog niet. De stam moet beslissen of het een passende naam is.'

'Mooi,' zei Bashae opgelucht. 'Dan kun je intussen blijven uitkijken naar een andere naam, voor het geval dat.'

Jessan zei niets om Bashaes hoop niet de bodem in te slaan, maar hij wist dat hij zijn naam had gevonden. Nu moest hij die naam waarmaken. Hij keek naar het benen mes, dat nog steeds aan zijn zijde hing. Het mes had zijn leven gered en hem bijna zijn leven gekost. Onwillekeurig sloot zijn hand zich rond het heft en hij voelde weer hoe het lemmet door het harnas van de Vrykyl stak. Hij voelde het mes kronkelen in zijn hand, voelde de withete razernij van de Vrykyl. Hij voelde hoe zijn eigen leven begon weg te vloeien via het benen mes, om de afschuwelijke leegte van de Vrykyl te vullen.

Jessan huiverde, een huivering die begon in zijn ingewanden en zich door zijn hele lijf verspreidde. Hij vond het akelig dat hij het zich

herinnerde en op dat ogenblik wist hij dat hij het nooit meer zou vergeten. Elke keer dat hij naar het bloedmes keek, zou hij de woorden van de Vrykyl horen: *De vloek blijft bij je. Net als ik.*
Damra spoorde hen genadeloos aan om door te lopen en stond maar heel korte rustpauzes toe, waarin ze luisterde wat er achter hen gebeurde.
Als ze niets hoorde, dreef ze hen weer voort.

De verdedigers van het Portaal hielden nog steeds stand, maar dat zou niet lang meer duren. De illusies waren verdwenen. De Wyred vochten hun eigen strijd in de Binnenste Ring. De elfen hadden zich van de poort teruggetrokken in de torens die in de Buitenste Ring stonden. Toen ze eenmaal binnen waren, trokken de elfen de loopbruggen in die van de torens naar de muren leidden en vergrendelden de deuren, die ongeveer twee meter boven de grond waren.
De elfen die zich in de torens hadden opgesloten, wonnen daar wat tijd mee. De tanen vielen hen niet onmiddellijk aan. Eerst begreep Lyall niet waarom niet, maar toen werd het hem duidelijk. De vijandelijke commandant had hen als ratten in de val gedreven. Hij hoefde zich niet met hen bezig te houden. Ze konden hem geen kwaad doen. Hij had de Buitenste Ring in handen en hij stuurde zijn troepen door de poort en naar de Binnenste Ring. Elfenboogschutters schoten door de schietgaten op de wezens, die als een enorme massa met duizenden langstrokken. De elfen raakten er misschien een, twee of twintig, maar wat maakte dat uit? Het was net zoiets als proberen de oceaan druppel voor druppel leeg te drinken. De boogschutters begonnen door hun pijlen heen te raken en Lyall beval hun het vuren te staken. Wat er nog over was, hadden ze nodig voor de laatste aanval.
Hij begreep precies wat de vijand van plan was: het grootste deel van het leger door het Portaal sturen en een kleine eenheid achterlaten om het karwei af te maken.
Lyall zat met zijn rug tegen de muur, een gepaste houding, dacht hij moedeloos bij zichzelf. Hij was gewond, maar dat was elke elf in de toren. De vloer was glibberig van hun bloed. Hij zag een krijger voor zijn ogen sterven. De soldaat maakte geen geluid, kreunde niet en zei niets. Lyall had niet eens geweten dat de man gewond was totdat hij opzij keek en de dode ogen van de man bewegingloos voor zich uit zag staren.
'Meneer!' Een van de mannen riep hem. 'Dit moet u eigenlijk zien.'
Lyall kwam moeizaam overeind, grimassend van pijn, en hinkte naar de spleet in de muur.

De krijger wees. Er hadden zich een paar tanen losgemaakt van de grote groep en ze kwamen naar de toren gelopen. Ze droegen geen harnas, maar zwarte gewaden. Hun afschuwelijke gezichten gingen schuil achter een of ander vreemd ceremonieel hoofddeksel.

'Schiet ze neer,' zei Lyall onmiddellijk. 'Laat ze niet in de buurt komen.'

Hij stapte achteruit, zodat de boogschutters erbij konden. De elfen vuurden hun kostbare pijlen af en namen er de tijd voor, zodat ze niet werden verspild.

Een van de taanse sjamanen stak een klauw op en ving een pijl uit de lucht. Een andere pijl raakte een taan in de borst, maar verdween in een opflakkering van vuur. De elfen bleven schieten en één boogschutter raakte doel. Een van de sjamanen viel achterover terwijl hij naar een pijl greep die in zijn keel stak, en stikte in zijn eigen bloed. 'Hoera voor de boogschutter!' riep Lyall.

De elfen juichten, maar dat duurde niet lang. De overblijvende tovenaars besteedden geen aandacht aan hun gevallen kameraad. Ze bleven staan en verhieven hun stem in een griezelig klinkende jammerklacht. De elfen gingen sneller schieten om te proberen een einde te maken aan het uitbrengen van de betovering, maar slaagden daar niet in. De wezens trokken zich niets aan van de pijlen of van het gevaar. Een van hen kreeg een pijl in zijn dijbeen, maar dat klonk zelfs niet door in zijn stem.

De elfen wachtten gespannen op de betovering: een aardbeving, barsten in het steen, muren die in modder veranderen. Dat waren het soort betoveringen dat mensen gebruikten.

Er gebeurde niets.

De elfen begonnen te lachen. Een van hen zei dat het hem deed denken aan kinderen die speelden dat ze tovenaars waren. Een ander zei dat het hem deed denken aan reptielen die speelden dat ze tovenaars waren en daar werd nog meer om gelachen. Lyall glimlachte, maar deelde de vrolijkheid niet. Deze wezens mochten er dan nog zo afzichtelijk en beestachtig uitzien, ze waren bloedserieus. In hun stemmen en hun ogen lag een boosaardige intelligentie die waarlijk beangstigend was.

Lyall voelde een plotselinge benauwdheid in zijn borst, alsof hij niet genoeg lucht kon krijgen. Hij ademde diep in en moest daar moeite voor doen. Voor de volgende inademing moest hij zich inspannen. Om hem heen snakten zijn soldaten naar adem. Ze staarden hem en elkaar aan met dagende ontzetting in hun ogen.

De magie zoog de lucht weg uit de toren.

Lyalls borst brandde. Hij zag sterretjes. Zijn soldaten zakten op de grond ineen. In de hoop lucht te vinden, wankelde Lyall naar een van de spleten in de muur. Hij haalde het niet. Hij zakte op zijn knieën. Met zijn handen tegen zijn borst gedrukt hapte hij in paniek naar de lucht waarvan hij wist dat die er niet was.

Ik hoop dat het het waard is... was de laatste gedachte die hij had.

Een paar kilometer verderop, hoog op een heuveltop die uitkeek over het Portaal, stonden duizend elfeninfanteristen en honderd ridders te paard klaar; ze keken toe en wachtten af. De elfen droegen harnassen die zwart waren geschilderd. Ze hadden een banier bij zich die omhuld was met een zwarte lap. De zadelkleden van de ridders waren zwart. Hun zwaarden waren in zwarte scheden gestoken, hun speren en pijlen hadden een zwarte punt. Soldaten en officieren droegen een zwart zijden masker voor hun gezicht. Hun handen waren met zwarte lappen omwonden en hun laarzen waren zwart omwikkeld. Ze vormden een spookachtig leger, dat aansloot bij de schaduwen van de nacht. De paar verkenners van de tanen die op hen waren gestuit, waren doodsbang van hen, want ze hadden het idee dat de duisternis tot leven was gekomen.

De tanen riepen: 'Hrl'Kenk, Hrl'Kenk,' de naam van hun oeroude god van de duisternis. Dat wisten de elfen niet, maar het kon hun ook niet schelen wat de tanen zeiden. De elfen rekenden snel met de wezens af en maakten een einde aan het geschreeuw van de tanen door hun keel door te snijden.

De elfen hadden een uitstekend uitzicht op het Portaal, op de val van het Portaal. Ze hadden een goed uitzicht op het enorme leger van tanen dat het Portaal binnenstroomde, zo groot dat hun aantal niet te tellen was. De elfen zagen hoe de vijand het handjevol soldaten dat was achtergebleven om het te verdedigen, doodde. Ze zagen hoe de tanen hun verdediging opzetten en daarna in ordelijke rijen het Portaal binnenmarcheerden. Dit kostte uren, en tegen de tijd dat de laatsten door de opengeramde poort marcheerden, was de schemering ingevallen.

Generaal Gurske was zo zelfvoldaan over de overwinning dat hij er geen moment aan had gedacht om te proberen die poort te repareren.

De elfenofficier, een jongeman die zichzelf al had bewezen in de strijd, keek met een glimlach naar de grote ijzeren deuren die scheef aan hun scharnieren hingen.

'Grootvader heeft gezegd dat het zo zou gaan.' Zijn stem klonk grimmig. Hij wendde zijn blik niet van het Portaal af.

'Gaan we?' vroeg zijn luitenant. Ze vond het naar om moedige mannen te zien sterven, zelfs als ze tot het huis van haar vijand behoorden.

'Nog niet, maar wel bijna,' zei de commandant. 'We wachten totdat het grootste deel van het leger een flink stuk het Portaal in is.'

'Hoeveel manschappen heeft hij achtergelaten om het te bewaken, denkt u?' vroeg de luitenant.

'Niet veel,' zei de commandant. 'Een paar honderd. Meer niet. Allemaal mensen.'

'Weet u dat zeker?' De luitenant was sceptisch. 'We hebben gehoord dat die Dagnarus een bekwame commandant is. Dan zal hij toch wel een grote eenheid achterlaten om zijn enige route voor de terugtocht te verdedigen?'

'Hij zal alle troepen die hij bij zich heeft nodig hebben, en wel meer ook, om een aanval op Nieuw Vinnengael in te zetten. Dat is zijn ware doel. En waarom zou hij een groot leger achterlaten? Dagnarus denkt dat hij veilig is, dat er binnen duizend kilometer geen vijand te bekennen is. Want dat heeft het Schild hem beloofd.'

De elfen wachtten en bleven het Portaal in de gaten houden. De nacht kwam aangekropen over het land, de sterren werden zichtbaar en de maan rees. Waar die ochtend de lawaaiige, kletterende geluiden van de strijd hadden weerklonken, waren nu de geluiden te horen van mannen die hun overwinning vierden. De mensen maakten vuren op de binnenplaats. De elfen zagen de silhouetten van de soldaten tegen de vlammen, af en aan lopend met flessen in hun handen. Ze hoorden dronken gelach.

Elfenverkenners kwamen terug en meldden dat de mensen een paar balken achter de kapotte poort hadden gespijkerd in een poging die te barricaderen. Er liepen enkele bewakers over de muren, met een fles in hun hand.

'Ze wanen zich veilig,' zei een verkenner.

De commandant besteeg zijn paard, een zwart strijdros dat hij in een mensenland had gekocht, waar hij honderd jaar in ballingschap had doorgebracht. Hij keerde zich om naar zijn soldaten. Hij ging in zijn stijgbeugels staan, zodat iedereen hem kon zien, en verhief zijn stem, zodat iedereen hem kon horen.

'Vannacht rukken we op om ons huis in ere te herstellen.'

De jongeman hief zijn hand naar het zwarte masker dat zijn gezicht bedekte en rukte het af, waarmee hij trots zijn tatoeage en zijn afkomst onthulde. Hij hield het masker hoog in de lucht.

'Kinnoth!' schreeuwde hij.

'Kinnoth!' schreeuwden zijn troepen als één man ten antwoord.

Alle elfenkrijgers pakten het masker van schaamte, dat de tatoeages verborg die hen brandmerkten als leden van dat in ongenade gevallen huis, en rukten het af.

De vaandeldrager haalde de zwarte lap van de banier van huis Kinnoth. De wind kreeg vat op de banier en ze wapperde in de nachtlucht. Dat gaf de elfen moed, want ze beschouwen de wind als de adem van de goden.

De jonge officier wenkte zijn schildknaap, die hem een doek en een emmer water bracht. De commandant doopte het zijden masker in het water. Daarna hief hij de natte zijden doek naar de hemel en wiste er de zwarte verf mee van zijn borstplaat. Het embleem van huis Kinnoth glansde wit in het maanlicht. Toen dat gebeurd was, stak hij zijn hand hoog in de lucht en liet hij het zwarte masker uit zijn hand waaien. Hij gaf zijn paard de sporen. Hij reed voorop en zijn ridders volgden hem, in volle galop de heuvel af. De infanteristen renden achter hen aan. Ze zongen geen lied en hieven geen strijdkreet aan.

Veel elfen van huis Kinnoth zouden die nacht sterven, maar voor het eerst in twee eeuwen zouden leden van dat huis eervol sterven.

DEEL

III

Damra en haar metgezellen kwamen het Portaal uit, in de oostelijke vesting die het bewaakte. Ze was gespannen en nerveus, want ze wist niet wat ze kon verwachten; meer vragen, dat zeker, of misschien een gevecht met de bewakers van huis Wyval. Ze had niet verwacht dat het Portaal verlaten zou zijn.

Er waren geen wachters meer in de grote vesting. De magie die de Binnenste Ring had beschermd, was opgeheven. Er liepen geen soldaten over de borstweringen. Alles was wanordelijk achtergelaten. Er brandden nog papieren in vuurkuilen, er stond een half opgeten maaltijd op tafel. Blijkbaar waren de elfen overhaast vertrokken. Of het Schild had hen opgedragen te vertrekken, of ze hadden die beslissing zelf genomen, nadat ze bericht hadden gekregen over het leger dat door het Portaal oprukte.

De stilte van de lege vesting werkte op Damra's zenuwen. Ze wilde hier geen tijd verdoen. Ze moesten de afstand tussen hen en het naderende leger zo groot mogelijk maken.

Ze had gehoopt paarden te kunnen bemachtigen, maar er waren geen paarden meer en toen was ze er na aan toe om het op te geven. Ze was uitgeput, net als de Trevinici en de pecwae's. De Grootmoeder was grauw van vermoeidheid. Ze liep struikelend. Bashae geeuwde en knipperde met zijn ogen als een uil in de zon. Jessan klaagde niet, maar Bashae had tweemaal extra genezende stenen in de hand van de jongeman moeten leggen om zijn pijn te verminderen.

We kunnen niet veel verder meer komen, dacht Damra. Maar we moeten wel. We kunnen hier niet blijven.

De oostelijke ingang van het Portaal lag in een bergwand. Een brede weg liep van de vesting rond het Portaal naar een dal daaronder, niet ver van de bovenloop van de rivier de Arven, waar de elfen een grote haven hadden gebouwd. Het handelsverkeer in en uit dit Portaal reisde per boot.

Damra ploeterde voort over de weg en vroeg zich af of het werkelijk mogelijk was om lopend in slaap te vallen. Ze was net tot de conclusie gekomen dat het dat inderdaad was, toen Jessan haar aanstootte. 'Wat?' Damra keek op.

Jessan wees. Er waren vier elfen te paard uit het bos gekomen. Ze kwamen niet naderbij, maar bleven aan de rand van de weg staan wachten totdat Damra hen had bereikt.

Damra nam hen behoedzaam op. Waren dit mannen van het Schild? Ze herkende de rituele tatoeages, maar die zeiden niet veel over hun loyaliteit, want een was er van het huis Tanath, een ander van een onbelangrijk huis, Hlae, en de twee anderen van een ander onbelangrijk huis, Sith-ma-Oesa. Het was heel goed mogelijk dat die huizen zich hadden aangesloten bij het Schild.

Voorzichtig, met haar hand vlak bij het gevest van haar zwaard, vervolgde ze haar weg. Toen ze dicht bij hen was, wilde ze de vereiste beleefde groet brengen en doorlopen, maar een van de elfen liet zijn paard naar voren lopen om haar de weg te versperren. Ze moest wel blijven staan.

'Domeinheer,' zei hij op eerbiedige toon. 'U en uw vrienden zijn van verre gekomen. U zult wel honger hebben en moe zijn. Onze meester nodigt u uit om uit te rusten en een maaltijd te nuttigen in zijn landhuis.'

Damra was te moe om de tijd te nemen voor loze beleefdheden. Ze wees achter zich. 'Er komt een leger van wezens zoals die in deze wereld nooit eerder gezien zijn door dat Portaal. Weet u dat?'

'Ja,' zei de elf, 'dat hebben we gehoord van de lafaards van huis Wyval, die met hun staart tussen hun benen zijn gevlucht. Des te meer reden om gebruik te maken van de gastvrijheid van onze meester.'

'Wie is uw meester?' vroeg Damra.

'Baron Shadamehr,' antwoordde de elf.

De elfen hadden geen extra paarden meegenomen, maar twee elfen boden die van hen aan, omdat ze toch opdracht hadden gekregen om achter te blijven en te kijken wat dat beruchte leger zou gaan doen. Damra vroeg zich af hoe ze ervoor wilden zorgen dat ze lang genoeg in leven bleven om er verslag van uit te brengen als ze het leger eenmaal hadden gezien, maar zij leken zich geen zorgen te maken. Daar maakte ze uit op dat ze waarschijnlijk een ander vervoermiddel in het bos hadden verborgen; misschien hippogriffioenen.

Ze bestegen de paarden en reden naar de haven, waar ze aan boord van lange boten gingen. Damra was zich niet bewust van de reis. Gekalmeerd door het klotsen van het water en de wetenschap dat er deze keer nu eens niet van haar werd verwacht dat zij de situatie meester was, viel ze in slaap.

Ze werd wakker toen ze weer een stuk over land moesten rijden, en daarna beklommen ze een steile rotswand, waarvan haar werd verteld dat die de Keizerlijke Bergwand heette. Boven haar zag ze een kasteel, een hoog oprijzend gebouw van grijs gesteente dat tussen de wolken leek te zweven, want het was gebouwd op wat kilometers in de omtrek het hoogste punt was.

'Wat is dat voor gebouw?' vroeg ze.

'Het Bolwerk van Shadamehr,' luidde het antwoord.

Terwijl Damra op weg was naar het Bolwerk van Shadamehr, liep Ulaf – eens, vele maanden geleden, bekend als broeder Ulaf – rond over de binnenhof van het Bolwerk, op zoek naar zijn heer en meester.

'Waar is Shadamehr?' vroeg Ulaf aan iedereen die hij tegenkwam.

'Ik heb hem niet gezien,' was onveranderlijk het antwoord.

Ten slotte vond Ulaf een stalknecht die een vaag gebaar maakte in de richting van het Bolwerk. 'Ik heb hem naar binnen zien gaan, maar dat was uren geleden. Hij was naar de stal gekomen en vroeg om al het touw dat we bij de hand hadden.'

'Touw?' herhaalde Ulaf verbaasd. 'Waar had hij touw voor nodig?'

De stalknecht haalde zijn schouders op en grijnsde. 'U kent de edele heer.'

'Dat doe ik zeker,' mompelde Ulaf. 'Maar al te goed.'

Hij haastte zich over het stalerf in de richting van een enorm kasteel dat in het hele Vinnengaelse Rijk – goed of kwaad – bekendstond als het Bolwerk van Shadamehr.

Het oorspronkelijke Bolwerk, dat was gebouwd op de Keizerlijke Bergwand ten oosten van het Mehr-gebergte, bestond uit vier muren, twee torens en een poort. Het was gebouwd in het jaar 542, twintig jaar na de val van Oud Vinnengael en tien jaar nadat de grondvesten waren gelegd voor de stad Nieuw Vinnengael, en stond op een strategisch punt in het Vinnengaelse Rijk, op slechts driehonderd kilometer van de oostelijke ingang van het Portaal van Tromek.

Zelfs toen al werden de Shadamehrs als excentriek beschouwd. De eerste graaf van Shadamehr was een verarmde ridder geweest, die in de hofhouding van koning Hegemon diende. Aangezien hij Zijne Majesteit niets anders had te bieden dan zijn bloed, vergoot heer Shadamehr dat monter voor Zijne Majesteit in de Slag om de Vlakten, de oorlog die de dwergen waren begonnen toen ze ontdekten dat de mensen hun nieuwe hoofdstad wilden bouwen op grondgebied dat de dwergen als het hunne beschouwden.

Hij was zo heldhaftig geweest in de strijd – hij had het leven van de

koning gered – dat heer Shadamehr werd benoemd tot baron Shadamehr en een graafschap kreeg. In plaats van land rond de geplande stad te kiezen, zoals alle anderen deden, verklaarde de baron dat
hij een plek had gezien, niet ver van de grens met het elfenland in het
noorden, die hem uitstekend geschikt leek om er een kasteel te bouwen. Hij werd hartelijk uitgelachen, want in het noorden was niets
behalve elfen en reuzen, en de betrekkingen waren met geen van beide groepen zo goed dat iemand daar uit vrije wil bij in de buurt zou
gaan wonen.

De koning had geprobeerd baron Shadamehr over te halen een waardevoller graafschap te aanvaarden, maar de baron volhardde in zijn
wens en uiteindelijk gaf de koning toe. De baron voer met een paar
schepen met manschappen en voorraden de rivier de Arven op, op
zoek naar een goede plek om zijn Bolwerk te bouwen. Die vond hij
op een steile rots op ongeveer vijftig kilometer van de bovenloop van
de Arven. Aangezien de steile helling goed te verdedigen was, bouw-
de de baron daar zijn kasteel.

Korte tijd later kondigden de elfen aan dat ze een Portaal in hun land
hadden gevonden, waarvan de oostelijke ingang binnen een dag rijden van de grens met het Vinnengaelse Rijk lag. De betrekkingen tussen de mensen en de elfen verbeterden aanzienlijk toen elfenkooplui
begonnen te roepen dat ze hun goederen naar de welvarende stad
Nieuw Vinnengael wilden brengen. De rivier bood een gemakkelijke
aanvoerroute. De baron vestigde een voorpost aan de rivier en bracht
degenen die over zijn grondgebied reisden een bescheiden tarief in rekening. Daar hadden de kooplui natuurlijk bezwaar tegen kunnen
maken, maar in ruil voor dat tarief zorgde baron Shadamehr ervoor
dat de trekkers over de rivier niet lastig werden gevallen door reuzen, dwergen of andere plagen. Hij stond bekend als een man van
eer die altijd woord hield en zelfs de elfen spraken met een schoorvoetend respect over hem.

Enkele afgunstige baronnen, die zagen hoe Shadamehr bijna van de
ene op de andere dag rijk werd, beweerden rancuneus dat de baron
van tevoren geweten moest hebben van het bestaan van het Portaal
en dat hij de koning dat had moeten vertellen. Shadamehr wilde dit
nooit bevestigen of ontkennen, maar aangezien hij altijd gul was jegens de koning als Zijne Majesteit om contanten verlegen zat, voelde de koning zich niet geroepen om verder op deze kwestie in te gaan.
De Shadamehrs bleven door de eeuwen heen excentriek; ze cho-
queerden de inwoners van Nieuw Vinnengael met hun zonderlinge
levensstijl. Ze trouwden uit liefde en niet om het geld, want dat hadden ze genoeg. Ze brachten gezonde kinderen groot, die de wereld

introkken en naam maakten en elkaar onveranderlijk trouw en toegenegen bleven, waarmee ze degenen teleurstelden die hadden gehoopt de familie uiteen te zien vallen.

De tol die ze hieven was bescheiden en ze waren eerlijk en genereus in al hun zakelijke transacties.

De huidige baron van het Bolwerk van Shadamehr had op het gebied van excentriciteit een reputatie opgebouwd die die van al zijn voorgangers overtrof. Als man die bij iedereen bekendstond als genereus, moedig, intelligent (te intelligent voor zijn eigen goed, zeiden sommigen) en nobel, was hem de zeer grote eer te beurt gevallen de tests te mogen doen om Domeinheer te worden. Shadamehr had de tests afgelegd. Hij was er moeiteloos voor geslaagd, afgezien van een paar kleine probleempjes die vooral te maken hadden met zijn neiging om iets te luchthartig over de goden te praten en op plechtige momenten in lachen uit te barsten. Hij had het recht verworven om de Transfiguratie te ondergaan. De plechtigheid werd al voorbereid toen Shadamehr op het laatste moment weigerde die te ondergaan, iets dat niemand in de glorieuze geschiedenis van de Domeinheren ooit eerder had gedaan.

Shadamehr had een geweldige ruzie gehad met de Raad van Domeinheren en een andere geweldige ruzie met de koning, en tijdens die laatste werd de baron zijn titel afgenomen en werd hem opgedragen zijn land over te dragen aan de kroon. Shadamehr reageerde daarop door zich af te scheiden. Hij zei dat hij het gezag van Vinnengael niet langer erkende, riep zijn grondgebied uit tot onafhankelijke staat en daagde iedereen uit om te proberen hem zijn Bolwerk af te nemen. Toen vertrok hij, briesend van woede.

De koning stuurde in zijn woede eenmaal een leger om te proberen het Bolwerk in te nemen, maar zijn ridders en baronnen, onder wie vele vrienden van Shadamehr, weigerden ronduit om te vechten of deden dat zeer halfhartig. De slag was een deerniswekkende mislukking. De koning besloot dat het verstandig was om Shadamehr voortaan gewoon te negeren en te doen alsof hij niet bestond.

Sommigen zeggen dat Shadamehr, nadat zijn woede enigszins was bekoeld, spijt had van zijn gedrag. Hij had er geen spijt van dat hij de Transfiguratie niet had ondergaan. Hij sprak er zelden over, maar als hij dat deed, maakte hij duidelijk dat hij dat niet betreurde. Hij had er spijt van dat hij zijn banden met de mensen van Nieuw Vinnengael had verbroken en sinds die tijd deed hij wat hij kon om het goed te maken, om te proberen de veiligheid van zijn volk te vergroten.

Zijn belangstelling voor de mensheid begon zich uit te breiden tot de rest van de wereld, tot de andere volken. Hij zag dat de wereld een veel betere plek zou kunnen zijn als iedereen zou leren in vrede samen te leven. De meeste mensen dachten er zo over, of beweerden dat in elk geval, maar Shadamehr was zo excentriek dat hij besloot er iets aan te gaan doen. Hij rekruteerde individuen van alle volken om hem te helpen dit doel te bereiken en als hij geruchten hoorde over oorlog of twist, stuurde hij zijn waarnemers erheen om verslag uit te brengen in de hoop dat hij iets zou kunnen doen om de lont uit het kruitvat te halen. Soms slaagde hij daarin en soms niet, maar hij gaf de hoop nooit op.

Het Bolwerk was nu een onsamenhangend bouwwerk dat zich over de rots uitstrekte, want verscheidene Shadamehrs hadden er torens, muren en hele vleugels aangebouwd zonder zich veel aan te trekken van mode of architectonische schoonheid. Eén baron was dol geweest op torentjes en daar waren er dus heel veel van; overal staken ze de lucht in, en ze maakten het gebouw tot een zonderling geheel. Een andere baron had een voorliefde gehad voor luchtbogen, terwijl een derde verrukt was geweest van glas-in-loodramen. Het gonsde in het Bolwerk altijd van activiteit, en op elk uur van de dag en nacht reisden er waarnemers en vrienden af en aan.

Ulaf passeerde een groepje orken, die rond hun sjamaan geschaard stonden en ongerust naar hem keken terwijl hij de voortekenen las in een of ander voorval dat blijkbaar zojuist had plaatsgevonden, want er kwamen meer orken aanrennen om het belangrijke nieuws te vernemen. Ulaf keek tussen de grote lijven door in een poging te zien wat alle ophef veroorzaakte.

De orken stonden ontsteld naar een kat te kijken, die een levende muis in haar bek had. Orken zijn gek op katten. Ze geloven dat katten geluk brengen en wee degene die een kat kwaad doet in de aanwezigheid van een ork. Of deze kat met de muis een goed of een slecht voorteken was, werd Ulaf niet duidelijk. Normaal gesproken zou hij zijn blijven staan om het te vragen, want hij vond het bijgeloof van de orken hoogst amusant, maar vandaag had hij nieuws dat te dringend was om oponthoud te kunnen velen.

Hij ging de zuidelijke deur binnen, een van de zes die uitkwamen op de grote hal van het Bolwerk, een enorme ruimte waarin wandtapijten en banieren hingen. In het midden was een stookplaats. Het plafond werd overspannen met grote balken, die zwart waren geworden van de rook van tientallen jaren. Het zonlicht dat door de glas-in-loodramen naar binnen scheen, maakte kleurrijke vlekken op de vloer. Door de ruimte galmden harde stemmen en het gekletter van staal. In een van de hoeken oefenden een paar jonge ridders in het zwaardgevecht, terwijl een ander groepje in een andere hoek over een filosofisch onderwerp discussieerde.

Of misschien, dacht Ulaf, discussiëren de ridders met de zwaarden wel over filosofie. Hij liep om beide groepjes heen en sprak een jonge schildknaap aan, die afgunstig naar de zwaardvechters keek, en vroeg hem of hij heer Shadamehr had gezien.

'Ik heb hem de trap op zien gaan met een paar grote rollen touw,' vertelde de schildknaap. Hij moest dat een paar maal herhalen voordat Ulaf hem verstond, boven de herrie uit.

'Welke trap?' schreeuwde Ulaf, want er waren net zoveel trappen als toegangsdeuren en elke trap leidde naar een ander deel van het kasteel.

De schildknaap wees. Ulaf volgde zijn aanwijzing en liep een trap op die hem op de tweede verdieping van het gebouw bracht. Nadat hij hier met tussenpozen vijf jaar had gewoond, kon Ulaf nog steeds in de war raken. Toen hij boven aan de trap was, keek hij om zich heen in een poging erachter te komen waar hij was en waar hij Shadamehr kon vinden.

Hij zag geen spoor van zijn heer, maar hij zag wel waar hij was. Deze gang leidde naar de privévertrekken van de baron. Een paar van zijn oude vrienden hadden hier hun slaapkamer, om in de buurt te zijn als ze nodig waren.

Shadamehrs eigen slaapkamer was aan het eind van deze gang, een kamer vol boeken en kisten boordevol allerlei vreemde voorwerpen die hij op zijn reizen had verzameld. De vloer lag bezaaid met zijn kleren, want hij nam nooit de tijd om iets op te bergen en weigerde bedienden toe te staan 'achter hem aan te lopen' om alles op te ruimen.

Shadamehr was een energiek mens. Hij sliep niet veel en studeerde graag en stond erom bekend dat hij in het holst van de nacht bij mensen aanklopte als hij dacht dat ze hem misschien antwoord konden geven op een van zijn talloze vragen.

De kamer van Shadamehrs hofmeester, de lijdzame Rodney, was op deze verdieping. Ulaf gluurde naar binnen door de open deur, maar Rodney van het Bolwerk, zoals hij werd genoemd, was niet in zijn kamer, en dat had Ulaf ook niet echt verwacht. Rodney was verantwoordelijk voor het beheer van het uitgestrekte landgoed en alles wat daarmee samenhing, dus hij zag zijn slaapkamer maar zelden van binnen. Er werd vaak gegrapt dat er vast twee of drie Rodneys waren, want als je hem nodig had, kon je hem altijd precies op de plek vinden waar hij hoorde te zijn.

Twee andere kamers op deze verdieping werden gebruikt door leden van de venerabele orde der magiërs. Eén daarvan was de kamer van Rigiswald, die Shadamehrs huisonderwijzer was geweest toen hij jong was en nu zijn raadsman was. Het was een keurige en beschaafde oude man met een goed verzorgde, diepzwarte baard waar hij trots op was en waarvan de meesten dachten dat hij hem verfde. Vanwege zijn scherpe tong was hij de meest gevreesde persoon in het kasteel. Ulaf hoopte ten zeerste dat Shadamehr niet bij zijn oude huisonderwijzer zat, want dan zou Ulaf hen moeten storen, en hoewel hij op zijn reizen door Loerem heel wat monsters had overwonnen, waren er weinig dingen in deze wereld die hij meer vreesde dan een berisping van Rigiswald.

De deur van de magiër stond open. Ulaf gluurde voorzichtig naar binnen. De strenge oude man zat in een leunstoel bij het vuur met een bokaal wijn in de ene hand en een boek in de andere. Hij was alleen. Zachtjes zuchtend van opluchting sloop Ulaf langs de deur.

De andere kamer was van Alise, een ander lid van de venerabele orde der magiërs en een oude vriendin van heer Shadamehr. Terwijl Rigiswald de meest gevreesde persoon in het huishouden was, was Alise de geliefdste. Bijna elke man die voor heer Shadamehr kwam werken, droomde al snel van haar vuurrode haar en haar heldergroene ogen. Shadamehr was niet getrouwd en Alise ook niet. Er werd veel gespeculeerd over de vraag of ze minnaars waren en er werden weddenschappen op afgesloten. Niemand had die nog gewonnen of verloren, want als ze minnaars waren, waren ze in elk geval ongelooflijk discreet. Ulaf was geneigd te denken dat ze dat niet waren, want soms zag hij Alise naar Shadamehr kijken met een liefdevolle maar tegelijkertijd getergde blik in haar ogen.

Ulaf kwam tot de slotsom dat Shadamehr bij Alise op bezoek was, want geen van de andere kamers in deze vleugel was op het moment in gebruik. Alises deur was echter dicht.

Ulaf vroeg zich af of de geruchten waar waren. Omdat hij hen niet wilde storen als ze samen waren, legde hij zijn oor tegen de deur. Hij hoorde niets. Hij aarzelde, maar het nieuws was echt zeer belangrijk. Ulaf maakte aanstalten om aan te kloppen.

Er werd een sterke hand over Ulafs mond geslagen. Een sterke arm greep hem bij de kraag en sleurde hem de hal door, tot achter een enorme granieten pilaar.

'Geen woord!' zei een stem streng in zijn oor, en daarna: 'Beloof je dat?'

Ulaf kon niet praten, omdat de hand zijn mond dichthield, maar hij knikte. De hand werd langzaam weggehaald. Ulaf draaide zich met een boos gezicht om. 'U hebt me bijna een hartstilstand bezorgd!'

Shadamehr drukte zijn wijsvinger tegen Ulafs lippen. 'Ssst! Dat heb je beloofd.' Hij wees naar de andere kant van de hal. 'Kijk!'

'Edele heer, ik heb u overal gezocht. Ik heb dringend...'

Shadamehr schudde zijn hoofd. 'Niet nu. Kijk!' bromde hij.

Ze hoorden voetstappen naderen, het zachte ruisen van een rokzoom over de vloer en een vrouwenstem die zachtjes een oud volksliedje voor zich uit zong.

Shadamehrs ogen glinsterden. Hij trok Ulaf verder achteruit in de donkere hoek. 'Blijf naar de deur kijken!' fluisterde hij in Ulafs oor.

Inwendig kokend, maar in de wetenschap dat hij zijn missie het snelst zou volbrengen als hij toegeeflijk was, deed Ulaf wat hem werd gezegd.

Alise liep naar haar deur. Ze stak haar hand op en sprak een paar woorden die bedoeld waren om de betovering ongedaan te maken die de deur op slot hield. Toen onderbrak ze zichzelf.

'Dat is vreemd,' zei ze tegen zichzelf. 'Ik ben vanochtend blijkbaar vergeten de betovering uit te brengen.'

Schouder ophalend legde ze haar hand op de zwarte deurkruk, duwde zachtjes tegen de deur en bleef toen met stokkende adem staan.

Ze keek geschrokken en verbijsterd toe hoe alle meubelstukken in haar kamer zich snel van haar weg bewogen. Tafels, sofa's, stoelen, haar bureau en een sierlijke, grote staande kandelaar gleden allemaal met een krankzinnige vaart door de kamer en uiteindelijk stond al het meubilair bij elkaar gepropt onder een open raam in de tegenoverliggende muur.

Alises gezicht werd net zo rood als haar haar. Ze balde haar vuisten en schreeuwde op woedende toon: 'Shadamehr!'

De edele heer viel om van het lachen en rolde trappelend met zijn voeten op de vloer heen en weer, slap van de lach.

Toen ze hem zag, sprong Alise op hem af en liep Ulaf bijna omver in haar pogingen om haar heer te pakken te krijgen. 'Hoe dúrf je? Hoe durf je? Kijk eens naar de rommel...'

'Is het nou afgelopen met die herrie?' schreeuwde Rigiswald, en hij gooide met een klap zijn deur dicht.

Nog steeds lachend weerde Shadamehr Alises stompen af en slaagde erin overeind te krabbelen. 'Een van mijn betere grappen, vinden jullie niet? Kom mee!' Hij greep Alise met zijn ene hand en Ulaf met de andere en trok hen mee Alises kamer in. 'Ik zal jullie laten zien hoe het werkt.'

'Edele heer,' probeerde Ulaf opnieuw, terwijl hij letterlijk werd meegezogen door het enthousiasme van zijn heer, 'ik heb dringend nieuws...'

'Ja, ja, er heeft altijd wel iemand dringend nieuws. Maar dit,' Shadamehr wees trots op de meubels, 'dit is echt belangrijk. Snap je hoe ik het heb gedaan? Ik heb aan alle meubels in de kamer, stuk voor stuk, een eind touw gebonden en daarna alle touwen aan die grote kei daarbeneden vastgemaakt.' Shadamehr trok hen mee door de kamer naar waar het meubilair op een kluitje stond, met een wirwar van touwen rond de poten geknoopt. 'Toen heb ik een laatste touw aan de deur geknoopt. Als de deur open wordt geduwd, valt het gewicht naar beneden en dat sleept alle meubels mee. Ik noem het De Verdwijnende Kamer. Fantastisch, hè?'

'Niet echt!' zei Alise met een dreigende blik, hoewel een scherp waarnemer had kunnen zien dat haar lippen even trokken met een onderdrukt lachje. 'Wie gaat deze troep opruimen?'

'O, dat doe ik wel,' zei Shadamehr. 'Ulaf helpt me wel even, hè, Ulaf?'

Ulaf staarde sprakeloos naar zijn vermoeiende heer en meester, die eens was omschreven als 'een mensenman van middelbare leeftijd met een neus als een havikssnavel, een kin als het blad van een bijl, ogen zo blauw als de hemel boven Nieuw Vinnengael en een lange zwarte snor waar hij zeer trots op is en die hij voortdurend in model strijkt of om zijn vinger draait'. Shadamehr stond die snor nu inderdaad om zijn vinger te draaien.

'Edele heer, wilt u alstublieft luisteren naar wat ik u te vertellen heb?' vroeg Ulaf verwijfeld.

'Als je wilt vertellen dat de elfen de oostelijke uitgang van het Portaal van Tromek evacueren omdat er een of ander gigantisch leger van monsters door het Portaal komt aan denderen, dat heb ik al gehoord,' zei Shadamehr terwijl hij Ulaf op de schouder klopte. 'Maar toch bedankt dat je het me komt vertellen.' Hij stond nog steeds trots naar zijn werk te kijken. 'Je had je eigen gezicht moeten zien, Alise.'

'Jij zou het jouwe eens moeten zien, met de sporen van mijn vingernagels erin,' antwoordde ze kalm.

'Weet u al van het leger?' vroeg Ulaf. 'Wat gaan we doen?'

'Dat weet ik nog niet,' zei Shadamehr terwijl hij met de kanten manchet van zijn overhemd de krabbels bette. 'Nog niet genoeg informatie. Zoals Rigiswald altijd zegt, is het een kapitale fout om te speculeren voordat je de gegevens hebt. Dat beïnvloedt je beoordeling. Uiteindelijk moet je je plannen herzien en dan heb je alleen maar tijd verspild.'

'Terwijl je die tijd anders had kunnen besteden aan het knopen van touw aan de poten van meubelstukken,' gromde Ulaf.

'Maar het was wél grappig, geef dat nou maar toe,' zei Shadamehr terwijl hij Ulaf in zijn ribben porde.

Er klonken stemmen van beneden.

'Edele heer, er hangt een grote kei aan een touw…'

'Edele heer, er is een elfen-Domeinheer aangekomen. Ze is door het Portaal gekomen en ze…'

'Aha,' zei Shadamehr met een zucht. 'Daar komt onze informatie.' Hij legde zijn arm om Ulafs schouders. 'Laten we gaan horen hoe het met dat leger van monsters zit. Tussen haakjes,' vervolgde Shadamehr terwijl hij Ulaf kritisch opnam, 'je tonsuur begint aardig uit te groeien.'

'Dank u, edele heer,' zei Ulaf. Hij gaf het op. 'De Verdwijnende Kamer. Het was inderdaad grappig, edele heer.'

'Een van mijn beste,' zei Shadamehr.

De elfen geloven dat er in het hiernamaals een gevangenis is waar de zielen die tijdens hun leven een vreselijke misdaad hebben begaan, voor straf naartoe worden gestuurd. De zielen worden in die gevangenis vastgehouden, want ze mogen niet meer terugkeren en hun invloed over de levenden uitoefenen. De gevangenis van de doden wordt beschreven als een chaotische, rumoerige plek, want de zielen proberen voortdurend te ontsnappen. Edele krijgers die eervol gestorven zijn, kunnen ervoor kiezen hun eeuwige leven door te brengen met het bewaken van deze zielen.

Toen Damra het Bolwerk van Shadamehr binnenstapte, had ze het gevoel dat ze in die gevangenis was beland, want overal waar ze keek heerste chaos en rumoer.

Het huiselijke leven van elfen is kalm en sereen. Er kunnen twintig elfen op een klein oppervlak wonen, maar de bezoeker merkt dat niet, want elfen bewegen geluidloos en spreken zacht en weten hoe ze zich op de achtergrond moeten houden. In dit kasteel was er overal om Damra heen lawaai. Werkelijk iedere aanwezige had zijn mond open om iets te schreeuwen of te blèren, uit te roepen of te vragen. Twintig mensen maakten herrie voor veertig.

Toen ze bij de hoofdingang van deze gevangenis voor verloren zielen waren aangekomen, hadden de elfen die hen hadden begeleid Damra en haar vrienden overgedragen aan een mens die Rodney heette. De elfen waren vertrokken om terug te keren naar hun post.

Damra en haar metgezellen werden naar de eerste binnenplaats gebracht, waar het leek op een marktdag in Glymrae, alleen rommeliger. Het plein stond vol stalletjes, afdakjes en andere gammele bouwsels. Vee, biggen, schapen, paarden en kippen, volwassenen van alle soorten en maten en kinderen van elk volk en elke leeftijd loeiden, brulden, blaatten, mekkerden, klokten of schreeuwden. Mensen kwamen zonder zich er bewust van te zijn Damra's aura binnen, drongen en stootten tegen haar aan in hun vrolijke geestdrift. Een groepje kinderen – twee mensen, een elf, een ork en een dwerg – kwamen om hen heen staan en staarden met grote ogen en vriendelijk grijnzend naar de pecwae's.

Damra stond op het punt om zich om te draaien en weg te gaan, toen er een golf door de menigte ging. Mensen kolkten om haar heen, iemand riep iets en er viel een gat. Een man kwam op haar af lopen. Sommigen klapten voor hem, anderen juichten, een paar lachten en riepen hem schertsend iets toe. Hij riep welbespraakt iets terug en zwaaide met zijn hand, maar bleef niet staan. Er waren twee andere mensen bij hem: een roodharige vrouw in het gewaad van een tempelmagiër en een keurig verzorgde magiër met een gezicht dat zo zuur stond alsof hij net in een citroen had gebeten. Zo te horen aan het geroep en geschreeuw was deze man met de lange snor baron Shadamehr. Damra vond de baron lelijk, maar ze vond de meeste Vinnengaelse mensen lelijk, want ze leken uit steen gehouwen zonder dat de ruwe randjes waren afgewerkt. Ze vond de Nimoreaanse mensen met hun tengere bouw en glanzende huid veel mooier. Maar de baron had onmiskenbaar een zekere uitstraling. Geboren om leiding te geven, was hij dan ook een geboren leider.

Ze nam hem met onverhulde nieuwsgierigheid op. Toen Arim haar het verhaal had verteld, herinnerde ze zich weer dat ze van baron Shadamehr had gehoord dat hij de enige Domeinheer was die ooit had geweigerd de Transfiguratie te ondergaan. Hij was hét onderwerp van gesprek geweest in de Raad van Domeinheren. Ze hadden het er nog steeds over, hoewel zijn weigering alweer van vijftien jaar geleden dateerde. Toen was hij twintig geweest. Hij moest nu rond de vijfendertig zijn.

De baron bleef voor haar staan en maakte een zwierige buiging die bij de meeste mensen een mal gezicht zou zijn geweest, maar vreemd genoeg uitstekend bij hem leek te passen.

'Baron Shadamehr, tot uw dienst, Domeinheer,' zei hij en hij klonk eerbiedig.

Ze nam hem behoedzaam op, want ze vertrouwde hem niet. Hij had een geschenk van de goden geweigerd.

Hij leek haar gereserveerdheid en aarzeling niet te merken.

'Mijn vertrouwde raadslieden, venerabele broeder Rigiswald en venerabele zuster Alise. Met wie hebben we het genoegen?'

'Damra van huis Gwyenoc,' zei ze.

'Jessan,' zei Jessan bondig. Hij wees de pecwae's aan. 'Bashae en de Grootmoeder.'

Bashae boog even zijn hoofd.

De Grootmoeder stak haar stok uit naar Shadamehr en liet de ogen goed kijken. 'Ze keuren u goed,' meldde ze.

'Dank u,' zei Shadamehr met een wantrouwige blik op de ogen van agaat. 'Geloof ik.'

Hij wendde zich weer tot Damra. 'Huis Gwyenoc. Om de een of andere reden komt die naam me bekend voor. U zat toch niet in de Raad toen ik dat akkefietje met ze had, is het wel? Nee, ik dacht al van niet. U bent een van de nieuwen.'

Toen ze de term 'akkefietje' hoorde in verband met het worden van Domeinheer, was Damra bijna met stomheid geslagen. Ze was vastbesloten dit gekkenhuis zo snel mogelijk achter zich te laten, maar ze had één dringende vraag.

'Ik ben op zoek naar een man,' begon ze.

'O, daar hebben we er genoeg van,' antwoordde Shadamehr met een beminnelijke glimlach. Hij wuifde met zijn hand. 'Kies maar uit.'

'U begrijpt het niet,' zei Damra blozend. Ze vond het niet leuk om voor de gek gehouden te worden. 'Hij is mijn echt...'

'Damra!'

Een stem die ze beter kende dan haar eigen stem riep haar naam. Armen waarvan ze meer hield dan van haar eigen armen sloten zich om haar heen en hielden haar stevig vast.

'Griffith!' fluisterde ze met verstikte stem terwijl ze haar man omhelsde.

'Dáár heb ik die naam eerder gehoord,' zei Shadamehr. 'De arme man heeft over niemand anders gepraat sinds hij hier is aangekomen.'

Hij keek naar het herenigde stel met een trots alsof hij hen zelf had gemaakt. Toen legde hij zijn hand zachtjes op Griffiths arm en zei op verontschuldigende toon: 'Het spijt me dat ik jullie niet langer de tijd kan geven om van jullie hereniging te genieten. Maar ik moet je vrouw echt vragen naar dat vijandelijke leger dat elk moment kan opduiken.'

Damra verstrekte Shadamehr informatie over het oprukkende leger van tanen; ze vertelde hem wat Silwyth haar had verteld. Ze sprak kort en bondig, vertelde de waarheid maar verfraaide die niet. Ze zat dicht naast Griffith. De twee raakten elkaar niet aan, want elfen beschouwen openbare uitingen van genegenheid als ongemanierd en opdringerig, maar ze was zich zeer bewust van Griffiths lichaam, zo dicht bij het hare. Als ze een vraag ontwijkend beantwoordde, voelde ze hem bewegen alsof hij iets wilde zeggen. Hij deed dat echter niet en liet haar haar verhaal zonder onderbrekingen vertellen. Ze vertelde baron Shadamehr wat ze bij het Portaal had gezien en gehoord en sprak over een wezen van de Leegte, maar noemde het woord Vrykyl niet.

Ze had verwacht dat deze mensen verbijsterd en onthutst zouden zijn over haar nieuws. Hoewel ze wel bezorgd leken, maakten ze absoluut niet de indruk verrast te zijn. De baron wisselde blikken met de jongeman die was voorgesteld als Ulaf.

'Die Vrykyls lijken zich te vermenigvuldigen als konijnen,' zei Shadamehr. 'Overal waar je kijkt, duiken ze op.'

Damra keek Griffith zijdelings aan, die glimlachte en zachtjes tegen haar zei: 'Shadamehr beschikt over kennis uit de eerste hand omtrent Vrykyls.'

'Tot mijn eeuwige verdriet,' zei Shadamehr. 'Maar vertel eens, Damra van Gwyenoc, waarom viel de Vrykyl jullie aan? Uit wat we van deze wezens weten, bevindt de Leegte zich in hun hartstreek, niet in hun hersenen. Deze Vrykyl wist dat jullie door het Portaal zouden gaan. Waarom liet hij jullie niet gewoon gaan?'

Shadamehr stelde de vraag op vriendelijke, licht spottende toon, zoals hij over alles sprak, alsof niets in dit leven serieus te nemen was. Damra mocht hem niet, ze vertrouwde hem niet. Ze ontweek de vraag door te zeggen dat zij onmogelijk kon weten wat zulke monsters dachten.

Ze merkte dat ze hem niet kon aankijken terwijl ze deze onwaarheid sprak en dat verraste haar, want ze had een zeer lage dunk van deze mens en snapte niet waarom ze er moeite mee zou hebben om tegen hem te liegen. Misschien lag het aan die ogen zelf. Shadamehrs ogen waren in het ene licht grijs, in het andere blauw, maar altijd helder en alert. Hij luisterde zeer aandachtig naar haar en pikte elk detail op. Ze vond die geconcentreerde aandacht bij een mens verwarrend.

Opnieuw voelde ze Griffith onrustig naast zich bewegen. Ze stak haar hand onder haar tuniek, vond de zijne en kneep er stevig in, waarmee ze hem beloofde dat ze hem alles zou vertellen als ze eenmaal alleen waren. Hij beantwoordde haar kneepje, maar toen hij haar aankeek, was zijn blik verontrust.

Voordat ze bij het Bolwerk aankwamen, had Damra Jessan, Bashae en de Grootmoeder gewaarschuwd om tegen niemand iets over de stukken van de Verheven Steen te zeggen. In het begin had ze zich zorgen gemaakt, omdat ze dacht dat ze, als ze onder mensen waren, misschien geneigd waren openlijk te spreken.

Jessan zat stil te luisteren en te kijken en zei niets. Trevinici staan erom bekend dat ze vreemden wantrouwen en dat ze bijna altijd gesloten en teruggetrokken zijn totdat ze mensen beter leren kennen. Shadamehr leek die karaktertrek van de jongeman te begrijpen, want nadat hij had aangeboden een van de venerabele magiërs zijn hand te laten genezen – een aanbod dat Jessan kortaf afsloeg – zei Shadamehr niets meer tegen de Trevinici, hoewel hij hem wel bij het gesprek betrok door hem vaak aan te kijken.

Wat Bashae en de Grootmoeder betreft, die zaten roerloos naar Shadamehr te kijken. Bashae drukte zijn knapzak tegen zijn borst en de Grootmoeder hield de stok met de ogen van agaat stevig vast. Ze hadden net zo goed allebei doofstom kunnen zijn, want ze vertoonden nergens enige reactie op.

'Ik denk dat we voorlopig wel genoeg informatie hebben,' zei Shadamehr ten slotte terwijl hij overeind kwam. Hij keek naar Damra en Griffith en glimlachte. 'We zullen deze twee tortelduifjes wat tijd alleen gunnen.'

Damra had zich onmiddellijk willen terugtrekken, maar Griffith bleef nog even wachten om met de baron te praten.

'Shadamehr,' zei hij, 'wat moeten we beginnen? Een leger van tienduizend man!'

'Ja, dat is inderdaad een probleempje, gezien het feit dat wij maar met z'n tweehonderden zijn,' zei Shadamehr. 'Ik moet eens over deze kwestie nadenken.'

Hij legde een slungelige arm om de schouders van de roodharige vrouwelijke magiër, die ogenblikkelijk probeerde weg te komen.
'Verzamel de anderen, wil je, Alise? Ulaf, zorg jij voor onze gasten. Behalve voor Griffith en zijn geliefde. Die redden zich wel met zijn tweetjes.'

Toen de twee elfen eenmaal alleen waren in Griffiths kamer – een klein vertrek ver in de westelijke vleugel van het Bolwerk – begonnen ze onmiddellijk de maanden van gedwongen afwezigheid goed te maken met zoete kussen. Ze onderbraken hun liefdesspel telkens weer om te praten over wat er was gebeurd. Vaak begonnen ze op hetzelfde moment te praten, zodat ze elkaar voortdurend in de rede vielen.
'Ik zou nog steeds een gevangene van de Wyred zijn als Silwyth er niet was geweest,' zei Griffith.
Griffith was lang en slank en bewoog zich gracieus en voorzichtig, zoals alle elfen. Hij verhief maar zelden zijn stem, maar hij straalde een zelfvertrouwen uit dat getuigde van een grote hoeveelheid energie en zorgvuldig gedoseerde kracht. Zoals het luipaard, dat zelfs nog gevaarlijk is als het slaapt. Het ingewikkelde getatoeëerde masker van de Wyred benadrukte zijn hoge jukbeenderen en deed zijn kin puntiger lijken dan die in werkelijkheid was. Damra streek met haar vinger langs die kin en drukte een kus op de punt ervan.
'Silwyth!' riep ze uit. 'Hij heeft me verteld dat hij je had bevrijd, maar ik moet toegeven dat ik dat moeilijk te geloven vond. Waarom zou hij dat gedaan hebben?'
'Waarom? Omdat jij hem hebt gestuurd om me te bevrijden.' Griffith keek haar verbaasd aan. 'Hij zei dat jij hem had gestuurd en dat ik hierheen moest komen, waar jij me zou ontmoeten als je daar de gelegenheid toe had. Ik mocht niet proberen met jou in contact te komen, want dat zou ons beider levens in gevaar brengen.'
'Griffith,' zei Damra, die ging zitten en net zo verbaasd terugkeek, 'ik heb hem niet gestuurd. Ik wist niet eens dat hij bestond voordat hij me van de Vrykyl redde. Ik had geen idee waar je was of wat er van je geworden was. Ik wist niet beter of...'
Ze huiverde en hij sloot haar stevig in zijn armen.
Hun huwelijk was gearrangeerd, net als alle huwelijken onder de elfen, of ze nu van hoge of lage afkomst waren. Doordat ze als uitgestotenen uit de maatschappij worden beschouwd, vinden Wyred het vaak moeilijk om buiten hun eigen orde te trouwen. Maar dat soort huwelijken wordt wel aangemoedigd, zodat er vers bloed onder de Wyred komt; de elfen hebben lang geleden ontdekt dat de nakome-

lingen van twee magiërs een kleinere magische kracht hebben dan hun ouders. Geen enkele familie zal een oudste kind, of het nu een zoon of een dochter is, toestaan met een Wyred te trouwen, maar een vijfde of zesde kind misschien wel, en een twaalfde of dertiende kind is zeer geschikt om te worden uitgehuwelijkt aan een van de uitgestotenen, zonder dat de eer van de familie daardoor zal worden aangetast. Om het huwelijk nog aantrekkelijker te maken, zorgen de Wyred er altijd voor dat hun kandidaat een flinke bruidsschat heeft. Damra en Griffith hadden elkaar voor het eerst ontmoet op hun trouwdag, wat gebruikelijk is bij de elfen. Gelukkig voor hen beiden waren ze op het eerste gezicht zo smoorverliefd op elkaar geworden dat ze hun families te schande maakten door elkaar gedurende de hele plechtigheid smachtend aan te staren en daarna met ongepaste haast naar de slaapkamer te verdwijnen.

'We zijn nu weer samen, en dat is het belangrijkste,' zei Griffith terwijl hij haar over haar haar streek en de tranen teder van haar wangen kuste.

'Ja,' zei Damra, en ze veegde haar gezicht droog. 'Ja, maar ik ben bang dat we onze hereniging nu nog niet kunnen vieren. We moeten hier weg, Griffith. We moeten onmiddellijk vertrekken. We moeten naar Nieuw Vinnengael gaan en daar eerder aankomen dan dat leger van de Leegte.'

'Natuurlijk, schat,' zei Griffith, 'maar er is toch geen reden om ogenblikkelijk weg te rennen?' Hij keek met enige verbazing naar zijn vrouw, want ze was opgestaan van het bed waarop ze hadden gelegen en zat kleren in haar ransel te proppen. 'Ik wil eerst graag horen wat heer Shadamehr van plan is te gaan doen. Als hij ook wil vertrekken, zou het beter zijn om met hem...'

'Nee,' zei Damra terwijl ze zich oprichtte. 'Nee. Jij en ik moeten samen gaan.'

'Liefste...'

'Je begrijpt het niet, Griffith!' Ze keek achterom naar de dichte deur en kwam vlak voor haar man staan. Ze pakte zijn handen, hield die stevig vast en fluisterde in zijn oor: 'Ik heb het elfendeel van de Verheven Steen bij me.'

Griffith was verbluft. 'Wat? Hoe...'

'Het Schild probeerde het te stelen, of eigenlijk probeerde een van de Vrykyls dat. Garwina werkt samen met de Vrykyls, Griffith. Daarom lieten ze ons niet rustig het Portaal in gaan. Silwyth had me gewaarschuwd dat dat zou gebeuren. Hij heeft de Steen uit de dode hand van de Vrykyl gepakt en aan mij gegeven. Ik moet hem naar de Raad van Domeinheren brengen. En dat is nog niet alles. Mijn reisgezelschap. De jonge pecwae heeft het mensendeel van de Steen bij zich.'

Griffith keek haar sprakeloos van verbijstering aan.

'Snap je wat een grote verantwoordelijkheid ik heb, Griffith? Daarom moeten we ogenblikkelijk vertrekken. Als deze delen van de Steen in handen vallen van de Heer van de Leegte...'

Griffith stond op van het bed. 'Dat moeten we Shadamehr vertellen.' Hij liep naar de deur.

Damra greep hem vast en trok hem achteruit. 'Wat? Nee, ben je gek geworden? Ik vertrouw hem niet...'

'Waarom in 's hemelsnaam niet?' vroeg Griffith verbaasd. 'Hij is geslaagd voor de test om Domeinheer te worden...'

'Maar hij heeft geweigerd de Transfiguratie te ondergaan. Wat voor man doet zoiets?'

'Een man die vragen en redenen tot bezorgdheid heeft, Damra,' antwoordde Griffith op ernstige toon. 'Een man die vindt dat de Raad te veel politiek bedrijft. Jij hebt zelf ongeveer hetzelfde gezegd. Je zei dat de Raad actie had moeten ondernemen en zijn stem had moeten laten horen toen Karnu de heilige plaats van de orken, de berg Sa 'Gra, innam.'

'Als ik kritiek lever op de Raad, doe ik dat als lid daarvan,' zei Damra. 'Hij heeft afstand gedaan van dat recht met zijn laffe weigering om zich te onderwerpen, zich nederig op te stellen jegens de goden.'

'Daar heb je misschien een punt,' erkende Griffith met een ironische glimlach. 'Ik kan me niet voorstellen dat baron Shadamehr zich tegenover wie dan ook nederig zou opstellen, zelfs niet tegenover de goden. Maar je hebt het mis als je denkt dat hij een lafaard is, Damra, of iets anders dan integer, loyaal en rechtvaardig.'

Griffith gebaarde naar de deur en het kasteel daarachter. 'Vraag het eenieder in dit gebouw en ze zullen je verhalen vertellen over levens die hij heeft gered en onrecht dat hij heeft hersteld. Hij weet wat Vrykyls zijn doordat hij er een tegen het lijf is gelopen en dat maar net heeft overleefd. Of hij nu Domeinheer is of niet, hij is een echte ridder, niet alleen van Vinnengael maar van alle inwoners van Loerem.'

'Ik geloof dat hij je in zijn ban heeft, echtgenoot,' zei Damra half gekscherend en half bezorgd.

Griffith bloosde. Hij was niet van plan geweest met zoveel passie te spreken. 'Ik ben erg gesteld geraakt op baron Shadamehr in de maand die ik hier heb doorgebracht. Toen ik net aankwam, had ik dezelfde twijfels als jij, maar ik kon hem een kleine dienst bewijzen en in de tijd dat we samen waren, zag ik de moed en de betrokkenheid die schuilgaan onder zijn onverschillige houding. O, hij heeft zeker zijn eigenaardigheden. Je hoeft maar uit het raam te kijken en je ziet een grote kei aan een touw van de eerste verdieping hangen die dat bewijst. Maar zijn fouten en tekortkomingen zijn van het milde soort.'

Griffith zweeg en keek naar zijn vrouw. Ze zag er moe uit, volledig uitgeput. Haar schouders hingen alsof de last die ze droeg fysiek was en ze leek jaren ouder te zijn geworden in de maanden dat ze elkaar niet hadden gezien.

'Ik vind dat je het hem moet vertellen, Damra,' zei Griffith rustig. 'Al is het maar omdat hij de beste en snelste manier weet waarop we Nieuw Vinnengael kunnen bereiken, en omdat hij ons begeleiding en bescherming kan bieden.' Griffith nam zijn vrouw in zijn armen en kuste haar voorhoofd. 'Het is jouw beslissing, natuurlijk. Ik ben alleen maar je raadsman.'

'Mijn beste en vertrouwdste raadsman,' zei Damra, en ze kroop dicht tegen haar man aan.

Ze legde haar hoofd tegen zijn borst en luisterde naar zijn hartslag. Haar gezicht stond ernstig, want deze beslissing moest ze alleen nemen. Silwyth die Griffith hierheen had gestuurd, Silwyth die haar hierheen had gestuurd... allemaal zo vreemd en onverklaarbaar. Silwyth zelf, een in ongenade gevallen telg van een onteerd huis. Hij had zelf toegegeven dat hij had gemoord en erger. Hoe kon ze hem vertrouwen? Maar hoe kon ze hem niet vertrouwen, want hij had haar leven en de Verheven Steen gered.

'Je bent moe,' zei Griffith. 'Ga liggen, ga slapen en pieker er niet meer over totdat je uitgerust bent.'

'Ik ga wel liggen, maar niet slapen,' zei Damra en ze pakte haar man bij de hand en nam hem mee terug naar hun bed.

Ulaf bood aan Jessan, Bashae en de Grootmoeder naar een gastenverblijf te brengen, waar ze iets konden eten en drinken en wat slaap konden inhalen.

'En ik zal iets aan je hand doen,' zei Bashae tegen Jessan, die kort knikte.

De Grootmoeder duwde de stok in Ulafs gezicht en zei toen iets in de taal van de pecwae's, die klonk als vogelgekwetter. Blijkbaar was haar mening over hem gunstig, want Jessan maakte een gebaar om aan te geven dat Ulaf voorop moest gaan en dat ze hem zouden volgen.

Ze staken een drukke binnenplaats over en baanden zich een weg tussen groepjes mensen door die elkaar aanhielden om te vragen of ze het nieuws hadden gehoord, het te vertellen als ze nog van niets wisten en het te bespreken als ze dat wel deden. Sommigen waren van mening dat Shadamehr moest blijven en vechten, ondanks het feit dat ze ver in de minderheid waren, en anderen vonden dat hij het Bolwerk moest evacueren. De kooplui waren zich al aan het voorbereiden op hun vertrek. De soldaten bekeken de muren van het Bolwerk met krijgskundige interesse en praatten met kennis van zaken over blijden, klokkentorens en kokende olie.

Ulaf voerde een eenzijdige conversatie met zijn metgezellen. Hij was innemend en gemakkelijk in de omgang en had er talent voor om mensen op hun gemak te stellen, een van de redenen dat Shadamehr hem had gekozen om met de nieuwkomers mee te gaan.

Ulaf sneed allerlei onderwerpen aan en keek Jessan oplettend aan om te zien welke daarvan hem zouden interesseren. Het land van de Trevinici ligt niet ver van Dunkarga. Veel Trevinici vechten in het Dunkargaanse leger. In de hoop wat informatie te krijgen over wat er in dat land was gebeurd, zei Ulaf dat hij kortgeleden in Dunkar was geweest, waar hij had gestudeerd in de Tempel der Magiërs. Toen hij een vleugje belangstelling in Jessans blik zag, ging Ulaf erop door.

'Ik ken een paar Trevinici-krijgers,' zei hij. 'Er was een kapitein die iets met Raaf heette…'

Jessan stak zijn goede hand uit en pakte Ulaf vast. 'Kapitein Aanvallende Raaf? Dat is mijn oom.'

'Je meent het,' zei Ulaf, en zijn hart ging sneller kloppen. Hij herinnerde zich heel goed dat de kapitein naar de Tempel der Magiërs was komen rijden om het vervloekte harnas van een dode Vrykyl te brengen. Nu was hier deze jongeman, zijn neef, die in het Portaal van de elfen was aangevallen door een Vrykyl. Het was allemaal iets te toevallig. 'We hebben gehoord dat de stad Dunkar is gevallen voor een kolossaal leger, misschien wel hetzelfde leger dat ons hier bedreigt. Heb je iets van je oom gehoord?'

Jessan schudde verdrietig zijn hoofd. 'Nee, ik wist er helemaal niets van. Maar het gaat vast goed met hem,' vervolgde de jongeman terwijl hij trots zijn hoofd hief. 'Hij is mijn oom.'

'Ik denk dat hij trots zou zijn op zijn neef,' zei Ulaf. 'Van de Domeinheer heb ik begrepen dat je moedig met de Vrykyl hebt gevochten, en dat zijn echt angstaanjagende wezens. Maar het was niet de eerste keer dat je er een zag, hè?'

Jessan wierp Ulaf een scherpe, wantrouwige blik toe.

'Ik zeg dat alleen omdat je oom met me heeft gepraat over een zwart harnas dat hij bij zich had. Heeft hij met een Vrykyl gevochten?' vroeg Ulaf onschuldig.

Jessan leek te aarzelen of hij antwoord zou geven of niet. Uiteindelijk zei hij met tegenzin: 'De ridder heeft met de Vrykyl gevochten. De Vinnengaelees.'

'Wij hebben geholpen,' kwam Bashae tussenbeide.

Ulaf schrok toen hij de pecwae hoorde praten. Hij was er zelfs niet zeker van geweest dat ze de Taal der Oudsten verstonden.

'O ja? Dat was dan heel moedig,' zei Ulaf. 'Wat is er met de ridder gebeurd?'

'Hij is gestorven,' zei Bashae. 'De Vrykyl had hem verwond en zelfs de Grootmoeder kon hem niet meer helpen. Maar de ridder was wel heel oud.'

'Zijn ziel is gered,' zei de Grootmoeder. 'De Leegte heeft geprobeerd die op te eisen, maar dat is haar niet gelukt.'

'Dat is in elk geval iets. Hoe heette hij?' vroeg Ulaf. 'Misschien heb ik hem gekend.'

Om de een of andere reden was dit een verkeerde vraag. De twee pecwae's deden weer alsof ze doofstom waren. Jessan gaf geen antwoord.

Ze liepen zwijgend verder en Ulaf probeerde een manier te bedenken om op het onderwerp terug te komen, toen Jessan bleef staan en zich naar hem keerde.

'Wat heeft hij ermee gedaan? Had hij het bij zich?' vroeg Jessan.

'Had hij wát bij zich?' vroeg Ulaf, die hem niet begreep. 'Heb je het over de ridder?'

'Mijn oom,' antwoordde Jessan ongeduldig. 'Het harnas.'

'O, natuurlijk. Maak je geen zorgen,' zei Ulaf toen hij de angst in de ogen van de jongeman zag, 'hij heeft zich ervan ontdaan. Hij heeft het achtergelaten bij de tempel, zodat de magiërs er een oplossing voor konden vinden.'

Ulaf zag hoe opgelucht de jongeman was en besloot niets te zeggen over de Vrykyl die achter kapitein Raaf aan was gegaan.

Het duurde een tijdje voordat Jessan weer iets kon uitbrengen en toen hij dat deed, zei hij te veel, wat niets voor hem was.

'Daar ben ik blij om,' zei hij ten slotte nors. 'Ik had hem het harnas gegeven. Ik wist niet dat het vervloekt was. Net als dit...' Zijn hand dwaalde naar zijn linkerzijde, maar hij leek zich plotseling te vermannen. Zijn hand viel langs zijn lijf. Hij keerde zich van Ulaf af. Zijn stem veranderde. 'Mijn vrienden en ik hebben honger. U zei dat we te eten zouden krijgen.'

'Ja, deze kant op,' zei Ulaf.

Ook al had Jessan zijn beweging onderbroken, Ulaf had gezien wat de jongeman hem bijna had getoond. Ulaf wist wat het was.

'Een bloedmes, edele heer,' vertelde Ulaf Shadamehr. 'Hij draagt het bij zich. Niet openlijk. Het zit in een leren schede, maar het heft was duidelijk herkenbaar.'

Shadamehr overpeinsde dit. 'Ze ontmoeten een ridder op leeftijd en helpen hem in zijn gevecht tegen een Vrykyl. Later heeft de oom het vervloekte harnas van de Vrykyl in zijn bezit en brengt het naar de Tempel der Magiërs in Dunkar. Deze jongeman heeft een Vrykylmes bij zich en reist in het gezelschap van een Domeinheer door het elfenkoninkrijk en door het Portaal, waar ze worden aangevallen door een Vrykyl die probeert hen levend gevangen te nemen. Jullie zien natuurlijk wel wat dat allemaal betekent?'

'Nee.' Ulaf voelde zich dom. 'Nee, dat zie ik niet.'

'O nee?' Shadamehr glimlachte. 'Nou, misschien heb ik het mis.'

'Hoe weet je dat de Vrykyl probeerde hen levend gevangen te nemen?' vroeg Alise.

'Omdat hij hen anders gewoon van een afstand met een paar goed gekozen woorden gedood zou hebben en zijn vergane lijk niet op het spel zou hebben gezet om op de vuist te gaan met een Domeinheer. Ze mag me niet, weten jullie,' vervolgde Shadamehr op klaaglijke toon.

'Niemand mag jou,' zei Alise koel. 'Ik dacht dat je dat zo langzamerhand wel besefte.'

'Pff! Als u nog even met haar praat, eet ze uit uw hand. Twintig minuten zou voldoende moeten zijn,' zei Ulaf.

'Jullie houden me allebei voor de gek,' zei Shadamehr. 'Ik ben gekwetst en jullie steken de draak met me. Daar zit Rigiswald ernstig te kijken. Hij vindt dat ik lichtzinnig ben...'

'Ik zit te denken over dat leger van tienduizend tanen,' zei Rigiswald met een boze blik. 'Ze hebben misschien een dag nodig om door het Portaal te komen en nog een dag om zich te hergroeperen en aan hun opmars te beginnen.' Hij wees met een keurig gemanicuurde vinger naar Shadamehr. 'De avond daarna nuttigen ze hier hun avondmaaltijd en het enige dat jij doet is wauwelen over een of andere elfenvrouw die jou niet mag.'

'Als wat we gehoord hebben over de tanen waar is, lijkt het me veel waarschijnlijker dat ze óns de dag daarna als avondmaaltijd nuttigen,' zei Shadamehr. 'Maar je hebt wel een beetje gelijk, vervelende ouwe man die je bent. We moeten een besluit nemen over wat we aan die tanen gaan doen. Vluchten we gillend de nacht in of blijven we om te vechten?'

Shadamehr keek om zich heen naar de anderen, naar hun grimmige en sombere gezichten, glimlachte, sloeg zich op zijn knieën en zei: 'Ik persoonlijk ben ervoor om te blijven en te vechten. Ik heb die nieuwe blijden die de orken voor me hebben ontworpen. Ik hoopte een keer de kans te krijgen ze uit te proberen, en dit is een uitstekende gelegenheid.'

'O, wees toch eens een keer serieus,' riep Alise boos uit. Ze kwam overeind, liep naar het raam en keek naar het noorden, in de richting van het Portaal van de elfen.

'Ik ben volkomen serieus, Alise,' zei Shadamehr. 'Uit de rapporten die we hebben gekregen, blijkt dat het doel van prins Dagnarus de verovering van Nieuw Vinnengael is. Volgens de geschiedenislessen die Rigiswald ons heeft onderwezen, is de verovering van Vinnengael al zijn doel sinds hij zijn ziel aan de Leegte heeft geschonken. Om Nieuw Vinnengael te bereiken, zal Dagnarus eerst langs ons moeten komen. Ofwel hij zet zijn volledige leger tegen ons in...'

'Dat zal hij niet doen,' zei Rigiswald kortaf. 'Je kunt net zo goed een reus sturen om een mug dood te slaan.'

'Dat ben ik met je eens, ouwe man. Maar Dagnarus zal toch een flink aantal manschappen tegen ons moeten laten vechten, want hij kan niet de kans lopen dat wij hier nog zijn om zijn weg af te snijden als het in de stad mis gaat en hij zich terug moet trekken. Elke taan die hier vecht, is er een minder in Vinnengael. En hij zal die tienduizend tanen allemaal nodig hebben om de stad in te nemen.'

'Tenzij hij weer een of ander verraderlijk plan heeft,' zei Ulaf somber. 'Net als in Dunkar.'

'Voor verraad heb je intelligente mensen nodig en ik denk dat het moeilijk voor hem zal zijn om aan het hof van Nieuw Vinnengael iemand te vinden die slim genoeg is om verraderlijk te zijn,' zei Shadamehr. 'Goed, laten we bedenken hoe we onze troepen gaan inzetten. We evacueren de niet-strijders...'

'Hou op!' schreeuwde Alise terwijl ze zich naar hem omdraaide. 'Je bent krankzinnig. Het staat gelijk aan zelfmoord. Om je leven te vergooien...'

'Maar denk eens aan het prachtige lied dat erover geschreven kan worden, lieverd,' onderbrak Shadamehr haar. Hij zweeg nadenkend en trok aan zijn snor. 'Behalve dat er niet veel rijmt op Shadamehr.'

'Galante heer,' opperde Ulaf.

'Ja, dat is misschien wel iets. 'De Zeer Betreurenswaardige en Ontijdige maar Buitengewoon Heldhaftige Dood van de Galante Heer, Baron Shadamehr...'

Alise sloeg hem in zijn gezicht. Ze sloeg hem hard, zodat het geluid door de kamer galmde en er een felrode afdruk van haar hand op zijn wang achterbleef. Ze pakte haar rokken op en rende de deur uit, die ze met een klap achter zich dichtgooide.

'Ik heb niet veel geluk met vrouwen de laatste tijd,' zei Shadamehr, en hij legde zijn hand over zijn brandende wang.

'Misschien stond het rijm haar niet aan,' zei Ulaf.

'Iedereen is ook zo kritisch. Ik moet eens praten met...'

Er werd zacht op de deur geklopt.

'Kom binnen, Alise. Ik vergeef het je!' riep Shadamehr.

De deur ging open, maar het was Alise niet.

'Edele heer?' Griffith keek aarzelend naar binnen. 'Zouden we u even kunnen spreken? Het spijt me dat we u storen, maar het is belangrijk...'

'Kom binnen, kom binnen. Ik stond net op het punt om jullie allemaal te laten halen,' zei Shadamehr.

De twee elfen kwamen binnen, en daarachter aan de jonge Trevinici en de twee pecwae's. Ze hadden de woordenwisseling allemaal gehoord, maar de gezichten van de elfen en de Trevinici stonden volkomen neutraal en onbewogen. De pecwae's waren duidelijk diep onder de indruk en staarden verbaasd om zich heen naar de hoge plafonds, het barokke meubilair en de prachtige wandtapijten. De elfen bleven net over de drempel staan en bogen naar het gezelschap. Shadamehr en Ulaf bogen naar de elfen. Rigiswald niet. Hij zat in zijn stoel en negeerde iedereen.

'U zei dat u op het punt stond ons te laten halen, baron?' zei Damra in de Taal der Oudsten. 'Mag ik vragen waarom?'

'Wat bent u openhartig voor een elf,' zei Shadamehr bewonderend. 'U komt meteen ter zake. Goed, ik zal net zo openhartig tegen u zijn, Damra van Gwyenoc.' Hij liet zijn blik naar Jessan en Bashae dwalen. 'Wie van uw vrienden heeft de Verheven Steen in zijn bezit? Eerst dacht ik dat het de jonge Trevinici zou zijn, maar hoe langer ik erover nadenk, hoe meer ik geneigd ben te denken dat Heer Gustav de Steen aan de pecwae heeft gegeven.'

Damra's mond viel open. Ze keek hem strak en verbijsterd aan en wierp toen een verwijtende blik op Jessan. Hij keek lelijk terug.

'Nee, alstublieft, denkt u dat niet,' zei Shadamehr tegen hen beiden. 'U hebt geen van tweeën elkaars vertrouwen geschonden. Maar Jessan heeft wel een paar dingetjes laten vallen en het was niet moeilijk voor me om de rest te deduceren. Een oudere ridder die alleen rondzwerft, ver van huis in het land van de Trevinici. Dat kon alleen maar Gustav de Bastaardridder zijn, op zijn krankzinnige queeste. Het doet me verdriet te horen dat hij dood is, maar ik ben blij voor hem dat hij zijn levenslange droom uiteindelijk toch verwezenlijkt heeft. Want dat heeft hij, hè, Jessan?' Shadamehr wendde zich tot de Trevinici en toen hij dat deed, zag hij dat de gewonde hand van de jongen keurig verbonden was en dat hij zelfs zijn vingers kon bewegen. 'Gustav heeft het mensendeel van de Verheven Steen gevonden. De Vrykyls wisten dat. Een van hen probeerde hem erom te vermoorden, maar het wezen slaagde er alleen in hem te verwonden voordat hij de Vrykyl doodde. In de wetenschap dat hij stervende was, gaf Gustav de Steen aan een boodschapper om die naar u te laten brengen, Damra van Gwyenoc. Jessan, Bashae en de Grootmoeder' – hij boog naar de oude vrouw – 'hebben hun gevaarlijke taak met moed en intelligentie volbracht. Ze hebben de Steen naar u gebracht en nu moet u zorgen dat die veilig in Nieuw Vinnengael aankomt.

Dat is tot nu toe geen gemakkelijke taak geweest,' vervolgde Shadamehr, die niemand de kans gaf hem in de rede te vallen, 'want de Vrykyls zijn vastbesloten de Verheven Steen voor hun heer Dagnarus te pakken te krijgen. Daarom is de Vrykyl in het Portaal achter jullie aan gekomen. Ik geef toe dat ik niet helemaal begrijp waarom de Trevinici hier een bloedmes met zich meedraagt, maar daar is vast ook wel een verklaring voor.'

Damra en Griffith keken elkaar even aan. Griffith trok een wenkbrauw op, alsof hij wilde zeggen: 'Ik heb het je toch gezegd.' Jessan zei iets in het Tirniv. De Grootmoeder snoof luidruchtig, bonkte met het uiteinde van haar stok op de stenen vloer en zei iets terug tegen de twee jongemannen, ook in het Tirniv.

Ulaf vertaalde zachtjes voor hem: 'De jongeman zegt dat u duidelijk een tovenaar bent en niet te vertrouwen. De oude dame zegt dat u geen tovenaar bent, alleen een wezel.'

'Een wezel?' fluisterde Shadamehr van zijn stuk gebracht. 'Weet je dat zeker?'

'De pecwae's beschouwen de wezel als een zeer intelligent dier,' zei Ulaf met een glimlach.

'O, nou, dan is het goed. Mijn betrekkingen met het schone geslacht zijn blijkbaar aan de beterende hand. Er is er in elk geval een die me mag.'

Shadamehr glimlachte minzaam naar de Grootmoeder.

Damra zei zachtjes een paar woorden tegen haar man en wendde zich toen weer tot Shadamehr. Ze praatte op uitdagende toon, met een koude blik en haar hand op het gevest van haar zwaard.

'Het zou natuurlijk zinloos voor ons zijn om dit nu te ontkennen, baron Shadamehr. Onze vraag is: wat bent u van plan, nu u dit weet?'

'Wat u wilt, Damra van Gwyenoc,' zei Shadamehr rustig. 'U wilt de Verheven Steen naar Nieuw Vinnengael brengen om die aan de Raad van Domeinheren te geven. Ik zal u daarbij zoveel of zo weinig hulp bieden als u maar wilt.'

Damra's gelaatsuitdrukking werd zachter. Ze keek zijdelings naar haar man en haar metgezellen.

'Aha. Ik had niet verwacht...' Ze zweeg nadenkend.

Ulaf deed een stap opzij en kwam naast Shadamehr staan. 'Twintig minuten,' fluisterde hij.

Shadamehr glimlachte, maar zei niets. Hij hield zijn blik gevestigd op Damra en de twee jongemannen, Jessan en Bashae. Afgezien van Jessans eerste opmerking over tovenaars had geen van hen nog een woord gezegd. Ze lieten het aan de Domeinheer over om het woord te doen.

'Het is niet zo eenvoudig als u het doet klinken, baron Shadamehr,' zei Damra ten slotte. 'Bashae heeft het mensendeel van de Verheven Steen bij zich. Ik heb het deel van de elfen.'

Nu was het Shadamehrs beurt om verbijsterd te kijken.

'Asjemenou,' riep hij met enig ontzag uit. 'Is daar een speciale reden voor, of vond u het gewoon een mooi ding?'

Damra werd bleek van woede. Haastig zei haar man iets tegen haar in het Tomagi.

Ze keek naar Shadamehr en zei stug: 'Mijn man zegt dat u dat niet beledigend bedoelde. Hij vertelt me dat u overal grapjes over maakt, baron Shadamehr...'

'Alleen Shadamehr, alstublieft. De titel baron past niet bij me. Het klinkt alsof ik twintig kilo te zwaar moet zijn, jicht moet hebben en een dikke gouden ketting om mijn hals moet dragen. En ik ben echt ongevaarlijk, heus waar. Dat kan iedereen u vertellen. Nou ja, bijna iedereen... Vertel me nu jullie verhaal, dan zal ik beloven me te gedragen. We beginnen met jou, Jessan. Trouwens, mijn gelukwensen dat je stand hebt gehouden tegenover een Vrykyl. Maar weinig mannen die ik ken zijn zo moedig geweest en hebben het zo goed gedaan, inclusief ikzelf. De eerste keer dat ik tegenover een Vrykyl kwam te staan,' vervolgde Shadamehr met montere nuchterheid, 'ben ik er als een haas vandoor gegaan. Als je bij die confrontatie je volwassen naam niet hebt gekregen, dan weet ik het niet meer.'

Jessan bloosde, achterdochtig, maar toch ook gefascineerd door deze vreemde man, die het niet erg vond om te vertellen dat hij was weggerend voor een afschrikwekkende vijand. Trevinici bewonderen moed, en dat geldt ook voor de moed die ervoor nodig is om iets nadeligs over jezelf te vertellen.

Shadamehr pakte een paar stoelen. Hij ging zitten en strekte zijn benen uit alsof hij in een taveerne zat, met alle tijd van de wereld en niets belangrijkers aan zijn hoofd dan de kwaliteit van het bier. 'Vertel me eens over Heer Gustav. Heb je zijn gevecht tegen de Vrykyl gezien? Ik vraag dat omdat je er een trofee aan hebt overgehouden: het bloedmes. Vertel me eens over die confrontatie.'

Trevinici praten over het algemeen graag over een goed gevecht. Jessan zag hier geen kwaad in en was blij om te kunnen praten over de heldhaftigheid van de ridder. Hij begon te vertellen, eerst kort en bondig, maar geleidelijk werd hij meegesleept door zijn verhaal. Bashae verloor zijn gereserveerdheid en vertelde zijn deel. Ook de Grootmoeder viel in en vertelde hoe de goden de twee jongemannen hadden gekozen om de reis te maken, de een om de Steen te dragen en de ander om hem te beschermen. Bij dat onderdeel leek Shadamehr een beetje rusteloos en begon wat te draaien in zijn stoel. Maar verder was hij een aandachtige en oplettende luisteraar, die vragen stelde om hen uit hun tent te lokken, en al snel merkten ze alle drie dat ze meer vertelden dan ze van plan waren geweest.

Ze gaven het woord aan de elfen. Damra vertelde haar verhaal schoorvoetend en hortend, want ze vond het duidelijk niet prettig om de elfenpolitiek met mensen te bespreken. Shadamehr stelde haar een paar vragen. Tot haar verbazing sprak hij vloeiend Tomagi en uit zijn vragen bleek dat hij heel veel wist van de huidige politieke situatie in Tromek. Hij had een enorm respect voor de Goddelijke en dreef niet de spot met de elfen, zoals veel mensen deden. Damra ontspande en hoorde zichzelf tot haar verbazing al snel tegen hem praten alsof ze hem haar hele leven had gekend.

'Mooi werk, Damra van Gwyenoc,' zei Shadamehr goedkeurend aan het eind van haar verhaal. 'Een moeilijke beslissing, maar ik denk dat u de juiste hebt genomen. Garwina heeft de verdediging van het Portaal teruggeschroefd om Dagnarus binnen te laten, ongetwijfeld in ruil voor een overeengekomen beloning. Ik ben er zeker van dat Dagnarus ermee heeft ingestemd om het Portaal terug te geven als hij zijn doel, het veroveren van Nieuw Vinnengael, eenmaal heeft bereikt. Maar als het zo ver is, zal Garwina tot zijn ongeluk ontdekken dat Dagnarus niet staat te trappelen om het Portaal terug te geven...'

Er werd op de deur geklopt. 'Edele heer!' riep een stem.

'Ja, wat is er?' vroeg Shadamehr, geërgerd vanwege de onderbreking. Er werd een hoofd om de deur gestoken. 'Edele heer, onze verkenners melden dat de tanen bij de oostelijke uitgang van het Portaal niet oprukken, zoals we vreesden. Ze slaan hun kamp op aan de oever van de rivier.'

'Waarschijnlijk wachten ze totdat ze hun toevoerlijnen op orde hebben. Tenzij...' Shadamehr wendde zich tot Rigiswald. 'Je denkt toch niet dat Dagnarus van plan is de rivier af te varen?'

Rigiswald fronste peinzend zijn voorhoofd. 'De tanen haten en vrezen water. Ze houden er niet eens van om natte voeten te krijgen. Ik betwijfel of er ook maar een is die kan zwemmen. Aan de andere kant vereren ze deze Dagnarus als een god. Wie weet waartoe hij hen kan dwingen?'

'Tanen?' Damra kon hen niet volgen. 'Wat zijn tanen?'

'De wezens die jullie het Portaal binnen hebben zien komen. Ze vechten in het leger van prins Dagnarus. Volgens de informatie die we bijeen hebben weten te sprokkelen, komen ze uit een wereld aan de andere kant van een Portaal...'

'Een continent,' zei Rigiswald nors. 'Een continent. Geen andere wereld. Belachelijk om dat zelfs maar te denken.'

'Een continent, dan,' zei Shadamehr met een knipoog. 'Dan...'

'Een dor continent,' vervolgde Rigiswald belerend. 'Daarom hebben ze een hekel aan water.'

'Dank je,' zei Shadamehr. 'Dan hebben we meer tijd dan ik had verwacht. En verder, Rodney?' vroeg hij.

'De verkenners hebben zich teruggetrokken, edele heer. Ze zeiden dat het te gevaarlijk was.'

'Heel verstandig. Een akelig volkje, die tanen. Daar moet je bij uit de buurt blijven. Verder nog iets? Aan het werk, dan.'

De hofmeester vertrok. Shadamehr wendde zich weer tot de elfen. 'Wat zijn uw plannen, Damra van Gwyenoc?'

'We moeten in Nieuw Vinnengael zien te komen...'

'Ja, hoe sneller, hoe beter. Dan kunt u de koning ook vertellen over dit leger, want hij is waarschijnlijk helemaal niet op de hoogte van het feit dat hij binnenkort zal worden aangevallen door tienduizend monsters...'

Hij onderbrak zijn betoog. Bashae zei iets in het Twithil tegen de Grootmoeder.

'Is dat hun taal?' vroeg Shadamehr zachtjes aan Ulaf. 'Die heb ik nooit eerder gehoord.'

'Ik ook niet, edele heer.'

'Het klinkt als het geluid van krekels, hè?'

De Grootmoeder gaf een kort antwoord en haalde haar schouders op. Bashae keek naar Jessan, die een doordringende en onderzoekende blik op Shadamehr wierp. Uiteindelijk knikte Jessan langzaam. Bashae kwam voor Shadamehr staan. Hij hield de knapzak op en zei: 'Hier. Neemt u dit maar.'

Shadamehr sprong overeind en deinsde achteruit met een haast alsof de pecwae hem een mand met een slang erin had aangeboden. Shadamehr sloeg zijn handen achter zijn rug ineen.

'Ik waardeer de gedachte, maar nee. Dat kan ik onmogelijk doen.'
Rigiswald grinnikte sarcastisch.
Shadamehr wierp hem een koele blik toe. 'Hou je mond, ouwe man.
Je weet er niets van, dus kijk niet zo verdomde zelfingenomen.'
Bashae keek Shadamehr ontmoedigd aan. 'Dus u wilt het niet aannemen?'
'Ik... eh... dat is te zeggen... Het zou niet juist zijn, snap je?' sta-
melde Shadamehr.
'Waarom niet?' vroeg Bashae. 'Damra zou hem aannemen, maar ze
kon hem niet aanraken doordat haar magie die van de lucht is. Maar
die van u is aardemagie, net als de mijne. Ik zou het heel prettig vinden als u hem aannam, meneer. Het is moeilijk om 's nachts te slapen met zo'n grote verantwoordelijkheid,' zei Bashae en hij was volkomen serieus.
'Het punt is, Bashae, dat de goden hem aan jou hebben gegeven,' zei
Shadamehr, en hij negeerde nadrukkelijk het gesnuif van Rigiswald.
'Als ze hadden gewild dat ik hem in mijn bezit had, zouden ze mij
hebben gekozen, maar dat hebben ze niet gedaan. Ik ben bang dat je
de Steen nog iets langer bij je zult moeten houden. Maar,' vervolgde
hij op zachtmoedige toon toen hij zag dat de pecwae diep teleurgesteld zijn hoofd liet hangen, 'misschien kan ik helpen bij het bewaken van de Steen. Zou dat aanvaardbaar zijn? Je kunt wel wat hulp
gebruiken, vooral omdat je vriend hier een Vrykyl-magneet met zich
meedraagt. Het minste dat ik kan doen is met jullie meegaan.'
Hij keek Damra aan. 'Zou mijn gezelschap welkom zijn, Domeinheer? Ik ken het gebied tussen mijn kasteel en Nieuw Vinnengael.
Niemand kent dat beter dan ik. Ik zou jullie gids kunnen zijn en me
misschien ook nuttig kunnen maken in een eventueel gevecht. Bovendien ken ik een paar populaire elfenliefdesliedjes en heb ik een re-
delijke zangstem.'
'Edele heer, we zouden dankbaar zijn voor uw gezelschap, uw hulp
en uw bescherming. Maar ik had begrepen dat u van plan was hier
te blijven en uw kasteel te verdedigen...'
'Ach, dat kasteel!' Shadamehr wuifde dat idee met een handgebaar
weg. 'Vochtig gebouw. Ik overwoog toch al om het te laten verbouwen. U kunt zich niet voorstellen hoe erg de plafonds lekken in het
regenseizoen. En de tapijten moeten gereinigd worden. Hebben jullie genoeg te eten en te drinken gekregen? Er is zat, dus tast toe. Rodney zal jullie naar de eetzaal brengen.'
Toen de gasten vertrokken waren, liep Shadamehr naar het raam.
Hij keek uit over het kasteel en het terrein eromheen en zuchtte diep.
'Edele heer,' zei Ulaf. 'U zou met hen mee kunnen gaan en wij zou-

den hier kunnen blijven en de verdediging op ons kunnen nemen...'

'Nee, nee. Daar peins ik niet over, beste vriend,' zei Shadamehr, die zich naar Ulaf wendde en hem met genegenheid aankeek. 'Dat zou niet eerlijk zijn; dan zouden jullie alle lol zonder mij hebben. Maar bedankt voor het aanbod. Bovendien, bedenk eens hoe gelukkig dit Alise zal maken.'

'We zouden valstrikken kunnen achterlaten,' zei Ulaf, die de weemoedige klank in de stem van zijn meester hoorde en hoopte hem op te vrolijken.

Shadamehrs neerslachtigheid verdween. 'Ja, dat zouden we inderdaad kunnen doen. Vernuftige valstrikken.' Zijn ogen glinsterden. 'De Verdwijnende Kamer...'

'Ik dacht eigenlijk aan iets dodelijkers,' zei Ulaf wrang.

'Ja, nou ja, we zien wel. We kunnen het beste meteen aan het werk gaan. Rigiswald, ik zal je hulp nodig hebben voor het magische aspect van de valstrikken. Ulaf, zeg tegen kapitein Hassan dat hij de troepen verzamelt. We zullen onze krachten verdelen en langs verschillende routes naar Nieuw Vinnengael reizen, sommigen over land en anderen over water. Als iemand ons mocht volgen, zal die er knap van in de war raken.

En ik' – Shadamehr wreef zich in zijn handen – 'ik heb meer touw nodig...'

'Voel je je al wat beter, Shakur?' vroeg Dagnarus.

'Ja, edele heer,' antwoordde Shakur nors.

'Leg me nog eens uit hoe je het voor elkaar hebt gekregen om met je eigen bloedmes gestoken te worden.'

'Het was niet mijn mes, edele heer,' zei Shakur, boos over de spotternij.

'Het doet er niet toe,' zei Dagnarus op koele toon. 'Ik vertrouw erop dat je geen commentaar meer zult leveren over Vrykyls die hun opdracht verknoeien.'

'Ik zal achter de Stenen aan gaan, edele heer. Ze worden vast naar Nieuw Vinnengael gebracht...'

'Natuurlijk worden ze dat. En daar zullen we ze een flinke schrik bezorgen. Dit is wat jij moet doen. Je gaat naar Nieuw Vinnengael...'

Nadat Shakur zijn orders had gekregen en vertrokken was, bleef Dagnarus alleen achter in zijn commandotent aan de oever van de Arven, ten noorden van de grens met het Vinnengaelse Rijk. Van buiten klonk het geluid van bijlslagen. Dat geluid was niet minder geworden, zelfs 's nachts niet, want de orken hadden verder gewerkt bij het licht van toortsen. Dat geluid was er nu al twee dagen en het was zo constant dat hij het niet meer hoorde.

In gedachten liep hij zijn plannen door. Er waren een paar tegenslagen; tot zijn ergernis had hij gehoord dat een groep elfen zijn mensenhuurlingen bij de westelijke ingang van het Portaal had aangevallen en hen volledig had verrast. Die verdomde elfen hadden gevochten als vraatzuchtige wolven, zonder veel om hun eigen leven te geven. Hun aanval was zo fel geweest dat er maar een paar overlevenden van Gurskes eenheid waren die erin waren geslaagd door het Portaal te komen om verslag aan hem uit te brengen.

Eerst had Dagnarus zich zorgen gemaakt dat die elfen misschien door het Portaal zouden komen om ook de oostelijke ingang aan te vallen. Niet dat hij bang was van hen te verliezen, maar zo'n aanval zou zijn mars op Nieuw Vinnengael vertragen. Spionnen die waren teruggestuurd door het Portaal om poolshoogte te nemen, hadden gemeld dat de elfen met te weinigen waren. Ze leken er tevreden mee te zijn daar stand te houden. Met dat probleem zou hij later afrekenen. Of hij zou het Schild ermee laten afrekenen, want het was duidelijk een blunder van het Schild dat dit had kunnen gebeuren.

Verder was er het bericht van zijn Vrykyl in de Stad van de Paardlozen dat het dwergendeel van de Verheven Steen was gestolen. Hoe hij ook zijn best deed, zelfs in de gedaante van een dwerg kon de Vrykyl niet aan informatie komen over wie de Steen had meegenomen. De dwergen weigerden erover te praten, zelfs onderling. Ze wilden alleen maar kwijt dat de opperhoofdman zich met de zaak bezighield. Omdat hij wist dat de dwergen, die een hekel hadden aan alle magie, nooit veel hadden gegeven om hun deel van de Verheven Steen, leek het Dagnarus zeer waarschijnlijk dat een of andere dwerg de Steen had gestolen om er financieel beter van te worden, misschien in de hoop hem in een mensenland te kunnen verkopen. Dagnarus had zijn Vrykyl opgedragen te blijven waar hij was en rond te blijven neuzen totdat hij erachter was wie de Steen had gestolen en waar de dief hem gelaten had. Als hij eenmaal over die informatie beschikte, zou het Dagnarus niet veel moeite kosten hem te pakken te krijgen. Misschien, peinsde hij, is de steen op dit moment al onderweg naar Vinnengael. Dat was best mogelijk, met de groeiende macht van de Leegte in de wereld.

Al met al was Dagnarus tevreden. Zijn plannen verliepen volgens schema. Over niet al te lange tijd zou hij koning van Vinnengael zijn, met de Verheven Steen – alle vier de delen – in zijn bezit.

'Dan zult u eens zien, vader,' zei Dagnarus zachtjes tegen de lang geleden overleden koning Tamaros, 'dan zult u eens zien wat voor koning ík ben.'

Later, toen degenen die voor baron Shadamehr hadden gewerkt oude mannen en vrouwen waren, spraken ze vol respect over hem. Ze haalden lachend en trots herinneringen op aan vele bloedstollende en gevaarlijke avonturen. Maar bijna niemand had het ooit nog over die overhaaste aftocht uit het Bolwerk van Shadamehr.

De meesten die zich die afschuwelijke reis herinnerden, wisten nog dat die begon met opwinding en eindigde met pijn, vermoeidheid en een sterk verlangen om nooit meer een paard onder ogen te krijgen. Shadamehr verdeelde zijn troepen in drie eenheden. Hij stuurde één groep in een bocht langs de oostkant van de uitlopers van het Mehrgebergte, terwijl zijn eigen groep en hij recht door die uitlopers heen trokken. De laatste groep bestond uit dertig orken die het liefst over het water reisden, omdat ze hun schepen niet voor de tanen wilden achterlaten. Rigiswald ging met de orken mee, want hij was te oud om paard te rijden, zei hij. Alise en Ulaf bleven bij Shadamehr.

Hij gaf de dwergen in zijn groep de verantwoordelijkheid voor het bepalen van het tempo, en zei hun dat ze minstens tachtig kilometer per dag moesten afleggen, en meer als het weer goed was en het terrein gemakkelijk begaanbaar.

Ze namen alle paarden uit de stallen van het Bolwerk mee, zodat de ruiters vaak van rijdier konden wisselen. De meeste paarden waren door dwergen gefokt: sterke dieren die eraan gewend waren lange afstanden te galopperen. Ze namen geen wagens met proviand mee, want dat zou hun tempo drukken. Iedereen droeg het voedsel dat hij of zij voor de reis nodig had. Shadamehr grapte dat ze uiteindelijk alleen al door de honger vleugels zouden krijgen en des te sneller in Nieuw Vinnengael zouden zijn.

Elke dag stonden ze bij zonsopkomst op en reden ze uren door de regen en de wind van de naderende herfst, alleen onderbroken door korte pauzes om de dieren te laten rusten en water te geven. De mensen hadden meer te lijden dan de dieren, want de dwergen verzorgden de paarden uitstekend; ze verwenden ze en omgaven ze met alle aandacht, terwijl de ruiters voor zichzelf moesten zorgen. Tegen het einde van de reis hadden zelfs de stoïcijnse dwergen rode ogen van uitputting.

Als Shadamehr er niet was geweest, had niemand het gehaald. Hij hield de moed erin, maakte hen aan het lachen met zijn grappen en grollen, zong liederen voor hen (hij had een fraaie bariton) en vertelde hun verhalen om hen af te leiden van hun vermoeidheid en ongerief. Hij maakte geen geheim van zijn eigen pijn en klaagde luid en vaak, tot ieders vermaak. Hij at zijn maaltijden staand, want hij zei dat hij te veel zadelpijn had om te gaan zitten. Hij was als eerste op, ging als laatste slapen en nam meer dan zijn aandeel van de wacht op zich.

De laatste kilometers reden ze half verdoofd; velen hadden het gevoel dat er nooit meer een einde zou komen aan deze nachtmerrieachtige tocht, dat ze gedoemd waren om voor eeuwig over een zee van gras te galopperen, die zich uitstrekte tot aan de horizon. Op de tiende avond ging de Grootmoeder op de grond liggen en ze droeg de anderen op haar ter plekke te begraven, zodat ze dat maar gehad had. Ze slaagden er uiteindelijk in haar te bepraten, maar iedereen in de groep wist hoe ze zich voelde.

Op de laatste dag hadden ze pas een paar uur gereden toen een dwerg, een van de vooruitgestuurde verkenners, aan kwam stuiven over de grasvlakte om het nieuws te vertellen.

De muren van de stad Nieuw Vinnengael waren in zicht.

Ze bleven allemaal staan en keken elkaar aan, diep dankbaar maar te moe om te juichen.

Ze hadden vijftienhonderd kilometer afgelegd in zestien dagen.

Shadamehr ging voorop en zijn paard liep een van de vele bruggen op die over de kronkelende rivier naar de stad leidden. Hij was bijna aan de overkant toen hij een enorme ork zag, die het zich gemakkelijk had gemaakt op een omgekeerde boot en een touw zat te vlechten.

De ork stond op en rekte zich uit, geeuwde en krabde zich.

Shadamehr hield zijn paard in. 'Blijf rijden,' zei hij tegen Ulaf. 'Ik zie je bij de noordelijke poort.'

Shadamehr steeg aan de kant van de weg af, zogenaamd om de hoefijzers van zijn paard na te kijken. De ork wandelde naar hem toe en begon een praatje.

'Ik ben blij dat je groep en jij veilig zijn aangekomen,' zei Shadamehr zacht. 'Hebben jullie problemen gehad? Een plek om te slapen gevonden?'

'Langs de rivier,' antwoordde de kapitein. 'We zijn een paar dagen geleden aangekomen. Ik heb hier op u gewacht. We hebben geen problemen gehad tijdens de tocht over de rivier, maar de voortekenen zijn heel slecht, edele heer. Ik wilde u waarschuwen.'

'Ik had het kunnen weten,' zei Shadamehr op droge toon. 'Wat is er gebeurd?'

'We waren een dag of drie onderweg toen we een adelaar hoog boven ons zagen vliegen. De adelaar cirkelde driemaal boven ons rond, riep naar ons en vloog weg. Op dat ogenblik verscheen er een wolf op de rivieroever. De wolf huilde naar ons en rende toen ook weg. Daarna sprong er een vis uit het water en kwam in de boot neer. Hij sprak tegen ons en sprong toen weer overboord. De vis was nog maar net in het water verdwenen toen er een enorme boom vlak voor ons omviel en onze boot ternauwernood miste.'

'En wat betekent dit allemaal volgens de sjamaan?' vroeg Shadamehr.

'Het was een waarschuwing,' zei de ork ernstig. 'Een waarschuwing van de goden zelf. De adelaar van de elfen, de wolf van de dwergen, de vis van de orken en de boom van jullie mensen. Ze wilden ons allemaal iets duidelijk maken.'

'Aha,' zei Shadamehr nadenkend.

'Het was maar goed ook dat ze ons gewaarschuwd hadden,' vervolgde de kapitein. 'Vlak nadat de boom was gevallen, kwamen de orken die achteraan hadden gevaren haastig aanpeddelen. Het leger van beestmensen was niet ver achter ons. Sommige beestmensen komen per schip; enorm grote vlotten van pas omgehakte boomstammen die aan elkaar zijn gebonden. Anderen komen over land. De beestmensen rennen zo snel als een galopperend paard en lijken niet moe te worden. Ze doden dieren terwijl ze rennen en verslinden die rauw.'

Shadamehr keek de ork ontsteld aan. Ook al geloofde hij maar de helft van zijn relaas – orken zijn er dol op een mooi verhaal nog mooier te maken – dit was toch ernstig nieuws. 'Hoever kwamen ze achter jullie aan, schat je?'

'Twee dagen, hooguit drie,' De kapitein schudde zijn harige hoofd en krabde zich op zijn borst. 'Er liggen heel veel handels- en vissersschepen van orken langs de oever. De sjamaan zegt dat we hen moeten waarschuwen, maar ik wilde eerst met u praten.'

'Dank je, kapitein. Ja, je kunt ze waarschuwen, maar druk ze op het hart dat als ze Vinnengael willen verlaten, ze dat onopvallend doen. Ik wil geen paniek zaaien.'

De kapitein gromde. 'Wij orken zijn de laatste tijd niet zo dol op mensen dat we erg veel moeite zullen doen om hen van dienst te zijn. Huidige aanwezigen uitgezonderd,' voegde hij er met een knikje van zijn ruigbehaarde hoofd aan toe. 'Handel drijven, dat is de enige reden dat de orken hier zijn. Maar ik denk dat zelfs de domste mensen wel snappen dat er iets mis is als ze morgenochtend wakker worden en merken dat er geen orken meer in de haven zijn.'

'Ja, maar dan heb ik inmiddels de koning gewaarschuwd.'

'Mogen de goden ons bijstaan,' zei de ork, en hij trok als uiting van eerbied aan een haarlok die over zijn voorhoofd hing. 'Wat zijn uw orders voor ons?'

Shadamehr overwoog de verschillende mogelijkheden. 'Het zou kunnen dat ik deze stad overhaast moet verlaten. Dan heb ik een zeewaardig schip nodig, maar het hoeft niet groot te zijn. Kun je er een voor me vinden en dat beschikbaar voor me houden totdat je van me hoort? Ik heb geld om ervoor te betalen...'

De ork wuifde met zijn hand. 'Nu niet. Misschien later. Ik ken zo'n schip en de kapitein ervan is me iets verschuldigd. We zullen in de haven blijven. Laat me maar iets horen.'

Shadamehr stemde hiermee in en de twee gingen uiteen, de ork terug naar de havenbuurt. Hoofdschuddend en diep zuchtend besteeg Shadamehr zijn paard en hij vervolgde zijn weg naar het paleis; hij spoorde het dier aan tot een galop.

De inwoners van Nieuw Vinnengael lieten zich er graag op voorstaan dat ze in de meest magische stad ter wereld woonden.

Elk belangrijk bouwwerk in de stad, van de verdedigingsmuren tot het paleis, was door beoefenaars van aardemagie neergezet. Nieuw Vinnengael was de grootste schatkamer van magie ter wereld. De Tempel der Magiërs in het centrum van de stad was de grootste van heel Loerem. Mensen die belangstelling hadden voor aardemagie kwamen van over het hele continent om hier te studeren en aangezien de collectie van de bibliotheek van de Tempel beschouwd werd als de beste op het gebied van de mysterieuze kunsten, kwamen er ook beoefenaars van de andere elementaire vormen van magie naar de tempel. De schoonheid van de stad zelf was een ander soort magie, want de Nieuw Vinnengaelezen hadden gelijk als ze beweerden dat het de prachtigste stad van Loerem was.

Dankzij de aardemagie waren er zilver-, goud- en diamantmijnen, die ervoor zorgden dat het geld binnenstroomde. Het rijk baadde in overvloed en was daar passief van geworden. De marine van Nieuw Vinnengael, bijvoorbeeld, was geen partij voor de snelle, verreikende vloot van de orken, maar de Vinnengaelezen wisten dat ze wat ze aan snelheid, wendbaarheid en vuurkracht te kort kwamen, met uiterlijk vertoon konden compenseren.

Het leger van Nieuw Vinnengael was het best uitgeruste van heel Loerem, met de beste uniformen, de beste harnassen en de beste paarden. Vooral bij parades zagen de soldaten er schitterend uit. Op het slagveld maakten ze echter minder indruk, zoals ze tot hun verdriet hadden ontdekt bij het rampzalige verlies van hun enige Portaal bij de pas herdoopte Karnuaanse stad Delak 'Vir.

Er waren in de stad en in het rijk mensen die niet vonden dat alles in Nieuw Vinnengael zo magisch was. Zij zagen een burgerij die haar rijkdom in tempels en andere openbare gebouwen investeerde, monumenten voor haarzelf, en niet in mensen. Onder hen was een groep ontgoochelde legerofficieren, die van Nieuw Vinnengael naar Krammes waren verhuisd, ver van de invloed van het koninklijk hof. Daar verkochten ze hun rijkelijk bewerkte en nutteloze paradeharnassen om geld bijeen te krijgen voor de oprichting van de Koninklijke Cavalerieopleiding.

Ze namen de beste schermmeesters en paardrij-instructeurs in dienst, kochten de beste paarden en huurden de mensen in om die dieren goed te dresseren, en ze haalden de beste leermeesters binnen. Ze bestudeerden de geschiedenis, de strategie en de tactieken van de krijgskunde, en gingen vaak over tot de schokkende praktijk om die van de vijand te onderzoeken. De beste mensen in het leger werden heimelijk naar Krammes gestuurd om daar te worden opgeleid tot officier, zodat het toekomstige leger misschien niet zo magisch zou zijn als het huidige, maar in elk geval een stuk effectiever.

Maar zo ver was het nog niet. Krammes lag ver van Nieuw Vinnengael, aan de andere kant van het continent, slechts een paar honderd kilometer ten zuiden van de plek waar Oud Vinnengael was geweest. Het tanenleger van Dagnarus kwam snel dichterbij. Hij zou merken dat de stad een harde noot was om te kraken. De kern mocht dan zacht zijn, maar de bolster was geducht.

Van welke kant je ook kwam aanrijden, als je de stad in zicht kreeg, leek Nieuw Vinnengael op een ster die op aarde was gevallen en op het water dreef. Immense muren van een oogverblindend wit marmer, gebouwd in de vorm van een achtpuntige ster, rezen op van een schiereiland in de rivier de Arven. Het was de bedoeling dat de stad een nabootsing en verering van Oud Vinnengael was, dat aan de oever van het Ildurel-meer had gelegen; de rivier bood tegelijk een goede verdediging en een prachtig uitzicht.

Enorme torens met indrukwekkende verdedigingswerktuigen stonden aan weerszijden van de stadspoort, in het noordwesten van de stadsmuur. Soortgelijke werktuigen, ontworpen om tegen schepen te vechten, bewaakten de rivierzijde. Er liepen soldaten over de borstweringen, die dreigend keken om de boeren te intimideren en met hun kleurrijke uniformen probeerden indruk te maken op de giechelende melkmeisjes, die hun waren op de beroemde markt van Nieuw Vinnengael kwamen verkopen.

Het idee om de stad in de vorm van een ster te bouwen was afkomstig van de beroemde architect Kapil van Marduar, die was ingehuurd om het eerste ontwerp te maken. De koning was zeer enthousiast geweest over de schoonheid ervan en het feit dat geen enkele andere stad in Loerem in de vorm van een ster was gebouwd.

De acht hoofdstraten van Nieuw Vinnengael liepen recht van elk van de acht punten van de ster naar het centrum van de stad. In dat centrum was een groot, schitterend cirkelvormig mozaïek gemaakt, met een diameter van achthonderd meter, van glinsterende steentjes in allerlei kleuren, waarin de zon, de maan en de sterren waren afgebeeld, met Loerem als het middelpunt van het heelal en Nieuw Vinnengael als het middelpunt van Loerem. De Tempel der Magiërs was aan de noordkant van dit plein gebouwd, in één lijn met de sterren. Het Koninklijk Paleis stond aan de zuidkant, in één lijn met de zon. De straten waren zo recht dat je vanuit elk punt in die straten ofwel de tempel ofwel het paleis kon zien.

De straten verdeelden de stad in acht delen, die elk een naam hadden. Sommige waren winkelbuurten, andere woonwijken, en ze waren onderling verbonden door smalle straten die loodrecht op de acht hoofdstraten stonden.

Bashae zat achter Ulaf met zijn armen zo stevig om het middel van die lankmoedige man als een buikriem om een dikzak. Hij keek op naar de torens, die tot duizelingwekkende hoogte oprezen en de wolken leken aan te raken, en hij dacht terug aan de Wilde Stad. Terwijl hij om zich heen keek naar de stad Nieuw Vinnengael en bij elke hoek weer een nieuw wonder ontwaarde, merkte Bashae dat hij terugverlangde naar wie hij eens was geweest, de jongeman die diep onder de indruk was geweest van een armzalig zootje krakkemikkige hutjes. Hij had schitterende dingen gezien, die hij nooit meer zou vergeten, maar hij was ook iets kwijtgeraakt. Hij wist niet zeker wat het was, maar hij miste het wel.

Jessan reed onder de grote bogen door en kreeg het onmiddellijk benauwd. Hij besteedde weinig aandacht aan de schoonheid van de stad, maar keek verlangend achterom naar het groene grasland en de bossen die ze achter zich lieten. Voor hem betekende de stad geen verwondering, alleen maar stank en mensen die hem aangaapten en nastaarden.

De rest van Shadamehrs gezelschap besteedde niet veel aandacht aan de stad. Ze waren hier al eerder geweest, de meesten heel vaak, en ze verheugden zich erop hun favoriete herberg of taveerne te bezoeken voor een voedzame maaltijd, een kroes bier en een goede nachtrust.

Alleen de Grootmoeder was onder de indruk. Alleen de Grootmoeder keek vol ontzag om zich heen. Ze was zo gecharmeerd van de schoonheid van wat ze zag dat ze vergat het de stok met de ogen van agaat te laten zien, die dus maar moest proberen nu en dan een glimp op te vangen vanaf zijn plek achter Damra's zadel.

Omdat Damra de Grootmoeder zachtjes hoorde zuchten, draaide ze zich naar de oude dame om, die achter haar op het paard zat.

'Maar Grootmoeder, wat is er aan de hand?' vroeg Damra, want ze zag tranen over de gerimpelde wangen lopen.

De Grootmoeder schudde haar hoofd en snoof.

In de veronderstelling dat de pecwae geïntimideerd of bang was, zei Damra iets geruststellends en troostends, waarop de Grootmoeder alleen nogmaals snoof.

Shadamehr voegde zich bij zijn metgezellen, die buiten de grote stadspoort op hem hadden gewacht. Er ging zoveel verkeer Nieuw Vinnengael in en uit dat er twee aparte wegen waren aangelegd om de drukte aan te kunnen, onder twee enorme bogen door. Elke weg was alleen bedoeld voor verkeer één kant op. Wagens en karren ratelden in twee richtingen, sommige de stad in over de ene weg en andere de stad uit over de andere. Tussen de twee wegen in was een groot poorthuis gebouwd. Bewakers stelden routinevragen aan degenen die binnenkwamen en vertrokken, wierpen een vluchtige blik in de wagens en wuifden dan dat ze mochten doorrijden.

Er was een opstopping bij de poort, van beide kanten, zo druk was het. Een koopman die zijn wagen moest uitladen om te bewijzen dat hij geen illegale waren vervoerde, vervloekte de bewakers luidkeels. Straatschoffies renden overal tussendoor in de hoop een paar stuivers te verdienen door als gids te dienen en mensen naar hun bestemming te brengen. Leeglopers stonden met hun handen in hun zakken tegen de muren geleund hun tijd te verdoen totdat de cafés opengingen, bij zonsondergang. Straatventers stonden net binnen de poort en prezen schreeuwend hun waren aan. Beurzensnijders en zakkenrollers tuurden de menigte af op zoek naar onnozele boerenjongens en dronken edellieden.

Toch was er iets niet goed in Nieuw Vinnengael. De Vinnengaelse vlag hing halfstok en overal waar Shadamehr keek, waren zuilen en beelden in zwarte doeken gehuld. Kooplui en mensen uit de lagere klassen droegen een zwarte band om hun arm of een grote bloem van zwarte stof op hun borst. Edellieden waren helemaal in het zwart gekleed. De poortwachters deden net als altijd hun werk, maar ze maakten een terneergeslagen indruk.

Shadamehr was bekend in de stad, hoewel meer van reputatie dan van uiterlijk, want meestal meed hij de stad als, zoals hij zei, 'stinkdieren, spinnen en ambitieuze moeders met huwbare dochters'. Maar zijn familiewapen, een ineengedoken luipaard, waarmee zijn paardendeken was versierd, werd ogenblikkelijk herkend. De wachters begroetten hem met een vriendelijke glimlach. Er kwamen officieren naar buiten om hem de hand te schudden. Mensen die in de rij stonden te wachten totdat ze de stad in konden, hoorden zijn naam en staarden hem aan; sommigen vroegen hun buren in de rij op angstige toon of hij geen beruchte bandiet was en vroegen zich af of de wachters hem gingen arresteren.

Straatschoffies roken geld en dromden gillend en met smoezelige uitgestoken handen om hem heen. Zakkenrollers wierpen één blik op de scherpe grijze ogen en gingen op zoek naar een gemakkelijker slachtoffer. De klaplopers kwamen naderbij en rekten hun nek in de hoop op wat vertier. Shadamehrs paard, een fel, humeurig beest, werd onrustig en nerveus van de menigte en de herrie.

Shadamehr steeg af om het dier te kalmeren en het ervan te weerhouden de straatschoffies te bijten. Doordat hij het daar druk mee had, zag hij niet dat er bij de poort iemand strak naar hem stond te kijken, om daarna op een wachtend paard te springen en in de menigte te verdwijnen.

Ulaf zag het wel, en Alise ook. Ze liet zich van haar paard glijden en wenkte Ulaf om hetzelfde te doen.

'Ik blijf hier niet alleen zitten!' zei Bashae, en voordat Ulaf hem kon tegenhouden, liet hij zich van het paard glijden en landde hij op het plaveisel.

'Blijf dicht bij me!' beval Ulaf hem.

Bashae knikte en deed wat hem was gezegd. Toen Jessan Bashae op straat zag, steeg hij ook af en liep hij naar zijn vriend toe. Op voorstel van Shadamehr hadden ze Bashae verkleed als een mensenkind, met een capuchon om zijn puntige oren te bedekken. Niemand in de menigte besteedde enige aandacht aan hem. Hij staarde verbijsterd naar de enorme mensenmassa.

De Grootmoeder porde Damra in haar rug. 'Laat me van dit beest af.'

Damra draaide zich om. 'Dat raad ik u niet aan, Grootmoeder. Er zijn hier zoveel mensen en deze stad is groot en onbekend. Als u verdwaalt...'

'Pff!' schimpte de Grootmoeder. 'Laat me eraf. Er moet iemand op de jongelui passen.'

Ze wees met haar stok naar Jessan en Bashae en voordat Damra kon reageren, liet de Grootmoeder zich achterwaarts van het paard glijden en landde behendig op haar voeten. In tegenstelling tot Bashae droeg zij haar pecwae-kleding nog en verscheidene mensen keken en wezen naar haar.

De Grootmoeder negeerde de starende blikken, liep stampend naar Bashae en porde hem met haar magere vinger in zijn ribben. 'Er zijn problemen op til,' zei ze in het Twithil tegen hem.

'Dat verbaast me niets,' zei Bashae.

Hij was tot de conclusie gekomen dat het gedrang, de enorme gebouwen, de stank en de grote wachters met hun glanzende harnassen en glinsterende zwaarden hem niet aanstonden.

'Ja,' zei ze. 'De stok heeft het me verteld. Maar maak je geen zorgen. Ik heb het gevonden.'

'Wat gevonden?' vroeg Bashae.

'De stad van de slaap,' zei de Grootmoeder luid fluisterend. 'De stad waar ik elke nacht heen ga. Die is hier. Mijn lichaam en mijn ziel zijn eindelijk samengekomen.'

De Grootmoeder zuchtte tevreden en bleef om zich heen kijken, nu

en dan voor zich uit glimlachend en knikkend naar elk bekend punt.
'Heus waar, Grootmoeder? Komt uw ziel hier?' Bashae was verbijsterd. 'Naar deze afschuwelijke plek?'
'Afschuwelijk? Wat is er dan mis mee?' vroeg de Grootmoeder beledigd. 'Waar zou ik dan heen moeten gaan?'
'Ik... ik weet het niet. Waar ik heen ga, misschien. Lopen onder de wilgen die langs de rivier staan...'
'Bomen! Rivierwater! Daar heb ik genoeg van gezien in mijn leven.'
De Grootmoeder snoof laatdunkend. 'Neem dat nou.' Ze wees met de stok naar een man die paardenmest van de straat in een wagen schepte. 'Dat is iets bijzonders. Bomen en water!'
'Ja,' zei Bashae terwijl hij naar de man keek die achter het paard opruimde. 'Dat is iets bijzonders.'

'We kunnen Shadamehr maar beter waarschuwen,' zei Alise tegen Ulaf. 'Ik kom met je mee.'
Ulaf knikte. Hij baande zich achter Alise aan een weg door de menigte en droeg de pecwae's op om dicht bij hem te blijven, maar hij werd te zeer door andere zaken in beslag genomen om te kijken of ze dat ook inderdaad deden.
Jessan droeg Bashae en de Grootmoeder op om bij hem te blijven en nam aan dat ze dat deden, terwijl hij probeerde zo dicht mogelijk bij Ulaf te blijven en uit te vinden wat er aan de hand was.
Bashae wilde Jessan volgen. De Grootmoeder legde haar hand op zijn schouder en trok hem naar achteren.
'De stok vertelt me dat we moeten gaan,' zei ze zachtjes.
Shadamehr stond met een van de officieren te praten, een zekere kapitein Jemid, die hij nog van vroeger kende.
Nadat ze even herinneringen hadden opgehaald over een taveerne die de Haan en de Stier heette, vroeg Shadamehr achteloos: 'De hele stad lijkt wel in rouw gedompeld te zijn, beste vriend. Wie is er gestorven?'
Kapitein Jemid staarde hem aan. 'Hebt u dat dan niet gehoord? Ik dacht dat dat de reden was dat u hier was, edele heer. Om uw medeleven te betuigen.'
'Ik heb al zestien dagen lang niets anders gehoord dan het dreunen van de hoeven van mijn paard,' zei Shadamehr op droge toon.
'Zijne Majesteit de koning. De goden hebben zijn ziel,' antwoordde de kapitein terwijl hij eerbiedig zijn pet afnam.
'De koning!' herhaalde Shadamehr onthutst. 'Hirav was nog jong. Ongeveer van mijn leeftijd. Hoe is hij gestorven?'
'Een hartstilstand, edele heer. Hij is in bed gevonden door zijn ka-

merheer. Blijkbaar was hij in zijn slaap gestorven. Een week of twee geleden. Het was een hele schok, dat kan ik wel zeggen.' Kapitein Jemid schudde zijn hoofd. 'Een gezonde, flinke man in de kracht van zijn leven, die plotseling zomaar dood is. Dat zet je toch wel even aan het denken.'

'Dat is zeker,' zei Shadamehr bedroefd. 'Zijn zoon is de troonopvolger, neem ik aan? Hoe oud is de jongen?'

'Hirav de Tweede. Hij is acht jaar, edele heer.'

'Arme jongen,' zei Shadamehr zacht. 'Zijn moeder is kort na zijn geboorte gestorven. Nu verliest hij zijn vader en wordt hij koning op dezelfde dag. Ik neem aan dat er een regent is?'

'De venerabele hoge magiër Clovis, edele heer.'

Shadamehr wierp Alise een vragende blik toe; ze trok een wenkbrauw op en rolde met haar ogen.

Shadamehrs frons werd dieper. 'Nou, ik zal zeker bij het paleis langsgaan om mijn condoléances aan te bieden en het rouwregister te tekenen, of wat dan ook. Dan moesten we maar gaan, Jemid. Leuk om je weer eens te zien. Eerst moeten we bij de Raad van Domeinheren zijn. Je weet zeker niet toevallig of ze op dit moment vergaderen…'

'Dat weet ik wel, edele heer,' zei kapitein Jemid. 'De Raad is ontbonden.'

'Je meent het niet,' mompelde Shadamehr.

'Wat zei hij, edele heer?' vroeg Damra in het Tomagi. Ze had zwijgend en oplettend naast Shadamehr gestaan en was zo geschokt dat ze zich afvroeg of ze de woorden wel goed had vertaald.

De officier keek naar haar. Toen hij haar habijt met het embleem van de Domeinheer zag, boog hij naar haar, waarna hij zich weer tot Shadamehr wendde.

'De Raad is ontbonden,' herhaalde hij met onbewogen stem en gezicht. 'In opdracht van de regent, hoge magiër Clovis. Alle Domeinheren hebben opdracht gekregen de stad te verlaten, op straffe gearresteerd te worden.'

'Ik neem aan dat ze weg zijn gegaan,' zei Shadamehr.

Kapitein Jemid leek slecht op zijn gemak. 'Ze konden niet veel beginnen, edele heer. Er zijn al niet zo heel veel mensen-Domeinheren en ze beginnen oud te worden. Er is al in vijftien jaar geen nieuwe kandidaat geweest om de tests te ondergaan, edele heer. U was de laatste. De orken-Domeinheren zijn lang geleden al vertrokken, boos over wat ze als ons verraad beschouwden toen de Karnuanen hun heilige plaats innamen. Als er ooit dwergen-Domeinheren zijn geweest, heb ik er nooit een van gezien, en deze dame hier is de eerste elfen-Domeinheer in meer dan een jaar die naar de stad is gekomen.'

'Je weet zeker niet waarom de hoge magiër de Raad heeft ontbonden?' vroeg Shadamehr.

'Ik zou het niet kunnen zeggen, edele heer,' antwoordde Jemid op een toon die aangaf dat hij het best zou kunnen zeggen, maar niet in het openbaar. Hij salueerde. 'Ik moet weer aan het werk. Als u nog ergens hulp bij nodig hebt...'

'Uit de weg!' riep een stentorstem. 'Uit de weg!'

Er kwam een eenheid cavalerie aanrijden door de brede straat die van het paleis naar de poort liep. Alle cavaleristen droegen een glanzend gepoetst kuras met het embleem van de koninklijke garde erop. Ze droegen een zwaard aan hun heup, dat ze allemaal precies onder de juiste hoek hielden. Voorop reed een officier met een meer bewerkt kuras dan de rest en een hoge helm die versierd was met fel gekleurde veren.

De menigte week haastig uiteen. Wagenmenners riepen tegen hun paarden en stuurden hun wagens naar de zijkant van de weg. Straatschoffies schreeuwden en brulden en de beurzensnijders deden in die paar verwarde ogenblikken goede zaken.

De strenge blik van de cavalerieofficier ging zoekend over de mensenmassa. Toen hij Shadamehr in het oog kreeg, wees de officier naar hem.

'Is dat niet aardig van ze?' zei Shadamehr. 'Ze hebben een koninklijke escorte gestuurd.'

'Dat wilde ik u net vertellen,' zei Ulaf snel, 'Alise en ik zagen net binnen de poort iemand staan die ongewoon veel belangstelling voor onze aankomst had.'

'Aha. Vertel me eens snel, lieverd' – Shadamehr pakte Alise bij de hand en trok haar naar zich toe – 'wat je weet over die hoge magiër Clovis.'

'In één woord: zuiverheid.'

'Dat is iets te snel,' zei Shadamehr. 'Ik kan je niet volgen.'

'Ze preekte altijd zuiverheid: zuiverheid van gedachte, zuiverheid van motief, zuiverheid van daden, zuiverheid van het hart,' zei Alise, bijna over haar woorden struikelend van haast. De cavaleristen moesten even stil blijven staan, omdat er een wagen vol zakken meel voor hen langs hotste. 'Het verbaast me niets dat ze de Raad heeft ontbonden. Ze heeft altijd verkondigd dat wij mensen, omdat we de Verheven Steen niet hadden, geen Domeinheren zouden moeten creëren. Het is niet zo dat ze niet in de Raad geloofde. Ze geloofde er te veel in. Tenzij de Raad zuiver en volmaakt kon zijn, zoals kort na het ontstaan, had de Raad volgens haar geen bestaansrecht.'

'Dank je, lieverd. Ga er nu maar snel vandoor. Jij en Ulaf.'

'Absoluut niet…' begon Alise met een opflakkerend vuur in haar ogen. 'Als er iets gebeurt, heb ik veel meer aan jullie als jullie buiten zijn,' zei Shadamehr zacht. 'Vooruit, ga nu maar!'

De officier vloekte naar de wagenmenner en gaf uiteindelijk twee van zijn manschappen opdracht om de paarden bij de teugels te pakken en de wagen van de weg af te leiden. Toen deze hindernis uit de weg was geruimd, kwam de officier in handgalop naar voren en bracht zijn paard recht voor Shadamehr tot stilstand.

'Baron Shadamehr?' vroeg de officier terwijl hij afsteeg. 'Ik ben commandant Alderman.'

'Commandant,' zei Shadamehr met een buiging.

'Baron.' De commandant boog ook. 'Edele heer, u en de elfen' – zijn blik ging naar Damra en Griffith – 'wordt verzocht rechtstreeks naar het Koninklijk Paleis te komen. Overeenkomstig dat verzoek ben ik hier om u te escorteren.'

'En ik waardeer de moeite die u hebt genomen, commandant,' sprak Shadamehr traag. 'U moet wel een droge mond gekregen hebben van al dat spugen om uw harnas op te poetsen. Maar ondanks het feit dat ik uw stad in geen vijftien jaar heb bezocht, herinner ik me de weg naar het Koninklijk Paleis nog goed. Tenzij u het recentelijk hebt verplaatst?'

Uit zijn ooghoek zag Shadamehr dat Alise en Ulaf in de menigte verdwenen en de rest van zijn gezelschap meenamen. Ze gingen niet ver. Zijn mensen posteerden zich aan de randen van de menigte, op strategische plekken, en klopten op hun wapens om hem te laten weten dat ze op zijn bevel wachtten.

'Nee, we hebben het Paleis niet verplaatst, edele heer,' zei de officier. 'Als u dan nu uw paard wilt bestijgen en met ons mee wilt komen, baron, Domeinheer en, eh… elfenheer.' Hij boog naar Damra en wierp een schuinse blik op Griffith. 'Ik moet ook de Trevinici meebrengen.' Hij wees naar Jessan.

'Wat is er aan de hand?' vroeg Jessan. 'Wat zegt die idioot? Ik ga nergens heen met…'

'O ja, dat ga je wel,' zei Shadamehr. Hij pakte Jessan bij de arm, kneep er stevig in en zei zachtjes: 'De officier heeft niets gezegd over het meebrengen van de pecwae's. Hou je stil en veroorzaak geen problemen. Vreemd genoeg denk ik dat ik weet wat ik doe.'

Jessan keek snel om zich heen. Zoals hun gewoonte was, waren de pecwae's verdwenen op het ogenblik dat het ernaar uitzag dat er problemen gingen ontstaan. Jessan wierp de officier een smeulende blik toe, maar zei niets.

'Neem ons niet kwalijk, commandant,' zei Shadamehr. 'Mijn Trevinici-vriend is een beetje verlegen omdat hij aan het hof moet verschijnen; hij heeft niets om aan te trekken, snapt u. Ik heb hem ervan weten te overtuigen dat hij weliswaar iets te eenvoudig gekleed is, maar dat de regent hem dat niet zal aanrekenen. Want dat is toch degene die we gaan bezoeken? De regent?'

'Namens de koning,' sprak de commandant plechtig.

'Natuurlijk. Mijn metgezellen en ik verheugen ons erop om de venerabele hoge magiër Clovis te spreken. We waren zelf ook al van plan om bij het paleis langs te gaan. Ik wilde me alleen eerst even verkleden, in het zwart, maar als u denkt dat daar geen tijd voor is...'

'De koning verwacht u, edele heer,' zei de commandant.

'Ik zou de koning zeker niet willen laten wachten,' zei Shadamehr. 'Hij moet straks waarschijnlijk zijn middagslaapje doen. Ik leg alleen even aan mijn vrienden uit wat er gebeurt. Deze elfen spreken onze taal niet. Tenzij u het hun liever wilt vertellen, commandant?'

'Ga uw gang, edele heer. Ik spreek geen elfentaal,' zei de officier.

Damra en Griffith begrepen wat er van hen werd verwacht. Shadamehr wendde zich tot hen en ze keken hem verwachtingsvol aan.

'Het lijkt erop dat we gearresteerd worden,' zei hij in het Tomagi. 'Ik vertel jullie dat we naar de koning worden gebracht, dus misschien kunnen jullie knikken en glimlachen? Goed zo. Iemand heeft ons de stad zien binnenkomen en heeft de moeite genomen om onze aankomst te melden. De regent heeft deze gardesoldaten gevraagd om de Trevinici, jullie tweeën en mij naar het Paleis te escorteren. Wat denken jullie daarvan?'

'Ik weet het niet precies,' zei Damra voorzichtig.

'Wie weet dat u de Verheven Steen van de elfen hebt? Wie weet dat de Trevinici het bloedmes bij zich heeft? Ja, blijf vooral glimlachen en knikken.'

'De Vrykyls,' zei Griffith grimmig.

'Ik denk dat het zo inderdaad zit. We weten dat er Vrykyls zijn geïnfiltreerd in de hofhoudingen van Dunkarga en Tromek. Ik vermoed dat er in deze hofhouding ook een of misschien meer zijn geïnfiltreerd...'

'Baron Shadamehr,' zei de officier, die ongeduldig begon te worden, 'we worden verwacht...'

'Ja, ja. Het kost wat meer tijd om dingen aan elfen uit te leggen, weet

u. Alle formaliteiten die eerst moeten worden afgewerkt. We zijn nog maar net klaar met het bespreken van het weer.'

Shadamehr wendde zich weer tot de elfen. 'De koning is vermoord...'

'Vermoord!' Damra was ontzet.

'Glimlachen en knikken, glimlachen en knikken. Geen twijfel mogelijk. De koning was een gezonde, flinke vent van achter in de dertig. Hij is in zijn slaap gestorven aan een hartstilstand. Op dezelfde manier als u gestorven zou zijn, Damra van Gwyenoc, als Silwyth u er niet van had weerhouden de soep te eten.'

'Ik snap het.' Damra vergat te glimlachen en te knikken. Ze wierp een duistere blik op de officier. 'Waarom gaan we dan met hem mee?'

'Omdat,' zei Shadamehr, 'er een leger van tienduizend monsters naar deze stad oprukt en er een kind van acht op de troon zit. Ik hoop iemand te vinden die naar ons luistert en onze waarschuwing serieus neemt. En als we die Vrykyl kunnen vinden en uit de weg kunnen ruimen, zou dat natuurlijk helemaal mooi zijn. Zijn jullie het met me eens?'

'Dat zijn we, edele heer,' zei Damra.

Griffith glimlachte en knikte.

Shadamehr grijnsde en wendde zich tot de officier. 'Mijn elfenvrienden laten weten dat ze buitengewoon verheugd zijn over deze gelegenheid de regent te ontmoeten. De koning, bedoel ik.'

'Ik had niet anders verwacht,' zei de commandant. Hij wierp Shadamehr een doordringende blik toe en gaf zijn manschappen het korte bevel om hun positie in te nemen.

Shadamehr besteeg zijn paard. Jessan deed hetzelfde. Hij keek snel om zich heen over de menigte, op zoek naar zijn vriend en de Grootmoeder, maar hij zag hen niet. Plotseling worstelde een vrouw zich door de mensenmassa heen en stormde op Shadamehr af.

'Baron! Ik aanbid u!' riep Alise terwijl ze hem een roos gaf.

'Natuurlijk doe je dat, lieverd,' zei Shadamehr. Hij boog zich naar voren om de bloem aan te pakken en fluisterde: 'Zoek de pecwae's.'

'De pecwae's!' bracht Alise hijgend uit.

'Ja, ik geloof dat ik ze ben kwijtgeraakt.'

'Hoe ben je...'

'Zo is het wel genoeg geweest, brutale sloerie,' zei de commandant terwijl hij zijn paard tussen hen in stuurde. Hij keek Alise dreigend aan. 'En dat voor een magiër!' zei hij geschokt.

Op een bevel van de officier omsloten de cavaleristen Shadamehr en voerden hem en de anderen in hoog tempo mee.

'Hoe ben je in 's hemelsnaam de pecwae's kwijtgeraakt?' vroeg Alise aan zijn verdwijnende rug.

Hij keek over zijn schouder, bracht de roos naar zijn lippen, kuste
die en stak haar toen zwierig achter een oor.
'Loop naar de hel!' riep Alise hem achterna.
'Ik hou ook van jou!' schreeuwde hij.

Alise stond midden op straat en zag er ontredderd, ontstemd en ongerust uit.

'Wat is er aan de hand?' vroeg Ulaf, die de rest van Shadamehrs groep bij zich had. 'Wat zei hij?'

Alise gebaarde met een blik vol afkeer naar de verdwijnende Shadamehr. 'Hij is de pecwae's kwijt.'

'De pecwae's?' herhaalde Ulaf met een blik op de keien aan zijn voeten, alsof hij verwachtte hen daar te vinden.

'Ik denk dat hij het opzettelijk heeft gedaan, zodat ze niet gevangen zijn genomen, maar hij had het niet zo verdomd efficiënt hoeven doen,' zei Alise. 'Ik zie geen spoor van ze en ze zijn toch opvallend genoeg, met de Grootmoeder in die rok van haar, met die rinkelende belletjes en tikkende stenen.'

'Ze zijn angstig en bedeesd, en ze zijn in een vreemde stad waar ze de weg niet kennen. Ze...'

'En een van hen heeft de Verheven Steen bij zich,' viel Alise hem met een zucht in de rede. 'Ze zijn zich waarschijnlijk gek geschrokken van de soldaten.'

Ulaf keek ernstig. 'Ik wilde zeggen dat ze, aangezien ze angstig en bedeesd zijn, niet ver weg zullen dwalen, maar als ze geschrokken zijn, kunnen ze het op een rennen hebben gezet en zijn blijven rennen. En ze zijn zo snel als konijnen, zelfs die ouwe. Hoe lang zijn ze al weg? Wanneer hebben jullie ze voor het laatst gezien?'

Hij keek naar de groep van Shadamehr, die om hem heen stond. Iedereen schudde het hoofd. Niemand kon het zich herinneren.

'Ze waren bij ons toen we de poort binnenreden, maar daarna herinner ik me niet meer dat ik ze gezien heb,' zei Alise. 'Als ze er bij het eerste teken van moeilijkheden vandoor zijn gegaan...' Ze keek naar de zon, die hoog aan de hemel stond. Het was bijna middag. 'Dan is dat ongeveer een uur geleden. En ze kunnen wel de poort uit zijn gerend.'

'Verdomme,' vloekte Ulaf hartgrondig. 'We zullen in groepjes ver-deeld gaan zoeken. Iedereen weet hoe de pecwae's eruitzien, dat zou moeten helpen. We verdelen de stad in stukken en werken vanaf de poort naar binnen. Ik zal ook een groepje de stad uit sturen om de orken te waarschuwen, in de haven.'

'Een van ons moet het paleis in de gaten houden. Daar is Shadamehr heen gebracht voor een "gesprek" met de regent. Dat zal ik wel doen,' bood Alise aan.

'En er moet iemand naar de Tempel der Magiërs gaan om Rigiswald te waarschuwen. Die zit in de grote bibliotheek zijn kennis over de Verheven Steen op te halen.'

'Het lijkt me dat ik dat ook maar moet doen,' zei Alise, en ze ver-volgde met een gekwelde blik: 'Het is echt iets voor Shadamehr om zichzelf te laten arresteren en ons het vuile werk te laten opknappen.'

'Kop op,' zei Ulaf troostend terwijl hij haar op de schouder klopte. 'Misschien hangen ze hem deze keer op.'

'Dat is de hoop die me gaande houdt,' zei Alise. 'Heeft iedereen zijn fluitje?'

Ze stak haar hand in de kraag van haar hemd en trok een klein, glanzend zilveren fluitje te voorschijn, dat aan een zilveren ketting hing. De anderen lieten hun eigen fluitjes zien. Als je erop blies, brachten de fluitjes een zeer herkenbaar, snerpend, doordringend ge-luid voort, dat van een flinke afstand te horen was. Shadamehrs men-sen gebruikten die altijd om in nijpende situaties contact met elkaar te zoeken. Ulaf verdeelde de groep en wees iedereen een andere buurt toe.

'Jullie kennen allemaal de signalen,' zei Ulaf ten slotte. 'Fluit alleen als jullie hulp nodig hebben. Het hoofdkwartier is de Tonronde Ka-ter in de Molenaarssteeg. Denk eraan dat de pecwae's waarschijnlijk bang en in de war zijn, dus wees vriendelijk. Jaag hun geen angst aan. En ga niet naar hen rondvragen. Als het enigszins mogelijk is, moeten we voorkomen dat hun aanwezigheid in de stad bekend wordt.'

Iedereen knikte en ging op pad, elk naar zijn of haar aangewezen lo-katie.

'Hoe denk je dat Shadamehr zich hier nu weer uit zal redden?' vroeg Alise aan Ulaf toen hij op het punt stond te gaan.

'De goden mogen het weten,' zei Ulaf glimlachend en schouder op-halend.

'Over Shadamehr?' zei Alise geamuseerd. 'Dat meen je niet.'

Shadamehr had gelijk. Er waren Vrykyls in Nieuw Vinnengael. Een van hen, Jedash, stond niet ver van de baron toen die werd gearresteerd.

Nadat hij had gefaald bij het gevangennemen van de dwerg, had Jedash voor Shakur moeten verschijnen om te vertellen waarom hij het waard was zijn ellendige bestaan voort te zetten. Jedash had nors geantwoord dat Shakurs opdracht was geweest een eenzame dwerg aan te houden, niet een dwerg die werd bewaakt door een vuurdraak.

Jedash legde uit hoe moeilijk het was geweest om de dwerg op te sporen en hoe hij hem nooit helemaal te pakken kon krijgen. Nu wist hij dat hij was gedwarsboomd door de Trevinici-vrouw Ranessa, die in werkelijkheid een draak in een andere gedaante was. Draken beschikken over een krachtige magie, soms nog krachtiger dan die van een Vrykyl. Aangezien hij geen orders had gekregen omtrent de draak en hij er niet veel heil in zag om het in zijn eentje tegen een draak op te nemen, had het Jedash het beste geleken om de zaak zo te laten en zich zo snel mogelijk bij zijn commandant te melden.

Hoe graag Shakur Jedash ook voor eeuwig naar de Leegte had willen sturen, die macht had alleen prins Dagnarus en Shakur voelde er niets voor om de aandacht van zijn heer en meester op een nieuwe flater te vestigen. Jedash kwam er met een reprimande van af en werd naar Nieuw Vinnengael gestuurd om daar zijn orders af te wachten. Jedash was blij met deze opdracht, want Nieuw Vinnengael was een grote stad met veel inwoners, een stad waar het niet heel bijzonder werd gevonden als het lijk van een dronkaard in een steegje werd ontdekt met een steekwond in het hart. Jedash voedde zich goed en bracht zijn tijd aangenaam door. Toen arriveerde Shakur en moest Jedash weer aan het werk.

Hij had de opdracht gekregen dag en nacht bij de poort te blijven en uit te kijken naar een elfen-Domeinheer in het gezelschap van een Trevinici en twee pecwae's. De Vrykyl deed wat hem gezegd werd en nam afwisselend de gedaantes van zijn vele slachtoffers aan, zodat hij niet opviel. Hij kon op één dag drie verschillende mensen zijn, bijvoorbeeld een dikke koopman, een uitdagende hoer en een voortsloffende boer. Hij had geen idee wat Shakur uitspookte. Overbodig te zeggen dat Jedash niet bepaald meer een vertrouweling van Shakur was.

Dat kon Jedash niet schelen. Hij was niet ambitieus, maar hij wilde de Leegte vermijden, wilde het recht blijven behouden om zijn bloedmes te hanteren en zijn bestaan te handhaven. Hij was zich ervan bewust dat hij een proeftijd had en hoopte op een gelegenheid om zichzelf jegens Heer Dagnarus te bewijzen. Jedash was pas een paar dagen op zijn post en was zich nog niet eens echt gaan vervelen toen de baron en zijn gezelschap arriveerden. Jedash zag de boodschapper haastig naar het Paleis rijden en sloeg daarna teleurgesteld de arrestatie gade, met de gedachte dat zijn werk gedaan was.

Toen viel hem iets op. Zijn instructies waren geweest om uit te kijken naar één elfen-Domeinheer, één Trevinici en twee pecwae's. De Domeinheer en de Trevinici werden weggevoerd, maar de gardesoldaten hadden de twee pecwae's niet meegenomen. Jedash zag de twee aan de rand van de menigte staan kijken naar wat er met hun vrienden gebeurde. Toen de soldaten Shadamehr wegleidden, gingen de twee ervandoor.

Geïntrigeerd volgde Jedash de pecwae's. Ze bewogen zich niet voort alsof ze bang waren. Integendeel. Als je de doelbewuste manier zag waarop de oudere pecwae liep en de belangstelling waarmee ze allerlei bezienswaardigheden aanwees, zou je denken dat ze haar kleinzoon had meegenomen voor een bezoekje aan haar geboorteplaats. Nadat hij hen een tijdje had gevolgd, sloeg Jedash zijn hand over het benen mes en maakte Shakur deelgenoot van deze ontwikkeling.

'Breng ze bij mij,' was het bevel.

'Met plezier,' zei Jedash.

De Tempel der Magiërs en het Koninklijk Paleis stonden tegenover elkaar in het exacte midden van Nieuw Vinnengael. De tempel was ontworpen met de bedoeling de toeschouwer te doordringen van het idee dat dit gebouwencomplex het centrum van de macht van de goden op aarde was, de belichaming van het heilige en het ongrijpbare. Het Koninklijk Paleis moest de toeschouwer ervan doordringen dat dit gebouw het centrum van de macht van de mensen op aarde was, de belichaming van het wereldlijke en politieke.

Andere volken bestreden dit idee. De orken geloofden dat de goden op de berg Sa 'Gra zetelden. De Nimoreanen zagen de goden in elk levend wezen. De elfen wezen het idee dat de goden zich zouden opsluiten in een gebouw van steen smalend van de hand. Maar zelfs de meest verstokte kwaadspreker van Nieuw Vinnengael werd onwillekeurig bekropen door een gevoel van ontzag als hij deze schitterende bouwwerken zag. Ze getuigden in elk geval van de creativiteit van de mens, van zijn liefde voor schoonheid en zijn diepe behoefte die liefde tot uitdrukking te brengen.

Het belangrijkste onderdeel van het tempelcomplex was de tempel zelf, een gebouw waarvan elke lijn de blik naar de hemel trok. Hoge torenspitsen prikten in de wolken. Luchtbogen droegen de aan de aarde gebonden dromen van de mens in sierlijke bogen omhoog naar de torenspitsen, die hen weer naar de hemel droegen. Enorme dubbele deuren van bladgoud stonden altijd open, dag en nacht, om de gelovigen toe te laten.

De universiteit, het huis van genezing, de bibliotheek en andere instellingen die te maken hadden met de werken en de leer van de magiërs waren achter de tempel gebouwd, temidden van prachtige bloementuinen.

Recht tegenover de tempel stond het paleis, een immens gebouw in de vorm van een maansikkel waarvan de vleugels zich uitstrekten naar de tempel alsof ze die wilden omhelzen, zonder hem ook echt aan te raken. Om het de indruk te geven van een solide betrouwbaarheid stonden er geen sierlijke, smalle torenspitsen op het paleis, maar had het dikke, sterke muren. De hele voorkant van het gebouw bestond uit een zuilengalerij.

Het tellen van die zuilen was een geliefd tijdverdrijf voor kinderen en bezoekers. Om de een of andere onverklaarbare reden was de uitkomst van die telling altijd veertienhonderdnegenennegentig of vijftienhonderd. Het raadsel van de verdwijnende zuil was een van de wonderen van Nieuw Vinnengael. Deskundigen hadden verhandelingen geschreven over het onderwerp, waarin sprake was van optische illusies, de stand van de zon of de beweging van de schaduwen onder invloed van de stand van de wereld ten opzichte van de sterren. Elke theorie had zijn aanhangers, die vaak bij het paleis te vinden waren en die theorie dan verkondigden aan ongelukkige bezoekers.

Het paleis was zeven verdiepingen hoog en had zeven rijen van zevenhonderd kristallen ramen, die aan het ene uiteinde uitkeken op het oosten en aan het andere op het westen. Als de zon onderging, viel het licht op de talloze ramen en zette ze in een vlammende gloed, zodat je bijna werd verblind als je ernaar keek. De banier van Vinnengael wappert op het hoogste punt van het paleis, met de banieren van de onderhorige stadstaatjes eromheen. Alle banieren hingen die dag halfstok, vanwege de dood van de koning.

In tegenstelling tot de tempel was het paleis niet door iedereen vrijelijk te betreden, want het politieke centrum van het rijk moest beschermd worden. Toen het paleis werd gebouwd, was erover gedacht om er een hoge stenen muur omheen te zetten, maar wat had je aan een prachtig gebouw als niemand het kon zien? De paleiswacht had besloten een hek te laten maken van gevlochten smeedijzer met punten erop, een hek dat om het hele paleis en de bijbehorende tuin liep en met magische bezweringen was versterkt om elk invallend leger tegen te houden. De koninklijke garde waakte bij de poort van het paleis. Bezoekers van de stad gluurden tussen de smeedijzeren spijlen door in de hoop een glimp op te vangen van de jonge koning en om de zuilen te kunnen tellen.

De koninklijke cavalerie droeg haar gevangenen doeltreffend en snel over aan de koninklijke paleiswachten. De gevangenen stegen af en hun paarden werden weggeleid naar de stallen. De cavalerieofficier salueerde naar de baron en de twee elfen, die glimlachten en knikten. De nieuwsgierigen, die het prachtig vonden om elfen te zien, dromden zo dicht mogelijk om hen heen, maar ze kregen de kans niet om erg dichtbij te komen, want de wachters werkten het gezelschap vlot de poort door.

Een of andere wijsneus verklaarde dat dit vertegenwoordigers van de elfenkoning waren die de jonge koning eer kwamen betuigen, en iedereen geloofde het onmiddellijk.

De wachters namen de gevangenen mee over een binnenplaats die Jessan zo groot leek als de Zee van Redesh. Het paleis was een reusachtig stenen monster met een gapende muil, dat vijftienhonderd tanden ontblootte en ontelbare glinsterende ogen had. Bij de gedachte om door dit afschuwelijke gebouw te worden opgeslokt, haperde zijn tred en werden zijn handen koud en klam.

Hij werd bevangen door een verlangen naar de stille, besneeuwde bossen en de veilige, warme, muskusachtige duisternis van de hut van zijn oom. Hij had zijn gebroken vingers met een stoïcijnse zelfbeheersing verdragen, maar deze pijn van het heimwee was ondraaglijk. Er sprongen hete tranen in zijn ogen.

Een hand pakte Jessan bij de arm.

'Rustig aan, krijger,' zei Shadamehr. 'Je hebt het tot nu toe goed gedaan, maar nu komt de grootste uitdaging. Het is heel waarschijnlijk dat er daarbinnen een Vrykyl op ons wacht. We weten niet wie van de mensen het is, hoewel ik wel een idee heb. Je moet rustig blijven, mij in de gaten houden en op mijn signaal reageren. Kun je dat?'

Shadamehr keek Jessan vol vertrouwen aan. Damra, die aan de andere kant van Shadamehr liep, glimlachte naar Jessan. Hij besefte plotseling dat deze vreemden hem als gelijke zagen en zijn verlangen en angsten verdwenen.

'Ik snap het,' zei Jessan zacht. 'Wat wilt u dat ik doe?'

'Tot nu toe doe je het prima,' zei Shadamehr met een grijns. 'Blijf je gedragen als een onnozele boerenjongen en ze zullen je niet als een serieuze bedreiging zien. Als we eenmaal in het paleis zijn, zullen ze onze wapens innemen. Ze zullen het bloedmes niet vinden, hè?'

Jessan schudde zijn hoofd, dankbaar dat de man hem prees om zijn spel terwijl Shadamehr vast wel wist dat Jessans angst maar al te echt was.

'Nee, ik dacht al dat dat er zelf wel voor zou zorgen niet ontdekt te worden. Ik vermoed dat de Vrykyl denkt dat jij de Verheven Steen bij je draagt. Zorg ervoor dat hij dat blijft denken, als je kunt. Hoe gaat het met je hand? Kun je die gebruiken?'

Jessan bewoog de vingers. 'Stijf, maar het lukt wel. Hoe zit het met Bashae en de Grootmoeder?'

'Mijn mensen zijn naar hen op zoek. Ze zullen hen vinden en in veiligheid brengen. Maak je geen zorgen. Als we hier eenmaal klaar zijn' – Shadamehrs stem klonk opgewekt, alsof ze op theevisite gingen en daarna weer zouden vertrekken – 'dan halen we hen op.'

'En wat dan?' vroeg Jessan.

Hij had ernaar uitgekeken om in Nieuw Vinnengael aan te komen en de Steen en zijn zware verantwoordelijkheid kwijt te raken. Nu leek dat niet mogelijk te zijn. Hij begon te denken dat hij die last voorgoed mee moest dragen.

'Eén ding tegelijk,' zei Shadamehr. 'De ene voet voor de andere. Van de ene ademtocht naar de volgende.'

'Alles is in handen van de goden,' zei Damra.

'Lieve hemel, ik hoop niet dat het zo erg is,' zei Shadamehr.

De koninklijke gardisten namen hun gevangenen mee de geplaveide binnenplaats over. Uiteindelijk, na wat Jessan een reis van dagen leek, kwamen ze bij het paleis. De zon gleed weg van het hoge punt dat ze op het middaguur had bereikt en schoof naar het westen. Ze gingen niet door de enorme officiële ingang naar binnen. Die deuren waren van zilver en gingen alleen bij speciale gelegenheden open. De vorige keer was nog maar een week geleden geweest, om de kist van de koning naar buiten te dragen, en daarna in een plechtige stoet van het paleis naar de tempel aan de overkant.

De wachters namen hen door een van de talloze zijdeuren mee naar binnen. De poortwachters droegen hen over aan de paleiswachten. De paleiswachten vroegen baron Shadamehr beleefd zijn zwaard af te geven en zeiden – geheel naar waarheid – dat niemand wapens mocht dragen in aanwezigheid van de koning.

Shadamehr gaf zijn zwaard af, met de waarschuwing dat het nog van zijn overgrootvader was geweest en vrij kostbaar was. De wachters beloofden er goed op te passen. Een officier vroeg hem om bij de goden te loochenen dat hij andere wapens bij zich droeg.

'Ik loochen de goden wanneer u maar wilt,' zei Shadamehr.

De wachter liep rood aan en zei dat dat niet helemaal was wat hij bedoelde.

'O, ik snap het,' zei Shadamehr. 'Loochenen bíj de goden. Het spijt me dat ik u even niet begreep. Wat wilt u dat ik zeg?'

De officier wilde hem net antwoord geven toen ze werden onderbroken. Het leek de paleiswachters plotseling te dagen dat er geen manier was om een Domeinheer van al haar wapens te ontdoen. Hoewel ze haar zwaarden konden innemen, konden ze haar door de goden gegeven vermogens niet ongedaan maken. En, zei iemand, de enige manier om een van de Wyred ervan te weerhouden zijn magie te gebruiken, was door hem te doden en daar hadden ze geen opdracht toe gekregen.

'Wij zijn van het huis Gwyenoc, bondgenoten van de Goddelijke, die een vriend is van de koning van Nieuw Vinnengael,' zei Damra, en Shadamehr vertaalde haar woorden. 'De Goddelijke, die familie van me is, zou het hoog opvatten als er iets met mijn man of met mij zou gebeuren. Ik ben een Domeinheer. Ik heb gezworen de onschuldigen en machtelozen te beschermen. Ik val alleen aan als ik zelf word aangevallen. Ik zou de koning van Nieuw Vinnengael zeker nooit kwaad doen of ernaar streven hem kwaad te berokkenen. Daar hebt u mijn woord op.'

'Wat mij betreft,' zei Griffith, die ook via Shadamehr sprak, 'ik gebruik mijn magie alleen voor defensieve doeleinden. Iets anders zou niet eervol zijn.'

De officier boog respectvol naar beide elfen en wenkte toen een adjudant. 'Ga naar de regent,' zei hij, niet bereid om deze verantwoordelijkheid op zich te nemen. 'Zoek uit wat we moeten doen.'

Terwijl de adjudant weg was, wisselde Shadamehr roddels uit met de wachters. De elfen stonden er gereserveerd en onbewogen bij. De wachters fouilleerden Jessan, vertrokken hun gezicht tot een grimas omdat ze de vette leren kleren die hij droeg moesten aanraken en maakten beledigende opmerkingen, alsof ze dachten dat hij behalve een barbaar ook nog doofstom was. Deze behandeling maakte hem zo kwaad dat zijn angst verdween. Hij deed wat Shadamehr hem had gevraagd en veinsde onbegrip. De wachters vonden het benen mes niet, hoewel een van hen zijn hand erop legde.

De wachter kwam terug met de assistent van de regent, een tempelmagiër, die verkondigde dat de regent uitstekend in staat was om deze personen te woord te staan, als de paleiswacht dat niet was. En als de paleiswacht bang was van twee elfen, konden ze het aantal manschappen dat hen begeleidde verdubbelen. De officier wisselde grimmige blikken met zijn mannen en mompelde iets onverstaanbaars.

De clerus en de krijgsmacht kunnen elkaar niet luchten of zien, bemerkte Shadamehr met belangstelling.

'Goed,' zei de officier kortaf, 'dan zijn ze uw verantwoordelijkheid.'

De tempelmagiër beende weg. De gevangenen volgden, begeleid door vier paleiswachters. De officier had er wel meer mee kunnen sturen, maar hij had het gevoel dat de eer van zijn manschappen in twijfel was getrokken door de magiër.

Shadamehr was vijftien jaar niet in het Koninklijk Paleis geweest, maar doordat hij er als kind had gespeeld als zijn ouders er op bezoek waren, kende hij er de weg bijna alsof hij hier gisteren nog was geweest. Er hingen nieuwe tapijten aan de muren en er waren nieuwe harnassen in plaats van roestige oude gekomen, maar een heel lelijk beeld van koning Hegemon stond nog steeds somber te zijn in een nis, en een grote porseleinen urn, waar de jonge Shadamehr eens in was gekropen tijdens het verstoppertje spelen, stond nog steeds in zijn hoek.

Shadamehr zag nog een verandering. In het begin kon hij niet thuisbrengen wat er anders was, maar toen besefte hij het. De gangen waren altijd vol geweest met een verzameling stroopsmerende hovelingen en gewichtige functionarissen die de koninklijke aderen verstopten en ervoor zorgden dat het koninklijke hart traag klopte. Vandaag waren de gangen leeg.

'Zo stil als een tempel,' zei Shadamehr verbaasd. Toen besefte hij wat hij zei. 'Asjemenou. Dit ís een tempel.'

In de grote marmeren hallen had eens gelach weerklonken, en het blaffen van honden en het geluid van munten die op de marmeren vloer werden geworpen bij dobbelspelletjes. Nu daarentegen was het stil in die hallen, en de enige geluiden waren het zachte geruis van wollen gewaden, het zachte geschuifel van leren laarzen en het zachte gemurmel van stemmen die over goddelijke zaken praatten.

Er liep een rilling over Shadamehrs rug, van zijn stuitje tot aan zijn haargrens. Hij bedacht hoe gemakkelijk het voor een Vrykyl zou zijn om in de gedaante van hoge magiër het paleis te bevolken met aanhangers van de Leegte.

Hij kon op geen enkele manier zien of deze magiërs waren wat ze leken te zijn. Magiërs zagen er voor hem allemaal hetzelfde uit, hoe vaak Alise ook had geprobeerd hem de verschillen tussen de gewaden van de verschillende ordes uit te leggen. Hij wenste dat ze hier was, want ze was een expert – zij het met tegenzin – in de magie van de Leegte en zij zou hem misschien hebben kunnen vertellen of die jonge magiër met het lieve gezichtje daar in de hoek de zweren en puisten van de magie van de Leegte onder haar gewaad verborg.

Shadamehr nam aan dat ze naar de troonzaal zouden worden gebracht, die op de begane grond was, maar de magiër nam hen mee een paar marmeren trappen op naar de vierde verdieping.

Shadamehr kende deze kamers, de privévertrekken van de koning en zijn gezin. De overleden koning en hij waren als kind goede vrienden geweest, een vriendschap die helaas was verwaterd toen ze ouder werden. De magiër nam hen mee naar een antichambre met stoelen, een open haard en een dik, zacht vloerkleed. In de verste muur was een deur naar een volgende kamer. De magiër klopte op de gesloten deur en werd toegelaten door een andere magiër. Shadamehr, de elfen, Jessan en hun bewakers moesten in de antichambre wachten totdat de regent zich verwaardigde hen te ontvangen.

'Edele heer!' riep een verbaasde stem uit.

'Gregory!' zei Shadamehr op warme toon terwijl hij naar voren liep om de hand van de man te schudden. 'De goden zij dank dat ik een levende ziel heb gevonden! Met al die magiërs hier dacht ik dat ik dood was en naar de slechte plaats was gegaan.'

'Baron Shadamehr!' Gregory staarde hem onthutst aan. 'Wat doet u hier? Als u voor de begrafenis komt, bent u te laat. Die was vorige week.'

'Dat weet ik. Ik heb het gehoord. Ik vind het heel erg, Gregory,' zei Shadamehr.

Gregory zag er verdrietig uit. Dat was geen wonder, want hij was bijna twintig jaar lang de kamerheer en vertrouweling van de koning geweest.

Shadamehr nam de kamerheer apart en keek hem met genegenheid en bezorgdheid aan. 'Je ziet er zo slecht uit, dat ik bang ben dat de volgende begrafenis de jouwe zal zijn. Wanneer heb je voor het laatst geslapen?'

Gregory schudde zijn hoofd. 'Ik weet het niet. Maar dat doet er niet toe. Het was afschuwelijk. Gewoonweg verschrikkelijk, edele heer. Ik heb hem gevonden, weet u. In zijn bed. De avond ervoor ging het nog prima met hem. Hij was in een goed humeur, hoewel hij zich zorgen maakte over de geruchten van een oorlog in het westen. Hij had zijn jaarlijkse verblijf in zijn buitenhuis om te jagen afgezegd vanwege die geruchten. Ik heb zijn wijn voor hem verwarmd en gekruid voordat hij naar bed ging; hij had graag dat ik dat deed, weet u, in plaats van een van de bedienden. Ik heb de beker op de haard laten staan om de wijn warm te houden, want hij zat in zijn dagboek te schrijven...'

'Dus zo hebben ze het aangepakt,' zei Shadamehr zachtjes. 'Door de kruiden proef je het vergif niet.'

'Pardon, edele heer?' zei Gregory.

'Niets. Er liepen bedienden door de kamer, neem ik aan, om het bed open te slaan, de gordijnen dicht te schuiven en dat soort dingen.'

'Ja, natuurlijk, edele heer. Er werd goed voor de koning gezorgd. De prins kwam binnen om zijn vader goedenacht te wensen en ik heb ze alleen gelaten…' Hij knipperde met zijn rode ogen. 'Dat was de laatste keer dat ik hem sprak. Meestal ging ik hem goedenacht wensen, en dat de goden zijn rust zouden zegenen, maar ik wilde hem niet storen. Ik weet dat het onzin is, edele heer, maar soms denk ik dat als ik de goden had gevraagd hem te behoeden…'

'Kom op, Gregory, wees redelijk,' zei Shadamehr met een vriendelijk klopje. 'Als je echt de hulp van de goden kon inroepen, zou je een welvarend man zijn en je dagen niet hoeven door te brengen met het poetsen van Zijne Majesteits schoenen.'

'Ik heb altijd plezier in mijn werk gehad, edele heer,' zei Gregory op weemoedige toon. 'Ik zal het missen, als ik hier weg ben.'

'Hoezo?' vroeg Shadamehr. 'Word je ontslagen?'

'Ja, edele heer. Vandaag is mijn laatste dag. De regent heeft gezegd dat er van nu af aan alleen nog maar tempelmagiërs in het paleis mogen werken. Ze vindt het niet goed dat Zijne Majesteit in contact komt met wat ze noemt "gewone mensen", zoals ik.'

'Wees dan maar blij dat je van haar af bent, Gregory,' zei Shadamehr.

'Daar hebt u misschien wel gelijk in.' Gregory zuchtte diep. 'Maar het paleis was mijn huis, edele heer. Mijn vader was kamerheer van de oude koning, weet u. Ik zal Zijne Majesteit missen en ik moet toegeven dat ik me zorgen om hem maak. Het was altijd zo'n gelukkig en vrolijk kind. Nu glimlacht hij bijna nooit meer. Het is alsof het leven uit hem is geperst door die verdomde magiërs.'

Gregory zweeg. Hij werd bleek. 'Neemt u mij niet kwalijk, edele heer. Ik flapte er maar iets uit.'

'Je sprak vanuit je hart, Gregory. Luister,' vervolgde Shadamehr haastig, bang dat ze onderbroken zouden worden, 'waar zou ik je kunnen bereiken, voor het geval dat ik je nodig heb?'

'Ik heb een kamer genomen in de herberg Het Witte Hart, edele heer,' zei Gregory.

'Mooi zo. Misschien kom ik vanavond nog langs om je op te zoeken. Dat hangt ervan af hoe de dingen hier gaan. Je zou het toch niet erg vinden om voor mij te komen werken?'

'Het zou me een eer zijn, edele heer,' zei Gregory, en zijn gezicht klaarde op.

'Het kind vertrouwt je en vindt je aardig, neem ik aan?'

'Ik hoop van wel, edele heer,' antwoordde Gregory verbaasd.

'Mooi, mooi.' Shadamehr schudde de man stevig de hand. 'Pas goed op jezelf. Mogen de goden je zegenen en dat soort dingen.'

Luchtig en nonchalant draaide Shadamehr zich om en wandelde de kamer door naar de elfen, die zacht met elkaar stonden te praten.

'Doe alsof we over het meubilair praten,' zei Shadamehr. 'Wat denkt u van een ontvoering?'

Damra en Griffith staarden hem aan en wisselden toen een veelbetekenende blik met elkaar.

'Ja, verbazend, is het niet?' zei Shadamehr, overstappend van Tomagi op de Taal der Oudsten. 'Deze stoel lijkt nog geen dertig jaar oud. Ik denk dat hij opnieuw is bekleed. Maar in de rechterpoot kunt u nog mijn tandafdrukken zien staan. Mijn moeder zei altijd dat ik mijn tanden scherpte aan de politiek...'

Shadamehr boog zich dichter naar hen toe en stapte weer over op het Tomagi. 'Als ik het bij het juiste eind heb, is de venerabele hoge magiër in werkelijkheid een Vrykyl. Ze heeft alle oude bedienden van de koning ontslagen en vervangen door haar eigen mensen. Ik vermoed dat ze Nieuw Vinnengael en de jonge koning aan Dagnarus wil uitleveren. We moeten de koning redden en hem de stad uit smokkelen. Ik ben bang dat ze het kind anders opsluiten of doden. Wat vindt u?'

Damra en Griffith wisselden opnieuw een blik. Griffith knikte. 'Wij dachten langs dezelfde lijnen, baron Shadamehr,' zei hij zacht. 'We hadden in de gaten wat er gaande was, maar we wisten niet precies hoe we het u moesten vertellen. Wat is uw plan?'

'Dat we hier allemaal levend uitkomen,' zei Shadamehr terwijl de deur naar de volgende kamer begon open te zwaaien. 'Mogelijk met uitzondering van de Vrykyl.'

De magiër verkondigde met sonore stem: 'Buigt allen voor Zijne Majesteit, de hoogste en heiligste koning van Vinnengael, Hirav de Tweede.'

De kamer waarin ze binnen werden gelaten, was eens het favoriete
vertrek van de koning geweest, die het zijn 'werkkamer' noemde. De
kamer was ruim en fris en lag op de hoek van het gebouw in de noordelijke punt van de maansikkel. Twee vensters met kristallen ramen
boden een schitterend uitzicht over de stad Nieuw Vinnengael in het
westen en de vruchtbare landbouwgrond langs de rivier de Arven in
het noorden.

Aangezien Hirav dol was geweest op jagen, had hij zijn kamer vol-
gestouwd met jachtsouvenirs. Shadamehr was meer dan vijftien jaar
niet in deze kamer geweest, maar hij herinnerde zich dat er een witte pels van een levensgevaarlijke shnay op de grond had gelegen. Er
hadden hertenkoppen aan de muren gehangen en de favoriete wapens van de koning, en er had een standaard gestaan voor zijn jacht-
vogel, een havik, die hem vaak gezelschap hield als hij zich over staats-
zaken boog.

De kamer onderging een transformatie, zag Shadamehr met een steek
van weemoed. De hertenkoppen waren weggehaald. De shnaypels lag
opgerold in een hoek. De wapens waren nergens te bekennen. Het
bureau van de koning, dat tegenover de ramen had gestaan – hij wilde graag naar buiten kunnen kijken, naar de zonnige weides – was
omgedraaid zodat het nu tegenover de deur stond. Er waren zware
fluwelen gordijnen voor de kristallen ramen gehangen, zodat het zonlicht buiten werd gehouden. Dat karwei was nog maar half af.

Waarschijnlijk werden deze veranderingen uitgevoerd in opdracht
van de venerabele hoge magiër Clovis, de nieuwe regent. Ze was een
gezette vrouw van halverwege de zestig en had ogen met de kleur van
pikhouwelen. De lijnen in haar gezicht liepen allemaal naar beneden;
er was nooit een spoortje van een glimlach op die dunne, opeenge-
perste lippen te bekennen.

Shadamehr nam de vrouw nauwlettend op, in de hoop te kunnen
zien of zij de Vrykyl was. Hij durfde niet naar zijn metgezellen te kij-

ken, maar hij wist dat zij hetzelfde deden en probeerden door de illusie van leven in de staalgrijze ogen heen te kijken naar de werkelijkheid van de dood en de Leegte. Hij zag de Leegte niet, alleen strenge afkeuring.

Shadàmehr liet zijn blik wegdwalen van de hoge magiër om te zien wie zich verder nog in de kamer bevond, om het terrein te verkennen, bij wijze van spreken.

Toen zag hij de andere magiër.

Shadamehr was geboren met een groot zelfvertrouwen, een vertrouwen in zijn intelligentie, vaardigheid en moed. Hij twijfelde maar zelden aan zichzelf of zijn vermogens. Maar toen hij deze magiër zag, moest Shadamehr toegeven dat ze een probleempje hadden. Hij was nogal zelfverzekerd geweest over het feit dat ze bewaakt werden door vier wachters, één per persoon. Als je daar de twee lijfwachten van de koning bij optelde, kwam je op zes wachters, zes tegen vier. Die kans durfde hij elke dag van de week te nemen, en wel tweemaal op feestdagen, zeker met een Domeinheer aan zijn zijde. Hij had er echter niet op gerekend dat de venerabele hoge magiër op het onzalige idee zou komen om haar favoriete oorlogsmagiër mee te nemen.

Shadamehr zuchtte diep. Hij kende de oorlogsmagiër. Hij heette Tasgall en was een geduchte tegenstander. De laatste keer dat ze elkaar hadden ontmoet, hadden ze aan dezelfde zijde gevochten. Shadamehr schonk Tasgall een vriendelijke grijns van herkenning, als kameraden onder elkaar.

Tasgall keek Shadamehr ijzig aan en Shadamehr herinnerde zich, een beetje laat, dat Tasgall hem nooit had gemogen.

Als Tasgall is overgelopen naar de Leegte, kunnen we het wel vergeten, zei Shadamehr bij zichzelf.

De oorlogsmagiër is de meest gevreesde van alle magiërs. Hij wordt opgeleid in de kunst van de oorlogvoering, hem wordt geleerd zijn sterke magie te gebruiken om de vijand tegen te werken of te vernietigen. De oorlogsmagiër hoeft het niet alleen van zijn magie te hebben, want hij is ook een vaardig krijger, net zo bedreven in het gebruik van wapens als in dat van tovenarij. Tasgall was in vol ornaat: gekleed in een maliënkolder met het embleem van de oorlogsmagiërs erop – een verpletterende gepantserde vuist – en met een enorm tweehandig slagzwaard aan zijn heup. Hij was groter dan de gemiddelde man en sterk gebouwd, met brede schouders en zware armen. Hij stond met zijn armen langs zijn lichaam, beheerst en zelfverzekerd, het toonbeeld van de door de wol geverfde soldaat, die zichzelf in de strijd heeft bewezen.

Shadamehr wierp een blik om zich heen en merkte op dat er ondanks het heldere licht van de middagzon een brandende kaars naast Tasgall op het bureau stond. Die kaars was een waarschuwing aan de gevangenen dat de magiër zowel aardemagie als vuurmagie kon gebruiken.

Tasgalls priemende bruine ogen namen elk van de gevangenen nauwlettend op toen ze de kamer binnenkwamen, en hoewel hij hen allemaal in de gaten hield, ging zijn blik het vaakst naar Griffith, de Wyred, de tegenhanger van de oorlogsmagiër bij de elfen.

Daarna pas zag Shadamehr de hoogste en heiligste koning van Vinnengael, Hirav de Tweede.

Het kind stond aan één kant van het bureau. Hij had met een ganzenpen staan spelen. Op een woord van de hoge magiër legde de jongen de pen neer; hij draaide zich om en keek hen aan.

Hirav was een knap kind, met goudbruin haar dat glansde als gepoetst mahoniehout en groene ogen met gouden vlekjes. De dansende lichtjes in de ogen werden overschaduwd door dichte, zwarte wimpers en zijn dikke donkere wenkbrauwen maakten zijn blik nog ernstiger. Zijn gezicht had de ziekelijke bleekheid van iemand die nooit naar buiten mag om in de zon te spelen. Hij was piekfijn uitgedost, als een miniatuurvolwassene, met een tuniek en een zijden maillot, en zelfs een mantel met een hermelijnen kraag, wat een potsierlijk gezicht was bij zo'n klein jongetje. Hij stond kaarsrecht en deed zijn uiterste best om er koninklijk uit te zien, hoewel zijn roodomrande ogen en het roze puntje van zijn neus erop duidden dat hij had gehuild.

'Bij de goden,' mompelde Shadamehr binnensmonds terwijl er een golf van medelijden en woede door hem heen sloeg. 'Wat ik ook verder doe, ik zal er in elk geval voor zorgen dat dat joch buiten in de zon slagbal kan spelen.'

Ze bogen voor de koning, de elfen terughoudend en Jessan helemaal niet, totdat Shadamehr hem aanstootte.

De koning gaf een knikje, waarna zijn blik naar de hoge magiër ging om te zien of hij het goed deed.

Shadamehrs hersenen werkten op topsnelheid. In de tijd die hij nodig had om te buigen en weer rechtop te gaan staan, ontwikkelde hij zijn plan.

Ze stonden in het midden van de kamer, ruim een meter van het bureau. Clovis zat achter het bureau, de koning stond rechts voor het bureau. De vier wachters van de gevangenen stonden vlak achter hen. De twee koninklijke lijfwachten waren bij de deur geposteerd en keken in de richting van het voorvertrek. De oorlogsmagiër bevond zich bijna recht tegenover Griffith. Damra stond naast Shadamehr, rechts van hem. De elfen speelden hun rol goed; ze zagen er beschaafd ver-ontwaardigd uit. Jessan stond links van Shadamehr.

Wat de jonge Trevinici dacht, was niet te zeggen. Hij stond doodstil en zag er bizar en lomp uit met zijn lange, woeste haardos, zijn zon-gebruinde huid, zijn versleten en niet bepaald schone leren broek met franje en zijn met kralen versierde tuniek. De ogen van de koning werden groot toen hij de jonge krijger zag en zijn blik dwaalde steeds weer naar hem. Dit was ongetwijfeld een nieuwe ervaring voor het kind, die talloze elfen en baronnen had gezien, maar nog nooit een barbaar.

De Wyred neemt Tasgall, de Domeinheer rekent af met de hoge ma-giër, en de Trevinici en ik nemen de zes wachters voor onze rekening, zo omschreef Shadamehr zijn plan in gedachten. Ik grijp de jongen en gebruik hem als gijzelaar – ik zou hem nooit iets doen, maar dat weten ze niet, want ik ben het desperate type – en we smeren 'm door de hal naar een geheime gang die, met mijn gebruikelijke geluk, nog steeds op dezelfde manier opengaat als dertig jaar geleden en nog steeds naar dezelfde plek leidt, en dat was als ik het me goed herin-ner ergens in de buurt van de privaten. Fluitje van een cent.

De venerabele hoge magiër stond op van achter haar bureau en liep eromheen om ernaast te gaan staan. Als ze hoopte hen te intimide-ren met haar onderscheidingstekenen, die bij haar status als hoogste autoriteit binnen de Kerk hoorden en nu goed te zien waren, verdeed ze haar tijd.

Shadamehr bekeek haar met minder belangstelling dan hij voor de mottige shnaypels op de vloer had. Shadamehr wendde zich tot de koning en zei met een ontwapenende glimlach tegen hem: 'We zijn op uw bevel hierheen gebracht, Uwe Hoogheid. Wat verlangt u van ons?'

Het kind was van zijn stuk gebracht. Dit had hij niet verwacht en hij keek smekend naar de hoge magiër, die hem te hulp schoot.

'Ik ken u, baron Shadamehr,' zei ze op strenge toon.

'Helaas, mevrouw, daar bent u in het voordeel,' antwoordde Shada-mehr, die nog steeds naar de jonge koning glimlachte.

'Ik geloof dat u me wél kent.' De hoge magiër perste haar lippen op elkaar. 'Ik was ertegen om u de gelegenheid te geven de tests af te leggen om Domeinheer te worden. Mijn mening werd helaas gene-geerd. Ik geloof nog steeds dat u er met behulp van bedrog voor bent geslaagd, hoewel ik dat niet kon bewijzen. Het verbaasde me in het geheel niet dat het u aan de moed ontbrak om de eer aan te nemen die de goden u wilden verlenen.'

'O, maar ziet u, venerabele magiër,' zei Shadamehr, en hij keurde haar eindelijk een blik waardig. 'Ik dacht dat het de goden waren die vereerd moesten zijn als ik hun gunst zou aannemen... Een eer die ik hun nog niet wilde toekennen.'

Het gezicht van de hoge magiër liep rood aan van woede. Ze zwol zichtbaar en opende haar mond om antwoord te geven, maar Shadamehr had besloten dat hij lang genoeg met ondergeschikten had gebabbeld. Hij richtte zijn blik weer op de koning, die onthutst keek. 'Uwe Majesteit,' zei Shadamehr, en hij negeerde het woedende gesputter van de hoge magiër, 'mijn metgezellen en ik hebben in zestien dagen tijd vijftienhonderd kilometer afgelegd om u ernstig nieuws te brengen. Er bevindt zich een leger van tienduizend wezens van de Leegte, tanen genaamd, binnen twee dagen rijden van Nieuw Vinnengael. Dit leger staat onder leiding van een prins die zich aan de Leegte heeft gegeven en van plan is Vinnengael en haar inwoners met zich mee te slepen. Uwe Majesteit moet onmiddellijk actie ondernemen om uw stad en de mensen die van u afhankelijk zijn te verdedigen.'

Shadamehr sprak tegen de koning, maar in werkelijkheid was zijn mededeling bedoeld voor Tasgall. De door de wol geverfde soldaat nam er nota van. Hij keek nu recht naar Shadamehr.

Wat de koning betreft: het kind was verbijsterd. Blijkbaar stond dit niet in het script, want hij had geen idee wat hij moest doen of zeggen. Hij keek weer naar de hoge magiër.

De staalharde ogen van Clovis flikkerden en kregen toen een harde blik.

'Larie,' zei ze.

Tasgall draaide zijn hoofd enigszins, zodat hij de gevangenen nog steeds in de gaten kon houden maar tegelijk naar haar kon kijken. 'Hoge Magiër,' zei hij eerbiedig, 'als dit waar is...'

'Dat is het niet,' zei Clovis, hem ruw onderbrekend. 'Deze ketter probeert ons van ons doel af te leiden.' Ze deed een stap in de richting van Shadamehr en stak haar hand uit. 'U geeft me nu de twee delen van de Verheven Steen, dat van de elfen en dat van de mensen.'

Zo, zo, dacht Shadamehr, hoe weet u zo veel over de Verheven Steen, venerabele hoge magiër? Via het bloedmes?

'Ik verzeker u, mevrouw,' zei hij hardop, 'dat de Verheven Stenen de minste reden tot zorg voor u zijn.' Hij wees naar het noorden. 'Als u even uit dat raam wilt kijken, dan zult u rook aan de horizon zien. Ik durf te wedden dat de rook afkomstig is van de eerste afgelegen boerderijen en dorpen die in brand worden gestoken...'

Tasgall keek naar het raam. Er verscheen een frons tussen zijn ogen en hij keek weer naar Shadamehr met een blik alsof hij hem heel graag onder vier ogen zou willen spreken. Maar Tasgall had zijn orders en moest die wel opvolgen.

'U bent de vijand van het Rijk, baron Shadamehr,' tierde Clovis. 'U en de elfen met wie u samenzweert. Genoeg van die leugens! Ik ben het hoofd van de Kerk. Geef me ogenblikkelijk de Verheven Stenen. Zowel de Steen van de mensen, die in het bezit is van deze barbaar, als die van de elfen, die door deze leugenachtige Domeinheer uit Tromek is gestolen.'

Shadamehr knipperde met zijn ogen. 'Neemt u me niet kwalijk. Begrijp ik het goed dat u deze nobele Domeinheer ervan beschuldigd een laaghartige dievegge te zijn? Als u me toestaat, mevrouw, dan zal ik dat voor haar vertalen...'

Clovis sloeg haar handen voor haar gewaad ineen en wiegde heen en weer. 'Damra van Gwyenoc spreekt de Taal der Oudsten vloeiend. Is het niet, Domeinheer? Zo niet, dan ben ik volledig in staat mijn eigen woorden te vertalen.' Ze ging verder in het Tomagi. 'Ik sta in contact met het Schild van de Goddelijke. Hij heeft een ijlbode gestuurd om de tempel ervan op de hoogte te stellen dat de Verheven Steen na een bloedig gevecht, waarbij veel slachtoffers onder zijn manschappen zijn gevallen, is gestolen. Hij had reden om aan te nemen dat de dief naar Nieuw Vinnengael zou komen, om te proberen hier de Steen af te leveren bij de Raad van Domeinheren. Wat betreft het mensendeel van de Steen, we weten dat het is teruggevonden en dat het ook op weg was naar Nieuw Vinnengael. Ontkent u dit?'

'Ik zie geen enkele reden om me te verwaardigen op deze ondervraging te reageren,' zei Damra koel.

De hoge magiër begon te zingen en wees met haar vinger naar Damra's habijt. Clovis beschreef cirkels met haar vinger, sneller en sneller, steeds kleinere cirkels totdat ze uiteindelijk haar hand uitspreidde en de woorden: 'Waar licht,' sprak.

Er scheen een flauw blauwwit licht van onder het habijt. Het licht werd steeds helderder, totdat het oogverblindend was. Het beeld van de Verheven Steen verscheen; hij zweefde voor Damra, die haar kin hief en de venerabele hoge magiër onverstoorbaar aankeek.

De hoge magiër wendde zich tot Jessan en wees naar hem.

'Nee,' zei Jessan met opeengeklemde kaken. 'Hou haar tegen!'

'Rustig maar, jongen,' zei Shadamehr kalm. 'Ze zal je geen kwaad doen. Dat kan ze niet.'

De hoge magiër zong en bewoog haar vinger. Jessan stond met gespannen kaken en gebalde vuisten te wachten.

Er ging geen licht schijnen.

'Dat was het,' zei Shadamehr zacht. 'Nu weet ze dat hij een dekmantel is.'

Hij stak snel zijn hand in zijn laars en trok een ponjaard. Jessan rukte het bloedmes uit zijn riem. Hij hief het en deed een stap naar achteren, weg van de hoge magiër. Damra raakte het medaillon van de Domeinheer aan. Haar zilveren harnas vloeide over haar lichaam. Ze zei een paar woorden in de elfentaal en haar man knikte. Griffith vulde zijn longen met lucht en deed een stap naar de oorlogsmagiër toe.

'Wachters naar mij!' riep de hoge magiër.

'Wachters naar de koning!' brulde Tasgall met een lelijke blik naar de hoge magiër. 'Bescherm de koning!'

Toen de wachters zagen dat de barbaar een mes trok tegenover de hoge magiër, kwamen ze aanrennen om haar te gehoorzamen. Maar toen ze Tasgall een tegengesteld bevel hoorden geven en hem hoorden schreeuwen dat ze de koning moesten beschermen, bleven ze even staan, in verwarring gebracht.

'De koning, verdomme!' schreeuwde Tasgall.

De wachters gehoorzaamden. Ze concentreerden zich op de koning en probeerden het kind te bereiken, dat aan de andere kant van de kamer met grote, angstige ogen naast het bureau stond. De wachters bleven staan, want hun weg werd versperd door, ongelooflijk genoeg, drie Domeinheren.

De drie Domeinheren zagen eruit als Damra en vochten als Damra. De wachters wisten wel dat twee ervan illusies waren, maar ze wisten ook dat de derde dat niet was. De derde was echt, net als haar wapen. Toen een van de wachters probeerde langs een Damra te glippen die volgens hem een illusie was, doorboorde haar zwaard zijn schouder. De man hapte naar adem van pijn en het bloed spoot uit de wond. De kracht van de geest vermag veel. De wond zag er echt uit en voelde echt aan. Het bloed stroomde langs zijn arm. Hij kon ternauwernood zijn zwaard vasthouden.

Shadamehr sprong voor de koning. 'Wees niet bang, Uwe Majesteit,' zei Shadamehr snel tegen het kind. 'We zijn hier om u te helpen ontsnappen.'

Hij draaide zich om naar de twee lijfwachten, die met getrokken zwaard op hem afkwamen. Shadamehr blokkeerde de klap van een van hen met zijn ponjaard. Hij trapte de man in de lies, en toen de wachter dubbelklapte, gaf hij hem met zijn vuist een stomp op zijn oor. De tweede wachter sprong zwaaiend met zijn zwaard op Shadamehr af. Zijn mond en ogen gingen wijd open van verbazing. Zijn adem stokte. Het zwaard viel uit zijn hand. Hij zakte ineen op de grond. Jessan stond achter hem met een bloederig mes in zijn hand en een tevreden glimlach om zijn mond.

Shadamehr wierp een snelle blik de kamer rond. De Domeinheer en haar illusies hielden stand. Aangezien hij niet zeker wist welke Damra was en welke niet, liet hij de drie hun eigen strijd maar strijden.

Shadamehr pakte Jessan stevig bij de arm en schreeuwde tegen hem: 'Dek me! Ik ga er met het kind vandoor!'

Hij wist niet of Jessan hem verstond of niet. De ogen van de jongeman waren zo flets en stonden zo strak als van een wolf die een prooi zocht. Shadamehr had niet de tijd om zich er zorgen over te maken. Hij wendde zich weer tot het kind.

Tasgall had zijn bezwering klaar om uit te brengen, maar zijn aandacht werd even afgeleid van zijn magie door de noodzaak het kind te beschermen. Hij gebruikte zijn magie, maar hij was net een paar hartslagen te laat.

Griffith blies alle lucht in zijn longen uit. Een wolk van giftig groen gas dreef naar Tasgall en omhulde hem.

Tasgall verstijfde. Zijn mond was wijd open, maar er kwam geen geluid uit. Hij kon zijn handen, voeten of hoofd niet meer bewegen. Verlamd viel Tasgall op de grond. Daar lag hij hulpeloos en krampachtig te schokken in zijn pogingen zich te bevrijden van de slopende betovering.

De verlammingsbezwering is niet bedoeld om te doden maar om iemand tijdelijk uit te schakelen, zodat de gebruiker van de bezwering tijd heeft om over te gaan op ronde twee. De betovering zou na een paar seconden uitgewerkt raken, en dan zou Griffiths tegenstander weer opstaan en gevaarlijk zijn. Griffith kwam dichterbij om zijn tegenstander voor de duur van de strijd uit te schakelen. Terwijl hij dat deed, wierp hij een blik op zijn vrouw.

Damra vocht met haar gebruikelijke vindingrijkheid en vaardigheid met de wachters, maar een andere vijand, een sterkere vijand dan welke wachter dan ook, besloop haar van achteren. Hoge magiër Clovis riep de magie van de aarde aan om de Domeinheer een halt toe te roepen.

'Damra! Kijk uit!' schreeuwde Griffith.

Damra stompte met haar gepantserde vuist in het gezicht van haar tegenstander, waardoor hij tegen de vloer sloeg. Ze draaide zich om naar deze nieuwe bedreiging. Damra dacht dat de hoge magiër een Vrykyl was. Alleen een Vrykyl kon weten waar de twee delen van de Verheven Steen waren. Tegen een Vrykyl zou Damra meer nodig hebben dan haar vermogen illusies te scheppen. Haar blik ging naar de kaars die op het bureau was gezet om eventueel gebruikt te worden door de oorlogsmagiër. Ook andere magiërs konden vuurmagie gebruiken. Damra sprong naar voren, haalde haar hand door de kaarsvlam en riep de goden aan om haar de kracht van het vuur te verlenen.

Een golf van magie deed de vloer onder Damra's voeten wijken. Ze deed haar uiterste best haar evenwicht te bewaren, maar de magie was te sterk. Die rukte de vloer onder haar weg en ze viel voorover op haar handen en knieën. Ze voelde een steek in haar pols: een bot dat brak. De pijn schoot omhoog door haar arm en haar vingers werden gevoelloos. Ze liet haar zwaard vallen, want ze kon het niet meer vasthouden. Haar magie ontglipte haar.

Griffith zag dat zijn vrouw in moeilijkheden was. Hij zag ook dat de betovering die hij tegen de oorlogsmagiër had uitgebracht uitgewerkt begon te raken. Geen tijd om dit goed te doen. Griffith sprong naar Tasgall, boog zich over de man heen en spoog in zijn gezicht.

Tasgall schreeuwde. Hij sloeg zijn handen voor zijn ogen en rolde heen en weer op de vloer, met zijn benen trappend van pijn. Hij had het gevoel dat zijn ogen in zijn hoofd smolten. Hij was verblind en kon niets beginnen, was hulpelozer dan het kind dat hij moest beschermen.

Griffith draaide zich om om zijn vrouw te helpen; hij was van plan zijn magie op de hoge magiër te richten. Helaas stond de jonge koning tussen hen in. Griffith was gedwongen om van zijn bezwering af te zien, want anders zou hij het kind kwaad kunnen doen, en dat wilde hij niet. Afgezien van alle ethische en morele overwegingen, zou niets het Schild meer in de kaart spelen dan dat een medestander van de Goddelijke de jonge koning van Vinnengael ombracht.

Toen hij zag dat de hoge magiër was afgeleid door haar gevecht met Damra, dook Shadamehr naar voren en greep de koning vast.

'Ik zal u geen kwaad doen, Uwe Majesteit,' zei Shadamehr snel en op ernstige toon terwijl hij het kind in zijn armen optilde. 'Ik ben uw trouwe onderdaan. Ik zal u naar een veilige plaats brengen...'

De hoge magiër gaf een woedende kreet. Een brandende pijn schampte langs Shadamehrs ribben, een pijn die snel opvlamdé en die hij meteen weer vergat door de plotselinge, geweldige schok die alle coherente gedachten en gevoelens uit zijn geest verdreef.

Met stokkende adem liet Shadamehr het kind los. De koning tuimelde op de vloer. Nog steeds naar het kind starend, stapte Shadamehr achteruit en botste tegen Jessan op, die Shadamehrs order om hem te dekken had opgevolgd.

Jessan pakte Shadamehr beet en hield hem vast totdat de man zijn evenwicht hervonden had. Griffith had geen idee wat er aan de hand was. Het enige dat hij wist, was dat de jonge koning op de grond was gevallen en veilig uit de weg was. Griffith blies de wolk van groene magie naar de hoge magiër.

Clovis viel op de grond en lag daar naast het verblufte kind. De magie van de hoge magiër ebde weg. De vloer hield op met schudden. Griffith hielp zijn vrouw overeind.

'Shadamehr, bent u gewond?' vroeg Jessan verontrust. De montere zelfverzekerdheid van de baron was verdwenen. Hij was doodsbleek.

'We moeten maken dat we hier wegkomen,' zei Shadamehr terwijl hij naar adem hapte. Hij drukte zijn hand tegen zijn zijde. 'De deur. Rennen.'

Damra keek hem aan, keek naar haar man voor een antwoord, maar die schudde alleen zijn hoofd. Dit was niet het moment om de zaak voor een commissie te brengen en erover te gaan stemmen.

Ze renden naar de deur, maar bleven staan toen ze geschreeuw en het geluid van hollende voetstappen door de gang naderbij hoorden komen.

'Dit werkt niet,' zei Shadamehr. Hij keek snel om zich heen op zoek naar een andere uitweg. Zijn blik bleef op het kristallen raam gevestigd. 'Ik denk dat een beetje magie nu wel van pas zou komen.'

Damra vermoedde wat hij in gedachten had en keek naar haar man. 'De hoge magiër zal maar heel even uitgeschakeld zijn,' waarschuwde Griffith.

'Ik kan met haar afrekenen,' zei Damra, en ze begon te zingen.

Er schoot een blauw met rode bliksemschicht over haar hoofd. Ze greep de bliksem vast. De schicht kronkelde en draaide als een zweep in haar hand, en knetterde toen ze hem tegen de vloer sloeg.

'Zorg jij voor hen, Griffith.' Damra glimlachte liefdevol naar hem. 'En voor jezelf.'

'Nee!' riep Jessan uit toen hij plotseling besefte wat Shadamehr van plan was. Jessan probeerde zich los te trekken. 'U bent gek! Dat is alsof je van een berg afspringt! Ik blijf liever vechten...'

'Griffith!' schreeuwde Shadamehr. 'We gaan!'

'Er is een kans dat de betovering niet werkt, edele heer,' riep Griffith.

'Klets!' zei Shadamehr boos en hij sloeg zijn armen om Jessan heen in een greep als een ijzeren band.

Met een luid gebrul wierp Shadamehr zich met zijn schouder naar voren door het raam, vier verdiepingen boven de grond.

6

Alise ijsbeerde heen en weer voor het paleis, terwijl ze uitkeek naar Shadamehr. Het ene moment was ze ziedend op hem en het andere maakte ze zich zorgen. Ze bedacht dat ze een groot deel van haar achtentwintig jaar had doorgebracht met ijsberen en uitkijken naar Shadamehr.

Alise was de dochter van een goudsmid en was geboren in een bevoorrecht en welvarend milieu. Er werd van haar verwacht dat ze zich een positie zou verwerven door ofwel met een van de zoons van haar vaders zakenpartner te trouwen, ofwel met een verarmde edelman die op zoek was naar kapitaal om zijn landgoed te kunnen behouden. Heel wat mannen, jong en oud, koop- en edellieden, waren meer dan bereid om de mooie roodharige dochter van de goudsmid tot de hunne te maken... totdat Alise de vergissing maakte om haar mond open te doen, zoals haar moeder getergd opmerkte.

Alise was snel van begrip en goed van de tongriem gesneden en ze vond boeken veel interessanter dan mannen. De Kerk stond erop dat alle kinderen in Nieuw Vinnengael tenminste een basisopleiding kregen, en dus had Alise leren lezen en schrijven. De Kerk deed dat met een bijbedoeling. Door wetten uit te vaardigen die alle kinderen verplichtten een school van de Kerk te bezoeken, konden de magiërs erachter komen welke kinderen magische gaven hadden. Alises intelligentie en magische kracht vielen hun onmiddellijk op, en toen ze meerderjarig werd, begon de Kerk haar net zo naarstig het hof te maken als jonge edellieden dat deden, zij het met een ander doel. Ze hoopte haar over te halen om toe te treden tot de orde van venerabele nonnen.

Alise genoot van haar studie. Ze had een natuurtalent voor de esoterie. Maar eigenlijk wilde ze geen magiër worden, want ze vond het gedisciplineerde leven binnen de Kerk te beperkend. Aan de andere kant, als je dat leven vergeleek met dat van een toegewijde echtgenote, had het leven van een magiër in Alises ogen toch zijn voordelen. Ondanks de verdrietige en boze tegenwerpingen van haar ouders, trad Alise in.

Vanaf dat ogenblik had ze voortdurend problemen. Ze werd betrapt op stiekem wegglippen om te gaan dansen, op het plunderen van de provisiekamer en op het dragen van mooie kleren in het openbaar, in plaats van het vaalbruine gewaad. Haar welbespraaktheid en haar vaardigheid in magie zorgden ervoor dat ze niet op straat werd gezet. Een van haar leraren, een opvliegende magiër die Rigiswald heette, kwam tot de overtuiging dat het meisje niet echt een geboren lastpost was. Ze verveelde zich. Ze had een uitdaging nodig en hij was bereid haar die te bieden. Hij gaf zijn meerderen de aanbeveling haar te kiezen als een van de weinigen die de magie van de Leegte mochten bestuderen.

De Kerk had eeuwenlang verkondigd dat de magie van de Leegte slecht was. De Kerk verbood de beoefening ervan buiten de officiële instellingen. Onbevoegde beoefenaren (meestal hagentovenaars) werden opgespoord en 'overgehaald' om op te houden met het gebruiken van de magie van de Leegte, door hun een gevangenisstraf of de doodstraf in het vooruitzicht te stellen. De Kerk erkende wel, hoewel niet in het openbaar, dat de magie van de Leegte haar plek had in het universum. Daarom gaven ze een enkeling uit hun eigen gelederen toestemming om die te bestuderen, al was het alleen maar om de magie te kunnen herkennen als ze die tegenkwamen en te weten hoe ermee moest worden omgegaan.

Alises leraren lachten om het idee dat het mooie jonge meisje ermee zou instemmen de magie van de Leegte te gaan beoefenen, want dat eist zijn tol van het lichaam. Voor alle elementaire magie moet een element worden gebruikt om een betovering uit te brengen. Een vuurmagiër moet de beschikking hebben over een vlam, een watermagiër heeft water nodig. Een beoefenaar van de magie van de Leegte offert iets van zijn of haar eigen levenskracht op. De betoveringen van de magie van de Leegte verzwakken een magiër lichamelijk, en er verschijnen puisten en zweren op zijn huid. Haar leraren zeiden dat Alise veel te ijdel was om iets te doen dat haar rozige teint zou bederven.

Risgiswald kende Alise beter dan zij. Het idee om een verboden vorm van magie te bestuderen trok haar wel. De magie van de Leegte stond haar niet aan, maar ze vond het op een weerzinwekkende manier toch een uitdaging, en ze werd al snel bedreven in het gebruik ervan. Toen de Kerk zag hoe goed ze erin was, werd haar voorgesteld zich aan te sluiten bij de Inquisitie, de leden van de Kerk die actief op zoek gaan naar beoefenaren van de magie van de Leegte en die voor het gerecht brengen. Omdat de Inquisitie in het geheim en in het verborgene werkt en naar ketters binnen en buiten de Kerk zoekt, is ze de meest gevreesde van alle ordes. Alise wilde er absoluut niets mee te maken hebben.

De Kerk stond erop dat ze zich bij de Inquisitie aansloot, en anders zou ze een straf moeten ondergaan, want ze was nu een vaardige beoefenaar van de verboden magie. Rigiswald hielp haar te ontsnappen en smokkelde haar veilig Nieuw Vinnengael uit. Hij stuurde haar naar zijn vriend, baron Shadamehr, die haar verder kon helpen.

Toen ze Shadamehr voor het eerst ontmoette, vond ze hem arrogant, dom en onuitstaanbaar. Inmiddels had ze roekeloos en gekmakend aan dat lijstje toegevoegd, en moedig en barmhartig. Maar die laatste twee weigerde ze toe te geven, net zoals ze weigerde zichzelf toe te staan van hem te gaan houden. Hij kon nooit iets serieus nemen, ook de liefde niet, en ze wist dat ze uiteindelijk diep gekwetst zou worden. Ondertussen waren ze goede vrienden geworden, behalve op de momenten dat ze hem haatte.

Voordat ze naar het paleis was gegaan, was Alise heimelijk de bibliotheek binnengeglipt zonder dat de tempelmagiërs haar zagen. (Ze werd door de Kerk beschouwd als een illegale magiër en er was een arrestatiebevel tegen haar uitgevaardigd, maar dat is een heel ander verhaal.) Toen ze Rigiswald tussen de stapels boeken had gevonden, waarschuwde ze hem dat de pecwae's in de stad waren zoekgeraakt en dat Shadamehr als gevangene was meegevoerd naar het paleis en waarschijnlijk in de kerkers gegooid zou worden.

Rigiswald mopperde omdat hij gestoord werd, vroeg kortaf wat daar voor nieuws aan was en ging verder met lezen.

Alise verliet de bibliotheek en betrok de wacht voor het paleis. Gelukkig was de grote menigte, die er bijna altijd rondhing om de wachters aan te gapen en tussen de ijzeren spijlen door naar het paleis te staren, ook die middag aanwezig. Alise kon er daardoor rondslenteren zonder de aandacht op zich te vestigen. Ze hield haar oren open voor het geluid van de fluitjes, maar hoorde niets en nam aan dat de pecwae's nog niet gevonden waren. Ze ijsbeerde heen en weer, te rusteloos om te gaan zitten. Ze probeerde even de tijd te verdrijven met het tellen van de zuilen, maar ze was te ongerust om zich te concentreren en gaf het al snel weer op.

De zon zonk in het westen en haar rode stralen leken de kristallen ramen te doen smelten tot vloeibaar vuur. De menigte begon te slinken, want de mensen gingen een warme haard en een koud glas bier opzoeken. Alise was nu nog maar een van de weinige mensen op straat. Ze trok haar capuchon over haar rode haar en sloeg haar man-

tel dicht, want de avondlucht begon kil te worden. Ze koos een schemerige plek bij het ijzeren hek aan de noordzijde van het paleis, ging
tegen het hek geleund staan en probeerde niet op te vallen.

Ze had zo'n gevoel dat er iets mis was. Zouden ze Shadamehr en de
anderen naar de gevangenis brengen, een fort op een eiland midden
in de Arven? Ze probeerde zich te herinneren welke route de wachters namen om gevangenen naar het fort te brengen. Ze vroeg zich
af of ze zich daar zou moeten posteren of hier moest blijven wachten. Ze had bijna besloten te gaan, maar ze deed het niet.

Iets hield haar hier, aan de noordzijde.

Ze had al eerder gemerkt dat er zich een empathie ontwikkelde tussen haarzelf en Shadamehr. Dat stond haar helemaal niet aan, want
die empathie werkte nooit in haar voordeel, alleen in het zijne. Hij
wist bijvoorbeeld nooit wanneer zij in gevaar verkeerde, maar zij wist
het altijd als er hem iets was overkomen.

Ze tuurde met een bijna benauwd gevoel in haar borststreek naar de
ramen van het paleis en toen hoorde ze het geluid van brekend glas.
Er schoten twee gestaltes uit een raam op de vierde verdieping. Alise wist onmiddellijk dat een van die gestaltes Shadamehr was.

Alise stond als verstijfd. Haar hart stopte. Haar handen werden koud
en haar voeten gevoelloos. Ze wist dat hij zou sterven, dat zijn lichaam gebroken op de stenen zou liggen, zijn hoofd opengespleten,
en het enige dat ze kon doen was geschokt en ontzet toekijken. Ze
merkte de andere persoon die viel nauwelijks op. Ze had alleen maar
oog voor Shadamehr en op dat ogenblik, toen ze dacht dat hij ging
sterven, fluisterde ze hem toe dat ze van hem hield.

Toen de woorden haar mond hadden verlaten, stak de magie van de
lucht haar hand uit en greep Shadamehr bij zijn nekvel. De magie
hield hem even in de lucht vast en liet hem toen voorzichtig zakken.
Zijn lange haar wapperde in de bries en de mouwen van zijn overhemd klapperden. Zijn voeten raakten met een lichte bons de keien.
De ander, de Trevinici, kwam naast hem neer en zakte bijna onmiddellijk in elkaar.

Luchtmagie, besefte Alise. Haar hart begon weer te kloppen en haar
ontzetting veranderde ogenblikkelijk in woede. Dit had hij voor de
lol gedaan, zonder er rekening mee te houden dat de schrik haar tien
jaar van haar leven had gekost en dat haar rode haar nu waarschijnlijk
grijs was.

'Ik neem het terug,' mompelde Alise boos. 'Ik hou niet van je. Ik heb
nooit van je gehouden. Ik heb altijd een hekel aan je gehad.'

Ze was niet de enige geweest die het geluid van brekend glas had gehoord of het verbijsterende schouwspel had gezien van een edelman

en een Trevinici die als distelpluis op een lentebriesje naar de grond zweefden. De wachters bij de poort hadden het ook gehoord en gezien. Ze waren net zo verbluft als Alise, maar ze reageerden langzamer.

Shadamehr keek om zich heen en ze wist dat hij haar zocht, vol vertrouwen dat ze er zou zijn als hij haar nodig had. Ze vervloekte hem omdat hij wist dat ze er zou zijn en zichzelf omdat ze er inderdaad was.

Ze drukte zich tegen de ijzeren spijlen en zwaaide, maar hij had haar al gezien.

'Haal ons hieruit!' schreeuwde hij terwijl hij de Trevinici overeind hielp.

Net zo makkelijk. Haal ons hieruit.

Alise liep in gedachten de lijst door van betoveringen die gebaseerd waren op aardemagie en die ze uit haar hoofd kende. Maar terwijl ze dat deed, wist ze eigenlijk al welke betovering ze nodig had en die was niet gebaseerd op aardemagie. Ze had er een hekel aan om de magie van de Leegte te gebruiken. Ze had een hekel aan de pijn, de zwakheid en de misselijkheid die ermee gepaard gingen. Bovendien zou de betovering die ze ging gebruiken ogenblikkelijk herkend worden als een betovering van de Leegte. Elke magiër die per ongeluk toekeek zou weten wat het was en zou de kerkelijke autoriteiten waarschuwen.

Om Shadamehr te redden zou ze zichzelf pijn doen, misselijk maken en het risico lopen gearresteerd te worden. Maar ja, zoals Rigiswald al vroeg, wat was daar voor nieuws aan?

Ze riep zich de gruwelijke woorden van de bezwering te binnen – woorden die haar het gevoel gaven dat er insecten rondkropen in haar mond –, legde haar handen om de ijzeren spijlen en sprak resoluut de magische woorden uit.

De ijzeren spijlen begonnen te roesten. De corrosie verspreidde zich snel naar boven en naar beneden door het ijzer. Alise verplaatste haar handen naar twee andere spijlen en herhaalde de toverformule. Er sloeg een golf van misselijkheid door haar heen. Ze was duizelig en vreesde dat ze zou gaan flauwvallen en moest daarom wachten totdat de misselijkheid wegtrok. Ze hield de spijlen vast totdat ze onder haar handen uiteenvielen en hoopte dat vier ontbrekende spijlen genoeg waren. Ze had niet genoeg kracht om er nog meer te vernielen.

De spijlen waren bijna geheel weggeroest. Er gaapte een groot gat in het ijzeren hek, met een hoopje roest eronder. Alise probeerde Shadamehr te roepen, maar daar had ze de energie niet meer voor. Hij keek niet naar haar. Hij stond met zijn rug naar haar toe omhoog te kijken naar het paleis. Een van de elfen, de Wyred, kwam gracieus het raam uit vliegen en landde met wapperend gewaad naast Shadamehr. Als laatste kwam Damra, de Domeinheer. Haar zilveren harnas weerkaatste de stralen van de ondergaande zon en ze was oogverblindend als een vallende ster. Ze landde zo zacht als een vogeltje op een tak.

Shadamehr draaide zich om. Hij zag het gat in het hek en wees ernaar. De vier begonnen erheen te hollen. De wachters hadden inmiddels begrepen wat er aan de hand was. Ze kwamen aanrennen, maar ze waren nog een flink stuk weg, helemaal bij de poort tegenover het midden van het paleis.

Alise bracht haar fluitje naar haar mond en gaf drie lange stoten. Onmiddellijk beantwoordden andere fluitjes het hare. Sommige klonken van dichtbij en andere van ver weg, maar Shadamehrs mensen luisterden en waren al onderweg om hem te hulp te komen.

Toen Alise omkeek en hen wenkte op te schieten, zag ze geschrokken dat Shadamehr moeite had om de anderen bij te houden. Hij had zijn hand tegen zijn zijde gedrukt en hoewel hij dapper bleef rennen, wankelde hij af en toe. Op een gegeven moment bleef de jonge Trevinici staan om te zien of de baron hulp nodig had. Shadamehr grijnsde en wuifde dat hij door moest lopen.

'Dit is niet het tijdstip om de clown uit te hangen, Shadamehr,' gromde Alise. Bij de goden, nam die man dan nooit iets serieus?

'Kunt u iets doen om de wachters tegen te houden?' vroeg Alise aan de twee elfen toen die het gat in het hek bereikten.

De Wyred sprak een toverformule uit en wuifde met zijn hand. Het versplinterde kristal dat op het plaveisel lag, steeg op in de lucht en weerkaatste het rode zonlicht. De elf maakte een beweging met zijn hand, waardoor het kristal rond ging wervelen. Het kolkte steeds sneller rond. Een andere handbeweging van de elf zorgde ervoor dat de wervelwind van gebroken glas recht op de wachters af ging.

Shadamehr kwam bij het hek aan. Hij moest blijven staan om op adem te komen en toen zag Alise dat ze hem verkeerd had beoordeeld. Hij had niet de clown uitgehangen. De zijkant van zijn overhemd was doorweekt van het bloed.

'Je bent gewond!' riep Alise uit.

'Een krasje, het stelt niets voor,' zei Shadamehr terwijl hij zich oprichtte en haar zijn gebruikelijke woest makende glimlach schonk.

Er kwamen vijf mannen van Shadamehr aanstormen, allemaal met hun fluitje in de hand.

'Hoe is het met de pecwae's?' vroeg Shadamehr onmiddellijk. Er klonk een vreemde hapering in zijn stem, alsof hij hevige pijn had. Hij drukte zijn hand tegen zijn zij. 'Waar is Ulaf?'

'Ik ben hem tegengekomen in de Handschoenenmakersstraat, edele heer,' meldde een van hen. 'Hij zei dat hij de pecwae's op het spoor was. Ze waren maar één straat verderop. Ik heb gevraagd of hij hulp nodig had, maar hij zei van niet, omdat ze hem kenden en vertrouwden. Hij zei dat hij hen naar de Tonronde Kater zou brengen en dat ik daar op hem moest wachten, maar dat was meer dan een uur geleden. Ik heb in de Kater op hem gewacht, maar hij is niet gekomen.'

'Verdomme,' mompelde Shadamehr. Hij keek om naar de gebroken ruit, en het verontrustte Alise dat ze een rilling door zijn lijf zag gaan. 'Je bent ernstiger gewond dan je denkt,' zei ze terwijl ze haar armen om hem heen sloeg. 'Ik kan mijn magie gebruiken om je te genezen... Nee, verdomme! Dat kan ik niet! Niet nadat ik de magie van de Leegte heb beoefend...'

'Er is toch geen tijd voor, lieverd,' zei hij en toen stokte zijn adem. Er parelde zweet op zijn voorhoofd. 'Damra, ga met Griffith naar de kaaien. Daar ligt een orkenschip te wachten. De orken kennen jullie. Ze weten jullie wel te vinden. Wij komen daar ook heen als we de pecwae's hebben gevonden.'

'We willen u niet alleen laten...' begon Damra terwijl ze hem bezorgd aankeek.

'Ik ben in goede handen,' zei Shadamehr met een glimlach naar Alise, een glimlach die ze hartverscheurend vond. Zijn gezicht was asgrauw en zijn lippen waren bleek. 'Hier zijn jullie in gevaar. De magiërs zullen op zoek gaan naar twee elfen en jullie moeten toegeven dat jullie nogal opvallen.'

Damra keek alsof ze hem ging tegenspreken.

'U hebt meer dan alleen uzelf om aan te denken, Domeinheer,' zei Shadamehr zacht. 'U draagt de hoop van uw volk bij zich. Die hoop is hier in gevaar.'

Damra hoefde maar om zich heen te kijken om te weten dat hij gelijk had. De wachters, die overvallen waren door een wervelwind van snijdend glas, strompelden rond en probeerden hun gezicht af te schermen tegen de messcherpe scherven. Er werd alarm geslagen: hoorns weerklonken. Er waren meer wachters in aantocht. Damra had de hoge magiër in een hoek gedreven met de bliksemzweep, maar nu was ze weer vrij en ze zou ziedend van woede achter hen aan komen.

'Als we de pecwae's vinden, zien we jullie aan boord van het schip,' herhaalde Shadamehr.

'Wat gebeurde er daarbinnen, baron?' vroeg Griffith met een gebaar naar het paleis. 'Waarom veranderde u uw plannen?'

Shadamehr aarzelde en zei toen iets in het Tomagi tegen hen. Alise verstond hem niet. De elfen staarden hem ontzet aan. 'Dus u begrijpt,' eindigde hij, 'dat u er snel vandoor moet gaan.'

De twee elfen keken hem bezorgd aan. Hij zag er heel slecht uit.

'Mogen de Vader en de Moeder met u zijn, baron,' zei Damra ten slotte. 'Mogen de Vader en de Moeder met Vinnengael zijn.'

Shadamehr wierp nog een blik op het raam van het Koninklijk Paleis en keek toen snel de andere kant op.

'Niemand kan Vinnengael helpen,' zei hij. 'Zelfs de goden niet.'

Damra pakte haar man bij de hand. Hun beeld flakkerde even en toen verdwenen beide elfen; hun magie hulde hen in duisternis.

'Laten we maken dat we hier wegkomen, voordat ze bij ons zijn,' zei Shadamehr tegen zijn mannen. Hij bleef Alises hand vasthouden. 'Ga uiteen. We verzamelen in de Tonronde Kater. Kijk uit naar de pecwae's en Ulaf.'

De rode gloed van de zonsondergang hing nog in de lucht. Het vuur van de zon in de kristallen ramen verflauwde en zwakte af als de gloed van dovende sintels. Eén raam, het gebroken raam, was een zwart gat. De schemering viel en de Tempel en de gebouwen eromheen wierpen diepe schaduwen. Shadamehrs mannen vertrokken op een draf en hun snelle voetstappen weerklonken hard op het plaveisel, om de achtervolgers weg te lokken van hun gewonde heer.

Toen de wachters het gapende gat in het ijzeren hek bereikten, waren de ketters nergens meer te bekennen. De koninklijke cavalerie arriveerde en de officier beval de soldaten schreeuwend om zich in groepjes op te splitsen en de stad ondersteboven en binnenstebuiten te keren op zoek naar baron Shadamehr en een elfen-Domeinheer, bandieten die het hadden gewaagd een vinger uit te steken naar de jonge koning.

Shadamehr, Alise en Jessan doken een schemerig achterafstraatje in. Shadamehr ging in hoog tempo voorop. Ze stormden de ene straat uit, renden de andere straat in, sloegen weer een andere zijstraat in en schoten een steegje in. Aan het eind van het steegje was een taveerne. Shadamehr duwde de deur open en trok zijn vrienden mee naar binnen.

Alise knipperde met haar ogen en probeerde te wennen aan het felle licht, na de duisternis van buiten. Shadamehr gunde haar niet de tijd, maar duwde haar voort. Ze kreeg een indruk van warmte en van een sterke lucht van bier, zweterige lijven, tabaksrook en erwtensoep. Alise struikelde over stoelen en voeten en viel bijna over haar gewaad. Shadamehr schreeuwde iets tegen de barmeid, die terugschreeuwde en naar hem knikte. Nadat hij zich ervan had vergewist dat Jessan nog bij hen was, leidde Shadamehr hen naar een deur achter in de taveerne.

De deur ging open. Een donkere kamer verzwolg Alise. De deur sloot achter haar. Het was pikdonker in de kamer. Ze zag geen hand voor ogen en wilde Shadamehr net vragen waarom hij er niet aan had gedacht een lantaarn mee te nemen toen het geluid weerklonk van een stoel die over de grond schraapte en daarna een harde dreun.

'Shadamehr?' riep Alise in paniek uit.

'Hij is hier,' zei Jessan.

'Jessan, we moeten licht hebben!' riep ze wanhopig.

Terwijl ze de duisternis vervloekte, stak ze haar handen uit, deed een stap naar voren en struikelde over Shadamehrs benen. Ze knielde naast hem neer en legde haar hand in zijn hals, op zoek naar een hartslag.

Zijn huid was koud en klam, en zijn hart klopte woest en onregelmatig.

'Shadamehr!' riep ze tegen hem, maar er kwam geen antwoord uit het donker.

Epiloog

Patrouilles van soldaten kamden zonder succes de stad Nieuw Vinnengael uit. Het was dan ook een moeilijke taak, als het zoeken naar een baron in een hooiberg, zoals één grappenmaker mopperde, maar ze hielden vol, zij het enigszins halfhartig. Onder de soldaten ging nu het gerucht dat er een vijandelijk leger, afkomstig uit de Leegte, naar de stad oprukte. Die akelige geruchten vermenigvuldigden zich als maden in rottend vlees, en al snel was heel Nieuw Vinnengael in opschudding en renden de inwoners massaal de straat op om de nieuwste doemscenario's te horen, waarmee ze de pogingen van de patrouilles om baron Shadamehr en de vogelvrij verklaarde elfen-Domeinheer te vinden nog verder bemoeilijkten.

Wat de hysterie nog deed toenemen, was het nieuws dat er een monnik van de Drakenberg in Nieuw Vinnengael was aangekomen. Toen iemand zich helaas meteen herinnerde dat er een monnik naar Oud Vinnengael was gekomen aan de vooravond van de verwoesting van die stad, sloeg de paniek toe.

In het paleis kreeg de oorlogsmagiër Tasgall, die weer kon zien, hooglopende ruzie met de venerabele hoge magiër Clovis. De oorlogsmagiër geloofde de waarschuwing van baron Shadamehr. Tasgall zou de andere oorlogsmagiërs op de hoogte stellen en de hoge magiër zou er goed aan doen haar ogen te openen voor de waarheid. Hij wees naar het noorden, waar een doffe rode gloed de horizon verlichtte.

Woedend beschuldigde de hoge magiër hem ervan dat hij partij koos voor rebellen en dieven. Er kwam een abrupt einde aan hun ruzie toen er een tempelmagiër binnen kwam rennen om buiten adem aan te kondigen dat er een monnik van de Drakenberg de stad was binnengekomen.

De hoge magiër liet zich doodsbleek in haar stoel zakken. Tasgall beende de kamer uit.

In de opwinding had niemand meer aan de koning gedacht, totdat een bediende hem vond en hem naar zijn kamer bracht. Hij vroeg wat er aan de hand was, maar kreeg te horen dat alles in orde was. Ze gaven hem zijn avondeten en stuurden hem naar bed.

Het kind deed alsof het sliep, maar op het ogenblik dat de bedienden de deur achter zich dichttrokken, sloeg hij de zijden lakens opzij. Hij klom uit bed en ging voor het raam staan.

Er sprak een stem in het hoofd van het kind.

'Zo, wat heb je te melden?'

'Er is een monnik van de Drakenberg gearriveerd, edele heer. De monnik is vanavond gekomen. Ze hebben hem een kamer in het paleis gegeven.'

Er viel een stilte in het kind, en toen antwoordde de stem: 'Dat is goed nieuws, Shakur. Heel goed.'

'Ik dacht wel dat dat u zou plezieren, edele heer.'

'Het weegt bijna op tegen het feit dat je opnieuw de delen van de Verheven Steen niet te pakken hebt gekregen.'

Het kind stak zijn hand onder het lange, witte nachthemd dat hij in bed aan had. De kleine hand van de achtjarige jongen streek over een mes van been dat hij aan een riem om zijn middel droeg.

'Ze zullen niet ver komen, edele heer,' zei de jongen met zijn kinderlijke stemmetje. 'Ze zullen niet ver komen.'